D0496926

MÉTHODES D'INTERVENTION DÉVELOPPEMENT ORGANISATIONNEL

Dans la collection

Changement planifié
et
développement des organisations

Tome 1. Historique et prospective du changement planifié
ISBN 2-7605-0510-3

Tome 2. Priorités actuelles et futures
ISBN 2-7605-0511-1

Tome 3. Théories de l'organisation.
Personnes, groupes, systèmes et environnements
ISBN 2-7605-0512-X

Tome 4. Pouvoirs et cultures organisationnels
ISBN 2-7605-0573-1

Tome 5. Théories du changement social intentionnel.
Participation, expertise et contraintes
ISBN 2-7605-0616-9

Tome 6. Changement planifié et évolution spontanée
ISBN 2-7605-0617-7

Tome 7. Méthodes d'intervention.
Consultation et formation
ISBN 2-7605-0618-5

Tome 8. Méthodes d'intervention.
Développement organisationnel
ISBN 2-7605-0619-3

CHANGEMENT PLANIFIÉ ET DÉVELOPPEMENT DES ORGANISATIONS

TOME 8

MÉTHODES D'INTERVENTION DÉVELOPPEMENT ORGANISATIONNEL

SOUS LA DIRECTION DE

ROGER TESSIER ET YVAN TELLIER

1992

Presses de l'Université du Québec

Case postale 250, Sillery, Québec G1T 2R1

Données de catalogage avant publication (Canada)

Vedette principale au titre:

Changement planifié et développement des organisations

[2e version]

Comprend des références bibliographiques.
Sommaire: t. 1. Historique et prospective du changement planifié - t. 2. Priorités actuelles et futures - t. 3. Théories de l'organisation, personnes, groupes, systèmes et environnements - t. 4. Pouvoirs et cultures organisationnels - t. 5. Théorie du changement social intentionnel, participation, expertise et contraintes - t. 6. Changement planifié et évolution spontanée - t. 7. Méthodes d'intervention, consultation et formation - t. 8. Méthodes d'intervention, développement organisationnel.

ISBN 2-7605-0619-3 (v. 8)

1. Changement organisationnel. 2. Efficacité organisationnelle. 3. Organisation - Recherche. 4. Culture d'entreprise. I. Tessier, Roger, 1939- . II. Tellier, Yvan, 1932- .

HM131.T448 1990 658.4'06 C91-002854-0

Conception et réalisation de la couverture: Sylvie BERNARD

ISBN 2-7605-0619-3

Tous droits de reproduction, de traduction et d'adaptation réservés © 1992
Presses de l'Université du Québec

Dépôt légal – 4e trimestre 1992
Bibliothèque nationale du Québec
Bibliothèque nationale du Canada
Imprimé au Canada

Table des matières

Avant-propos

C'est en 1973 qu'a été publiée simultanément à Montréal et à Paris, la première version de *Changement planifié et développement des organisations : théorie et pratique*. Ce premier livre de 800 pages comptait une trentaine de collaborateurs. Nous présentons ici une deuxième version en huit tomes réunissant les collaborations d'une centaine d'auteurs. Cette croissance est attribuable au nombre et à la variété des intervenants, directement et indirectement touchés par les diverses manifestations du courant, à la quantité des programmes d'études universitaires, ainsi qu'à la diversification des apports théoriques et méthodologiques. Alors qu'en 1973, un peu partout en Amérique, la pratique du changement planifié présentait des signes d'essoufflement et semblait même sur le point d'amorcer un net mouvement de recul, force nous est de constater aujourd'hui tous les signes d'une reprise vigoureuse. La redécouverte des acquis et l'ouverture à de nouvelles perspectives garantissent sa pertinence renouvelée pour l'action et la réflexion des personnes qui s'inscrivent dans la tradition des pratiques de groupe orientées vers le changement des institutions et du personnel qu'elles encadrent.

Au moment d'arrêter la stratégie de production, nous avons fait certains choix qui expliquent, outre la taille, d'importantes différences entre l'ouvrage actuel et son prédécesseur. D'abord, les tomes 1 et 2, *Historique et prospective du changement planifié* et *Priorités actuelles et futures*, situent les pratiques actuelles dans une perspective plus explicite, mieux définie et plus différenciée. Si nous avons cru bon d'accorder plus d'attention à l'histoire, c'est sans doute qu'elle est plus longue: un demi-siècle justifie l'attente qu'une vision rétrospective offre aujourd'hui des points de repère plus nombreux et plus significatifs comparés à ceux qu'aurait révélés un historique produit au début des années 70. L'adoption d'un point de vue prospectif nous a paru, quant à elle, entièrement justifiée par la lucidité que commande une fin de millénaire turbulente et déroutante.

Sœur Anne, ne vois-tu rien venir? Voyez-vous, chère sœur, ce n'est pas que je ne vois rien venir, mais bien plutôt que j'en vois trop!

Comment, en effet, distinguer dans la masse des signes de changements politiques, économiques, culturels, écologiques et techniques, les précurseurs du prochain équilibre d'une civilisation mondiale et planétaire qui ne menacerait plus, comme elle le fait dans la conjoncture actuelle: la nature, par les retombées de l'industrialisation sauvage, les nombreuses cultures, par la généralisation rigide d'une certaine modernité occidentale, les hommes, femmes et enfants arrachés à leur tradition, livrés à un désespoir que la consommation, la drogue et les distractions de toutes sortes ne font qu'anesthésier momentanément.

Nous avons ensuite présenté de façon plus explicite les *Théories de l'organisation. Personnes, groupes, systèmes et environnements* (tome 3) et *Pouvoirs et cultures organisationnels* (tome 4). Indépendamment de leur traduction immédiate en stratégies de changement et en méthodes d'intervention, nous présentons les grands courants théoriques sur les organisations formelles aux intervenants, chercheurs et étudiants, pour qui le décodage du fonctionnement des organisations, souvent sous forme de diagnostic préalable à une intervention (action directe, formation), constitue une priorité vitale et un pôle d'attraction intellectuel de première importance.

Le tome 5 (*Théories du changement social intentionnel. Participation, expertise et contraintes*), le tome 6 (*Changement planifié et évolution spontanée*), le tome 7 (*Méthodes d'intervention. Consultation et formation*) et le tome 8 (*Méthodes d'intervention. Développement organisationnel*) s'apparentent plus au contenu de l'ouvrage paru en 1973, la théorie et la pratique du changement planifié et du développement organisationnel leur donnant une trame spécifique.

Nous accordons davantage d'importance à des positions théoriques (pour les tomes 3, 4, 5 et 6) et à des innovations méthodologiques (pour les tomes 7 et 8) compatibles avec les postulats théoriques et les valeurs humanistes et démocratiques de la tradition du changement planifié, mais que nous croyons aptes à soutenir des efforts d'ouverture, de renouveau et d'approfondissement, tout en maintenant, voire en faisant progresser, l'ensemble des traits constants caractéristiques de la tradition.

Comme codirecteurs de l'ouvrage, nous saisissons l'occasion de ce bref avant-propos pour offrir nos remerciements les plus sincères à certaines personnes et institutions dont la collaboration a rendu possible la production d'une œuvre d'une telle ampleur et d'une telle complexité. En tout premier lieu, nous voulons exprimer notre gratitude à Claude Lagadec, philosophe et écrivain, dont la double maîtrise de l'anglais et du français aura rendu possible la publication, pour la première fois en français, de quatorze textes américains originaux, répartis également entre des apports classiques et nouveaux.

Nous voulons aussi rendre hommage à trois collaborateurs dont l'assiduité au travail et la compétence auront permis qu'un aussi gros projet arrive à terme sans trop de complication. Depuis la mise en place du tout premier fichier des auteurs jusqu'à la correspondance requise par la négociation des droits de traduction et de reproduction, Réjean Labonté aura été un infatigable compagnon de route. Lucie Dubuc, responsable de la révision des quatre derniers tomes, a assuré les relations avec les auteurs. Mariane St-Denis a surtout joué le rôle d'assistante à la rédaction pour deux opérations complexes : l'édition écrite des entrevues de la section *Images du futur* et les notices biographiques des auteurs. Nous remercions également le Service des publications de l'UQAM dont l'aide financière a permis la transcription dactylographique de ces entrevues.

Remerciements

Nous tenons à remercier les maisons d'édition suivantes, qui ont bien voulu nous permettre de reproduire certains documents dans le présent volume.

Les Éditions de l'IFG

F. E. Peacock Publishers

Ce volume a pu être publié grâce à une subvention du Comité des publications de l'Université du Québec à Montréal.

Introduction

Ce long tome contient trois types de contributions. Les six premiers textes sont du premier type : ils concernent le développement organisationnel (DO) comme stratégie de changement. Ces textes s'acquittent de tâches diverses, de l'ordre des définitions et de la présentation de modèles théoriques et pratiques, de la description historiographique (étapes de développement du DO) et de l'illustration monographique. Le second type de textes (trois textes, en fait) est consacré au mouvement de la *qualité* (qualité de vie au travail, qualité totale). L'implantation de la qualité au Canadien National (CN) (l'historique compagnie de chemin de fer canadien) fait contrepoids à la monographie de Brian Hobbs, Pierre Ménard et Robert Poupart qui est, elle, d'orientation DO culturaliste. Bien sûr, il faut se méfier de certaines manœuvres de mise en marché et de leurs simplifications abusives. Les entreprises de changement de type *qualité* ont des traits distinctifs marquants, si on les compare à des interventions DO typiques. Mais ce n'est pas vouloir annexer quoi que ce soit que de reconnaître les ressemblances et les affinités entre des pratiques de changement organisationnel participatives et complexes. Le souci pour la globalité du système, avant d'être holisme, est relié à la perception des organisations formelles comme constituant des *cultures*. Les valeurs et les mœurs, l'équilibre des pouvoirs, l'interface entre le groupe et la technologie, autant d'aspects d'une organisation qui sont marqués par sa culture. La culture est englobante, sa présence multiforme. La transformation en profondeur de la culture organisationnelle est toujours impliquée par trois types majeurs d'interventions organisationnelles : le DO culturaliste à la Schein ou à la Poupart[1], les changements radicaux décrits par Réjean Doyon et Mihaela Firsirotu[2], et les stratégies de type qualité totale.

---

1. Voir Robert POUPART et Brian HOBBS (1991). « Culture et développement organisationnels : concepts théoriques et guide pratique », dans R. TESSIER et Y. TELLIER (sous la direction de), *Changement planifié et développement des organisations*, Sillery, Presses de l'Université du Québec, tome 4, pp. 155-174 ; Edgar H. SCHEIN (1991). « Plaidoyer pour une conscience renouvelée de ce qu'est la culture organisationnelle », dans R. TESSIER et Y. TELLIER, *op. cit.*, tome 4, pp. 175-196.
2. Réjean DOYON et Mihaela FIRSIROTU (1991). « Comparaison de deux paradigmes sur le changement organisationnel : le paradigme radical et le développement organisationnel », dans R. TESSIER et Y. TELLIER, *op. cit.*, tome 5, pp. 141-167.

Les textes du troisième genre que contient le tome 8 montrent deux caractéristiques communes. Les cinq textes dont il s'agit entretiennent un lien de pertinence avec la théorie et la pratique du DO, en même temps qu'ils représentent certaines innovations au sein du courant du DO. Le tout premier texte de ce tome, « Le développement organisationnel », par Yvan Tellier, décrit suffisamment — ou alors se réfère à des sources nombreuses et spécifiques qui prennent le relais — le corpus méthodologique et technologique du DO. Nous avons choisi, par contraste, cinq développements significatifs, deux méthodologiques (la pratique de la médiation et les pratiques de réseaux), deux sociohistoriques (l'apport du changement planifié à la problématique de l'intégration des femmes au marché du travail et le développement international) ; le cinquième développement se produit sur le terrain de la recherche et participe de la montée des *méthodes qualitatives* (histoires de vie, ethnométhodologie, entrevues en profondeur, études longitudinales). L'étude des personnes et des cultures pourrait bien commander des manières épistémologiques moins intruses, et ayant recours à de moins nombreuses suppositions *a priori* sur les objets et les phénomènes, sur ce qui doit être défini avant l'expérience comme porteur d'intérêt au moment de l'observation.

Même si les premières recherches-actions dans l'entreprise remontent au début des années 50, et même si de nombreux participants et participantes des premières sessions de formation aux relations humaines (à partir de 1947) provenaient d'organisations qui les mandataient et attendaient de leur participation des retombées précises sur leur comportement personnel, sur le fonctionnement des groupes placés sous leur responsabilité, Yvan Tellier dans « Le développement organisationnel » situe entre 1960 et 1972 la première étape de l'histoire du DO.

L'idéologie et la théorie derrière cette première tentative pour centrer l'intervention sur l'organisation, répudiant ainsi la croyance du début selon laquelle la dynamique des groupes et la formation en îlots culturels ne pouvaient se pratiquer qu'à l'intérieur d'un groupe hétérogène constitué d'étrangers, s'appuient sur les travaux de très grands pionniers du courant humaniste et démocratique de réflexion et de recherche sur les organisations : Kurt Lewin, Douglas McGregor et Rensis Likert. Les relations humaines constituent la dimension stratégique primordiale de l'organisation : le leadership efficace et démocratique, la participation aux décisions accroissent la productivité. Les conduites individuelles sont intégrées dans une culture groupale, que tout effort de changement doit considérer comme sa médiation principale.

Jusqu'à 80 % des activités DO de cette première étape reposent sur le groupe de formation et ses dérivés : la différence majeure tient au fait que les membres appartiennent à la même institution (souvent à la même unité, on parle alors de groupe de famille), parfois à des unités équivalentes (exemple : les contremaîtres de nombreuses divisions d'un même ensemble, ce qui constitue un groupe de cousins).

La seconde étape (1972-1982), comme le suggère Yvan Tellier, est marquée par un double mouvement de différenciation, théorique sans doute, ce dont témoignent de nouveaux apports comme le gestaltisme et l'école sociotechnique, mais encore plus technologique. C'est pendant cette deuxième phase que se consolident les principales techniques, devenues « classiques » depuis : l'enquête-*feed-back*, la session de confrontation, la gestion des conflits intergroupes, la planification des systèmes ouverts. Ce qui n'empêche pas le DO de demeurer une stratégie de changement planifié dont le point d'entrée prioritaire est l'apprentissage. Il ne s'agit pas d'abord d'implanter des systèmes ou de proposer des techniques, mais de transformer valeurs et attitudes dans le sens d'une démocratisation de la culture organisationnelle.

À la troisième étape (1982-1992), la finalité de base du DO reste la transformation de la culture organisationnelle, mais l'accent se déplace du groupe vers les autres dimensions de l'organisation. À côté de la consolidation d'équipe, technique à la fois centrée sur les processus interpersonnels et la résolution de problèmes de fonctionnement au plan de la tâche, on trouvera des systèmes et des méthodes proposant une traduction opérationnelle des mêmes valeurs humanistes et démocratiques, en fonction de problèmes organisationnels comme le développement de la carrière, la mobilité du personnel, la relève ou la gestion du rendement.

De 1960 à nos jours, l'accent s'est déplacé de l'individu vers le groupe : on a vite renoncé à l'hypothèse que l'organisation comme culture allait forcément changer si une certaine « masse critique » d'individus avaient préalablement changé leurs attitudes. Un second temps dans l'évolution a de nouveau déplacé l'accent, cette fois du groupe vers le système. C'est bien l'ensemble des paramètres pertinents à la dimension des ressources humaines de l'organisation qui doit faire l'objet d'efforts délibérés de changement. Une organisation humaine et démocratique ne procède pas selon les anciens codes quand il s'agit de recruter du personnel, d'évaluer son rendement, d'établir des plans de carrière ou de se séparer d'une partie de sa main-d'œuvre.

Brian Hobbs, dans « Le développement organisationnel et la théorie des organisations », analyse dix textes classiques sur le DO parus entre 1960 (*The Human Side of Enterprise* de Douglas McGregor) et 1975 (*Organization Development and Change* de E. F. Huse). Son travail ne concerne que les énoncés (contenus dans ces textes) décrivant des organisations actuelles et passées ou évoquant, sur un mode prescriptif, ce que pourraient être les organisations. D'autres registres du discours DO sont ignorés pour l'instant ; ceux qui ont trait aux techniques de changement ou à la fonction des agents de changement, par exemple.

Globalement, Brian Hobbs remarque que les écrits sur le DO appartiennent à une documentation qui critique une approche bureaucratique de la gestion en préconisant une solution de remplacement participative qui mise sur la communication horizontale, la satisfaction au travail, la décision de groupe.

Une fonction de charnière est accordée à la théorie de la contingence de Paul Lawrence et Jay Lorsch. Même si leurs ouvrages ne sont pas des textes typiques du DO, ils ont été assimilés par les auteurs DO, au point de paraître aptes à réconcilier les deux tendances, bureaucratique et participative.

Au dire de Brian Hobbs, l'opposition fondamentale entre gestion bureaucratique et participative comprend trois autres oppositions :

1) le travail varié s'oppose au travail répétitif ;

2) l'individu s'oppose à l'organisation ;

3) les rapports interindividuels s'opposent aux rapports entre groupes restreints.

L'opposition entre bureaucratie et participation donne sa première division au texte. La seconde partie décrit les trois autres oppositions énoncées cidessus. La troisième section du texte pour sa part, présente les cartes causales implicites des textes analysés : comment sont dessinées, en interrelation, les influences des divers facteurs actifs à l'intérieur des organisations.

Au chapitre de l'opposition entre organisation bureaucratique et organisation participative, Douglas McGregor décrit deux modes contrastés de rapports entre supérieurs et subordonnés : la gestion par direction et contrôle extérieur (théorie X) et la gestion par intégration et autocontrôle (théorie Y). Historiquement, les organisations ont cheminé, pendant plusieurs siècles, de la coercition physique à l'autorité formelle ; une seconde transformation est en cours où une certaine aide professionnelle de la part des gestionnaires est en train de supplanter l'autorité formelle.

Rensis Likert oppose également une pratique dominante traditionnelle autoritaire à une autre, en voie d'émergence, de type participatif. Tous les autres textes font état d'une opposition du même genre, bien que plusieurs s'y réfèrent sous d'autres vocables, tels que « système mécanique » contre « système organique ». Seul le texte de Lawrence et Lorsch n'évoque pas d'opposition entre des types d'organisation : il affirme plutôt la nécessité de la pluralité des formes d'organisations. Il faut plusieurs types d'organisations pour faire face à des réalités différentes. L'ensemble des textes associe le travail répétitif à l'organisation bureaucratique, le travail varié à l'organisation participative. Seul le texte de Lawrence et Lorsch ne porte pas de jugement de valeur sur le travail répétitif. Concernant l'opposition entre individus et organisations, les textes de McGregor et Likert instaurent un grand nombre de relations de causalité où le comportement des supérieurs et les pratiques de gestion sont les causes premières de maints phénomènes organisationnels. Les textes de Bennis et Beckhard sont plus sommaires et fragmentaires.

À propos de la tension opposant rapports individuels et rapports de groupe, tous les textes, excepté celui de Lawrence et Lorsch, accordent une large place aux rapports de groupe : une organisation est un ensemble de groupes. C'est peut-être en évacuant la question des rapports de groupe que la théorie de la contingence réussit à réhabiliter la bureaucratie.

L'attention au processus

« Le développement organisationnel » d'Yvan Tellier et « Le développement organisationnel et la théorie des organisations » de Brian Hobbs traitent de sujets complémentaires : la pratique du DO, ses méthodes et ses techniques (Tellier) ; la théorie de l'organisation implicite et explicite inhérente à la documentation sur le DO (Hobbs). La décennie 1960-1970 occupe une place centrale dans les deux textes. En dépit de divergences d'accents — Hobbs est nettement plus critique — les deux chapitres se rejoignent sur un thème central, celui de la participation. Les textes analysés par Brian Hobbs opposent à la bureaucratie un modèle participatif d'organisation et de gestion. Les méthodes et les techniques décrites par Yvan Tellier sont en quelque sorte une opérationnalisation de la participation par des stratégies qui en supposent l'instauration.

Si la centralité du thème de la participation est manifeste, aussi bien dans le discours que dans la pratique, elle dépend largement de la polyvalence de ce thème. Participer, c'est aussi bien répondre par voix consultative aux attentes du pouvoir que prendre part à des processus formels de décision ; c'est également se sentir concernés par les aspects les plus nombreux possible de la vie de l'organisation à laquelle on s'identifie positivement et prendre le risque d'exprimer publiquement des opinions et des sentiments à propos de circonstances diverses de la vie organisationnelle. Au-delà de techniques de concertation pour susciter ou vérifier l'adhésion à des contenus particuliers, dans le contexte du DO des deux premières étapes décrites par Yvan Tellier (1960-1972 ; 1972-1980), la participation est d'abord et avant tout affaire de processus.

Au cœur de la stratégie éducative primordiale de l'îlot culturel (aussi bien de la pratique des groupes de formation hétérogènes de la première décennie que de celle des interventions directes sur des groupes naturels, typiques de la seconde), faisant office de message primordial des monitrices et moniteurs, se retrouve indiscutablement l'attention au processus. Les participants et participantes s'amenaient avec d'innombrables questions : sur la gestion, le leadership, le fonctionnement des groupes, les conflits interpersonnels, et combien d'autres aspects des relations humaines et des organisations ! Questions auxquelles le personnel spécialiste n'allait pas répondre *au plan du contenu*, répondant plutôt à des questions par des questions d'un autre ordre, qui concernaient *le processus*, plus exactement divers niveaux de processus : « Que se passe-t-il ici et maintenant dans ce groupe ? », « Que se passe-t-il entre les personnes ? », « Que se passe-t-il à l'intérieur de chacune des personnes ? ». L'objet premier de l'apprentissage, en même temps que sa source principale, est, sans contredit, la capacité à exprimer son *feed-back*, à dévoiler sa vérité d'une manière acceptable pour autrui. Devenir plus sensible aux intonations socio-émotives du fonctionnement groupal, interpersonnel et intrapersonnel et plus apte à s'exprimer librement à leur sujet représentait la valeur cardinale servie par cette stratégie éducative et incarnée concrètement dans le comportement des monitrices et moniteurs et des consultants et consultantes. Dans un tel bouillon de culture, ceux et celles qui *résistaient* et demeuraient obsédés par les nombreuses questions de contenu laissées apparemment sans réponse, du moins sans réponse immédiate et explicite, étaient considérés comme « trop centrés sur la tâche (Stock et Thelen) » ou « contre-personnels (Shutz) », se refusant à un minimum de participation au processus de circulation du *feed-back*.

Robert T. Golembiewski, dans « Interventions visant les organisations complexes : changements dans les modèles de relations interpersonnelles et intergroupes », montre que la pratique du DO a connu une évolution en deux étapes. À la première, les praticiennes et praticiens mettent l'accent sur le changement des attitudes ; au cours de la seconde, leur attention se porte plutôt sur le changement direct au niveau de l'organisation. Mais quels facteurs ont eu une influence motrice sur ce changement ?

Dans les années 40, les promoteurs et promotrices de la méthode du laboratoire (îlots culturels) se rendent compte que les changements d'attitudes survenus au cours des sessions intensives ne résistent pas au test du retour à la réalité organisationnelle. Même que des contremaîtres qui n'ont pas participé à une telle formation semblent se débrouiller mieux que ceux qui en ont « bénéficié ». À l'exception de ceux qui sont supervisés par des surintendants qui présentent les attitudes et les habiletés que valorisait le laboratoire ! Est-ce par naïveté ou par persévération compulsive dans l'erreur, toujours est-il que la priorité a continuellement été donnée à une stratégie de changement qui mise d'abord sur le retrait des participants dans des îlots culturels, hors du fonctionnement régulier de l'organisation.

Pourtant, Robert Golembiewski souligne que les praticiennes et praticiens ont eu tôt fait de noter les lacunes d'une telle stratégie. On s'en remet trop à la connaissance intuitive, on escompte trop que le climat de confiance régnant dans ces groupes de formation se retrouvera dans l'organisation réelle. Les conflits ayant cours dans les groupes d'étrangers ne se retrouvent pas nécessairement dans l'organisation réelle : peut-être même l'expérience au sein de ce genre de situation d'apprentissage viendra-t-elle compliquer la vie quotidienne au sein de l'organisation.

Une limite encore plus évidente tient au fait que les groupes de formation ne reproduisent pas la situation d'autorité existant dans l'organisation. Plus profondément, Golembiewski soutient qu'on ne peut sans grand risque assumer une continuité entre la santé mentale des individus et le fonctionnement optimal des organisations. Le groupe de formation, une fois dissous, ne peut renforcer de manière continue des apprentissages qui ont à se manifester dans l'organisation.

Toutes les limites évoquées plus haut ont eu pour effet de rendre les praticiens et praticiennes plus réalistes. Même si tous les membres d'une équipe reçoivent une formation en participant à des groupes d'étrangers ou de cousins, rien ne garantit qu'une telle équipe fonctionnera significativement mieux. Peu à peu, l'attention se déplace des habiletés individuelles vers les valeurs et les attitudes au sein de l'organisation. Le groupe de famille intra-organisationnel prend la relève et devient l'instrument majeur de la stratégie DO. Robert Golembiewski conclut qu'on n'en serait sans doute pas arrivé là si la pratique du groupe de formation, à la première étape, n'avait révélé certaines faiblesses et inadéquations. Dès l'époque de l'îlot culturel hétérogène, on a mis au point diverses techniques favorisant le transfert des apprentissages, de l'« ici et maintenant » vers un éventuel ailleurs (*there and then*). En même temps aussi, on évitera de surestimer les effets légitimement espérés de telles tentatives : il n'y a dans ce domaine aucune baguette magique ! (Faut-il dire hélas ?) On en arriva, aussi, à mieux préparer, au sein même de l'organisation, ceux et celles qui allaient participer à des îlots culturels externes. Enfin, en dépit des lacunes observées dans le transfert des apprentissages, les participantes et participants étaient en mesure d'identifier des cas de succès manifestes, propres à soutenir leur conviction qu'une stratégie de type laboratoire pouvait s'adapter aux exigences de la vie au sein de l'organisation, qu'elle demeurait une option valable parce que rentable à long terme.

Deux autres textes se préoccupent, comme le précédent, de la pertinence d'une stratégie de formation en équipes pour modifier les attitudes et les valeurs individuelles. Alexander Winn, dans « Réflexions sur la stratégie du groupe de formation et le rôle de l'agent de changement dans le développement organisationnel », montre comment une technique particulière, le groupe de formation, est devenue l'arme principale d'une stratégie complète de développement qui vise non seulement la modification des attitudes, mais encore le développement structurel de l'organisation. Alexander Winn identifie clairement un certain nombre de problèmes occasionnés par le recours à cette stratégie, en particulier le problème de l'adaptation plus ou moins satisfaisante de la stratégie par rapport aux caractéristiques de l'organisation. Certains types d'organisations se prêtent bien à la stratégie du groupe de formation, d'autres beaucoup moins bien. Ce chapitre présente aussi un certain nombre de considérations sur le statut et le rôle de l'agent de changement interne au sein des organisations ayant recours à une stratégie de développement centrée sur le groupe de formation.

Dans « La dynamique du développement des organisations », Roger Tessier analyse certaines implications du développement des organisations, aussi bien pour l'individu que pour l'organisation elle-même. Il remet en question les schémas traditionnels à l'aide desquels on décrit l'expérience de la personne face aux incitations aux changements : décristallisation, déplacement du niveau de la conduite et recristallisation. Selon lui, le type de changement auquel on conduit l'individu au sein du courant du développement des organisations, est un changement continu, prenant la forme d'une ligne d'horizon lointaine de valeurs abstraites vers lesquelles tendre, plutôt que celle d'un point défini du temps. Au niveau de l'organisation comme telle, Roger Tessier met surtout en lumière l'importance de la variable du pouvoir, pour rendre compte du fait qu'une action de changement obtient plus ou moins d'effets réels sur la vie concrète d'une organisation.

Les promoteurs et promotrices d'une entreprise de changement planifié doivent avoir du pouvoir s'ils veulent influencer l'organisation. S'ils en ont peu, ils doivent travailler très étroitement avec ceux qui en ont davantage.

Le retour du contenu

Bien sûr, le *contenu* n'était pas absent des préoccupations des participantes et participants, consultants et consultantes qui ont pratiqué l'une ou l'autre forme des interventions DO de la seconde vague (dont la caractéristique principale était une proximité plus grande entre le travail de l'intervention et les fonctionnements réguliers de l'organisation). Dans les groupes de famille et encore plus dans les séances de construction d'équipes ou les exercices de confrontation et de concertation intergroupes, les problématiques de la tâche ne servent pas seulement de prétextes ou de véhicules à la clarification des relations ou à la résolution de conflits interpersonnels ou intergroupes. Très souvent, l'aplanissement des tensions se traduit par des retombées sur le travail : des objectifs sont clarifiés, des procédures mieux définies, leurs nouvelles définitions faisant l'objet d'un consensus chez les interlocuteurs et interlocutrices concernés, les compétences et complémentarités sont mieux délimitées. À quelque chose malheur est bon ! Regarder les conflits bien en face (*to work through*, dirait-on au *Tavistock Institute*) conduit à des perceptions nouvelles des exigences de la tâche et des rôles respectifs, explorés dans des jeux par les participantes et participants. Ce n'est qu'à la troisième étape du développement (depuis 1980 au dire d'Yvan Tellier) que les présupposés humanistes et participationnistes du développement organisationnel se verront traduits en systèmes et en méthodes, dont le contenu est à la fois mieux circonscrit et plus limité.

Un instrument (exemple : le schéma d'entrevue) peut appuyer le travail de la division du personnel auprès des cadres au chapitre de la planification de la carrière ; il n'entretient pas le même rapport avec le contenu que l'émergence spontanée, au sein d'une session de construction d'équipe par exemple, du thème de la carrière, tel qu'il est vécu par les membres du groupe.

Le mouvement de la qualité, comparativement au développement organisationnel, se distingue par sa centration sur des contenus concrets. N'est-il pas d'abord une tentative pour intégrer le contrôle de la qualité au processus de production ? En peu de temps diverses formes de non-qualité seront prises en charge (le vocable de « qualité totale » signifie justement qu'aucun aspect de la qualité ne sera négligé). Il n'en reste pas moins que les écarts indésirables entre produit et standard se trouvent au cœur d'un processus de résolution de problèmes très particulier. À l'entrée comme à la sortie, les informations pertinentes ont la forme de caractéristiques concrètes d'objets matériels précis. Même si tous les aspects de la situation du travail (livraison aux clients, satisfaction de ceux-ci à l'usage du produit, relations internes et externes, climats socio-émotifs, etc.) ont droit de cité à l'intérieur de la quête continue de la qualité tous azimuts, le souci constant de précision et du réalisme le plus concret demeure la caractéristique principale des stratégies visant la qualité.

Les cercles de qualité, méthode fortement marquée par deux spécialistes américains (Deming et Juran), ont joué un rôle considérable dans l'essor économique du Japon. Ils y ont connu un tel succès et une telle visibilité que l'adoption de ces méthodes par de nombreuses entreprises américaines constitue un fait majeur de l'histoire récente des stratégies de changement organisationnel. Dans « Les cercles de qualité : une structure parallèle ou... », Pierre Dubois et Pierre Boutin échappent à l'engouement et aux slogans : ils donnent une mesure réaliste du phénomène et font état des forces et des limites de la méthode.

Les cercles de qualité représentent d'abord une tentative pour intégrer le contrôle de la qualité au processus de production, de manière que tout le personnel s'y engage, à rendre tout le monde conscient de la qualité. Pour fonctionner adéquatement, ces cercles doivent réunir six ingrédients inséparables : la participation y est volontaire ; les membres proviennent d'une même unité de production et veulent analyser entre eux son fonctionnement afin d'en résoudre les problèmes ; il s'agit d'un processus continu (une réunion par semaine), et non d'une réponse ponctuelle à un problème émergent ; le processus de groupe reçoit beaucoup d'attention des membres comme des animateurs et animatrices ; c'est le supérieur ou la supérieure hiérarchique qui anime le processus ; la formation (technique, administrative, psychologique) y est un atout majeur.

Pierre Dubois et Pierre Boutin utilisent leur importante expérience sur le terrain et échappent à l'attitude normative simpliste, du genre propagandiste. Les succès sont souvent spectaculaires, il faut le reconnaître. Un danger important cependant guette ce genre de processus de transformation continue : il risque de se transformer en une structure parallèle. Il faut donc constamment veiller à son intégration dans la structure formelle. Il faut contrer toute tendance du cercle à se replier sur lui-même, et favoriser l'établissement par ses membres de liens avec des collègues situés à l'extérieur, mais dont la contribution est indispensable à l'amélioration durable du processus de production et du flot des produits.

Les dirigeantes et dirigeants doivent choisir une vision à long terme qui intègre le programme à l'ensemble de la structure formelle. Ceci n'est possible que si eux-mêmes s'engagent pleinement à poursuivre inlassablement l'objectif d'une gestion participative plus complète, vigilante, ouverte, plus accueillante par rapport aux points de vue du plus grand nombre possible d'actrices et d'acteurs significatifs.

Au cœur de la qualité de vie au travail (QVT) se trouve un effort pour optimiser la tâche, et les rapports entre personnel et tâches. L'enrichissement de la tâche, la polyvalence des habiletés du personnel et des complémentarités s'exprimant le plus souvent possible entre plusieurs intervenants et intervenantes, autant de valeurs fortement préconisées par le courant de la QVT.

Dans « Technologies et qualité de vie au travail : le point sur la question », Maurice Lemelin, Alain Rondeau et Nancy Lauzon posent quatre questions clés toutes reliées au côté travail de la qualité de vie.

1) Les postes définis majorent-ils l'intimité du rapport entre le personnel et les qualités intrinsèques du travail ?

2) Les nouvelles techniques menacent-elles les emplois ?

3) Quelles retombées l'arrivée des nouvelles technologies aura-t-elle sur les carrières (nouvelles carrières, réorientations de carrières, recyclage) ?

4) Les nouvelles technologies représentent-elles des risques pour la santé et la sécurité du personnel ?

Faisant leur chemin entre trois scénarios de base (pessimiste, optimiste, neutre), les auteurs parviennent à brosser un tableau nuancé de l'impact des nouvelles technologies sur la vie des organisations. En matière d'emploi, les pessimistes prévoient que les pertes nettes d'emploi ne seront pas compensées par des développements sectoriels nouveaux, créant des appels de main-d'œuvre.

Les optimistes, eux, croient que l'automatisation représente la disparition de nombreux emplois, à court terme, mais que le gain de productivité qu'elle entraîne engendrera, lui, un grand nombre de nouveaux emplois à long terme. Jusqu'ici, le bilan semble assez indécis, mais tout le monde concède que la montée des nouvelles technologies s'accompagne à tout le moins d'un déplacement d'emplois assez important.

À la conception de quel genre d'emplois serait porté un processus de production doté de nombreux relais techniques et électroniques ? Encore ici Maurice Lemelin, Alain Rondeau et Nancy Lauzon se situent entre une prédiction très pessimiste : l'accentuation de la dichotomie compétitive entre l'individu et les exigences du complexe sociotechnique, et une autre, optimiste, où le pôle humain et groupal représente dans cette équation la contribution primordiale des membres à l'organisation. Au plan de la santé et de la sécurité, la recherche est assez embryonnaire, à ce stade, et suggère une symptomatologie de type « stress », plutôt que la présence de nombreux agents environnementaux (rayons et autres émanations chimiques, bruits, etc.).

La globalité du système

Dans sa célèbre typologie, Harold J. Leavitt[3] décrit trois grandes familles de stratégies pour changer les organisations : les stratégies technologiques, structurales et orientées vers les personnes. L'auteur nous met en garde contre un excessif cloisonnement entre ces trois points d'entrée. Chacune à sa manière, ces stratégies veulent atteindre la tâche, le rendement global de l'organisation, et les théories qui les gouvernent proposent des enchaînements logiques qui se réfèrent à trois ordres de facteurs. Aussi vraie que puisse être cette affirmation très générale, il n'en reste pas moins que l'attention des intervenantes et intervenants les plus typiques des trois familles de stratégies accentue la prédominance d'un facteur sur les autres, en en faisant une sorte de « voie royale » vers l'accomplissement d'une tâche à la fois plus « sophistiquée » (Bion[4]) et plus rentable.

Il faut attendre Eric Trist et les autres théoriciens et théoriciennes, praticiennes et praticiens du courant sociotechnique pour que des tentatives plus synthétiques et plus globales de conception et d'intervention prennent la relève d'approches dominées par les modèles simples, à l'occasion presque simplistes.

3. Harold J. LEAVITT (1991). « Le changement organisationnel appliqué dans l'industrie : les approches structurale, technologique et humaniste », dans R. TESSIER et Y. TELLIER, *op. cit.*, tome 5, pp. 37-80.
4. Voir Aldéi DARVEAU (1991). « Le design des systèmes sociaux : l'école sociotechnique », dans R. TESSIER et Y. TELLIER, *op. cit.*, tome 5, pp. 97-139.

S'il fallait choisir un point sur lequel convergent les diverses tendances au sein des stratégies de changement organisationnel contemporaines (qualité totale, école sociotechnique et DO culturaliste), ce serait sans aucun doute l'effort marqué de la part des spécialistes de la consultation pour prendre en charge simultanément toutes les dimensions de l'organisation : humaine, technique et structurale, l'environnement s'ajoutant à la tradition classique décrite par Harold J. Leavitt (surtout chez les avocats du développement durable).

Le souci d'harmoniser les dimensions de base de l'organisation caractérise aussi bien la stratégie décrite par Brian Hobbs, Pierre Ménard et Robert Poupart — assez typique des préoccupations culturaliste du DO contemporain — que l'immense effort d'implantation de la qualité totale au Canadien National tel qu'il est présenté par Jean Pierre Laroche, ou encore celui, non moins impressionnant, tenté par Hydro-Québec et décrit par Jean-Michel Masse dans « Le changement planifié et la gestion de la qualité ».

Le problème spécifique posé aux organisations à haute teneur technologique, selon Brian Hobbs, Pierre Ménard et Robert Poupart tient dans une question centrale : « Comment injecter plus de savoir-faire managerial dans le travail scientifique ? »

Dans « De la technicité à la "managementalité" : un cas de changement culturel dans une entreprise à haute teneur technologique », ils accordent une importance égale aux deux inséparables versants de tout changement organisationnel : le contenu et le processus. L'unité organisationnelle (pseudonyme : Alpha) analysée dans leur étude de cas bénéficie d'importants degrés de liberté à l'intérieur d'un vaste complexe. Ceci permet aux auteurs de présenter un ensemble de constats, le diagnostic qui les accompagne et les prescriptions qui en découlent, convenant sur mesure aux circonstances particulières de la division en question.

Avant sa réorientation, Alpha se caractérisait par une structure fonctionnelle dominée par le département d'ingénierie. Pour donner le contrôle à la gestion, on met le cap sur une structure matricielle et on accorde beaucoup de liberté aux équipes de projet. Ce changement paraît peu réaliste à Brian Hobbs, Pierre Ménard et Robert Poupart : il le serait pour les grands projets, mais produit une forte dispersion dès que les gestionnaires doivent gérer de 30 à 40 projets à la fois. Le mieux est souvent l'ennemi du bien ! Et des valeurs hautement désirables, comme le travail en équipe et la complémentarité matricielle des fonctions, peuvent mener à des dysfonctions graves dans un contexte comme celui d'Alpha.

En plus du manque de convenance entre la solution envisagée (autonomie poussée des équipes) et certaines contraintes caractéristiques de l'ensemble du contexte organisationnel, plusieurs facteurs reliés au *processus* viendront compliquer l'entreprise de changement. Le problème (ou la situation préalable à l'effort de transformation) n'est pas perçu comme très urgent par la majeure partie du personnel. On croit que le gestionnaire au centre de l'action veut plutôt s'emparer du pouvoir en s'appuyant sur ses consultants et consultantes externes. Plusieurs protagonistes identifient le projet de changement à une évaluation assez négative de leurs contributions, un retour à de vieilles idées qui n'avaient pas marché dix ans auparavant. Une menace de destruction d'Alpha, tout compte fait, cachée sous la réorganisation d'une bureaucratie qui ne met pas en péril des pouvoirs dont les bénéficiaires sont généralement peu enclins au sacrifice. En conclusion, Brian Hobbs, Pierre Ménard et Robert Poupart suggèrent que l'équipe porteuse du projet de changement aurait dû proposer un meilleur équilibre entre les pouvoirs concernés, et se montrer plus soucieuse de réduire l'ambiguïté, qui doit rester faible dans un climat de compétition.

« Le changement planifié et la gestion de la qualité » de Jean-Michel Masse comporte trois divisions. La première traite de la gestion de la qualité comme stratégie de changement. La seconde partie présente le témoignage personnel de trois vice-présidents engagés dans des stratégies de gestion de la qualité dans trois grandes entreprises. La troisième décrit en détail une expérience particulière : le Défi Performance d'Hydro-Québec.

Selon Jean-Michel Masse, deux forces principales incitent les entreprises au changement : leur situation financière est fort précaire, et les entreprises ayant implanté un programme de gestion de la qualité remportent des succès éclatants. Elles rencontrent, ces forces, la complicité interne de cadres de plus en plus exigeants, pour qui l'intrapreneurship est un défi stimulant.

La gestion de la qualité est une réponse gagnante, mais elle demande une modification profonde des habitudes de gestion. Il faut établir un partenariat entre client et fournisseur, mobiliser tout le personnel et simplifier les processus d'administration et de production. Ces trois processus ne peuvent être réalisés que par une direction supérieure fortement engagée dans les changements.

Contrairement aux approches traditionnelles, la gestion de la qualité repose sur une conception plus ouverte de l'organisation, où les clients et clientes jouent un rôle clé. L'amélioration continuelle se fonde sur la mesure des résultats perçus par eux. Bien faire au moindre coût, sans doute ! Mieux, devancer les besoins des clientes et clients !

Jean-Michel Masse fait remarquer que mettre la qualité au centre du fonctionnement organisationnel suppose une nécessaire évolution du rôle des cadres. Le gestionnaire de la qualité est un chef d'équipe : il est l'agent de la concertation et de la mobilisation.

L'implantation de la qualité totale comporte trois phases : la première inclut un plan de la situation actuelle et un diagnostic de la culture ; la seconde est faite de l'implantation proprement dite ; la troisième correspond à l'actualisation de l'approche qualité dans la vie quotidienne.

Depuis la fin de la Seconde Guerre mondiale, les chemins de fer canadiens ont constamment vu leur part du marché des transports se rétrécir : de 70 % (1950) à 30 % (1985). À l'heure de la livraison « juste-à-temps » (les retards dans la satisfaction des besoins du client étant toujours décrits comme des ratés majeurs dans le complexe processus de l'établissement et du maintien de la qualité du travail), les entreprises de camionnage livrent une concurrence très vive aux transporteurs ferroviaires. En peu de temps, dans une telle conjoncture, le CN est au bord de la crise, sa survie est en cause. Et c'est dans ce contexte que s'engage un combat de la remontée qui pour l'essentiel s'appuie sur la *qualité totale*.

Jean Pierre Laroche, dans « La qualité totale au CN », présente une stratégie de qualité totale qui est d'abord et avant tout une façon de penser la gestion de manière à mobiliser toute l'entreprise en vue d'une meilleure satisfaction du client à moindre coût. Adopter un tel point de vue, c'est accepter d'apprendre constamment. Du fait que la qualité totale est une stratégie globale et manageriale, un premier point d'entrée s'impose aux stratèges du CN. Les 45 cadres supérieurs de l'organisation passent trois jours avec un consultant en qualité totale. Une première étape de la stratégie : former les *cadres supérieurs*, mène à la création du *Centre de formation au leadership du CN*.

Des entrevues individuelles auprès de 60 cadres supérieurs permettent d'esquisser une carte des problèmes et des souhaits, qui reflète le point de vue de cet important sous-groupe. Puis, cinq programmes de formation sont offerts à 225 cadres, qui y participent à raison de 25 par session intensive. Il s'agit d'un programme ample à contenus très variés (de la prise en charge individuelle à l'intrapreneurship) de formation professionnelle très ciblée.

Au cours de ces sessions, souligne Jean Pierre Laroche, seront mises au point deux versions explicites et écrites de la mission, de la vision et des valeurs du CN, en plus d'une description de sa stratégie. À l'occasion de ces programmes, des clients seront intégrés au processus, à raison d'une personne par groupe de cadres en formation. L'orientation qui en ressortira sera très fortement marquée par ces diverses sessions.

Plus loin dans la démarche, la haute direction donne le ton et le rythme à suivre à la strate intermédiaire de la direction. Une stratégie centrale : améliorer la qualité des services afin de conserver les clients, accroître les revenus et réduire les coûts. Le processus de changement qualité au travail est décentralisé entre les vice-présidents (régions ou services).

Nouvelles missions, nouvelles approches

Il est tout à fait normal qu'un courant de l'ampleur du changement planifié et du développement organisationnel, dont l'identité est davantage tributaire de principes abstraits et de valeurs explicites que de techniques et de rituels concrets, se laisse interpeller par l'histoire et tenter par des aventures susceptibles, à la fois, de renouveler la tradition et de lui présenter de nouvelles missions.

Parmi maintes possibilités (la montée des nouvelles technologies, la précarité économique que vivent bien des personnes et des entreprises, les rapports entre les générations, la crise des valeurs traditionnelles, l'envahissement de la vie privée par les médias, le surdéveloppement de l'appareil judiciaire, les préoccupations contemporaines pour la santé, la qualité de vie et l'environnement, le nouvel ordre mondial, etc.), nous avons choisi d'examiner la signification du développement organisationnel pour deux grandes tendances de la vie sociale contemporaine : l'aspiration des femmes à l'égalité sociale, économique et politique, et l'énorme défi posé par le développement des pays du tiers monde. La participation effective des femmes au marché du travail ne pose plus de problèmes, ce qui ne signifie pas, souligne Solange Cormier dans « Les interventions auprès des femmes : formes actuelles et perspectives d'avenir », que leurs situations d'emploi s'améliorent, comparativement à celles de leurs collègues masculins (le salaire féminin n'équivaut toujours qu'à 65 % du salaire masculin !). La majorité (60 %) des femmes sont consignées au travail de bureau, à la vente et aux services. Très peu d'entre elles atteignent les statuts d'emploi les plus élevés. Les femmes, s'appuyant sur le revenu de leur conjoint, vont facilement abandonner leur carrière (25 % des diplômées quittent le marché après dix années de pratique). Ce désavantage des femmes a suscité des réponses de trois genres : structurelles, normatives-rééducatives accommodatrices ou normatives-rééducatives transformatrices.

La stratégie structurelle entend corriger la situation défavorable des femmes par l'accès à des emplois jusque-là très majoritairement accaparés par les hommes. L'efficacité de ce changement est elle-même fortement conditionnée par les valeurs et les attitudes de ceux et celles qui sont directement concernés. Par exemple, comment réagissent les collègues masculins aux nouvelles recrues féminines des strates intermédiaires de la direction, ou encore les collègues féminines de strates inférieures n'ayant aucune aspiration réaliste à la mobilité verticale. Les stratégies accommodatrices, rappelle Solange Cormier, veulent permettre aux femmes de mieux saisir les contraintes et les occasions favorables qu'offre leur contexte de travail, et de développer des habiletés leur assurant une meilleure intégration.

Les stratégies transformatrices s'adressent à des femmes déjà fort sensibilisées à la condition féminine ; de telles stratégies proposent des visées collectives, pas uniquement personnelles. De proche en proche, elles en arrivent à contracter une alliance avec certains éléments masculins parmi les plus ouverts à la promotion des femmes.

Que nous réserve l'avenir ? À cette question Solange Cormier répond en ouvrant plusieurs pistes. Comment la société pourra-t-elle réharmoniser les rapports entre la famille et le travail des femmes, elles qui sont actives sur les deux fronts à la fois à notre époque ? La culture des organisations parviendra-t-elle à intégrer à son avantage les caractéristiques distinctes des hommes et des femmes ? Ou fera-t-elle pression sur la population féminine pour qu'elle adopte un schéma de comportement masculin en situation de travail, la féminité étant confinée à l'univers domestique ?

Le processus de changement impliqué par la pratique actuelle du développement international et le processus de changement planifié dans le contexte des sociétés développées, malgré leurs différences, peuvent-ils s'ancrer dans une théorie commune ? Une telle théorie sera-t-elle d'un quelconque secours dans le cadre de la relation entre clients et conseillers d'entreprises de développement international ?

En s'appuyant sur sa riche expérience de conseiller international, en prenant soin de puiser à des sources géographiquement et chronologiquement diversifiées, Guy Noël en arrive à proposer, dans « Le rôle de conseiller en développement international », quelques éléments d'une problématique pour ce rôle délicat, autour de thèmes comme les motivations du conseiller, son rapport avec le pouvoir, ses représentations de son mandat, et des occasions favorables et risques inhérents à toute affectation à l'étranger.

Au terme d'un examen détaillé et précis de la condition de conseiller international, l'auteur est porté à conclure que le développement international fait référence à une tout autre problématique que celle du changement planifié. Malgré d'importantes différences, le changement planifié offre cependant maintes références pertinentes pour guider l'action. Au dire de Guy Noël, la nécessité d'un cadre théorique est évidente ; et les autres possibilités, les théories sociologiques ou psychologiques, par exemple, sont ou trop abstraites ou trop infléchies culturellement. Même si le cadre du changement planifié, dans le cours d'un projet international donné, est gardé implicite, même s'il est employé très partiellement, le conseiller en développement international tire des avantages à se référer, sélectivement, à une tradition, à ses écrits et à ses outils. L'écart entre les conditions d'où proviennent les méthodes et celles où on les applique constitue une importante information sur le contexte et une invitation à une adaptation et à des innovations, elles-mêmes sources d'enrichissement à long terme.

La méthodologie du développement organisationnel s'est, de tout temps, appliquée à un large spectre, des formes les plus élémentaires de la vie sociale (la dyade et le petit groupe) aux grands ensembles, et aux réseaux intra et interorganisationnels. De propos délibéré, et pour bien marquer l'ampleur d'une telle perspective, celle même qui donne leurs dimensions caractéristiques aux trois grands rôles complémentaires au sein des entreprises de changement planifié d'une certaine envergure, la consultation, la gestion et la recherche, nous avons choisi de présenter des méthodes relatives aux deux extrémités de la vie sociale, du plus petit groupe au plus grand : la médiation interpersonnelle et l'intervention en réseau.

De préférence à plusieurs options coûteuses (refuser le conflit, le neutraliser, le laisser s'amplifier jusqu'à l'éclatement), André Carrière dans « La médiation interpersonnelle » suggère l'intervention d'un médiateur dès que la méfiance réciproque paralyse les efforts des protagonistes pour résoudre leur différend.

La médiation est un processus d'interaction entre deux parties adverses, à l'intérieur d'une situation de désaccord. Des personnes et des groupes s'opposent à propos de certains enjeux (contenu), et leur relation s'en trouve perturbée (processus). Parce qu'ils n'ont pas de rapport avec l'enjeu, le médiateur ou la médiatrice peuvent s'occuper à fond du processus. Ils sont neutres, et orientés vers un niveau d'analyse processuel et interactif : ce qui se passe entre les protagonistes, au moment où ils participent à la médiation, ce qui se passe aussi entre eux dans la situation de conflit (ou dans l'ensemble de leurs rapports formels ou informels), en plus de leur désaccord verbal manifeste à propos du contenu (généralement des pratiques ou des décisions soumises à l'interaction régulatrice de plusieurs actrices et acteurs).

C'est parce qu'ils ont acquis une forte crédibilité (par leur impartialité), soutient André Carrière, que le médiateur ou la médiatrice sont en mesure d'aider les protagonistes à trouver un terrain d'entente satisfaisant. Il faut consentir à certains renoncements pour occuper une telle position : la médiation ne donne pas accès à la décision, et de plus la médiatrice ou le médiateur ne peuvent adopter la posture du magicien. Seuls des problèmes résolubles peuvent être traités par une démarche commune, soit la médiation. Le médiateur ou la médiatrice adoptent *a priori* une perspective interactive : le foyer de leur attention étant le système constitué par la dyade des partenaires du conflit. Ils ne sont pas au service des personnes en conflit, mais de leur relation, à l'intérieur d'un pacte de coopération, qu'ils préservent et animent.

Les services de santé mentale sont encore largement dominés par des approches thérapeutiques individuelles. Luc Blanchet, dans « Les pratiques de réseaux dans le domaine de la santé mentale », propose une ouverture, si difficile soit-elle, aux dimensions contextuelles de la santé mentale. Parmi ces dimensions, le mouvement de la santé mentale communautaire a accordé une attention particulière à celles des réseaux sociaux : *primaires* (faits de liens par affinité) ou *secondaires* (réunissant les actrices et acteurs au sein d'une institution). Ces réseaux ont une importance primordiale pour l'établissement et le maintien, au service des individus, d'un processus fondamental : le soutien social (instrumental ou affectif). La qualité de l'insertion sociale des personnes dépend largement de la disponibilité d'un tel soutien. Il procure des bénéfices immunitaires aux individus et les protège contre les effets pathogènes du stress. Selon Luc Blanchet, les contributions scientifiques du domaine ont porté sur deux types de rapports : entre réseaux et psychopathologie individuelle ; entre soutien social et santé mentale. Mais, du point de vue des pratiques de santé mentale, la problématique première concerne la place, dans les stratégies des personnes pour contrer le stress, accordée à l'aide naturelle et à l'aide professionnelle. Plusieurs facteurs influencent les choix de stratégie des personnes : l'importance des problèmes, le rapport avec les ressources formelles, le style de sociabilité et la disponibilité des relations sociales. De son côté, quel parti le système de soins tire-t-il de cette aide informelle ? De l'hôpital au Centre local de services communautaires (CLSC) et jusqu'à l'organisme communautaire, observe Luc Blanchet, l'engagement des réseaux d'aide naturelle dans les interventions semble suivre une courbe ascendante.

Des trois modèles de pratique de réseaux présentés par l'auteur, celui élaboré par le *groupe de recherche-action en interventions en réseaux* de l'Hôpital Douglas est apparu le premier, au milieu des années 70. Le travail se fait le plus souvent à domicile. La phase d'évaluation comporte trois étapes : contact téléphonique et énoncé de la demande, élaboration de la carte de réseau, et enfin négociation des modalités thérapeutiques entre, d'une part, le patient ou la patiente, sa famille et son réseau primaire (s'il est disponible aussi tôt dans l'intervention), et d'autre part, des représentants de l'équipe de soins. La recherche menée à l'Hôpital Douglas a démontré essentiellement que l'intervention en réseaux est une pratique applicable en situation de clinique externe psychiatrique.

Peu importe la manière, l'étude empirique de la réalité organisationnelle, aux diverses époques du courant DO, a constamment représenté un trait marquant de celui-ci, sous forme tantôt de diagnostics, tantôt d'évaluations ; l'action n'est jamais menée selon des méthodes détachées de tout souci d'adaptation aux circonstances spécifiques d'une organisation particulière. Si la visée théorique du développement international ne peut échapper à des considérations universalistes (« nomothétiques », dirait Gordon W. Allport), ses applications concrètes circonstancielles feront plutôt bon ménage avec des méthodes de recherche qualitatives, du genre de celle présentée par Robert Witkin et Robert Poupart.

La technique du commentaire continu entend remplacer l'entrevue traditionnelle : les spécialistes encouragent et aident les sujets à développer un commentaire au temps présent sur des événements significatifs dans leur vie personnelle ou professionnelle. Dans « La richesse en recherche qualitative : la technique du commentaire continu », Robert Witkin et Robert Poupart décrivent la méthode et en illustrent la portée par un exemple tiré de la vie d'une clinique d'avortement. Le temps présent est celui des conteurs et conteuses : les spécialistes insistent pour que les sujets fassent leur narration au présent, de manière à se retrouver au cœur de la scène.

La méthode classique de l'entrevue repose sur le postulat que les personnes interviewées sont compétentes. Dans la technique du commentaire continu, un apprentissage en trois temps est planifié : 1) on explique la technique aux sujets, on leur en fait la démonstration ; 2) suit un exercice *préliminaire* où ils s'essaient avec du matériel étranger à celui de la recherche ; 3) enfin, il faut aider les sujets à adopter une nouvelle convention qui consiste à dire les choses au temps présent.

Au fur et à mesure que les sujets maîtrisent la technique, Robert Witkin et Robert Poupart assurent que les chercheuses et chercheurs peuvent aborder des événements pertients, même des événements culturels critiques (dans l'exemple présenté, un avortement « avancé »). Le flot de la narration risque d'être perturbé par des émotions plus vivaces. Les spécialistes doivent tenter de faciliter le processus, l'expression des sentiments, pensées et observations des sujets. Il n'est pas du tout nécessaire que ces derniers, s'exprimant au présent, soient fidèles à ce qu'ils ont véritablement vécu dans le passé auquel ils se réfèrent. De toute manière, les processus de sélection et d'aménagement actuels révèlent la structure des relations fondamentales au sein de la culture étudiée.

1

Le développement organisationnel

Yvan TELLIER

Quand une personne ne sait pas où elle va, le vent ne lui est jamais favorable.

SÉNÈQUE

Les apports du développement organisationnel au monde des organisations ont été considérables. En effet, on peut dire que c'est depuis la fin des années 50 que les organisations disposent de modèles cohérents et d'outils puissants pour planifier le développement de leurs ressources humaines et des aspects humains de leurs processus de gestion, au même titre qu'elles planifiaient déjà le développement de leurs ressources financières et techniques.

L'approche du développement organisationnel a évolué de façon rapide et toujours audacieuse. Sa croissance accélérée témoigne du fait qu'elle répondait à un besoin pressant du monde organisationnel. En même temps, comme elle se voulait une science appliquée du comportement — utilisant le modèle de la recherche-action élaboré par Lewin durant les années 40 —, ses expériences se situaient dans l'action avec toutes les témérités et les erreurs que celle-ci peut quelquefois comporter. Ce chapitre rendra compte de l'évolution de cette approche — familièrement appelée DO — de son apport, et des défis qui attendent ses praticiens durant les prochaines décennies.

L'évolution du DO

Les débuts et les pionniers[1]

Il nous apparaît important, en guise de préambule, de présenter, même très succinctement et de façon incomplète, les organismes et les personnes qui ont permis le démarrage du DO.

La création de cette approche remonte aux années 50, et est attribuée à des universitaires et à des praticiens qui ont commencé à œuvrer dans de grandes entreprises américaines. Les principaux ont été: Tannenbaum (*U.S. Navy*), Argyris (Exxon et IBM), McGregor (*Union Carbide*), Shepard (*Standard Oil*), Blake (*Standard Oil*), Beckhard (*Union Carbide*)[2]. Tous ces praticiens ont d'abord été formés au *National Training Laboratories* (NTL), avec les Lewin, Bradford et Lippitt comme moniteurs des sessions de formation en relations humaines (*Basic Human Relations Training*) — dont le groupe de formation[3] (*Training Group* ou *T-Group*) constituait la technologie de base —, avant d'appliquer la méthode du laboratoire aux entreprises.

Au milieu des années 50, plusieurs psychosociologues québécois — entre autres, Lise Roquet, Fernand Roussel, Michèle Roussin et Robert Sévigny, membres du Centre de recherche en relations humaines dirigé par Bernard Mailhot — ont établi des liens avec le NTL et participé à ses sessions. Promptement, le Centre de recherche a organisé des laboratoires portant sur les rapports interculturels et, par la suite, des laboratoires de formation aux relations humaines. Parallèlement au Centre de recherche en relations humaines, au début des années 60, Yvan Tellier, Michèle Roussin et Aimé Hamann — qui avaient effectué des stages d'études en Europe et aux États-Unis, auprès du Groupe français d'étude en sociométrie, dynamique des groupes et psychodrame, de l'Association pour la recherche et l'intervention psychologique (ARIP), du *Tavistock Institute* de Londres, du NTL ou de l'institut Moreno[4] — ont fondé

1. Comme cette approche s'est développée très rapidement, de nombreux praticiens et universitaires y ont contribué largement. Nous mentionnons ici seulement les organismes pionniers ainsi que leurs fondateurs puisque rendre justice à tous s'avère un exercice impossible.
2. Voir W.L. FRENCH et C.H. BELL (1990). *Organization Development*, 4e édition, Englewood Cliffs, Prentice-Hall, chapitre 3.
3. Pour une description détaillée de la méthode du laboratoire et du groupe de formation, voir Aline FORTIN (1992a et b). « Groupes restreints et apprentissages existentiels : les divers visages de la méthode du laboratoire » et « Le groupe de formation : légende et science », dans Roger TESSIER et Yvan TELLIER (sous la direction de), *Changement planifié et développement des organisations. Méthodes d'intervention : consultation et formation*, Sillery, Les Presses de l'Université du Québec, tome 7.
4. L'institut Moreno vise à diffuser et à appliquer les théories de Moreno, fondateur de la sociométrie et du psychodrame.

l'Institut de formation par le groupe[5] (IFG). Très tôt l'IFG s'est engagé dans des projets d'envergure pour l'industrie (Alcan et Molson) et auprès d'organismes gouvernementaux (ministère de l'Éducation, Agence de coopération et de développement international, etc.).

Quelques années plus tard, deux autres groupes — dont plusieurs membres provenaient du Centre de recherche en relations humaines — ont vu le jour : le Centre d'étude des communications et le Centre interdisciplinaire de Montréal. Ceux-ci et l'IFG sont les principaux organismes à avoir utilisé l'approche DO au Québec durant les années 60 jusqu'au milieu des années 70.

De l'autre côté de l'Atlantique, au milieu des années 50, des psychosociologues français, dont plusieurs étaient regroupés autour de Max Pagès au sein de l'ARIP, ont participé à des sessions de formation en relations humaines soit lors de séminaires animés, entre autres, par Argyris et Bradford à Paris en 1955[6], soit directement à Bethel, et, comme tous ceux qui, à cette époque, étaient plongés dans ce genre d'expérience, ils ont été immédiatement conquis. Ils ont tenu des sessions semblables à celles qu'organisait le NTL à Bethel. De cette première cohorte d'autres groupes se sont formés, celui de Didier Anzieu et Jacques Ardoino ou encore celui qu'a fondé Anne Ancelin Schutzenberger (Groupe français d'étude en sociométrie, dynamique des groupes et psychodrame). L'ARIP et le groupe d'Ancelin Schutzenberger étaient plus près de la *praxis* développée aux États-Unis que les autres groupes, fidèles à l'approche psychanalytique tant au niveau des technologies employées qu'à celui des modèles explicatifs des phénomènes de groupe. Plusieurs universitaires et praticiens de l'ARIP se sont lancés dans des interventions imposantes, comme à l'Électricité de France. Ils utilisaient au départ la technologie et la base théorique élaborées aux États-Unis.

En même temps ces deux groupes se sont faits les promoteurs des théories de Rogers (surtout l'ARIP), en France, avant d'être happés par les courants de la psychanalyse et du marxisme, qui ont envahi l'ensemble du champ des sciences humaines en Europe et particulièrement en France au milieu des années 60.

Depuis cette époque, le support théorique des interventions des psychosociologues organisationnels français — quoique celles-ci concernent les mêmes objets : processus et fonctionnement des individus et des groupes dans les

5. Aline Fortin et Roger Tessier se sont joints à l'IFG un an après sa fondation. La croissance de l'IFG a été très rapide, soit de l'ordre de 100 % pendant plusieurs années. Ses nombreux membres ont donc beaucoup influencé l'évolution de la psychosociologie et de la pratique du DO au Québec jusqu'au milieu des années 70. Depuis, de nombreuses firmes sont issues de ce premier organisme.
6. Anne ANCELIN SCHUTZENBERGER (1959). « Qu'est-ce que la sociométrie ? », *Bulletin de psychologie*, vol. 12, n°s 6-9, pp. 309-314.

organisations, styles de gestion, culture organisationnelle, etc. — a pris une coloration différente, à la fois structuraliste et psychanalytique. Alors que les praticiens américains et québécois — sauf exception — font appel à des modèles issus des théories cognitives et béhavioristes.

Le contexte

On ne peut décrire l'avènement d'une science ou d'une *praxis* sans le situer dans son contexte à la fois social, politique et économique. Ceci est particulièrement vrai pour le cas du DO. En effet, étant donné qu'un des objectifs ultimes du DO est de favoriser l'optimisation du fonctionnement de l'humain et de la satisfaction de ses besoins dans le monde des organisations tout en réalisant le mieux possible les missions de ces dernières, le développement de cette approche est forcément lié tant à l'évolution sociale et culturelle de l'humain qu'à celle propre aux organisations.

Trois périodes ont caractérisé l'évolution du DO pendant les 30 dernières années. Nous présenterons sommairement le contexte économique, politique et social de ces trois étapes de développement avant de les décrire. Les lecteurs intéressés par l'aspect historique de l'ensemble du courant du changement planifié, dans lequel se situe le DO, peuvent consulter les textes de Benne, Riel et Tessier dans le premier tome de cet ouvrage[7].

1re période : de 1960 à 1972

Le contexte économique et technique

La synthèse de l'évolution du contexte que nous proposons ici ne cherche pas à être exhaustive, mais suffisamment explicite pour permettre d'y situer les transformations du DO.

La période de 1960 à 1972 a connu une croissance ininterrompue de l'économie, amorcée dès l'après-guerre[8]. La moyenne de la croissance de l'économie de 1960 à 1970 a été de 5,2 % et celle de l'indice des prix à la

---

7. Voir Kenneth D. BENNE, « L'état actuel du changement planifié auprès des personnes, des groupes, des communautés et des sociétés », Marquita RIEL, « Pratiques de changement collectif et individuel de 1960 à nos jours » et R. TESSIER, « L'intervention psychosociologique de 1940 à 1990 : historique et essai de clarification conceptuelle », dans R. TESSIER et Y. TELLIER (1990). *Op. cit. Historique et prospective du changement planifié*, tome 1.
8. Sauf de 1959 à 1962, où il y eut une légère récession. Par ailleurs, tous s'accordent pour dire qu'elle a été artificiellement créée par certaines mesures du gouvernement Diefenbaker.

consommation s'est située à 2,7 %[9]. Le perfectionnement des machines et de l'ensemble des moyens de production a entraîné des gains de productivité énormes. Les ménages acquéraient des biens durables — réfrigérateur, congélateur, lave-vaisselle, télévision, etc. — et la société a entrepris de grands projets de construction. Au Québec, ces grands projets se concrétisaient, entre autres, par l'aménagement du complexe hydro-électrique des rivières Manicouagan et Outardes, qui symbolisait en même temps l'accession des Québécois francophones aux domaines techniques et économiques.

Le monde des entreprises constituait le moteur de cette croissance. Leurs profits importants étaient réinvestis dans leur expansion et la modernisation des équipements. Les multinationales se multipliaient.

À cause de cette opulence du début des années 60 régnait — sur l'ensemble du monde occidental et particulièrement en Amérique du Nord — un climat d'optimisme et d'innovation. Dans cette ère d'expérimentation et de réalisation, tout était possible. Il suffisait d'avoir des idées, il se trouvait toujours une personne ou un organisme pour les concrétiser. C'était l'époque du presque plein emploi. Le Québec a été emporté par ce vent d'optimisme, d'autant plus qu'il se libérait en même temps du duplessisme.

Le tableau 1 synthétise les principaux traits de la société durant cette période.

Le contexte politique et socioculturel

En Amérique, le début du gouvernement de Kennedy marquait la fin du maccarthysme, le Québec menait sa révolution tranquille et le Canada établissait sa société juste, favorisait des valeurs démocratiques dans tous les domaines. Ce mouvement s'est traduit concrètement par le renouvellement des méthodes d'éducation, dont la clé résidait dans la modification des rapports maître-élèves ; l'arrivée du syndicalisme dans la fonction publique tant provinciale que fédérale[10]; l'institution de l'État providence avec un train de mesures qui visaient à rendre accessibles à tous les citoyens l'éducation, les services de santé et d'assistance sociale et les régimes de retraite, entre autres.

9. Ces données, comme les suivantes, proviennent de Statistique Canada. La croissance de l'économie de 1970 à 1980 a été de 4,6 % et la moyenne de l'indice des prix à la consommation s'est située à 8 % avec des pointes qui ont atteint 15 %. Pour la période de 1980 à 1990, la croissance de l'économie a été de 3 % et la moyenne de l'indice des prix à la consommation s'est située à 6 %.

10. La loi consacrant la syndicalisation de la fonction publique fédérale a été passée en 1967.

TABLEAU 1

Contexte des années 1960-1972

ENVIRONNEMENT	ORGANISATIONS	GESTION
Secteur économique et technique – Inflation stable – Augmentation de la productivité – Ère de la mécanisation – Gestion de la croissance – Biens durables, grands projets – Plein emploi, opulence	**Système technique** – Croissance continue, profits – Explosion des multinationales – Apogée des investissements – Gains de productivité, mécanisation – Début de l'électronique	**AJUSTEMENTS** **entre** **L'ENVIRONNEMENT** **et** **L'ORGANISATION** ↓ **DÉFIS POUR** **LE DO**
Secteur politique – Montée des idéologies socialo-communistes – Ère de la décolonisation – Promotion des valeurs démocratiques • Politique (fin du duplessisme, Kennedy) • Éducation • Apogée du syndicalisme • Institution de l'État providence	**Système politique** – Autorité traditionnelle – Organisations traditionnelles – Pénétration des valeurs démocratiques	
Secteur socioculturel – Fin du *baby boom* – Début des changements des rapports homme-femme – Valeurs traditionnelles en mutation – Ère du *peace and love* (expérimentation) – Tout devient possible.	**Système culturel** – Travail à la chaîne (ingénieur industriel) – Expériences multiples de nouvelles formes d'organisation du travail	

En Europe, après la période de reconstruction de l'après-guerre, la France, l'Angleterre, la Belgique, les Pays-Bas et le Portugal ont dû renoncer à leurs colonies d'Afrique et d'Asie; la restructuration des économies de l'Europe s'ensuivit. La guerre froide faisait également peser une menace sur l'ensemble du continent. Les événements de mai 1968 et le printemps de Prague annoncent chacun à leur façon des changements de cap. Alors que mai 1968 prédit une transformation de la société française et des autres pays de l'Europe de l'Ouest dans le sens d'une plus grande reconnaissance des valeurs démocratiques dans les secteurs d'activités autres que le secteur politique, comme l'éducation et le monde des entreprises, le printemps de Prague anéantit pour longtemps les désirs d'émancipation des pays sous le joug de l'URSS.

Paradoxalement, ce désir de démocratisation des institutions dans les pays occidentaux est accompagné par la montée des idéologies socialo-communistes dans l'ensemble du monde non communiste. Pour plusieurs des pays décolonisés, notamment, cette voie semblait la seule capable d'endiguer les soi-disant méfaits des sociétés capitalistes. À cette époque, il n'était pas rare d'entendre ou de lire le postulat selon lequel la seule façon, pour des pays comme la Chine, le Viêt-nam, Cuba et les pays d'Afrique, de sortir de la pauvreté dans l'équité — en somme de venir à bout du sous-développement et des diverses formes de prévarications — était d'adopter le marxisme-léninisme. Dans les pays occidentaux, la majorité des intellectuels prônait la social-démocratie, elle-même fortement teintée, pour certains partis politiques, de pensée marxiste.

Au niveau socioculturel, on assistait à la fin du *baby boom* (1963-1964). La mutation des valeurs traditionnelles a pris une ampleur sans précédent, se traduisant par la remise en question des rapports hommes-femmes, en premier lieu par la reconnaissance que les femmes avaient le droit et la possibilité de vivre leur sexualité comme elles l'entendaient. Cette égalité dans la sexualité s'est répercutée sur d'autres aspects des rapports femmes-hommes. La femme, contrôlant sa fertilité, a reconsidéré son rôle de reproductrice. Elle a pu exprimer ses besoins d'affirmation, accéder à un travail rémunéré, ce qui amena un nouveau partage des rôles et des pouvoirs au sein du couple. La conception de la famille traditionnelle a été ébranlée. Des expériences de toutes sortes ont été tentées, du mariage ouvert aux communes où les couples se nouaient et se dénouaient au gré du vécu immédiat.

Le déclin des religions traditionnelles dans les pays occidentaux ainsi que la percée de certaines religions orientales et de la pensée ésotérique caractérisent également cette période. Plusieurs vedettes du monde artistique avaient leur gourou et pratiquaient la méditation transcendantale.

C'est l'ère du « pouvoir par les fleurs », du slogan « faites l'amour, pas la guerre » — le *flower power* et le *peace and love* —, des débats sur les mérites des drogues douces comme la marijuana et le hachisch et de l'expérimentation d'acides comme le LSD, utilisé par certains artistes pour favoriser l'inspiration et par les tenants du mouvement du potentiel humain pour dépasser l'état de conscience terrestre afin d'accéder à une conscience cosmique et entrer en contact avec l'infini.

Cette période donne le sentiment que tout est possible et cela dans tous les secteurs de l'activité humaine. Elle se termine d'ailleurs par l'exploit de Neil Armstrong qui a marché sur la Lune.

Le contexte organisationnel

Le monde des organisations, gorgé de profits par cette longue période de croissance économique, étendait ses marchés à travers le monde. Cette époque a permis la consolidation de l'expansion de plusieurs sociétés nationales en multinationales, mouvement qui a débuté quelques années après la guerre. L'accroissement de la productivité dû en grande partie à la mécanisation et au début de l'électronique permettait des investissements importants dans de grands projets industriels.

Au point de vue de l'organisation du travail et de l'exercice du pouvoir, peu de changements avaient eu lieu avant le début des années 60. Maslow[11] avait modifié la conception de la motivation de l'humain avec sa théorie de la hiérarchie des besoins. McGregor, dans son volume *The Human Side of Enterprise*[12], s'inspirant entre autres de Maslow, mettait en opposition la théorie X, selon laquelle l'humain déteste le travail et a besoin d'un contrôle extérieur, et la théorie Y, qui suppose qu'il aime travailler et est capable d'autocontrôle. Les études de Mayo — quoique datant des années 30 — et celles qui ont suivi, à l'origine du mouvement des relations humaines dans les entreprises, n'avaient pas eu encore beaucoup d'impact. Pendant ce temps, la main-d'œuvre récente des entreprises, plus scolarisée et indépendante, devenait plus revendicatrice. La concurrence des Japonais et des Européens commençait à peine à poindre.

Il ne faut pas oublier que le marché de l'emploi favorisait l'offre au lieu de la demande à cause de la spécialisation accrue exigée par les moyens de production et du taux élevé de croissance des entreprises. Celles-ci recherchent donc du personnel plus scolarisé et plus qualifié, aussi bien au niveau des postes de cadres que des emplois manuels. Rapidement des pressions venant de plusieurs milieux encouragent l'adoption des valeurs démocratiques. Le style de direction

11. A. M. MASLOW (1954). *Motivation and Personality*, New York, Harper & Row.
12. Douglas MCGREGOR (1960). *The Human Side of Enterprise*, New York, McGraw-Hill.

autoritaire ne convient plus, de plus en plus la participation est vue comme la panacée appelée à résoudre les conflits de fonctionnement à l'intérieur des organisations et à combler les besoins d'efficacité. Il devient également évident que les cadres intermédiaires et de niveau maîtrise surtout — peu scolarisés et ayant baigné dans une culture très autoritaire — ne sont pas disposés à répondre aux aspirations de la main-d'œuvre ni capables de le faire, ce qui provoque, entre autres, des conflits de génération.

Les entreprises ont donc besoin de revoir leur organisation du travail ainsi que leurs modes de fonctionnement, de moins en moins efficaces. Afin de maintenir leur rendement, elles doivent s'ajuster aux pressions et aux changements de leur environnement interne et externe. Elles recherchent donc des moyens de faire face à cette situation et désirent expérimenter des nouvelles avenues, des modes de fonctionnement différents, dont elles peuvent s'offrir le luxe.

1re période du DO

Le DO a évolué dans ce contexte, il constituait une réponse aux situations auxquelles étaient confrontées plusieurs organisations. En effet, le DO basait son action sur le postulat suivant. *Les organisations sont des systèmes culturels dont les membres partagent les mêmes valeurs et symboles et la même structure cognitive. Cet ensemble de valeurs et de croyances créent des normes et des codes qui modèlent le comportement des individus.*

Ce postulat, qui propose une définition succincte de la culture organisationnelle, implique que *pour changer une organisation, pour augmenter le rendement et la productivité, il faut changer les normes et le système cognitif des membres de cette organisation.*

C'est à partir de ces postulats de base que s'est développé le DO. Cette approche puisait abondamment dans les recherches empiriques menées dans les années 30, 40 et 50 par l'équipe de Lewin et par des groupes de recherche comme le *Research Center for Group Dynamics* de l'université du Michigan[13]. Celles-ci ont mis en évidence de nouvelles connaissances et croyances concernant le comportement des personnes et des groupes dans les organisations, appuyant ainsi les récentes théories de gestion du personnel comme la théorie Y de McGregor et le système 4 de Likert[14].

---

13. Voir D. CARTWRIGHT et A. ZANDER (1960). *Group Dynamics : Research and Theory*, 2e édition, Evanston, Ill., Row, Peterson et Co. Les auteurs, dans la préface de la 2e édition, soulignent qu'un de leurs motifs pour entreprendre la publication de cet ouvrage scientifique, c'est que la santé d'une société démocratique découle de l'efficacité du fonctionnement (démocratique) de ses composantes.
14. R. LIKERT (1961). *New Pattern of Management*, New York, McGraw-Hill.

On peut synthétiser ainsi les principales croyances résultant de l'ensemble de ces recherches :

1) Le leadership démocratique et les gestionnaires aidants sont les plus efficaces.

2) Le personnel est plus productif lorsqu'il participe aux processus de décision.

3) L'honnêteté, l'ouverture et la confiance facilitent l'échange des informations ainsi que la productivité.

4) L'organisation et la dynamique des groupes de travail influencent énormément les résultats d'une entreprise.

La stratégie de changement du DO s'est donc définie à partir des postulats ci-dessus. Les nouvelles croyances et valeurs concernant le fonctionnement des personnes et des groupes dans les organisations orientaient les changements de culture à effectuer pour rendre les organisations à la fois plus efficaces et plus démocratiques.

Les outils de base à la disposition des praticiens pour changer le système cognitif et les attitudes des membres d'une organisation étaient le groupe de formation et ses dérivés et la formation en îlot culturel[15].

Une session de formation typique comprenait trois types d'activités : le groupe de formation, des sessions théoriques portant sur le leadership, les phénomènes de groupe (le changement des attitudes, les normes de groupe, la cohésion, la motivation, etc.) et des ateliers d'apprentissage, comme l'animation des groupes de travail, le processus de résolution de problème, la gestion des conflits, etc.

L'îlot culturel représentait le lieu par excellence où pouvaient s'opérer les changements d'attitudes et de certains éléments du système cognitif, selon la conception lewinienne du changement — phase de décristallisation, de changement et de recristallisation —, et l'apprentissage expérientiel dérivé des théories de Lewin, ainsi que de celles de Rogers. Le transfert des apprentissages de l'îlot culturel au milieu de travail devait se réaliser dans des sessions appelées groupes de famille, dont les activités seront décrites plus loin dans ce chapitre. Durant ces années, 80 % de la pratique de la consultation en DO consistait en monitorat de sessions de formation telles qu'elles sont décrites ci-dessus.

Ces années ont donc donné lieu à un effort considérable dans le secteur de la formation aux relations humaines, appliquées au monde de la gestion, de l'éducation et aux nouvelles formes d'aide aux populations démunies. On

15. Voir A. FORTIN (1992a et b). *Op. cit.*

entreprenait de grands projets de changement planifié qui s'adressaient à l'ensemble d'une organisation ou d'une pratique en vue de modifier les méthodes et les comportements dans la conduite des activités quotidiennes.

Les entreprises. Aux États-Unis et au Canada, plusieurs grandes entreprises ont mis en place des programmes de formation à plusieurs composantes pour l'ensemble des cadres qui s'étendaient sur plusieurs années[16]. Parallèlement, elles expérimentaient des formes inédites d'organisation du travail auprès de leurs personnels manuel et technique, selon des approches dérivées de l'idéologie DO, dont l'approche sociotechnique, les équipes semi-autonomes et, plus tard, ce qu'il est convenu d'appeler la qualité de vie au travail[17].

Le monde de l'éducation. Le monde de l'éducation en Amérique du Nord a été très influencé par ce courant, tant dans la conception de l'apprentissage et de la relation maître-élèves que dans l'organisation du fonctionnement de l'école. Cette évolution a été extrêmement rapide, spécialement au Québec, où le ministère de l'Éducation a suscité un effort de changement planifié qui, dans un temps relativement court, a transformé complètement la pédagogie et l'organisation scolaire de l'enseignement élémentaire[18]. Ces bouleversements ont évidemment eu des répercussions sur les autres ordres d'enseignement du système d'éducation dans les années ultérieures. Les principaux outils utilisés pour modifier simultanément les attitudes, l'approche de l'éducation et la relation maître-élèves ont été les mêmes que ceux décrits précédemment.

Les milieux défavorisés. L'action communautaire a pris beaucoup d'ampleur durant cette décennie. Des programmes novateurs ont vu le jour pour

16. Au Québec, Alcan, durant toute cette décennie et sous l'impulsion de J.-J. Gagnon, d'Alexander Winn et de Hugues Leydet, a organisé des sessions de perfectionnement en relations humaines pour l'ensemble du personnel cadre — d'une durée de deux jours à deux semaines selon le type d'activités. Ces sessions étaient conduites par des universitaires et conseillers américains et québécois. De son côté, Steinberg, sous l'influence de Cydney Caplan et de John Paré, a adhéré aux diverses étapes du programme *The Managerial Grid* de Blake et Mouton, dont nous reparlerons plus loin. Esso, le CN et la compagnie Via de l'époque, Procter & Gamble et d'autres grandes entreprises ont également adopté le DO.
17. Voir Aldéi DARVEAU (1991). « Le design des systèmes sociaux : l'école sociotechnique », dans R. TESSIER et Y. TELLIER, *op. cit. Théories du changement social intentionnel : participation, expertise et contraintes*, tome 5, pp. 97-139.
18. Au milieu des années 60, Arthur Tremblay, sous-ministre de l'Éducation, avait chargé Pierre Billon de mettre sur pied une équipe, qui, avec l'aide de conseillers de l'IFG, a conçu une stratégie de changement du système d'éducation de l'enseignement primaire mise en œuvre de 1965 à 1972. Consulter, à ce sujet, Roger TESSIER (1991). « Conditions psychosociologiques du changement planifié dans le milieu de l'éducation », dans R. TESSIER et Y. TELLIER (1991). *Op. cit. Changement planifié et évolution spontanée*, tome 6, pp. 197-262.

venir en aide aux divers groupes défavorisés. On faisait de plus en plus appel aux services des éducateurs de groupe (*group workers*) et des travailleurs sociaux. Ces deux types de spécialistes se sont lancés dans l'action communautaire, dans un premier temps, à l'aide de la technologie et des connaissances du mouvement DO avant d'adopter, pour une majorité d'entre eux, des techniques de contestation et d'action plus radicales comme celles d'Alinsky[19], apparues à la fin des années 60, mais qui ont connu leur apogée durant les années 70.

2e période : de 1972 à 1982

Le contexte économique et technique

Le début de la période de 1972 à 1982 a été marqué par une récession, la première en importance depuis la guerre, suivie par une période d'inflation, qui a atteint près de 15 % au début de la décennie suivante. C'est la fin des grands projets. Les pays de l'Ouest s'ajustent difficilement à la crise du pétrole. Les gouvernements essaient diverses formules pour endiguer le fléau de l'inflation. Certains pays tentent le gel des prix et des salaires ; d'autres préfèrent le contrôle des dépenses. Dans tous les cas, on assiste à une montée du chômage et la stagflation[20] s'installe. L'indice des prix à la consommation, d'une moyenne de 8 %, s'élevait parfois jusqu'à 15 % (au Canada).

Le tableau 2 synthétise les principales caractéristiques de la société durant cette période.

Le contexte politique et socioculturel

La contestation de l'ensemble du système capitaliste est à son comble au début de cette période. La guerre du Viêt-nam se termine par la défaite des États-Unis, ce qui accorde un sursis aux idéologies socialo-communistes.

Progressivement, par ailleurs, les intellectuels ont perdu leur crédibilité dans la société ; les modèles idéologiques que les plus influents d'entre eux soutenaient ne répondaient pas aux espérances qu'ils avaient éveillées. La publication de plusieurs œuvres, dont celles de Pliouchtch, Sakharov, Soljenitsyne[21], a permis de démystifier les sociétés socialo-communistes. Le monde occidental entre de plein fouet dans une crise idéologique qui n'offre pas

---

19. Saül ALINSKY (1976). *Manuel de l'animateur social*, Paris, Seuil.
20. La stagflation est une période de stagnation de l'activité économique accompagnée, sans raison apparente, d'une augmentation généralisée des prix.
21. Léonide PLIOUCHTCH (1977). *Dans le carnaval de l'histoire*, Paris, Seuil. Andreï SAKHAROV (1974). *Sakharov parle*, Paris, Seuil. A.I. SOLJENITSYNE (1974-1976). *L'archipel du Goulag, 1918-1956 : essai d'investigation littéraire*, Paris, Seuil, 3 vol. Michael VOSLENSKY (1980). *La Nomenklatura*, Paris, Belfond.

TABLEAU 2
Contexte des années 1972-1982

ENVIRONNEMENT	ORGANISATIONS	GESTION
Secteur économique et technique – Récession, inflation croissante – Stagflation – Crise du pétrole – Croissance lente – Fin des grands projets – Chômage élevé (jeunes) **Secteur politique** – Perte de crédibilité des intellectuels – Prise de conscience de l'équilibre économique fragile – Démystification des modèles idéologiques socialo-communistes – Crise des valeurs, recherche individuelle • Cul de sac de l'éducation • Syndicalisme en déclin • Méfiance envers l'État, les institutions **Secteur socioculturel** – Immigration asiatique, conflits raciaux – Consolidation du changement des rapports hommes-femmes – Valeurs individuelles contre valeurs collectives – Désenchantement, cynisme, matérialisme – L'avenir est bouché ! (absence de projets collectifs)	**Système technique** – Équipements désuets – Faillites des multinationales – Production décroissante, automatisation – Occident contre Orient, début de la compétition – Nécessité du virage technologique **Système politique** – Retour du refoulé – Équité interne et externe dans les systèmes de gestion – Valeurs démocratiques en perte de vitesse – Redéfinition des rapports syndicat-patronat **Système culturel** – Crise éthique – Tâches à repenser – Entrepreneurship et intrapreneurship – Redécouverte de la culture organisationnelle	**AJUSTEMENTS** **entre** **L'ENVIRONNEMENT** **et** **L'ORGANISATION** ↓ **DÉFIS POUR** **LE DO**

de solution de remplacement. Les rêves ne se réalisant pas et la réalité capitaliste étant très imparfaite, la population, particulièrement la jeunesse, devient plus méfiante et cynique face à l'État et à plusieurs institutions du système occidental.

En même temps, certains échecs retentissants de réformes accomplies dans la décennie précédente remettent de nouveau en question le monde de l'éducation. Le syndicalisme, dont les combats de naguère paraissaient justes, mais qui défend maintenant des causes d'allure corporatiste et prend souvent la population en otage dans le secteur public, est discrédité.

C'est le désenchantement, chacun cherche des solutions individuelles à cette crise de société, de nouvelles valeurs. Les valeurs collectives cèdent le pas à des valeurs individualistes et matérialistes. L'avenir est bouché ; il n'y a plus de projets collectifs. Au Québec, l'issue du référendum sur la souveraineté a plongé une bonne partie de la population dans une réalité dépourvue de rêves.

Les changements dans les rapports femmes-hommes se consolident. Les résistances à la présence des femmes dans les emplois de cadres et non traditionnels s'amenuisent. Plusieurs expériences sont tentées dans le recrutement de femmes pour des emplois non traditionnels, ce qui était impensable quelques années auparavant.

Le contexte organisationnel

La crise économique, la période inflationniste consécutive ainsi que les pressions pour maintenir des profits élevés n'ont pas été propices aux investissements et à une vision à long terme des dirigeants des entreprises. La productivité a décru dans plusieurs secteurs importants de l'activité manufacturière au profit des entreprises japonaises, de l'automobile à l'électronique en passant par les chantiers navals. La concurrence entre l'Orient et l'Occident s'intensifie. À la fin de la décennie, plusieurs multinationales, par exemple Chrysler et Massey-Ferguson, sont en difficulté.

Les valeurs démocratiques perdent leur vitalité. Les rapports entre les syndicats et les entreprises se redéfinissent. Le militantisme — sauf pour les syndicats les plus radicaux — cède peu à peu la place à un syndicalisme d'affaires où certains accommodements deviennent possibles.

Une crise éthique s'installe. Le protestantisme sévère de type presbytérien, qui avait légué ses valeurs au monde de l'entreprise, est en déclin et on assiste à des scandales financiers importants. Les normes de conduite éclatent alors qu'on commence à parler de responsabilité sociale de l'entreprise.

Les tâches sont à repenser, la robotique ainsi que la bureautique font leur apparition et nécessitent des ajustements culturels à tous les niveaux.

Le vide idéologique et la crise éthique appellent un leadership fort. Les entreprises sont à la recherche d'entrepreneurs et d'intrapreneurs[22] qui sauront définir une voie à suivre et y entraîner les troupes vers le succès. On redécouvre à la fin de cette période les vertus de la culture organisationnelle. Cette révélation est due en grande partie à la publication du livre de Peters et Waterman[23].

2e période du DO

La crise économique de 1972 a remis en question plusieurs postulats relativement à la gestion des personnes, postulats qui avaient péniblement gagné du terrain dans la décennie précédente. En effet, le leadership démocratique est-il efficace dans cette situation? Peut-on partager des décisions comme les mises à pied? Plusieurs gestionnaires, ayant mal intégré les notions de leadership démocratique, mais mus par les meilleures intentions, réunissaient leur personnel pour leur annoncer des mises à pied en leur demandant qui devait, à leur avis, en être l'objet. Avoir confiance présentait alors un danger. Ainsi, communiquer une information pouvait contribuer à diminuer l'utilité de son poste. Graduellement durant ces années de crise, les organisations ont délaissé l'idéologie et la technologie DO pour revenir à des modes de comportements plus habituels. Évidemment la nécessité de diminuer les coûts a contribué également à l'abandon des programmes de formation, comme c'est souvent le cas dans les périodes de ralentissement économique.

Les tenants du DO ont donc dû rectifier leur tir et s'ajuster à ces modifications de la conjoncture économique en aidant les entreprises à atteindre leurs objectifs à court terme sans renier les valeurs et les postulats qui fondaient leur action. L'objectif à court terme des entreprises était:

- d'augmenter la productivité de l'ensemble du personnel;
- de renouer avec les profits.

Diverses avenues ont émergé. On a vu apparaître — conformément à ce qui se passait au niveau sociétal — des approches individualistes, comme celles dérivées du *gestaltisme*, qui permettaient, entre autres, à partir de quelques heures de consultation, de déculpabiliser un groupe ou un individu aux prises avec des décisions difficiles à prendre, concernant par exemple la fermeture d'une usine ou encore la mise à pied de plusieurs employés.

---

22. Cette expression désigne les membres d'une organisation qui font preuve d'esprit d'entreprise dans la direction de leur unité.
23. Thomas J. PETERS et Robert H. WATERMAN (1982). *In Search of Excellence*, New York, Harper & Row.

Durant ces années, l'approche sociotechnique — dont est issu le mouvement de la qualité de vie au travail — a gagné du terrain. Créée dans les années 60 au *Tavistock Institute*[24], elle n'a vraiment été utilisée en Amérique qu'au début des années 70. Pour la définir simplement, disons qu'elle intégre les aspects techniques et les aspects humains dans la planification des changements technologiques et dans la conception et l'organisation de nouvelles usines. Pour les usines existantes, elle s'applique en réaménageant les tâches à partir des mêmes principes, c'est-à-dire en réconciliant les aspects techniques et humains. Ces réaménagements visent également à modifier le mode de relations existant entre les ouvriers et entre ceux-ci et leur contremaître — jusqu'à progressivement éliminer ce niveau d'autorité, de façon à diminuer de 10 à 15 % le personnel nécessaire dans une unité de travail. On présentait quelquefois ainsi la sociotechnique dans ces années de difficultés économiques. Cette approche voulait ajuster la technologie aux personnes ainsi que responsabiliser chaque employé dans son travail face aux autres membres de son équipe. Le foyer se déplaçait: chacun devenait responsable de son travail devant le groupe et lui-même au lieu de l'être devant son contremaître. C'était le début des équipes semi-autonomes.

D'autres technologies ont été adoptées qui, tout en étant basées sur les mêmes postulats et valeurs, poursuivent plus directement une augmentation de la productivité. La gestion par objectifs, l'enrichissement et l'élargissement des tâches sont des systèmes qui ont atteint un sommet de popularité durant cette période.

En plus, les technologies DO plus classiques, qui avaient un impact direct sur la productivité, ont continué à être pratiquées, comme l'enquête-*feed-back*, la session de confrontation, les modèles de gestion des conflits, la planification des systèmes ouverts. On ne parlait plus de la nécessité de changer la culture organisationnelle pour augmenter l'efficacité. (Un des nouveaux outils à la mode du début des années 70 — pour répondre aux difficultés des entreprises — a été la planification stratégique.)

Dans le domaine de la formation, l'usage d'outils comme le groupe de formation — quoique très efficaces pour faire prendre conscience des comportements stéréotypés improductifs, et les décristalliser — ne permettaient pas toujours d'acquérir d'autres habiletés de gestion efficaces. Par contre, les connaissances acquises durant ces années d'expérimentation des processus efficaces et cohérents de gestion des ressources humaines servent de base à une nouvelle pédagogie qui intègre les principes des sciences du comportement aux théories expérimentales de l'apprentissage. Il ne suffit pas de savoir quoi faire, il faut, pour réussir, savoir comment le faire. Pour adopter des comportements avantageux, il est aussi nécessaire de les apprendre que de s'y exercer et de se les approprier. Le modelage du comportement apparaît.

---

24. Voir Aldéi DARVEAU (1991). *Op. cit.*

Le conseiller en DO a donc ajusté son tir et, tout en ne reniant pas ses principes et ses valeurs, il a créé des outils appropriés pour faire face aux problèmes des années 70. Ce qui faisait dire aux contestataires de la société que, sous le couvert de postulats généreux et ambitieux, les conseillers en DO étaient des instruments du capitalisme. Non seulement ils diminuaient les plaintes du personnel et amélioraient le climat de travail, mais, plus encore, ils fournissaient des outils pour aider, sans faire de vagues, à augmenter la productivité et à renouer avec les profits tout en diminuant les emplois. L'action des praticiens a été plus ponctuelle que dans la période précédente. Les grands projets d'intervention qui concernaient l'ensemble d'une organisation ont été abandonnés. Sauf pour les démarrages d'usines et dans quelques milieux gouvernementaux, il n'y a pas eu de projets d'envergure en DO pendant cette décennie.

3e période : de 1982 à 1990

Le contexte économique et technique

La dépression du début de cette décennie, qui a duré de 1982 à 1985, a démontré que le monde économique était dans un équilibre fragile et qu'on ne pouvait le décrier ni l'accuser de tous les maux sans qu'à un moment ou l'autre, ces critiques atteignent leur cible. Cette crise a eu l'effet d'un révélateur. Le tableau 3 résume les traits saillants de cette période.

L'opulence n'est pas infinie. Plusieurs entreprises éprouvent des difficultés, certaines multinationales déclarent faillite. Les gouvernements sont impuissants face à des déficits qui s'accroissent à un rythme effarant. La productivité des pays de l'Ouest décroît constamment. Le chômage, pour la première fois, frappe deux segments de la population active : les jeunes de moins de 25 ans et les personnes de plus de 45 ans. Pour ces dernières, ce n'est pas le manque de compétence qui est en jeu, mais la transformation des organisations, qui rend leurs services inutiles. Le monde occidental annonce sa mutation. Un défi de la décennie consiste à gérer l'amas d'information qui circule quotidiennement. Comment tirer parti de ces nouvelles connaissances ? L'économie se transforme et devient de plus en plus une économie de services plutôt qu'une économie de production.

Le contexte socioculturel

L'événement marquant des années 80 aura été sans contredit la chute de l'empire de l'URSS et de ses fondements idéologiques socialo-communistes. L'information des pays d'Europe de l'Est commençant à circuler, l'Ouest prend conscience du désastre de leur économie, mais également du piètre état de leur environnement et des conflits sociaux qui s'amorcent, en grande partie raciaux —Yougoslavie, pays Baltes, Arménie, etc. Du point de vue social, plusieurs groupes de pression cherchent une nouvelle idéologie, de nouveaux combats à

TABLEAU 3

Contexte des années 1982-1990

ENVIRONNEMENT	ORGANISATIONS	GESTION
Secteur économique et technique – Récession, relance en 1985 – Déclin de la productivité – Économie de services – Gestion de l'information – Augmentation du chômage – Monde en transition	**Système technique** – Déclin de la productivité des États-Unis et du Canada – Création d'entreprises de services – Compétition accrue – Augmentation de la productivité par la robotisation et la bureautique – Organisations « maigres » et mesquines (*lean & mean*)	**AJUSTEMENTS** **entre** **L'ENVIRONNEMENT** **et** **L'ORGANISATION**
Secteur politique – Croissance des groupes d'intérêts – Interdépendance (village mondial) – Demandes de participation – Égalité des chances – L'État compromis (information et consensus) – Fin de l'empire de l'URSS et de son idéologie	**Système politique** – Déclin du style de leadership démocratique – Justice distributive – Décentralisation de l'autorité – Gestion des externalités (Hydro, Sanivan)	↓
Secteur socioculturel – Démographie (*baby boom* et vieillissement) – Individualisme/collectivité – Manque de main-d'œuvre professionnelle – Attentes très élevées – Conflits raciaux (nationalisme et fanatisme religieux)	**Système culturel** – Qualité de la vie au travail – Disparition des tâches monotones – Changements de tâches – Augmentation des emplois autonomes	**DÉFIS POUR** **LE DO**

engager. Les partis « verts » voués à la protection de l'environnement surgissent. Les demandes de participation de la population se font de plus en plus pressantes. Les groupes de pression s'activent. L'État doit repenser son rôle.

La courbe démographique de la population change d'allure. Les derniers venus du groupe des *baby boomers* entrent sur le marché du travail vers le début et le milieu de la décennie. Les démographes sonnent l'alerte ; la proportion des personnes âgées augmente rapidement de telle sorte que, lorsque le groupe des *baby boomers* atteindra l'âge de la retraite — entre 2005 et 2025 environ —, la population âgée sera un fardeau pour la société. Les valeurs individualistes gagnent en importance. Vivre et réaliser ses aspirations devient plus difficile. Chacun tente de s'en tirer ; les jeunes surtout parviennent difficilement à se faire une place, même si le niveau d'éducation s'est accru considérablement depuis les deux dernières décennies. En même temps, la main-d'œuvre professionnelle disponible ne comble pas la demande.

À l'opposé de l'individualisme ambiant, une nouvelle conscience collective se développe pour les problèmes reliés à l'environnement. Finalement, les conflits sociaux causés par les nationalismes exacerbés et le fanatisme religieux commencent à se manifester. Dans les pays de l'Ouest, l'immigration massive des dernières décennies, provenant des pays sous-développés, pose des problèmes d'intégration importants et donne souvent lieu à des conflits raciaux.

Le contexte organisationnel

La récession du début des années 80 provoque un réajustement de plusieurs secteurs de l'économie. La concurrence mondiale, qui était surtout le fait des Japonais, vient maintenant de l'ensemble des pays asiatiques. La productivité globale continue à décliner. Les équipements, surtout aux États-Unis et au Canada, sont de plus en plus désuets. Ainsi, en 1984, les États-Unis et le Canada possèdent respectivement 4,7 et 3,7 robots par 10 000 emplois manufacturiers en comparaison de 32,1 pour le Japon, 20,2 pour la Suède et 7,2 pour l'Allemagne. Cette infériorité dans l'automatisation combinée aux salaires, qui sont les plus élevés de la planète — le taux horaire moyen dans ce secteur est de 9,00 $ pour le Canada et 8,50 $ pour les États-Unis en comparaison de 6,50 $ pour le Japon et moins de 1,40 $ pour les autres pays asiatiques —, diminue sérieusement la position concurrentielle mondiale des États-Unis et à plus forte raison celle du Canada[25]. Des investissements énormes dans le secteur manufacturier seront donc nécessaires pour le redresser dans les années à venir.

Les entreprises se recentrent sur le contrôle des coûts et maintiennent le niveau d'emploi le plus bas possible même après la reprise de façon à éviter les mises à pied massives et douloureuses comme celles de 1982 à 1985. On assiste

25. *La clientèle de demain*, Montréal, Clarkson Gordon, Caron Bélanger, 1985.

donc, après la récession, à la création d'une multitude de firmes qui fournissent les services spécialisés que les grandes et les moyennes entreprises ne veulent plus s'offrir de l'intérieur.

Le style de leadership démocratique, malgré un discours qui le favorise toujours, est à nouveau délaissé. Plusieurs remarquent une recrudescence de la méthode forte. Comme si les forces de domination, domptées et remplacées par la persuasion, la participation, la loyauté, saisissaient l'occasion d'une revanche. Freud dirait peut-être qu'il s'agit du retour du refoulé.

Les cadres, dont les modes de récompense des plus performants étaient surtout basés sur une progression rapide, souffrent du traitement égalitaire inscrit dans les systèmes de rémunération, car le ralentissement de la croissance offre moins de débouchés ; les échelons sont plus longs à gravir. La rémunération selon le mérite gagne du terrain, ce qui s'inscrit également dans la tendance sociétale plus individualiste : à chacun selon son mérite.

Les entreprises et les gouvernements sont obligés de respecter l'environnement et de convaincre les élus que les opérations de développement vont dans ce sens. Ils doivent donc développer de nouvelles habiletés reliées à ce que certains appellent la gestion des externalités.

Le personnel cherche résolument une meilleure qualité de vie au travail. Plusieurs tâches monotones disparaissent avec la robotisation qui s'amorce. En même temps, une forte augmentation des emplois autonomes résulte du choix des entreprises d'employer un minimum de spécialistes.

3e période du DO

Les organisations se sont transformées sous l'influence de facteurs comme la récession économique, le besoin d'accroître la productivité en vue de redevenir plus concurrentielles, les changements technologiques à entreprendre, la mise à la retraite des employés ayant 55 ans et plus. Ce contexte a conduit les praticiens du DO à modifier leur action de deux façons principales.

En premier lieu, leurs connaissances des processus de groupe et du comportement organisationnel les autorisent à proposer des systèmes de gestion des ressources humaines qui répondent aux besoins de l'organisation et des individus à la fois. Ainsi, qu'il s'agisse de programmes de réduction de la main-d'œuvre, de gestion du rendement, de planification des carrières et de la relève, de rationalisation des processus de recrutement, les systèmes mis de l'avant demeurent fidèles aux postulats et valeurs de base du DO, tout en rendant plus efficaces ces activités essentielles à l'excellence de l'entreprise.

La dernière période a également vu l'émergence d'une nouvelle cible de départ d'une intervention DO. Les changements se situent d'abord au niveau de la structure, de façon à en supprimer les aspects dysfonctionnels, pour ensuite implanter des systèmes de gestion cohérents avec la nouvelle structure et apporter les changements de culture organisationnelle qui favorisent un fonctionnement optimal et harmonieux. Ceux-ci se concrétiseront par des exercices de consolidation d'équipe et par des activités de consultation visant les processus.

Parallèlement, le conseiller en DO globalise son action. Certains, comme Tichy, élaborent des théories et des processus pour implanter les changements stratégiques[26]. Même les héritiers directs de la gestion scientifique, comme Sink, intègrent le bagage du DO dans leur approche de la gestion de la productivité[27]. De plus, l'intégration de la planification et du développement des ressources humaines au plan stratégique de l'entreprise sont maintenant de mise pour les entreprises les plus performantes. Enfin, le retour en force de la nécessité de gérer la culture organisationnelle au même titre que les autres composantes du système-organisation a permis au mouvement DO de ressortir de ses placards son arsenal de techniques, à partir duquel il en propose de nouvelles — mieux adaptées — qui visent le changement de culture organisationnelle souhaité[28].

Les connaissances de base du comportement de l'homme dans les organisations ayant été récupérées par les universités — en premier lieu par les départements de psychologie et d'éducation ensuite par les facultés des sciences de la gestion et de l'ingénierie —, les programmes DO des entreprises offrent moins de sessions de formation formelles générales concernant les relations humaines, comme c'était le cas dans les années 60 et au début des années 70. Les sessions de formation sont maintenant comprises dans un programme de développement organisationnel qui porte sur l'apprentissage d'habiletés dont le besoin a été diagnostiqué, reliées directement au plan global de changement désiré. Par exemple la formation à la communication, au *feed-back* fera partie d'un programme de gestion du rendement et de la relève, qui est lui-même intégré à un plan d'ensemble de développement des cadres en vue d'améliorer la qualité de la gestion des ressources humaines. Il en est de même pour des programmes de formation au leadership ou à la résolution de conflits. Les sessions poursuivent maintenant des objectifs particuliers plutôt que généraux.

26. Voir Noel M. TICHY (1991). « Les bases de la gestion stratégique du changement », dans R. TESSIER et Y. TELLIER, *op. cit. Théories du changement social intentionnel : participation, expertise et contraintes*, tome 5, pp. 169-195.
27. Voir Scott SINK (1985). *Productivity Management : Planning, Measurement and Evaluation, Control and Improvement*, New York, John Wiley & Sons, particulièrement le chapitre 12, qui traite des techniques d'amélioration de la motivation et du rendement.
28. Voir E. H. Schein (1991). « Plaidoyer pour une conscience renouvelée de ce qu'est la culture organisationnelle », dans R. TESSIER et Y. TELLIER, *op. cit. Pouvoirs et cultures organisationnels*, tome 4, pp. 175-196.

Conclusion

Que reste-t-il de tous ces efforts, de cette idée généreuse et exaltante, point de départ du mouvement DO? Rappelons cette idée; French et Bell, dans la préface à leur best-seller *Organization Development*, l'énoncent de la façon suivante:

> Il est possible pour les personnes d'une organisation de gérer coopérativement la culture de cette organisation de façon à réaliser la raison d'être et les buts de l'organisation tout en poursuivant leurs propres valeurs[29].

Bien sûr, comme le démontre Hobbs dans sa recherche, ainsi que ce bref historique empirique, le «discours du DO a subi des transformations parallèles aux conditions économiques et sociales [...], ces transformations suivent un cycle caractéristique de nos sociétés depuis la révolution industrielle[30].»

Pendant les périodes de récession économique, quelques aspects de l'idéologie du DO sont moins pertinents ou mis en pratique naïvement dans certains secteurs d'activités d'une organisation: par exemple, participer aux décisions de mise à pied, lorsqu'une personne ou le secteur dont une personne est responsable est directement touché, place cette personne dans une situation de conflit d'intérêts et de valeurs difficilement supportable émotivement. Par ailleurs, comme l'ont démontré les efforts des conseillers en DO, il est possible de faire ces mises à pied par un processus qui respecte et aide les personnes concernées. De la même façon, une entreprise n'est pas obligée d'oublier les principaux aspects de sa culture interne, particulièrement ceux regardant la gestion des ressources humaines et la conduite des affaires — qui sont toujours appropriés à long terme — pour entreprendre les changements qui s'imposent. Une gestion intégrée des changements, qui tient compte de tous les systèmes d'une organisation, peut, tout en maintenant un climat propice et la productivité à un haut niveau, révolutionner une entreprise dans un temps relativement court. Les expériences de *AT&T* et de la *General Electric* sont éloquentes à ce sujet[31].

Finalement le DO — comme la culture qu'il veut modeler et gérer pour rendre les organisations plus efficaces — c'est ce qui reste lorsque tout est oublié! C'est une manière de faire — *how we do things around here* —, de penser et d'être.

Lors d'une récession intensifiant la compétition pour la survie, insister sur la nécessité du travail d'équipe et les vertus de la collaboration peut paraître déplacé. Dans ce cadre — selon les observations de plusieurs conseillers — il

29. W.L. FRENCH et C.H. BELL (1990). *Op. cit.*, p. xiii.
30. Voir le texte de Brian HOBBS dans ce volume.
31. Andrew KUPFER (1989). «Bob Allen Rattles the Cages at AT&T», *Fortune Magazine*, juin. N.M. TICHY (1989). «GE's Crotonville: A Staging Ground for Corporate Revolution», *Academy of Management Executive*, vol. 3, nº 2, mai, pp. 99-106.

existe deux types d'entreprises relativement aux changements à apporter. Dans le premier, ces changements continuent d'être planifiés, selon l'approche DO, en tenant compte des besoins de l'organisation et des personnes (ces entreprises sont d'ailleurs de mieux en mieux équipées dans ce sens). Le second type d'entreprises sème la crainte et gère en s'appuyant sur celle-ci. Ainsi certains conseils d'administration, lorsqu'ils affrontent une situation économique difficile, favorisent la venue d'un président armé jusqu'aux dents, la hache à la main, dont les méthodes conviennent plus à la guerre du Golfe qu'à la gestion des ressources humaines[32]. Bien sûr, à court terme c'est efficace ; les têtes tombent, les coûts diminuent... et la déprime s'installe.

Comment, dans un tel climat, maintenir une culture organisationnelle dont les valeurs principales s'incarnent dans un style de leadership encourageant la participation et la collaboration, basé sur la confiance mutuelle et l'ouverture, gage d'une efficacité à long terme ? Qu'est-ce qui empêche d'agir, de faire ce qui doit être fait, proprement, c'est-à-dire en respectant les personnes ?

Qu'arrivera-t-il quand, la crise passée, il faudra rétablir un climat de confiance ? gérer ensemble une organisation ? Les sciences du comportement nous enseignent que l'abus de pouvoir provoque nécessairement et spontanément le désir de revanche. Comment obtenir le meilleur de chacun lorsque la plupart des personnes ont le goût de se venger de l'entreprise ?

Depuis quelques années, tous s'accordent pour dire que les entreprises qui excelleront dans la gestion de leurs ressources humaines posséderont un avantage comparatif sur leurs concurrents. Ceux qui agissent en « cow-boys » et surtout ceux qui les laissent faire paieront la note, car, lors de la reprise, ces organisations ne pourront pas compter sur les forces qui restent. De toute façon, les meilleures ressources seront déjà parties, dégoûtées d'avoir assisté au reniement des valeurs essentielles de l'entreprise, à savoir son respect des personnes et surtout de celles qui l'ont bâtie.

Au terme de cet historique de développement et d'ajustements, qu'est-ce que le DO ?

La raison d'être du DO consiste toujours à améliorer les organisations pour leur bénéfice et celui des membres qui y travaillent. Il souhaite donc harmoniser leurs buts et leurs objectifs respectifs.

32. C'est ce qui se passe actuellement dans certaines grandes entreprises, notamment dans le secteur des papeteries.

La stratégie du DO concourt au développement de l'organisation par des activités planifiées à long terme qui ont pour cible sa culture interne et ses processus humains et sociaux, à partir des modèles théoriques provenant de la discipline des sciences appliquées du comportement[33]. Les pionniers définissaient ainsi le DO et cette définition demeure d'actualité[34].

Le DO, selon Bennis[35], est essentiellement « une stratégie éducative qui utilise par tous les moyens possibles le comportement basé sur l'expérience, de façon à offrir un meilleur éventail de choix organisationnels dans un monde en effervescence ».

Étayons davantage cette définition par les sept caractéristiques que l'auteur attribue au DO.

1) C'est une stratégie éducative qui vise à un changement organisationnel planifié. La stratégie peut varier beaucoup dans son contenu et dans sa forme. Habituellement, toutefois, elle intervient d'abord sur les valeurs, les attitudes, les relations et le climat organisationnel, en somme sur la dimension humaine, plutôt que sur les structures ou la technologie de l'organisation.

2) Les changements souhaités sont reliés aux exigences que doit satisfaire l'organisation, qui se regroupent habituellement dans trois catégories :

   – problèmes de destinée (croissance, identité, revivification) ;

   – problèmes de satisfaction et de développement des ressources humaines ;

   – problèmes d'efficacité.

3) Le DO met l'accent sur le comportement expérimenté. Diverses méthodes suscitent l'émergence d'information et stimulent des expériences dont découlent ensuite des plans d'action.

4) Les agents de changement sont la plupart du temps, mais non toujours, en dehors de l'organisation.

5) Le DO exige une relation de collaboration entre l'agent de changement et les membres de l'organisation.

33. W.L. FRENCH et C.H. BELL (1990). *Op. cit.*, p. xiv.

34. Cette section utilise des parties du texte d'Yvan TELLIER et de Guy ROBERT (1973). « La pratique du DO », dans R. TESSIER et Y. TELLIER (sous la direction de), *Changement planifié et développement des organisations : théorie et pratique*, 1re édition, Montréal et Paris, Les Éditions de l'IFG et EPI s.a. Éditeur.

35. W.G. BENNIS (1969). *Organization Development : Its Nature, Origins, and Prospects*, Reading, Mass., Addison-Wesley.

6) Les agents de changement partagent un certain nombre de valeurs qui déterminent leurs stratégies et leurs interventions. Ils croient en général que la réalisation de leurs valeurs conduira à un système non seulement plus humain et plus démocratique, mais aussi plus efficace.

7) Les agents de changement poursuivent des buts communs qui résultent de leur philosophie. En voici quelques-uns :

   – Augmenter la compétence interpersonnelle des individus.

   – Produire un changement de valeurs qui favorise une plus grande acceptation des facteurs humains et des sentiments.

   – Engendrer une meilleure compréhension à l'intérieur des groupes et entre ceux-ci.

   – Développer une équipe de gestionnaires plus efficace.

   – Développer des systèmes organiques plutôt que mécaniques.

Pour sa part, Beckhard définit ainsi le DO :

> Le développement des organisations est un effort 1) planifié, 2) à la grandeur de l'organisation et 3) géré d'en haut, 4) en vue d'améliorer la santé et l'efficacité de l'organisation par 5) des interventions planifiées sur les processus de l'organisation, en recourant aux connaissances des sciences du comportement[36].

Il explicite les divers éléments de sa définition.

1) *Le DO est un effort de changement planifié.* Cela implique le diagnostic des problèmes de l'organisation, l'élaboration d'une stratégie et la mobilisation de ressources pour entraîner le changement désiré.

2) *Le DO concerne le système total.* Il s'adresse à l'ensemble de l'organisation, visant, par exemple, à modifier la culture, le système de récompenses et de sanctions ou encore la stratégie gestionnaire de l'organisation.

3) *Le DO est géré d'en haut.* La haute direction d'une organisation s'engage dans un programme de DO. Elle ne participe pas nécessairement à toutes les activités du programme, mais elle en endosse les buts et les méthodes.

4) *Le DO vise l'amélioration de la santé et de l'efficacité de l'organisation.* Pour ce, il poursuit habituellement, en tout ou en partie, les buts suivants :

   – Développer un système qui s'autorégénère, qui peut s'organiser de multiples façons, selon ses missions et ses tâches.

36. R. BECKHARD (1969). *Organization Development : Strategies and Models*, Reading, Mass., Addison-Wesley, p. 9.

- Maximiser l'efficacité des mécanismes stables (l'organigramme, par exemple) et temporaires (projets, comités) de l'organisation.
- Atteindre un haut niveau de collaboration entre les groupes interdépendants dans l'organisation.
- Créer des conditions dans lesquelles les conflits sont mis au jour et résolus.
- Situer les décisions davantage en fonction des informations détenues que du statut au sein de l'organisation.

5) *Le DO poursuit ses buts par des interventions planifiées à l'aide des connaissances tirées des sciences du comportement.* Ses stratégies, dont nous parlons dans la seconde partie de ce texte, constituent des applications des concepts qui ont émergé des sciences du comportement au cours des dernières décennies.

De leur côté, French et Bell proposent une définition qui englobe les 30 ans d'histoire du DO :

> Le développement organisationnel est un effort à long terme, soutenu par la haute direction, visant l'amélioration des processus de solution de problème et de revitalisation de l'organisation. Cet objectif s'atteint à l'aide d'un diagnostic effectif établi en collaboration et en gérant la culture de l'organisation — en plaçant spécialement l'accent sur les équipes formelles de travail, les équipes temporaires et les cultures intergroupes — avec l'assistance d'un conseiller-facilitateur et l'utilisation des théories et des technologies des sciences du comportement, incluant la recherche-action[37].

Par rapport à cette définition, il importe de préciser les notions suivantes. Le terme « culture » signifie l'ensemble des valeurs dominantes ou les plus répandues, les attitudes, les croyances, les postulats, les attentes, les activités, les interactions, les normes et les sentiments, incarnés dans des artefacts[38]. Ceux-ci, dans l'esprit des auteurs, comprennent la technologie propre à une organisation. Le terme « culture » inclut également le système informel qui, en quelque sorte, forme la partie cachée ou refoulée de la vie organisationnelle. Ce système est traditionnellement représenté par la partie immergée d'un iceberg (figure 1).

37. W. L. FRENCH et C. H. BELL (1990). *op. cit.*, p. 17.
38. Le terme « artefact » signifie, dans cette définition, les produits de cette culture, ce qui la révèle, est visible et observable comme l'environnement physique. Ce terme est emprunté à la définition classique de la culture issue du courant anthropologique.

FIGURE 1
L'iceberg organisationnel

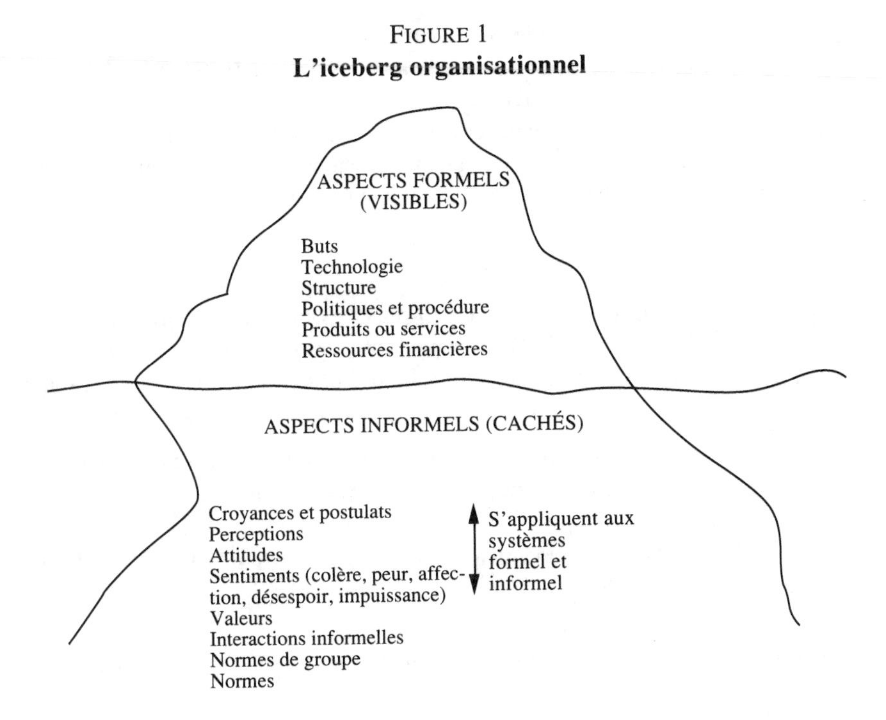

En parlant de diagnostic établi en collaboration et de gestion de la culture, les auteurs soulignent que l'examen et la gestion de la culture sont partagés par tous et non imposés par la hiérarchie. Ils insistent également sur le fait que « qui fait quoi pour qui » dans les équipes de travail est un enjeu important pour le DO et donc que les subordonnés autant que le leader doivent s'approprier la gestion de la culture du groupe.

Ces quelques définitions et leurs explications sont couramment acceptées par les tenants de cette approche. Nous pouvons constater qu'au-delà des mots qui diffèrent, l'esprit du DO demeure intact depuis le début.

Postulats, croyances et valeurs véhiculés par le DO

Nous voulons préciser justement l'esprit qui anime l'approche du DO et surtout les aspects essentiels qui la caractérisent et la distinguent d'autres courants ou approches.

Les postulats et les valeurs tiennent une place prépondérante dans la théorie et la pratique du DO. Ces postulats, croyances et valeurs auxquels nous avons souvent fait allusion dans ce texte sont issus du courant des relations humaines, des recherches de Lewin et de son école ainsi que des théoriciens des organisations du début des années 60 comme McGregor et Likert. Cet ensemble de postulats, de croyances et de valeurs forme un système de pensée cohérent et sert de fondement à toute la technologie et à tous les systèmes de gestion développés à partir de l'approche DO, et les chapeaute. C'est en somme une marque de commerce facile à repérer. Tichy[39] a synthétisé les principaux postulats qui définissent cette ligne de pensée. Il distingue trois ensemble de postulats.

Postulats relatifs au fonctionnement des personnes

- Dans les sociétés modernes, de plus en plus, les individus affirmeront leurs besoins de croissance et de développement personnel. Ces besoins seront vraisemblablement satisfaits dans un milieu de travail aidant et qui présente des défis.

- La plupart des employés sont sous-utilisés et pourraient être plus responsables de leurs actions et apporter une plus grande contribution aux buts de l'organisation. La conception des tâches, les postulats qui président à la gestion, et d'autres éléments des organisations formelles démotivent fréquemment les individus.

Postulats relatifs au fonctionnement des personnes dans des groupes

- Les gens attachent de l'importance aux groupes où des interactions existent. Ils satisfont plusieurs de leurs besoins à l'intérieur de ces groupes, particulièrement de leur équipe de travail.

- Une équipe de travail est neutre *en soi*. Selon le cas, elle peut aider ou nuire à l'organisation.

- Les membres des équipes de travail peuvent mieux satisfaire leurs besoins personnels et les exigences de l'organisation en travaillant en collaboration. S'il veut améliorer son rendement, le leader formel ne peut pas exercer toutes les fonctions de leadership à l'intérieur de son groupe en tout temps et en toute circonstance. Ainsi les membres du groupe deviendront plus efficaces s'ils s'assistent mutuellement.

Postulats relatifs au fonctionnement des personnes dans les organisations

- L'organisation étant conçue comme un système, les changements dans un sous-système (social, technologique, managerial) influencent les autres sous-systèmes.

---

39. N.M. TICHY (1983). *Managing Strategic Change*, New York, John Wiley & Sons, pp. 45-46.

- Les personnes ont des émotions et des sentiments qui modifient leurs comportements, et la culture organisationnelle a ordinairement tendance à réprimer l'expression de ces sentiments et de ces attitudes, ce qui détériore la résolution de problème, la satisfaction au travail et le développement des individus.
- Dans les organisations, généralement le niveau de confiance, de coopération et de soutien interpersonnels est beaucoup plus bas qu'il n'est nécessaire et désirable.
- Même si des stratégies gagnant-perdant pour transiger le changement peuvent être appropriées dans quelques situations, une surestimation de cette approche détruit à la fois les personnes et l'organisation. Deux gestionnaires en relation gagnant-perdant entraînent inévitablement leurs subordonnés à utiliser des comportements de ce genre — cachant de l'information ou au mieux demeurant silencieux — de peur d'être perçus comme trahissant leurs groupes respectifs.
- Plusieurs conflits de personnalité entre les individus et les groupes sont causés par le *design* organisationnel plutôt que par les personnes impliquées.
- Lorsque les sentiments sont considérés avec respect, de nouvelles occasions se présentent pour améliorer le leadership, la communication, l'établissement des objectifs, la collaboration intergroupes ainsi que la satisfaction au travail.
- Déplacer l'accent mis dans la résolution de conflit de la manipulation édictée ou temporisante à l'ouverture de discussions au niveau des idées facilite le développement des personnes et la poursuite des buts de l'entreprise.
- La structure de l'organisation et la configuration des postes peuvent être changées de façon à satisfaire les besoins des personnes, des groupes et de l'organisation.

À ces trois types de postulats nous ajoutons un quatrième s'appliquant particulièrement au mode d'apprentissage en DO.

Postulats relatifs aux conditions d'apprentissage

Le DO utilisant des stratégies de changement normatives-rééducatives[40], certains postulats ayant trait à la rééducation aident à comprendre d'une autre façon sa pratique.

40. Voir R. CHIN et K.D. BENNE (1991). « Stratégies générales pour la production de changements dans les systèmes humains », dans R. TESSIER et Y. TELLIER, *op. cit. Théories du changement social intentionnel : participation, expertise et contraintes*, tome 5, pp. 1-35.

- Le conseiller doit travailler en collaboration avec son client, intervenir de concert avec lui et l'associer à toutes les phases du processus de changement.
- L'apprentissage basée sur l'expérience vécue constitue une voie privilégiée pour prendre conscience des processus et des phénomènes reliés aux personnes, aux groupes et aux organisations. Apprendre à apprendre à partir de sa propre expérience représente un but à long terme du DO.
- L'utilisation de données de recherche demeure le fondement de l'action. Ainsi, toutes les formes de *feed-back* seront utilisées, y compris le jeu de rôle lorsqu'il convient, pour rendre explicite le non-dit, les aspects de l'organisation informelle qui engendrent des comportements dysfonctionnels.
- L'îlot culturel et l'utilisation du groupe — par opposition à l'apprentissage individuel — sont des moyens qui favorisent les prises de conscience des processus ainsi que le changement des personnes, des équipes de travail et de la culture d'une organisation.

Cet ensemble de postulats, quoique partiel, compose un système de pensée cohérent, en quelque sorte le credo sur lequel repose les interventions en DO et l'action du conseiller. En effet, tous peuvent reconnaître — au-delà des technologies employées pour faciliter soit les prises de conscience, soit les apprentissages — la prépondérance de l'un ou l'autre des postulats énumérés plus haut.

Le modèle de changement du DO

Le modèle de changement du DO s'appuie sur le processus de changement en trois phases décrit par Lewin[41] et explicité par Schein[42] (voir la figure 2).

Nous expliquerons succinctement chaque phase ainsi que les principaux mécanismes qui y sont liés (voir le tableau 4).

41. Kurt LEWIN (1958). « Group Decision and Social Change », dans Eleanor E. MACCOBY, Theodore M. NEWCOMB et Eugene L. HARTLEY (sous la direction de), *Readings in Social Psychology*, 3e édition, New York, Holt, Rinehart and Winston, pp. 197-211.
42. E.H. SCHEIN (1969). « The Mechanisms of Change », dans W.G. BENNIS, K.D. BENNE et R. CHIN (sous la direction de), *The Planning of Change*, 2e édition, New York, Holt, Rinehart and Winston, pp. 98-107. Une version plus détaillée de cet article, intitulée : « Personal Change through Interpersonal Relationship », se trouve dans W.G. BENNIS, E.H. SCHEIN, D.E. BERLEW et F. I. STEELE (sous la direction de) (1964). *Interpersonal Dynamics*, Homewood, Ill., The Dorsey Press, pp. 357-394.

FIGURE 2

Le processus de changement selon Lewin et Schein

DÉCRISTALLISATION ➡ CHANGEMENT ➡ RECRISTALLISATION

TABLEAU 4

Mécanismes des différentes phases du processus de changement d'après Lewin et Schein

PHASE 1

Décristallisation : création de la motivation par rapport au changement

Mécanismes :

– Manque de confirmation ou de reconnaissance

– Induction d'anxiété et/ou de culpabilité

– Création d'une sécurité psychologique

PHASE 2

Changement : développement de nouvelles réponses basées sur de nouvelles informations

Mécanisme de redéfinition cognitive :

– par de nouvelles informations

– par l'identification à des modèles

PHASE 3

Recristallisation : stabilisation et intégration des changements

Mécanismes :

– Intégration des nouvelles réponses (niveau personnel)

– Confirmation provenant de personnes significatives (niveau interpersonnel)

Le changement, chez une personne faisant partie d'un groupe formel ou d'une organisation, s'apparente à une lutte qui s'opère à l'intérieur de cette personne entre le connu et l'inconnu, entre des convictions intimes bien ancrées et d'autres présentées comme plus valables, etc. Dans un premier temps, il s'agit d'abandonner des acquis — croyances, valeurs, certitudes, attitudes et habitudes — pour les remplacer par de nouveaux comportements qui refléteront une vision différente d'une situation. Il s'agit donc, comme le mentionne Schein, de désapprendre avant de réapprendre.

1re phase : décristallisation

La phase de décristallisation constitue une remise en question d'un système. Des signaux de l'environnement indiquent que le mode de fonctionnement du système en question ne convient pas à la situation actuelle. Cette phase, lorsqu'elle n'est pas provoquée par un événement extérieur brusque, se déroule dans le temps de façon souvent imperceptible pour l'observateur. Par contre, lorsque le système est ébranlé par des circonstances extérieures soudaines, sa capacité de changer rapidement devient capitale.

Ainsi, la plupart des changements que subissent les personnes des organisations sont imprévus, et importants par rapport à leurs engagements antérieurs au niveau de leurs croyances, de leurs attitudes, de leurs comportements. Par exemple, les réorganisations périodiques à l'intérieur des entreprises impliquent un bouleversement considérable pour les acteurs concernés. Tout à coup, on leur adresse les messages suivants : « Votre mode d'action (ainsi que vos valeurs et votre style, qui le sous-tendent) doit changer, car il n'est plus efficace ; les rapports que vous avez établis avec d'autres parties de l'organisation ne sont plus nécessaires ; il vous faut abandonner du jour au lendemain les projets dans lesquels vous êtes engagés et auxquels vous croyez ; les collègues que vous côtoyez et appréciez disparaîtront de votre entourage, mutés ou mis à la retraite ; etc. » Cette désapprobation envers la manière d'être de la personne, de son unité crée beaucoup d'insécurité et d'anxiété — le sentiment d'être inadéquate s'installe. Le manque de confirmation de soi de la part des dirigeants est susceptible d'entraîner le désir de changement.

La phase de décristallisation peut être également déclenchée par ce que Schein appelle la création « d'une sécurité psychologique issue de la réduction des menaces que constitue le changement ou de l'enlèvement des barrières à ce changement ». Ce mécanisme s'applique lorsque les personnes éprouvent des conflits qui les empêchent de changer, leur désir de renouvellement s'opposant à l'anxiété soulevée par l'inconnu ou des conséquences inacceptables du changement. Le rôle de l'agent de changement — qui peut être le responsable de l'unité — consiste alors à aider ces personnes à faire face à l'anxiété et/ou à leur montrer les perspectives heureuses liées à la situation nouvelle.

La phase de décristallisation est cruciale dans le processus de changement. Si on l'escamote, on s'expose à la résistance passive ou active. L'évolution désirée a peu de chances de se produire par les méthodes traditionnelles de persuasion, de récompense ou de punition.

2e phase : le changement

Dans la phase du changement, en s'appuyant sur l'état de décristallisation, on recherche la direction du changement nécessaire et adopte les comportements qui en découlent. Le changement désiré se réalise par le mécanisme de redéfinition cognitive à partir de nouvelles informations et de l'identification à des modèles.

L'annonce de bouleversements dans une organisation porte les nouvelles attentes de l'organisation. Au début, celles-ci sont plus ou moins vagues, mais elles se précisent au fur et à mesure que les transformations s'opèrent. Les personnes cibles du changement, attentives à ces informations, acquièrent progressivement une perspective différente et d'autres perceptions de la situation. Elles intègrent des valeurs et des postulats nouveaux, sur lesquels reposent de nouvelles normes de conduites et attitudes, recréant alors un ensemble cohérent de valeurs, de postulats, de perceptions et de comportements adaptés aux circonstances actuelles.

Le processus de redéfinition cognitive est aussi assuré par une identification que Schein qualifie d'acceptée ou de défensive. Selon cet auteur, l'identification acceptée consiste, pour la cible du changement, à choisir, à partir d'un ou de plusieurs modèles choisis librement, les comportements qu'elle juge appropriés. Au contraire, l'identification défensive se produit dans une situation où la cible n'est pas libre d'adhérer ou non au changement. Elle doit changer sous peine de sanctions, l'agent de changement détenant une autorité formelle.

3e phase : recristallisation

Selon Schein, les comportements acquis récemment deviennent définitifs à condition qu'ils s'accordent avec l'ensemble des autres parties de la personne et, en même temps, que les personnes qui sont significatives pour elle les acceptent et les renforcent.

L'application du modèle dans les organisations

Le processus naturel et complexe que nous venons de présenter se déroule chaque fois qu'un changement s'implante vraiment dans un système. Si les différentes phases ne sont pas vécues complètement, la transformation ne sera qu'apparente et sabotée à la première occasion. Le conseiller en DO propose une démarche permettant au système cible du changement de passer à travers ces différentes phases.

Le modèle général de changement a été appliqué au monde des organisations avec les apports du gestaltisme, ce qui a modifié la désignation des trois étapes (voir la figure 3).

FIGURE 3
Le modèle de changement dans les organisations

FINS ➡ TRANSITIONS ➡ COMMENCEMENTS

Tout changement organisationnel implique la fin de quelque chose, une transition vers autre chose, qui devient le commencement de cette autre chose.

Dans cette optique, gérer le changement signifie aider l'ensemble de l'organisation à traverser le plus tôt possible ce processus. Ce qu'on laisse derrière (les choses qui s'achèvent) peut être perçu comme des gains ou des pertes. Suivant le modèle de Lewin, le processus de changement se mettra en branle en s'assurant que chaque membre du système cible fasse son deuil du passé afin de pouvoir s'ouvrir aux occasions favorables et aux perspectives qu'offre la nouveauté.

Plusieurs types de pertes sont susceptibles d'être éprouvés. Les principaux sont liés :

- au départ de collègues mutés ou en retraite anticipée ;
- à la transformation ou à la diminution des responsabilités ;
- à la modification de la structure organisationnelle qui se répercute sur les règles du jeu ;
- à des changements incompris qui cachent le sens de l'entreprise ;
- à des situations que l'on ne maîtrise pas et qui suscitent un sentiment d'impuissance.

Ces différentes pertes éventuelles produisent, selon leur importance, de l'insécurité, de la frustration et des inquiétudes. Ce syndrome entraîne à son tour des comportements de désengagement, de désidentification, de désorientation et de désenchantement.

Lorsque chaque membre du système prend conscience des deuils à assumer, qu'il a pu en parler avec ses collègues et ses supérieurs[43], il s'opère en lui

43. Voir Y. TELLIER (1991a). « Leadership et gestion », dans R. TESSIER et Y. TELLIER (sous la direction de), *op. cit. Pouvoirs et cultures organisationnels*, Sillery, Les Presses de l'Université du Québec, tome 4, pp. 67 et suivantes, au sujet du rôle du leader-gestionnaire.

un mouvement qui le rend réceptif et actif, par lequel il entrera dans la phase de transition, qui consiste à recueillir l'information dont il a besoin pour définir les *commencements* implicites dans la nouvelle situation, c'est-à-dire les possibilités de se sentir à nouveau utile à l'organisation en y contribuant différemment.

Le processus d'intervention en DO

Le DO repose sur un processus qui se complexifie graduellement et qui reflète les apports constants que cette approche a assimilés depuis ses débuts. Par ailleurs les grandes composantes de ce processus demeurent intactes — diagnostic-*feed-back*, action, maintien. Nous rappelons ici les principales étapes du processus typique utilisé en recherche-action qui sert de fondement à toute intervention en DO[44].

Le point de départ correspond à l'événement ou aux événements déclencheurs. Par exemple, un gestionnaire, à la suite de diverses perceptions, intuitions ou faits, perçoit l'existence de problèmes qui l'incitent à faire appel à un conseiller en DO. Celui-ci, après avoir testé l'aptitude du système-client à entreprendre une démarche de DO, propose le processus suivant :

1) collecte de données en vue de l'établissement d'un diagnostic par le conseiller ;
2) *feed-back* du diagnostic au système-client ;
3) mise au point d'un plan d'action établi conjointement par le système-client et le conseiller ;
4) réalisation du plan d'action ;
5) collecte de données en vue de vérifier les résultats de l'action ;
6) nouveau plan d'action établi en commun par le système-client et le conseiller.

À partir de la sixième phase, ce processus devient circulaire et permet ainsi de maintenir les acquis des actions précédentes. Cette étape entame un processus de maintien. L'ensemble du processus est représenté à la figure 4.

Ce processus de DO, pour s'opérer, a besoin de s'appuyer sur deux types de préalables, le premier concernant le système-client, le second, le conseiller.

44. Pour plus de détails sur le processus de consultation, voir R. LESCARBEAU, M. PAYETTE et Y. ST-ARNAUD (1992). « Un modèle intégré de la consultation », dans R. TESSIER et Y. TELLIER, *op. cit. Méthodes d'intervention : consultation et formation*, tome 7, pp. 1-20.

FIGURE 4
Processus d'intervention en DO

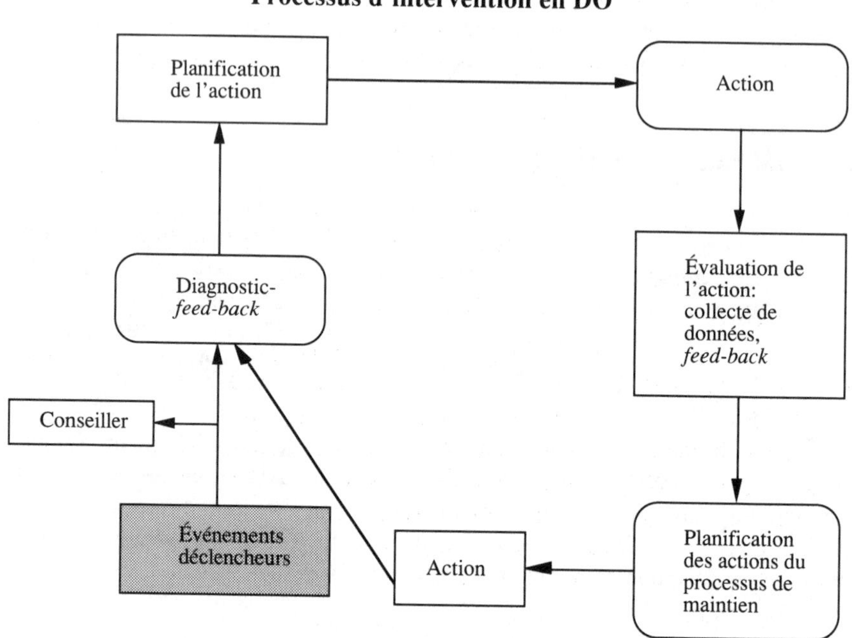

Les conditions préalables à remplir par le système-client

Le système-client doit avoir une bonne idée des postulats qui guident l'action du conseiller se réclamant du DO. Toutes les parties du système-client ne doivent pas obligatoirement partager chacune des valeurs qui composent le système de croyances du conseiller, mais celui-ci doit s'assurer que le client privilégie, à tout le moins, les efforts de collaboration entre les différentes parties de l'organisation afin d'en réaliser les objectifs. Car si les dissensions, les conflits, la compétition constituent le pain quotidien et le style conscient de gestion des interactions entre les membres de l'organisation, l'échec de l'intervention est prévisible.

L'autre préalable est que le système-client valorise le bien-être de l'ensemble des membres de l'organisation. Le DO recherchant la satisfaction des besoins des personnes et de l'organisation à la fois, le conseiller évidemment favorisera par son action, à un moment donné, la satisfaction de l'un ou l'autre de ces besoins tout en prédisant qu'à long terme, l'objectif ultime sera atteint. Ces préalables sont essentiels à la réalisation d'une activité de DO[45].

45. W.L. FRENCH et C.H. BELL (1990). *Op. cit.*, p. 48.

Les conditions préalables à remplir par le conseiller

Ce type de préalables, comme le précédent, doit être obtenu dès le contact initial du conseiller avec le système-client.

Il faut que le conseiller rende explicite la démarche du DO ainsi que ses propres croyances et valeurs concernant les buts, les stratégies et les résultats espérés de celle-ci. Il ne doit pas oublier qu'une des caractéristiques communes aux gestionnaires, c'est l'horreur des surprises. Engager un gestionnaire et le système dont il est responsable dans une démarche imprévisible pour lui est donc voué à l'échec. Voici quelques-uns des aspects de son système de croyances et de valeurs que le conseiller en DO ou l'agent de changement est tenu de présenter ou de rappeler préalablement à une intervention.

Le système de croyances et de valeurs du conseiller

La majorité des spécialistes du comportement organisationnel accordent beaucoup d'importance aux théories cognitives pour expliquer le comportement des personnes dans les organisations. Ils s'adressent principalement à l'intelligence des personnes, à leur capacité de comprendre les phénomènes et les mécanismes qu'elles vivent quotidiennement, et les aident à faire des choix rationnels en ce qui concerne à la fois les comportements à adopter dans des situations complexes et les solutions techniques ou structurales à introduire pour résoudre les problèmes auxquels elles font face. L'expression des sentiments n'a d'utilité que pour illustrer les situations et les faire comprendre. Dans ce sens, le conseiller ne favorisera pas l'expression de sentiments qui, même s'ils existent, ne sont pas pertinents au processus de solution de problème. Par contre, il croit également que, pour pouvoir se servir des sentiments en vue de faciliter le développement des personnes et l'efficacité des organisations, il faut en légitimer l'existence et les partager de façon ouverte.

Une autre valeur préside à l'action du spécialiste du comportement humain : la satisfaction des besoins et des aspirations de l'être humain dans les organisations. Elle le porte à rechercher et à susciter les occasions de développer le personnel. Cette orientation crée une prophétie qui s'autoréalise. En effet, le seul fait de croire que les personnes peuvent croître et développer leurs compétences personnelles et organisationnelles concourt à produire ces résultats. C'est d'ailleurs le pari que McGregor a proposé il y a 30 ans aux gestionnaires. Si ceux-ci croient que les employés sont irresponsables et paresseux, ils auront ce qu'ils attendent : un personnel paresseux, irresponsable, résistant au changement et qui doit être conduit sévèrement et contrôlé. Par contre, si les dirigeants adhèrent à des postulats sur la nature humaine opposés aux précédents, les employés se comporteront selon leurs attentes et deviendront donc des gens productifs, responsables, flexibles, créateurs. Bien sûr, cette prophétie ne se concrétise pas du jour au lendemain, mais à long terme. C'est là une autre des perspectives du conseiller en DO : il voit les résultats de son action à long terme et ne croit pas aux solutions miracles et rapides, que les Américains appellent les solutions *quick-fix*.

French et Bell mentionnent certaines critiques adressées au DO, qui valoriserait trop la démocratisation des organisations ou l'égalisation du pouvoir. C'est-à-dire que le conseiller aurait tendance à favoriser par son action et ses interventions la diminution du pouvoir hiérarchique au profit des subalternes. Cette attitude a peut-être été plus remarquable dans les années 60 et 70, lorsque les spécialistes du comportement engagés dans le DO étaient accusés par la gauche universitaire de faire le jeu des capitalistes au détriment des intérêts des travailleurs. Pour se déculpabiliser — ou simplement parce qu'ils y croyaient — certains favorisaient la prise du pouvoir par les subalternes. Actuellement la majorité des conseillers poursuivent comme but une meilleure utilisation des ressources humaines, qui passe souvent par un accroissement des responsabilités à tous les échelons de l'entreprise. Alors, insuffler du pouvoir[46] à toutes les personnes d'une organisation, y compris les gestionnaires, constitue donc un objectif pour le conseiller en DO et plusieurs techniques qu'il applique vont dans ce sens.

Dans cette partie, nous avons brièvement esquissé le processus d'intervention du DO. Dans la prochaine partie de ce texte, nous traiterons de l'ensemble des techniques les plus souvent employées pour implanter ce processus d'intervention.

La technologie du DO

Notre présentation de la technologie de base du DO ne prétend pas à l'exhaustivité pour deux raisons : la première concerne l'ampleur des outils existants et la deuxième, la philosophie même de cette approche. En effet, un des éléments clés du DO — et cela depuis Lewin — consiste à mettre en interrelation la recherche, la formation et l'action. Ces trois domaines de l'activité humaine évoluant constamment — aujourd'hui de plus en plus en interaction —, de nombreuses applications et techniques voient le jour au gré des situations et des besoins émergents. Pour les praticiens du DO, l'innovation a été intensément valorisée au cours des 30 dernières années et souvent même jusqu'à l'excès. Ainsi, les animateurs de laboratoires en relations humaines spécialement abandonnaient souvent une technologie intéressante et efficace parce qu'elle avait été utilisée l'année précédente ; il fallait inventer continuellement de nouvelles techniques pour favoriser l'apprentissage expérientiel des participants.

46. Nous avons traduit le terme *empowerment* par l'expression « insuffler du pouvoir ».

Nous présenterons donc ici la technologie qui manifeste le mieux les postulats et les systèmes de croyances et de valeurs du DO, divisée en trois catégories qui correspondent aux phases du processus d'intervention.

– Méthodes diagnostiques

– Planification du changement

– Implantation : les techniques d'intervention

- l'organisation comme système
- Les individus et les groupes
- les systèmes de gestion

Les méthodes diagnostiques

Le diagnostic constitue, évidemment, sinon la phase la plus importante, du moins celle dont les conséquences sont cruciales pour la suite d'un projet en DO. Nous définirons l'attitude de base du diagnostiqueur de type DO, ensuite nous considérerons certains modèles classiques et d'autres plus contemporains, et nous terminerons en décrivant les techniques de collecte de données pratiquées en DO.

L'attitude du diagnostiqueur

Le diagnostiqueur doit être conscient du modèle organisationnel qu'il privilégie et auquel il se réfère — ce qui est loin d'être toujours le cas —, en connaître les limites et les possibilités. « Rien n'est plus utile qu'une bonne théorie », disait Lewin. Deuxièmement, le diagnostiqueur doit connaître ses orientations perceptuelles, le poids qu'il accorde à chaque dimension de son modèle, qu'elle soit implicite ou explicite, de façon à faire une lecture adéquate de la réalité organisationnelle. Il lui faut également découvrir le modèle implicite utilisé par le système-client. Son premier rôle comme conseiller en DO consiste à mettre ce modèle en évidence ainsi que ses effets sur l'organisation. À partir de ces connaissances, il choisit ensuite l'information à transmettre au client — tant en ce qui concerne son modèle que les ajustements proposés — pour lui permettre de bien comprendre la pertinence et la direction des changements conseillés.

Plusieurs modèles de diagnostic d'une organisation existent. Tous ont leur utilité et ciblent un aspect particulier et souvent partiel d'une organisation. Deux principes guident le praticien en DO dans ses choix de modèles diagnostiques : les valeurs qui les sous-tendent et sa perspective systémique.

La perspective systémique du conseiller en DO

Depuis les débuts du mouvement DO, les organisations sont conçues comme des systèmes sociaux interdépendants dans lesquels les multiples rôles et fonctions des individus et des sous-unités sont intégrés pour réaliser la mission de l'organisation. Nous ne voulons pas insister plus sur la théorie des systèmes, l'article de Kast et Rosenzweig[47] remplit cette fonction. Par ailleurs, cette perspective systémique a pour conséquence de rendre le conseiller en DO attentif à deux éléments importants de la théorie des systèmes, à savoir: les frontières et les échanges entre systèmes et sous-systèmes.

Les frontières. Brièvement disons que les frontières d'un système représentent la séparation entre les parties, mais également leurs points de contact ou d'interaction. Il est donc important, dans l'élaboration d'un diagnostic organisationnel, de connaître ces frontières, leur degré de clarté pour les sous-systèmes concernés, la manière dont s'établissent les interactions, et le niveau de satisfaction des parties en cause relativement à la délimitation des frontières et à leurs interrelations. Voici quelques exemples de diagnostics relatifs aux frontières. Celles-ci peuvent être confuses; on ne sait pas qui s'occupe de quoi, qui est responsable. Certains s'attendent que des personnes s'engagent dans des problèmes qui ne les concernent pas, consommant ainsi du temps et de l'énergie qui devraient être consacrés à d'autres tâches. Par ailleurs, traverser ces frontières peut exiger trop d'efforts pour les résultats escomptés; alors les parties, isolées, ne règlent pas leurs problèmes communs.

Les échanges. Les échanges sont constitués de toutes les ressources formelles et informelles (produits, services, énergie, information, prestige, considération, etc.) qui traversent les frontières en retour de celles reçues. Ces échanges, perçus comme égaux et équitables ou inéquitables et inégaux, sont volontaires ou imposés, et prennent toutes sortes de formes. Ce qui importe dans le diagnostic, c'est non seulement ce qui est échangé, mais surtout comment les parties le perçoivent et l'évaluent, ainsi que les sentiments qui accompagnent ces évaluations.

Les modèles de diagnostic organisationnel

Pour diagnostiquer les problèmes d'un système-client, le conseiller ou l'agent de changement s'inspire d'un modèle implicite ou explicite de l'organisation idéale. Selon le modèle utilisé — mécaniciste ou organique, qui sont les deux

47. F.E. KAST et J. ROSENZWEIG (1991). «Le point de vue moderne: une approche systémique», dans R. TESSIER et Y. TELLIER, *op. cit. Théories de l'organisation: personnes, groupes, systèmes et environnements*, tome 3, pp. 303-333.

extrêmes d'un *continuum* de modèles possibles —, le diagnostic et le plan proposé varieront. Le conseiller en DO privilégie habituellement le modèle organique[48].

Le système 4 de Likert

Le système 4 de Likert[49] sert souvent de cadre de référence en tant qu'un des modèles organiques les plus cohérents. Nous voulons en exposer les principaux postulats et caractéristiques de façon à bien faire saisir ses dimensions et sa portée. Likert a comparé plusieurs organisations selon les aspects suivants :

- motivation,
- leadership,
- communication,
- décision,
- buts,
- contrôle.

Il a déterminé, à la suite de sa recherche, quatre types d'organisations selon les systèmes de gestion adoptés par chacune. Le système 1 regroupe les organisations qui fonctionnent selon le modèle mécaniciste classique et présente les caractéristiques de la théorie X de McGregor. À l'autre extrémité de cette typologie ponctuant un *continuum*, Likert a dégagé les traits marquants des organisations fonctionnant selon le système 4, relativement aux six catégories énumérées plus haut.

- Les personnes sont motivées par des besoins plus élevés que les besoins économiques.
- La satisfaction et la motivation au travail découlent du travail en équipe (source de normes, de valeurs et de sécurité), qui est développé plutôt que manipulé.
- Le rôle du supérieur consiste à augmenter la cohésion et la motivation des groupes en les intégrant au processus de décision :
  - il fixe des objectifs exigeants mais atteignables ;
  - il cherche à combler les besoins des personnes et des groupes ;
  - il veille à ce que toutes les interactions et les relations maintiennent et soutiennent l'intégrité et le sens de la valeur des personnes.

48. Un modèle organique est décrit par des concepts qui dérivent de la théorie des systèmes. L'organisation est donc conçue comme un système : chaque modification d'une partie touche une ou plusieurs autres parties, ainsi que l'ensemble.
49. R. LIKERT (1961). *Op. cit.*

– La structure organisationnelle est caractérisée par des échanges entre les groupes qui se chevauchent les uns les autres de telle sorte qu'un membre de l'organisation joue deux rôles à la fois. Il est le gestionnaire de son équipe, mais aussi membre de l'équipe du niveau supérieur. (C'est un des aspects de la fonction d'agent de liaison [*linking pin function*], concept clé de Likert.)

L'organisation en santé et efficace de Beckhard

Plusieurs auteurs et pionniers du DO ont également élaboré des modèles de fonctionnement idéal des organisations[50]. Un d'entre eux, Beckhard[51], a défini les dix principales caractéristiques d'une organisation en santé et efficace.

1) L'organisation totale, ses sous-systèmes significatifs et les individus gèrent leur travail au regard des buts et des plans en vue de les réaliser.

2) La forme suit la fonction (le problème, ou la tâche, ou le projet détermine la façon d'organiser les ressources humaines).

3) Les décisions sont prises par les sources d'information et près d'elles, indépendamment de leur situation dans l'organigramme.

4) Le système de récompense est conçu de façon que les gestionnaires et les superviseurs soient récompensés comparablement pour : les profits à court terme, les résultats de la production, la croissance et le développement de leurs subordonnés, la création d'un groupe de travail viable.

5) Les communications latérales et verticales sont relativement peu déformées. Les personnes sont généralement ouvertes et capables de se remettre elles-mêmes et de remettre les autres en question. Elles partagent tous les faits pertinents incluant les sentiments.

6) Peu de situations gagnant-perdant inappropriées se présentent entre les groupes et les personnes. Constamment, tous les niveaux mobilisent leurs efforts pour traiter les conflits et les situations conflictuelles sous l'angle d'un problème, à l'aide du processus de solution de problème.

7) Il y a de vifs « conflits » (chocs d'idées) autour des tâches et des projets, et relativement peu d'énergie dépensée dans les conflits interpersonnels, généralement déjà résolus.

8) L'organisation et ses parties se voient en interaction entre elles et avec un environnement plus étendu. L'organisation est un système ouvert.

50. Voir, entre autres, Chris ARGYRIS (1964). *Integrating the Individual and the Organization*, New York, John Wiley & Sons, chapitre 6. *Id.* (1991). « L'individu et l'organisation : quelques problèmes d'ajustement mutuel », dans R. TESSIER et Y. TELLIER, *op. cit. Théories de l'organisation : personnes, groupes, systèmes et environnement*, tome 3, pp. 103-125.

51. R. BECKHARD et R.T. HARRIS (1977). *Organizational Transitions : Managing Complex Change*, Reading, Mass., Addison-Wesley, p. 3.

9) Chacun essaie d'aider chaque personne (ou unité) de l'organisation à maintenir son intégrité et son unicité en interdépendance avec l'environnement, et une stratégie de gestion est appliquée pour soutenir cet effort.

10) L'organisation et ses membres agissent selon le modèle de la recherche-action. Le fonctionnement normal des individus et des groupes consiste à bâtir des mécanismes de *feed-back* afin d'apprendre à partir de leur propre expérience.

On peut constater qu'à travers les dix conditions, qui sont énoncées de façon éparse, Beckhard délimite le champ de ses observations : il est surtout sensible à trois dimensions de l'organisation.

– La qualité, la quantité et le mode des échanges entre les sous-systèmes, et entre ceux-ci et l'environnement : l'organisation est vue comme un système (condition 8).

– L'organisation des ressources et la résolution de problèmes (conditions 1, 2, 3, 4).

– Les processus d'échanges et les interrelations entre les personnes (conditions 5, 6, 7, 9).

Nous avons considéré deux exemples de modèles normatifs de fonctionnement d'une organisation utilisés en tout ou en partie par de nombreux adeptes du DO. Chacun d'eux met en évidence des aspects importants du fonctionnement des organisations. Aucun modèle n'est exhaustif. Il faut donc connaître les limites et les possibilités de ces modèles. L'approche DO traditionnelle s'est surtout penchée sur les aspects culturels d'une organisation, sur certains de ses aspects politiques, comme le style de leadership, les systèmes de récompense et de punition, et sur certaines de ses dimensions mécanicistes comme l'organisation du travail, les processus de communication, etc. Leur dénominateur commun, objet et cible du DO, demeure traditionnellement l'humain au travail.

Par contre, depuis une dizaine d'années, la tendance des tenants de cette approche est de scruter l'organisation à l'aide de modèles multidimensionnels afin de capter l'ensemble de la réalité organisationnelle. Certaines recherches[52] démontrent que les modèles de fonctionnement, comme ceux décrits plus haut, ne s'appliquent pas toujours aux organisations qui sont l'objet d'une intervention. L'importance d'harmoniser les trois éléments clés de l'architecture d'une organisation — soit la mission et les stratégies, les systèmes de gestion et la culture — a été mise en évidence surtout depuis les recherches de Peters et Waterman[53] à propos de l'excellence. L'ajustement, l'harmonisation entre les systèmes et les sous-systèmes d'une organisation résument, effectivement, les conditions d'efficacité d'une organisation.

52. J. PORRAS et P.O. BERG (1978). « The Impact of Organizational Development », *Academy of Management Review*, vol. 3, n° 2, pp. 249-266.

53. T.J. PETERS et R.H. WATERMAN (1982). *Op. cit.*

L'harmonisation des systèmes technique, politique et culturel de Tichy

Tichy a créé un modèle qui tient compte de cette perspective multiple[54]. Il a d'abord constaté que trois traditions ont guidé les études des organisations. Certains, lorsqu'ils regardent une organisation, adoptent une approche mécaniciste, c'est-à-dire qu'ils étudient la technologie et l'organisation du travail selon l'école traditionnelle de la gestion scientifique; d'autres voient les organisations comme des entités politiques, où le changement s'obtient à partir de l'exercice du pouvoir d'une coalition sur une autre. Enfin, une dernière tradition, celle du DO, considère l'organisation comme un système culturel proposant des valeurs, des symboles et un système de pensée à ses membres. Cet ensemble constitue une culture organisationnelle qui les relie. Le changement exige donc, pour les tenants de cette tradition, de modifier les normes et les systèmes cognitifs dans le sens des comportements voulus. Chacun de ces trois modèles est utile et correspond à l'une des facettes d'une organisation.

Le modèle diagnostique de Tichy fait appel aux concepts des trois traditions précédemment décrites[55]. Le tableau 5 présente un résumé de son modèle, qui n'est pas normatif. Sa grille offre deux avantages: elle touche tous les domaines susceptibles d'être gérés dans une organisation et les met en relation avec l'ensemble des outils dont dispose le gestionnaire. Le diagnostic évalue le degré d'accord entre les diverses dimensions de la grille et propose les modifications nécessaires afin que l'ensemble des systèmes technique, politique et culturel concourent à la réalisation de la mission et des objectifs de l'organisation. L'application du modèle favorise la recherche des faits permettant de comprendre le fonctionnement d'une organisation, les intersections (échanges et frontières) entre les neuf cellules de la grille, d'où découlent naturellement les éléments dysfonctionnels requérant des ajustements. Ces derniers visent le fonctionnement harmonieux de la totalité.

La collecte d'information

Le DO préconise l'établissement en commun du diagnostic; c'est-à-dire que le système-client est engagé dans toutes les phases de celui-ci avec le diagnostiqueur, que ce soit un agent de changement interne ou externe. Conséquemment, les techniques de collecte d'information en DO doivent refléter cette collaboration.

Dans une étape préliminaire à la collecte d'information, déterminante pour la suite de l'intervention, l'agent de changement clarifie le processus d'intervention qu'il entend suivre; vérifie si les conditions de base d'une inter-

54. Pour plus de détails concernant ces divers points de vue, voir l'article de N. M. TICHY (1991). *Op. cit.*
55. Le modèle diagnostique de Tichy se trouve également dans le texte cité à la note précédente.

TABLEAU 5

Gestion stratégique : domaines et instruments

DOMAINES DE GESTION	INSTRUMENTS DE GESTION		
	Mission et stratégie	**Structure de l'organisation**	**Gestion des ressources humaines**
Système technique	– Évaluation de l'environnement – Évaluation de l'organisation – Définition de la mission et des ressources qui conviennent	– Différenciation – Intégration – Réajustement de la structure à la stratégie	– Ajustement des personnes aux rôles – Détermination des critères de performance – Mesure du rendement – Nomination et développement du personnel
Système politique	– Détermination des postes qui définissent la mission et la stratégie – Gestion des comportements de coalition qui touchent les décisions stratégiques	– Répartition du pouvoir – Équilibration du pouvoir entre les groupes de rôles	– Gestion de la politique de relève – Conception et gestion du système de rémunération – Gestion de la politique d'évaluation
Système culturel	– Gestion de l'influence des valeurs et de la politique générale sur la mission et la stratégie – Élaboration d'une culture favorable à la mission et à la stratégie	– Élaboration d'un style de gestion adapté à la structure – Élaboration des sous-cultures d'appui aux rôles – Intégration des sous-cultures dans une culture organisationnelle commune	– Sélection des personnes affectées à l'établissement et au renforcement de la culture de l'organisation

Source : N.M. TICHY (1991). *Op. cit.*

vention de ce type sont remplies avec ce système-client; précise son propre système de valeurs et son mode d'opération — les objectifs à atteindre, les règles du jeu à respecter, les rôles des parties, etc. Tous ces aspects ont été traités précédemment dans ce chapitre. Dans le jargon du DO, cette phase préparatoire à la collecte des données se nomme « négociation du contrat d'intervention[56] ». Si la relation avec le système-client est récente, il vaut mieux préciser par écrit les ententes. Habituellement le conseiller en DO préfère les ententes verbales, qui témoignent de sa relation de confiance avec le système-client.

L'enquête-feed-back

L'enquête-*feed-back* est le processus courant de collecte de données. Elle utilise soit l'entrevue individuelle et/ou de groupe, soit l'observation directe, soit un questionnaire, soit une combinaison de ces modes. Les éléments à explorer portent sur le fonctionnement et les préoccupations capitales du système-client. Évidemment, les entrevues et/ou le questionnaire découlent du modèle organisationnel servant de référence au client et à l'agent de changement interne ou externe[57].

Les informations recueillies sont alors analysées, synthétisées et présentées au système-client. Le conseiller doit s'assurer que le système-client non seulement comprenne le diagnostic qui lui est transmis, mais également se l'approprie, le fasse sien. Selon les circonstances et préférablement avant de déballer l'ensemble du diagnostic, de procéder à sa présentation formelle, le conseiller aura pris soin d'en tester les éléments essentiels avec les personnes les plus importantes du système-client. Ces tests servent, non à modifier ces éléments, mais à vérifier les réactions du client à leur endroit. Si cela s'avère nécessaire, le conseiller raffine la stratégie de *feed-back* de façon que le client s'approprie les principales conclusions du diagnostic.

Cette phase est particulièrement importante, car elle conditionne le reste de l'intervention. Les résultats, discutés conjointement, aident ensuite les partenaires à choisir les cibles des changements à apporter. Un plan d'action est également établi en collaboration et le cycle d'intervention est enclenché, comme à la figure 4 (p. 36).

La planification de l'intervention DO

Les cibles ou objectifs de changement étant définis, il importe de planifier l'intervention DO de façon à atteindre la situation désirée par le système-client.

56. Voir Marvin WEISBORD (1973). « The Organizational Development Contract », *The O.D. Practitioner*, vol. 5, n° 2.

57. Voir David A. NADLER (1977). *Feedback and Organizational Development : Using Data Based Methods*, Reading, Mass., Addison-Wesley Publishing Company.

Une des plus anciennes techniques de l'arsenal du DO — en même temps très typique de cette approche — est l'analyse du champ de forces. Créée par Lewin et finalement diffusée sous la forme d'un programme de solution de problème par le NTL en 1969[58], celle-ci s'est avérée très utile pour élaborer la stratégie et planifier les actions de DO appropriées à une situation de changement. Cette technique propose d'adapter aux phénomènes sociaux des concepts de physique mécanique. Pour Lewin, une situation sociale statique et en équilibre est la résultante de forces opposées; certaines agissent dans le sens du changement d'une situation et d'autres résistent à ce changement. L'agencement de ces forces opposées constitue la situation actuelle. Pour changer celle-ci dans le sens de la situation souhaitée — c'est-à-dire des objectifs de changement définis à l'étape du diagnostic —, trois stratégies sont possibles. Agir sur les forces qui vont dans le sens de ce changement — les forces motrices —; agir sur les forces qui résistent au changement — les forces freinantes —; ou agir simultanément sur les deux types de forces.

Contrairement à la tendance naturelle qui consiste à promouvoir les forces motrices pour effectuer un changement — entraînant l'accroissement du stress et des forces freinantes, qui contrebalancent à nouveau les forces motrices —, il vaut mieux s'attaquer aux résistances et diminuer les forces freinantes afin que l'équilibre des forces se modifie naturellement en faveur du changement désiré, laissant les forces motrices jouer leur rôle. La figure 5 illustre cette technique. Chaque flèche représente une force et la longueur de la flèche représente une estimation de son importance dans la situation. Cette technique comporte, selon les auteurs, de cinq à dix étapes. Voici une énumération des six étapes que nous considérons comme indispensables à l'utilisation de cette technique[59].

1re étape : identification des forces

Il s'agit d'abord d'énumérer toutes les forces freinantes et motrices qui influencent la situation actuelle, au regard de chacun des objectifs de changement visés. L'énumération doit être faite sans évaluation à cette étape. Elle doit comprendre toutes les forces agissantes, qu'elles soient sociales, humaines (sentiments), techniques ou financières. Cette étape trace une image globale de la dynamique d'une situation.

58. Cyril R. MILL (1969). « A Problem-Solving Program: for Defining a Problem and Planning Action », Washington, NTL Institute for Applied Behavioral Science.
59. Voir Pierre COLLERETTE et Gilles DELISLE (1982). *Le changement planifié*, Montréal, Les éditions Agence d'Arc inc., pp. 97 et suivantes; W. L. FRENCH et C. H. BELL (1990). *Op. cit.*, pp. 138 et suivantes; Cyril R. MILL (1969). *Op. cit.*

2ᵉ étape : évaluation des forces

Cette étape consiste, d'une part, à évaluer l'importance des forces — motrices et freinantes — et, d'autre part, à choisir celles que l'agent de changement croit pouvoir modifier. Comprendre la complexité et la dynamique des forces principales nécessite une analyse séparée du champ de forces.

FIGURE 5
Représentation graphique de l'analyse d'un champ de forces

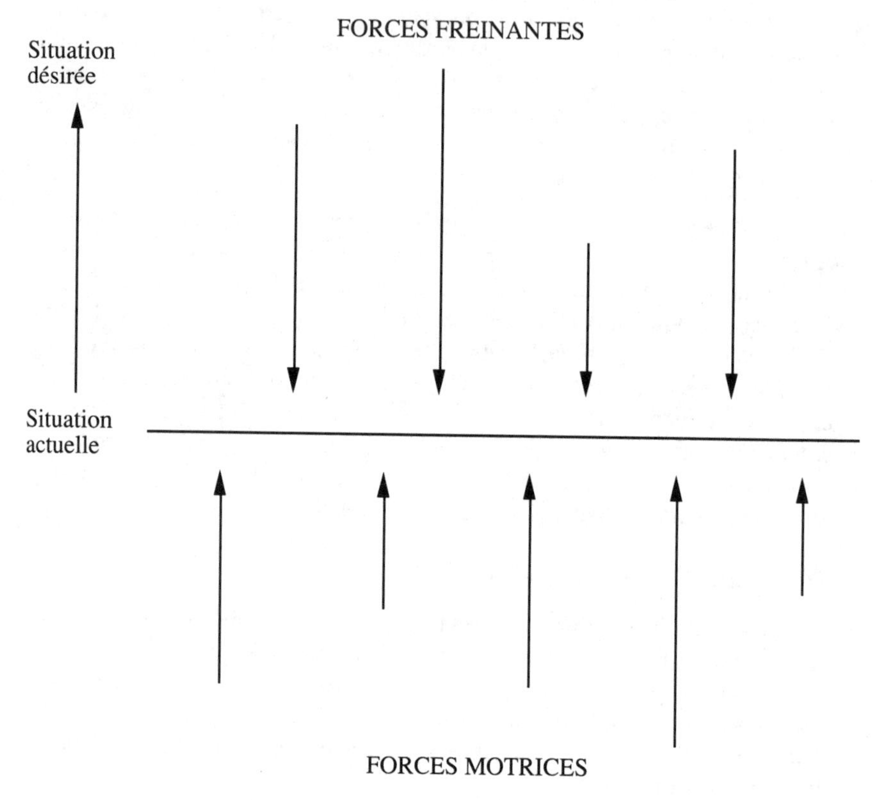

3ᵉ étape : inventaire des actions possibles

Pour chacune des forces choisies, il faut ensuite dresser la liste des actions possibles qui peuvent la réduire ou l'éliminer si elle oppose une résistance au changement recherché ou la renforcer si elle favorise ce changement.

4e étape : choix d'une stratégie et établissement du plan d'action

Cette étape demande de choisir la stratégie la plus susceptible de transformer la situation dans le sens désiré. Il ne faut pas oublier, dans la stratégie, de privilégier les actions s'appliquant au champ des forces freinantes pour laisser les forces motrices modifier naturellement l'équilibre du champ de forces et pour assurer la durabilité du changement. Une fois la stratégie fixée — par exemple, s'attaquer à telles forces freinantes au début pour ensuite soutenir une force motrice —, il s'agit d'établir le plan d'action détaillé de l'intervention, ce qui inclut les ressources nécessaires à sa réalisation.

5e étape : mise en œuvre du plan

Cette étape devrait permettre d'atteindre les objectifs de changement définis à l'étape du diagnostic.

6e étape : cristallisation du changement

Cette étape consiste à déterminer et à réaliser les conditions propices à la persistance du changement obtenu. Très souvent les changements s'opèrent à cause des efforts concertés et de l'abondance des ressources utilisées pour les produire. En conséquence, lorsque les efforts diminuent, la situation antérieure insatisfaisante refait surface. Travailler au suivi et au maintien de la situation souhaitée est une étape cruciale de ce processus qui est trop souvent négligée, ce qui oblige, périodiquement, à réinventer la roue.

L'implantation : les techniques d'intervention

Nous abordons maintenant les techniques d'intervention. Une intervention DO requiert ordinairement l'utilisation de plusieurs techniques d'intervention selon la nature du diagnostic établi, le plan stratégique de changement qui en découle, les priorités du système-client et les ressources disponibles. Une bonne connaissance des techniques disponibles, de leur finalité et de leur application est garante de leur usage à bon escient.

La classification des techniques d'intervention a fait l'objet de nombreuses tentatives depuis les débuts du DO. Certains auteurs regroupent les interventions selon la dichotomie tâche/processus ou selon leur cible — individu, groupes, relations intergroupes, organisation.

D'autres comme Blake et Mouton[60], à partir d'un modèle à trois dimensions, appelé le *Consulcube*, synthétisent l'ensemble des techniques pouvant être employées dans une activité de consultation. La première dimension comprend les interventions du conseiller auprès du système-client. La seconde

60. Cité par W. L. FRENCH et C. H. BELL (1990). *Op. cit.*, p. 116.

dimension, causale, classifie les interventions selon les causes attribuées aux problèmes du système-client — les relations de pouvoir et d'autorité ; le climat et la cohésion ; les normes et les modes de comportements ; les buts et les objectifs. La troisième dimension répartit les interventions en cinq catégories selon les cibles du changement : l'individu, le groupe, les relations intergroupes, l'organisation, les grands ensembles comme la communauté et même la société. Sutherland[61] propose une typologie des techniques d'intervention basée sur leur impact sur les principaux sous-systèmes d'une organisation (dix catégories) comme les intrants, les processus de transformation, les systèmes de récompense, la culture de groupe, etc.

Nous présenterons quelques-unes des principales techniques d'intervention du DO les plus fréquemment utilisées dans les organisations en tentant de répondre à la question suivante : « Quelles sont les causes des problèmes diagnostiqués et quels éléments de l'organisation faut-il changer pour atteindre la situation désirée par le système-client ? » Comme nous l'avons mentionné dans la première partie de cet article, le praticien en DO doit s'intéresser à l'ensemble des préoccupations d'une organisation et ne plus seulement œuvrer au niveau des individus et des équipes de travail. La gestion stratégique d'une entreprise devient donc pour lui un nouveau domaine à maîtriser. Dans cette optique, sa connaissance des processus représente un atout, car le passé a démontré que plusieurs des plans stratégiques les mieux conçus et les plus pertinents achoppaient à une implantation déficiente.

Le modèle de classement que nous proposons tient compte de ce nouveau domaine d'expertise et comprend trois cibles d'intervention. Pour chaque technique, nous décrirons brièvement quel type d'objectif elle prétend atteindre en utilisant la dichotomie tâche/processus. Cette typologie, illustrée par la figure 6, est basée sur le postulat que les organisations qui excelleront dans le futur seront celles qui, comme dans le passé, réussiront à ajuster aux demandes de l'environnement les principaux éléments de l'architecture d'une organisation, éléments qui doivent eux-mêmes s'*harmoniser*. Ceux-ci sont : l'organisation formelle (la mission, les stratégies et la structure) ; les systèmes de gestion (les moyens de traiter l'information et de gérer les ressources) ; la culture de l'organisation (les personnes, les groupes ainsi que leur mode de fonctionnement et de pensée[62]). Cette classification, tout en étant simple, permet de repérer rapidement à quel niveau se situe une technique. Cependant, celle-ci ne pouvant être

61. Cité par N. M. TICHY (1982). *Op. cit.*, p. 295.
62. Nous sommes conscient que cette définition de la culture organisationnelle est partielle. Cependant le fonctionnement des personnes, des groupes, les processus qu'ils suivent, le style de leadership, les processus de solution de problème, de décision, les récompenses formelles et informelles, etc. sont des éléments importants de la culture d'une organisation. Les autres éléments ne sont que des émanations de ces comportements. Pour une vision plus complète de la culture organisationnelle, voir E. H. SCHEIN (1991). *Op. cit.*

enfermée à l'intérieur de cloisons étanches, nous présenterons son utilisation la plus courante et souligneront, s'il y a lieu, ses autres applications. De plus, cette classification déploie l'éventail des possibilités qu'offrent les techniques d'intervention du DO. Notons que l'idéologie (les postulats et les valeurs), les connaissances des sciences du comportement ainsi que la méthodologie typique du DO (la recherche-action et l'approche systémique) se reflètent dans chacune de ces techniques.

FIGURE 6
Ajustements de l'organisation à l'environnement

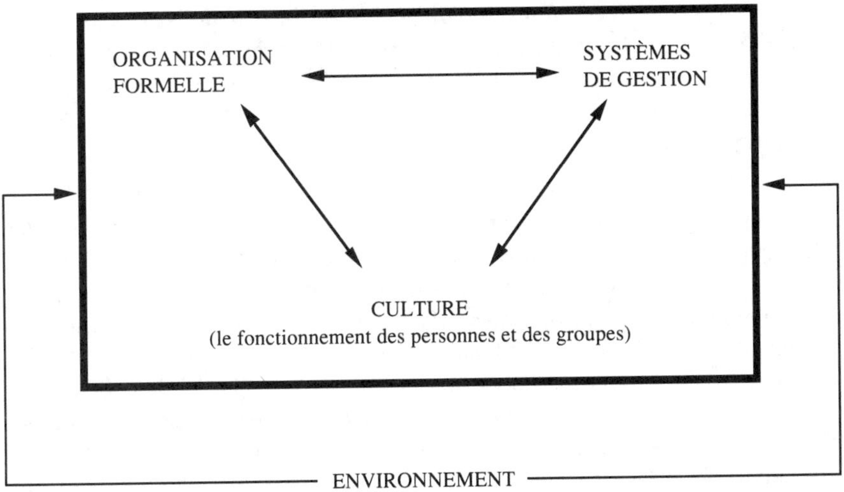

ORGANISATION FORMELLE
SYSTÈMES DE GESTION
CULTURE
(le fonctionnement des personnes et des groupes)
ENVIRONNEMENT

L'organisation formelle comme système

Dans cette catégorie, plusieurs technologies visent l'organisation dans sa totalité, soit parce qu'elles s'appliquent à une problématique qui a un impact sur l'ensemble, soit parce qu'elles sont des programmes qui utilisent une collection organisée de techniques visant le changement de plusieurs aspects de l'organisation formelle.

Nous présenterons ici des exemples des deux types.

La planification de systèmes ouverts[63]

Les organisations, y compris les petites et moyennes entreprises, devenant de plus en plus complexes, il est impérieux que leurs dirigeants soient conscients

63. La description de plusieurs de ces techniques est inspirée des volumes suivants: R. BECKHARD et R. T. HARRIS (1977). *Op. cit.*; William G. DYER (1987). *Team Building Issues and Alternatives*, 2e édition, Reading, Mass., Addison-Wesley Publishing Co.; et Y. TELLIER et G. ROBERT (1973). *Op. cit.*

de leur raison d'être et qu'ils étudient les demandes de l'environnement, de plus en plus changeantes et précises, afin de s'assurer que l'organisation y soit bien ajustée. Cette nécessité se manifeste également pour les services et les unités à l'intérieur de l'organisation.

La technique de planification de systèmes ouverts engage un processus qui permet à l'organisation et à ses unités de clarifier leur mission première — la situant en relation avec toutes les variables pertinentes à l'intérieur ou à l'extérieur de l'organisation, afin qu'elle s'y adapte plus efficacement. Cette technique comprend les étapes suivantes :

1) Déterminer une mission claire — définir ce pourquoi l'organisation existe, sa finalité première —, qui soit partagée par les principaux cadres de l'organisation. Habituellement cet exercice révèle des surprises. Alors que tous les membres du groupe croyaient partager la même mission, ils s'aperçoivent que les définitions individuelles contiennent des différences qui ont des implications considérables sur les décisions quotidiennes des unités dont ils sont responsables.

2) Identifier le plus fidèlement possible la carte des domaines qui adressent des demandes à l'organisation et décrire ces dernières. Les domaines dont il s'agit peuvent être extérieurs à l'organisation et constituer des enjeux[64] économiques (récession), sociaux (le souci croissant de préserver l'environnement, l'augmentation du chômage), gouvernementaux (le libre-échange, la taxe sur les produits et services), ou internes comme les changements de valeurs des employés, les conflits de générations, etc. Ensuite chaque domaine est analysé et les exigences particulières de chacun sont définies. Par exemple, le public demande que les usines ne polluent plus l'atmosphère. Cette étape, Beckhard la nomme établissement de la carte du système-demande.

3) Tracer la carte actuelle du système-réponse. Il s'agit de spécifier le type de réponses qu'offre l'organisation à chaque demande définie à l'étape précédente. Par exemple, la réponse à la nouvelle attitude du public face aux problèmes d'environnement peut être : « Faisons le minimum » ou, au contraire, une politique respectant des normes encore plus sévères que les normes gouvernementales. Dans un cas comme dans l'autre, la réponse adoptée entraîne des conséquences pour l'entreprise, notamment aux niveaux de l'image publique et de l'allocation des ressources. Quelle que soit la réponse choisie, les membres de la direction doivent la soutenir (ce qui suppose un débat se poursuivant jusqu'à l'obtention d'un consensus). Sinon ils risquent d'envoyer des messages confus, sinon contradictoires, tant à l'intérieur qu'à l'extérieur de l'organisation.

64. Nous attribuons un sens précis au mot « enjeu » : préoccupation majeure de la société qui aura vraisemblablement un effet important sur la capacité de celle-ci à résoudre ses contradictions et dont l'issue est problématique.

4) Se représenter l'organisation dans un horizon temporel de trois à cinq ans. Comment auront évolué les éléments de l'environnement qui sont importants pour l'organisation ? Spécifier la transformation de leurs demandes et les pressions qu'ils feront subir au système. Évaluer, en regard des futures demandes, les réponses actuelles. Cette confrontation met en évidence les conséquences des réponses actuelles et la nécessité de les ajuster.

5) Se demander quelles réponses l'organisation doit envisager pour se préparer à faire face aux nouvelles exigences et pressions anticipées précédemment ; quel genre d'organisation la direction veut modeler dans l'horizon temporel choisi.

6) Enfin, après la découverte d'une série de réponses adéquates et endossées par la direction, produire la liste des activités à accomplir et des changements organisationnels nécessaires pour mettre en œuvre ces réponses.

Cette technique a été peu utilisée à ce jour, principalement à cause de la complexité de ce processus mental et de groupe. Cette technique requiert du conseiller une bonne connaissance des différentes composantes d'une organisation et de l'habileté dans la gestion des consensus, au niveau des concepts ainsi que des processus[65].

Les sessions de confrontation

Décrite par Beckhard et Harris[66], la session de confrontation vise à mobiliser l'organisation totale, dans un court laps de temps, pour établir des priorités de développement et élaborer des plans d'action. Une telle intervention engage habituellement toute la direction d'une organisation. Elle produit généralement des résultats optimaux lorsque l'organisation opère un changement majeur ; lorsque la haute direction désire affronter d'urgence les problèmes critiques ; lorsqu'elle est assez étroitement unie ; lorsqu'enfin, elle veut améliorer rapidement la situation de l'organisation. Une session de confrontation comprend ordinairement au moins deux rencontres.

– *Première rencontre*

- Première phase : réunion plénière

  L'organisateur de la réunion souligne que chaque personne assumant une fonction de direction a maintenant l'occasion d'influencer les actions importantes de l'organisation. Habituellement, un membre de la haute

65. Il est étonnant de constater que des gestionnaires de niveau supérieur, diplômés de grandes universités — comme plusieurs conseillers qui s'aventurent dans ce domaine — éprouvent de la difficulté, même après plusieurs explications, à distinguer certains concepts de base indispensables à un exercice de planification stratégique, comme : mission, stratégie et tactiques ; objectifs, résultats, activités et moyens ; enjeux, causes et moyens.
66. R. BECKHARD et R.T. HARRIS (1977). *Op. cit.*

direction assure que l'anonymat sera préservé si cela est nécessaire et surtout que les idées exprimées lors de cette rencontre n'entraîneront aucune sanction.

- Deuxième phase : réunion en petits groupes

  La haute direction se rassemble dans un petit groupe à part et les autres groupes sont formés de telle façon que personne, autant que possible, ne se joigne à un subordonné ou à un collègue de son unité. Cette réunion sert à recueillir toutes les informations pertinentes sur les problèmes actuels de l'organisation.

- Troisième phase : réunion plénière

  Les groupes se communiquent leurs informations, que classifie et synthétise l'animateur de la rencontre.

– *Deuxième rencontre*

- Première phase : réunion plénière

  Le conseiller fournit aux participants une synthèse des informations recueillies à la rencontre précédente.

- Deuxième phase : réunion par groupes fonctionnels

  Ces groupes assument les trois tâches suivantes : 1) ils identifient les problèmes qui les touchent de plus près et essaient d'y apporter des solutions ; 2) ils indiquent les problèmes qu'ils ne peuvent eux-mêmes résoudre, mais que la haute direction devrait considérer comme urgents ; 3) ils se préparent à informer les personnes qui n'ont pas participé à ces deux rencontres.

- Troisième phase : réunion plénière

  Les groupes fonctionnels mettent en commun les travaux qu'ils ont accomplis séparément et communiquent à la haute direction les problèmes qui leur semblent prioritaires.

- Quatrième phase : suivi

  Quelques semaines plus tard, lors d'une réunion de suivi, les participants font le point et élaborent de nouveaux plans d'action.

Cette technique demande du responsable qu'il soit particulièrement habile dans l'organisation et la conduite de grands groupes. Il doit donc posséder l'esprit de synthèse, s'exprimer clairement et réagir promptement. Si le conseiller est dépourvu de ces qualités — peu importe sa valeur par ailleurs —, le niveau de motivation baisse rapidement, le groupe sombre dans l'ennui et conclut à la perte de temps[67]. Le choix de locaux appropriés à ce genre d'exercice est également important ; ceux-ci doivent permettre des déplacements fréquents, pour la formation de sous-groupes, dans un minimum de temps.

67. Cette remarque vaut également pour toutes les techniques qui requièrent du groupe un effort intellectuel différent de celui auquel ses membres sont habitués.

Les programmes d'activités structurés

Ces programmes portent souvent un nom qui traduit, en quelques mots, leur finalité en même temps qu'il reflète la dernière mode, qui, à son tour, exprime généralement un besoin actuel, soit des organisations, soit de la société. Au début des années 60, plusieurs entreprises ont adopté la *grille manageriale* (*Managerial Grid*) ; la fin des années 60 a connu la *gestion par objectifs* ; les années 70, l'*approche sociotechnique*, la *qualité de vie au travail*, l'*enrichissement des tâches* et la *rotation des postes* ; les années 80 ont vibré aux recettes japonaises : la *théorie* Z et les *cercles de qualité*. La fin de cette décennie et le début des années 90 ont élu les programmes d'*augmentation de la productivité* et, plus récemment, les programmes de *qualité totale*, qui se veulent une version améliorée des cercles de qualité[68].

Tous ces programmes ont pour cible l'ensemble de l'organisation et cherchent à accroître son efficacité tout en augmentant la satisfaction des employés. La majorité d'entre eux concernent non seulement les activités des cadres, mais également celles des employés syndiqués. Chacun vise des objectifs, dont l'atteinte contribuerait à régler certains problèmes des entreprises. Tous sont donc utiles. Par ailleurs, il faut en connaître les limites, les possibilités ainsi que les conditions d'utilisation. Nous ne traiterons pas de chaque programme en particulier dans ce texte. Nous renvoyons les lecteurs à d'autres articles de cet ouvrage[69].

Par malheur, ces programmes servent souvent de remède miracle à des situations qui nécessiteraient une autre médication. Les pressions exercées sur les gestionnaires afin qu'ils apportent des solutions aux difficultés organisationnelles qu'ils ont pour mandat de régler, les conduisent souvent à suivre la nouvelle mode, quelle que soit la nature de leurs problèmes. Et ils recourent au premier conseiller qui étale sa panoplie miraculeuse.

Comme pour n'importe quel instrument ou technologie, l'utilisation de ces programmes structurés dépend de son utilisateur. Comment reconnaît-on alors que ceux-ci s'apparentent à une intervention DO et en respectent les valeurs et les processus ?

Nous définirons cinq critères pour évaluer la qualité de ces programmes en relation avec le DO.

68. J.M. JURAN et A. BLANTON GODFREY (1990). *Total quality Management (TQM) — Status in the U.S*, Wilton, Conn., Juran Institute Inc.
69. Voir A. DARVEAU (1991). *Op. cit.* ; Pierre DUBOIS et Pierre BOUTIN, « Les cercles de qualité : une structure parallèle ou... », Jean-Michel MASSE, « Le changement planifié et la gestion de la qualité », et Jean-Pierre LAROCHE, « La qualité totale au CN », dans ce volume.

- Le choix d'un programme résulte d'un diagnostic qui a été établi avec les membres de l'organisation.
- L'intervention, approuvée par la haute direction, est planifiée et les acteurs concernés par le changement ont eu l'occasion de s'approprier les objectifs et les moyens qui seront mis en œuvre (par exemple, le syndicat est engagé dans le projet).
- L'équipe responsable du plan s'assure que les conditions d'utilisation d'une technologie sont respectées : par exemple, l'habileté du conseiller à animer des groupes, à gérer des conflits intergroupes, etc.
- Les acteurs participent à toutes les phases du programme, sous la direction d'un spécialiste apte à gérer le niveau de la tâche et celui des processus.
- Périodiquement l'ensemble du système visé s'engage dans l'évaluation du degré d'atteinte des objectifs ; ses membres sont informés des résultats et participent aux ajustements requis.

Malheureusement, ces critères ne sont pas souvent considérés. Car, quoi qu'on en dise, les organisations ne prennent pas toujours des décisions rationnelles. Les motifs qui président aux choix appartiennent, pour plusieurs gestionnaires, à leur processus habituel de prise de décision : on exerce des pressions sur eux en leur faisant valoir que certaines organisations ont retiré des gains considérables de tel ou tel programme ; que plusieurs firmes de conseillers offrent la panoplie complète ; etc. Comment expliquer autrement que, depuis deux ans, des dizaines d'entreprises ont décidé d'implanter des programmes de qualité totale ? Il est vrai que le titre, cette fois-ci, est des plus allèchants ! Ne correspond-il pas à l'objectif ultime de tout gestionnaire ? Heureusement, quelques organisations réussiront : celles qui réaliseront ces programmes en respectant les découvertes des sciences du comportement que le DO a intégrées.

Les interventions sur les structures organisationnelles

Le DO a commencé par mettre au point des technologies de conception de postes de travail afin de corriger les comportements dysfonctionnels comme l'absentéisme, le sabotage et l'alcoolisme — résultant des postes de travail issus des études de temps et mouvements utilisées dans les années 60 et précédemment. La plus connue, l'enrichissement des tâches, postule que trois principaux facteurs augmentent la motivation et la satisfaction au travail[70] : 1) le sentiment d'apporter une contribution valable ; 2) le sentiment d'être responsable de son rendement au travail ; 3) le *feed-back* immédiat des résultats de son

70. R. HACKMAN et G. OLDHAM (1976). *Working Redesign*, Reading, Mass., Addison-Wesley.

travail. Selon les recherches de Hackman et Oldham (1976), les postes de travail conçus ou enrichis à partir de ces principes annuleront les effets des postes routiniers.

D'autres technologies de conception de postes de travail — l'approche sociotechnique, comme les groupes semi-autonomes et différentes expériences de qualité de vie au travail, qui en ont dérivé — sont également compatibles avec le DO et généralement considérées comme faisant partie de la même famille d'interventions que ce dernier.

Le DO s'est rapidement engagé dans le développement de méthodologies structurées pour concevoir et gérer des structures organisationnelles complexes répondant à de nouvelles réalités, comme par exemple les structures matricielles[71]. Enfin, Beckhard a élaboré une méthodologie touchant la gestion de la période de transition qui accompagne nécessairement les grands changements[72].

Les personnes et les groupes (techniques de base du DO)

Un des dilemmes de la vie organisationnelle moderne oppose une conception mécaniciste de fonctionnement à une conception plus organique. Alors que les organisations sont traditionnellement structurées à partir d'une hiérarchie claire, que les responsabilités sont réparties dans des unités cloisonnées, qu'à l'intérieur d'une unité les tâches et les responsabilités sont à leur tour divisées rigidement, les nouvelles théories et technologies à la disposition du gestionnaire proposent des modèles de fonctionnement qui — sans changer la sacro-sainte hiérarchie et la division des tâches — comportent la collaboration entre collègues, la responsabilisation des employés et leur participation à la définition des tâches et même aux décisions, la coopération avec les fournisseurs et quelquefois également avec les concurrents. Participation, engagement, responsabilisation, décentralisation des décisions, collaboration, forment le nouveau credo. En somme, il s'agit de passer de la théorie X à la théorie Y[73], de concevoir une organisation comme un système de groupes interdépendants, qui doivent fonctionner en étroites relations afin de produire efficacement les résultats attendus[74]. Le rôle du supérieur devient d'animer son équipe et de la relier aux autres. Le dilemme entre les conceptions mécaniciste et organique exige donc que le personnel soit capable de collaborer le plus possible, de négocier, ou d'utiliser

71. Stanley M. DAVIS et Paul LAWRENCE (1977). *Matrix*, Reading, Mass., Addison-Wesley; J. GALBRAITH (1973). *Designing Complex Organizations*, Reading, Mass., Addison-Wesley; enfin D.A. HEENAN et H.V. PURLMUTTER (1979). *Multinational Organization Development*, Reading, Mass., Addison-Wesley.
72. Ces technologies étant complexes, nous ne les exposeront pas ici. Les lecteurs intéressés peuvent consulter R. BECKHARD et R.T. HARRIS (1977). *Op. cit.*
73. D. MCGREGOR (1960). *Op. cit.*
74. R. LIKERT (1961). *Op. cit.*

des comportements compétitifs, afin de choisir son action selon les circonstances. Quel chemin à parcourir ! Comment y arriver, comment changer la culture de façon que les normes, les croyances et les pratiques encouragent de nouveaux modes de fonctionnement ?

Le DO, depuis ses débuts, a mis au point une technologie qui tente d'institutionnaliser de nouveaux comportements et qui rend les personnes et les groupes capables de reconnaître et de choisir des comportements différents de ceux qui sont monnaie courante dans les systèmes mécanicistes fidèles à la théorie X. Les technologies qui visent à changer la culture d'une organisation, à la rendre plus organique tout en maintenant ses éléments nécessaires de nature mécaniciste, relèvent du DO. Nous traiterons des principales technologies de changement utilisées par les praticiens, qui s'adressent aux personnes et aux groupes.

Le fonctionnement des personnes

Le fonctionnement des personnes à l'intérieur de l'organisation fait partie de la culture de celle-ci. Si les comportements sont dysfonctionnels, plusieurs technologies peuvent les modifier. Le changement de ces comportements de base — relations interpersonnelles, relations de groupe, processus de solution de problème en groupe, gestion des conflits, etc. — relève des techniques d'apprentissage et habituellement s'opère dans des sessions de formation soutenues par des activités de consultation au niveau des processus.

Les sessions de formation ont pour but de développer les ressources humaines au sein de l'organisation. Le choix des sessions doit être en relation avec le diagnostic, les objectifs et la stratégie de changement. Ces sessions se tiennent généralement à l'extérieur de l'organisation. Elles peuvent s'adresser aux membres d'une même organisation ou à des personnes provenant d'organisations diverses. Les activités de formation les plus connues concernent les relations humaines, le leadership, la communication, l'animation et le travail d'équipe, le processus de résolution de problème, la gestion des conflits, les processus et les stratégies de changement. Nous décrirons brièvement quelques-unes de ces sessions.

Sensibilisation aux relations humaines. Le titre de cette section recouvre divers types d'activités qui visent en général à accroître la compétence interpersonnelle des participants. On emploie aussi les termes « groupe de sensibilisation », « groupe de formation » (*T-Group*) et « dynamique des groupes[75] »

75. Voir A. FORTIN (1992a et b). *Op. cit.*, et R. TESSIER (1992). « L'apprentissage du processus rationnel de résolution de problèmes et de planification du changement social », dans R. TESSIER et Y. TELLIER, *op. cit. Méthodes d'intervention : consultation et formation*, tome 7.

pour désigner les sessions de sensibilisation aux relations humaines. Celles-ci doivent prendre place en dehors de l'organisation et regrouper autant que possible des individus qui ne travaillent pas immédiatement ensemble. Ce genre de session, comme nous l'avons mentionné dans l'historique, a été abondamment utilisé dans les années 60. Actuellement, les apprentissages possibles par cette technique ont surtout lieu dans les universités lors des cours de comportement organisationnel, de leadership, de gestion des conflits, etc. Par ailleurs, pour les étudiants qui n'ont pas d'expérience de travail, ces cours, même s'ils appliquent la plupart du temps les techniques d'apprentissage expérientiel, n'offrent pas la profondeur et les mêmes possibilités d'apprentissage et de changement que les sessions de sensibilisation aux relations humaines.

À notre avis, ces dernières demeurent la technologie la plus puissante pour prendre conscience de ses propres façons de se comporter avec les autres et de leurs conséquences sur eux, ainsi que pour comprendre la dynamique et les processus de groupe. Peu d'organismes offrent encore au public ces sessions à part le *National Training Laboratories* de Washington et de Bethel aux États-Unis.

Formation à l'animation et au travail d'équipe. Divers types de sessions tendent à rendre les participants aptes à assumer le rôle d'animateur dans des groupes de tâche ou à accroître l'efficacité des membres d'équipes de travail.

Initiation aux processus de solution de problème. Le processus de solution de problème est un schéma logique de résolution de problème. Il favorise l'émergence d'un processus de coopération au sein d'un groupe de tâche.

Sensibilisation au processus et aux stratégies de changement. Les sessions de sensibilisation au processus et aux stratégies de changement abordent divers aspects du changement planifié : processus de changement ; stratégies et tactiques de changement ; analyse logique, stratégique et technique de projets de changement ; psychologie du changement.

Le modelage du comportement. La connaissance des processus efficaces et cohérents de gestion des ressources humaines — acquise entre autres durant les sessions de sensibilisation aux relations humaines utilisant le groupe de formation — a contribué à la création d'une nouvelle pédagogie qui intègre les principes des sciences du comportement aux théories expérimentales d'apprentissage social développées par Bandura[76]. Il ne suffit pas de savoir quoi faire, il faut, pour réussir, savoir comment le faire. Le savoir n'est donc pas suffisant ; pour vraiment acquérir des comportements efficaces, il faut s'astreindre à les apprendre, à les pratiquer et à les intégrer. Cette pédagogie s'appelle le modelage du

76. Voir A. BANDURA (1977). *Social Learning Theory*, Englewood Cliffs, N.J., Prentice-Hall.

comportement. Elle est abondamment utilisée dans la formation des contremaîtres et des surveillants de premier niveau. Son efficacité est maintenant reconnue dans l'apprentissage des relations interpersonnelles.

Plusieurs firmes de conseillers offrent ce genre de sessions pour aider des gestionnaires à faire face à des situations difficiles. Après avoir déterminé les problèmes les plus importants auxquels le groupe de superviseurs est confronté — comment enrayer l'absentéisme, comment améliorer le rendement des employés, etc. —, on organise des sessions appliquant toujours le même processus de solution de problème à des situations différentes. Ces sessions proposent des modèles de comportement — habituellement au moyen de techniques audiovisuelles — dans une démarche non menaçante, mais qui, en même temps, connaît du succès. L'apprentissage du comportement désiré s'obtient par l'identification au modèle proposé et la répétition. Ricard[77] décrit la méthodologie du modelage du comportement et ses bases théoriques ainsi que les résultats de vingt ans de recherche sur ce type d'apprentissage.

Plusieurs applications de cette méthodologie peuvent être élaborées par le conseiller en DO. Elles devraient faire partie de son répertoire de techniques et être utilisées plus souvent étant donné l'efficacité du modelage du comportement.

Processus de consultation. Le processus de consultation constitue un autre moyen mis à la disposition de l'entreprise dans son effort de développement. Nous effleurons seulement ce sujet, vu que deux articles de cet ouvrage en traitent particulièrement[78]. L'entreprise peut recourir aux services de conseillers, internes ou externes. La consultation porte sur ses processus, sur le développement de ses ressources humaines et sur la conduite de programmes de développement organisationnel. Ainsi, le processus de consultation aide les clients (individus ou groupes) à résoudre les problèmes de leur entreprise et à gérer son développement.

Le fonctionnement des groupes et des équipes de travail

Après les individus, l'élément culturel le plus important est l'équipe de travail. Le DO a perfectionné une panoplie d'interventions consacrées à cette entité. Ce type d'interventions s'efforce essentiellement d'accroître l'efficacité des diverses équipes de travail au sein d'une organisation. Des auteurs américains utilisent divers termes pour décrire ce genre d'intervention : *team building*, *team*

---

77. Danièle RICARD (1992). « Le modelage du comportement : une approche efficace de la formation des gestionnaires », dans R. TESSIER et Y. TELLIER, *op. cit. Méthodes d'intervention : consultation et formation*, tome 7, pp. 459-492.

78. Voir B. TREMBLAY, « Le processus de consultation dans les organisations » et R. TESSIER, « Consultation : expertise et facilitation », dans R. TESSIER et Y. TELLIER (1992). *Op. cit. Méthodes d'intervention : consultation et formation*, tome 7.

development, *family groups*, *team training*. En français, nous employons les termes suivants. Le terme générique « développement d'équipe » s'applique à toutes les activités qui ont pour but le développement d'équipe. Quand les activités de développement s'adressent à une équipe permanente non récente et à ses supérieurs, elles se nomment « groupe de famille » ; quand ces activités concernent une équipe temporaire ou une équipe de démarrage en formation, elles sont appelées « interventions de consolidation d'équipe ». Beaucoup d'efforts ont été déployés pour rendre les équipes de travail efficaces. En effet, de plus en plus les organisations performantes reposent sur des équipes harmonieuses et performantes — ce qui ne veut pas dire à l'abri des conflits, au contraire.

FIGURE 7
Interventions destinées au développement des équipes de travail

ACTIVITÉS DE DÉVELOPPEMENT D'ÉQUIPE DE TRAVAIL

Groupes de famille

Réunion de diagnostic
Cible de développement:
- Réalisation de la tâche, incluant le processus de solution de problème, le processus de décision, la clarification des rôles, l'établissement des buts, etc.
- Développement et maintien de relations interpersonnelles efficaces, incluant les relations supérieur-subordonné et les relations entre les pairs
- Compréhension et gestion des processus et de la culture du groupe
- Analyse de rôles servant à les clarifier et à les définir
- Négociation de rôles

Groupes temporaires ou nouveaux groupes

Réunion de diagnostic
Cible de développement:
- Réalisation de la tâche, particulièrement la résolution de problèmes précis, la clarification des rôles et des buts, l'utilisation des ressources, etc.
- Amélioration des relations: la résolution des conflits interpersonnels ou interunités, et la pleine utilisation de chaque membre comme ressource
- Compréhension et gestion des processus de communication, de décision et de distribution des tâches
- Analyse de rôles servant à les clarifier et à les définir
- Négociation de rôles

Source : Adaptation de W.L. FRENCH et C.H. BELL (1990). *Op. cit.*

La figure 7 synthétise les interventions DO de développement d'équipe en présentant chaque groupe d'objectifs de développement — réalisation de la tâche; relations interpersonnelles; processus et culture du groupe; analyse et négociation de rôles.

Par ailleurs, sans prétendre être exhaustif, nous décrivons ici les principaux types de groupes à qui des interventions de type DO s'avèrent utiles, ainsi que des éléments clés de chacun: 1) groupes temporaires ou nouveaux groupes au sein d'une organisation; 2) groupes de famille; 3) groupes professionnels.

Pour tous les types de groupes visés, le but de ces interventions consiste à augmenter l'efficacité des équipes de travail. Il se réalisera, selon le DO, en élucidant les points suivants: 1) les objectifs et les priorités; 2) la distribution et l'exécution des tâches; 3) les processus de fonctionnement de l'équipe — les normes, les processus de décision, les réseaux de communications, etc.; 4) les effets des relations entre les membres de l'équipe sur la façon qu'a chacun de s'acquitter de ses tâches. Ces objectifs généraux peuvent aussi bien s'atteindre en une seule rencontre qu'en plusieurs années. Tout dépend du groupe, de sa composition, de son aptitude à traiter de chacun des sujets mentionnés plus haut.

Groupes temporaires ou nouveaux groupes. Beckhard[79] décrit le prototype de la démarche de l'intervention qui tend à consolider le nouveau groupe ou l'équipe temporaire: clarification de la mission du groupe; examen des préoccupations des membres du groupe; organisation du travail; discussion des champs de responsabilité et d'autorité de chaque membre du groupe; développement de mécanismes de communication dans le groupe; entente pour une rencontre de suivi.

L'intervention s'adressant à un groupe nouveau ou temporaire peut aussi consister en une session de quelques jours au cours de laquelle un moniteur propose au groupe un certain nombre d'activités structurées qui lui apprennent à fonctionner plus efficacement. Il s'agit souvent de tâches fictives (problèmes à résoudre, décisions à prendre, sujets à discuter et jeux de rôles) dans lesquelles les membres du groupe, avec l'aide du praticien en DO, arrivent peu à peu à travailler ensemble de façon plus efficace et plus satisfaisante.

Groupes de famille. Par « groupe de famille », nous entendons ici essentiellement un groupe qui comprend un supérieur et ses subordonnés immédiats. Quelquefois le groupe de famille peut comprendre plus de deux niveaux hiérarchiques, par exemple une réunion de deux ou trois unités de production parallèles avec leur superviseur, ainsi que le directeur de l'usine. La réunion d'un groupe de famille inclut donc des personnes qui ont entre elles des rapports d'autorité qui correspondent à l'organigramme fonctionnel d'une organisation. Selon les

79. R. BECKHARD (1969). *Op. cit.*

objectifs de la rencontre, on pourra réunir n'importe quel groupe fonctionnel d'une organisation.

Il faut savoir que la composition du groupe détermine les sujets qui pourront être abordés avec profit lors de la rencontre. Lorsque plus de deux niveaux hiérarchiques y sont engagés, les thèmes concernant les relations entre les différents groupes de famille et les problèmes du groupe avec l'institution elle-même, tels les salaires, les avantages sociaux, etc. sont discutés. Dans cette situation, on profite de la présence de la personne la plus élevée dans la hiérarchie pour lui faire part de ses revendications, avec l'espoir qu'elle les transmette en haut lieu. Il est difficile de traiter les thèmes touchant les relations entre le plus bas niveau hiérarchique et le supérieur immédiat, ainsi que les relations entre les personnes de même niveau, sans provoquer chez la majorité des participants des sentiments de honte, d'humiliation, de culpabilité, d'hostilité, etc., selon les rôles joués par les protagonistes au cours de ces échanges. On risquerait de provoquer des blessures graves compromettant l'amélioration de l'efficacité de ce groupe. Ces réactions peuvent s'expliquer par l'analogie suivante : c'est comme si un père et un fils tentaient de résoudre leurs problèmes de relations (ce qui implique habituellement aussi le partage du pouvoir) en présence des enfants du fils ou de leurs cousins et du père de ceux-ci[80].

Le dicton populaire selon lequel on doit laver son linge sale en famille s'applique dans les organisations. Nous savons qu'ordinairement les membres d'une organisation établissent des relations de transfert avec leurs pairs et leurs supérieurs. C'est pourquoi la composition des groupes conditionne les problèmes qu'ils peuvent résoudre. Chaque fois que des sujets tabous ont été abordés, les suites de ces interventions se sont avérées plus ou moins compromises à cause de la méfiance et des résistances qu'elles avaient soulevées. Il importe donc de commencer les interventions avec les plus petites unités fonctionnelles (groupes de famille) et de s'assurer que les problèmes de ces groupes sont réglés, ou en voie de l'être, avant de susciter des réunions avec des groupes unissant plus d'un niveau hiérarchique ou encore plus d'un groupe fonctionnel, par exemple l'unité de la production et celle des services.

Cette dynamique aide à comprendre le vécu d'autres types de réunions. Dernièrement, un récent vice-président des ressources humaines s'étonnait du peu de débats qui avait cours dans les réunions de direction. Les sujets traitables

80. C'est ce qui explique l'euphorie souvent exprimée à la fin de ces réunions par le groupe, lorsque les sujets abordés étaient compatibles avec sa composition. Cela explique aussi l'anxiété souvent très élevée au début de ces sessions. En effet, une réunion de ce genre évoque dans l'inconscient de multiples désirs et anxiétés reliés aux transferts de chaque individu des relations archaïques avec les parents. Il n'est donc pas étonnant d'observer des expériences émotives intenses dans ces situations, même si de l'extérieur on peut penser que le contenu des échanges est assez anodin et les réactions émotives disproportionnées par rapport à celui-ci.

sont également limités dans ce genre de réunions pour les raisons mentionnées plus haut. Ainsi, une réunion de direction, composée de plusieurs directeurs généraux d'opérations et fonctionnels — à plus forte raison si quelques-uns de leurs subalternes sont également présents —, ne peut proposer que des sujets de discussion d'intérêt commun (politiques générales, budgets globaux) ou sans incidence sur les opérations et les activités dont sont responsables les directeurs généraux présents — sauf, pour des raisons évidentes, les sujets relatifs aux responsabilités et aux activités des directeurs généraux fonctionnels[81]. Dès qu'un sujet abordé concerne une direction particulière, le groupe ne peut pas le traiter, en débattre, il ne peut que l'écarter. La plupart du temps, le responsable de cette division dira: «Je vais m'en occuper» et les autres membres présents sentent qu'ils ne doivent pas s'attarder sur ce sujet. Ceux qui passent outre à ce quasi-tabou s'exposent à des représailles, à une vengeance non seulement de la part de la division concernée, mais de toutes les autres. Au sortir de réunions de ce genre, on entend souvent des phrases comme celles-ci : « Tu y en dois une ! » ou « La prochaine fois, ce sera ton tour ! », preuves de solidarité avec celui qui a fait l'objet d'une remarque vécue par tous comme un coup bas, une trahison entre frères.

Une organisation présente des lieux propices pour la résolution des conflits de toutes sortes. L'assistance d'un conseiller est souvent utile pour déterminer la composition des groupes la plus susceptible d'aider l'organisation, ainsi que les individus, à résoudre les contradictions, les conflits et les problèmes auxquels, inévitablement, ils doivent faire face. La présence d'un conseiller qualifié empêche que le patron ou le subalterne ne règle ses transferts sur le dos de l'autre, car des rencontres de groupes de famille peuvent, à cause de la puissance de ce qu'elles évoquent, entraîner des conflits profonds. Le praticien qui utilise ces techniques doit donc tenir compte de ces phénomènes de transfert et de l'influence de la composition du groupe sur les problèmes qu'il peut résoudre avant d'arrêter une stratégie d'intervention.

Quelle que soit la composition du groupe, ce type d'intervention comprend généralement trois étapes: 1) le diagnostic de la situation du groupe et l'élaboration d'un programme de rencontre; 2) la tenue d'une session, qui peut durer de quelques heures à quelques jours, au cours de laquelle les membres du groupe discutent des problèmes identifiés à la première étape; 3) la tenue d'une réunion d'évaluation.

1) *Diagnostic*

La première étape consiste en une rencontre du groupe ou en une enquête-*feed-back* auprès de celui-ci. On cherche à répondre à la question sui-

81. Par ailleurs, certains directeurs généraux se servent, à l'occasion, des directions fonctionnelles comme boucs émissaires ou pour détourner l'attention sur des sujets permis.

vante : « Que pensez-vous de votre fonctionnement et que pouvez-vous faire pour l'améliorer ? » Le groupe peut discuter de la prise de décision, des relations de travail, des réseaux de communication, des relations avec l'autorité, de la distribution du pouvoir, de la définition des rôles et des tâches, etc. Il s'agit d'identifier les problèmes qui feront l'objet de la session décrite à la deuxième étape.

Avant la réunion du groupe de famille, il est préférable que le conseiller rencontre le responsable du groupe afin de lui donner les résultats du diagnostic, de lui demander ses priorités et de lui manifester son appui et son aide pour la réalisation de ces priorités. Il doit également s'assurer que le responsable est disposé à clarifier son style de leadership — ce sujet étant toujours abordé et permettant, selon ce qui en résulte, aux autres membres d'examiner à leur tour leurs relations entre eux — et quelquefois à remettre certains de ses comportements en question s'il apparaissent dysfonctionnels.

2) *Session de résolution de problème*

Avec l'aide d'un praticien en DO, les membres du groupe réagissent au diagnostic présenté et déterminent l'ordre dans lequel les sujets seront traités. Ils essaient ensuite de résoudre les problèmes identifiés à la première étape. Un instrument comme le processus de solution de problème en groupe se révèle alors particulièrement utile. Au cours de la réunion, le groupe produit beaucoup de matériel important, relativement au processus et aux interactions, dont il peut se servir ici et maintenant. Cette information est très valable, car elle n'a pas subie les déformations de la mémoire sélective. Tout au long de la réunion, le conseiller doit, à notre avis, veiller à la poursuite des objectifs initiaux de la rencontre établis avec le responsable et avec l'ensemble du groupe. Évidemment ses interventions se situent surtout au niveau des processus, soit au niveau de la tâche, soit au niveau du fonctionnement de l'équipe.

À l'occasion, le conseiller propose au groupe un certain nombre d'activités structurées pour lui inculquer un meilleur fonctionnement. Comme pour les nouveaux groupes, il s'agit souvent de tâches fictives (problèmes à résoudre, décisions à prendre, sujets à discuter et jeux de rôles) dans lesquelles les membres du groupe, assistés par le praticien en DO, parviennent progressivement à mieux travailler ensemble, de façon plus efficace et plus satisfaisante. Ces activités sont surtout profitables lorsque les membres du groupe ont peu de connaissances sur les processus de groupe, le leadership et les techniques d'animation et de travail de groupe.

3) *Réunion d'évaluation*

Lors de cette réunion, le groupe évalue la session précédente, fait le point et dresse un nouveau plan d'action s'il y a lieu.

Groupes professionnels. Ces groupes réunissent des personnes qui exercent des fonctions analogues au sein de l'organisation (directeurs de service, ingénieurs de projets de différentes usines d'une même compagnie, responsables du personnel d'une entreprise, directeurs d'école d'une même commission scolaire, conseillers pédagogiques, etc.). Ces personnes peuvent se réunir périodiquement et échanger leurs idées, instaurer des normes professionnelles, résoudre ensemble des problèmes communs, échanger des outils.

Ces réunions offrent également un réseau de ressources spécialisées. C'est l'occasion de créer des groupes temporaires de travail qui doivent soit étudier une question, soit choisir des politiques ou des outils pour résoudre les problèmes vécus par tous.

Développement des relations intergroupes. Dans un texte de cet ouvrage[82], nous décrivons comment se sont définies les relations entre les unités de services et de production. Voici un extrait de cette description ainsi que les conséquences de ces relations sur le fonctionnement de ces unités.

> [...] Ainsi, gravitant autour de l'unité de production, il existe une multitude de services : personnel, entretien et réparation, génie, achats, ventes, marketing, contrôle de la production et, pour des entreprises plus avancées, recherche et développement. L'unité de la production demeure donc celle où ne se font que les opérations liées à la production. Dans les faits, ce type de structure a permis de séparer le «savoir» du «pouvoir». Le savoir est demeuré relié aux unités de services et le pouvoir, à l'unité de la production. En effet, c'est toujours dans l'unité de la production que réside le pouvoir légal, le pouvoir d'autorité ; c'est dans l'unité de services que réside le savoir dont les seules façons d'exercer une certaine influence consistent en la persuasion ou la qualité des services offerts à la production. Toutes les connaissances qui existent dans les différentes unités de services sont utilisées seulement si, dans l'unité de la production, les personnes veulent bien les utiliser. Le savoir étant situé dans l'unité des services et le pouvoir dans l'unité de la production, il en résulte une complication des rôles et des relations entre ces divers groupes. La structure industrielle, de plus en plus bureaucratique, donne lieu à des difficultés de communications tant horizontales que verticales. Les différents niveaux d'autorité de la pyramide sont des sources de distorsion dans la communication et des sources d'insatisfaction à tous les échelons. En effet, plus les ordres se transmettent de haut en bas, plus il est difficile pour la personne qui reçoit en dernier lieu ces ordres de se sentir engagée dans sa tâche.
>
> En ce qui concerne les relations entre les services, le même type de distorsion se produit ainsi que le même type de difficultés dans les communications entre les

82. Y. TELLIER (1991b). «Les rapports entre le pouvoir et le savoir au sein d'une organisation : l'influence du développement des entreprises sur les structures organisationnelles», dans R. TESSIER et Y. TELLIER, *op. cit. Pouvoirs et cultures organisationnels*, tome 4, p. 126.

personnes. En effet, dans la structure pyramidale, chacun sait que si j'ai à me plaindre du service d'entretien, par exemple, j'en avise mon contremaître qui, à son tour, en avise son directeur qui, à son tour, en avise le directeur de l'unité d'entretien : celui-ci retransmet cela au contremaître et ce dernier le transmet aux ouvriers concernés. Les personnes qui appartiennent au même niveau ne se parlent pas entre elles ; elles ne se parlent qu'à travers des personnes qui sont en autorité et qui se rejoignent finalement à travers le même patron. Il en résulte donc un cloisonnement entre les divers services et l'unité de production. Les relations sont la plupart du temps conflictuelles. Ainsi, les gens du service d'entretien et du service de production sont souvent en conflit. Les ouvriers du service d'entretien, quand ils parleront de ceux qui font fonctionner les machines, auront facilement tendance à dire qu'ils sont négligents, qu'ils forcent les machines qui se brisent beaucoup trop souvent. De leur côté, les ouvriers de la production diront facilement des ouvriers du service d'entretien qu'ils effectuent mal les réparations, qu'ils ne travaillent pas assez vite et que c'est vraiment difficile d'obtenir leurs services.

Chacun utilise des stéréotypes négatifs pour décrire l'autre et le voit comme un ennemi. Il est encore plus désolant de constater que la plupart des organisations acceptent ces situations de conflits interservices comme inévitables. Les efforts déployés par les supérieurs consistent ordinairement à empêcher que les conflits s'enveniment. Ils éteignent les crises jusqu'à la prochaine sans s'attaquer au problème de fond qui semble insoluble et éternel. On entend souvent dire : « C'est toujours comme ça entre la production et l'entretien. Il n'y a rien à faire ! » Le DO s'est attaqué à améliorer ces relations et, ce faisant, à augmenter l'efficacité respective des services concernés. Nous présenterons ici son intervention type de développement des relations intergroupes.

Cette intervention s'efforce essentiellement de réduire la compétition intergroupes au sein d'une organisation et à augmenter la coopération entre les groupes. Dans le même ordre d'idées, elle tente de résoudre les conflits entre les groupes et de dissiper la confusion dans les hiérarchies. Une telle intervention succède souvent, dans un programme de DO, au groupe de famille. Ainsi, lorsqu'une équipe a réglé ses problèmes majeurs et s'est consolidée, elle est souvent prête à améliorer ses relations avec les autres groupes au sein de l'organisation.

Parmi les diverses stratégies possibles, la plus courante, mentionnée par Beckhard[83], est une rencontre des deux groupes, qui comprend les six phases suivantes :

1) Les deux groupes se retirent chacun de leur côté et répondent aux deux questions suivantes : a) Quels sont vos sentiments et vos attitudes face à l'autre groupe ? (Les membres de chaque groupe peuvent s'aider mutuellement en

83. R. BECKHARD (1969). *Op. cit.*

se communiquant des *feed-back.*) b) Selon vous, quelles sont les réponses de l'autre groupe à la première question?

2) Les deux groupes se réunissent et se transmettent leurs réponses; le conseiller leur demande de ne pas réagir à ces réponses et de ne pas en discuter pour le moment; seules les questions de clarification sont permises.
3) Les deux groupes se retirent ensuite chacun de leur côté; ils réagissent entre eux aux informations reçues de l'autre groupe et énumèrent, par ordre d'importance, les questions qui devraient présentement retenir l'attention des deux groupes.
4) Les deux groupes se rassemblent, se font part de leurs informations et dressent un ordre du jour.
5) Avec l'aide du conseiller, ils discutent des divers points à l'ordre du jour.
6) Enfin, ils évaluent la rencontre et fixent le moment d'une réunion ultérieure, s'ils le jugent à propos.

Habituellement, une meilleure compréhension entre les groupes résulte de ces rencontres, ainsi qu'une augmentation de la confiance et de la coopération entre eux. Les groupes qui participent à ces rencontres peuvent se situer dans différentes parties de l'organisation, tant sur le plan horizontal que vertical. Ces réunions demandent du conseiller qu'il soit habile à conduire des grands groupes et à les aider à se servir de l'information obtenue de façon non défensive, qu'il connaisse très bien la dynamique intergroupes et qu'il puisse l'expliquer clairement à l'aide des éléments de l'*ici et maintenant* de la réunion.

Les systèmes de gestion

La période qui s'étend de 1972 environ à 1983 marque le passage des interventions DO qui mettent l'accent sur le développement des ressources humaines — c'est-à-dire la personne dans un groupe, les processus de groupe, les normes, les styles de leadership, la culture organisationnelle, etc. — à des interventions qui visent le développement de l'organisation en tant que système. Ayant déjà présenté les techniques susceptibles d'aider l'organisation à transiger avec son environnement, nous décrirons ici les principaux apports du DO aux systèmes de gestion du personnel.

L'amélioration de l'efficacité organisationnelle passe également par l'amélioration des systèmes de gestion. En effet, que sert de modifier le comportement des personnes, de favoriser le leadership démocratique, de créer une culture à l'image de la théorie Y, si, au moindre obstacle, l'organisation dans son ensemble subit un ressac et revient à la théorie X? Les efforts de plusieurs années se trouvent anéantis soit à l'apparition d'un contexte économique défavorable, soit parce que de nouvelles têtes dirigeantes modifient complètement les règles du jeu établies. En général, les deux phénomènes se produisent simultanément ; l'entreprise est en mauvaise posture et on fait appel à un dur de dur pour remettre les choses en place. Plus souvent qu'autrement, cette décision résulte d'un mauvais diagnostic et, à long terme, l'organisation s'en tire difficilement.

Il importe donc d'inscrire, dans les systèmes de gestion, des processus et des mécanismes qui incrustent les principes de McGregor dans le quotidien, en plus d'intégrer ces manières de faire dans la culture de l'organisation. C'était la tâche de nombreux conseillers en DO durant la dernière décennie.

La planification de la main-d'œuvre, le recrutement et la sélection, les programmes d'intégration, la gestion des ressources (rendement, nomination, carrières et relève), les programmes de réduction de main-d'œuvre rendent de meilleurs services à l'entreprise s'ils essaient de concilier les besoins de l'organisation et ceux des individus, et s'inspirent des principes et des valeurs du DO.

La planification de la main-d'œuvre, le recrutement et la sélection

L'utilisation des processus de groupe peut améliorer la planification de la main-d'œuvre. On établit collectivement les profils de compétence désirés, qui satisfont aux exigences techniques des postes à remplir, et ceux des habiletés personnelles et interpersonnelles nécessaires pour s'intégrer à la vie de l'organisation. De plus, la participation comme groupe des membres d'une équipe à la sélection de leurs futurs collègues assure que, de leur point de vue, le nouvel arrivant pourra s'ajuster à cette équipe.

On reconnaît l'effet bénéfique, sur le rendement et le taux de roulement des nouveaux arrivants, des programmes d'intégration qui, en plus de présenter de façon formelle les politiques de l'entreprise, incluent des discussions de groupe avec des représentants de la direction et de futurs confrères sur certains aspects de la culture organisationnelle comme le climat de travail, les relations supérieurs-subalternes, les normes informelles et la façon dont les politiques sont appliquées. Ces programmes, pour correspondre vraiment aux valeurs et aux postulats du DO, doivent également ménager des discussions en présence des conjoints. Lorsque les emplois sont dans des endroits éloignés, ou inconnus aux nouveaux venus, une familiarisation des individus ou des couples avec l'environnement social et culturel aura un impact important sur le taux de recrues que l'entreprise parviendra à retenir, et sur leur rendement en abaissant rapidement leur niveau d'anxiété liée au choc culturel inévitable[84].

84. Cet aspect de l'intégration est particulièrement important dans un milieu comme le Québec, qui présente plusieurs situations de ce type, par exemple, une anglophone de Toronto embauchée pour travailler sur la Côte-Nord ; un Vietnamien diplômé d'une université de la Colombie-Britannique qui trouve un emploi à Québec, une Saguenéenne embauchée par une entreprise de l'ouest de Montréal, un anglophone de Winnipeg muté à Montréal.

L'intégration prendra encore plus d'importance avec la venue d'une main-d'œuvre de plus en plus diversifiée. D'ailleurs, il faudra prévoir avant longtemps — ce serait même déjà nécessaire dans certaines régions où la jeune main-d'œuvre provenant d'un milieu culturel homogène devient rare — de la formation pour que les personnes à l'intérieur de l'entreprise accueillent ces nouveaux arrivants.

Ces diverses activités seront érigées en système seulement lorsque les organisations accepteront d'emblée que les personnes, quels que soient leur origine et leur passé, ont un vécu ici et maintenant et que prêter attention aux sentiments nuisibles à leur rendement qu'ils éprouvent constitue la responsabilité de l'entreprise au même titre que de leur fournir un lieu de travail et des outils; c'est-à-dire lorsque les organisations mettront en pratique un des plus importants principes du DO, à savoir: harmoniser les besoins de l'individu et ceux de l'organisation.

La gestion des ressources humaines

Quand l'acquisition des ressources humaines a été planifiée et que celles-ci ont été engagées et intégrées, le personnel est en mesure de produire des résultats. Trois sous-systèmes du processus de gestion des ressources humaines ont été distingués pour tenir compte de la période active du personnel: la gestion du rendement, de la relève et des carrières. S'ils sont bien liés les uns aux autres et s'ils tiennent compte des besoins de l'organisation et des personnes en même temps qu'ils respectent les valeurs et les principes du DO, ces sous-systèmes contribuent considérablement à la santé de l'organisation et des personnes qui y travaillent. Encore une fois, l'utilisation des processus de groupe dans la gestion de ces sous-systèmes s'avère d'une efficacité sans égale.

Le processus de gestion du rendement, de la relève et des carrières. Les principes d'un système d'évaluation du rendement qui répond aux valeurs du DO et à des données de recherche commencent à être bien connus: établissement en commun des objectifs; revue périodique des objectifs; entrevue annuelle vérifiant l'atteinte des objectifs; discussion des aspirations de carrière de l'employé et des possibilités de carrières offertes par l'entreprise, le tout se terminant par une entente sur un plan de développement de l'employé. Telles sont les phases essentielles du processus d'évaluation du rendement dorénavant classique. Le DO peut augmenter l'efficacité de ce processus au cours de la collecte d'information, de l'utilisation de cette information et du *feed-back* à l'employé.

Il est primordial d'obtenir de l'information valable concernant les comportements et les résultats de l'employé, d'éviter les déformations perceptuelles et les erreurs classiques de mesure — effet de halo, persévération, influence du système de valeurs de l'évaluateur, etc. L'approche DO recherche l'information la plus objective possible par des discussions structurées avec les personnes avec qui et pour qui l'employé a travaillé durant la période considérée. Cette collecte d'information sert de base à ce qui sera transmis ensuite à l'employé. Évidemment le *feed-back* pour être constructif doit remplir les conditions habituelles mentionnées dans tous les volumes sur le comportement organisationnel.

Trop souvent ce processus formel s'arrête après l'entrevue d'évaluation. Ce qui conduit fréquemment à l'abandon de ce système, les gestionnaires n'en voyant pas l'utilité après quelques tentatives. Par contre, lorsque des *réunions de gestion des ressources*[85] provoquent la circulation de l'information liée à l'évaluation, cette information devient très précieuse pour les gestionnaires et les représentants du personnel. Ces réunions, qui s'opèrent au moins annuellement de bas en haut dans l'organisation et entre les unités et les divisions, ont les conséquences suivantes. L'information circule dans l'ensemble du système et se valide à l'usage. Graduellement les normes implicites d'évaluation des gestionnaires deviennent uniformes — lors des réunions, les gestionnaires s'ajustent les uns aux autres: les plus sévères le devenant moins et les plus généreux évaluant plus rigoureusement —, ce qui élimine une erreur de mesure fréquente dans l'évaluation du rendement. Un autre bénéfice de l'utilisation des processus de groupe est d'empêcher les manipulations que certains gestionnaires ont tendance à faire lorsque les données d'évaluation ne sont pas partagées. Ainsi, ils ne peuvent plus dissimuler le potentiel de développement exceptionnel de certains des membres de leur personnel afin de retarder le plus possible leur progression au profit de leur unité, ni cacher le rendement insatisfaisant d'autres pour éviter ainsi des décisions difficiles à prendre. Les réunions de gestion des ressources augmentent aussi la confiance lors des promotions et des mutations. Le tabou étant levé sur les données d'évaluation et leur validité moins questionnée, les mutations d'une division à l'autre deviennent plus faciles; d'une part, les divisions ne craignent plus de se faire présenter des employés d'autres divisions ayant atteint leur niveau d'incompétence, et, d'autre part, il est plus embarrassant de favoriser des employés de sa propre division au détriment d'autres candidats plus performants provenant d'une autre division. Le système de gestion devient plus exact, plus équitable et plus fonctionnel, les besoins du personnel et de l'organisation y sont donc plus facilement conciliables, ce qui augmente la motivation du personnel et la confiance envers ce système.

La troisième étape du processus de gestion du rendement, de la relève et des carrières consiste à partager avec les évalués les données des réunions de

85. Ces réunions mettent en présence des gestionnaires d'un même niveau et leur supérieur. Chacun communique au groupe les données d'évaluation du rendement et du potentiel de leur personnel ainsi que leurs aspirations de carrière. Ces réunions se tiennent à chaque niveau de gestion de l'entreprise jusqu'au dernier qui réunit les vice-présidents des différentes unités et le président. Chaque gestionnaire assiste donc à deux réunions de gestion des ressources, jouant ainsi son rôle de liaison entre ses subordonnés et ses supérieurs.

gestion des ressources les concernant. Le supérieur, après avoir assisté à la réunion annuelle, informe son personnel des perceptions de l'organisation à son sujet, confirme son potentiel d'avancement et ses chances de réaliser ses aspirations de carrière. S'instaure un climat favorable à des discussions entre supérieur et subordonné sur les possibilités de carrières à l'intérieur et même, dans certains cas, à l'extérieur de l'entreprise.

Les plans de relève établis lors des réunions de gestion des ressources intègrent l'ensemble des données mentionnées plus haut, ce qui leur confère une grande validité ainsi qu'une probabilité élevée de réalisation.

Finalement, les efforts déployés dans le cadre du DO débouchent souvent sur des formes d'aide aux membres du personnel afin qu'ils précisent leurs aspirations de carrière, l'équilibre qu'ils veulent obtenir entre leur vie professionnelle et leur vie personnelle, sans renoncer à exploiter leur potentiel d'avancement. Des exercices comme la *planification de vie et de carrière*[86], inventée par Herbert A. Shepard, amènent les individus à obtenir une meilleure conscience des buts qu'ils poursuivent dans leur carrière et dans leur vie personnelle et, conséquemment, une plus grande maîtrise de celles-ci. Dans le même ordre d'idées, Schein[87] établit un parallèle entre les différentes étapes d'une carrière et celles de la vie personnelle. Il suggère des activités afin d'harmoniser les besoins de l'organisation et ceux de la personne.

Le centre d'évaluation[88] conçu dans un but de développement et de planification de carrière, et non uniquement de sélection, peut ainsi occasionner un apprentissage important pour un jeune cadre. Il permet d'évaluer les aptitudes à la gestion à partir de simulations élaborées selon la méthode des événements critiques relativement aux postes clés de l'organisation[89]. Le personnel qui s'inscrit volontairement à ce genre de programme a la possibilité de connaître ses points forts et ses points à développer, comme de se définir un programme de développement réaliste et en accord avec les attentes de l'organisation.

L'ensemble de ces processus de gestion des ressources humaines et les technologies décrites réclament, chez les personnes qui les appliquent, des connaissances sur le fonctionnement des groupes, des habiletés dans

---

86. Voir *Annual Handbook for Facilitators*, Burlington, University Associates of Canada, Inc.
87. E.H. SCHEIN (1978). *Career Dynamics : Matching Individual and Organizational Needs*, Reading, Mass., Addison-Wesley.
88. Un centre d'évaluation permet d'évaluer de façon standardisée plusieurs dimensions du comportement à l'aide de mises en situation. Des observateurs formés, normalement des cadres de l'entreprise, mettent en commun leurs observations et s'entendent sur une évaluation globale de chacun des candidats.
89. Voir Guy NOËL (1980). « Programme Ipoc (Identification du potentiel et de l'orientation de carrière) ». Texte dactylographié inédit.

l'expression du *feed-back* ainsi qu'une culture qui prône l'ouverture, la diffusion de l'information et des rapports supérieur-subordonnés empreints de confiance.

La réadaptation des ressources humaines

Le DO préconise un ensemble d'activités de réadaptation lorsqu'une organisation se sépare de ses ressources humaines, pour une raison quelconque. Il a ainsi influencé la mise en œuvre d'activités qui aident le personnel à mieux supporter l'anxiété liée aux mises à pied. La plupart des entreprises offrent maintenant de l'aide spécialisée à leur personnel, afin non seulement de lui fournir du soutien durant la période de mise à pied, mais également une assistance dans la recherche d'un nouvel emploi.

L'acceptation des sentiments, la mise en pratique de démarches rationnelles efficaces de recherche d'emploi résultent des efforts de spécialistes utilisant l'approche DO. De nos jours, les services de ce type sont offerts un peu partout, mais, il n'y a pas si longtemps, ils devaient l'être à l'intérieur de l'entreprise. Basil Robert Cuddihy[90], qui a monté un des premiers services de réadaptation chez Alcan au début des années 70, a décrit les étapes à suivre dans les programmes de réduction de main-d'œuvre ainsi que le type d'aide à offrir au personnel mis à pied. Par la suite, le *counseling* de carrière est devenu une activité normale de l'entreprise. N'importe quel cadre pouvait y avoir accès sous le sceau de la confidentialité. Certains cadres lui étaient adressés par leur supérieur : par exemple, lorsqu'une mésentente surgissait au sujet de l'évaluation de leur potentiel. S'ils le désiraient, le service de *counseling* de carrière procédait à une évaluation plus objective à l'aide de tests et d'entrevues. Les résultats parvenaient à la direction ou non, selon les ententes établies au départ entre le supérieur et le subordonné. Selon la situation, les sessions de *counseling* de carrière pouvaient s'étendre sur plus d'un semestre. Cette description des activités de réadaptation fournit un exemple concret de l'influence du DO dans la gestion des carrières des cadres.

Dans cette partie, nous avons dégagé les effets du DO sur les systèmes de gestion des ressources humaines mis au point depuis une vingtaine d'années. Ils constituent un apport important, car ces systèmes de gestion s'intègrent à la culture d'une organisation et se transmettent imperceptiblement d'une génération d'employés à l'autre, à l'abri des humeurs de tel ou tel gestionnaire ou des remplacements à la tête des organisations, et, de ce fait, effectuent difficilement un changement de cap.

---

90. Basil Robert CUDDIHY (1974). « How to Give Phased-Out Managers a New Start », *Harvard Business Review*, vol. 52, n° 4, juillet-août, pp. 61-69.

Conclusion

Dans ce chapitre, nous avons voulu rendre compte d'une approche qui a considérablement marqué la conduite des organisations tant industrielles que publiques et parapubliques durant les 30 dernières années. Cette approche, pour les non-initiés, se résume souvent à une série de techniques plus ou moins précises, souvent mystérieuses, voire ésotériques. Le groupe de formation et ses dérivés étant les plus connues. C'est pourquoi nous avons voulu accorder plus d'importance aux buts, aux objectifs, aux principes, aux postulats, aux valeurs et à la méthodologie du DO qu'à sa technologie. La technologie, étant un reflet de l'essentiel, varie selon les circonstances et les besoins ponctuels des organisations.

Nous avons d'abord esquissé le travail des pionniers du DO, puis présenté un historique de ce mouvement, de 1960 à nos jours, en le situant dans son contexte sociétal. Nous avons vu que cette évolution est intimement liée à celle de la société. Le DO est en cela conséquent avec l'un de ses principaux buts : l'harmonisation des besoins de la personne et de ceux de l'organisation. Après avoir défini le DO en insistant sur ses apports les plus originaux, c'est-à-dire son soucis de la compréhension des processus et des interactions, l'accent qu'il met sur le comment plutôt que le quoi (processus plutôt que tâche), nous avons mis en relief ses fondements théoriques — c'est-à-dire les postulats, les croyances et les valeurs qui guident ses interventions — ainsi que les principes de la méthodologie utilisée.

Nous avons ensuite décrit le processus d'intervention du DO. Ses trois composantes principales sont le *diagnostic*-feed-back, l'*action* et le *processus de maintien*. Nous avons également identifié les conditions préalables que le système-client et le conseiller doivent respecter, sans lesquelles aucune intervention n'a de chances de succès.

Enfin, nous avons présenté les techniques d'intervention du DO qui reflètent le mieux son esprit, regroupées selon trois cibles :

- l'organisation formelle comme système ;
- les personnes et les groupes (techniques de bases du DO) ;
- les systèmes de gestion.

Les résultats des recherches sur de nombreuses interventions de type DO attestent généralement leur succès. Nous n'en avons pas parlé ici délibérément ; les personnes intéressées pourront consulter French et Bell[91], qui en font une revue complète.

91. W.L. FRENCH et C.H. BELL (1990). *Op. cit.*, chapitre 19.

Le DO a un passé, a-t-il un avenir ?

Certains prétendent que le DO, avec les principes et les valeurs qu'il soutient, ne fut qu'une mode en train de disparaître. Il faut bien admettre que, depuis le début des années 80, le DO a subi une régression. Plusieurs articles datant de cette période posent le problème[92]. Certains, comme Kreel, affirment que le DO est l'équivalent d'un produit et que son cycle de vie est au déclin, car il ne répond plus à un besoin : ils doutent que les valeurs humanistes, sinon idéalistes, que prône le DO puissent satisfaire aux exigences d'efficacité des organisations.

D'autres (tels French et Bell[93]), par contre, soulignent les forces de ce mouvement qui a su accumuler et assimiler un savoir cohérent provenant des sciences du comportement. Ils mentionnent, entre autres, le modèle de la recherche-action, l'approche systémique des organisations, et la stratégie de changement qui s'applique à la culture des équipes de travail et de l'organisation. Ces trois éléments forment la base du DO, l'approche de changement planifié qui demeure la plus cohérente et la plus efficace et qui contraste avec les stratégies antérieures tant au niveau des cibles du changement qu'à ceux de la méthodologie et de la technologie utilisées pour planifier et implanter les changements.

La nature même de cette approche guarantit sa flexibilité et son adaptabilité à toutes sortes de situations. L'historique du début de ce chapitre en témoigne et laisse présager sa capacité à créer des processus et des technologies afin de relever les nouveaux défis que présente le monde turbulent et en transition dans lequel l'humanité s'engage en cette fin de siècle.

Pour bien mesurer la viabilité du DO, considérons les principaux traits du futur immédiat (voir le tableau 6) et les enjeux qui s'en dégagent pour la société et les organisations (voir le tableau 7[94]).

---

92. W. G. BENNIS (1981). « Organization Development at the Crossroads », *Training and Development Journal*, vol. 35, n° 4 ; R. BLAKE et J. MOUTON (1979). « Why the OD Movement is "Stuck" and How to Break it Loose ! », *Training and Development Journal*, septembre, octobre et novembre ; T. KREEL (1981). « The Marketing of Organizational Development : Past, Present, and Future », *The Journal of Applied Behavioral Science*, vol. 17, n° 3.
93. W. L. FRENCH et C. H. BELL (1990). *Op. cit.*
94. Les tableaux 6 et 7 synthétisent la conclusion de la partie « Image du futur » (reproduisant des textes tirés d'entrevues que les directeurs de l'ouvrage ont tenues avec neuf personnes qui représentent divers milieux de notre société), dans R. TESSIER et Y. TELLIER (1991). *Op. cit. Historique et prospective du changement planifié*, tome 1. Dans la section suivante, nous reprenons également, avec quelques ajouts et modifications, le texte qui décrit plus en détail les implications pour les organisations des caractéristiques de l'avenir prochain.
Nous avons adapté pour notre analyse le modèle de N. M. TICHY (1991). *Op. cit.*

TABLEAU 6

Contexte des 20 prochaines années

ENVIRONNEMENT	ORGANISATIONS	GESTION
Secteur économique et technique – Récession et après-récession – Disparition de secteurs industriels – Économie de services – Gestion de l'information (↗ quantité et vitesse) – ↗ chômage → programmes sociaux ? – Modification de l'économie – Environnement – Monde en transition	**Système économique et technique** – ↗ Compétition → ↗ productivité par la robotisation et la bureautique – Fusions, acquisitions (*leverage buyouts*) – Globalisation des marchés (spécialisation par pays) – ↗ vitesse des communications – Minimum de personnel	**AJUSTEMENTS** **entre** **L'ENVIRONNEMENT** **et** **L'ORGANISATION** ↓
Secteur politique – Croissance des groupes d'intérêts – Interdépendance (village mondial) – Demandes de participation – Égalité des chances – L'État compromis (information et consensus) – Environnement	**Système politique** – Justice distributive – Décentralisation du pouvoir → ↗ besoin d'être informé, de main-d'œuvre spécialisée – Gestion des externalités : environnement	**DÉFIS** **pour** **LES SPÉCIALISTES** **EN DO**
Secteur socioculturel – Démographie : *baby boom*, *dinks*[a] et ↗ vieux ; (↗ conflits raciaux, nationalismes, fanatisme religieux) – Individualisme/collectivité – ↘ main-d'œuvre professionnelle – Attentes générales très élevées – ↗ abandon des études au secondaire – ↗ analphabètes adultes	**Système culturel** – ↘ sentiment d'appartenance, de loyauté – Qualité de vie au travail – Disparition des tâches monotones – Changements de tâches → ↗ insécurité – ↗ emplois autonomes – ↘ main-d'œuvre qualifiée – Nouvelles normes face au travail	**de la** **SOCIÉTÉ** **de** **DEMAIN**

a. *Double income no kids.*

TABLEAU 7

Enjeux sociétaux et organisationnels des 20 prochaines années

ENVIRONNEMENT	ORGANISATIONS
Enjeux économiques et techniques – Comment assurer la transition actuelle en limitant les conséquences pénibles sur les sociétés et les individus ? – Comment les sociétés industrialisées pourront-elles aider suffisamment et de façon tangible les sociétés non industrialisées, y compris celles du monde communiste, tout en répondant aux demandes grandissantes de leurs citoyens ? – Comment assurer un niveau de vie acceptable à l'échelle de la planète ? – Comment ne pas compromettre à jamais la survie de l'espèce humaine ?	**Enjeux économiques et techniques** – Comment augmenter la flexibilité des organisations sans perdre les avantages que confère une organisation bien structurée ? – Comment constamment intégrer la mission, les stratégies et les systèmes de gestion des organisations à un environnement changeant, de moins en moins prévisible et de plus en plus concurrentiel ? – Comment gérer les changements de produits, de marchés et l'introduction de nouvelles technologies tout en maintenant un haut niveau de qualité et de productivité ?
Enjeux politiques – Comment les gouvernements feront-ils pour concilier les besoins individuels et collectifs ? – Comment les sociétés pourront-elles répondre aux besoins d'identité nationale, tout en évitant le chauvinisme et le fanatisme religieux ? – Comment se redéfiniront les rapports Nord-Sud ? – Comment pourrons-nous juguler les problèmes environnementaux à l'échelle de la planète ?	**Enjeux politiques** – Comment à la fois répondre aux besoins de participation et d'information du personnel et garder une structure de pouvoir efficace et souple ? – Comment augmenter la responsabilisation du personnel et insuffler du pouvoir à chaque niveau de commandement tout en encourageant la collaboration entre les sous-systèmes de l'organisation ? – Comment redistribuer les récompenses équitablement, compte tenu de la contribution de chacun ? – Comment apprendre à gérer les relations de l'entreprise avec son milieu, en particulier les problèmes d'environnement, sans renoncer à la poursuite de ses objectifs ?
Enjeux socioculturels – Quels systèmes ou programmes faut-il mettre en place pour permettre au monde du travail de réaliser les adaptations en douceur ? – Quelles valeurs individuelles faut-il promouvoir ou susciter, afin de lutter pour les enjeux économiques, techniques et politiques ? – Comment redéfinir les rapports hommes-femmes — et particulièrement le rôle du père — pour assurer une place égale aux femmes sur le marché du travail, tout en leur permettant de remplir leur rôle de procréation ? – Comment intégrer harmonieusement les différentes races et ethnies aux milieux sociaux vers lesquels elles émigrent ? – Comment définir des projets de sociétés qui répondent aux principaux enjeux auxquels elles sont confrontées ?	**Enjeux socioculturels** – Comment intégrer les nouvelles valeurs de travail au changement organisationnel permanent ? – Comment développer des valeurs et une philosophie de gestion qui s'harmonisent avec les changements technologiques et sociétaux, d'une part, et avec les objectifs de l'organisation, d'autre part ? – Comment gérer une main-d'œuvre diversifiée ? quelles connaissances et habiletés seront nécessaires dans ce nouveau contexte ? – Comment favoriser l'adaptation de la main-d'œuvre aux nouvelles exigences ?

Que deviendront les organisations de demain ? Comment s'adapteront-elles aux changements dans la société ?

Les effets du contexte sociétal sur le devenir des organisations

Système économique et technique

La concurrence grandissante qui se manifeste à la grandeur de la planète va intensifier sa pression sur les entreprises et les gouvernements pour qu'ils augmentent leur productivité et la qualité de leurs extrants. Aux niveaux économique et technique, cette augmentation se concrétisera surtout par la robotisation des moyens de production et la bureautique. Parallèlement, les entreprises se regrouperont, par fusions ou acquisitions, pour améliorer leur position dans un environnement extrêmement compétitif.

Les organisations devront constamment évaluer la viabilité et la qualité de leurs produits et services, et gérer les coûts de production de façon très serrée. Le personnel devra être organisé dans une optique d'efficacité, ce qui implique qu'on ne tolérera pas les surplus de main-d'œuvre.

Système politique

Les progrès techniques, en ce qui a trait à la gestion, ainsi que la vitesse et la précision des réseaux de circulation des informations réclameront moins de niveaux de commandement et plus de délégation de responsabilités au personnel à chaque échelon de l'entreprise.

Le pouvoir organisationnel sera de plus en plus décentralisé. Corrélativement, le personnel exigera de disposer d'une information de meilleure qualité et d'être associé de plus près à la destinée de l'entreprise, tant du point de vue financier que de celui des activités. Il exercera des pressions pour que le système de récompense soit basé sur la contribution et les besoins de chacun, tant au chapitre des salaires et des avantages sociaux qu'à celui des plans de carrière (application des principes de la justice distributive).

La communauté dans laquelle s'insère l'entreprise demandera aussi d'être mieux informée, non seulement sur les projets et la situation financière de cette dernière, mais également sur ses effets dans le milieu. Plus particulièrement, l'entreprise devra gérer les problèmes d'environnement qu'elle occasionne, en collaboration avec la communauté.

Système socioculturel

Les organisations des vingt prochaines années seront très influencées par les changements des valeurs et les caractéristiques de la main-d'œuvre (par exemple, âge, sexe, scolarité, diversité des races et ethnies).

Le sentiment d'appartenance à l'entreprise et de loyauté envers elle s'estompera pour faire place à des valeurs plus individualistes. La qualité de vie au travail deviendra une revendication importante pour toutes les catégories d'employés. Les entreprises devront s'efforcer de développer des cultures internes fortes, bien identifiables et ajustées à leur mission et à leurs stratégies, de façon à susciter l'engagement et la responsabilisation de leurs employés.

Les changements technologiques élimineront les tâches monotones. En même temps, ils créeront d'autres tâches plus exigeantes, qui causeront insécurité et résistance chez le personnel mal préparé à les accomplir.

L'augmentation du nombre des femmes à tous les niveaux hiérarchiques obligera les organisations à instaurer des mécanismes qui tiendront compte de leur rôle de mère dans la société sans défavoriser leur carrière.

La diversité de la main-d'œuvre posera des problèmes nouveaux d'intégration et de gestion qui nécessiteront des connaissances additionnelles sur les rapports interethniques et interreligieux, et le développement des habiletés à transiger avec les différences culturelles et religieuses.

Le nombre des emplois autonomes augmentera considérablement et les lieux de travail se diversifieront. La technologie des communications et des ordinateurs personnels va faciliter le travail à domicile et modifier l'organisation du travail de bureau.

Le succès des entreprises de demain repose de plus en plus sur la qualité et la compétence du personnel, car l'ensemble d'un secteur dispose des mêmes avantages technologiques.

En analysant les enjeux, tant sociétaux qu'organisationnels, synthétisés au tableau 7, il apparaît que le DO répond plus que jamais aux besoins des organisations qui émergent de ces enjeux, qu'ils soient de nature économique, technique, politique ou sociale. Les valeurs, les principes et les postulats de base du DO semblent non seulement encore adéquats, mais aussi indispensables pour répondre aux défis du futur. En effet, dans un tel contexte, comment gérer les entreprises selon le modèle de la théorie X ? Comment former, intégrer, gérer les ressources humaines par des systèmes de gestion qui ne reflètent pas la théorie Y et ses valeurs ? Est-il concevable d'appuyer des gestionnaires qui exercent leur pouvoir de façon autocratique, sans avoir recours au travail d'équipe, sans insuffler de pouvoir à leurs subalternes et sans les responsabiliser ? Quelle approche est plus qualifiée que le DO pour aider les organisations à résoudre les problèmes de diversité de la main-d'œuvre et à créer des cultures organisationnelles favorisant l'efficacité de leur personnel ?

Tous les programmes qui surgissent actuellement sans porter le sigle DO empruntent à sa technologie et à sa méthodologie. Même le dernier-né aux États-Unis, le *Total Quality Management* ou *Big Q* comme le désigne Juran[95] — père des programmes de gestion de la qualité au Japon —, propose des processus d'implantation de programmes de qualité que ne renierait aucun spécialiste en DO. La cible correspond à l'ensemble des activités d'une organisation en privilégiant la qualité des produits. Le programme doit être géré d'en haut et s'adresser à tous les échelons, etc. La majorité des ingrédients sont conformes au DO. Les cercles de qualité, qui sont antérieurs à ce nouveau programme et dont l'origine est la même — Juran et Deming dans les années 50 et 60 les ont introduits au Japon —, s'apparentent au processus de solution de problème en groupe[96].

Le DO ne peut donc que demeurer une croisée de chemin où, à partir d'une base solide — l'idée première qui consiste à concilier les objectifs des personnes et ceux des organisations —, il sera possible d'adapter les moyens de la réaliser, ou d'en inventer d'autres.

Les défis du DO

Le DO a donc un futur, mais lequel ? Les vingt prochaines années opéreront la transition de l'ère postindustrielle à celle de la modernité véritable, pour reprendre l'expression de Touraine[97]. En effet, que ce soit au niveau des individus, des organisations, des nations, des pays ou du monde, les défis consistent à accorder les besoins d'individualité et de liberté avec ceux des collectivités dans lesquelles chaque niveau d'organisation sociale s'insère.

Quel rôle le spécialiste en changement planifié et en DO peut-il s'attribuer durant cette période de transition ? Quels défis devra-t-il affronter ? Comment pourra-t-il assister les gestionnaires des organisations ?

Les dernières décennies ont lancé des défis intéressants au spécialiste en DO. Pour les relever, il a commencé d'appliquer à l'organisation dans sa totalité, à ses systèmes de gestion des ressources humaines, ses valeurs et ses connaissances des processus de groupe ; et d'employer, dans sa pratique, des outils lui permettant de doter les organisations d'une dimension stratégique d'intégration des ressources humaines.

Ces préoccupations prendront tout leur sens dans les prochaines décennies. L'environnement futur de l'entreprise fournira au spécialiste en change-

95. J. JURAN et A. BLANTON GODFREY (1990). *Op. cit.*
96. Voir l'analyse de W.L. FRENCH et C.H. BELL (1990). *Op. cit.*, pp. 184-185.
97. Alain TOURAINE (1990). « La crise de la modernité », dans R. TESSIER et Y. TELLIER (1991). *Op. cit. Historique et prospective du changement planifié*, tome 1, pp. 201-208.

ment et en DO plusieurs occasions d'aider les gestionnaires à coordonner les ressources humaines et les stratégies de l'entreprise, à ajuster continuellement l'aspect humain aux trois domaines clés de gestion de l'entreprise, à savoir: les systèmes technique, politique et culturel. Les ressources humaines ne seront-elles pas, selon plusieurs auteurs d'« Image du futur », l'élément qui conférera l'avantage aux organisations qui sauront les utiliser pleinement ? L'Occident, particulièrement l'Amérique, constitue un réservoir de capital intellectuel[98], l'actif le plus convoité par les entreprises pour demeurer concurrentielles. Il s'agit donc d'en tirer parti, de faire en sorte que ce capital travaille dans des conditions où il peut fructifier.

Voici les objectifs que le spécialiste en DO pourra aider les gestionnaires à atteindre dans les trois systèmes clés :

– *Système technique*

- Organiser les ressources humaines dans une optique d'efficacité en privilégiant la qualité.
- Fournir les outils de gestion des changements technologiques, structuraux et des périodes de croissance.
- Gérer les changements d'ordre technique et structural désirés ainsi que les systèmes de gestion appropriés.

– *Système politique*

- Distribuer le pouvoir de façon à favoriser la responsabilisation de l'ensemble du personnel.
- Identifier et développer les leaders-gestionnaires et les détenteurs du pouvoir intellectuel provenant de l'intérieur.
- Gérer les politiques de relève — recrutement, promotion et transfert — et les systèmes de récompense de façon équitable.

– *Système culturel*

- Définir un style de leadership permettant de créer une atmosphère de travail d'équipe, et de participation.
- Concevoir une culture organisationnelle qui accorde les besoins d'individualité du personnel avec les besoins d'appartenance et de loyauté de l'organisation.
- Promouvoir l'esprit de service et la responsabilisation.

---

98. Thomas A. STEWART (1991). « Brainpower », *Fortune Magazine*, vol. 123, nº 11, juin, pp. 44-60 .

- Mettre de l'avant une éthique professionnelle claire dans la résolution des conflits et la conduite des affaires.
- Gérer les changements socioculturels et veiller à l'intégration d'une main-d'œuvre hétérogène.

Le spécialiste en DO possède la technologie, les connaissances et les attitudes nécessaires pour appuyer l'entreprise face aux défis de l'avenir. Il lui faudra imaginer de nouvelles solutions, des formes inédites d'organisation du travail et promouvoir d'autres modes de relations entre les personnes. Son objectif ultime restera de concilier les objectifs individuels et ceux de l'entreprise, de façon à rendre les organisations à la fois plus productives, plus humaines et plus démocratiques.

Références bibliographiques

ALINSKY, Saül (1976). *Manuel de l'animateur social*, Paris, Seuil.

ANCELIN SCHUTZENBERGER, Anne (1959). « Qu'est-ce que la sociométrie ? », *Bulletin de psychologie*, vol. 12, nos 6-9, pp. 309-314.

Annual Handbook for Facilitators, Burlington, University Associates of Canada, Inc.

ARGYRIS, Chris (1964). *Integrating the Individual and the Organization*, New York, John Wiley & Sons.

ARGYRIS, Chris (1991). « L'individu et l'organisation : quelques problèmes d'ajustement mutuel », dans R. TESSIER et Y. TELLIER (sous la direction de), *Changement planifié et développement des organisations*, Sillery, Les Presses de l'Université du Québec, tome 3, pp. 103-125.

BANDURA, A. (1977). *Social Learning Theory*, Englewood Cliffs, N.J., Prentice-Hall.

BECKHARD, R. (1969). *Organization Development : Strategies and Models*, Reading, Mass., Addison-Wesley.

BECKHARD, R. et HARRIS, R.T. (1977). *Organizational Transitions : Managing Complex Change*, Reading, Mass., Addison-Wesley.

BENNE, Kenneth D. (1990). « L'état actuel du changement planifié auprès des personnes, des groupes, des communautés et des sociétés », dans R. TESSIER et Y. TELLIER (sous la direction de), *Changement planifié et développement des organisations*, Sillery, Les Presses de l'Université du Québec, tome 1, pp. 171-193.

BENNIS, W.G. (1981). « Organization Development at the Crossroads », *Training and Development Journal*, vol. 35, no 4.

BLAKE, R. et MOUTON, J. (1979). « Why the OD Movement is "Stuck" and How to Break it Loose ! », *Training and Development Journal*, septembre, octobre et novembre.

BURKE, W. Warner (sous la direction de) (1975). *New Technologies in Organization Development*, La Jolla, Cal., University Associates, Inc.

BURKE, W. Warner et HORNSTEIN, Harvey A. (1972). *The Social Technology of Organization Development*, La Jolla, Cal., University Associates, Inc.

CARTWRIGHT, D. et ZANDER, A. (1960). *Group Dynamics : Research and Theory*, 2e édition, Evanston, Ill., Row, Peterson et Co.

CHIN, R. et BENNE, K.D. (1991). « Stratégies générales pour la production de changements dans les systèmes humains », dans R. TESSIER et Y. TELLIER (sous la direction de), *Changement planifié et développement des organisations*, Sillery, Les Presses de l'Université du Québec, tome 5, pp. 1-35.

COLLERETTE, Pierre et DELISLE, Gilles (1982). *Le changement planifié*, Montréal, Les éditions Agence d'Arc inc.

CUDDIHY, Basil Robert (1974). « How to Give Phased-Out Managers a New Start », *Harvard Business Review*, vol. 52, n° 4, juillet-août, pp. 61-69.

DARVEAU, Aldéi (1991). « Le design des systèmes sociaux : l'école sociotechnique », dans R. TESSIER et Y. TELLIER (sous la direction de), *Changement planifié et développement des organisations*, Sillery, Les Presses de l'Université du Québec, tome 5, pp. 97-139.

DAVIS, Stanley M. et LAWRENCE, Paul (1977). *Matrix*, Reading, Mass., Addison-Wesley.

DYER, William G. (1987). *Team Building Issues and Alternatives*, 2e édition, Reading, Mass., Addison-Wesley Publishing Co.

FOMBRUN, Charles, TICHY, Noel M. et DEVANNA, Mary Anne (1984). *Strategic Human Resource Management*, New York, John Wiley & Sons.

FORTIN, Aline (1992a). « Groupes restreints et apprentissages existentiels : les divers visages de la méthode du laboratoire », dans R. TESSIER et Y. TELLIER (sous la direction de), *Changement planifié et développement des organisations*, Sillery, Les Presses de l'Université du Québec, tome 7, pp. 135-157.

FORTIN, Aline (1992b). « Le groupe de formation : légende et science », dans R. TESSIER et Y. TELLIER (sous la direction de), *Changement planifié et développement des organisations*, Sillery, Les Presses de l'Université du Québec, tome 7, pp. 203-236.

FRENCH, W.L. et BELL, C.H. (1990). *Organization Development*, 4e édition, Englewood Cliffs, Prentice-Hall.

GALBRAITH, J. (1973). *Designing Complex Organizations*, Reading, Mass., Addison-Wesley.

HACKMAN, R. et OLDHAM, G. (1976). *Working Redesign*, Reading, Mass., Addison-Wesley.

HEENAN, D.A. et PURLMUTTER, H.V. (1979). *Multinational Organization Development*, Reading, Mass., Addison-Wesley.

JURAN, J.M. et BLANTON GODFREY, A. (1990). *Total Quality Management (TQM) — Status in the U.S.*, Wilton, Conn., Juran Institute Inc.

KAST, F.E. et ROSENZWEIG, J. (1991). « Le point de vue moderne : une approche systémique », dans R. TESSIER et Y. TELLIER (sous la direction de), *Changement planifié et développement des organisations*, Sillery, Les Presses de l'Université du Québec, tome 3, pp. 303-333.

KREEL, T. (1981). « The Marketing of Organizational Development : Past, Present, and Future », *The Journal of Applied Behavioral Science*, vol. 17, n° 3.

KUPFER, Andrew (1989). « Bob Allen Rattles the Cages at AT&T », *Fortune Magazine*, juin.

La clientèle de demain, Montréal, Clarkson Gordon, Caron Bélanger, 1985.

LESCARBEAU, R., PAYETTE, M. et ST-ARNAUD, Y. (1991). « Un modèle intégré de la consultation », dans R. TESSIER et Y. TELLIER (sous la direction de), *Changement planifié et développement des organisations*, Sillery, Les Presses de l'Université du Québec, tome 7, pp. 1-20.

LEWIN, Kurt (1958). « Group Decision and Social Change », dans E. E. MACCOBY, T.M. NEWCOMB et E.L. HARTLEY (sous la direction de), *Readings in Social Psychology*, 3e édition, New York, Holt, Rinehart and Winston, pp. 197-211.

LIKERT, R. (1961). *New Pattern of Management*, New York, McGraw-Hill.

MCGREGOR, Douglas (1960). *The Human Side of Enterprise*, New York, McGraw-Hill.

MASLOW, A. M. (1954). *Motivation and Personality*, New York, Harper & Row.

MILL, Cyril R. (1969). « A Problem-Solving Program : for Defining a Problem and Planning Action », Washington, NTL Institute for Applied Behavioral Science.

NADLER, David A. (1977). *Feedback and Organizational Development : Using Data Based Methods*, Reading, Mass., Addison-Wesley Publishing Company.

NOËL, Guy (1980). « Programme Ipoc (Identification du potentiel et de l'orientation de carrière) ». Texte dactylographié inédit.

PETERS, Thomas J. et WATERMAN, Robert H. (1982). *In Search of Excellence*, New York, Harper & Row.

PLIOUCHTCH, Léonide (1977). *Dans le carnaval de l'histoire*, Paris, Seuil.

PORRAS, J. et BERG, P. O. (1978). « The Impact of Organizational Development », *Academy of Management Review*, vol. 3, n° 2, pp. 249-266.

RICARD, Danièle (1992). « Le modelage du comportement : une approche efficace de la formation des gestionnaires », dans R. TESSIER et Y. TELLIER (sous la direction de), *Changement planifié et développement des organisations*, Sillery, Les Presses de l'Université du Québec, tome 7, pp. 459-492.

RIEL, Marquita (1990). « Pratiques de changement collectif et individuel de 1960 à nos jours », dans R. TESSIER et Y. TELLIER (sous la direction de), *Changement planifié et développement des organisations*, Sillery, Les Presses de l'Université du Québec, tome 1, pp. 57-88.

SAKHAROV, Andreï (1974). *Sakharov parle*, Paris, Seuil.

SCHEIN, E. H. (1964). « Personal Change through Interpersonal Relationship », dans W. G. BENNIS, E. H. SCHEIN, D. E. BERLEW et F. I. STEELE (sous la direction de), *Interpersonal Dynamics*, Homewood, Ill., The Dorsey Press, pp. 357-394.

SCHEIN, E. H. (1969). « The Mechanisms of Change », dans W. G. BENNIS, K. D. BENNE et R. CHIN (sous la direction de), *The Planning of Change*, 2e édition, New York, Holt, Rinehart and Winston, pp. 98-107.

SCHEIN, E. H. (1978). *Career Dynamics : Matching Individual and Organizational Needs*, Reading, Mass., Addison-Wesley.

SCHEIN, E. H. (1991). « Plaidoyer pour une conscience renouvelée de ce qu'est la culture organisationnelle », dans R. TESSIER et Y. TELLIER (sous la direction de), *Changement planifié et développement des organisations*, Sillery, Les Presses de l'Université du Québec, tome 4, pp. 175-196.

SINK, Scott (1985). *Productivity Management : Planning, Measurement and Evaluation, Control and Improvement*, New York, John Wiley & Sons.

SOLJENITSYNE, A.I. (1974-1976). *L'archipel du Goulag, 1918-1956 : essai d'investigation littéraire*, Paris, Seuil, 3 vol.

STEWART, Thomas A. (1991). « Brainpower », *Fortune Magazine*, vol. 123, n° 11, juin, pp. 44-60.

TELLIER, Yvan (1991a). « Leadership et gestion », dans R. TESSIER et Y. TELLIER (sous la direction de), *Changement planifié et développement des organisations*, Sillery, Les Presses de l'Université du Québec, tome 4, pp. 35-80.

TELLIER, Yvan (1991b). «Les rapports entre le pouvoir et le savoir au sein d'une organisation: l'influence du développement des entreprises sur les structures organisationnelles», dans R. TESSIER et Y. TELLIER (sous la direction de), *Changement planifié et développement des organisations*, Sillery, Les Presses de l'Université du Québec, tome 4, pp. 123-139.

TELLIER, Yvan et ROBERT, Guy (1973). «La pratique du DO», dans R. TESSIER et Y. TELLIER (sous la direction de), *Changement planifié et développement des organisations: théorie et pratique*, 1re édition, Montréal et Paris, Les Éditions de l'IFG et EPI s.a. Éditeur.

TESSIER, Roger (1990). «L'intervention psychosociologique de 1940 à 1990: historique et essai de clarification conceptuelle», dans R. TESSIER et Y. TELLIER (sous la direction de), *Changement planifié et développement des organisations*, Sillery, Les Presses de l'Université du Québec, tome 1, pp. 89-113.

TESSIER, Roger (1991). «Conditions psychosociologiques du changement planifié dans le milieu de l'éducation», dans R. TESSIER et Y. TELLIER (sous la direction de), *Changement planifié et développement des organisations*, Sillery, Les Presses de l'Université du Québec, tome 6, pp. 197-262.

TESSIER, Roger (1992). «Consultation: expertise et facilitation», dans R. TESSIER et Y. TELLIER (sous la direction de), *Changement planifié et développement des organisations*, Sillery, Les Presses de l'Université du Québec, tome 7, pp. 21-35.

TICHY, Noel M. (1983). *Managing Strategic Change*, New York, John Wiley & Sons.

TICHY, Noel M. (1989). «GE's Crotonville: A Staging Ground for Corporate Revolution», *Academy of Management Executive*, vol. 3, n° 2, mai, pp. 99-106.

TICHY, Noel M. (1991). «Les bases de la gestion stratégique du changement», dans R. TESSIER et Y. TELLIER (sous la direction de), *Changement planifié et développement des organisations*, Sillery, Les Presses de l'Université du Québec, tome 5, pp. 169-195.

TOURAINE, Alain (1990). «La crise de la modernité», dans R. TESSIER et Y. TELLIER (sous la direction de), *Changement planifié et développement des organisations*, Sillery, Les Presses de l'Université du Québec, tome 1, pp. 201-208.

TREMBLAY, M. B. (1992). « Le processus de consultation dans les organisations », dans R. TESSIER et Y. TELLIER (sous la direction de), *Changement planifié et développement des organisations*, Sillery, Les Presses de l'Université du Québec, tome 7, pp. 37-62.

VOSLENSKY, Michael (1980). *La Nomenklatura*, Paris, Belfond.

WALTON, Richard E. et LAWRENCE, Paul R. (1985). *Human Resource Management (HRM) Trends & Challenges*, Boston, Mass., Harvard Business School Press.

WEISBORD, Marvin (1973). « The Organizational Development Contract », *The O.D. Practitioner*, vol. 5, n° 2.

2

Le développement organisationnel et la théorie des organisations

Brian HOBBS

Qu'est-ce que le développement organisationnel (DO) dit au sujet des organisations ? Comment décrit-il les organisations existantes ? Est-ce qu'il prescrit des changements ? Si oui, lesquels ? Comment argumente-t-il et comment justifie-t-il ses positions ? Est-ce que tous les ouvrages de DO prennent les mêmes positions ? Ici nous tenterons de répondre à ces questions par l'analyse des principaux ouvrages de DO.

Un discours sur les organisations

Avant d'aborder notre analyse, quelques remarques s'imposent sur sa portée et ses résultats. D'abord, quel est l'objet du discours ? Les textes de gestion, et les textes de DO en particulier, traitent un grand nombre de sujets. Aux fins de notre analyse, les textes de DO sont considérés comme un discours sur les organisations. L'analyse porte seulement sur les énoncés relatifs aux organisations. Ces énoncés peuvent décrire des organisations passées ou présentes. Ils peuvent être des prescriptions, c'est-à-dire décrire les organisations comme elles devraient ou pourraient être. Ils peuvent également prédire comment seront les organisations de l'avenir.

Les textes de DO évoquent plusieurs objets qui sont mis de côté par cette analyse. Plus précisément, ils évoquent les techniques de changement ou des moyens à prendre pour changer des organisations, ils décrivent aussi des agents de changement et les rapports entre ces agents et des organisations ou leurs membres. Ces objets et beaucoup d'autres pourraient être le sujet d'autres études, mais ils sont exclus de la présente analyse.

La place du DO dans la théorie des organisations

Le DO a occupé une place importante dans ce qui a été la plus grande crise à l'intérieur de la théorie des organisations pendant les 40 dernières années. Globalement, il s'agissait d'une opposition entre une doctrine appelée classique, prescrivant une forme d'organisation bureaucratique et une doctrine critique de la bureaucratie préconisant une forme d'organisation participative. Les textes de cette dernière doctrine sont aujourd'hui regroupés sous l'étiquette du DO. Massie décrit cette opposition dans les termes suivants :

> Jusqu'au milieu des années 50, la théorie classique est demeurée une approche distincte de gestion. Cependant, les approches développées pendant la décennie précédente ont mis la pensée traditionnelle en question. L'idée classique que la gestion est d'abord et avant tout une hiérarchie formelle a été confrontée à l'idée de la gestion en tant que processus social. L'attention portée traditionnellement aux prérogatives du gestionnaire a été opposée aux idées de la consultation, de la participation et du consentement des subordonnés. L'accent sur le commandement et la délégation de l'autorité a été opposé à une attention portée aux communications vers le haut, horizontales et informelles. L'emploi comme source de satisfaction personnelle remplace l'idée de l'emploi comme simple moyen de subsistance. L'importance accordée aux commandements qui descendent l'organisation en passant d'individu à individu a été opposée à l'accent placé sur la prise de décision en groupe[1].

Cette opposition a débuté au milieu des années 50 et a continué pendant les années 60.

Depuis les années 70, une doctrine appelée la théorie de la contingence domine la théorie des organisations. Elle a souvent été présentée comme une solution des contradictions entre la doctrine classique, qui préconisait la bureaucratie et le DO, qui préconisait la gestion participative. Depuis 1975, le DO a été largement assimilé à la théorie de la contingence et la crise a été résorbée.

Mais les questions évoquées au début de ce chapitre demeurent entières, voire même plus problématiques. Est-ce que le discours du DO sur les organisations a subi des modifications au moment de son assimilation à la théorie de la contingence ? Est-ce que le DO préconisait une pratique participative avant son assimilation ? Si oui, quels arguments évoquait-il ? Est-ce que ces arguments ont été réfutés ? Sont-ils encore valables ? Est-ce qu'un discours qui fait la promotion de pratiques participatives est compatible avec la théorie de la contingence ?

---

1. Joseph L. MASSIE (1965). « Management Theory », dans James MARCH (sous la direction de), *Handbook of Organizations*, Chicago, Rand McNally, pp. 407-408. Traduction libre.

La problématique

L'analyse dont les résultats sont présentés ici cherche à répondre à ces questions. Cette analyse assez longue et laborieuse a été entreprise afin d'identifier les ouvrages qui parlent en faveur du DO et de décrire le discours qu'ils tiennent sur les organisations. Il en résulte un ensemble d'énoncés qui, pris ensemble, ne constituent pas un discours cohérent sur les organisations. Au contraire, de nombreuses différences, voire même des contradictions, sont constatées.

Cependant, si les textes sont placés dans un ordre essentiellement chronologique, des régularités se dégagent et la confusion apparente devient évolution historique.

La problématique est donc double. D'abord, il s'agit de décrire cette évolution de façon précise et synthétique. Ensuite, il faut tenter de l'expliquer.

Le choix des ouvrages

Le choix des textes est dicté par la problématique de la recherche et des considérations pratiques de disponibilité. La méthode de choix des textes conditionne la portée des résultats de l'analyse. Dans le cas où le choix est arbitraire, les résultats de l'analyse sont difficilement généralisables et toute extension des conclusions en dehors des textes analysés doit être faite avec beaucoup de prudence. Par contre, si les textes à analyser sont choisis méthodiquement, par échantillonnage ou recensement, les résultats sont beaucoup plus facilement généralisables.

Pour que les résultats soient généralisables à des phénomènes sociaux et à l'ensemble de l'école du DO, notre recherche a procédé par recensement pour le choix des textes à analyser. Ce recensement s'est fait en deux étapes : une bibliographie du DO a d'abord été bâtie et, à partir de cette bibliographie, des indices de citations ont été établis.

Pour bâtir la bibliographie du DO, deux systèmes de références informatisés et un système de référence sous la forme écrite ont été consultés : ABI/INFORM, *Management Contents*, *Psychological Abstracts*. De ces trois systèmes, tous les articles dont les titres ou les résumés comprennent les unités lexicales *organization development*, *organizational development* et *OD* ont été retenus pour former la bibliographie du DO. Cette bibliographie a été réduite par la suite en éliminant les articles imprimés en dehors des États-Unis, les articles faisant spécifiquement référence à un pays autre que les États-Unis et les articles dans les périodiques dont le titre faisait référence aux affaires internationales ou étrangères aux États-Unis. Ce procédé a produit une bibliographie de quelque 382 articles publiés entre 1971 et 1980.

Pour établir les indices de citations qui serviraient par la suite au choix des textes à analyser, les bibliographies des articles de la bibliographie du DO ont été consultées. Pour les articles qui n'avaient pas de bibliographie, mais des renvois en bas de page, ces renvois ont été pris. Les articles qui n'avaient ni bibliographie ni référence (93 articles) ont été ignorés, de même que les références où un auteur se cite lui-même.

L'inspection des indices de citations permet un certain nombre de constatations. D'abord, les indices de citations ne concernent qu'une référence qui n'est pas complètement américaine : il s'agit de l'article des auteurs américains Coch et French, publié dans *Human Relations*[2], un périodique anglo-américain. Cette constatation nous autorise à considérer le DO comme un phénomène d'abord américain. Le DO a pu être exporté des États-Unis, cependant, les indices de citations ne signalent aucune influence dans le sens inverse. Cette constatation aura une importance lors de l'interprétation des résultats de l'analyse.

Il faut aussi constater que les indices de citations ne contiennent aucun élément de surprise ; toutes les références sont bien connues. Cette constatation ne fait que confirmer le bon fonctionnement des indices de citations, qui visaient à identifier les références les plus reconnues des écrits sur le DO.

À partir des indices de citations, dix volumes ont été retenus pour être soumis à l'analyse. Dans l'ordre chronologique de publication, ils sont :

MCGREGOR, D. (1960). *The Human Side of Enterprise*, New York, McGraw-Hill.

LIKERT, R. (1961). *New Patterns of Management*, New York, McGraw-Hill.

LIKERT, R. (1967). *The Human Organization*, New York, McGraw-Hill.

BECKHARD, R. (1969). *Organization Development Strategies and Models*, Reading, Mass., Addison-Wesley.

BENNIS, W. G. (1969). *Organization Development : Its Nature, Origins and Prospects*, Reading, Mass., Addison-Wesley.

LAWRENCE, P. R. et LORSCH, J. W. (1969). *Developing Organizations : Diagnosis and Action*, Reading, Mass., Addison-Wesley.

SCHEIN, E. H. (1969). *Process Consultation*, Reading, Mass., Addison-Wesley.

ARGYRIS, C. (1970). *Intervention Theory and Method*, Reading, Mass., Addison-Wesley.

2. L. COCH et J. R. P. FRENCH (1948). « Overcoming Resistance to Change », *Human Relations*, vol. 1, nº 4, pp. 513-533.

FRENCH, W. L. et Bell, C. H. (1973). *Organization Development : Behavioral Science Interventions for Organization Improvements*, Englewood Cliffs, N. J., Prentice-Hall.

HUSE, E. F. (1975). *Organization Development and Change*, St. Paul, Minn., West Publishing.

Les regroupements de textes

Dans l'ensemble des comparaisons intertextuelles faites pendant l'analyse, le texte de Huse et celui de Lawrence et Lorsch sont souvent regroupés et opposés aux autres. Le texte de French et Bell occupe souvent une position intermédiaire entre ceux de Lawrence et Lorsch et de Huse d'une part, et les autres textes d'autre part. Ces regroupements correspondent à la période postérieure à l'assimilation du DO à la théorie de la contingence, à la période transitoire où cette assimilation est amorcée, mais n'est pas terminée et à la période avant l'assimilation (voir le tableau 1).

TABLEAU 1
Les trois périodes du DO

De 1960 à 1969	**1973**	**1975**
Le DO avant son assimilation à la théorie de la contingence	La période transitoire	Le DO assimilé à la théorie de la contingence
Likert McGregor Beckhard Bennis Schein Argyris	French et Bell	Lawrence et Lorsch Huse

La place du texte de Lawrence et Lorsch par rapport au DO et aux autres textes

Les comparaisons intertextuelles rapprochent les textes de Lawrence et Lorsch et de Huse et opposent le texte de Lawrence et Lorsch aux autres textes publiés à la même date. Pour que la façon dont les textes se situent selon leur date de publication soit compatible avec la façon dont les comparaisons intertextuelles les situent, il faut déplacer chronologiquement le texte de Lawrence et Lorsch pour qu'il devienne un « contemporain » du texte de Huse.

Plusieurs indices peuvent éclaircir ce déplacement. Il faut noter que le statut du texte de Lawrence et Lorsch et le rapport entre ce texte et le DO sont différents de ceux des autres textes. Les autres textes publiés depuis que la locution « développement organisationnel » ou « DO » est devenue d'usage courant (1968) s'assimilent tous au DO et la majorité parle en son nom. Autrement dit, les autres textes se donnent le statut de « texte de DO » et s'assimilent au DO. Le texte de Lawrence et Lorsch par contre ne se donne pas le statut de « texte de DO » et prend de la distance par rapport au DO.

Il faut noter aussi que le texte de Lawrence et Lorsch analysé dans le corpus se présente comme un résumé ou une reprise d'un autre texte de ces mêmes auteurs[3]. Cet autre texte de Lawrence et Lorsch n'est pas dans le corpus, donc, l'analyse ne peut rien affirmer à son sujet. Toutefois, les références intertextuelles par lesquelles les autres textes se situent par rapport au premier texte de Lawrence et Lorsch peuvent aider à situer le second.

Le rapport entre les textes de Lawrence et Lorsch et le DO varie dans le temps. En 1969, la préface commune à tous les livres de la série d'Addison-Wesley sur le DO situe les différents textes de cette collection par rapport au DO. Le texte de Lawrence et Lorsch est situé en marge du DO : il est qualifié de « position personnelle et particulière » par opposition aux textes qui sont « une excellente vue d'ensemble du champ du DO » ou « au cœur des efforts du DO[4] ». Le texte de Lawrence et Lorsch qualifie sa position de « personnelle » et prend de la distance par rapport au DO[5]. Donc, au moment de sa publication, ce texte de Lawrence et Lorsch était en marge du DO et n'était pas un « texte de DO ».

Le texte de French et Bell, publié en 1973, mentionne brièvement le premier texte de Lawrence et Lorsch sans lui accorder aucune marque d'adhésion[6]. Le texte de French et Bell évoque aussi la théorie de la contingence, mais son adhésion est faible, paradoxale et même contradictoire et marque une hésitation par rapport à cette position théorique.

3. Paul R. LAWRENCE et Jay W. LORSCH (1967). *Organization and Environment*, Boston, Graduate School of Business Administration, Harvard University.
4. Edgar H. SCHEIN, Richard BECKHARD et Warren G. BENNIS (sous la direction de) (1969). « Common Foreword », *Addison-Wesley Series on Organization Development*, Reading, Mass., Addison-Wesley.
5. P.R. LAWRENCE et J.W. LORSCH (1969). *Op. cit.*, pp. VII, 4 et 7.
6. W.L. FRENCH et C.H. BELL (1973). *Op. cit.*, p. 187.

Le texte de Huse, publié en 1975, évoque la théorie de la contingence et l'attribue principalement au premier texte de Lawrence et Lorsch[7]. Il adhère à la théorie de la contingence au nom du DO ; il assimile donc cette position théorique au DO et donne au texte de Lawrence et Lorsch le statut de « texte de DO ».

Le statut des textes de Lawrence et Lorsch se trouve donc transformé. D'une position marginale, ils passent au statut de textes intégrés au discours du DO. Le texte de Lawrence et Lorsch dans le corpus peut donc être considéré comme un texte qui était marginal par rapport au DO au moment de sa publication, mais dont l'intégration au discours du DO est marquée par le texte de Huse. Les références intertextuelles et les changements du rapport entre ce texte et le DO situent ce texte de la même façon que l'analyse du discours sur les organisations, c'est-à-dire qu'il est considéré comme allant de pair avec le texte de Huse. Donc, dans la séquence chronologique des modifications du discours du DO sur les organisations, le texte de Lawrence et Lorsch est considéré comme « contemporain » du texte de Huse.

Les sept autres textes, ceux du DO avant son assimilation à la théorie de la contingence, ne forment pas un discours homogène ; les différences intertextuelles sont importantes. Toutefois, ils ont des caractéristiques en commun qui s'opposent à celles des textes du DO postérieurs à son assimilation à la théorie de la contingence. L'ensemble des comparaisons entre les sept ouvrages de ce groupe met en lumière une évolution historique qui suit la chronologie de leur date de publication.

La structure du discours sur les organisations

Le discours du DO sur les organisations est structuré autour d'une opposition principale entre deux types d'organisation, une organisation bureaucratique et une organisation participative, cette même opposition qui a structuré l'ensemble de la théorie des organisations des années 60 et 70. Notre analyse du discours du DO sur les organisations débute donc par une analyse de cette opposition principale et du traitement que les différents ouvrages lui accordent.

Elle se poursuit dans un deuxième temps, en abordant un ensemble d'oppositions et de rapports qui occupent une place centrale dans le discours du DO sur les organisations. Nous avons regroupé cet ensemble d'oppositions et de rapports en trois oppositions que nous nommons l'opposition entre le travail varié et le travail répétitif, l'opposition entre l'organisation et l'homme et l'opposition entre les rapports individuels et les rapports de groupes restreints.

7. E.F. HUSE (1975). *Op. cit.*, pp. 120-136.

Plusieurs des textes incluent des éléments de ces oppositions dans l'opposition principale entre les organisations bureaucratiques et participatives. Cependant, les développements accordés à chacune de ces oppositions par les différents textes de même que les rapports que les textes instaurent entre elles sont suffisamment variés pour mériter des analyses distinctes. La deuxième section de l'analyse y est donc consacrée.

Une théorie des organisations devrait expliquer pourquoi les organisations se comportent comme elles le font. Cette explication peut prendre la forme d'une série de relations de causalité ou d'influence. À titre d'exemple, l'énoncé « l'engagement des employés augmente l'efficacité de la mise en œuvre de la décision » contient une relation d'influence positive entre « l'engagement des employés » et « l'efficacité de la mise en œuvre de la décision ». Si l'ensemble des relations de ce type que contient un texte sont rassemblées, une carte causale peut être produite qui représente graphiquement la structure causale qui soutient la théorie des organisations implicite dans le texte. La troisième section de l'analyse qui suit présente les cartes causales des différents textes et les compare.

L'opposition principale entre les organisations bureaucratiques et participatives

Une opposition principale structure la majeure partie du corpus analysé ici. Il s'agit d'une opposition entre deux types ou deux conceptions de l'organisation. Elle s'impose donc comme point de départ des comparaisons intertextuelles.

Cette opposition entre deux types d'organisation recouvre en grande partie l'opposition de Burns et Stalker[8] entre les organisations dites mécaniques et organiques. Les noms donnés à ces deux types d'organisation varient beaucoup ; elles sont appelées diversement : « autoritaire » et « participative » ou encore « bureaucratique » et « antibureaucratique ».

Cette opposition principale englobe beaucoup d'énoncés spécifiques sur les caractéristiques des organisations. Cependant, avant d'analyser les caractéristiques spécifiques des organisations, il faut établir quel est le statut de chacun des deux types d'organisation puisque le statut qu'un texte attribue à un type d'organisation fournit le contexte de tous les énoncés spécifiques qui y sont associés.

8. T. BURNS et G. M. STALKER (1961). *The Management of Innovation*, Londres, Tavistock.

Les textes attribuent des statuts aux types d'organisation de plusieurs façons. Ils peuvent déclarer qu'un type d'organisation est possible, souhaitable ou nécessaire de façon générale ou dans les contextes particuliers. Les types d'organisation peuvent aussi être qualifiés de diverses façons. Ils peuvent être insérés dans un temps historique. Plusieurs des textes élaborent des cadres temporels dans lesquels entrent les deux types d'organisation. Dans plusieurs cas, il est impossible d'établir leur position sans évoquer le cadre temporel.

Ce premier ensemble de comparaisons débute avec le texte de McGregor. En plus d'être le premier chronologiquement, il est aussi un de ceux où l'opposition entre les deux types d'organisation est la plus claire. Enfin, il est celui qui va le plus loin dans l'élaboration et la précision du cadre temporel.

Le texte de McGregor oppose « la gestion par la direction et le contrôle » (ou la théorie X) à « la gestion par l'intégration et l'autocontrôle » (ou la théorie Y). Il s'agit d'une opposition entre deux conceptions de l'organisation et plus particulièrement entre deux types de rapports entre supérieurs et subordonnés. À chaque conception correspond une pratique organisationnelle.

L'opposition entre les théories X et Y est insérée dans un temps historique de plusieurs siècles. Les moyens à prendre pour influencer le comportement humain sont un sujet central de ce texte. Deux grandes transformations dans les moyens d'influence sont présentées[9]. La première est le passage de la coercition physique à l'autorité formelle; cette transition a pris plusieurs siècles à se réaliser et n'est pas encore complète. La deuxième a commencé il y a plus d'un siècle; elle est loin d'être complète aujourd'hui. Il s'agit du passage de l'autorité à quelque chose d'autre. Cette autre chose reste à définir en grande partie, mais le texte la nomme *true professional help* ou l'aide professionnelle véritable, à plusieurs occasions.

Le texte se situe dans ce contexte historique, au moment du changement de l'autorité formelle à l'aide professionnelle véritable. L'efficacité de l'autorité comme moyen d'influence est basée sur un rapport de dépendance; si le subalterne est très dépendant du supérieur, le supérieur peut utiliser son autorité formelle comme moyen exclusif d'influence sur le subalterne. Selon le texte[10], la période où ce rapport de dépendance a été très fort s'est terminée dans les années 30 avec la législation sociale qui limite le pouvoir de mettre à pied et en fait supporter les coûts, au moins partiellement, par l'État. De plus, au moment où le texte a été publié, les États-Unis connaissaient une période de prospérité économique quasi ininterrompue depuis la fin de la grande dépression. L'employé avait beaucoup de possibilités d'emploi et sa dépendance face à un employeur en particulier était diminuée d'autant.

9. D. McGregor (1960). *Op. cit.*, pp. 30-32 et 18-26.
10. *Id. ibid.*, pp. 21-22.

Au moment de sa publication, le texte se situe donc au début d'une longue transition de «la gestion par la direction et le contrôle» à «la gestion par l'intégration et l'autocontrôle». Il ne renie pas le succès économique que les organisations connaissent déjà, mais affirme que leur efficacité pourrait être au moins doublée si un moyen pouvait être découvert pour réaliser le potentiel présent dans les ressources humaines[11].

«La gestion par la direction et le contrôle» demeure la pratique dominante, mais l'expérience acquise par une pratique minoritaire de «la gestion par l'intégration et l'autocontrôle», appuyée par les apports des sciences sociales, fait que la transition est devenue possible et souhaitable. Cependant, les gestionnaires continuent à adhérer à la théorie X, qui n'est plus appropriée aux conditions actuelles. L'abandon de cette théorie et des pratiques qui en résultent est une condition nécessaire au progrès futur[12].

Le texte se situe surtout au présent en assimilant clairement la pratique dominante actuelle au passé. Il ne parle directement du futur que très rarement. Beaucoup de prescriptions fortes et qualifiées de nécessaires indiquent indirectement l'avenir, mais les prédictions sont rares. Elles situent la transition de «la gestion par la direction et le contrôle» à «la gestion par l'intégration et l'autocontrôle» à long terme (le prochain demi-siècle). Ces prédictions sont très claires sur l'abandon de la théorie X, mais vagues sur la nature de la pratique qui doit la remplacer; elles constituent un appel à l'innovation[13].

Le premier texte de Likert suit chronologiquement celui de McGregor et, tout comme ce dernier, il oppose deux types d'organisation. Il se présente comme une articulation théorique d'un système de gestion en voie d'élaboration[14]. Il considère ce système de gestion plus efficace que ce qui existe présentement et qualifie la théorie de «nouvelle». Il nomme ainsi ces deux systèmes: gestion «autoritaire» et gestion «participative».

Le nouveau système a été élaboré par les gestionnaires responsables des unités les plus productives et les plus rentables. Cependant, ces gestionnaires ne se rendent pas compte qu'ils ont développé ce nouveau système. Ce sont des résultats de la recherche qui permettent de reconnaître l'existence du modèle général que ce texte présente[15].

Ce premier texte de Likert, tout comme celui de McGregor, met en opposition une pratique dominante traditionnelle et une pratique nouvelle, minoritaire et émergente. Par contre, il ne fait que peu référence au passé et pas

11. *Id. ibid.*, p. 4.
12. *Id. ibid.*, pp. 31-32, 37-38, 53, 56, 153, 157 et 245.
13. *Id. ibid.*, pp. 56-57, 242 et 244-246.
14. R. LIKERT (1961). *Op. cit.*, pp. V et 1.
15. *Id. ibid.*, pp. 3, 60, 83 et 97.

au futur. La majorité des « prescriptions » sont qualifiées de possibles. Le texte parle de « tendances » et ses prescriptions implicites se présentent sous la forme suivante : « les gestionnaires des unités les plus productives font... ».

Dans sa conclusion[16], ce texte souligne le fossé qui sépare la théorie générale exposée dans ce livre de son application concrète et propose des projets-pilotes. La transition vers le nouveau système de gestion n'est ni obligatoire ni urgente.

Le deuxième texte de Likert reprend la même opposition entre deux systèmes de gestion, mais leur attribue des statuts fort différents. Il s'agit toujours d'une pratique dominante et d'une pratique minoritaire. Cependant, ce texte affirme que ces deux systèmes de gestion sont bien connus de l'ensemble des cadres supérieurs et moyens. L'ensemble des gestionnaires reconnaît que les unités les plus productives utilisent le système participatif.

Pourquoi des cadres supérieurs poussent-ils leur système de gestion vers le système qu'ils savent être le moins productif alors qu'ils cherchent à diminuer les coûts d'exploitation ? Le texte répond que le système comptable, ne mesurant ni la valeur des ressources humaines ni la valeur du système de gestion utilisé, ne fournit pas aux cadres supérieurs l'information dont ils auraient besoin pour se rendre compte de la situation véritable. Il utilise des mesures fortes et qualifiées de nécessaires pour prescrire un système de gestion dit participatif et des transformations du système comptable.

Ce texte est écrit presque entièrement au présent. Il fait cependant une prédiction : aussitôt que les cadres supérieurs recevront l'information qui résultera des transformations du système comptable, leurs entreprises seront mieux gérées et auront donc un avantage sur les autres[17].

Le texte de Bennis s'articule lui aussi autour de cette même opposition entre deux types d'organisation : la bureaucratie et ce qu'il qualifie d'organisation « plus humaine et plus démocratique ». Il qualifie aussi ce deuxième type d'organisation de temporaire et le nomme structure adaptative.

Il crée un cadre temporel qui oppose le XIXe siècle au XXe siècle[18]. La bureaucratie est présentée comme adaptée aux conditions du XIXe siècle, mais mésadaptée et dépassée dans les conditions du XXe siècle. Néanmoins, la majorité des organisations existantes sont assimilées à la bureaucratie. Il s'agit donc, comme dans les textes précédents, d'une pratique dominante, la bureaucratie, qui est opposée à une pratique émergente. Cependant, ce texte se distingue des

16. *Id. ibid.*, pp. 241-242. Voir aussi les pages 97 et 98.
17. R. Likert (1967). *Op. cit.*, pp. 154-155.
18. W.G. Bennis (1969). *Op. cit.*, pp. 18-19.

précédents par le grand nombre de prédictions faites ; il prédit des transformations dans les conditions sociales et technologiques et dans les organisations pendant les deux décennies suivant sa publication. Les transformations sociales et technologiques sont constatées et prédites, les transformations dans les organisations sont fortement prescrites et prédites.

Dans sa préface, le texte de Beckhard[19] affirme que, face aux conditions actuelles, « de nouvelles formes organisationnelles doivent être développées ». Malgré cette prescription forte et nécessaire, les termes de l'opposition et leur insertion dans le cadre temporel demeurent ambigus.

L'opposition principale est créée principalement par le recours aux prescriptions faibles, particulièrement le recours au conditionnel « devrait[20] » et au comparatif « plus ». Les prescriptions faibles qui indiquent le souhaitable sont aussi implicites dans les expressions telles que « les efforts du DO ont souvent les buts opérationnels suivants[21]... » et « le besoin de changement[22]... », de même que dans les relations d'identité telles « qu'une organisation efficace est[23]... » et « une organisation en santé est[24]... ». Par l'ensemble de ces moyens le texte indique assez clairement ce qui est souhaitable. Cependant, les prescriptions et l'adhésion aux énoncés sont si faibles que les termes de l'opposition entre l'actuel et le souhaitable demeurent ambigus.

Dans un passage particulier, le texte de Beckhard introduit un cadre temporel précis[25]. Il y trace les transformations qu'ont subies les organisations et leurs environnements depuis le début du siècle. Mais les influences de ces changements sur les pratiques administratives ne sont pas décrites clairement. Il est évident qu'il y a eu changement, mais les changements dans les organisations et les pratiques de gestion ne le sont pas.

Le texte, en dehors de ce passage qui élabore un cadre temporel, est écrit au présent et contient les marques temporelles « aujourd'hui » et « nouveau », ne faisant référence ni au passé ni au futur. Cependant, il évoque abondamment des changements dans les conditions socio-économiques et les organisations, ce qui le situe dans un cadre temporel historique à un point de transition. Par contre, il ne fait aucune prédiction directe.

---

19. R. BECKHARD (1969). *Op. cit.*, p. V.
20. *Id. ibid.*, p. 6, *should* en anglais.
21. *Id. ibid.*, pp. 13-14.
22. *Id. ibid.*, pp. 16-19.
23. *Id. ibid.*, pp. 10-11.
24. *Id. ibid.*, pp. 26-27.
25. *Id. ibid.*, pp. 2-6.

Le texte d'Argyris[26] constitue un véritable cri d'alarme : les organisations se détériorent, se rigidifient et mettent la société en péril. Les organisations qu'il condamne sont qualifiées de « formelles » et de « pyramidales[27] ». Ce texte n'a pas de cadre temporel précis, mais se situe clairement à un moment de crise sociale.

Le texte se structure autour d'une opposition entre ces organisations pyramidales ou formelles[28] et une pratique de remplacement décrite par des « critères de compétence et d'efficacité[29] ». Il s'agit donc d'une opposition entre les organisations comme elles sont et comme elles devraient être. La transition est nécessaire et urgente[30].

À l'intérieur de chacun des textes de McGregor, Likert, Bennis, Beckhard et Argyris, l'opposition principale et le cadre temporel sont maintenus de façon uniforme. Cela n'est pas le cas pour le texte de French et Bell. Ce texte parle des organisations dans trois contextes différents selon que l'opposition principale est évoquée ou non et selon les divers statuts qui lui sont attribués. Le premier comprend la plus grande part du texte ; il s'agit des parties du texte qui décrivent le DO, ses buts, ses fondements, ses hypothèses et ses valeurs[31].

Le chapitre 7, « Les concepts systémiques pertinents[32] », constitue le deuxième contexte dans lequel le texte de French et Bell parle des organisations. Cette section[33] présente une description des organisations à partir des sous-systèmes. Cette description est universelle ; elle n'évoque pas d'opposition entre types d'organisation. Elle est aussi atemporelle.

Le chapitre 17, « Les systèmes mécanique et organique[34] », constitue le troisième contexte où le texte de French et Bell parle des organisations. Le texte de French et Bell tient donc trois discours séparés sur les organisations : le

26. C. Argyris (1970). *Op. cit.*, pp. 1-4.
27. *Id. ibid.*, p. 2 ; le terme « bureaucratie » est évoqué à deux reprises.
28. *Id. ibid.*, pp. 36-48.
29. *Id. ibid.*, pp. 56-102.
30. Le texte indique quelques facteurs qui ralentissent ou empêchent la désintégration des organisations (*id. ibid.*, pp. 75-77).
31. W.L. French et C.H. Bell (1973). *Op. cit.*, particulièrement la préface, pp. XIII-XVI, le chapitre 2 « A Definition of Organizational Development », pp. 15-20, le chapitre 4 « Operational Components », pp. 33-44, le chapitre 5 « Characteristics and Foundations of the O.D. Process », pp. 45-64, et le chapitre 6 « Underlying Assumptions and Values », pp. 65-73.
32. *Id. ibid.*, pp. 74-83.
33. *Id. ibid.*, particulièrement la sous-section intitulée « Organizations Described in Systems Terminology », pp. 76-79.
34. *Id. ibid.*, pp. 182-191.

premier quand il parle du DO, le deuxième quand il parle de l'approche-système, le troisième quand il parle de la théorie de la contingence. Le discours sur l'approche-système n'est pas analysé ici parce qu'il n'évoque pas l'opposition principale et n'instaure pas de cadre temporel.

Lorsque le texte de French et Bell parle du DO, l'opposition principale et le cadre temporel sont maintenus faiblement et avec beaucoup d'ambiguïté. Il est écrit au présent et utilise la marque temporelle « aujourd'hui[35] ». Il parle d'améliorer[36], de renouveler[37] et de changer les organisations. Il oppose des caractéristiques des organisations actuelles à ce qui sera possible ou souhaitable[38]. Il contient beaucoup de prescriptions très faibles et évoque des possibilités. À travers ces énoncés, il maintient une opposition entre les pratiques organisationnelles actuelles et les pratiques qui seront possibles ou souhaitables, mais l'ambiguïté est telle que plusieurs interprétations sont possibles, mais aucune d'elles n'est obligatoire. Les énoncés sont d'autant plus ambigus que la conformité du texte aux énoncés est faible et mitigée ; le texte utilise les expressions telles que : « les valeurs humaines suivantes semblent être importantes aujourd'hui[39]... », « une valeur humaine qui prend de l'importance est[40]... », « les hypothèses fondamentales suivantes semblent être sous-jacentes aux efforts de DO[41] ».

Dans les textes de Bennis[42] et Beckhard[43], l'opposition principale est maintenue ; et ils se positionnent dans un temps historique, en partie par des références aux changements dans les conditions socio-économiques et organisationnelles. Le texte de French et Bell ne contient pas de tels passages. De plus, il limite explicitement la portée des changements qu'il préconise.

> Le [DO] n'abandonne pas les valeurs acquises, mais cherche plutôt à identifier les pratiques et les normes qui sont fonctionnelles et celles qui ne le sont pas. Beaucoup de caractéristiques et de phénomènes organisationnels ont contribué à leur croissance, à leur pertinence et à leurs capacités d'adaptation. Ceux-ci devraient être identifiés et maintenus[44].

35. *Id. ibid.*, pp. XIII-XIV et 59.
36. *Id. ibid.*, p. 15.
37. *Id. ibid.*, pp. 15-16.
38. *Id. ibid.*, pp. 59-60 et 67-68.
39. *Id. ibid.*, p. XIII.
40. *Id. ibid.*, p. XIII.
41. *Id. ibid.*, p. 65.
42. W.G. BENNIS (1969). *Op. cit.*, pp. 18-35.
43. R. BECKHARD (1969). *Op. cit.*, pp. 2-8.
44. W.L. FRENCH et C.H. BELL (1973). *Op. cit.*, p. XV ; voir le reste du passage d'où cette citation est extraite et aussi les pages 50 et 51.

Avec cette prise de position, le texte de French et Bell limite la portée d'une opposition entre l'actuel et le souhaitable.

Donc, lorsque le texte de French et Bell parle au nom du DO, il maintient une opposition entre les organisations actuelles et les pratiques administratives souhaitables ou possibles. Cette opposition est maintenue en partie par des références aux changements. Le texte se situe au moment d'une transition. À cet égard, cette portion du texte est semblable à celui de Beckhard, quoique la portée des changements soit plus limitée, le cadre temporel moins précis et l'adhésion aux énoncés encore plus faible et ambiguë.

Lorsque le texte de French et Bell parle de la théorie de la contingence, l'opposition de Burns et Stalker[45] entre les organisations « mécaniques » et « organiques » y est reprise en détail avec des additions importantes. L'opposition principale y est donc présentée de façon claire. Cependant, l'emploi des termes de l'opposition est ambigu et contradictoire. D'une part, le texte évoque la théorie de la contingence et affirme que des conditions spécifiques ou des « contingences » déterminent lequel des deux types d'organisation sera le meilleur[46]. Par contre, l'adhésion à cette théorie est si mitigée que le texte demeure ambigu[47]. D'autre part, il affirme à trois reprises[48] que les activités du DO ont tendance à changer les organisations pour qu'elles deviennent plus « organiques ». Ces énoncés sont difficilement conciliables avec une adhésion à la théorie de la contingence, mais sont compatibles avec les énoncés des sections qui parlent du DO. Dans l'ensemble de la section qui traite de la théorie des contingences, les organisations sont présentées dans un cadre atemporel.

Dans le texte de French et Bell l'adhésion à la théorie de la contingence et l'adhésion au DO semblent difficilement conciliables. Le texte est hésitant et ambigu, mais penche plus souvent vers le DO et la prescription des pratiques participatives que vers la théorie de la contingence.

Le texte de Huse est semblable à celui de French et Bell en ce que l'opposition entre les deux types d'organisation et le cadre temporel sont traités différemment dans différentes sections. Quatre contextes différents peuvent être identifiés : un premier qui traite du DO, un deuxième, de la théorie des contingences, un troisième, des changements survenus dans les organisations et leurs environnements depuis 25 ans, un quatrième, de l'histoire de la théorie des organisations.

---

45. T. BURNS et G.M. STALKER (1961). *Op. cit.*
46. W.L. FRENCH et C.H. BELL (1973). *Op. cit.*, pp. 187-191.
47. *Id. ibid.*, p. 182.
48. *Id. ibid.*, pp. 182, 186 et 190-191.

Lorsque le texte de Huse parle du DO, il reprend pour siennes « les hypothèses sous-jacentes au DO[49] » du texte de French et Bell[50], avec quelques modifications. Ici, les oppositions entre les organisations actuelles et ce qui sera possible ou souhaitable sont instaurées. Tout comme dans le cas de French et Bell, une transition vers les pratiques participatives est présentée comme possible ou souhaitable, mais le texte contient plusieurs ambiguïtés et hésitations.

Tout comme le texte de French et Bell, celui de Huse contient une section où l'opposition de Burns et Stalker[51] et la théorie de la contingence sont présentées[52]. Le développement de l'opposition entre les organisations « mécaniques » et « organiques » y est plus sommaire. Mais la différence la plus marquée entre le texte de French et Bell et celui de Huse est l'adhésion claire de Huse à la théorie de la contingence et, par conséquent, sa neutralité explicite face au choix d'un des deux types d'organisation. La présentation des deux types d'organisation est atemporelle.

Dans une troisième partie du texte[53], un exposé est fait des changements socio-économiques et organisationnels qui ont eu lieu depuis 25 ans. Les changements qui ont déjà eu lieu y sont constatés et des projections sont faites pour l'avenir. Cette analyse ressemble beaucoup à celle des textes de Bennis[54] et de Beckhard[55] et comprend des références intertextuelles à ces deux textes. Le texte de Huse reprend l'énoncé de Bennis disant que « chaque époque adopte la forme organisationnelle qui est la plus appropriée à ce moment-là et que des changements qui surviennent rendent nécessaire le renouvellement et la reconstruction des organisations », et affirme « qu'en bref, la poussée derrière le DO est le changement rapide du monde et le fait que nos organisations doivent suivre[56] ». Cette section du texte est la seule qui situe clairement les organisations et les changements dans un cadre historique et qui rapproche le texte de Huse des changements radicaux proposés par Bennis. Mais ces rapprochements sont limités et détruits par un autre contexte.

Le contexte est celui de l'histoire de la théorie des organisations. C'est le quatrième contexte, dans lequel Huse évoque l'opposition entre les pratiques bureaucratiques et participatives. Le texte[57] crée un débat fictif où des énoncés « antibureaucratiques » sont attribués à Warren Bennis et il y répond au nom de

49. E.F. HUSE (1975). *Op. cit.*, pp. 22-24.
50. W.L. FRENCH et C.H. BELL (1973). *Op. cit.*, pp. 65-70.
51. T. BURNS et G.M. STALKER (1961). *Op. cit.*
52. E.F. HUSE (1975). *Op. cit.*, pp. 120-136.
53. *Id. ibid.*, pp. 8-12.
54. W.G. BENNIS (1969). *Op. cit.*, pp. 18-35.
55. R. BECKHARD (1969). *Op. cit.*, pp. 2-8.
56. E.F. HUSE (1975). *Op. cit.*, p. 8 et W.G. BENNIS (1969). *Op. cit.*, p. V.
57. *Id. ibid.*, pp. 120-136.

la théorie de la contingence pour réfuter les énoncés « antibureaucratiques ». Le cadre temporel évoqué est celui de l'histoire des études sur les organisations. Les organisations sont cependant en dehors de ce cadre temporel. Ailleurs, le texte évoque une opposition entre « les théoriciens classiques qui discutent de règles rigides et de structure bureaucratique et les théoriciens plus modernes qui préconisent une gestion plus participative[58] ». Il évoque la théorie de la contingence pour d'abord donner raison aux deux principes et ensuite réfuter la position qui préconise la gestion participative. Le cadre temporel est encore celui de l'histoire de la théorie des organisations. Cependant, en donnant raison aux deux groupes de théoriciens, le texte crée une ambiguïté qui permet de comprendre ce passage ainsi : les organisations de l'époque des théoriciens « classiques » étaient plus bureaucratiques et celles de l'époque des théoriciens « modernes » étaient plus participatives. Toutefois, il s'agit d'une conclusion possible, mais non obligatoire.

À travers les différentes parties du texte de Huse, l'opposition entre deux types d'organisation et le cadre temporel reçoivent donc des développements divers. Les différentes parties sont donc assimilables à des prises de position différentes. Le texte de Huse est cependant le premier de ceux analysés jusqu'ici à adhérer clairement à la théorie de la contingence.

L'opposition entre les organisations bureaucratiques et participatives reçoit un développement fort différent dans le texte de Lawrence et Lorsch. Ce texte n'évoque pas d'opposition entre types d'organisation. Il affirme plutôt que l'environnement détermine la subdivision d'une organisation en unités ou services (principalement la production, la vente et la recherche), les caractéristiques de chaque service et les rapports entre les services[59]. Lorsqu'il spécifie les caractéristiques qu'un service doit avoir, il introduit une opposition entre deux ensembles de caractéristiques qui recoupent en grande partie des caractéristiques des deux types d'organisation de l'opposition principale des autres textes[60]. Le texte de Lawrence et Lorsch déplace ainsi l'opposition principale. Il n'y a donc pas là d'opposition entre deux types d'organisation. Il évoque plutôt la pluralité des types d'organisation : « Cela prend différents types d'organisation pour faire face aux réalités différentes[61] », « [la bureaucratie] n'est qu'un de plusieurs types[62] ».

58. *Id. ibid.*, pp. 120-136.
59. P.R. LAWRENCE et J.W. LORSCH (1969). *Op. cit.*, p. 88.
60. *Id. ibid.*, pp. 98-99
61. *Id. ibid.*, p. 88.
62. *Id. ibid.*, pp. 98-101.

L'ensemble du texte de Lawrence et Lorsch n'a pas de cadre temporel sauf celui de l'histoire des études des organisations. Cependant, dans sa conclusion intitulée « Organisations et société[63] », le texte évoque les critiques contemporaines dont les organisations font l'objet et prend la défense des organisations existantes.

Le texte de Schein[64], *Process Consultation*, a un objet plus limité que les autres. Les énoncés sur les organisations se sont restreints principalement à décrire le fonctionnement souhaitable des groupes de travail. Cependant, le texte oppose ce fonctionnement souhaitable à la pratique actuelle et préconise des changements dans la pratique administrative. Les changements préconisés sont compatibles avec un changement vers les pratiques de l'organisation participative.

Les statuts que les différents textes ont donnés aux types d'organisations bureaucratiques et participatives et les cadres temporels dans lesquels ils ont été placés ont donc varié beaucoup. Ces variations ne sont pas aléatoires ; lorsque les différents statuts accordés par les textes sont juxtaposés, comme nous les présentons au tableau 2, les variations intertextuelles forment une trame historique claire. Le discours du DO sur les organisations a passé d'une première position très claire et cohérente à une deuxième tout aussi claire et cohérente, mais fort différente. Ces deux périodes de clarté et de cohérence ont été séparées par une période transitoire caractérisée par des ambiguïtés, des hésitations et même des contradictions.

La dernière section de ce chapitre cherchera à fournir une explication de ces transformations que l'analyse du texte et des comparaisons intertextuelles ont mis au jour. Dans les prochaines sections, nous poursuivons l'analyse en regardant les statuts que les divers textes ont accordés à trois autres oppositions : l'opposition entre le travail varié et le travail répétitif, l'opposition entre l'homme et l'organisation, l'opposition entre les rapports individuels et les rapports de groupe. Chacune de ces oppositions est comprise dans l'opposition principale entre les organisations bureaucratiques et participatives par les différents textes, mais de diverses façons. Il faut donc garder à l'esprit les positions prises sur l'opposition principale au moment de l'analyse de ces trois autres oppositions.

63. *Id. ibid.*, pp. 98-101.

64. E.H. SCHEIN (1969). *Op. cit.*

TABLEAU 2

L'opposition entre deux types d'organisation, bureaucratique et participative, présentée dans les différents textes

	McGregor Likert (1961)	Likert (1967)	Bennis et Argyris	Beckhard
Clarté de la présentation de l'opposition principale	très claire	très claire	très claire	– moins claire – présentation indirecte en évoquant des changements
Clarté de la position prise par le texte	très claire	très claire	très claire	ambiguë, mais cohérente
Cadre temporel	– historique – très clair au sujet du passé et du présent	– historique – très clair au sujet du passé et du présent	– historique – clair au sujet du passé, du présent et du futur	– moins clair – souvent implicite – changements maintenant, mais passé et futur pas clairs
Statut de la pratique bureaucratique	– pratique dominante du passé et du présent – critiquée pour son inefficacité	– pratique dominante du passé et du présent – critiquée pour son inefficacité	– pratique dominante du passé – critiquée ouvertement	statut pas clair
Statut de la pratique participative	– émergente – minoritaire – méconnue	– émergente – minoritaire – bien connue	– émergente – minoritaire, mais importante	– statut pas clair – rapprochement des pratiques «nouvelles» et «actuelles»
Transformation de la pratique bureaucratique à la pratique participative	souhaitable parce que plus efficace	– souhaitable parce que plus efficace – nécessaire	– urgente et radicale – nécessaire – a déjà débuté largement – réponse à une crise sociale	– implicite – parle beaucoup de changements actuels – urgence, rapidité et étendue pas claires

TABLEAU 2 (suite)

L'opposition entre deux types d'organisation, bureaucratique et participative, présentée dans les différents textes

	French et Bell Lorsch	**Huse**	**Lawrence et**
Clarté de la présentation de l'opposition principale	très peu claire dans la majeure partie du texte	– très claire lorsque la théorie de la contingence est évoquée – ailleurs, moins claire	très claire
Clarté de la position prise par le texte	ambiguë, hésitante et contradictoire	contradictoire, claire lorsqu'il parle de la théorie des contingences, moins claire lorsqu'il parle du DO	très claire
Cadre temporel	atemporel ou très faible et implicite	– moins clair – plusieurs conclusions possibles	clairement atemporel
Statut de la pratique bureaucratique	– statut pas clair – une certaine défense des organisations existantes	– lorsqu'il parle de la théorie de la contingence : une pratique légitime parmi d'autres – ailleurs, statut moins clair – défendue contre ses critiques	– une pratique légitime parmi d'autres – défendue contre ses critiques
Statut de la pratique participative	– statut pas clair – rapprochement des pratiques «nouvelles» et «actuelles»	lorsqu'il parle de la théorie de la contingence : une pratique légitime parmi d'autres	une pratique légitime parmi d'autres
Transformation de la pratique bureaucratique à la pratique participative	– implicite – parle beaucoup de changements actuels – limite la portée du changement	– contradictoire – plusieurs conclusions possibles	pas de transition

L'opposition entre le travail répétitif et le travail varié

Presque tous les textes analysés évoquent directement ou indirectement des oppositions entre différents types de travail. Ces oppositions peuvent être regroupées dans l'opposition entre le travail répétitif et le travail varié. Celle-ci regroupe notamment les oppositions entre les tâches d'exécution routinière et non routinière et les oppositions hiérarchiques entre le travail de gestion et le travail d'exécution.

Tous les textes qui évoquent une opposition entre le travail répétitif et le travail varié l'associent à l'opposition principale ; la pratique bureaucratique est associée au travail répétitif et la pratique participative est associée au travail varié. Malgré ces constantes, la perception que les textes ont de ces associations varie.

Dans le premier texte de Likert, ces associations sont décrites comme une situation de fait et on cherche à les expliquer. Le texte affirme que la pratique bureaucratique peut donner de bons résultats avec le travail répétitif et que les différences de rendement entre les deux systèmes de gestion sont plus grandes avec le travail varié qu'avec le travail répétitif. Il maintient la prescription de la pratique participative pour tous les types de travail, mais son application est plus critique ou plus nécessaire pour le travail varié.

Le deuxième texte de Likert est compatible avec le premier, quoique beaucoup moins poussé. La pratique participative y est également prescrite universellement. Il affirme seulement que la vitesse de réaction est plus grande dans une situation de travail varié que dans une situation de travail répétitif. Le texte d'Argyris est compatible avec ceux de Likert. La pratique participative est souhaitable pour tous les types de travail. Le texte reconnaît que la pratique bureaucratique puisse donner de bons résultats pour le travail routinier. L'application de la pratique participative est plus critique ou plus nécessaire pour le travail varié (non programmé).

La prescription de la pratique participative est également faite pour tous les types de travail dans le texte de McGregor. Il introduit cependant une opposition entre une application de la pratique participative dans une opération de production de masse où les travailleurs sont organisés dans un syndicat militant et hostile et une application chez les cadres et les spécialistes. La première est presque impossible, la deuxième est possible. Les deux demeurent souhaitables, mais, dans l'état actuel des connaissances, seule la seconde est possible. Ces énoncés sont en contradiction apparente avec les passages du texte qui citent le Plan Scanlon en exemple.

Les textes de Lawrence et Lorsch et de Huse contrastent avec ceux de McGregor, de Likert et d'Argyris. L'énoncé de base de la théorie de la contingence affirme que l'environnement détermine les caractéristiques qu'une organisation ou une partie d'une organisation doit avoir. Lorsque ces deux textes décrivent les «parties» de l'organisation et leurs caractéristiques, ils évoquent les différences entre les services fonctionnels d'une entreprise: production, vente, recherche, finance, etc. Ce faisant, ils évoquent directement ou indirectement des différences entre les tâches. Il est possible de voir qu'un environnement stable et certain est associé aux tâches répétitives et qu'un environnement instable et incertain est associé aux tâches variées. Dans les textes de Lawrence et Lorsch et de Huse, aucune différence n'est faite entre les situations de fait et les situations souhaitables. L'association de la pratique bureaucratique au travail répétitif et l'association de la pratique participative au travail varié est tout simplement nécessaire.

Le texte de French et Bell au sujet des associations entre le système «mécanique» et l'environnement stable et entre le système «organique» et l'environnement instable est hésitant, «paradoxal» et même contradictoire. Il ne peut être assimilé ni aux textes qui adhèrent à la théorie de la contingence ni aux textes précédant cette adhésion.

Le texte de Bennis affirme que la pratique bureaucratique est appropriée pour le travail répétitif et un environnement stable et que la pratique participative est nécessaire pour le travail varié et un environnement instable[65]. Ces énoncés sont compatibles avec ceux de Huse et de Lawrence et Lorsch. Le texte de Bennis diffère de ces derniers, cependant, en ce qu'il qualifie l'environnement actuel et futur d'instable, les tâches présentes et futures, de variées et les organisations actuelles, de bureaucratiques. Il prescrit donc un changement de la pratique bureaucratique à la pratique participative.

Quelques indices dans le texte de Beckhard autorisent un rapprochement entre ce texte et celui de Bennis. Cependant, le texte de Beckhard est trop ambigu et fragmentaire pour que nous puissions le situer clairement parmi les autres. Le texte de Schein n'évoque pas d'opposition entre le travail varié et le travail répétitif.

Donc, les associations travail répétitif-bureaucratie et travail varié-organisation participative ne sont pas réservées à la théorie de la contingence; au contraire, elles sont communes à presque tous les textes. Ce qui est spécifique à la théorie de la contingence, c'est que ces associations sont considérées comme nécessaires. Les textes qui prescrivent une pratique participative constatent ces associations de fait. Ils admettent que la pratique bureaucratique peut donner des bons résultats avec un travail répétitif, mais maintiennent l'universalité de leur

65. W.G. BENNIS (1969). *Op. cit.*, pp. 19-20, 27, 30-31 et 34.

prescription de la pratique participative. Ils réduisent toutefois la force de leur prescription dans le cas du travail répétitif. Prescrire des pratiques participatives dans le contexte de travaux répétitifs introduit des problèmes discursifs qui prennent la forme d'hésitations, voire même d'incohérences, dans les textes.

L'opposition entre l'homme et l'organisation

Les racines historiques du développement organisationnel dans les mouvements des relations humaines et du changement planifié des années 50 expliquent l'importance que le DO accorde aux besoins de l'homme et aux rapports entre l'homme et l'organisation, surtout avant son assimilation à la théorie de la contingence. Dans le discours du DO avant cette assimilation, une grande place est accordée à un ensemble de rapports et d'oppositions inclus dans l'opposition principale. Cet ensemble de rapports et d'oppositions peut être regroupé dans l'opposition entre l'homme et l'organisation. Il comprend les rapports et les oppositions entre l'employé et l'employeur, le supérieur et le subordonné, les besoins de l'homme et les exigences de l'organisation et les facteurs humains et les facteurs techniques. Ces rapports et oppositions ne sont pas tous évoqués dans tous les textes du DO avant son assimilation à la théorie de la contingence, mais tous les textes mentionnent des éléments de cet ensemble et les incluent dans l'opposition principale (voir le tableau 3).

La pratique dominante est caractérisée par la dépendance et la soumission de l'employé dans ses rapports avec son employeur. De plus, ce rapport est présenté comme un rapport marchand. La pratique dominante est également caractérisée par des rapports hiérarchiques dans lesquels le supérieur planifie, organise, contrôle et évalue le travail du subordonné en même temps qu'il contrôle et évalue le subordonné. Ces rapports hiérarchiques sont antagonistes. Dans la pratique dominante, les exigences de l'organisation ont la primauté sur les besoins de l'homme. De plus, les exigences de l'organisation sont incompatibles avec les besoins de l'homme. Parallèlement, les facteurs techniques ont la primauté sur les facteurs humains.

La pratique préconisée est opposée à la pratique dominante point par point. La réduction de la dépendance de l'employé dans ses rapports avec son employeur est présentée comme un état de fait par les textes de McGregor et de Beckhard. La pratique préconisée est caractérisée par la participation de l'exécutant à la planification, à l'organisation, au contrôle et à l'évaluation de son travail. Les rapports hiérarchiques sont qualifiés de relations d'aide ou de soutien. Il y a une réduction de la différence ou de la distance entre le supérieur et le subordonné. Les besoins de l'homme ne sont pas subordonnés aux exigences

TABLEAU 3
L'opposition entre l'homme et l'organisation présentée par les textes du DO avant son assimilation à la théorie de la contingence

LA PRATIQUE BUREAUCRATIQUE	LA PRATIQUE PARTICIPATIVE
– Un rapport marchand où l'homme loue son temps et se soumet au contrôle de l'organisation	– L'engagement de l'homme envers les objectifs de l'organisation est grand.
– Un engagement instrumental et fort limité de l'homme envers les objectifs de l'organisation	
– Une relation antagoniste entre l'homme et l'organisation où l'homme peut retirer son engagement et saborder l'atteinte des objectifs de l'organisation	– Une harmonie entre les besoins et les objectifs de l'homme et ceux de l'organisation
– L'homme est dépendant et soumis.	– L'homme est plus indépendant et mobile.
– Les facteurs techniques	– Les facteurs humains
– Les besoins de l'organisation	– Les besoins de l'homme
– Les besoins de l'organisation ont primauté sur les besoins de l'homme.	– Les besoins de l'homme ont primauté sur les besoins de l'organisation.
– Les facteurs techniques priment sur les facteurs humains.	– Les facteurs humains priment sur les facteurs techniques.
– L'incompatibilité des besoins de l'homme et de l'organisation	– L'harmonie des besoins de l'homme et de l'organisation
– Le leadership centré sur la tâche	– Le leadership centré sur l'employé ou la relation
– La division verticale du travail entre la planification, l'organisation, le contrôle et l'exécution	– La participation de l'exécutant à la planification, à l'organisation et au contrôle de son travail
– Les rapports interpersonnels d'individus	– Les relations à l'intérieur de groupes restreints

de l'organisation. Les facteurs techniques sont subordonnés aux facteurs humains. Les pratiques participatives sont souvent présentées comme une façon de résoudre le problème de l'incompatibilité entre les besoins de l'homme et les exigences de l'organisation.

Les textes du DO avant son assimilation à la théorie de la contingence peuvent être regroupés selon le traitement qu'ils font du rapport homme-organisation. Ceux de McGregor, de Likert et d'Argyris instaurent un grand nombre de relations de causalité en chaîne dans lesquelles le comportement des supérieurs et les pratiques de gestion sont la cause première. Les effets immédiats des pratiques de gestion et du comportement des supérieurs comprennent les réactions des subordonnés. Les réactions des subordonnés ont un effet ultime sur la productivité ou l'efficacité de l'organisation.

Les traits de la pratique dominante et de la pratique préconisée présentés précédemment dans les descriptions de l'opposition homme-organisation sont assimilés à la cause première dans ces relations en chaîne. Dans la pratique dominante, les effets ou les réactions des subordonnés sont le retrait psychologique, la restriction de la production, la rétention et l'altération de l'information, le sabotage, la syndicalisation, l'absentéisme, le roulement, la dépendance et la soumission. L'effet ultime est une réduction de l'efficacité et de la productivité de l'organisation.

Dans la pratique préconisée, les subordonnés s'engagent et transmettent des informations et des idées à leurs supérieurs. La pratique préconisée fournit aux subordonnés des conditions propices à leur développement ; ils apprennent, ils croissent, ils prennent davantage de responsabilités et ils s'engagent au moment de la mise en œuvre d'une décision ou d'un plan, au lieu d'y résister. Les décisions et les plans sont donc mis en œuvre plus efficacement. Quand les subordonnés fournissent de l'information au lieu de la retenir ou de la fausser, de meilleures décisions en résultent. L'effet ultime de la pratique préconisée est un meilleur rendement.

Les textes de Bennis et de Beckhard n'ont pas cette structure. Leurs énoncés ne sont pas incompatibles avec ceux de McGregor, de Likert et d'Argyris, mais leurs développements sont beaucoup plus sommaires et fragmentaires. Dans le texte de Beckhard[66], la réponse simultanée aux exigences de l'organisation et aux besoins de l'homme est présentée comme un dilemme. La résolution de ce dilemme nécessite le développement de formes organisationnelles nouvelles. Donc, implicitement, l'opposition entre les deux ne trouve pas de solution dans les organisations existantes. Aussi, implicitement, cette opposition est-elle le moteur du développement de formes organisationnelles nouvelles.

66. R. Beckhard (1969). *Op. cit.*, p. V ; voir aussi la page 3.

L'objet explicite du texte de Schein est l'ensemble des processus interpersonnels. De ce fait, il accorde une large place aux facteurs humains. Il est structuré par une opposition entre « structure » et « processus ». Cette opposition recoupe en grande partie les oppositions des autres textes entre les facteurs techniques et les facteurs humains et entre la supervision centrée sur la tâche et la supervision centrée sur l'employé ou la relation. Cette dernière opposition est évoquée explicitement. Le texte de Schein évoque la pratique organisationnelle actuelle dans laquelle les facteurs humains sont subordonnés à l'accomplissement de la tâche. Il lui oppose une autre pratique dans laquelle les facteurs humains sont aussi importants que l'accomplissement immédiat de la tâche. Il affirme que l'accomplissement de la tâche dépend des facteurs humains. Les positions de Schein au sujet de l'opposition homme-organisation rejoignent donc celles des autres textes du DO avant son assimilation à la théorie de la contingence.

Ce groupe de textes peut être opposé aux textes de Lawrence et Lorsch et de Huse. Ces deux derniers neutralisent le conflit entre les exigences de l'organisation et les besoins de ses membres et établissent la prépondérance des facteurs techniques. Les moyens pris pour ce faire sont par contre différents.

Le texte de Lawrence et Lorsch déplace cette opposition. Il n'y est plus question d'opposition entre les besoins de l'homme et les exigences de l'organisation, mais plutôt d'une opposition entre les hommes et les buts des hommes, d'une part, et l'environnement et les problèmes environnementaux, d'autre part. L'homme crée des organisations afin de trouver de meilleures solutions à ses problèmes environnementaux[67]. Donc, l'opposition homme-environnement est médiatisée par l'organisation[68]. Le texte de Lawrence et Lorsch préconise une conception instrumentale de l'organisation et un rapport de neutralité instrumentale entre l'homme et l'organisation.

Le texte de Huse affirme que « la théorie contingente du design organisationnel » est basée sur trois postulats :

1) Il n'y a pas de « meilleur » design organisationnel ;

2) Le design d'une organisation et/ou de ses sous-systèmes doit être adapté à son environnement ;

3) Les besoins des individus membres d'une organisation sont mieux satisfaits lorsque le design organisationnel est approprié[69].

67. P.R. LAWRENCE et J.W. LORSCH (1969). *Op. cit.*, p. 2.
68. *Id. ibid.*, pp. 2-4, 11, 15 et 98-101.
69. E.F. HUSE (1975). *Op. cit.*, p. 136.

À la suite de la discussion de la théorie de la contingence, le texte réintroduit la considération des besoins de l'homme :

> Par définition, un programme de DO devrait aussi être adapté aux besoins de l'homme. Des preuves scientifiques et anecdotiques indiquent qu'un design organisationnel approprié permet aux individus dans l'organisation de croître et de se développer[70].

L'argumentation de Huse repose sur une corrélation entre « l'adaptation de l'organisation », « sa performance » et « un sentiment de compétence chez les membres de l'organisation » et sur une interprétation très large de cette dernière expression pour y voir « la croissance et le développement des individus » et « la satisfaction des besoins de l'homme ». Cette argumentation, quoique douteuse, lui permet de préconiser la primauté du « design structural ». Elle permet aussi d'affirmer que « les individus peuvent atteindre un sentiment de compétence et de croissance dans les organisations bureaucratiques *si* les organisations sont conçues de façon à être bien adaptées à leurs environnements[71] ».

Dans les textes de Lawrence et Lorsch et de Huse la prépondérance des facteurs techniques devient un moyen de répondre aux besoins et aux buts des hommes. Donc, la prépondérance des facteurs techniques peut s'accompagner d'une prise en considération des facteurs humains.

Les textes de Huse et de Lawrence et Lorsch ont aussi en commun un recours à des hyperboles pour réfuter l'affirmation que la bureaucratie nuit à la croissance ou à la créativité de l'homme. Il faut noter cependant que les deux textes se contredisent à ce sujet. Le texte de Lawrence et Lorsch[72] admet, au moins implicitement, que la bureaucratie étouffe la créativité et affirme que la solution du problème, c'est que les personnes créatives évitent de telles organisations. Le texte de Lawrence et Lorsch propose une pluralité de modes d'organisation, chacun étant adapté à la tâche ; les hommes n'auraient qu'à choisir une organisation respectueuse de leurs préférences personnelles.

Dans la section du texte de Huse qui défend la bureaucratie contre les attaques de Bennis, on affirme : « Pour certains types particuliers d'organisation, la structure bureaucratique traditionnelle permet plus de croissance personnelle et d'acquisition de compétence que si l'organisation a été transformée subitement en organisation ouverte et organique[73]. » L'apparition de l'adverbe « subitement » dans cet énoncé en fait une hyperbole. Plusieurs des textes analysés critiquent la pratique bureaucratique et préconisent une transition vers une forme d'organisation plus « ouverte » et « organique », cependant, aucun de

70. *Id. ibid.*, p. 136.
71. *Id. ibid.*, pp. 18-19, italique dans l'original.
72. P.R. LAWRENCE et J.W. LORSCH (1969). *Op. cit.*, p. 99.
73. E.F. HUSE (1975). *Op. cit.*, pp. 18-19 ; voir W.G. BENNIS (1969). *Op. cit.*, p. 13.

ces textes ne préconise une transformation subite. Au contraire, les textes de Likert[74], d'Argyris[75] et de McGregor[76] déconseillent des changements trop rapides et trop grands. La présence de cette hyperbole est signe d'un problème dans le texte de Huse, problème lié à l'affirmation disant que « la structure bureaucratique traditionnelle permet plus de croissance personnelle[77] ».

Les textes de Huse et de French et Bell peuvent être regroupés parce qu'ils débutent tous les deux avec un refus explicite du conflit entre la poursuite des objectifs de l'organisation et la satisfaction des besoins de ses membres. Dans les deux cas, ils affirment que la résolution de ce conflit réside dans « la gestion collaborative » soit de « la culture organisationnelle » soit de « son climat ». Dans les deux textes, cette solution est présentée comme actuellement possible ; le conflit n'a donc plus droit de cité.

L'expression « gestion et développement collaboratifs du climat organisationnel[78] » n'est pas réutilisée dans le texte de Huse. Donc, il fut impossible de préciser le sens de cette expression fortement ambiguë et de préciser comment elle permet de résoudre ce que d'autres textes ont présenté comme un dilemme important. L'expression « gestion collaborative » évoque vaguement des pratiques participatives, mais pas plus.

Le texte de French et Bell diffère de celui de Huse en ce qu'il donne suite à l'énoncé du départ sur « la gestion collaborative de la culture[79] ». Les dérivés du verbe « collaborer » qui évoquent des pratiques assimilables à celles des organisations participatives sont souvent opposés aux pratiques assimilables aux pratiques bureaucratiques[80]. Dire que le texte de French et Bell affirme que l'adoption des pratiques participatives permet de résoudre le conflit entre les besoins de l'homme et les exigences de l'organisation est donc possible. Mais l'ambiguïté du texte permet d'autres interprétations.

Par ailleurs, les textes de Huse et de French et Bell évoquent souvent la satisfaction des besoins de l'homme, surtout dans les contextes où ils parlent du DO. Ils affirment souvent qu'il faut que les organisations répondent aux besoins de l'homme, ce qui rend possibles des conclusions qui les assimilent aux positions prises par les textes du DO avant son assimilation à la théorie de la contingence.

---

74. R. LIKERT (1961). *Op. cit.*, p. 242.
75. C. ARGYRIS (1970). *Op. cit.*, p. 30.
76. D. MCGREGOR (1960). *Op. cit.*, pp. 29 et 128-129.
77. E.F. HUSE (1975). *Op. cit.*, p. 19.
78. *Id. ibid.*, p. 1.
79. W.L. FRENCH et C.H. BELL (1973). *Op. cit.*, p. XIII.
80. *Id. ibid.*, pp. 15, 17, 66-68, 186-187 et 200.

Le texte de Lawrence et Lorsch évoque explicitement les rapports entre l'individu et l'organisation qui sont difficilement conciliables avec les positions prises dans les textes du DO avant son assimilation à la théorie de la contingence. Il adopte explicitement « le point de vue de l'administration en accordant la primauté à l'accomplissement des buts de l'organisation[81] ». Il définit « la problématique du rapport entre l'individu et l'organisation » dans les termes suivants :

> Le problème crucial dans ce rapport le plus souvent évoqué par les gestionnaires est comment les individus peuvent être incités à accomplir leurs tâches définies. Comment est-ce que nous pouvons motiver des individus à faire les contributions aux objectifs de l'organisation qui sont requises d'eux ? Comment l'organisation peut-elle canaliser et contrôler le comportement de l'individu dans la direction souhaitée ? Très proche est la question additionnelle, à savoir comment les buts de l'organisation peuvent-ils être communiqués le plus efficacement possible aux individus afin qu'ils voient la pertinence des buts organisationnels pour la satisfaction de leurs besoins personnels, autrement dit, la complémentarité plutôt que l'antagonisme des buts organisationnels et des besoins individuels[82] ?

Cette présentation est plus compatible avec les théories classiques et les pratiques bureaucratiques dénoncées par les textes du DO avant son assimilation à la théorie de la contingence qu'avec les positions préconisant les pratiques participatives.

De nouveau, les comparaisons intertextuelles placent les textes du DO avant son assimilation à un extrême et le texte de Lawrence et Lorsch à l'autre, avec le texte de Huse entre les deux dans une position un peu contradictoire, mais proche de celui de Lawrence et Lorsch, et avec le texte de French et Bell également dans une position mitoyenne et ambiguë, mais plus proche des textes du DO avant son assimilation à la théorie de la contingence.

Dans les textes du DO avant son assimilation à la théorie de la contingence, l'opposition entre l'homme et l'organisation reçoit un développement poussé et intégré aux énoncés sur les types d'organisation formant un discours cohérent. Le texte de Lawrence et Lorsch évacue presque entièrement cette opposition entre l'homme et l'organisation et présente une autre conceptualisation du rapport entre l'homme et l'organisation, produisant ainsi un discours cohérent. Les textes de Huse et de French et Bell introduisent des éléments de l'opposition entre l'homme et l'organisation trouvée dans les textes du DO avant son assimilation et leur préoccupation pour les facteurs humains en même temps que la théorie de la contingence, produisant ainsi des problèmes discursifs manifestés dans des ambiguïtés, des contradictions et des illogismes. Il semble

81. P.R. LAWRENCE et J.W. LORSCH (1969). *Op. cit.*, p. 60, voir aussi la page 83.
82. *Id. ibid.*, p. 60, voir aussi la page 83.

que l'évacuation de l'opposition entre l'homme et l'organisation et tout ce qu'elle entraîne soit une condition nécessaire à l'assimilation du DO à la théorie de la contingence.

Des rapports individuels ou des rapports de groupe

Historiquement, le DO est associé aux recherches sur la dynamique des groupes restreints. Ces recherches concluent que la gestion autoritaire a des effets néfastes et qu'elle est incompatible avec un travail en groupe restreint. Les groupes de travail les plus efficaces sont caractérisés par un leadership partagé, des rapports interpersonnels de collaboration, de soutien et d'aide, la libre circulation de l'information et des idées, le *feed-back* non évaluatif et le droit d'expression de tous les membres du groupe, qui comprend l'expression des sentiments. Pour qu'un groupe de travail soit efficace, il faut que du temps et de l'énergie soient consacrés aux processus de groupe, c'est-à-dire à l'entretien ou à l'amélioration de la façon de travailler en groupe. Cela signifie que les membres d'un groupe doivent s'occuper du processus du groupe, des relations entre eux et de leurs sentiments, en plus de la tâche. Dans un groupe efficace, les membres participent à la planification, à l'organisation, au contrôle, à l'évaluation et à l'exécution du travail. Les caractéristiques d'un fonctionnement efficace en groupe restreint sont celles de la pratique participative préconisée par les textes du DO avant son assimilation à la théorie de la contingence.

Tous les textes du DO avant son assimilation à la théorie de la contingence préconisent un travail en groupe. Les conceptions varient d'un texte à l'autre, mais, dans l'ensemble, ils adhèrent à une forme d'organisation basée sur le travail en groupe. Dans les deux textes de Likert, une opposition claire est faite entre la forme d'organisation basée sur les rapports hiérarchiques entre individus et la forme d'organisation basée sur le fonctionnement en groupe. Cette opposition est un élément important de l'opposition principale entre la pratique dominante, la bureaucratie, et la pratique préconisée, le *participative group*.

Le texte de McGregor traite principalement de rapports individuels, mais en fin d'analyse, l'opposition entre les formes d'organisation basées sur les rapports hiérarchiques individuels et le fonctionnement en groupe est introduite et superposée à l'opposition principale. De plus, il affirme qu'un fonctionnement en groupe efficace mine les assises de la pratique dominante.

Le texte de Bennis évoque, à l'intérieur de l'opposition principale, une opposition entre une forme d'organisation basée sur les rapports exclusivement individuels et une autre basée sur les groupes. Il affirme par ailleurs l'importance des groupes. Il s'assimile donc facilement aux textes de Likert.

Les textes de Beckhard et de Schein abordent le fonctionnement en groupe autrement; ils affirment que les organisations sont faites de groupes. Cela est une question de fait. L'analyse du travail en groupe est sommaire dans le texte de Beckhard, tout comme dans celui de Bennis. Cependant, elle est très poussée dans le texte de Schein: le fonctionnement en groupe de travail est l'objet explicite de la plus grande part de ce texte.

Le travail en groupe est une partie intégrante de la pratique préconisée par le texte d'Argyris. Cette pratique est décrite en quatre étapes, dont une est le fonctionnement en groupe.

Donc, de différentes façons, tous les textes du DO avant son assimilation à la théorie de la contingence adhèrent à une forme d'organisation basée sur le travail en groupe.

Sur ce point, le texte de French et Bell est clairement assimilable aux textes qui le précèdent. Il est souvent ambigu et contradictoire, mais, au sujet de la forme d'organisation basée sur le fonctionnement en groupe et de son opposition à la forme basée sur les rapports hiérarchiques individuels, il est relativement clair.

Il évoque la forme d'organisation basée sur les groupes dans deux contextes. Premièrement, lorsqu'il présente les « hypothèses du DO », il instaure une relation d'identité entre les organisations et cette forme basée sur les groupes. Deuxièmement, lorsqu'il présente l'opposition entre les organisations mécaniques et organiques, il inclut dans cette opposition celle entre la forme basée sur les rapports hiérarchiques individuels et la forme basée sur les rapports de groupe. Dans les deux cas, les références intertextuelles sont faites au premier texte de Likert.

Ces deux références à la forme d'organisation basée sur les groupes, si elles étaient mises ensemble, seraient difficilement compatibles avec une adhésion à la théorie de la contingence. Le texte de French et Bell adhère au moins aussi fortement à l'organisation organique qu'à la théorie de la contingence. C'est peut-être l'adhésion à la forme d'organisation basée sur les groupes qui l'empêche en partie d'adhérer à la théorie de la contingence de façon claire.

Les comparaisons entre les textes de French et Bell et de Huse sur ce point sont frappantes. Le texte de Huse évoque également des « hypothèses du DO » et l'opposition entre les organisations mécaniques et organiques. Cependant, dans ces contextes, le texte de Huse n'évoque pas la forme d'organisation basée sur les groupes.

Le texte de Huse contient cependant des « hypothèses du DO sur les personnes en groupe ». Dans ce contexte, il évoque le travail en collaboration et le leadership partagé d'une façon tout à fait compatible avec les textes du DO avant son assimilation à la théorie de la contingence. Il limite cependant la portée de ces énoncés en évitant d'évoquer la forme d'organisation basée sur les groupes et en gardant ses distances par rapport au fonctionnement en groupe.

Le texte de Lawrence et Lorsch évite le fonctionnement en groupe restreint de la même façon qu'il évite les rapports interpersonnels ; les deux en sont explicitement exclus. Cependant, il utilise souvent le mot « groupe ». Il y a dans ce texte des ambiguïtés et des glissements de sens autour de ce mot. Le sens change surtout lorsqu'il aborde la gestion des conflits. Dans ce contexte, le glissement va des rapports entre grandes unités, passe par des groupes restreints pour enfin déboucher sur les rapports interpersonnels.

Les textes de Lawrence et Lorsch et de Huse abordent explicitement la gestion des conflits. À ce sujet, ils traitent des rapports interpersonnels. Ils prescrivent des rapports interpersonnels pour une gestion efficace des conflits compatibles avec les rapports interpersonnels préconisés par les textes du DO avant son assimilation à la théorie de la contingence. Il y a une contradiction apparente dans ces deux textes entre les rapports interpersonnels qu'ils prescrivent pour la gestion du conflit et ceux qu'ils prescrivent plus généralement. La contradiction est plus évidente dans le texte de Huse. Il est difficile de concevoir qu'on fasse davantage preuve de collaboration dans les rapports interpersonnels lorsqu'il y a conflit que lorsqu'il n'y en a pas.

Les textes de Huse et de Lawrence et Lorsch évitent généralement de traiter des rapports interpersonnels, particulièrement en groupe restreint. Cependant, les quelques fois où ces sujets sont abordés, ils font des énoncés plus facilement assimilables aux rapports interpersonnels associés à la pratique participative qu'à ceux de la bureaucratie. Donc, quand ils abordent les rapports interpersonnels ou de groupe, ils font des énoncés généraux (pas sujets aux contingences) qui créent des contradictions apparentes avec ceux de la théorie de la contingence. Ils minimisent ces contradictions en évitant d'évoquer la forme d'organisation basée sur le travail en groupe restreint et les rapports interpersonnels. L'évacuation de ces sujets est peut-être une condition nécessaire à la production d'un discours cohérent basé sur la théorie de la contingence et la défense et la réhabilitation de la pratique bureaucratique.

Les théories, les explications et les causes

Une théorie des organisations explique pourquoi celles-ci se comportent comme elles le font et ces explications prennent souvent la forme de relations de cause à effet implicites ou explicites. Une longue analyse des dix textes du DO a été entreprise afin d'identifier toutes les relations assimilables aux relations de cause à effet que contiennent ces textes. Nous appelons ces relations des relations de détermination.

Les textes de McGregor, de Likert et d'Argyris contiennent des nombres importants de relations de détermination qui sont souvent reliées dans des ensembles complexes. Chacun de ces textes contient deux ensembles de relations de détermination, un pour chaque type d'organisation, bureaucratique ou participatif. La majorité de ces relations peuvent être reprises sous la forme de relations causales en chaîne dans lesquelles les causes premières sont la conception qu'ont les cadres supérieurs de l'organisation, les pratiques administratives et les comportements des cadres. Ces causes premières déterminent tout ce qui peut être qualifié d'interne à l'organisation: les relations interpersonnelles, la circulation de l'information, la prise de décision, les réactions des subordonnés. Ce fonctionnement interne détermine à son tour l'efficacité et le rendement de l'organisation.

Ces ensembles de relations de détermination sont représentés sous forme de cartes causales dans les figures suivantes:

- Figure 1: La carte causale de la « gestion par la direction et le contrôle » du texte de McGregor;
- Figure 2: La carte causale de la « gestion par l'intégration et l'autocontrôle » du texte de McGregor;
- Figure 3: La carte causale des textes de Likert;
- Figure 4: La carte causale de la pratique participative du texte d'Argyris: « les critères de compétence »;
- Figures 5 et 6: Les conséquences de la division stricte du travail et du contrôle managerial du texte d'Argyris (1re et 2e parties);
- Figure 7: La carte causale du « monde managerial » du texte d'Argyris;
- Figure 8: La carte causale du texte de Bennis.

Le texte de Schein instaure de nombreuses relations de détermination. L'ensemble de ces relations est assimilable à la structure générale des cartes causales des textes de McGregor, de Likert et d'Argyris, mais son objet, le fonctionnement des groupes, est plus restreint.

Ce premier groupe de textes contraste avec le texte de Lawrence et Lorsch, qui est dominé par une relation de détermination dans laquelle l'environnement externe détermine les caractéristiques que l'organisation doit avoir pour être efficace. Ce texte évite les relations de détermination entre les pratiques administratives et le comportement des cadres, d'une part, le fonctionnement interne et la réaction des subordonnés, d'autre part, de même que les effets de ces derniers sur l'efficacité et le rendement.

FIGURE 1
La carte causale de la « gestion par la direction et le contrôle » du texte de McGregor

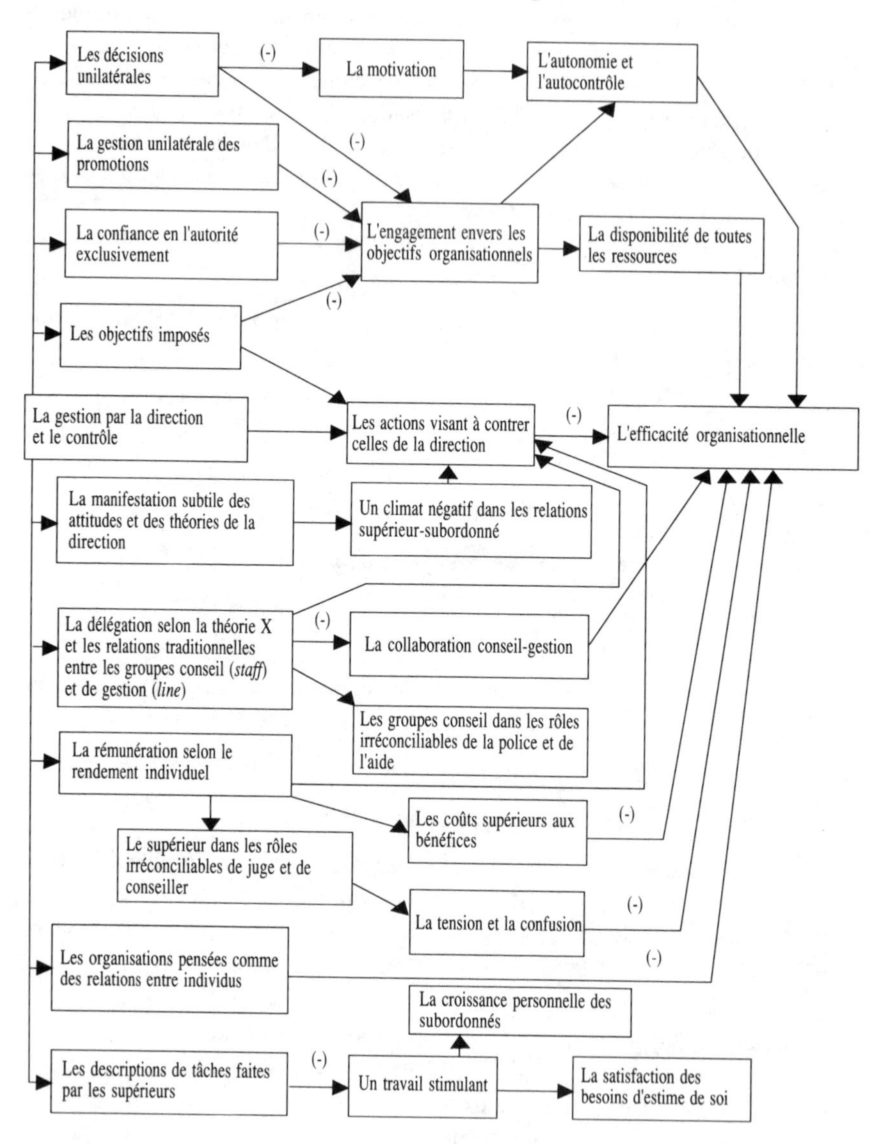

FIGURE 2
La carte causale de la «gestion par l'intégration et l'autocontrôle» du texte de McGregor

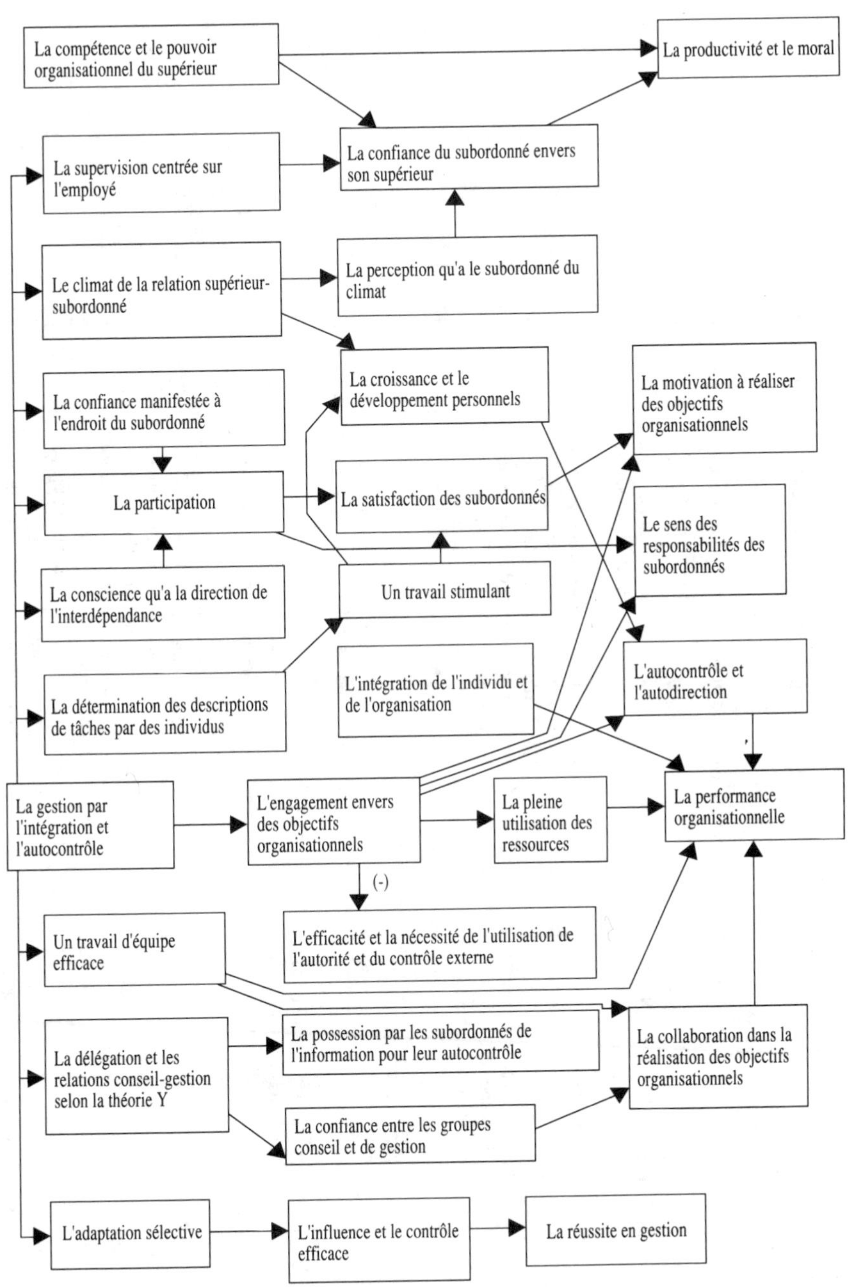

FIGURE 3

La carte causale des textes de Likert

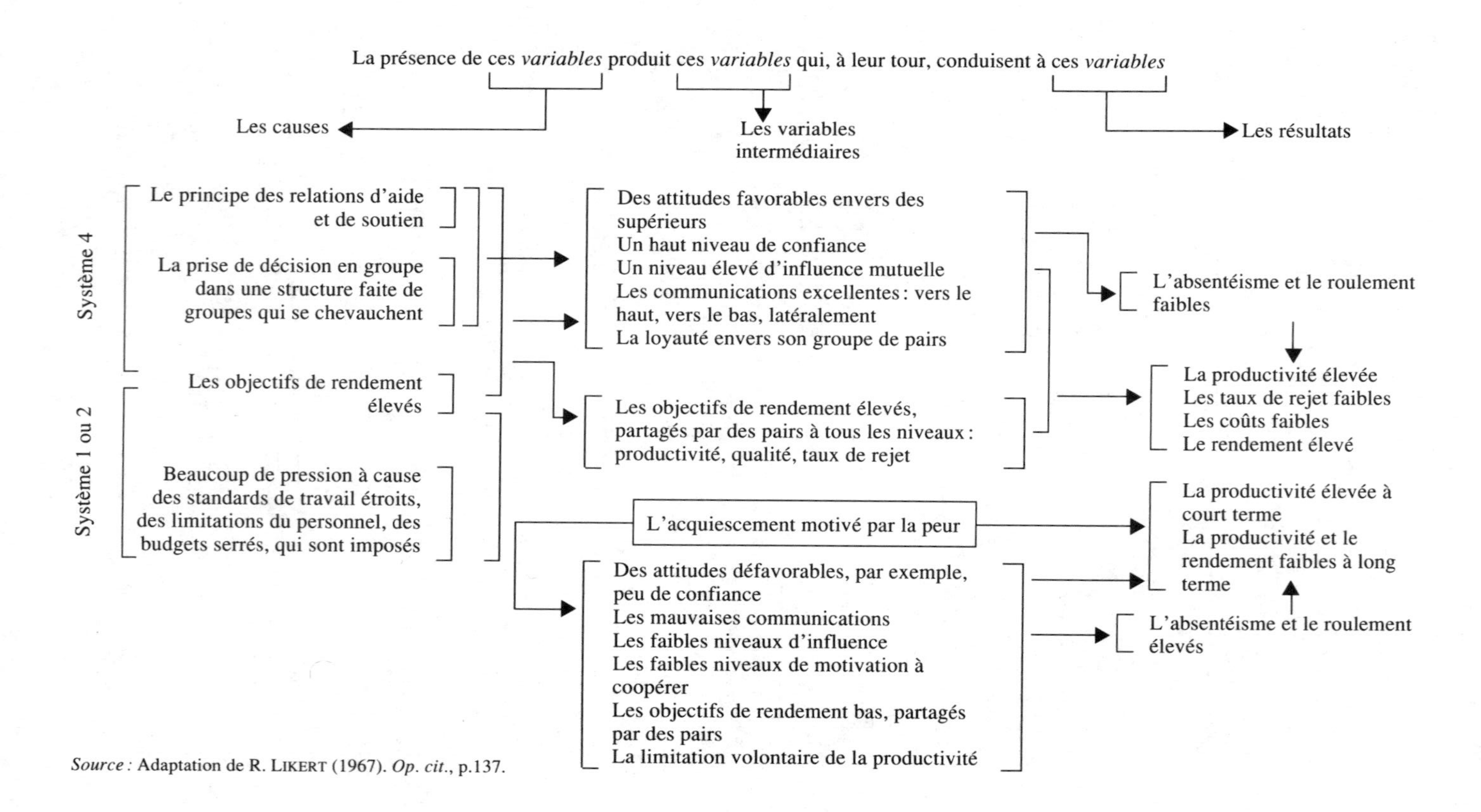

Source : Adaptation de R. LIKERT (1967). *Op. cit.*, p.137.

FIGURE 4

La carte causale de la pratique participative du texte d'Argyris : les « critères de compétence »

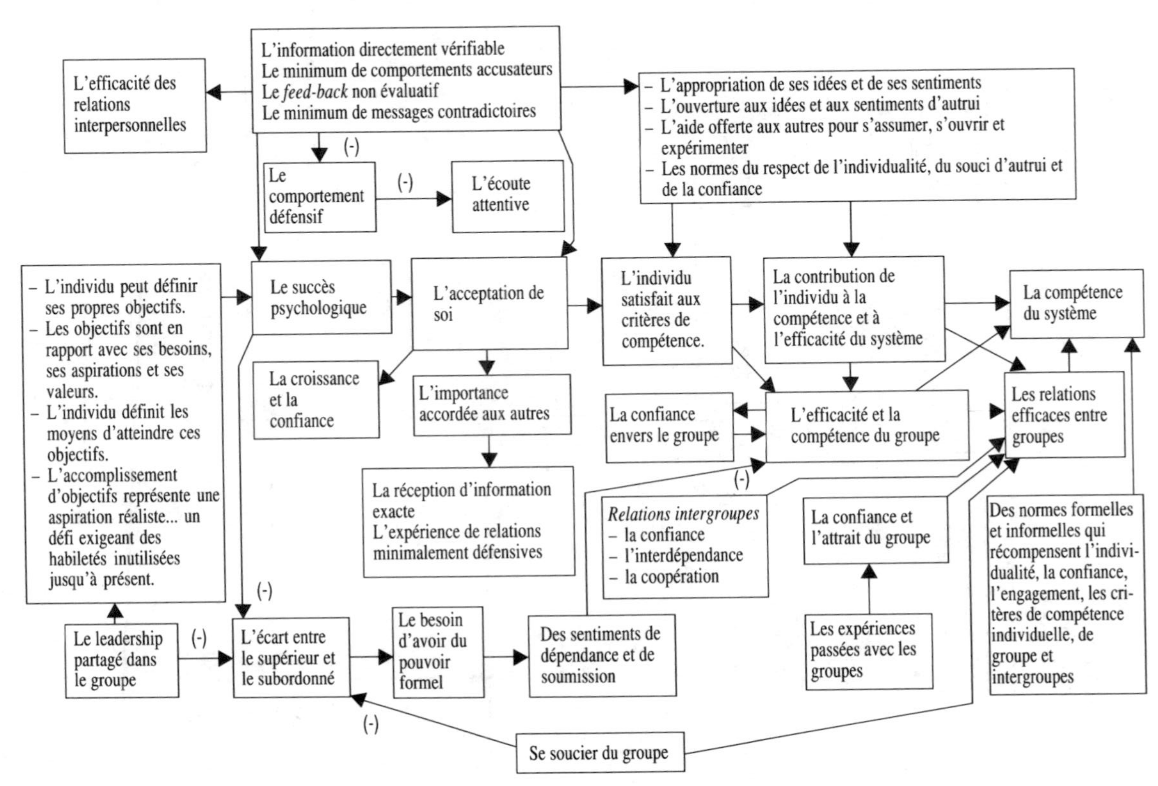

FIGURE 5

Les conséquences de la division stricte du travail et du contrôle managerial du texte d'Argyris (1re partie)

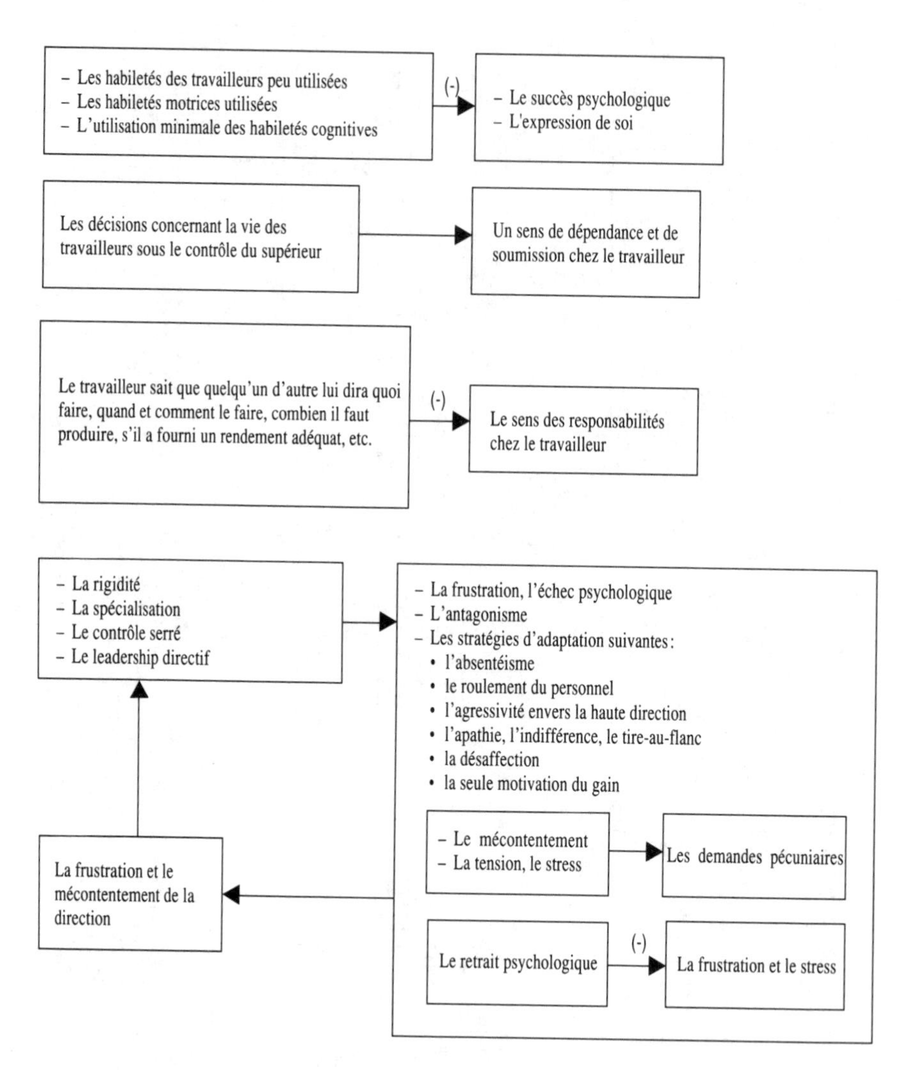

FIGURE 6

Les conséquences de la division stricte du travail et du contrôle managerial du texte d'Argyris (2e partie)

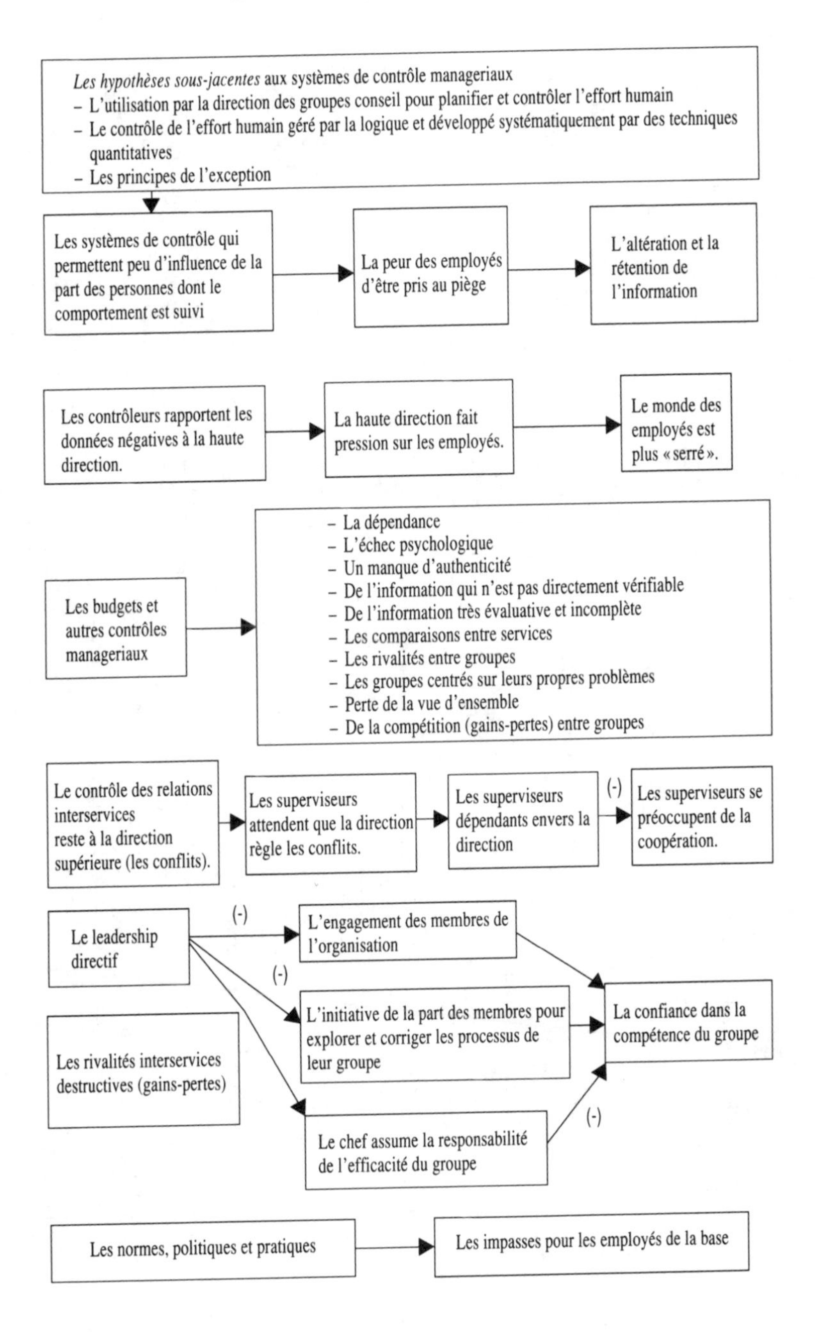

FIGURE 7
La carte causale du « monde managerial » du texte d'Argyris

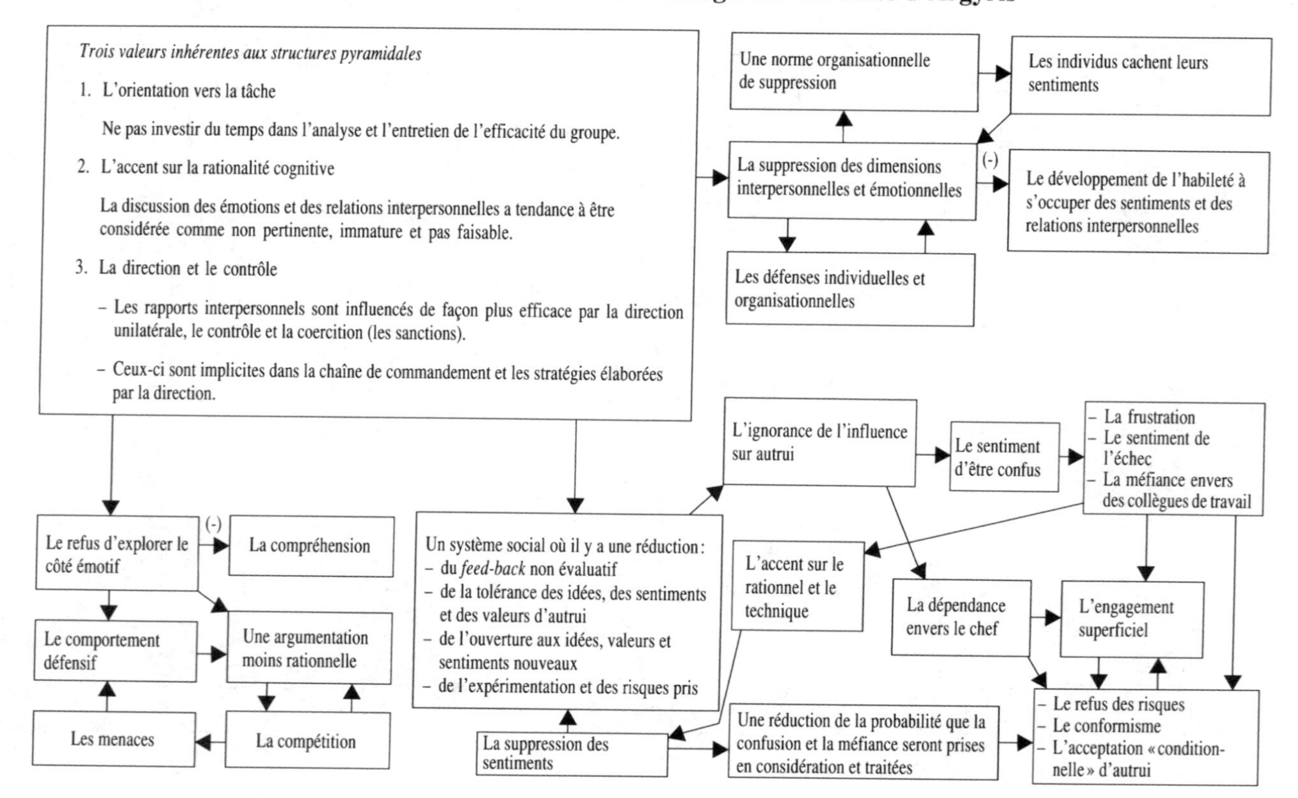

FIGURE 8
La carte causale du texte de Bennis

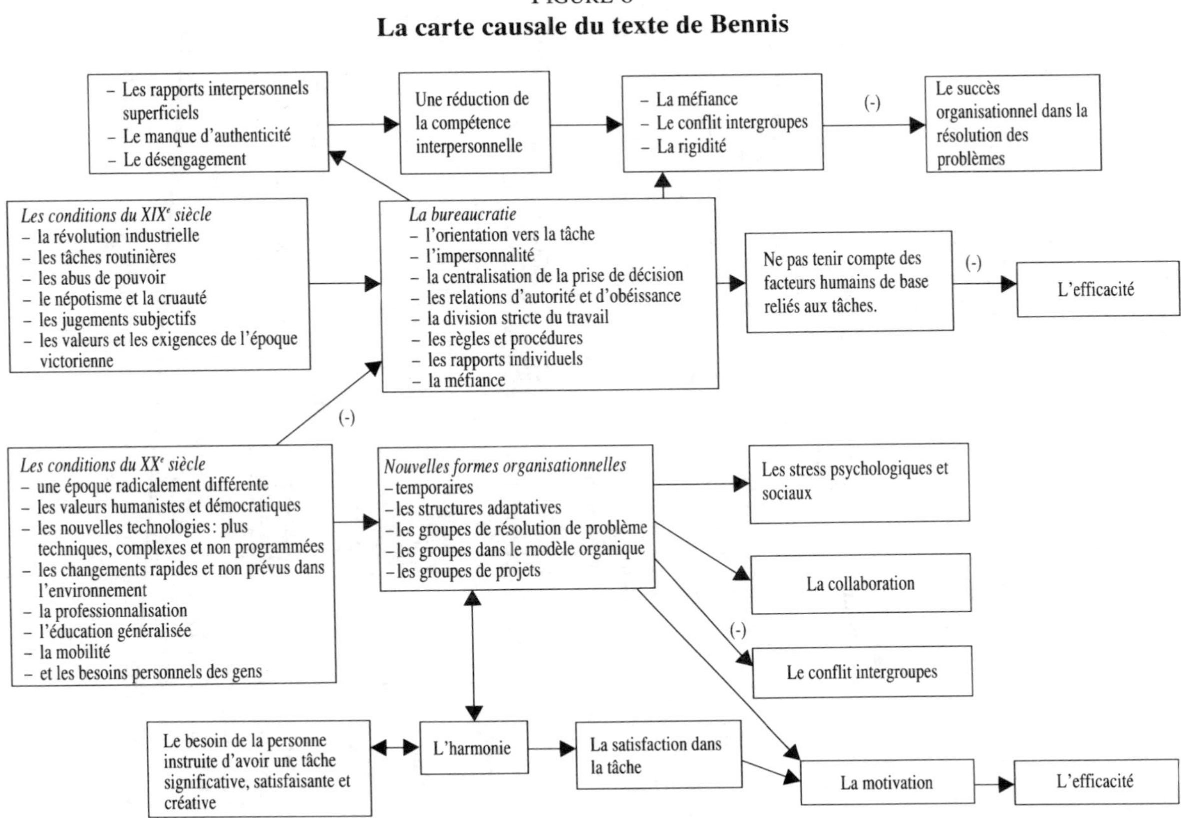

Le texte de Lawrence et Lorsch contient peu de relations de détermination autres que celle de la théorie de la contingence. Il est peu argumenté, la relation simple de la théorie de la contingence est affirmée, mais n'est pas intégrée dans un ensemble complexe de relations (voir la figure 9).

FIGURE 9
Relation de la théorie de la contingence

ENVIRONNEMENT ——→ CARACTÉRISTIQUES QUE L'ORGANISATION DOIT AVOIR

Les relations de détermination des textes de Bennis et de Beckhard les situent près du texte de Lawrence et Lorsch. Dans ces textes, l'environnement détermine les caractéristiques organisationnelles et peu de références sont faites aux relations de détermination qui caractérisent les textes de McGregor, de Likert et d'Argyris. Les textes de Bennis et de Beckhard arrivent à des conclusions fort différentes de celles de Lawrence et Lorsch. Ces désaccords résultent davantage d'évaluations différentes de l'état de l'environnement externe que de différences dans les relations de détermination. Plusieurs des relations de détermination du texte de Bennis sont présentées à la figure 8.

Les relations de détermination du texte de Huse ne forment pas un tout cohérent. Elles peuvent être regroupées en quatre ensembles. Premièrement, le début présente la relation de détermination entre les changements socio-économiques et les changements dans les organisations. Cette section du texte[83] crée une situation particulière ; une relation de détermination entre l'environnement et l'organisation est clairement instaurée. De plus, les termes du côté de la cause sont clairement identifiés, mais, par contre, ceux du côté de l'effet sont à peu près absents ou tout au moins très ambigus. À la suite de la présentation de ces « causes », le texte conclut qu'elles expliquent l'existence du DO. Le contraste avec Bennis est frappant ; Bennis instaure la même relation de détermination avec un ensemble de changements socio-économiques du côté de la cause. Mais il identifie sans équivoque l'effet comme étant le déclin de la bureaucratie et le besoin de la remplacer[84]. Il faut rappeler aussi que le texte de Huse rejette explicitement la position antibureaucratique qu'il attribue au texte de Bennis[85].

83. E.F. HUSE (1975). *Op. cit.*, pp. 8-12.
84. W.G. BENNIS (1969). *Op. cit.*, pp. 18-22, 29, 31 et 32-33.
85. E.F. HUSE (1975). *Op. cit.*, pp. 18-19.

Deuxièmement, les relations de détermination auxquelles le texte de Huse adhère le plus systématiquement sont celles de la théorie de la contingence, dans lesquelles le design structural de l'organisation est déterminé par l'environnement[86]. Les effets de cette adaptation à l'environnement sont l'efficacité de l'organisation et la satisfaction des besoins de l'homme. Dans le groupe des relations de détermination que le texte présente au nom de la théorie de la contingence, il y a plusieurs relations de détermination dans lesquelles l'adaptation de l'organisation à son environnement produit comme effet la satisfaction des besoins de l'homme, la création de défis, la croissance personnelle ou le sentiment de compétence, cela, même lorsque l'organisation est explicitement qualifiée de « bureaucratique[87] ». Dans les sections du texte de Huse qui ne mentionnent pas la satisfaction des besoins de l'homme, la relation est souvent une simple relation de détermination entre l'environnement et l'organisation, l'effet de cette relation sur l'efficacité étant implicite[88].

Troisièmement, dans les sections intitulées « Les hypothèses au sujet des individus et des personnes[89] », le texte crée d'autres relations de détermination dans lesquelles la satisfaction des besoins de l'homme et la croissance et le développement personnels sont placés du côté de l'effet et les phénomènes organisationnels assimilables aux pratiques participatives sont placés du côté de la cause. Mais dans ces sections il n'est pas question d'adaptation à l'environnement. La présence de ces relations de détermination crée un problème potentiel dans le texte ; ces relations sont difficilement compatibles avec la défense de la bureaucratie faite dans le texte de Huse au nom de la théorie de la contingence et la satisfaction des besoins de l'homme. Le texte limite son adhésion à ces relations de détermination de la pratique participative avec le recours à des expressions telles que « il semble que » et « prête un peu de crédibilité à l'idée que[90] » et par la même occasion limite la portée des contradictions apparentes.

Quatrièmement, dans le chapitre intitulé « Interface entre l'individu et l'organisation », plusieurs relations de détermination claires sont créées[91], dans lesquelles le conflit et surtout l'ambiguïté de rôle sont placés du côté de la cause. Les effets sont : « une réduction de l'efficacité organisationnelle perçue », « une réduction des perceptions de la satisfaction dans les champs suivants : les

86. Le texte utilise le terme anglais *fit* pour décrire la relation entre l'organisation et l'environnement. Cette adaptation influence à son tour l'efficacité de l'organisation et la satisfaction des besoins de l'homme.
87. E. F. HUSE (1975). *Op. cit.*, pp. 17, 19, 54-55, 80, 122 et 136 ; voir aussi la discussion de l'opposition homme-organisation présentée avant dans ce chapitre.
88. *Id. ibid.*, pp. 17, 19, 43, 54-55, 80 et 122-136.
89. *Id. ibid.*, pp. 17 et 21-24.
90. *Id. ibid.*, p. 17
91. *Id. ibid.*, pp. 178-180.

occasions d'avancement, la reconnaissance, l'autonomie, le niveau d'autorité et la gratification intrinsèque de l'emploi[92] », « le stress, l'anxiété et le roulement du personnel[93] », « l'agressivité, l'hostilité et le retrait psychologique[94] ». Une réduction de l'ambiguïté de rôle produit comme effet « la stabilité de l'organisation » et « la satisfaction personnelle de ses membres[95] ». Les effets de l'ambiguïté de rôle de même que la prescription générale (sans effet de contingence) sont très clairs. Une réduction générale de l'ambiguïté de rôle serait beaucoup plus compatible avec les pratiques mécaniques et bureaucratiques qu'avec les pratiques organiques et participatives. La prescription générale d'une réduction de l'ambiguïté de rôle crée donc des contradictions avec d'autres sections du livre. Mais la portée de cette contradiction est limitée par le fait que l'ambiguïté de rôle est traitée dans trois pages particulières du texte sans être reprise et intégrée au reste du livre.

Les relations de détermination du texte de Huse sont peu nombreuses, fragmentées, peu cohérentes et souvent ambiguës. Elles sont encore moins nombreuses dans le texte de French et Bell. Celles qui sont présentées évoquent vaguement des pratiques participatives[96] et surtout les relations interpersonnelles et le fonctionnement des groupes restreints. Les relations les plus nombreuses dans le texte de French et Bell évoquent les effets de « la prise en considération des sentiments[97] », ce qui est un élément important de la doctrine des relations humaines, mais non central dans une théorie des organisations.

Les comparaisons entre les différentes cartes causales proposées par les divers textes conduisent donc à des regroupements. Aux extrémités, les textes de McGregor, de Likert et d'Argyris contrastent avec celui de Lawrence et Lorsch. Les structures causales du premier groupe sont claires, développées, complexes et cohérentes. Celle du texte de Lawrence et Lorsch est simple et claire : une seule relation. Les textes de Bennis et de Beckhard présentent des structures causales semblables à celles préconisées par Lawrence et Lorsch, mais attribuent des caractéristiques différentes à l'environnement et tirent donc des conclusions fort différentes. Le texte de Bennis ressemble particulièrement à celui de Lawrence et Lorsch par la simplicité et la clarté de sa structure causale.

Les textes de French et Bell et de Huse se caractérisent par la nature fragmentée, ambiguë, voire même contradictoire, des structures causales qu'ils présentent. Par contre, le texte de Huse se distingue de celui de French et Bell par son adhésion à la relation de détermination de la théorie de la contingence et l'étendue qu'il lui donne.

---

92. *Id. ibid.*, p. 180.
93. *Id. ibid.*, pp. 178 et 180.
94. *Id. ibid.*, p. 180.
95. *Id. ibid.*, p. 180.
96. W.L. FRENCH et C.H. BELL (1973). *Op. cit.*, pp. 51, 59, 67 et 82.
97. *Id. ibid.*, pp. 67-68, 71 et 80 et E.F. HUSE (1975). *Op. cit.*, pp. 23-24.

L'explication des transformations dans le discours du DO sur les organisations

De l'ensemble des comparaisons intertextuelles faites au moment de l'analyse des ouvrages du DO se dégagent deux grandes constatations. Premièrement, ces textes ne constituent pas un seul discours cohérent sur les organisations, les différences intertextuelles étant trop importantes. Deuxièmement, lorsque les textes sont disposés dans leur ordre chronologique de publication modifié au début du chapitre, des régularités se dégagent, transformant la confusion apparente en évolution historique. Une explication de ces transformations dans le discours du DO sur les organisations devrait donc expliquer cette évolution historique.

Deux grands schèmes explicatifs sont examinés ici. Le premier explique les changements observés dans le discours du DO sur les organisations en les mettant en parallèle avec les changements du contexte socio-économique dans lequel ce discours a été produit et appliqué. Le deuxième explique les changements dans la théorie des organisations par un processus d'accumulation de savoir conduisant au progrès scientifique. Nous avançons que cette deuxième explication est moins plausible que la première dans ce cas précis.

La première explication des transformations dans le discours du DO sur les organisations repose sur l'identification des conditions sociales et économiques de production du discours et la mise en rapport des transformations dans les conditions de production et des transformations dans le discours. Les transformations dans les conditions sociales et économiques de production du discours et les transformations dans le discours se regroupent en trois périodes. La première est une période de prospérité économique. La prospérité économique est accompagnée d'un faible taux de chômage. La majorité des employés peuvent trouver des emplois relativement facilement, ce qui diminue leur dépendance face à un employeur en particulier. La soumission des subordonnés dans les rapports hiérarchiques est aussi réduite. La rétention et le contrôle des employés deviennent problématiques pour les supérieurs. L'exercice de l'autorité devient problématique en ce sens que la réduction de la soumission des subordonnés enlève à l'autorité son efficacité en tant que moyen d'influence. L'autorité est toujours légitime, mais le rapport de forces dans les rapports hiérarchiques rend son exercice problématique. Dans cette situation, les supérieurs sont plus préoccupés par les réactions des subordonnés, donc par les facteurs humains et par les besoins des hommes. Les pratiques administratives changent ; les supérieurs font appel à la participation et à l'engagement des employés. Ces conditions sociales et économiques existaient aux États-Unis au début des années 60. Les États-Unis connaissaient à ce moment-là une période de prospérité économique presque ininterrompue depuis la fin de la Deuxième Guerre mondiale.

La deuxième période est également une période de prospérité économique. Toutes les caractéristiques de la période précédente se répètent dans cette période, sauf que la légitimité de l'autorité est alors mise en question. Cette période peut être qualifiée de crise sociale. Ces conditions existaient aux États-Unis à la fin des années 60.

La troisième période est celle de la récession économique. L'employé devient plus dépendant de son employeur et le subordonné plus soumis à l'autorité de son supérieur. La pression du chômage sur le marché du travail suffit pour retenir l'employé à son emploi. Le recours à l'autorité suffit au contrôle du subordonné. L'autorité retrouve sa légitimité et son efficacité. La crise sociale est résorbée. Les préoccupations relatives à la réaction des subordonnés, aux facteurs humains et aux besoins des employés diminuent. Les supérieurs font moins appel à la participation et à l'engagement des employés. Ils deviennent préoccupés par les exigences de la tâche et les facteurs techniques. Ces conditions sociales et économiques existaient aux États-Unis au milieu des années 70. La critique de l'autorité et la crise sociale se sont résorbées très tôt dans les années 70. La récession a débuté vers 1973 avec la crise du pétrole.

Dans le discours du DO sur les organisations pendant la première période, la pratique participative a le statut d'une pratique minoritaire, émergente, peu connue mais efficace. La transition vers la pratique participative est clairement souhaitable. On affirme que cette transition peut être amorcée, mais qu'elle sera longue à réaliser. La transition n'est pas urgente.

Ce discours s'appuie sur de nombreux arguments ; le nombre et la complexité des relations de détermination sont un indice de cette argumentation poussée. Les relations de détermination de ce discours sont structurées par des relations en chaîne dans lesquelles les pratiques administratives et le comportement des supérieurs sont des causes premières et l'efficacité ou l'inefficacité sont des effets ultimes. Deux ensembles de relations de détermination sont développés : un pour la pratique dominante de la bureaucratie et l'autre pour la pratique participative.

Dans le discours du DO sur les organisations pendant la deuxième période, la transition vers la pratique participative est présentée comme urgente et immédiate. Les conditions de prospérité, de crise et de critique de l'autorité rendent possible un discours sur les organisations qui est sommaire, peu argumenté et même ambigu ; il peut fonctionner par l'évidence et la nécessité. Un discours poussé et clair comme celui de la première période est possible, mais n'est pas nécessaire.

Seules ces conditions particulières peuvent produire un discours dans lequel on affirme que « notre société *a déjà* opté pour des valeurs plus humaines et démocratiques... nous allons "acheter" ces valeurs même au coût d'une perte d'efficacité parce que nous pensons que nous pouvons nous l'offrir maintenant[98] ». Seules les conditions de crise où la critique de l'autorité est répandue peuvent produire des énoncés tels que « le pouvoir investi auparavant dans les patrons est diminué et devrait l'être[99] ».

Le discours du DO sur les organisations dans la troisième période ne préconise pas une transition de la pratique bureaucratique à la pratique participative et se dissocie des positions qui préconisent des changements importants dans les organisations. Il est atemporel ; les organisations sont traitées au présent. Il n'y a pas de référence aux organisations du passé ou du futur. De plus, il n'y a pas de distinction entre la description des pratiques organisationnelles existantes et la description des pratiques organisationnelles souhaitables. À la limite, ce discours constitue une rationalisation de la pratique existante ; il dit pourquoi ce qui est doit être[100].

Pendant cette période, la critique de la pratique bureaucratique est remplacée par sa défense. La primauté accordée aux facteurs humains, aux besoins de l'homme et aux effets des pratiques administratives sur les employés est remplacée par la primauté des exigences de l'environnement techno-économique et des exigences de la tâche.

Évoquer les facteurs humains, les besoins de l'homme, les effets de la pratique bureaucratique, les rapports interpersonnels ou les rapports entre membres d'un groupe restreint est problématique dans ce discours. Ces sujets ne sont plus des préoccupations importantes et sont évités en grande partie. Il est difficile de réconcilier la défense et la réhabilitation de la pratique bureaucratique avec une discussion de ces sujets. Les quelques références à ces sujets dans ce discours sont problématiques ; leur évocation conduit souvent à des contradictions, et les tentatives de réconciliation avec la pratique bureaucratique conduisent à des défauts de logique.

Le discours du DO pendant cette période est celui de la théorie de la contingence. Cette théorie est souvent présentée comme une solution de la contradiction entre la doctrine qui préconise la pratique participative et la doctrine classique qui préconise la pratique bureaucratique[101]. Lorsque la théorie de la contingence est présentée comme une solution de cette contradiction,

---

98. W.G. BENNIS (1969). *Op. cit.*, p. 28.
99. R. BECKHARD (1969). *Op. cit.*, p. 6 ; voir aussi W.G. BENNIS (1969). *Op. cit.*, pp. 28-29.
100. E.F. HUSE (1975). *Op. cit.*, p. 136 : « Jusqu'à maintenant, la plupart des travaux du modèle de la contingence ont examiné des organisations *existantes* ; ce modèle a été relativement peu utilisé pour changer et concevoir des organisations. »
101. P.R. LAWRENCE et J.W. LORSCH (1969). *Op. cit.*, pp. 1-2, 58, 88 et 91-92 ; E.F. HUSE (1975). *Op. cit.*, pp. 134-135.

elle est présentée comme si elle donnait raison aux deux doctrines, mais dans des conditions différentes. La théorie de la contingence est donc présentée comme explicitement neutre. Mais, comme l'a noté Perrow[102], l'adhésion à la théorie de la contingence constitue une victoire au moins partielle de la doctrine bureaucratique sur la doctrine participative. La critique de la pratique bureaucratique est évacuée et cette pratique devient appropriée à la majorité des tâches et des personnes.

L'analyse des textes qui adhèrent à la théorie de la contingence permet de constater que ces textes font plus qu'énumérer les critères de choix entre les pratiques bureaucratiques et participatives. D'abord, la théorie de la contingence établit la primauté des facteurs techniques et de la tâche. Ensuite, ce discours prend explicitement la défense de la bureaucratie face aux critiques et évacue ces critiques. Enfin, le texte de Lawrence et Lorsch applique à l'ensemble des organisations des conceptions qui sont plus compatibles avec la pratique bureaucratique qu'avec la pratique participative.

L'étude empirique de cette recherche n'a pas porté sur les textes de la doctrine classique. Cependant, cette doctrine est suffisamment bien connue pour permettre la constatation de quelques similarités entre celle-ci et la théorie de la contingence. Ces deux doctrines sont à la limite des rationalisations de la pratique existante ; elles affirment que ce qui est doit être.

Le discours du DO sur les organisations a donc passé à travers un cycle. Il a été précédé par la doctrine classique dans laquelle la pratique bureaucratique était présentée comme la pratique dominante et légitime. Dans le discours du DO avant son assimilation à la théorie de la contingence, la pratique participative est présentée comme souhaitable, possible et même nécessaire. Elle est opposée à la pratique dominante. Dans le discours du DO après son assimilation à la théorie de la contingence, la pratique bureaucratique redevient la pratique dominante légitime ; la pratique participative est marginalisée. Ce cycle de changements dans les pratiques administratives est en parallèle avec des changements dans les conditions sociales et économiques.

Un tel cycle n'est ni unique ni nouveau. Ramsay[103] fait une excellente revue des recherches sur les pratiques participatives. Il met en lumière des cycles dans lesquels la prospérité économique, la réduction de la dépendance des employés et le recours à des pratiques participatives vont de pair et dans lesquels la récession économique, la dépendance des employés et la disparition des pratiques participatives vont aussi de pair. Son identification de quatre

102. Charles PERROW (1973). « The Short and Glorious History of Organizational Theory », *Organization Dynamics*, été, pp. 2-15.
103. Harvie RAMSAY (1977). « Cycles of Control : Worker Participation in Sociological and Historical Perspective », *Sociology*, vol. 11, n° 3, pp. 481-506.

cycles de ce type débutant en 1860 et se terminant avec la Première Guerre mondiale est particulièrement éloquente. À chaque reprise économique, les pratiques participatives sont redécouvertes et qualifiées de «nouvelles» et «modernes».

Le texte de McGregor fait aussi référence à un cycle de ce type: la récession de 1957-1958 a mis fin à une décennie d'expérimentation avec des approches manageriales «molles[104]». Cette récession a dû être moins importante que la récession qui a débuté en 1973. Les effets sur les pratiques administratives ont également été moins importants.

Quelques références sont faites dans les textes analysés aux rapports entre la situation du marché du travail, la dépendance des employés et les pratiques administratives. Le texte de McGregor[105] est sans équivoque, la situation du marché du travail diminue la dépendance de l'employé, ce qui rend l'exercice de l'autorité inefficace et le recours aux pratiques participatives nécessaire.

Le texte de Beckhard évoque aussi sans ambiguïté la situation du marché du travail et la réduction de la dépendance des employés. Il affirme que «dans de telles conditions les exigences complètement différentes à l'égard des gestionnaires et de la main-d'œuvre établissent des rapports entièrement nouveaux entre eux[106]». Cependant, le texte ne spécifie pas clairement la nature des nouveaux rapports.

Le texte de Lawrence et Lorsch évoque moins explicitement les rapports entre le marché du travail et les pratiques administratives:

> [...] les activités nécessaires à la mise en œuvre d'une stratégie, telle que la fabrication de souliers, peuvent être spécifiées dans l'optique mécanique et décomposées pour produire une division très fine du travail. Quand les machines sont disponibles pour faire le travail au complet, tout peut bien aller. Mais, lorsque des contributeurs humains doivent être engagés dans le processus, la situation est différente. Une division optimale du travail du point de vue mécanique peut générer des coûts sérieux si le travail simple et répétitif est dégoûtant pour les personnes disponibles pour le faire et si les incitations nécessaires pour obtenir leurs contributions sont excessives[107].

Ainsi, la disponibilité de la main-d'œuvre a une influence sur l'organisation du travail. Si la main-d'œuvre n'est pas facilement disponible et si le coût de son engagement est élevé, il faudrait tenir compte des facteurs humains. Cette interprétation de ce passage du texte de Lawrence et Lorsch est donc compatible avec l'explication des transformations dans le discours du DO sur les organisations fournie ici.

---

104. D. McGregor (1960). *Op. cit.*, p. 34.
105. *Id. ibid.*, pp. 21-26.
106. R. Beckhard (1969). *Op. cit.*, p. 4.
107. P.R. Lawrence et J.W. Lorsch (1969). *Op. cit.*, p. 10.

Cette explication des transformations dans le discours du DO sur les organisations en les mettant en parallèle avec des changements dans le contexte socio-économique qui prévalaient aux États-Unis au moment de leur production renferme, en fait, deux schèmes explicatifs. Premièrement, celui du déterminisme matérialiste : les conditions économiques du marché du travail déterminent les rapports de forces entre l'employé et l'employeur; quand le rapport de forces défavorise l'employeur, son autorité devient insuffisante comme mécanisme de contrôle de l'employé et il fait appel aux pratiques participatives et à l'engagement psychologique de l'employé. Ce schème est celui qui a été mis en lumière dans l'argumentation qui précède et dans l'article de Ramsay[108].

Un deuxième schème explicatif mais qui se réfère également au parallèle avec les conditions sociales de production du discours est celui de la sociologie de Talcott Parsons[109]. Dans la sociologie de Talcott Parsons, l'explication ultime des changements sociaux se trouve dans les changements des systèmes de valeurs. Cette explication est aussi celle du sens commun dans la société nord-américaine. Elle est évoquée abondamment dans les textes de Bennis et de Beckhard. Ces textes ont été publiés au moment où la société américaine était en crise; 1968 a été le moment des plus fortes contestations contre la guerre du Viêt-nam et la ségrégation raciale. La légitimité de l'autorité était sérieusement remise en question. À ce moment particulier, un discours qui s'appuie sur les valeurs démocratiques et participatives et qui critique des valeurs autoritaires peut être fort légitime. Les références aux valeurs peuvent être substituées à l'argumentation poussée. En fait, l'argumentation de ces deux textes est sommaire comparée à celle des textes de McGregor, de Likert et d'Argyris, qui défendent essentiellement les mêmes positions, mais ne font pas appel aux valeurs sociales pour appuyer leurs arguments.

Vouloir trancher entre les explications de la sociologie de Talcott Parsons et le déterminisme matérialiste serait vouloir régler un des problèmes de fond de la sociologie moderne. Ce qui dépasse de beaucoup nos capacités et les visées de ce chapitre. Cependant, dans le cas précis qui nous concerne, les deux semblent insuffisants, pris individuellement. Le déterminisme matérialiste semble insuffisant pour expliquer la différence entre le début et la fin des années 60. Les conditions matérielles de l'économie et du marché du travail étaient très semblables. Comment expliquer la crise sociale de la fin des années 60 ? Cette crise avait certainement un rapport avec des changements dans le système de valeurs des Américains.

108. H. RAMSAY (1977). *Op. cit.*

109. Talcott PARSONS (1964). « Evolutionary Universals in Society », *American Sociological Review*, vol. 29, nº 3, pp. 339-357 ; *Id.* (1966). *Societies : Evolutionary and Comparative*, Englewood Cliffs, N.J., Prentice-Hall.

La faiblesse de l'explication par référence aux systèmes de valeurs, c'est qu'elle n'indique pas pourquoi et comment les valeurs changent. Le matérialisme semble offrir une bien meilleure explication des cycles où apparaissent et disparaissent des pratiques participatives mises en lumière dans ce chapitre et dans l'article de Ramsay[110]. Cette analyse fournit donc de bons arguments pour appuyer les explications reposant sur l'évolution des valeurs de la société et celles reposant sur l'évolution des conditions matérielles de production. L'analyse ne peut donc pas trancher entre les deux.

Cependant, cette analyse et ces deux explications mettent en évidence les relations étroites entre la réalité pratique des conditions socio-économiques, les conditions de travail et les pratiques administratives, d'une part, et les textes théoriques dominants de la même époque. Le discours théorique est étroitement lié à la réalité pratique. La gestion est une des disciplines à l'intérieur des sciences sociales dans laquelle les relations qui lient le discours théorique à la réalité pratique sont les plus visibles. La communauté de personnes qui influencent directement la production théorique est composée principalement de cadres, de consultants et d'universitaires-consultants. Cette communauté est très sensible aux changements dans les pratiques administratives, dans les rapports sociaux en milieu de travail et dans les conditions économiques et sociales. Le discours théorique dominant est l'explication que cette communauté se donne des pratiques administratives et des rapports sociaux en milieu de travail dans les conditions économiques et sociales du moment. Le discours théorique n'est pas uniquement le reflet des pratiques; le discours théorique fournit une explication des pratiques et les influence.

L'explication de la science positive

Une façon d'évaluer le mérite d'une explication est d'évaluer le mérite des explications concurrentes et de les comparer. Les transformations dans les discours théoriques sont souvent expliquées à partir des postulats du positivisme. Sommairement, voici quels sont ces postulats:

1. Les énoncés théoriques sont confrontés aux résultats de la recherche empirique;
2. Les énoncés théoriques sont modifiés conformément aux résultats de la recherche empirique;
3. Ce processus est cumulatif et conduit à l'amélioration des énoncés théoriques, au progrès scientifique.

---

110. H. Ramsay (1977). *Op. cit.*

L'analyse du discours du DO sur les organisations a permis de mettre au jour des transformations dans ce discours et de localiser ces transformations dans le temps. Afin d'évaluer les mérites de l'explication de la science positive, la chronologie de ces transformations peut être comparée à celle de la production des résultats empiriques.

Les textes qui présentent les énoncés de la théorie de la contingence et les résultats empiriques qui sont cités pour l'appuyer ne constituent pas une doctrine ou un ensemble de textes qui sont venus après les textes du DO, comme le voudrait l'explication positiviste. Ces textes sont antérieurs aux textes du DO qui ont préconisé la pratique participative ou en sont contemporains. Il ne s'agit donc pas d'énoncés ou de résultats empiriques qui sont venus après pour influencer la production théorique, mais plutôt de concurrents contemporains.

La présentation de la théorie de la contingence dans le texte de Huse est faite par l'entremise de références intertextuelles à quatre textes : Burns et Stalker (1961), Woodward (1958), Lawrence et Lorsch (1967) et Morse (1969)[111]. Le texte de Huse adhère à la théorie de la contingence. Le texte de French et Bell présente la théorie de la contingence en mentionnant les quatre mêmes recherches, mais n'y adhère pas[112]. Le texte de Likert publié en 1967 évoque le texte de Burns et Stalker, mais non pas les énoncés de la théorie de la contingence. Le texte d'Argyris présente la théorie de la contingence et le texte de Burns et Stalker. Il associe les deux et prend ses distances[113]. Il y associe aussi le texte de Lawrence et Lorsch (1967). Les rapports entre, d'un côté, le DO et les textes qui parlent au nom du DO et, de l'autre, les textes de Lawrence et Lorsch se modifient dans le temps. Ils passent de rapports de dissociation mutuelle à rapports d'assimilation. Donc, textes et résultats empiriques non acceptés ou non acceptables à un moment donné sont acceptés à un autre moment. Il y a d'autres phénomènes que la simple force des résultats empiriques qui entrent en ligne de compte.

Le texte de Huse[114] tente de réconcilier la défense de la pratique bureaucratique avec une préoccupation des besoins de l'homme. Cette tentative repose en grande partie sur l'interprétation d'une corrélation dans une recherche empirique.

111. T. BURNS et G.M. STALKER (1961). *Op cit.*; P.R. LAWRENCE et J.W. LORSCH (1967). *Op. cit.*; J. MORSE (1969) *Internal Organizational Patterning and Sense of Competence Motivation*, thèse de doctorat, Boston, Harvard; Joan WOODWARD (1958). *Management and Technology*, Londres, Her Majesty's Printing Office.

112. Deux des recherches sont présentées dans des éditions différentes : John MORSE et Jay W. LORSCH (1970). « Beyond Theory Y », *Harvard Business Review*, vol. 48, mai-juin, pp. 61-68; Joan WOODWARD (1965). *Industrial Organization*, Londres, Oxford University Press.

113. C. ARGYRIS (1970). *Op. cit.*, pp. 86 et 88.

114. E.F. HUSE (1975). *Op. cit.*, p. 136.

Cette interprétation semble injustifiée. Le texte de French et Bell évoque la même corrélation, mais fait une référence intertextuelle aux réserves qu'ont exprimées les auteurs de la recherche au sujet d'une interprétation analogue à celle faite dans le texte de Huse[115]. Donc, ce qui est présenté comme un résultat empirique convaincant dans le texte de Huse est présenté comme une interprétation douteuse dans le texte de French et Bell et par les chercheurs eux-mêmes. Ce n'est donc pas la force des résultats empiriques qui a transformé le discours, mais plutôt le besoin de résoudre des problèmes discursifs.

Complètement en dehors du discours du DO, il y a eu des tentatives de vérification empirique des énoncés de la théorie de la contingence : Mohr (1971), Pennings (1975)[116]. Ces deux articles font des revues des résultats empiriques appuyant la théorie de la contingence et concluent à la faiblesse de ces résultats. Les parties empiriques de ces deux articles conduisent à rejeter l'énoncé disant que l'adaptation (*fit*) entre l'environnement et la structure est corrélé avec l'efficacité. Les deux ont trouvé des corrélations entre l'efficacité et les pratiques administratives assimilables à la pratique participative préconisée par les textes du DO avant son assimilation à la théorie de la contingence. Ces résultats empiriques sont apparus au moment où le DO était en voie d'assimilation à la théorie de la contingence. Leur apparition concorde donc très mal avec l'explication positiviste.

De plus, la théorie de la contingence repose en grande partie sur la « découverte » d'une association entre la pratique bureaucratique et le travail répétitif et entre la pratique participative et le travail varié. Ces associations n'ont pas été « découvertes » au moment où la théorie de la contingence est devenue la théorie dominante. Elles ont également été constatées dans plusieurs textes du DO avant son assimilation à la théorie de la contingence. Donc, ce n'est pas la « découverte » de ces associations qui peut expliquer l'assimilation du DO à la théorie de la contingence et la marginalisation de la pratique participative.

L'ensemble de ces indices conduit à rejeter l'explication positiviste des transformations dans le discours du DO sur les organisations et des transformations dans la théorie des organisations en général. Les résultats de recherches

---

115. W.L. French et C.H. Bell (1973). *Op. cit.*, p. 188 ; J.J. Morse et J.W. Lorsch (1970). *Op. cit.*, p. 66.
116. Lawrence B. Mohr (1971). « Organizational Technology and Organizational Structure », *Administrative Science Quarterly*, vol. 16, pp. 444-459 ; Johannes M. Pennings (1975). « The Relevance of the Structural-Contingency Model for Organizational Effectiveness », *Administrative Science Quarterly*, vol. 20, n° 3, pp. 393-410.

empiriques ont certainement une influence sur la production théorique et son acceptation, mais elle n'est pas déterminante[117].

Sommaire

Dans cette recherche, nous avons démontré que le discours du DO sur les organisations a subi des transformations parallèles aux conditions économiques et sociales de production du discours. Ces transformations suivent un cycle caractéristique de nos sociétés depuis la révolution industrielle.

Ce cycle suit les cycles économiques. Dans les périodes de prospérité économique et de plein emploi, la dépendance des employés diminue. La rétention et le contrôle des employés deviennent problématiques. Le recours à l'autorité et aux menaces de sanctions (congédiements) ne suffit pas à influencer ou à contrôler les employés. L'autorité devient moins légitime. Les supérieurs deviennent sensibles aux problèmes humains et ont recours aux pratiques participatives. Ils font appel à l'engagement des employés.

Dans les périodes de récession économique et de fort taux de chômage, la dépendance des employés augmente. La pression du chômage est suffisante pour retenir les employés au travail. La légitimité de l'autorité augmente et le recours à l'autorité est suffisant pour contrôler et influencer les employés. Les pratiques participatives et les appels à l'engagement des employés diminuent. Les problèmes humains sont subordonnés aux exigences techniques et économiques.

Le discours sur les organisations et les transformations qu'il subit s'articule autour de trois oppositions. La principale est une opposition entre deux pratiques administratives : la pratique bureaucratique et la pratique participative. La pratique bureaucratique est la pratique dominante depuis le début de la révolution industrielle. La pratique participative est une pratique minoritaire. Donc, pendant les périodes de récession économique, la pratique bureaucratique est dominante et légitime. Le discours sur les organisations doit la présenter ainsi et fournir une explication à la nécessité de cet état de fait. Puisque la pratique bureaucratique est dominante, légitime et nécessaire, le discours sur les organisations ne fait pas référence aux transformations des pratiques admi-

117. Graham ASTLEY (1985). « Administrative Science as Socially Constructed Truth », *Administrative Science Quarterly*, vol. 30, nº 4, pp. 497-513 ; John CHILD (1968). « British Management Thought as a Case Study within the Sociology of Knowledge », *Sociological Review*, vol. 16, nº 2, pp. 217-239 ; *Id.* (1969). *British Management Thought : A Critical Analysis*, Londres, George Allen & Unwin ; John B. MINER (1984). « The Validity and Usefulness of Theories in an Emerging Organizational Science », *Academy of Management Review*, vol. 9, pp. 296-306.

nistratives. Puisque des changements par rapport au passé et des changements dans le futur immédiat ne sont ni prévus ni souhaités, l'étude des organisations est atemporelle. Puisque le discours fournit une explication de la nécessité d'un état de fait, il est difficile de distinguer entre la description des organisations existantes et la prescription des pratiques souhaitables ou nécessaires.

Pendant les périodes de prospérité économique, la pratique bureaucratique est toujours dominante. Une transformation des pratiques administratives vers la pratique participative est souhaitable. Il y a donc critique de la pratique bureaucratique dominante. Cette pratique perd de sa légitimité. La transformation vers la pratique participative est souhaitable, mais sa perception peut varier de possible à nécessaire et même à urgent et rapide. Ces variations dépendent de la longueur de la période de prospérité, de l'importance de la réduction de la dépendance des employés et de l'importance de la perte de légitimité de la pratique bureaucratique et de l'autorité qui la sous-tend.

La deuxième opposition autour de laquelle le discours sur les organisations s'articule est celle entre l'homme et l'organisation. Elle peut être considérée soit comme une seule opposition qui prend plusieurs formes, soit comme un regroupement de plusieurs oppositions. Elle comprend les rapports et les oppositions entre l'employé et l'employeur, entre le supérieur et le subordonné, entre les besoins de l'homme et les exigences de l'organisation et entre les facteurs humains et les facteurs techniques.

Ces rapports et ces oppositions peuvent s'imbriquer dans l'opposition principale. La pratique bureaucratique est caractérisée par la dépendance et la soumission de l'employé dans ses rapports avec son employeur. Le rapport employé-employeur est un rapport marchand dans lequel l'engagement ou la participation de l'employé est limité. Dans les rapports hiérarchiques, le supérieur planifie, organise, contrôle et évalue le travail du subordonné en même temps qu'il contrôle et évalue le subordonné. Ces rapports sont des rapports de domination et sont souvent caractérisés par l'antagonisme. Dans la pratique bureaucratique, les exigences de l'organisation ont la primauté sur les besoins de l'homme et les facteurs techniques ont la primauté sur les facteurs humains.

La pratique participative s'oppose à la pratique bureaucratique point par point. Elle est caractérisée par la participation du subordonné à la planification, à l'organisation, au contrôle et à l'évaluation de son travail. Les relations hiérarchiques sont des relations d'aide, de confiance, de collaboration et de soutien. Il y a une réduction de la différence ou de la distance entre supérieur et subordonné et une augmentation de l'influence du subordonné sur son travail et son supérieur. Les besoins de l'homme ne sont pas subordonnés aux exigences de l'organisation et les facteurs humains ne sont pas subordonnés aux facteurs techniques.

Dans les périodes où la transition de la pratique bureaucratique à la pratique participative est souhaitable, l'opposition homme-organisation est imbriquée de cette façon dans l'opposition principale entre les pratiques administratives. De plus, plusieurs des éléments de l'opposition homme-organisation dans la pratique participative sont généralisés à l'ensemble des organisations : la subordination des facteurs techniques aux facteurs humains et la réduction de la dépendance et de la soumission des employés sont affirmées.

Dans les périodes où la domination de la pratique bureaucratique est légitime et nécessaire, plusieurs des éléments de l'opposition homme-organisation dans cette pratique sont généralisés à l'ensemble des organisations. Le rapport homme-organisation est présenté comme un rapport marchand. Les facteurs humains sont subordonnés aux facteurs techniques et les besoins de l'homme sont subordonnés aux exigences de l'organisation. Dans le discours sur les organisations, cette subordination peut être exprimée directement, ou indirectement en évitant d'aborder les facteurs humains et les besoins de l'homme.

Éviter ces sujets devient presque une nécessité dans ce discours. Cela, pour deux raisons. Premièrement, il semble exister une norme culturelle, même en période de récession, qui interdit d'évoquer explicitement les rapports interpersonnels comme domination et soumission à l'autorité. Une norme semblable interdit d'affirmer explicitement la subordination des besoins de l'homme aux exigences de l'organisation. Donc, un discours préconisant des pratiques administratives qui comprennent ces caractéristiques ne doit pas les évoquer explicitement ; il doit les éviter ou les évoquer indirectement. Deuxièmement, la considération des besoins de l'homme et des facteurs humains tels que les rapports interpersonnels sont difficilement conciliables avec la pratique bureaucratique. Leur évocation dans un discours préconisant la pratique bureaucratique est problématique et conduit à des contradictions ou à d'autres problèmes logiques et discursifs.

La troisième opposition autour de laquelle le discours sur les organisations s'articule est celle entre deux types de travail : le travail intellectuel ou varié et le travail manuel ou répétitif. Elle peut prendre la forme d'une opposition entre le travail d'exécution répétitif et le travail d'exécution varié ou entre le travail de gestion et le travail d'exécution. Cette opposition est contenue dans l'opposition principale. La pratique bureaucratique est associée au travail répétitif ou manuel et la pratique participative est associée au travail varié ou intellectuel. Ces associations sont un état de fait. Cependant, leur statut est différent dans la période où la pratique bureaucratique est dominante et légitime et dans la période où une transition vers la pratique participative est souhaitable.

Le discours sur les organisations qui préconise la transition vers la pratique participative préconise en même temps une réduction de la division stricte entre la planification, l'organisation, le contrôle et l'évaluation du travail et son exécution. Il peut aussi affirmer que la nature des tâches se transforme ; elles deviendraient plus variées ou plus spécialisées. Il recommande une transition vers la pratique participative, mais elle serait plus nécessaire lorsque le travail est varié ou intellectuel. Affirmer la nécessité de la pratique participative lorsque le travail est répétitif est problématique et se traduit par des hésitations ou des contradictions dans le discours.

Conclusion

Les résultats de cette analyse ont plusieurs répercussions sur la théorie des organisations. D'abord, ils permettent de voir que la confusion qui règne dans la théorie de la gestion[118] est due en partie à une adhésion à un des postulats du positivisme : le processus de production scientifique est cumulatif. Une des plus grandes incohérences dans la théorie des organisations est l'opposition entre la pratique bureaucratique et la pratique participative. Les statuts de ces deux pratiques varient de façon cyclique. Une accumulation des énoncés au sujet de ces pratiques ne peut que produire la confusion et l'incohérence. Tenir compte des conditions sociales et économiques de production du discours et de la nature cyclique des variations dans les statuts des pratiques bureaucratiques et participatives réduirait une des plus importantes confusions dans la théorie des organisations.

Ensuite, les résultats de cette recherche conduisent à prévoir qu'au moment d'une reprise importante de l'économie, la dépendance des employés diminuera, la rétention et le contrôle des employés deviendront problématiques. Les supérieurs redécouvriront les facteurs humains et auront recours aux pratiques participatives et un discours théorique s'articulera pour expliquer ces changements. Mais un problème se pose : cette explication semble bien fonctionner dans notre société depuis la révolution industrielle jusqu'au début des années 80. Le début des années 80 a vu la pire récession depuis la grande dépression des années 30. Mais, en même temps, un discours préconisant l'engagement des employés et des pratiques assimilables aux pratiques participatives émerge et devient extrêmement populaire.

Les textes sur la culture organisationnelle ont préconisé l'émulation par rapport aux pratiques japonaises dans lesquelles l'engagement et la participation des employés sont des éléments centraux. Ces prescriptions ont été universelles, c'est-à-dire qu'elles devaient s'appliquer à toutes les organisations. Elles n'étaient pas sujettes aux contingences. Les similitudes entre ce discours et le discours du DO avant son assimilation à la théorie des contingences sont

118. Harold KOONTZ (1961). « The Management Theory Jungle », *Journal of the Academy of Management*, vol. 4, n° 3, pp. 174-188 ; *id.* (1980). « The Management Theory Jungle Revisited », *Academy of Management Review*, vol. 5, n° 2, pp. 175-187.

remarquables, à tel point que des auteurs du DO se sont recyclés en auteurs d'ouvrages sur la culture organisationnelle.

Qu'est-ce qui s'est passé? L'arrivée des concurrents japonais a complètement bouleversé notre conception du rapport homme-organisation. Dans les sociétés occidentales, ce rapport a été conçu comme un rapport marchand médiatisé par le marché du travail, et cela depuis la révolution industrielle. Dans la société japonaise le rapport homme-organisation est conçu autrement, au moins pour ce qui est des grands groupes industriels. Quand les Japonais ont commencé à nous surpasser sur le plan économique, nous avons cherché l'explication de cette performance dans leur mode d'organisation et nous avons tenté de les imiter. Ce faisant, nous sommes sortis du cadre de référence des relations homme-organisation de la révolution industrielle occidentale.

À moyen terme, quel sera le rapport homme-organisation en Amérique du Nord? Est-ce que la mode du discours sur la culture organisationnelle est en train de passer? S'agit-il d'un épiphénomène, d'un accident historique? Est-ce que le rapport homme-organisation au Japon est en voie de transformation? Un marché de travail de cadres et de personnel technique commence à se former au Japon; les grandes firmes commencent à recruter cadres et techniciens chez leurs concurrents.

Peut-être le discours sur la culture organisationnelle nous a-t-il jeté de la poudre aux yeux. Dans ce discours, la majorité des exemples évoquent des activités d'innovation et la création de nouveaux produits. Est-ce que les pratiques participatives s'appliquent surtout au travail de recherche et de développement? Si oui, il n'y a rien de nouveau; la théorie de la contingence prescrit des pratiques participatives pour ce type de travail.

Une façon de trouver des réponses à ces questions serait d'analyser le discours que les textes sur la culture organisationnelle tiennent sur les organisations afin de découvrir quelles pratiques administratives ils préconisent, dans quels contextes et quels arguments ils évoquent pour appuyer leurs positions.

Une lecture de surface des textes sur la culture organisationnelle mène à la conclusion que la théorie des organisations est de nouveau en état de crise. La théorie de la contingence demeure la théorie dominante, mais elle est difficilement compatible avec le discours de la culture organisationnelle. Comment ces contradictions pourront-elles être résolues? Si la théorie de la contingence demeure la théorie dominante, il faut s'attendre à ce que les pratiques participatives préconisées par les textes sur la culture organisationnelle soient réservées aux travailleurs spécialistes (surtout les chercheurs) et aux cadres. Tel fut le sort des pratiques participatives préconisées par les textes du DO des années 60.

Références bibliographiques

ALLARD, Michel, ELZIÈRE, May, GARDIN, Jean-Claude et HOURS, Francis (1963). *Analyse conceptuelle du Coran*, Paris, Mouton, 2 vol.

ARGYRIS, Chris (1957). *Personality and Organization*, New York, Harper.

ARGYRIS, Chris (1962). *Interpersonal Competence and Organization Effectiveness*, Homewood, Ill., Dorsey Press.

ARGYRIS, Chris (1970). *Intervention Theory and Method*, Reading, Mass., Addison-Wesley.

ARGYRIS, Chris (1970). *Management and Organization Development*, New York, McGraw-Hill.

ASTLEY, Graham (1985). « Administrative Science as Socially Constructed Truth », *Administrative Science Quarterly*, vol. 30, n° 4, décembre, pp. 497-513.

BARDIN, Laurence (1975). *Les mécanismes idéologiques de la publicité*, Paris, Delarge.

BARDIN, Laurence (1977). *L'analyse de contenu*, Paris, Presses universitaires de France.

BARITZ, L. (1960). *The Servants of Power*, Middletown, Conn., Wesleyan University Press.

BARTELL, Ted (1976). « The Human-Relations Ideology — An Analysis of the Social Origins of a Belief System », *Human Relations*, vol. 29, n° 8, pp. 737-749.

BARTHES, Roland (1970). « L'analyse plurielle », *S/Z*, Paris, Seuil.

BARTHES, Roland (1977). « Introduction à l'analyse structurale des récits », *Poétique du récit*, Paris, Seuil.

BECKHARD, Richard (1969). *Organization Development Strategies and Models*, Reading, Mass., Addison-Wesley.

BENDIX, Reinhard (1956). *Work and Authority in Industry: Ideologies of Management in the Course of Industrialization*, New York, Harper & Row.

BENDIX, Reinhard (1959). « Industrialization, Ideologies and Social Structure », *American Sociological Review*, vol. 24, n° 5, pp. 613-623.

BENNIS, Warren G. (1969). *Organization Development : Its Nature, Origins and Prospects*, Reading, Mass., Addison-Wesley.

BENNIS, Warren G. (1969). « Unsolved Problems Facing Organizational Development », *The Business Quarterly*, vol. 34, n° 4, hiver, pp. 80-84.

BENNIS, Warren G. (1974). « A Funny Thing Happened on the Way to the Future », dans LEAVITT, Harold, PINFIELD, Lawrence et WEBB, Eugene (sous la direction de), *Organizations of the Future*, New York, Praeger, pp. 3-28.

BENVENISTE, É. (1966). *Problèmes de linguistique générale*, Paris, Éditions Gallimard.

BERELSON, Bernard (1954). « Content analysis », dans L. GARDNER, *Handbook of Social Psychology*, Reading, Mass., Addison-Wesley, vol. 1, pp. 488-522.

BITTNER, Egon (1965). « The Concept of Organization », *Social Research*, vol. 32, pp. 239-255.

BLACK, Max (sous la direction de) (1961). *The Social Theories of Talcott Parsons : A Critical Examination*, Englewood Cliffs, N.J., Prentice-Hall.

BLAU, Peter M. (1968). « Theories of Organizations », *International Encyclopedia of the Social Sciences*, New York, Macmillan, pp. 297-304.

BOUCHARD, Guy (1980). *La nouvelle rhétorique : Introduction à l'œuvre de Charles Perelman*, Québec, Institut supérieur des sciences humaines, Université Laval.

BOWERS, David G. (1973). « O.D. Techniques and their Results in 23 Organizations, The Michigan ICL Study », *Journal of Applied Behavioral Science*, vol. 9, pp. 21-43.

BRADLEY, David et WILKIE, Roy (1974). *The Concept of Organization : An Introduction to Organizations*, Glasgow et Londres, Blackie.

BUDD, Richard W., THORP, Robert K. et DONOHUE, Lewis (1967). *Content Analysis of Communications*, New York, Macmillan.

BURKE, W. Waren (1977). « Changing Trends in Organization Development », dans W. W. BURKE (sous la direction de), *Current Issues and Strategies in Organization Development*, New York, Human Science Press, pp. 22-52.

BURNS, Tom et STALKER, G. M. (1961). *The Management of Innovation*, Londres, Tavistock.

BURRELL, Gibson et MORGAN, Gareth (1979). *Sociological Paradigms and Organizational Analysis*, Londres, Heinemann.

CANTO-KLEIN, Marianne et RAMOGNINO, Nicole (1974). « Les faits sociaux sont pourvus de sens : Réflexions sur l'analyse de contenu », *Connexion*, vol. 11, pp. 65-91.

CARNEY, Thomas F. (1972). *Content Analysis : A Technique for Systematic Inference from Communication*, Winnipeg, University of Manitoba Press.

CHAUVREAU, Geneviève (1972). « Problèmes théoriques et méthodologiques en analyse de discours », *Langue française*, n° 9, pp. 6-21.

CHILD, John (1968). « British Management Thought as a Case Study within the Sociology of Knowledge », *Sociological Review*, vol. 16, n° 2, pp. 217-239.

CHILD, John (1969). *British Management Thought : A Critical Analysis*, Londres, George Allen & Unwin.

CHILD, John (1973). « Organizations : A Choice for Man », dans J. CHILD (sous la direction de), *Man and Organization : A Search for Explanation and Social Relevance*, New York, John Wiley & Sons, pp. 234-257.

CHOMSKY, Noam (1975). *Questions de sémantique*, Paris, Éditions du Seuil.

CLEGG, Stewart (1975). *Power, Rule and Domination : A Critical and Empirical Understanding of Power in Sociological Theory and Organization Life*, Londres et Boston, Routledge & Kegan Paul.

CLEGG, Stewart (1979). *The Theory of Power and Organization*, Londres, Routledge & Kegan Paul.

CLEGG, Stewart et DUNKERLEY, David (sous la direction de) (1977). *Critical Issues in Organizations*, Londres, Routledge & Kegan Paul.

COBB, Anthony T. et MARGULIES, Newton (1981). « Organization Development : A Political Perspective », *Academy of Management Review*, vol. 6, n° 1, pp. 49-59.

CONNOR, Patrick E. (1977). « A Critical Inquiry into some Assumptions and Values Characterized OD », *Academy of Management Review*, vol. 2, n° 4, pp. 635-644.

DACHLER, H. Peter et WILPERT, Bernhard (1978). « Conceptual Dimensions and Boundaries of Participation in Organizations : A Critical Evaluation », *Administrative Science Quarterly*, vol. 23, mars, pp. 1-39.

DAWE, Alain (1970). « The Two Sociologies », *British Journal of Sociology*, vol. 21, n° 2, pp. 207-218.

DE SOLA POOL, Ithiel (1959). *Trends in Content Analysis*, Urband, University of Illinois Press.

DUCROT, Oswald et TODOROV, Tzvetan (1972). *Dictionnaire encyclopédique des sciences du langage*, Paris, Éditions du Seuil.

D'UNRUG, Marie-Christine (1974). *Analyse de contenu et acte de parole : De l'énoncé à l'énonciation*, Paris, Éditions universitaires.

ETZIONI, Amitai et DIPRETE, Thomas A. (1979). « The Decline of Confidence in America : The Prime Factor, A Research Note », *Journal of Applied Behavioral Science*, vol. 15, n° 4, pp. 520-526.

FAUCHEUX, Claude, AMODO, Gilles et LAURENT, André (1981). « Organizational Development and Change », Fontainebleau, INSEAD, document de travail, n° 81/11.

FOX, William M. (1977). « Limits to the Use of Consultative-Participative Management », *California Management Review*, vol. 20, n° 2, hiver, pp. 17-22.

FRENCH, Wendell L. (1969). « Organization Development : Objectives, Assumptions and Strategies », *California Management Review*, vol. 12, n° 2, hiver, pp. 23-24.

FRENCH, Wendell L. (1982). « The Emergence and Early History of Organization Development », *Group and Organization Studies*, vol. 7, n° 3, pp. 261-278.

FRENCH, Wendell L. et BELL, Cecil H. (1973). *Organization Development : Behavioral Science Interventions for Organization Improvements*, Englewood Cliffs, N.J., Prentice-Hall.

FRIEDLANDER, F. (1976). « OD Reaches Adolescence : An Exploration of its Underlying Values », *Journal of Applied Behavioral Science*, vol. 12, pp. 7-21.

FRIEDLANDER, F. et BROWN, L. D. (1974). « Organization Development », *Annual Review of Psychology*, vol. 25, pp. 313-341.

GARDIN, Jean-Claude (1974). *Les analyses de discours*, Neuchâtel, Delachaux & Niestlé.

GARRATZ, John A. (1959). « The Application of Content Analysis to Biography and History », dans I. DE SOLA POOL (sous la direction de), *Irends in Content Analysis*, Urband, University of Illinois Press.

GEHIN, Étienne (1975). « Le point de vue sociologique et la question du sens », *Cahiers internationaux de sociologie*, vol. 58, pp. 81-96.

GEORGE, Alexander L. (1959). « Quantitative and Qualitative Approaches to Content Analysis », dans I. DE SOLA POOL (sous la direction de), *Trends in Content Analysis*, Urband, University of Illinois Press.

GERBNER, George, HOSTI, Ole R., KRIPPENDORFF, Klaus, PAISLEY, William J. et STONE, Philip J. (1969). *The Analysis of Communication Content*, New York, John Wiley & Sons.

GOLDTHORPE, J. (1962). « La conception des conflits du travail dans l'enseignement des relations humaines », *Sociologie du travail*, vol. 4, pp. 1-17.

GOULDNER, Alvin W. (1959). « Organizational Analysis », dans R. MERTON *et al.* (sous la direction de), *Sociology Today*, New York, Basic Books, pp. 400-427.

GOULDNER, Alvin W. (1970). *The Coming Crisis in Western Sociology*, New York, Basic Books.

GRANGER, Gilles-Gaston (1967). « Science, philosophie, idéologie », *U it Tijdschrift Vour Filosofie*, vol. 29, n° 4, pp. 771-780.

HARRIS, Z. S. (1962). « Discours Analysis », *Language*, vol. 28, pp. 1-30.

HAYE, David G. (1969). *Linguistic Foundations of a Theory of Content Analysis*, dans G. GERBNER *et al.* (sous la direction de), *The Analysis of Communication Content*, New York, John Wiley & Sons.

HENRY, Paul et MOSCOVICI, Serge (1968). « Problèmes de l'analyse de contenu », *Langages*, vol. 11, septembre, pp. 36-60.

HICKSON, D. J. (1966). « A Convergence in Organization Theory », *Administrative Science Quarterly*, vol. 11, pp. 224-237.

HOBBS, Brian (1983). « Les transformations dans le discours du développement organisationnel sur les organisations : une étude empirique de la production théorique », thèse de doctorat présentée à l'Université Laval en février.

HOFSTEDE, Geert et KASSEM, M. Sami (sous la direction de) (1976). *European Contributions to Organization Theory*, Assen et Amsterdam, Van Gorcum.

HOLSTI, Ole R. (1969). *Content Analysis for the Social Sciences and Humanities*, Reading, Mass., Addison-Wesley.

HUSE, Edgar F. (1975). *Organization Development and Change*, St-Paul, Minn., West Publishing.

IRVING, Janis L. (1968). « The Problem of Validating Content Analysis », dans H. D. LASSWELL *et al.* (sous la direction de), *Language of Politics : Studies in Quantitative Semantics*, Cambridge, Mass., M.I.T. Press, pp. 55-82.

KAHN, Robert L. (1974). « Organization development : Some Problems and Proposals », *Journal of Applied Behavioral Science*, vol. 10, n° 4, pp. 485-502.

KOONTZ, Harold (1980). « The Management Theory Jungle Revisited », *Academy of Management Review*, vol. 5, n° 2, pp. 175-187.

KRUPP, Sherman (1961). *Patterns in Organization Analysis : A Critical Examination*, New York, Holt, Rinehart & Winston.

LANDSBERGER, Henry A. (1961). « Parsons' Theory of Organizations », dans M. BLACK (sous la direction de), *The Social Theories of Talcott Parsons : A Critical Examination*, Englewood Cliffs, N.J., Prentice-Hall, pp. 214-249.

LARSON, Calvin J. et WASBURN, Philo C. (sous la direction de) (1969). *Power, Participation and Ideology: Readings in the Sociology of American Political Life*, New York, David McKay Co.

LASSWELL, Harold D., LEITE, Nathan *et al.* (sous la direction de) (1968). *Language of Politics: Studies in Quantitative Semantics*, Cambridge, Mass., M.I.T. Press.

LASSWELL, Harold D., LERNER, Daniel et DE SOLA POOL, Ithiel (1952). *The Comparative Study of Symbols : An Introduction*, Hoover Institute Studies, Series C. Symbols, Standford University Press, vol. 1, janvier.

LAWRENCE, Paul R. et LORSCH, Jay W. (1967). *Organization and Environment*, Boston, Graduate School of Business Administration, Harvard University.

LAWRENCE, Paul R. et LORSCH, Jay W. (1969). *Developing Organizations : Diagnosis and Action*, Reading, Mass., Addison-Wesley.

LEAVITT, Harold J. (1991). « Le changement organisationnel appliqué dans l'industrie : les approches structurale, technologique et humaniste », dans R. TESSIER et Y. TELLIER (sous la direction de), *Changement planifié et développement des organisations*, Sillery, Presses de l'Université du Québec, tome 5, pp. 37-80.

LIKERT, Rensis (1961). *New Patterns of Management*, New York, McGraw-Hill.

LIKERT, Rensis (1967). *The Human Organization*, New York, McGraw-Hill.

MCGREGOR, Douglas (1960). *The Human Side of Enterprise*, New York, McGraw-Hill.

MCGUIRE, Joseph W. (1977). « The "New" Egalitarianism and Management Practice », *California Management Review*, vol. 19, n° 3, printemps, pp. 21-29.

MARANDIN, J. M. (1979). « Problèmes d'analyse de discours », *Langages*, n° 55, septembre, pp. 17-88.

MARCELLESI, Jean-Baptiste et GARDIN, Bernard (1974). *Introduction à la sociolinguistique : la linguistique sociale*, Paris, Larousse.

MARX, Karl et ENGELS, Friedrich (1974). *L'idéologie allemande*, Paris, Éditions sociales.

MASSIE, Joseph L. (1965). « Management Theory », dans J. MARCH (sous la direction de), *Handbook of Organizations*, Chicago, Rand McNally, pp. 387-450.

MAYNTZ, Renate (1964). « The Study of Organizations », *Current Sociology*, vol. 13, pp. 95-119.

MECHANIC, David (1962). « Sources of Power of Lower Participants in Complex Organizations », *Administrative Science Quarterly*, vol. 7, n° 3, pp. 349-364.

MIEWALD, Robert D. (1970). « The Greatly Exaggerated Death of Bureaucracy », *California Management Review*, vol. 13, n° 2, pp. 65-69.

MILLAR, J. A. (1978). « Contingency Theory, Values and Change », *Human Relations*, vol. 31, n° 10, pp. 885-904.

MILLS, C. Wright (1970). « Inventory of Marx's Ideas », dans M.E. OLSEN (sous la direction de), *Power in Societies*, Londres, Macmillan, pp. 86-96.

MOHR, Lawrence B. (1971). « Organizational Technology and Organizational Structure », *Administrative Science Quarterly*, vol. 16, pp. 444-459.

MOLINO, Jean (1973). « Critique sémiologique de l'idéologie », *Sociologie et sociétés*, vol. 2, pp. 17-44.

MOLINO, Jean (1978). « Sur la situation symbolique », *L'arc*, vol. 72, pp. 20-25.

MORGAN, Gareth (1980). « Paradigms, Metaphors and Puzzle Solving in Organization Theory », *Administrative Science Quarterly*, vol. 25, décembre, pp. 605-622.

MORSE, John et LORSCH, Jay W. (1970). « Beyond Theory Y », *Harvard Business Review*, vol. 48, pp. 61-68.

MOUNIN, George (1972). *Clefs pour la sémantique*, Paris, Seghers.

MULDER, Mauk (1971). « Power Equalization through Participation ? », *Administrative Science Quarterly*, vol. 16, n° 1, pp. 31-38.

MULDER, Mauk (1976). « Reduction of Power Differences in Practice : The Power Distance Reduction Theory and its Application », dans G. HOFSTEDE et S. KASSEM (sous la direction de), *European Contributions to Organization Theory*, Assen et Amsterdam, Van Gorcum, pp. 79-94.

NORD, Walter R. (1974). « The Failure of Current Behavioral Science — A Marxian Perspective », *Journal of Applied Behavioral Science*, vol. 10, n° 4, pp. 557-578.

OLSEN, Marvin E. (1970). *Power in Societies*, Londres, Macmillan.

PARSONS, Talcott (1956). « Suggestions for a Sociological Approach to the Theory of Organizations I and II », *Administrative Science Quarterly*, vol. 1, nos 1 et 2, pp. 63-85 et 225-239.

PARSONS, Talcott (1958). « Some Ingredients of a General Theory of Formal Organization », dans A. W. HALPIN (sous la direction de), *Administrative Theory in Education*, Chicago, University of Chicago, pp. 40-73.

PARSONS, Talcott (1964). « Evolutionary Universals in Society », *American Sociological Review*, vol. 29, n° 3, pp. 339-357.

PARSONS, Talcott (1966). *Societies : Evolutionary and Comparative*, Englewood Cliffs, N. J., Prentice-Hall.

PAULUS, Jean (1969). *La fonction symbolique et le langage*, Bruxelles, Charles Dessart.

PEABODY, Robert L. (1962). « Perceptions of Organizational Authority : A Comparative Analysis, *Administrative Science Quarterly*, vol. 6, n° 4, pp. 463-482.

PENNINGS, Johannes M. (1975). « The Relevance of the Structural-Contingency Model of Organizational Effectiveness », *Administrative Science Quarterly*, vol. 20, n° 3, pp. 393-410.

PERROW, Charles (1973). « The Short and Glorious History of Organizational Theory », *Organizational Dynamics*, été, pp. 2-15.

PERROW, Charles (1979). « Organization Theory in a Society of Organizations », conférence présentée au colloque « L'Administration publique : perspective d'avenir », organisé par l'ENAP à Québec, en mai.

PESOT, Jurgen (1979). *Silence, on parle : introduction à la sémiotique*, Montréal, Guérin.

RAIA, Anthony P. et MARGULIES, Newton (1985). « Organizational Development : Issues, Trends, and Prospects », dans R. TANNENBAUM *et al.* (sous la direction de), *Human Systems Development*, San Francisco, Jossey-Bass, pp. 246-272.

RAMSAY, Harvie (1977). « Cycles of Control : Worker Participation in Sociological and Historical Perspective », *Sociology*, vol. 11, n° 3, pp. 481-506.

RICŒUR, Paul (1974). « Science et idéologie », *Revue philosophique de Louvain*, vol. 72, pp. 328-356.

RUSH, H. M. F. (1973). *Organization Development : A Reconnaissance*, New York, The Conference Board.

SAPORTA, Sol et SEBEOK, Thomas A. (1959). «Linguistics and Content Analysis», dans I. DE SOLA POOL, *Trends in Content Analysis*, Urband, University of Illinois Press, pp. 131-150.

SCHEIN, Edgar H. (1969). *Process Consultation*, Reading, Mass., Addison-Wesley.

SILVERMAN, David (1970). *The Theory of Organizations: A Sociological Framework*, Londres, Heinemann.

STRAUSS, George (1963). «Some Notes on Power Equalization», dans H. J. LEAVITT (sous la direction de), *The Social Science of Organizations*, Englewood Cliffs, N. J., Prentice-Hall, pp. 41-84.

STRAUSS, George (1973). «Organizational Development: Credits and Debits», *Organizational Dynamics*, hiver, pp. 2-19.

TAYLOR, James R. et GIROUX, Nicole (1987). «Organizational Meaning through Communication: A Text-Oriented Approach», allocution présentée à la 3e conférence internationale du SCOS (Standing Conferences on Organizational Symbolism), du 24 au 26 juin en Italie.

TAYLOR, Ronald N. et THOMPSON, Mark (1976). «Work Values of Young Workers», *Academy of Management Journal*, vol. 19, nº 4, décembre, pp. 522-536.

THORSRUD, Einar (1976). «Democratization of Work as a Process of Change towards Non-Bureaucratic Types of Organization», dans G. HOFSTEDE et S. KASSEM (sous la direction de), *European Contributions to Organization Theory*, Assen et Amsterdam, Van Gorcum.

TOSI, Henry L. (1975). *Theories of Organizations*, Chicago, Saint-Clair Press.

VERON, Eliseo (1973). «Remarques sur l'idéologie comme production de sens», *Sociologie et sociétés*, vol. 5, nº 2, pp. 45-69.

VERON, Eliseo (1979). «Dictionnaire des idées non reçues», *Connexions*, vol. 27, pp. 125-142.

VIGNAUX, Georges (1972). «Le discours argumenté écrit», *Communications*, vol. 20, pp. 101-159.

WHITELY, William et ENGLAND, George W. (1977). «Managerial Values as a Reflexion of Culture and the Process of Industrialization», *Academy of Management Journal*, vol. 20, nº 3, pp. 439-453.

WHYTE, William Foote (1961). «Parsonian Theory Applied to Organizations», dans M. BLACK (sous la direction de), *The Social Theories of Talcott Parsons: A critical Examination*, Englewood Cliffs, N.J., Prentice-Hall, pp. 250-267.

3

La dynamique du développement des organisations

Roger TESSIER

La « dynamique du développement » constitue une expression pour le moins ambiguë. Les deux termes « dynamique » et « développement » appartiennent à des univers conceptuels plutôt étrangers l'un à l'autre. « Dynamique » se réfère habituellement à un champ de forces, dont les composantes entretiennent des rapports d'équilibre ou de déséquilibre. Il s'agit donc d'un terme à la fois systémique et énergétique, tiré à l'origine de la physique mécanique et s'opposant à la statique[1]. Il implique principalement que s'affrontent des forces qui s'annulent ou se conjuguent, à l'intérieur d'équilibres établissant le niveau d'expression de la conduite observable. Les phénomènes considérés dans une perspective dynamique se déroulent dans un cycle temporel relativement bref. Il s'agit de phénomènes actuels, ayant lieu dans un temps présent ou s'articulant dans une période plutôt brève.

De son côté, le terme « développement » se réfère plutôt à un mode de pensée génétique (l'évolutionnisme d'inspiration darwinienne ou, dans un sens mitigé, les modèles de développement [*developmental models*] de la psychologie américaine). Dans une telle perspective, le changement s'élabore par rapport à un axe temporel relativement long et s'accomplit à travers la succession logiquement programmée d'un certain nombre d'étapes correspondant à des phases du processus temporel de développement.

1. Auguste Comte, dans sa « physique sociale », a été le premier théoricien des sciences de l'homme à importer dans le champ de la sociologie les termes « statique » et « dynamique » en les appliquant aux aspects de stabilité et de changement de la réalité sociale.

Chin (1969) dans un article de *The Planning of Change* présente ces deux perspectives (systémique et génétique) comme complémentaires quant à leur utilité pour le praticien ; il prend bien soin, cependant, de ne pas les confondre.

À y regarder de plus près, on se rend vite compte que l'apparente confusion de termes que présente le titre de l'exposé, « La dynamique du développement des organisations », tient plutôt à la connotation un peu spéciale que le terme « développement » a acquise à l'intérieur de l'expression « le développement des organisations ». Le terme « développement » y a perdu son sens de processus de changement obéissant à des étapes programmées correspondant elles-mêmes à certaines « lois naturelles » (au sens du développement de l'intelligence chez l'enfant dans la perspective génétique de Piaget, ou encore du développement psychoaffectif ou épigénétique de la psychanalyse freudienne ou ériksonienne). Dans un tel contexte, le mot « développement » implique par nécessité que toutes les unités d'une espèce biologique connaissent un développement identique quant aux étapes qui se succèdent dans le processus temporel du développement, et dont l'ordre est prescrit par les lois de l'espèce dépassant le destin de chaque individu (l'ontogenèse découlant de la phylogenèse). L'expression « développement des organisations » ne se réfère manifestement pas à un tel programme comportant des phases de développement très bien articulées et inéluctables, par lesquelles toutes les organisations chemineraient tout au cours de leur existence, pour peu qu'elles soient coordonnées cybernétiquement à un environnement approprié[2]. Il faut plutôt entendre « développement des organisations » dans le sens d'« exploitation maximale des ressources d'une organisation » ou d'« optimisation progressive du fonctionnement d'une organisation ». Une telle mise en valeur permettrait que la réalité concrète de la vie de l'organisation coïncide de mieux en mieux avec les exigences découlant de la notion même d'organisation et de divers modèles théoriques ou axiologiques. On a bien, à l'occasion, proposé des modèles quasi génétiques (par exemple, la pensée de Shepard [1965] qui prétend que les organisations passent d'un stade « primaire » à un stade « secondaire » de développement, ou l'approche de Lawrence et Lorsch [1969] qui mise beaucoup sur la différenciation progressive de l'organisation). Aucune de ces perspectives par stades de développement ne saurait prétendre représenter une séquence programmée, comme dans le cas des modèles génétiques, ni impliquer que toute organisation franchisse inéluctablement, l'une après l'autre et dans l'ordre supposé par le schème logique de développement, un certain nombre d'étapes dont le programme luimême constitue une loi générale.

2. De la même façon qu'au dire du psychanalyste Hartmann l'ego est prédéterminé à s'adapter à un environnement typique (*average expectable*) (HARTMANN [1958]).

Par l'expression « développement des organisations », il faut plutôt entendre non pas un processus de changement naturel, mais un effort délibéré pour améliorer le fonctionnement des organisations, lequel effort délibéré entraîne la présence de trois éléments fondamentaux. 1° Des personnes, à l'intérieur ou à l'extérieur de l'organisation, prennent des initiatives pour provoquer une mise en valeur ou un progrès de l'organisation, par rapport à des objectifs ou à des valeurs qu'elles considèrent comme prioritaires, beaucoup plus qu'en fonction d'étapes de développement relevant de la nature même de l'organisation et faisant l'objet d'hypothèses théoriques très précises. 2° Ces initiatives sont planifiées en ce sens que leur terme ou leur point d'arrivée se situe dans une perspective temporelle lointaine et qu'elles sont organisées dans un programme relativement cohérent et organisé. 3° Le développement des organisations suppose que des personnes, distinctes de celles qui ont conçu un certain nombre d'initiatives ou d'entreprises, soient sollicitées de modifier leur conduite relative au jeu de leurs rôles au sein de l'organisation. Ce sont les transactions entre les initiateurs du changement et ceux qui en sont les destinataires, de même qu'un certain nombre de phénomènes psychologiques vécus par ces destinataires, qu'il est possible de conceptualiser à l'intérieur d'un schème *dynamique* de pensée où se retrouvent les concepts comme le *champ de forces*, l'*équilibre des forces*, le *niveau d'une conduite*, la *tension psychologique* et sa *régulation*. L'impact potentiel d'une action entreprise par les initiateurs d'un projet de changement planifié auprès de ses destinataires peut se représenter comme une modification d'un *champ de forces* social visant à créer un nouvel équilibre parmi les forces dont l'action s'exerce positivement ou négativement sur la conduite des destinataires du changement. Dans la perspective traditionnelle de la pensée lewinienne, les phénomènes de résistance au changement et de modification du niveau d'une conduite ont toujours été examinés dans une perspective de champ de forces, donc d'un point de vue dynamique.

Cependant, la stricte analyse d'un champ de forces momentané ou de sa modification par suite d'une intervention de certains acteurs sociaux auprès d'autres acteurs sociaux à l'intérieur d'une organisation ne saurait rendre compte de l'ensemble du processus de développement des organisations. Il faut également accorder une certaine attention au problème de la *durée* des changements. Il ne suffit pas de déclencher un changement de conduite par rapport à une dimension ou un paramètre donné de la vie de l'organisation, il faut s'assurer que le niveau d'équilibre atteint se maintiendra à travers le temps. Ajoutons également que la double question du déclenchement et de l'implantation du changement doit être posée à la fois à l'échelle de l'individu et à celle de l'organisation tout entière. Le modèle théorique mis au point par la tradition de pensée du changement planifié ou du développement des organisations veut modifier l'orientation attitudinale ou valorielle de l'individu par rapport à certaines de ses conduites à l'intérieur de l'organisation, en même temps qu'il veut fournir un certain nombre de conditionnements psychosociaux au changement individuel, asseoir ce changement individuel sur les normes et les valeurs d'un groupe de référence à l'intérieur de l'organisation. Il faut en quelque sorte tirer les prolongements structurels des modifications visées au plan des valeurs et des attitudes des personnes. Il ne s'agit pas simplement de rendre tous les contremaîtres, considérés un à un, plus « démocratiques », sans que le « milieu » de la direction à l'intérieur de l'organisation s'oriente vers une valorisation accrue de la démocratie dans les rapports de gestion. Il est bien possible qu'à plus ou moins long terme, la modification de la mentalité des gestionnaires provoque un changement au niveau de la structure des relations de pouvoir, de façon à l'accorder mieux aux nouvelles mœurs devenues légitimes à l'intérieur de l'organisation. Une telle transformation structurelle conférerait sans doute un important support institutionnel au changement de la mentalité. Il est donc nécessaire de traiter de la dynamique du développement des organisations selon une double perspective : le fonctionnement personnel des individus et le fonctionnement de l'organisation envisagée comme un tout distinct du comportement individuel de ses membres.

La personne face au changement

Quelques explications courantes

Au plan socio-émotif : décristallisation, déplacement, recristallisation

Ce qui se passe à l'intérieur de la personne humaine invitée à changer une conduite (à s'accorder à un champ de forces social nouveau où les forces favorables à une conduite l'emportent sur les forces défavorables de sorte que le niveau de cette conduite augmente) a été décrit dès 1948 par Lewin et repris par la suite par un certain nombre d'auteurs dont Schein (1969). Cette description prend la forme d'un microprocessus où les attitudes et les valeurs jusque-là résistantes au changement sont présentées comme cristallisées (*freezing*). Quand un changement s'amorce, l'équilibre prévalant jusque-là entre dans une phase de décristallisation. La personne devient réceptive, disponible au changement ; elle peut expérimenter de nouvelles conduites, déplacer le niveau de sa conduite actuelle et connaître une recristallisation qui l'empêche de retomber au niveau antérieur. Il s'agit donc d'un processus en trois phases : décristallisation, déplacement du niveau, recristallisation. Ce processus rend surtout compte des modifications socio-émotives au niveau des attitudes ou des valeurs individuelles.

Le changement comme processus cognitif

Apparaissent un peu plus tard des considérations sur le versant cognitif ou proprement intellectuel du changement des attitudes et des valeurs. Pour Lewin (1948), l'information ou les connaissances interviennent dans le processus de décristallisation des attitudes et le travail accompli au niveau socio-émotif est inséparable de l'influence de processus plus intellectuels. Par contre, Lewin n'a pas comme tel élaboré un processus de changement pour le versant cognitif du fonctionnement individuel. La plus intéressante théorie du changement cognitif est celle présentée par Harrison (1966), où le changement est décrit sous la forme d'une différenciation des systèmes conceptuels. Apprendre, c'est quitter des systèmes conceptuels globaux pour adopter des systèmes conceptuels plus différenciés. Cette transformation ne se fait pas de façon linéaire. Les concepts existant par paires d'éléments opposés (ouvert-fermé, émotif-rationnel, etc.), l'individu différencie le versant cognitif de son comportement en explorant d'abord le pôle contraire du concept qui caractérise son équilibre actuel. Un individu « dépendant » vis-à-vis des figures d'autorité pourra atteindre un nouveau niveau de synthèse (caractérisé par l'autonomie) s'il explore d'abord le concept inverse (soit la contre-dépendance) pendant un certain temps. Selon une telle dialectique, l'exploration de l'antithèse du concept prévalant précède l'atteinte d'un niveau supérieur de synthèse.

La durée des apprentissages

Qu'il s'agisse d'étudier comment l'individu accepte de rompre son équilibre socio-émotif pour modifier sa conduite et retrouver un équilibre subséquent, ou de décrire comment il entreprend d'explorer sur un plan conceptuel l'opposé de certaines de ses conduites habituelles dans le but d'en arriver à une synthèse nouvelle, le processus du changement est toujours décrit en référence à un *commencement* et à un *terme* au plan temporel. On peut isoler un moment de stabilité qui précède le processus de changement et un second moment de stabilité qui le termine. Ce problème de la durée des apprentissages a beaucoup retenu l'attention des théoriciens de la méthode du laboratoire, particulièrement ceux intéressés à l'impact de l'éducation des adultes sur le fonctionnement des organisations. On a souvent cru que les apprentissages faits en laboratoire (îlot culturel, système temporaire, etc.) n'avaient pas de véritable lendemain dans l'organisation. Plusieurs recherches démontrent plutôt qu'un certain transfert d'apprentissage s'accomplit (même s'il y a perte), mais on tend généralement à souligner que le milieu d'appartenance du sujet qui a entrepris un processus de décristallisation ou de différenciation cognitive à l'occasion de sa participation à des situations d'apprentissage du type laboratoire, peut favoriser grandement la recristallisation des conduites, à un niveau plus élevé et plus conforme, conséquemment, aux objectifs du programme de formation de l'organisation. Seuls des changements durables et substantiels sont rentables, pour l'organisation comme pour la personne.

Remise en question du modèle « décristallisation, déplacement, recristallisation »

Le changement comme processus continuel

Il est loin d'être certain, même si les théories existantes sur le changement personnel à l'intérieur d'un programme de développement des organisations décrivent le changement comme se déroulant dans une phase temporelle très bien définie (délimitée par un point de stabilité à un niveau d'équilibre plus bas et un nouveau point de stabilité à un niveau d'équilibre plus élevé), que les changements déclenchés chez l'individu obéissent à ce modèle où le commencement et le terme du processus sont clairement identifiés. On est plutôt porté à se demander si le message implicite des apports les plus récents de la théorie des organisations, comme des théories de la motivation individuelle, ne présenterait pas, comme modèle idéal du changement, le changement selon un processus continuel, qui n'a pas de formes temporelles bien claires. Qu'on pense à des expressions comme l'« autorenouvellement » (*self-renewal*) de Buchanan (1967) ou au « développement adaptatif » de Blau (1955). On voit apparaître un nouveau type de processus de changement qui n'a pas comme tel de terme bien défini. Il s'agit plutôt que les acteurs organisationnels deviennent capables de fonctionner à l'intérieur d'une organisation en changement continuel et assument eux-mêmes le rôle de promoteurs de tels processus de changement continuel. Faisant pendant à la nécessité sociale et technique du changement continuel à l'intérieur des organisations, apparaît aussi un modèle du fonctionnement individuel, sous le vocable de « croissance personnelle » (*personal growth*), où l'ouverture au changement prend figure de dimension importante. On décrit de moins en moins la personne en bonne santé mentale comme celle qui a atteint un certain niveau de stabilité ou encore qui présente des caractéristiques psychologiques qui la distinguent très nettement de la personne fonctionnant à un niveau d'équilibre plus précaire. On parle de plus en plus de la personne en croissance continuelle. Cette personne a mis le cap sur une ligne d'horizon (celle de l'accomplissement ultime de toutes ses potentialités), que de toute évidence elle n'atteindra jamais et qui constitue le moteur premier de sa vie psychologique personnelle. Dans un cas comme dans l'autre, qu'on parle de croissance personnelle ou de mécanismes d'autorégulation, d'ouverture au changement ou d'adaptations internes à l'intérieur de l'organisation (systèmes ouverts ou systèmes fermés), on voit éclater les modèles qui représentent le changement comme intervenant entre deux points définis délimitant une ligne temporelle.

Valeurs abstraites et rituels sociaux

Si le changement peut être décrit comme un processus continuel qui n'a pas comme tel de terme, de point d'arrivée défini, si l'on peut obtenir des personnes qu'elles quittent un niveau d'équilibre actuel pour mettre le cap, à l'intérieur d'un itinéraire sans terme définitif, vers une ligne d'horizon lointaine, c'est que cette ligne d'horizon coïncide non plus avec des conduites concrètes, mais bien avec des valeurs abstraites. S'il s'agit simplement de faire acquérir de nouvelles conduites fonctionnelles à l'intérieur des organisations, on peut proposer aux acteurs sociaux d'augmenter le niveau de ces conduites et d'accéder à certaines valeurs par le versant de conduites concrètes[3] qui leur correspondent de façon univoque. On peut enseigner une attitude permissive au niveau du leadership en invitant les gestionnaires à écouter davantage et à consulter leurs subalternes. *Écouter*, *consulter*, voilà deux conduites concrètes dont le niveau est susceptible d'être accru. Quand les sujets de ce genre d'éducation auront appris à écouter beaucoup plus que précédemment ou à consulter régulièrement leurs subalternes, l'éducateur pourra prétendre qu'il a bouclé la boucle, terminé un cycle de changement, atteint ses objectifs.

Si, par ailleurs, on met le cap non plus sur des conduites concrètes, mais sur la valeur abstraite elle-même, en tentant de faire du sujet éduqué un *leader permissif* et *centré sur le facteur humain*, on entrevoit alors une pluralité infinie de conduites pouvant traduire concrètement cette valeur abstraite. Le sujet entreprend un processus de changement dont le point de départ est relativement saisissable, mais dont le terme est indéfini. Il ne s'agit plus de conformer sa conduite à de nouveaux rituels sociaux, ceux d'une nouvelle culture (alimentée à des expériences en îlot culturel ou en laboratoire), à l'intérieur du sous-groupe organisationnel auquel il appartient. Il doit plutôt donner à une valeur abstraite le rôle de pôle régulateur d'un secteur défini de son développement comme personne et comme gestionnaire, valeur abstraite intégrée à une conception de l'organisation choisie plus ou moins librement par un grand nombre d'acteurs au sein de telle entreprise ou de telle organisation particulière.

L'ouverture au changement par opposition à l'acquisition d'un nouveau rituel

Il ne s'agit plus dorénavant d'abandonner un rituel antécédent jugé peu acceptable pour un rituel nouveau plus en accord avec certaines valeurs nouvelles. Celui qui change accepte de modifier son attitude par rapport au changement lui-même, encore plus que par rapport aux contenus normatifs véhiculés par le processus de changement. Il accepte, et c'est là une des implications fondamentales du courant du développement des organisations et du changement planifié, d'adopter une attitude d'ouverture au changement. Il n'essaie plus de modifier sa conduite dans le sens d'un style de leadership très bien défini quant aux

3. L'approche béhavioriste de la thérapie et de l'éducation aborde le changement de la conduite par le biais du rituel concret (par opposition aux orientations abstraites du comportement comme les valeurs ou les attitudes). Pour les béhavioristes, de telles orientations abstraites font partie de la « boîte noire » et de son contenu de variables « intermédiaires » mentalistes.

gestes concrets à poser, mais plutôt de développer au maximum son potentiel humain et celui de ses partenaires de l'organisation. Ces équilibres et ces synthèses demeurent des approximations temporaires dérivant de critères lointains comme l'actualisation de chacun des acteurs et le fonctionnement optimal de l'organisation elle-même.

Les modalités concrètes, et du fonctionnement individuel et du fonctionnement de l'organisation, sont sans cesse à réviser dans un processus de double optimisation (celle des personnes et celle des organisations), dont les points de repère et les relais sont identifiables, mais qui, au siècle de l'innovation, ne comportent pas de points d'arrivée définitifs. Une telle attitude suppose un niveau de tolérance de l'ambiguïté et un sens du relatif assez exceptionnels. C'est devenu un lieu commun de dire que, dans un siècle où les innovations se culbutent les unes les autres, les personnes en bonne santé mentale sont celles qui acceptent le changement comme la seule caractéristique stable de la société. Il faut bien comprendre toute l'exigence de ce message implicite du courant du développement des organisations et de la croissance des personnes. Chaque gestionnaire, chaque enseignant, chaque fonctionnaire, doit dorénavant se percevoir en quelque sorte comme un chercheur à l'affût de solutions approximatives et temporaires, d'un équilibre optimal entre les besoins de tous les acteurs et le fonctionnement de l'organisation, équilibre dont les visages historiques sont nécessairement provisoires et imparfaits, donc soumis à un continuel processus de remise en question. Une telle façon de penser devrait normalement signifier la fin des simplifications bureaucratiques et des normes rigides.

Qu'un horizon temporel lointain remplace un point défini comme « objectif[4] » du changement ne constitue pas la seule modification du processus du changement entraînée par l'adoption de valeurs abstraites comme principes régulateurs. Les valeurs abstraites se définissent par référence antinomique à d'autres valeurs abstraites[5]. La documentation sur le développement des organisations abonde en exemples de valeurs abstraites antinomiques. Les styles de gestion de Blake et Mouton (1964) sont définis en termes antinomiques. La production s'oppose aux relations humaines, l'ordre à l'initiative individuelle, la stabilité au changement, etc. Ces valeurs abstraites peuvent sans doute être réconciliées dans de savants équilibres théoriques. Par exemple, le style 9.9[6] de Blake et Mouton récupère les valeurs de tâche et de centration sur les personnes. Existentiellement, de telles réconciliations sont moins faciles à accomplir. Celui qui s'oriente vers une valeur abstraite comme l'autonomie doit toujours composer avec la contrainte.

4. Il serait probablement plus juste d'employer des termes comme « fin » ou « but ». Le terme « objectif » est plutôt caractérisé par une nette délimitation temporelle.
5. Voir à ce sujet G. BACHELARD (1972). *La formation de l'esprit scientifique*, Paris, Vrin.
6. Le style 9.9 suppose que le gestionnaire intègre harmonieusement les exigences de la tâche et les préoccupations pour les personnes.

Les choix ne sont jamais définitifs. Les circonstances peuvent toujours les remettre en question. Une telle «incertitude» est profondément motrice du changement (changement nécessairement continuel). L'existence humaine ne réconcilie jamais *toutes* les valeurs à l'intérieur de *toutes* les situations. Cette incertitude est également source d'une très grande angoisse et des mécanismes de défense qui l'accompagnent, qu'il s'agisse de la résistance au changement avec fixation à d'anciens rituels, de la promulgation rigide de nouveaux rituels ou de diverses formes de dédoublement normatif.

L'organisation face au changement

Des microgroupes à l'organisation

Leavitt (1991) souligne très bien comment les modèles théoriques nés du courant des relations humaines et soucieux d'entretenir une certaine pertinence pour l'organisation formelle (qu'il s'agisse de stratégies de changement ou de théories sur le fonctionnement même des organisations) ont tous été fortement marqués par la psychosociologie des petits groupes[7]. Au fur et à mesure que les moniteurs en dynamique des groupes sont devenus les «consultants» de l'organisation, qu'ils ont pu vérifier la convenance pour des systèmes sociaux, non plus temporaires mais durables, non plus miniatures mais macroscopiques, des concepts mis au point sur le fonctionnement des groupes et du processus même du changement de l'individu et des groupes, ils n'ont pas tardé à réaliser qu'il fallait tenir compte des dimensions structurelles et culturelles dans toute tentative de développement des organisations. Le milieu (la mentalité collective d'une organisation) peut soutenir ou inhiber les tentatives de changement de la part des individus. Il faut que le système de valeurs et d'attitudes de l'individu s'articule positivement à un environnement social favorable, faute de quoi, le nouvel équilibre atteint risque de régresser.

Au plan de la stratégie et de la technique, des agents de changement ont vite fait de mettre au point des techniques de travail qui tiennent compte du groupe d'appartenance des individus (groupe de famille, interface, etc.). L'insertion d'agents de changement internes vise justement la modification du milieu ambiant de l'organisation, par-delà le changement des attitudes chez des individus qui quittent l'organisation pour évoluer au sein de systèmes temporaires. Ces individus s'orientent vers de nouvelles valeurs pour se retrouver

7. Cette psychosociologie, dans sa version interactionniste (Homans) ou microsociologique (Bales) comme dans sa version «dynamique» (Lewin et ses associés) a presque toujours étudié des microgroupes «artificiels» évoluant dans les cadres plus ou moins fictifs de laboratoires de recherche ou d'îlots culturels (sessions de formation).

souvent isolés, peu de temps après leur retour. Il est relativement simple d'adopter un mode égalitaire de prise de décision à l'intérieur d'un petit groupe ou de démystifier la relation entre une figure d'autorité (par exemple le moniteur en dynamique des groupes) et des participants à l'intérieur d'un groupe. Un système de valeurs « libertaire » et favorisant la participation risque fort de remettre profondément en cause la hiérarchie du pouvoir à l'intérieur de l'organisation ou d'établir une dualité de normes qui fasse vivre beaucoup d'ambiguïté à tous les participants, même s'ils occupent des postes de niveaux différents à l'intérieur de la hiérarchie en question. Il n'est donc pas étonnant que le développement des organisations s'accompagne d'une tentative pour faire reculer autant que possible les éléments hiérarchiques et d'inégalité de pouvoir dans toute conception structurelle de l'organisation, pour les remplacer par des conceptions fonctionnelles attribuant le pouvoir non pas selon le rang, mais plutôt selon la tâche.

Le développement des organisations fait donc surgir des problèmes de l'ordre de la transformation des mœurs à l'intérieur d'un système, et de la modification de sa structure. Il est incapable, une fois dépassées les frontières privilégiées d'un petit groupe expérimental, de maintenir la nette orientation psychologiste qui l'a caractérisé depuis le début. Il doit se préoccuper davantage des implications collectives de la conduite de même que de son support structurel.

L'organisation comme réseau dynamique de rapports spontanés face à l'organisation comme structure

Une fois tenu pour acquis que le développement des organisations ne saurait se faire par la pure accumulation de changements individuels, mais qu'il faut vraiment considérer l'organisation dans sa totalité, dans ses implications structurelles, un nouveau dilemme se pose à l'agent de changement : celui de l'insistance à mettre ou sur les aspects normatifs et valoriels (donc sur les mœurs des acteurs) ou sur la structure formelle. Faut-il changer d'abord la structure ou d'abord la mentalité des acteurs (c'est-à-dire leurs mœurs) ? Ou les deux à la fois ? Comment peut-on rendre les rapports d'autorité à l'intérieur d'une organisation vraiment égalitaires ? Est-ce qu'il faut modifier les mœurs qui sanctionnent positivement des conduites autoritaires dans le sens d'une nouvelle éthique collective qui sanctionne plutôt positivement des conduites égalitaires, ou s'il faut redéfinir les organigrammes en distribuant le pouvoir aux acteurs sur de nouvelles bases, en donnant accès à un plus grand nombre de personnes aux centres de décision cruciaux ? Faut-il faire une approche *culturaliste* ou une approche *structuraliste* du problème de l'exercice de l'autorité ? Jusqu'à maintenant, par opposition à d'autres écoles de pensée, le courant du développement des organisations a plutôt été caractérisé par l'insistance qu'il a mise sur la *culture interne* d'une organisation donc sur ses mœurs, évitant en cela un légalisme paralysant qui voudrait poser tous les problèmes au niveau de l'organigramme. Il a ainsi fait montre d'un empirisme bien américain. On a d'abord voulu changer l'esprit dans lequel les rapports se déroulaient et créer une culture où la confiance remplace la méfiance, où la centration sur la tâche prenne la relève du privilège et du statut, où l'ouverture des communications succède à l'intrigue. On a voulu créer des rapports de pouvoir où le consensus se substitue aux schèmes de domination-soumission d'un passé très récent.

Il serait cependant très naïf de s'imaginer que l'organisation s'unifie exclusivement autour des nouvelles valeurs qui s'expriment dans les conduites spontanées des personnes et des groupes, sans qu'une structure explicite sanctionne ces nouvelles valeurs, les appuie, les conditionne, les rende pratiquement inévitables au niveau fonctionnel. On peut toujours laisser dans l'ombre les problèmes de pouvoir et ne pas clarifier ce qui relève de la compétence d'un subalterne face à son supérieur (ou réciproquement). On préconise alors que les deux partenaires de rôle communiquent ouvertement, sans arrière-pensée, et tentent de prendre collégialement une décision favorable pour l'organisation. Tôt ou tard cependant les distorsions perceptuelles et les conflits d'intérêts viennent limiter tout effort de changement qui ne tend pas à prendre racine dans une modification structurelle.

Très souvent aussi, on propose de la main gauche ce que la main droite ignore; on valorise une attitude d'acceptation de la part des supérieurs des différences individuelles des subalternes, mais en même temps on définit les tâches de ces subalternes d'une façon qui élimine toute possibilité que s'expriment de véritables différences individuelles dans l'accomplissement des tâches. À long terme, le développement de l'organisation entend toucher la structure des rapports de tâches, la répartition des responsabilités et la distribution du pouvoir des acteurs de l'organisation. Des modifications au niveau structurel découlent nécessairement de la recherche d'une ouverture plus grande des communications, d'un maximum de coopération entre les acteurs, d'une égalisation psychologique des relations interpersonnelles. Faute de quoi, les entreprises de changement qui visent les valeurs et les attitudes des subalternes risquent de s'entacher d'ambiguïtés considérables et de faire le jeu de manipulations plus ou moins subtiles de la part de ceux qui détiennent plus de pouvoir. La pure modification des structures formelles (qu'il s'agisse de réorganiser les interdépendances au plan de la tâche ou d'accorder des pouvoirs différents aux divers acteurs) ne conduit pas d'emblée à une modification des conduites concrètes; il faut compter aussi sur une transformation des mentalités qui aille dans le sens des exigences implicites de la nouvelle structure. On peut démocratiser la gestion d'une école sans que les professeurs valorisent davantage la participation, soient davantage capables de s'exprimer ou de prendre des responsabilités. La création d'un comité conjoint n'entraîne pas infailliblement que les maîtres se définissent comme des sources d'initiative dans l'école au lieu de se définir comme de purs relais passifs des diktats émis au sommet de la bureaucratie scolaire. Par contre, le développement d'attitudes démocratiques chez les professeurs qui n'implique pas un minimum de structures démocratiques risque fort de tourner court très rapidement.

Le développement des organisations doit être à la fois culturel et structurel, bien qu'il puisse exister un certain décalage entre ces deux familles de processus semi-autonomes. Une modification structurelle importante peut précéder même de quelques années le changement de mentalité qui devrait normalement l'accompagner. Des modifications culturelles profondes précèdent, souvent très longtemps à l'avance, des changements structuraux qu'elles annoncent et provoquent. On renonce, dans tel secteur d'activités, à des modes autoritaires de prise de décision et à une distribution très hiérarchique du pouvoir, pour la simple raison qu'aucun des acteurs engagés dans la situation ne trouve dorénavant justifiées de telles procédures. La structure démocratique tombe comme un fruit mûr sur un terrain longuement préparé par des mutations culturelles profondes. Les deux séries de facteurs et de processus (structurels et culturels) entretiennent des rapports fort complexes. En dépit de la prétention toute théorique qui veut qu'il soit préférable de tirer au niveau structurel les conclusions des prémisses posées au niveau culturel et qu'il soit sans doute plus logique de procéder ainsi, rien n'empêche au niveau de l'action concrète d'amorcer un changement en donnant la priorité à un ordre de facteurs plutôt qu'à l'autre.

Les dimensions politiques du développement de l'organisation

Il est relativement facile dans le contexte d'un groupe restreint d'adopter un mode presque parfaitement consensuel de prise des décisions. Il est également facile de favoriser l'autorégulation d'un groupe sur une période assez brève. Un mécanisme consensuel aussi pur, où l'adhésion personnelle de chacun des membres est continuellement sollicitée et fait l'objet de fréquentes vérifications, confine à l'utopie « communale », pour peu qu'on l'imagine dans un ensemble social complexe (qu'il s'agisse d'une organisation ou d'un autre type de communauté humaine).

À partir du moment où le pouvoir ne peut plus résider dans l'accord spontané des membres du groupe, il devient l'objet d'une compétition et il faut parler de politique. À l'intérieur d'une organisation formelle, le changement ne saurait s'accomplir uniquement de façon débonnaire par l'appel à la bonne volonté de tous et à l'occasion d'un cheminement long et patient, dont le terme serait un consensus universel à saveur eschatologique. Quand on préconise une approche démocratique du changement, et même quand on envisage la démocratisation de l'organisation elle-même comme valeur à instaurer, la coopération s'entremêle d'affrontements et l'adhésion libre cohabite avec la contrainte.

Les agents de changement qui amorcent un programme de changement planifié ne peuvent le faire que si une certaine conjoncture politique les favorise, que s'ils possèdent le pouvoir que requiert une telle initiative avec l'espoir qu'elle n'ait pas seulement la fonction d'un pur geste symbolique.

Pour qu'un programme de développement des organisations s'implante, il faut que des personnes clés à l'intérieur de l'organisation aient le pouvoir d'en favoriser l'implantation ou qu'elles s'associent à ceux qui possèdent un tel pouvoir. C'est faire montre d'une naïveté considérable que d'imaginer le développement des organisations sous les traits d'un processus de génération spontanée que personne n'a à diriger et qui ne relève d'aucune décision d'autorité en ce qui a trait aux possibilités à retenir ou à rejeter. On peut toujours laisser les gens libres de participer à des sessions de formation, on peut toujours laisser des cadres locaux libres de ne pas recourir aux services d'un agent de changement interne. Il reste que, quelque part, quelqu'un (qu'il s'agisse du vice-président aux ressources humaines, du directeur général ou du directeur du personnel) prend la décision d'investir certaines sommes d'argent dans la poursuite de certains objectifs et de faire un certain nombre de choix qui correspondent à cet investissement. La marge de liberté laissée aux acteurs interdépendants de ces choix peut être variable, mais le simple fait de faire des choix et de proposer à une très forte quantité d'interlocuteurs une possibilité de développement de l'organisation plutôt qu'une autre constitue un geste politique qui peut être contesté, boycotté ou appuyé, qui peut être perçu comme coopératif ou compétitif par tous ceux qui détiennent une bribe de pouvoir. Tous les détenteurs d'un pouvoir, si petit soit-il, peuvent accélérer le processus de changement ou le freiner, le laisser passer sur leur territoire ou lui fermer la frontière.

Très souvent, un programme de développement de l'organisation naît de l'alliance d'un certain nombre de personnes clés du bureau du personnel, de la haute direction et du personnel administratif au niveau de la production, sans que toutes les personnes qui détiennent du pouvoir soient d'accord. On trouvera, face à un vaste projet de développement s'étendant sur plusieurs années, des sections dissidentes, un vice-président reconnu comme adversaire du programme, plusieurs surintendants faisant office de détracteurs. Des programmes de développement de l'organisation qui naissent du fait que leurs promoteurs sont actuellement au pouvoir sont voués à disparaître au moment même où ceux-ci perdront le pouvoir.

Il faut également mettre sur le compte de l'aspect politique du développement un certain nombre de processus concomitants du processus même du développement de l'organisation. Quand la direction veut répandre un nouveau style de leadership parmi les cadres d'une organisation, il peut bien arriver que certaines personnes ne figurent plus dans ses plans parce qu'elles sont incapables d'accorder leur conduite à ce nouveau style. Souvent, des personnages importants de la bureaucratie industrielle ou publique, associés à un style d'autorité jugé dépassé, quittent l'organisation au moment où des décisions prises en haut lieu (dont plusieurs concernent le développement des ressources humaines dans l'organisation) prévalent sur d'anciennes normes et acquièrent le statut de politique formelle de l'organisation. Les règles du jeu de cette politique peuvent être plus ou moins démocratiques. On peut consulter abondamment, écouter beaucoup les objections, nuancer les programmes à la lumière de l'opposition des dissidents, mais, tôt ou tard, des affrontements apparaissent, des décisions doivent être prises à l'intérieur de mécanismes compétitifs (formels ou informels) ou à l'occasion de luttes qui vont provoquer la disparition de quelques protagonistes ou une modification profonde de l'entreprise de changement.

Le problème de la durée

Nous disions plus haut qu'il est bien improbable que le processus de changement s'articule sur un terme fixe de type ponctuel de telle sorte qu'on puisse dire, après un certain temps, que le changement a été accompli, que tout s'est réinstallé dans une nouvelle stabilité. Il n'en reste pas moins que, même si le problème de la durée ne se pose plus en fonction d'un terme clair (d'un niveau supérieur d'équilibre définitivement atteint), on doit constater que des processus de changement avortent, que des programmes de développement ne s'inscrivent pas de façon durable dans la dynamique interne de l'organisation. Plusieurs programmes de changement ont l'allure de modes passagères. On parle de gestion participative par objectifs (*Management by Objectives*) pendant un an ou deux dans telle organisation : certaines personnes suivent des stages, on tente une ou deux expériences et, après quelque temps, plus personne ne mentionne la gestion participative par objectifs. Dans telle commission scolaire se déroulent des expériences de centration de la pédagogie sur les groupes d'élèves, mais, après un an ou deux, l'ambivalence des professeurs aidant, la contestation des élèves comptant pour beaucoup, on revient tout bonnement aux anciennes méthodes pédagogiques. Qu'est-ce qui permet qu'un programme de changement touche la vie réelle de l'organisation au lieu de constituer une sorte de vernis superficiel ? À quoi tient que des gestionnaires modifient leur conduite à la suite d'un programme de développement de leurs habiletés de leaders ? Qu'est-ce qui conduit un groupe opérationnel à l'intérieur de l'organisation à fonctionner, au niveau de la résolution de ses problèmes, par des communications beaucoup plus ouvertes et centrées sur la tâche, au lieu de réagir aux tensions fonctionnelles de l'organisation par des mécanismes d'évasion ou de guerre punitive ? On doit sans doute dire qu'une des conditions pour que la vie réelle de l'organisation soit vraiment mise en cause par une initiative de changement, c'est l'ampleur même de cette initiative. Modifier substantiellement et pour longtemps une organisation de grande dimension ne saurait naître d'une initiative superficielle, trop courte et peu énergique. Les plans de changement qui correspondent à des modes passagères sont souvent ceux où l'investissement initial est insuffisant pour qu'une majorité des acteurs concernés soient touchés et le soient de façon suffisamment profonde pour que leur conduite concrète en soit transformée.

Un autre facteur qui peut assurer la pérennité d'un processus de changement ou lui faire avoir des effets durables sur la vie d'une organisation (même si ces effets ne prennent pas la forme d'un nouveau rituel « fermé », mais plutôt celle d'un élan ou d'une poussée dans une direction donnée), c'est la cohérence entre l'incitation initiale au changement et le message que transmettent les conditions existant dans l'organisation par rapport à ce changement. Si on demande au contremaître de consulter davantage ses subalternes sans que le surintendant, lui, cesse d'interpréter le rôle du contremaître en s'attendant qu'il prenne seul ses décisions, on crée une inconsistance au niveau de l'expérience vécue du contremaître, qui risque de se solder par une attitude de soumission à l'ancienne norme. Comme le veut l'adage : « Un tiens vaut mieux que deux tu l'auras. » Il est préférable de continuer de faire les choses comme on les a toujours faites, plutôt que de prendre le risque de s'aventurer sur un terrain où on est susceptible d'être puni pour ne pas avoir affiché la « bonne » conduite, c'est-à-dire celle que préfère l'autorité légitime.

Une autre condition semble bien importante aussi pour que le changement atteigne en profondeur l'organisation ; il doit se greffer en quelque sorte sur des mutations culturelles plus vastes, être en concordance avec des courants idéologiques au niveau de la société globale. Travailler en 1972 à démocratiser la gestion à l'intérieur des organisations industrielles devrait normalement se faire beaucoup plus facilement qu'en 1952 ; le faire efficacement à l'intérieur d'organisations dont la main-d'œuvre est jeune devrait aussi supposer des coûts moins élevés que si elle est âgée.

Enfin, le changement risque de s'implanter et d'avoir une influence plus durable à l'intérieur de l'organisation, de lui imprimer une poussée dynamique plus importante dans une direction mieux définie, si un centre à l'intérieur de l'organisation agit un peu comme conscience du processus de changement et est en mesure d'assurer les cohérences successives nécessaires à la durée du processus. Ce centre est habituellement constitué d'un réseau informel d'acteurs relativement importants de l'organisation et qui croient tous aux valeurs fondamentales véhiculées par le processus de changement. Ces personnes clés s'échangent les informations requises pour que la validité du processus soit l'objet d'une surveillance continuelle et que les rajustements au niveau des modalités fassent que le processus ne connaisse pas d'inutiles embardées. Les personnes constituant ce centre de conscience du processus de changement peuvent communiquer entre elles et se maintenir au pouvoir le temps qu'il faut pour que le style de l'organisation soit modifié. Il arrive que le groupe d'appui du changement perde le pouvoir ou doive faire des compromis substantiels à la première étape de l'implantation. De telles conjonctures ne se développent que si le changement dépasse le seuil de la visibilité sociale et atteint un certain volume d'effets réels sur la vie quotidienne de l'organisation. Face à ce réseau informel qui détient suffisamment de pouvoir pour déclencher l'action, apparaît bientôt un réseau informel d'opposants qui, lui, tente d'arrêter le processus ou d'en diminuer l'impact. Si cette opposition est trop forte, l'entreprise de changement sera sans lendemain véritable. Le réseau informel qui constitue le centre de conscience du processus de changement doit pouvoir compter sur au moins quelques personnes qui s'identifient profondément aux objectifs et qui sont capables de la rigueur et du sens de la continuité qui caractérisent les leaders d'envergure. Il faut éviter à la fois de trop personnaliser le leadership (le projet devient la propriété personnelle d'un ou deux promoteurs) et de le diluer dans un groupe anonyme de responsables nominaux. Il faut éviter bien davantage encore de stériliser l'entreprise de changement, en emprisonnant ses tâches dans une case trop bien définie d'un organigramme statique.

Références bibliographiques

BLAKE, R. R. et MOUTON, J. S. (1964). *The Managerial Grid*, Houston, Gulf.

BLAU, P. M. (1955). *The Dynamics of Bureaucracy*, Chicago, Chicago University Press.

BUCHANAN, P. C. (1967). « The Concept of Organization Development, or Self-Renewal, as a Form of Planned Change », dans G. WATSON (sous la direction de), *Concepts for Social Change*, Washington, National Training Laboratories.

CHIN, R. (1969). « The Utility of System Models and Developmental Models for Practitioners », dans W. G. BENNIS, K. D. BENNE et R. CHIN (sous la direction de), *The Planning of Change*, New York, Holt, Rinehart and Winston, pp. 297-312.

HARRISON, R. (1966). « Cognitive Change and Participation in a Sensitivity Training Laboratory », *Journal of Consulting Psychology*, vol. 30, n° 3.

HARTMANN, H. A. (1958). *Ego Psychology and the Problem of Adaptation*, New York, International Universities Press.

LAWRENCE, P. R. et LORSCH, J. W. (1969). *Organization and Environment*, Boston, Graduate School of Business Administration, Harvard University.

LEAVITT, H. J. (1991). « Le changement organisationnel appliqué dans l'industrie : les approches structurale, technologique et humaniste », dans R. TESSIER et Y. TELLIER (sous la direction de), *Changement planifié et développement des organisations*, Sillery, Presses de l'Université du Québec, tome 5, pp. 37-80.

LEWIN, K. (1948). *Resolving Social Conflicts*, New York, Harper.

SCHEIN, E. (1969). « The Mechanisms of Change », dans W. G. BENNIS, K. D. BENNE et R. CHIN (sous la direction de), *The Planning of Change*, New York, Holt, Rinehart and Winston, pp. 98-107.

SHEPARD, H. A. (1965). « Changing Interpersonal and Intergroup Relationships Organizations », dans J. G. MARCH (sous la direction de), *Handbook of Organizations*, Chicago, Rand McNally, pp. 1075-1143.

4

Interventions visant les organisations complexes

Changements dans les modèles de relations interpersonnelles et intergroupes*

Robert T. GOLEMBIEWSKI

Comme la plupart des innovations, les premières applications de l'approche de laboratoire aux organisations complexes tentaient de réinventer la roue. Ceci n'est pas une critique de quelqu'un ou de quelque chose ni même de la logique d'une progression par étapes, qui est raisonnable et peut-être même inévitable lors des premiers pas de toute technique. Ce n'est que l'énoncé du fait que l'histoire des premiers pas du développement des organisations (DO) fondé sur l'approche de laboratoire ressemble beaucoup à l'histoire d'applications semblables de la science du comportement. De là, l'étiquette de réinvention de la roue apposée sur cette évolution. C'était la roue d'un véhicule différent, servant à des fins différentes, mais c'était indiscutablement une roue.

Ce texte décrit l'évolution des applications du DO fondées sur l'approche de laboratoire. C'est une sorte de mise en perspective décrivant la situation antérieure, et celle qui a suivi. D'abord quelques points saillants des débuts de l'évolution des applications du DO. Ce texte met l'accent sur les prémisses sur lesquelles les premières applications avaient tendance à se fonder, et en même temps sur celles qui sous-tendent les travaux plus récents en DO de l'approche de laboratoire.

* Ce texte a d'abord paru dans R. T. GOLEMBIEWSKI et A. BLUMBERG (1972). *Renewing Organization*, Itasca, Ill., F. E. Peacock Publishers.

Si nous voulons résumer, au sens le plus large possible, l'histoire du changement organisationnel par l'approche de laboratoire, deux thèmes retiennent notre attention. En premier lieu, l'accent portait au début sur le changement d'attitudes, de valeurs et de comportements des individus qui — après que leur nombre aurait atteint un seuil critique — étaient par la suite censés susciter à leur tour des changements dans leurs organisations respectives. Ce modèle général est représenté à la figure 1.

FIGURE 1
Le changement par les individus

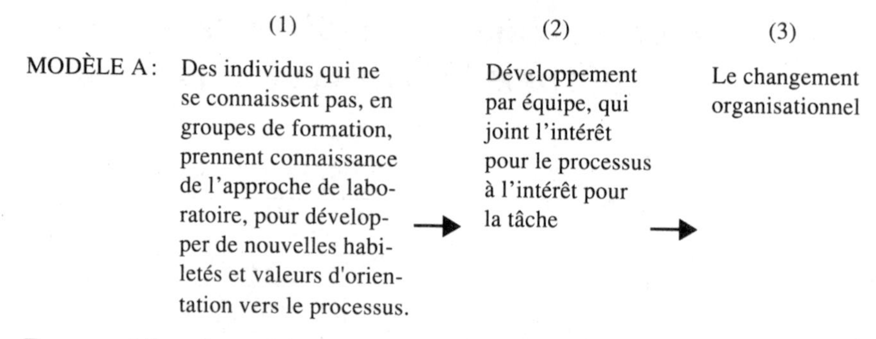

En second lieu, la tendance actuelle est plutôt de provoquer directement des changements au niveau de l'organisation, dans l'intention d'amorcer et de faciliter le changement individuel. En bref, non seulement les organisations sont concernées, c'est par elles que l'intervention commence. La schématisation de ce virage contemporain est présentée à la figure 2.

FIGURE 2
Le changement par les organisations

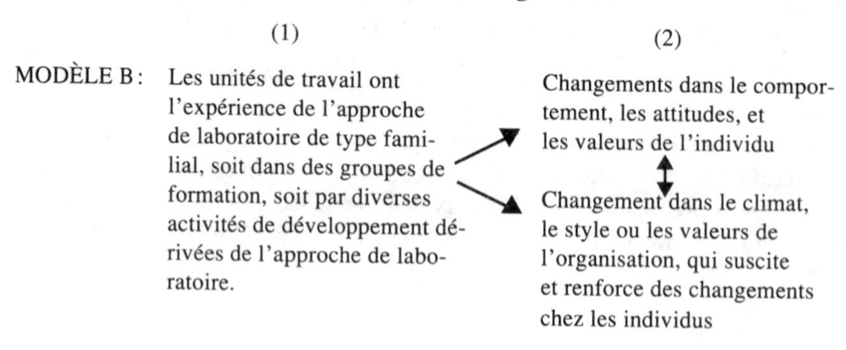

Cette partie du texte examine plusieurs aspects de ce qui était moteur dans ce changement d'orientation, et de ce qui, au contraire, était mû. Le choix d'une stratégie de base d'intervention plutôt qu'une autre est important, non pas dans le sens qu'une stratégie donnée serait nécessairement meilleure qu'une autre, mais dans le sens que chaque stratégie de base est pourvue d'une logique interne qui lui est propre.

Histoire sommaire des applications de la science du comportement aux organisations : une leçon tardive

On se rend compte maintenant que les applications de l'approche de laboratoire aux organisations auraient pu profiter de l'expérience acquise par d'autres applications de la science du comportement. Considérons le cas étonnant d'un programme de formation de deux semaines qui devait accroître certaines qualités et habiletés chez des contremaîtres de la Société *International Harvester*. L'histoire date du milieu des années 40. Au début du programme, les changements dans les attitudes des contremaîtres individuels se sont bien effectués selon la forme prévue, puis les anciennes habitudes du milieu de travail de l'organisation ont rapidement repris leur puissant ascendant. Les contremaîtres n'étaient pas sitôt retournés au travail que les changements dus à l'apprentissage commençaient non seulement à se détériorer, mais véritablement à s'inverser. Le renversement était si grand, en fait, qu'après une brève période de retour au travail, les contremaîtres qui étaient passés par le groupe de formation réussissaient moins bien dans l'évaluation de leurs attitudes selon les critères du programme qu'un groupe témoin de contremaîtres qui n'en avaient pas profité. Fait remarquable, les seuls contremaîtres à conserver leurs bonnes notes travaillaient sous la direction de supérieurs hiérarchiques qui ont eux-mêmes obtenu des notes élevées. Comme Gene W. Dalton conclut :

> Les autres contremaîtres [dont les supérieurs n'ont pas si bien réussi] sont retombés dans des travers très proches de ceux de leurs chefs. L'interaction quotidienne avait complètement annulé l'effet du programme de formation. Les entraves des contremaîtres n'avaient été interrompues que durant les deux semaines de la formation. Par la suite ils sont retournés à la situation antérieure, où l'influence la plus déterminante était celle de leurs supérieurs respectifs. Aucune nouvelle relation stable n'avait été établie, dont l'effet aurait pu confirmer et renforcer les changements d'attitudes amorcés au cours du programme de formation[1].

---

1. Gene W. DALTON (1970). « Influence and Organizational Change », dans Anant R. NEGANDHI et Joseph P. SCHWITTER (sous la direction de), *Organizational Behavior Models*, Kent, Ohio, Comparative Administration Research Institute, p. 90.

L'expérience se répéta, plus ou moins, dans d'autres applications de la science du comportement faites dans d'autres organisations[2]. Les résultats de ce genre apparus dans d'autres applications antérieures de la science du comportement n'ont cependant pas éclairé les premières applications de l'approche de laboratoire. Pour diverses raisons, le modèle A est devenu le principe directeur usuel, malgré le fait que plusieurs facteurs entravaient sa progression jusqu'au changement organisationnel. Pour une part, il y eut de l'optimisme, ou même de la naïveté, quant à l'aisance du transfert, aux organisations, de l'apprentissage habituellement important qui s'acquiert dans les groupes de formation entre personnes étrangères. Ce qui explique en partie le manque de suivi. En outre, la popularité générale des expériences de groupes de formation entre étrangers, ajoutée à la pénurie de moniteurs expérimentés, a sans doute contribué au manque d'attention accordée au problème du transfert aux organisations de toute l'expérience acquise dans les groupes de formation d'étrangers.

Assez rapidement, l'application de l'approche de laboratoire aux organisations a démontré l'existence de quelques problèmes essentiels liés à son premier principe directeur, malgré toutes les raisons militant en sa faveur. Six rubriques résument ces inadéquations. *Premièrement*, le modèle A décrit plus haut compte beaucoup sur les effets bénéfiques de la connaissance personnelle tout intuitive que l'on peut avoir des systèmes organisationnels. L'expérience a pourtant clairement démontré que l'intuition personnelle et le changement organisationnel ne vont pas nécessairement de pair. En particulier, c'est un fait que l'intuition personnelle s'accompagne de la certitude d'un contrôle sur les aspects intellectuels et émotifs d'une situation donnée; on peut pourtant avoir l'intuition la plus débordante, et peu ou aucune maîtrise des variables stratégiques nécessaires au changement organisationnel. Comme Warren Bennis le remarque:

> [...] Il n'est pas évident que l'intuition mène à la connaissance complexe, dans la réorganisation des systèmes sociaux, ni qu'elle nous permette de faire des interventions stratégiques dans les organisations. Il semble donc qu'une stratégie intuitive [...] est une stratégie douteuse. Si la science sociale appliquée a besoin d'une chose, c'est bien, chez ceux qui établissent les politiques sociales, d'une maîtrise des variables pertinentes. L'intuition est utile quand il s'agit de la direction des personnes, mais il est douteux qu'elle parvienne directement, de l'extérieur, à la direction des systèmes sociaux[3].

---

2. Arnold TANNENBAUM et Stanley SEASHORE, «Some Changing Conceptions and Approaches to the Study of Persons in Organizations», Ann Arbor, Michigan, University of Michigan, Institute for Social Research, sans date. Texte ronéotypé.
3. Warren G. BENNIS (1963). «A New Role for the Behavioral Sciences: Effecting Organizational Change», *Administrative Science Quarterly*, vol. 8, septembre, p. 128.

Alexander Winn ajoute un complément important à la position prise par Bennis sur cette question: «[...] comment pourrait-on transférer le climat de confiance, d'appui émotif et d'acceptation de ce que l'on est d'un [groupe de formation] à une [organisation] plus grande qui, plus souvent qu'autrement, possède des valeurs différentes, des croyances, des normes et des attentes différentes[4] ? » Manifestement, l'intuition ne suffit pas.

Deuxièmement, dans un groupe de formation d'étrangers, la pertinence des éléments de discussion liés au lieu de travail n'est pas toujours claire et directe. Par exemple, un conflit vécu dans l'immédiateté d'un groupe de formation d'étrangers peut fournir à l'individu A une compréhension d'un conflit de rôles dans lequel il a été impliqué à l'usine. Mais c'est le lien actif avec le lieu de travail qui est décisif. Les expériences vécues en groupes de formation d'étrangers ne peuvent pas établir de tels liens, et leur aptitude à les susciter plus tard, après la formation, est inégale. Le problème a même envahi profondément la littérature populaire. Par exemple, les réactions de Sheldon Davis sont acerbes, sur le manque de suivi, de l'expérience de laboratoire entre étrangers au milieu de travail :

> Supposons qu'un homme ait une expérience favorable. Il retourne au travail rempli de nouvelles valeurs, mais il retombe dans l'atmosphère minable qu'il avait quittée une semaine auparavant. Il est peut-être un homme changé, mais son environnement ne l'est pas. Comment pourrait-il pratiquer la confrontation avec un patron, avec une secrétaire ou avec des collègues qui n'ont pas la moindre idée de ce dont il est question ? Après quelques semaines, il est totalement hébété, ou bien il retourne, par simple autodéfense, à ses anciennes habitudes[5].

Le même résultat semble fréquent, même dans le cas de groupes de formation entre cousins[6].

Troisièmement, l'expérience suggère, en fait, que la session entre étrangers pourrait même rendre plus compliquée la reconstitution ultérieure d'un problème de ce genre sur le lieu de travail, qui est le seul endroit où un problème de travail peut être résolu. Cela est vrai de multiples façons. L'expérience entre étrangers pourrait simplement servir à dissiper les sentiments ou les réactions

4. Alexander WINN (1966). «Social Change in Industry: From Insight to Implementation», *Journal of Applied Behavioral Science*, vol. 2, avril, p. 78.
5. Sheldon Davis est cité par John POPPY (1968). «New Era in Industry : It's OK to Cry in the Office», *Look*, 9 juillet, p. 65. K. RAMFORTH (1965). «T-Group Methods within a Company», dans G. WHITAKER (sous la direction de), *ATM Occasional Papers*, vol. 2, Oxford, Basil Blackwell, fait état de résultats semblables dans des groupes de formation composés de personnes appartenant à des «coupes diagonales» d'une organisation. C'est-à-dire que les participants appartiennent à des niveaux hiérarchiques différents, mais ne comprennent aucun supérieur ou subordonné immédiat. Ce résultat a conduit Ramfort à renoncer à l'usage direct des groupes de formation.
6. Les groupes de cousins comprennent des membres d'une même organisation qui ne travaillent pas ensemble (N.D.T.).

qui pourraient motiver l'action sur le lieu de travail. Ainsi, ces sources potentielles de motivation seraient libérées dans un contexte où le problème sous-jacent peut certes être exploré, mais où sa résolution est certainement impossible. Par voie de conséquence, les expériences de formation entre étrangers pourraient seulement faire désespérer un peu plus l'individu A d'une action constructive au travail, à mesure qu'il se rend compte à quel point ses réactions d'aujourd'hui dans le groupe sont déterminées par le problème d'hier à l'usine, qui prend ainsi des dimensions démesurées en l'absence d'une occasion directe d'y travailler efficacement.

Quatrièmement, l'expérience entre étrangers est privée d'une réalité fondamentale de toute organisation réelle de la vie quotidienne : la structure d'autorité. Cela, au minimum, prive les participants d'un enseignement formateur de la plus haute importance pour toutes les organisations[7], et en fait dans la totalité de la vie. En outre, plusieurs des changements que des individus peuvent opérer à la suite d'expériences de groupes de formation doivent, tôt ou tard, recevoir l'aval de l'autorité de l'organisation, qui peut exercer une influence considérable sur la carrière des personnes et leur avancement. Au pire, enfin, certains processus normaux des groupes de formation peuvent occasionner des résultats inattendus, en l'absence de cette réalité élémentaire qu'est la structure d'autorité à laquelle le membre de l'organisation retournera. Considérons, par exemple, l'expérience de « dégel », dans le groupe de formation typique, qui est facilitée (telle que Bass la décrit) « par l'absence du décor familier et des mécanismes sociaux habituels, par la transgression des attentes des participants, et par la création d'une situation qui leur apparaît ambiguë, non structurée par des buts clairs, et pourvue d'un minimum d'indices[8] ». Bass redoute que cet aspect technique du groupe de formation puisse engendrer de sérieuses conséquences chez certains participants, tout en facilitant la formation chez d'autres. Par exemple, cet aspect de la technique peut favoriser chez certaines personnes des sentiments proches de la vitupération de Bakounine : « Toute autorité pervertit, toute soumission à l'autorité humilie. » Ce que Bass redoute :

> [...] il est possible que certains participants perdent confiance en l'autorité qu'ils exercent et qui peut être requise plus tard à des fins propres à l'organisation. Même si ce résultat n'est pas un but du programme ni un produit inévitable de la formation, il peut avoir lieu tout de même. En même temps, il peut y avoir une baisse correspondante d'approbation des comportements de soumission, laquelle est parfois essentielle à la bonne marche d'une organisation. Bref, la « destruction »

7. Sharon LIEDER et Newton MARGULIES (1971). « A Sensitivity Training Design for Organizational Development », *Social Change*, vol. 1, nº 1, p. 6. Robert T. GOLEMBIEWSKI et Arthur BLUMBERG (1967). « Training and Relational Learning », *Training and Development Journal*, vol. 21, novembre, pp. 35-43.
8. Bernard M. BASS (1967). « The Anarchist Movement and the T-Group », *Journal of Applied Behavioral Science*, vol. 3, avril, p. 215.

de la structure habituelle d'autorité effectuée par le groupe de formation afin de promouvoir l'exploration et le changement chez les participants individuels, ajoutée à l'insistance mise sur les valeurs démocratiques et sur le consensus, peuvent produire, au moins chez certains participants, l'émergence d'attitudes suffisamment antiautoritaires pour réduire leur contribution à l'organisation à des moments où un leadership directif devient nécessaire[9].

Cinquièmement, on comprit mieux, avec le temps, la complexité des interrelations entre l'expérience du groupe de formation d'étrangers et l'efficacité accrue des individus qui réintègrent plus tard leurs rôles particuliers à l'intérieur de leurs organisations. Cette complexité vient en partie du fait que les diverses tâches ont chacune leurs exigences propres[10]. Il n'y a aucune assurance, l'expérience acquise l'a progressivement montré, qu'une meilleure santé mentale et une maturité accrue se montreront à la hauteur de toutes ces exigences[11]. En conséquence, comme dit Bass en conclusion: « Il est peut-être nécessaire, mais il n'est pas suffisant, pour le développement des organisations, de donner aux gens une formation qui en fait de meilleurs diagnostiqueurs et qui accroît leur tolérance et leur conscience sociale[12]. »

Sixièmement, les expériences de formation entre étrangers ne peuvent, par définition, fournir le renforcement continu qui est au moins utile et peut-être nécessaire au transfert de l'apprentissage individuel au sein des contextes organisationnels. En vérité, une frustration peut apparaître lorsque les individus ne peuvent obtenir un tel renforcement sur les lieux du travail. En conséquence, ils peuvent devoir alors « réapprendre négativement », pour retrouver le rythme des normes de l'organisation. C'est là l'équivalent d'une hernie psychique.

Quelques effets sur les formules DO

De tels facteurs ont suscité d'importants changements d'opinion sur la valeur des formules DO. Au minimum, tant que le modèle A était en usage, ces facteurs ont rendu manifeste le besoin de développement de moyens pour

9. *Id. ibid.*, pp. 215-216.
10. Pour un exemple d'un niveau élémentaire, voir Robert T. GOLEMBIEWSKI (1962). *The Small Group*, Chicago, University of Chicago Press, en particulier pp. 201 et suivantes, pour une discussion des effets sur la tâche.
11. Pour un exemple extrême, voir William J. GOODE et Irving FOWLER (1949). « Incentive Factors in a Low Morale Plant », *American Sociological Review*, vol. 14, octobre, pp. 618-624. Dans l'organisation décrite dans ce texte, il est raisonnable d'affirmer qu'une santé mentale médiocre favorisait les intérêts de l'organisation.
12. Pour un exemple où la formation assurée par un groupe de formation n'a pas été suffisante pour la réussite de l'organisation, voir Samuel D. DEEP, Bernard M. BASS, et James A. VAUGHN (1967). « Some Effects on Business Gaming of Previous Quasi-T-Groups Affiliations », *Journal of Applied Psychology*, vol. 51, n° 5, pp. 426-431.

traduire, dans les contextes des organisations, les expériences de groupes de formation entre étrangers. Ces facteurs ont aussi favorisé l'émergence des applications du DO basées sur le modèle B.

Les effets spécifiques produits par ces changements sur les formules DO sont complexes. Quatre effets illustreront l'ampleur du phénomène. *Premièrement*, au sens le plus élémentaire, les attentes se sont faites plus réalistes concernant l'impact possible des groupes de formation sur le comportement des dirigeants de l'organisation. Ainsi, Ernest G. Miller concluait que le climat de l'organisation joue un rôle décisif dans les grands changements de comportement des membres.

> Peu d'études de mesure de l'impact des groupes de formation, s'il en est, peuvent démontrer leur influence sur le comportement de la direction, *à moins que* cette formation ne soit liée à un programme continu de renforcement de l'esprit d'équipe ou de développement organisationnel[13].

Paul Buchanan fournit une perspective, détaillée et instructive, d'une conclusion, qui devient de plus en plus répandue, selon laquelle un véritable travail d'équipe n'apparaît pas automatiquement du simple fait que la plupart, sinon tous ses membres, ont participé à un groupe de formation entre étrangers ou cousins[14]. Buchanan insiste particulièrement sur l'existence du fossé entre les formes d'apprentissage caractéristiques de ce genre d'expériences et le rendement de l'organisation. Les apprentissages typiques du groupe de formation d'étrangers ou de cousins, sont[15] :

- une diminution dans la fréquence des comportements extrêmes : les personnes qui montraient à l'origine des comportements très dominateurs en réduisent la manifestation, et celles qui à l'origine montraient des comportements très effacés deviennent plus assurées ;
- un accroissement de l'ouverture, de la conscience de soi, et de la tolérance à l'égard des différences de comportements et de valeurs ;
- un accroissement des habiletés opérationnelles, telles qu'une écoute plus attentive et plus d'empathie ;
- une conscience plus vive de l'importance des facteurs émotifs dans les relations de travail.

---

13. Ernest G. MILLER (1970). « The Impact of T-Groups on Managerial Behavior », *Public Administration Review*, vol. 30, mai, p. 297.
14. Paul C. BUCHANAN (1971). « Sensitivity, or Laboratory Training in Industry », *Sociological Inquiry*, vol. 41, printemps, p. 219.
15. *Id.* (1969). « Laboratory Training and Organization Development », *Administrative Science Quarterly*, vol. 14, septembre, pp. 466-480.

Buchanan note que ce genre d'apprentissage est compatible avec les buts de l'approche de laboratoire, mais qu'il n'est toujours pas suffisant pour déclencher d'importants changements organisationnels. Il conclut qu'il « est facile de voir que de tels changements dans les personnes, même s'ils sont d'une ampleur considérable et même s'ils affectent une proportion appréciable des membres d'une organisation [...], ne sont pas très susceptibles, en l'absence d'un nouvel effort planifié d'amélioration, de produire des changements majeurs dans le fonctionnement de l'organisation[16] ».

Ce nouveau réalisme comporte de nombreuses leçons. J'ajouterai, aux fins d'illustration, qu'on peut faire démarrer un programme de DO en suivant le modèle A, si cela semble approprié dans un cas particulier. Mais il faut demeurer conscient que tout changement amorcé dans un groupe de formation d'étrangers a besoin, pour devenir durable, d'un renforcement sur les lieux du travail. De plus, certains de ces changements peuvent entrer directement en conflit avec des normes ou avec la structure de l'organisation où le participant retournera par la suite. Cela peut provoquer des affrontements déplaisants. En réalité, s'il n'existe aucune possibilité de changement dans l'organisation d'où proviennent les participants, l'utilité d'un groupe de formation entre cousins, ou même entre étrangers, apparaît au moins discutable.

Deuxièmement, les premiers résultats des travaux en DO ont favorisé un déplacement d'intérêt, des habiletés individuelles aux changements de valeurs ou d'attitudes dans l'organisation. Ce déplacement peut sembler mince, mais il est vraiment décisif. C'est dire que, si le but de l'intervention porte sur des changements dans les habiletés individuelles, l'intense expérience du groupe de formation entre étrangers demeure le choix idéal, et plus l'expérience est intense, meilleure elle est. Si au contraire il s'agit de changements de valeurs et d'attitudes dans l'organisation, la formation s'orientera sur[17] :

- une nouvelle « vision du possible » guidant les relations personnelles et interpersonnelles au travail, les valeurs de l'approche de laboratoire proposant un idéal que les membres de l'organisation peuvent comparer, du point de vue du potentiel de satisfaction de leurs besoins, avec la réalité des relations au sein de leur organisation ;
- un sens accru de la collaboration entre les membres de l'organisation, qui vient du partage des valeurs et des normes de l'approche de laboratoire, et de l'appartenance à un ordre social commun ;
- l'amélioration de la confiance, du respect et de la communication entre les membres de l'organisation ;

16. *Id.* (1971). *Loc. cit.*
17. *Id. ibid.*, p. 221.

– une résorption du sentiment que les besoins individuels sont inévitablement opposés à ceux de « l'organisation ».

Le moyen le plus approprié à un tel apprentissage est l'expérience familiale[18], soit dans un groupe de formation ou dans quelque autre formule compatible avec l'approche de laboratoire. Quelques résultats de recherches, clairsemés, confirment de façon non équivoque la grande efficacité et la pertinence de telles expériences familiales lorsqu'elles ont pour but le changement organisationnel[19]. De plus, même lorsque des groupes de famille sont engagés, l'efficacité semble varier en fonction de l'importance des aménagements précédant la formation et de ceux qui la suivent[20]. Ce qui indique que le besoin, compréhensible, qu'éprouvent les participants de se sentir engagés dans un programme à long terme est un préalable à leur pleine résolution d'instaurer des changements dans les valeurs et le climat de l'organisation.

Du point de vue théorique qui justifie la primauté donnée aux valeurs plutôt qu'aux habiletés, un changement dans les valeurs est clairement une entreprise d'éducation, ou de rééducation, et c'est ce qui nous aide à distinguer l'approche de laboratoire de la thérapie telle qu'on l'entend ordinairement. De plus, on peut penser que le rôle des valeurs est décisif dans l'apprentissage des habiletés appropriées, mais que l'inverse n'est probablement pas vrai. « Le développement de valeurs adéquates mènera presque automatiquement au développement des habiletés adéquates », observe Chris Argyris sur ce point. « Les habiletés suivent les valeurs ; les valeurs suivent rarement les habiletés[21]. » Finalement, l'importance accordée aux valeurs fournit aux individus et aux groupes un cadre de référence systématique commun, qui peut avoir des effets d'autorenforcement. Le but, comme le note James Clark, est la création d'un ordre social au travail, « de systèmes sociotechniques réels qui favorisent les rencontres humaines offrant aux personnes les meilleures conditions d'expression de leur existence authentique, dans leurs relations les unes avec les autres et dans leur travail[22] ». Une fois établie, la dynamique d'authenticité accrue a des effets automultiplicateurs. Robert Tannenbaum et Sheldon Davis expliquent cette affirmation :

18. L'auteur se réfère à des « familles » organisationnelles, à des groupes d'acteurs interdépendants pour leurs tâches (N.D.T.).
19. Robert B. MORTON et A. WIGHT (1964). « A Critical Incidents Evaluation of an Organizational Training Laboratory », Sacramento, Californie, Aerojet General Corporation, Personnel Department. Texte ronéotypé. Reed M. POWELL et John F. STINSON (1971). « The Worth of Laboratory Training », *Business Horizons*, vol. 14, août, pp. 87-95.
20. Frank FRIEDLANDER (1968). « A Comparative Study of Consulting Processes and Group Development », *Journal of Applied Behavioral Science*, vol. 4, octobre, pp. 377-399.
21. Chris ARGYRIS (1962). *Interpersonal Competence and Organizational Effectiveness*, Homewood, Ill., Dorsey Press, p. 135.
22. James J. CLARK. « Task Group Therapy », p. 11. Texte ronéotypé.

> La réalisation d'une tendance à l'authenticité passe par la priorité accordée au développement de la totalité de la personne, et ce développement doit être organique [...]. Avec le temps, [ces développements] deviennent, en et par eux-mêmes, des valeurs. Et, à mesure que les gens deviennent moins démotivés et se rapprochent de l'authenticité, ils démontrent clairement qu'ils sont capables d'être créatifs en matière d'organisation, et cette créativité devient également une valeur partagée à l'intérieur de l'organisation. Le mouvement par lequel ces valeurs sont introduites, et progressivement adoptées par les membres de l'organisation, devient en lui-même et par lui-même porteur de nombreuses forces de changement et ouvre de nouvelles possibilités[23].

Troisièmement, l'effet direct et radical des premières expériences en DO a favorisé les formules de DO basées sur le modèle B. À preuve, la position adoptée par Jack et Lorraine Gibb : « L'expérience de groupe acquiert plus de puissance et de permanence lorsqu'elle est enchâssée dans le vif de la vie organisationnelle, concluent-ils. La formation acquise au sein d'une équipe naturelle est beaucoup plus forte que la formation qui s'acquiert dans les groupes hétérogènes qui sont fréquents en thérapie de groupe et dans le groupe de formation[24]. »

Quatrièmement, les formes adoptées par les programmes de DO furent à l'origine variées, pour obvier aux diverses insuffisances résumées ci-dessus. Ces variations oscillaient autour de deux axes : le recours au groupe de formation, ou à des formules analogues, exclusivement ; et l'insistance initiale, dans les programmes de DO, sur les réseaux d'interactions ou sur la structure. Certaines de ces formules utilisent directement les groupes de formation ; d'autres renoncent au groupe de formation et se concentrent sur les mécanismes interpersonnels et intergroupes, par le truchement d'une variété d'autres formules qui dérivent du groupe de formation, qui demeure la formule mère de la formation dans l'approche de laboratoire. Parallèlement, certaines des formules cherchaient à l'origine à changer les modes d'interactions, alors que d'autres ont d'abord cherché à effectuer des changements dans la structure, pour ensuite tenter d'introduire ou de renforcer des comportements, des attitudes ou des valeurs, compatibles avec ceux de la nouvelle structure. Plusieurs exemples esquisseront la portée de ces formules[25] :

---

23. Robert TANNENBAUM et Sheldon A. DAVIS (1969). « Values, Men and Organizations », *Industrial Management Review*, vol. 10, hiver, pp. 67-83.
24. Jack R. GIBB et Lorraine M. GIBB (1969). « Role Freedom in a TORI Group », dans Arthur BURTON (sous la direction de), *Encounter*, San Francisco, Jossey-Bass Inc., Publishers, p. 47.
25. Bernard M. BASS (1967). *Op. cit.*, pp. 222-225, fournit le modèle pour la série d'exemples qui suit.

- Des formules d'expériences selon le modèle A, entre étrangers, suscitent des processus et des résultats pertinents à l'organisation, par des simulations, des groupes de tâche ou des compétitions intergroupes.
- Des formules d'expériences selon le modèle A, entre étrangers, impliquent des activités quasi organisationnelles, comme la planification de certains aspects de l'expérience personnelle des gens, ou le développement d'une organisation à but particulier[26] dans laquelle les questions de méthode et de contenu exigent un traitement simultané.
- Des formules d'expériences selon le modèle A, entre étrangers ou cousins, facilitent un transfert ultérieur d'apprentissage à l'organisation, par exemple une concentration initiale sur les styles directoriaux dans la Phase I de Blake, qui fournit une base relativement immédiate à un travail ultérieur en groupes familiaux de formation[27].
- Des formules d'expériences de formation mêlent les modèles A et B, en combinant certains aspects d'expérimentations entre étrangers et familiales : par exemple, une période de formation fait alterner le travail d'un groupe de formation composé d'individus d'organisations différentes traitant de mécanismes interpersonnels et intergroupes immédiats, et celui des unités familiales homogènes traitant de leurs propres problèmes de travail[28].
- Des formules d'expériences de famille, suivant le modèle B, se concentrent sur des activités de développement d'équipe, c'est-à-dire sur des problèmes de travail, plutôt que sur les problèmes habituels des groupes de formation, le rôle du consultant étant de rappeler progressivement l'existence des processus interpersonnels et intergroupes[29].
- Des formules d'expériences concernant soit des familles, soit des étrangers, consistent en des jeux simulant des rapports d'affaires ; chaque joute est suivie d'une analyse détaillée, menée par des moniteurs professionnels, des problèmes de contenu et des processus[30], mais hors du contexte de formation par le groupe.

---

26. Richard E. BYRD (1967). « Training in a Non-Group », *Journal of Humanistic Psychology*, vol. 7, pp. 18-27.
27. Robert R. BLAKE et Jane S. MOUTON (1961). *The Managerial Grid*, Houston, Texas, Gulf Publishing Co.
28. Robert B. MORTON et Bernard M. BASS (1964). « The Organizational Training Laboratory », *Training Directors Journal*, vol. 18, octobre, pp. 2-18.
29. K. RAMFORTH (1965). *Op. cit.*
30. Alan B. WAGNER (1965). « The Use of Process Analysis in Business Decision Games », *Journal of Applied Behavioral Science*, vol. 1, octobre, pp. 387-408.

- Des formules de groupes de famille tentent de susciter des processus associés à l'approche de laboratoire, par exemple en augmentant la rétroaction dans un groupe de famille, mais sans recourir à un groupe de formation[31].
- Des formules de groupes de famille privilégient le changement structurel compatible avec l'approche de laboratoire ; et le comportement, les attitudes et les valeurs compatibles avec ce changement dans la structure peuvent alors être suscités et/ou renforcés par diverses formules de DO, dont certaines ont recours au groupe de formation, alors que d'autres se limitent à des mécanismes analogues seulement.

Les raisons du retard d'apprentissage dans les applications du DO : quelques problèmes de théorie et de pratique

Ce n'était pas, évidemment, la perversité des tenants de l'approche de laboratoire qui les a amenés à redécouvrir, péniblement, ce qui avait déjà été compris par d'autres applications des sciences du comportement. Ce sont des préoccupations conceptuelles et pratiques qui ont influencé, et peut-être même dicté, la direction prise initialement par l'approche de laboratoire dans les organisations complexes.

Les préoccupations conceptuelles qui ont orienté les premières applications du DO basées sur l'approche de laboratoire peuvent être illustrées de deux façons. La première est indiscutable, la seconde est un peu plus problématique. Considérons le « volontariat », qui occupe un rang très élevé au panthéon des valeurs de l'approche de laboratoire. Les expériences entre étrangers maximisent le « volontariat », qui semblait crucial dans l'incitation à divers aboutissements recherchés de la formation. On y voyait un facteur de réduction de la résistance au changement et de l'attitude défensive, il facilitait le dégel en même temps que l'appropriation psychologique, par l'apprenant, des conséquences de l'expérience d'apprentissage. Ce sont là d'importantes considérations dans toute situation d'apprentissage, qui ne peuvent pas être mises en péril inconsidérément. Les expériences de famille, par contre, obligeaient les praticiens à se demander jusqu'à quel point (et si) on pouvait abandonner l'engagement volontaire sans dénaturer l'essence même de l'approche de laboratoire. C'est pourquoi, au moment où les partisans de l'approche de laboratoire cherchaient leur voie, les expériences entre étrangers se sont imposées d'elles-mêmes.

31. Robert T. GOLEMBIEWSKI et Arthur BLUMBERG (1967). « Confrontation as a Training Design in Complex Organizations », *Journal of Applied Behavioral Science*, vol. 3, décembre, pp. 525-547. Matthew B. MILES, Paula HOLZMAN CALDER, Harvey A. HORNSTEIN, Daniel M. GALLAHAN et R. Steven SCHIVARO (1966). « Data Feedback and Organizational Change in a School System », texte présenté à l'assemblée annuelle de l'American Sociological Association, 29 août.

La contrainte conceptuelle exercée par le «volontariat» avait aussi ses avantages pratiques. Les opposants à l'approche de laboratoire, indépendamment de leurs motifs, disposaient manifestement d'une arme puissante dans l'interprétation stricte du «volontariat». Winn illustre bien la chose dans le résumé suivant de sa propre expérience de la première heure à la Société Alcan, au Canada:

> La participation de 200 personnes ou plus, cadres et professionnels, ne pose aucun problème pour les nombreux laboratoires de deux semaines [entre étrangers] organisés chaque année. Les participants s'engagent volontairement, et la plupart des membres du personnel anticipent cette expérience avec enthousiasme. La situation change du tout au tout, cependant, lorsqu'il est question d'attribuer les places dans les laboratoires de famille ou intergroupes. L'engagement volontaire décroît notablement, et les résistances réapparaissent en force. C'est très bien de jouer à «changeons les comportements», loin des subordonnés, des pairs ou des compagnons de travail, mais c'est une tout autre histoire de participer à ces « jeux interdits» à l'atelier. C'est trop menaçant[32].

Comme il arrive souvent, la commodité renforçait un principe apparent. La contrainte de la première heure devrait être apparente. Par exemple, Winn signale que de grands efforts pour calmer les anxiétés, pour faire la promotion de la valeur des expériences de famille, et ainsi de suite, étaient nécessaires pour faire accepter les applications faites sur le lieu de travail. Il est patent, cependant, que le succès de ce genre d'efforts suppose la résolution préalable des questions que la rencontre a pour objet de résoudre. Il est par conséquent compréhensible que l'importance de l'expérience de famille n'est pas apparue très tôt, ni dans toute sa mesure.

Il est aussi compréhensible que le groupe de formation et l'organisation formelle aient été initialement perçus comme différents au point d'être antithétiques. Il est certain qu'une telle idée, à ses débuts, était encouragée par une vénérable tradition théorique des sciences sociales. Cette tradition avait sa source dans la distinction féconde opposant la *Gemeinshaft* (communauté informelle) à la *Gesellshaft* (organisation formelle[33]), et n'était contredite que dans des éléments minimes quoique variables[34] par les principaux théoriciens ou philosophes. En vérité, au moins pour certains commentateurs contemporains,

32. Alexander WINN (1966). *Op. cit.*, p. 18-28.
33. Ferdinand TÖNNIES (1940). *Fundamental Concepts of Sociology*, New York, American Book Co., pp. 18-28.
34. Talcott PARSONS (1959). «The Social Structure of the Family», dans Ruth N. ANSHEN (sous la direction de), *The Family: Its Function and Destiny*, New York, Harper & Row Publishers, pp. 260-263.

l'acceptation de l'antithèse de base entre les groupes primaires (comme le groupe de formation) et les groupes secondaires (comme les bureaucraties) est encore un article de base de la théorie sociale[35].

De là vient que les applications organisationnelles de la formation de laboratoire peuvent avoir ressemblé, à l'origine, à quelque chose comme l'invention d'un contenant pour un solvant universel. Avec le résultat, prévisible, d'une nette préférence accordée aux expériences de groupes de formation d'étrangers qui, quoi qu'elles aient pu être par ailleurs, avaient sans contredit un impact. Si nous tenons compte, cependant, de l'attrait des idées dominantes de toute époque, il aurait été étonnant que les partisans de l'approche de laboratoire aient pu se dissocier, sans ambiguïté et définitivement, des idées dominantes de leur époque et des traditions de leur discipline, même s'ils l'avaient voulu[36]. Cet argument est, évidemment, une supposition.

Le fait que les premières applications en DO basées sur l'approche de laboratoire reposaient sur le modèle A et devaient ainsi revivre l'expérience des autres applications organisationnelles des sciences du comportement, peut aussi être retracé dans une question pratique logée à l'intérieur de problèmes d'ordre conceptuel. En réalité, les premières années du DO semblent avoir été la période de gestation nécessaire au développement d'agents de changement ou d'intervenants compétents, dans l'approche de laboratoire et l'analyse organisationnelle. Cette gestation impliquait au moins plusieurs éléments reliés : le développement d'un rôle d'intervenant, ce qui supposait une compréhension des problèmes d'organisation auxquels il devait faire face, aussi bien que du style de la riposte ; et l'accessibilité d'une technique de plus en plus raffinée, appropriée à ces problèmes et à ce style. Le tableau 1 apporte une partie du détail nécessaire de ce rôle d'intervenant, en pleine évolution. Ce tableau communique une partie de la signification émergente des problèmes fondamentaux auxquels l'intervenant fait face, et elle suggère aussi le style qui permettra de les résoudre. Le tableau 1 devrait être auto-explicatif.

35. Eugene LITWAK et Henry J. MEYER (1966). « A Balance Theory of Coordination between Bureaucratic Organizations and Community Primary Groups », *Administrative Science Quarterly*, vol. 11, juin, pp. 31-32.

36. Par exemple, la critique adressée par Chris Argyris à la théorie de l'organisation traditionnelle, dans *Personality and Organization*, New York, Harper and Row Publishers, 1957, a été généralement interprétée comme un appui donné à la théorie de l'incompatibilité fondamentale entre les groupes primaire et secondaire, même s'il avait pris grand soin de préciser que les structures possibles de remplacement, dans les groupes secondaires, diffèrent profondément en potentiel de satisfaction des besoins humains. En dépit du fait qu'Argyris était net sur la différence entre sa propre position et la position traditionnelle, à ce moment précis, d'autres auteurs ont persisté dans leur interprétation de son œuvre comme favorable à la position traditionnelle. On voit là l'incroyable pouvoir de toute idée dominante, qui est ordinairement très simple mais profondément imprégnée.

Nous avons dû parcourir les sections précédentes, et nous devrons encore prendre la plus grande partie de celles qui suivent, afin de donner un aperçu du registre des formules disponibles pour l'intervenant.

Quelques conclusions sommaires sont possibles ici, bien qu'une bonne partie du fardeau de la preuve demeure. Le tableau 1 devrait suggérer un certain nombre de raisons de la lenteur relative de la transposition, dans les organisations, des premières expériences d'étrangers, compte tenu des difficultés du rôle de l'intervenant en organisation. Le tableau 1 suggère également la présence d'une circularité importante. À mesure que le rôle de l'intervenant gagne en précision, s'accroît également la probabilité des tentatives d'applications du DO basées sur l'approche de laboratoire. Et à mesure que la portée et la diversité des formules auxquelles l'intervenant a accès croissent en conséquence, la probabilité augmente également que les applications DO basées sur l'approche de laboratoire débouchent sur une forme quelconque de transfert organisationnel, selon le modèle A ou selon le modèle B. Comme disait quelqu'un, l'avenir est à la complexité, puisque tout est dans tout.

TABLEAU 1
Un schéma de l'univers de l'intervenant

TÂCHES PRIMORDIALES DE L'INTERVENANT

- aider le système-client à produire de l'information de qualité ;
- aider le client à utiliser l'information pour faire des choix plus informés, responsables et libres ;
- aider le client à produire de l'information et à faire des choix libres qui accroissent son engagement envers lui-même ;
- aider le client, en général, à :
  - choisir des buts en étant le moins possible sur la défensive,
  - définir les approches pour atteindre les buts,
  - relier le choix des buts et des approches aux besoins importants,
  - intégrer, dans les choix, un niveau d'aspiration stimulant mais tout de même accessible.

QUALITÉS REQUISES DE L'INTERVENANT

- confiance dans sa propre politique d'intervention et dans les stratégies qui en dépendent ;

TABLEAU 1 (suite)
Un schéma de l'univers de l'intervenant

- aptitude à une perception exacte de la réalité, particulièrement en situation de stress ;
- aptitude à percevoir et à accueillir les agressions et la méfiance du client, et une disposition à encourager le client à les manifester ;
- aptitude à transformer les situations de stress en occasions d'apprentissage, pour lui-même et pour le client.

SITUATIONS AUXQUELLES L'INTERVENANT FAIT FACE

- forte divergence et ambiguïté :
  - entre son point de vue et celui du client sur les origines des problèmes,
  - entre son point de vue et celui du client sur la conception de systèmes efficaces,
  - entre ses propres idéaux de consultant et son comportement ;
- adhésion incomplète au système-client, ce qui fait sa valeur comme consultant, et son problème ;
- méfiance des clients, manifestée par leur fausse perception de ses motifs comme consultant, ou des incompréhensions qu'ils imputent à ses communications ;
- rétroaction minimale du client sur son efficacité comme consultant.

ADAPTATIONS DYSFONCTIONNELLES POTENTIELLES DE L'INTERVENANT

- augmentation des comportements défensifs, et diminution des comportements appropriés ;
- inclusion totale dans le système-client ou, encore, intervention strictement technique ou scientifique dans le système-client ;
- niveau d'attentes irréaliste, compulsion de l'impact, compulsion de la réussite ;
- forts besoins de l'approbation ou de la désapprobation venant du client.

Source : D'après Chris ARGYRIS (1970). *Intervention Theory and Method*, Reading, Mass., Addison-Wesley, pp. 128-176.

Statut actuel des applications de l'approche de laboratoire aux organisations : fondements d'une science appliquée du comportement

Les développements du DO étaient motivés autant par la réussite que par l'adversité, que ces développements facilitent la continuation des expériences initiales entre étrangers selon le modèle A, ou qu'ils inspirent des formules basées sur le modèle B. Jusqu'à présent, notre préoccupation centrale portait sur diverses insuffisances, qui ont stimulé le changement et le développement. Six forces positives de développement seront maintenant esquissées ci-dessous, qui feront état des bases réelles des succès rencontrés, lesquelles étaient le tremplin des applications à venir de l'approche de laboratoire aux organisations.

Premièrement, et particulièrement au cours des dernières années, des cas exemplaires, exceptionnels, ont mis en lumière tout le potentiel de l'approche de laboratoire, dans le monde des affaires et dans celui de l'administration publique. Certains de ces cas exemplaires ont été les « enfants prodiges » (*wunderkinder*) dont les vertus furent rapidement chantées dans les contacts personnels entre connaisseurs, et qui ont même attiré plus tard l'attention des médias de masse[37]. D'autres exemples étaient plus directement liés à la recherche[38], et ajoutaient un contrepoint important aux affirmations plus pragmatiques sur la possibilité, fondée sur l'approche de laboratoire, d'une vie plus humaine et d'une organisation plus efficace. De plus, certaines de ces

37. Le meilleur exemple est peut-être celui des *TWR Systems*. Voir Sheldon A. DAVIS (1967). « Organic Problem-Solving Method of Organizational Change », *Journal of Applied Behavioral Science*, vol. 3, janvier, pp. 3-21. Voir aussi un court recueil d'études de l'université Harvard décrivant le programme DO à TWR, et ses sources dans l'approche de laboratoire, dans Gene W. DALTON, Paul R. LAWRENCE et Larry E. GREINER (sous la direction de) (1970). *Organizational Change and Development*, Homewood, Ill., Irwin-Dorsey, pp. 114-153. Pour le profane, l'attention fut attirée sur les travaux effectués à TWR par des textes comme : John POPPY (1968). *Op. cit.*
38. Cyril SOFER (1961). *The Organization from Within*, New York, Quadrangle Books. Robert R. BLAKE, Jane S. MOUTON, Louis B. BARNES, et Larry E. GREINER (1964). « Breakthrough in Organization Development », *Harvard Business Review*, vol. 42, novembre, pp. 133-135. Robert R. BLAKE, Jane S. MOUTON, Richard L. SLOMA, et Barbara Peek LOFTIN (1968). « A Second Breakthrough in Organization Development », *California Management Review*, vol. 11, nº 2, pp. 73-78. Alfred J. MARROW, David G. BOWERS, et Sheldon S. ZALKIND (1969). « The Impact of an Organizational Development Program on Perceptions of Interpersonal, Group and Organization Functioning », *Journal of Applied Behavioral Science*, vol. 5, juillet, pp. 393-410. Alfred J. MARROW, David G. BOWERS et Stanley E. SEASHORE (1967). *Management by Participation*, New York, Harper & Row Publishers. Richard A. SCHMUCK et Matthew B. MILES (sous la direction de) (1971). *Organization Development in Schools*, Palo Alto, Californie, National Press Books.

applications, utilisant le modèle A, mirent au point des moyens de favoriser le transfert de tout apprentissage initial à des contextes organisationnels[39], alors que d'autres applications constituaient, en germe, le début des approches selon le modèle B[40].

Deuxièmement, les applications tendaient à démontrer que les effets produits par le groupe de formation n'étaient pas de la variété « montagne magique », c'est-à-dire réalisables uniquement dans des îlots culturels étroitement circonscrits. Fondamentalement, à mesure que le nombre d'applications s'est accru, le nombre et la portée des formules du DO s'accrurent également. L'estime s'accrut également en proportion pour celles d'entre ces formules qui se montraient les plus adaptables à un large éventail de situations. Certaines de ces formules innovatrices, par exemple, renouvelaient brillamment l'usage du groupe de formation familial, et obtenaient des résultats positifs. Une expérience à la société *Non-Linear Systems* est éloquente. Une unité entière de production s'initia au groupe de formation, sans perte apparente de pouvoir, et avec des gains importants[41] :

- La présence sur place des supérieurs hiérarchiques restreint les imaginations sur les histoires que le moniteur ou les autres participants racontent au patron.
- Il est plus facile de renforcer toute nouvelle conduite résultant de la formation, et tout apprentissage peut être plus ou moins immédiatement appliqué au travail.
- Les relations interpersonnelles et la communication entre participants s'améliorent au travail, par la simple diminution de l'ignorance répandue et multiple des vrais sentiments et des vraies réactions des collègues de travail, qui caractérise même les collègues de longue date.

39. Le projet ACCORD, au Département d'État américain, par exemple, utilisa une expérience de « cousins » initiale, selon le modèle A, pour contribuer au développement d'approches, comme la consultation d'un tiers, du problème du transfert organisationnel d'apprentissage. Voir aussi Richard BECKHARD (1966). « An Organizational Improvement Program in a Decentralized Organization », *Journal of Applied Behavioral Science*, vol. 2, janvier, pp. 3-26. Richard BECKHARD et Dale G. LAKE (1971). « Short- and Long-Range Effects of a Team Development Effort », dans Harvey A. HORNSTEIN, Barbara Benedict BUNKER, W. Warner BURKE, Marion GINDES et Roy J. LEWICKI (sous la direction de), *Social Intervention : A Behavioral Science Approach*, New York, The Free Press, pp. 421-439.
40. Arthur H. KURILOFF et Stuart ATKINS (1966). « T-Group for a Work Team », *Journal of Applied Behavioral Science*, vol. 2, janvier, p. 63. Les auteurs notent que : « Supérieurs et subordonnés participaient ensemble aux sessions du groupe de formation. C'est inaccoutumé [...]. »
41. *Id. ibid.*, p. 64.

– Il existe une discipline consciente opérant à l'intérieur des groupes familiaux. Les groupes insistent pour améliorer les relations interpersonnelles et les communications reliées au travail, plutôt que sur le simple développement personnel des participants. Ce qui facilite la tâche de la transposition de ce qui est appris dans le contexte du travail, et fournit des critères plus ou moins communs à la formulation des données techniques destinées à être insérées dans la session de formation.

D'autres formules innovatrices sont des sous-produits du groupe de formation, matrice universelle de la formation dans l'approche de laboratoire, ou suscitent l'émergence d'analogues aux mécanismes du groupe de formation, sans impliquer la formation par le groupe comme telle. Elles ont en commun la conviction que l'approche de laboratoire peut engendrer un grand nombre de formules qui donnent prise sur les comportements, les attitudes et les valeurs, au moyen du groupe de formation ou par d'autres contextes d'apprentissage.

Troisièmement, ces applications ont renforcé le rôle critique du transfert. Deux approches générales ont été adoptées. Ainsi, des expériences familiales, suivant le modèle B, furent utilisées dans le démarrage d'interventions en DO, afin de faciliter le transfert en faisant de l'unité de travail l'unité de formation. D'autres applications suivaient le modèle A, mais le transfert de la formation acquise par des sessions entre étrangers était rendu plus facile pour plusieurs raisons. Par exemple, on a davantage reconnu la nécessité de renforcer tout apprentissage individuel par l'introduction de changements correspondants dans le climat de l'organisation, ou sa structure, au moyen des activités de développement d'équipe, ou d'autres formules du genre. En outre, la renommée de plusieurs applications qui devinrent des réussites exemplaires alimenta un plus grand désir de nouvelles activités dans l'organisation, après l'expérience initiale de formation entre étrangers. Finalement, le problème du « volontariat » se résorba quelque peu. C'était, en partie, l'effet d'une meilleure réponse apportée aux inquiétudes initiales des participants, et aussi l'effet des récents témoignages encourageants sur les conséquences bénéfiques, pour les personnes et pour les organisations, des applications qui avaient donné lieu aux réussites exemplaires. En partie également, le « volontariat » devint moins important à cause de la disponibilité de diverses formules de démarrage en DO qui n'avaient pas recours au groupe de formation, qui exigeaient moins des participants, lesquels pouvaient ensuite mettre leur courage à l'épreuve dans des expériences de groupes de formation, d'étrangers ou de famille. La règle commune, empirique, était qu'une organisation ne devait en aucun cas imposer à ses employés une expérience de groupe de formation. Lorsque des unités familiales s'engagèrent dans des expériences de développement d'équipe, cependant, la participation était une condition de la continuation de l'emploi.

Quatrièmement, certaines, au moins, des applications exemplaires, semblaient indiquer que les changements introduits par les interventions DO, réussies et basées sur l'approche de laboratoire, persistaient pendant de longues périodes. Ce résultat a éliminé les victoires à bon compte qui étaient possibles avant que ne soient connus les résultats d'études à long terme. En fait l'ancêtre de toutes les études à long terme couvrait une période de quelque huit années. Des changements d'importance majeure furent signalés par des comparaisons de type avant/après, couvrant les premières années des travaux en DO[42]. Approximativement six ans plus tard, « quoique les résultats soient un peu inégaux et qu'ils contiennent quelques éléments défavorables », une équipe de recherche rapportait que, « bien loin de retomber dans sa condition antérieure, l'organisation a fait de nouveaux progrès au cours des années récentes, dans la réalisation des buts envisagés pour 1962 par les propriétaires et les cadres, et envisagés pour un peu plus tard par les supérieurs et les employés de la production ». Les deux principaux enquêteurs concluaient, un peu facétieux :

> Nous avouons, en deux mots, le regret de ne pas nous trouver devant un résultat contraire, car nous sommes plutôt mieux pourvus en idées sur l'immobilisme et sur la régression des organisations, que nous ne le sommes en idées de changement organisationnel et de développement continu. Par exemple, avant que les données ne nous soient communiquées, nous avions préparé quelques remarques sur l'« effet Hawthorne » — sur le caractère superficiel et transitoire des changements organisationnels et de comportements provoqués dans des conditions d'intervention et de pression extérieures ; mais il serait insensé de penser à un « effet Hawthorne » persistant depuis huit ans chez des gens dont la moitié n'était pas sur les lieux au moment du premier changement. De même, nous étions prêts à faire des remarques judicieuses sur les forces culturelles, sur les habitudes, et sur la prédilection naturelle des cadres pour les méthodes non participatives ; nous avions prévu que ces facteurs rendraient compte, pour une part, du retour aux conditions habituelles des organisations. Nous étions prêts à affirmer qu'en l'absence de forces contraires dans l'environnement, en l'absence de forces extérieures, d'efforts délibérés, continus et surtout extrêmement énergiques pour maintenir le changement, une organisation retournerait dans le giron de quelque forme plus primitive de vie organisationnelle[43].

Le simple fait que les enquêteurs principaux n'ont pas eu à parler dans ces termes constituait une nouvelle organisationnelle de première importance, qui renforçait d'anciens espoirs, des intuitions, et des données fragmentaires.

Cinquièmement, les applications exemplaires signalaient la valeur de l'*orientation systémique*. Ce qui signifie que, s'il peut être opportun de commencer par changer les modes d'interactions au moyen des méthodes de groupe

---

42. Alfred J. MARROW, David G. BOWERS et Stanley E. SEASHORE (1967). *Op. cit.*
43. Stanley E. SEASHORE et David G. BOWERS (1970). « Durability of Organizational Change », *American Psychologist*, vol. 25, janvier, p. 232.

de formation, à titre de démarrage et dans un cas particulier donné, tout programme de DO devrait, de préférence plus tôt que plus tard, s'engager « dans des interventions qui se renforcent mutuellement et concernent tous les domaines : psychologique, organisationnel et technique ». Les deux chercheurs récapitulent de la façon suivante ce qui constitue le point névralgique de leur propre percée décisive en DO :

> L'idée centrale était d'ajuster les changements structuraux dans l'organisation au système de travail, sans négliger les valeurs et les besoins que l'on peut raisonnablement supposer chez les membres individuels [...]. L'idée d'une cohérence du système est certainement une idée élémentaire, tout juste de sens commun, — c'est une habitude de pensée pour ceux qui ont appris à voir l'usine comme un tout, comme un seul système dans lequel tous les éléments sont interdépendants. L'interdépendance des éléments tend à conserver, à renforcer, et à « capturer » les caractéristiques centrales du système, empêchant ainsi le retour en arrière[44].

Cette orientation systémique a permis de faire échouer l'ancien irréalisme qui voyait dans le groupe de formation une sorte de « potion magique » capable de guérir de nombreux maux de l'organisation. Une telle illusion peut être attribuée, plus ou moins directement, à de nombreuses anciennes approches du DO guidées par le modèle A.

Sixièmement, certaines des entreprises où avaient eu lieu les applications exemplaires en DO commencèrent à manifester beaucoup d'intérêt pour des variables autres que la qualité de la vie et les modes d'interactions. Le plus grand exemple est peut-être la recherche menée en parallèle à une application de DO de la grille managériale de Blake[45]. En substance, la grille tente de susciter un style particulier de gestion, en commençant avec les individus et en poursuivant avec des regroupements de plus en plus étendus de personnes, à mesure que la formation progresse. Les résultats de ce genre de formation-recherche ont été l'objet de comptes rendus très favorables, et à bon droit, dans les périodiques de gestion à grande diffusion. Le travail de recherche était exhaustif et traitait de nombreuses variables qui sont de grande importance, pour les observateurs aussi bien que pour les cadres des organisations complexes. De là les réactions favorables. Par exemple, un article succinct signale ainsi les résultats de cette application féconde en DO :

---

44. *Id. ibid.*, p. 233.

45. Robert R. BLAKE *et al.* (1968). *Op. cit.* La confirmation des résultats attendus de la Phase I est donnée, par exemple, par M. BEER et S. W. KLEINSATH (1967). « The Effects of the Managerial Grid Lab on Organizational and Leadership Dimensions », texte présenté à l'assemblée annuelle de l'American Psychological Association, Washington, D.C., septembre.

> [...] La Société a connu une augmentation considérable de ses profits et une baisse de ses coûts. Les chercheurs attribuent 56 % du profit à une augmentation de facteurs incontrôlables, 31 % à une réduction de la main-d'œuvre, et 13 % (ce qui correspond à plusieurs millions de dollars) à l'amélioration des modes d'opération et à l'augmentation de la productivité par heure de travail. L'augmentation de la productivité des employés a été acquise sans investissement additionnel dans l'usine ou l'équipement. D'autres critères de changement cités font état d'une augmentation dans la fréquence des réunions, une augmentation des mutations à l'intérieur de l'usine et aux autres parties de l'organisation, un taux plus élevé de promotions chez les jeunes cadres de la production que chez le personnel ayant plus d'ancienneté, et un taux plus élevé de réussites dans la résolution de problèmes organisationnels[46].

De tels résultats exercent des attraits multiples, spécialement chez le chercheur qui voit le maniement d'une variable d'intervention relativement précise (le style de gestion des cadres), et son association à des variables résultantes (comme les profits et les coûts), comme le point de départ de la formulation d'un modèle complexe des réseaux de relations touchés par les programmes DO.

D'autres applications exemplaires sont susceptibles de mettre en appétit des personnes chargées d'importantes responsabilités organisationnelles, bien que dans ces organisations les connexions entre les variables impliquées et les résultats organisationnels n'aient pas été établies de façon si directe. Beckhard a résumé les résultats d'un tel programme en DO. Il signale, par exemple, une amélioration spectaculaire des profits au cours de l'année suivant le programme DO, malgré la stabilité générale des profits dans cette industrie. Beckhard a aussi donné les preuves de l'amélioration des relations interpersonnelles et intergroupes, telles qu'un bas niveau de changement dans le personnel, dans une industrie marquée par une mobilité élevée de la main-d'œuvre. En outre, il notait diverses augmentations dans l'efficacité du rendement de la plupart des unités de l'entreprise, comme une réduction des coûts en fonction des ventes. Assurément, Beckhard n'attribuait pas entièrement chacun de ces changements au travail d'éducation DO. Mais il a vivement insisté sur le fait que le programme

---

46. Julius E. EITINGTON (1971). « Assessing Laboratory Training Using Psychology of Learning Concepts », *Training and Development Journal*, vol. 25, février, p. 15. Reproduit avec la permission spéciale de The American Society for Training and Development. On notera que d'autres études ne confirment pas certains de ces effets, pour des phases antérieures et pour des phases ultérieures de la formation selon la grille manageriale. Voir Peter B. SMITH et Trudie F. HONOUR (1969). « The Impact of Phase I Managerial Grid Training », *Journal of Management Studies*, vol. 6, octobre, particulièrement les pages 319-322 ; et S. R. MAXWELL et Martin G. EVANS (1971). « An Evaluation of Organizational Development : Three Phases of the Managerial Grid », document de travail, School of Business, University of Toronto. Texte ronéotypé.

DO « a apporté une contribution importante, en développant des attitudes résolument engagées envers les objectifs de la société, un souci partagé de l'importance des coûts de production, et une augmentation mesurable de l'efficacité des opérations dans presque toutes les unités[47] ».

En résumé, l'effet combiné de forces si favorables a contribué à l'émergence de nombreux programmes de formation-recherche qui tentent d'instaurer, dans le plus complet détail pratique et théorique, les conditions et les conséquences des formules DO particulières. Bref, les débuts de l'évolution de l'approche de laboratoire du DO ont été très prometteurs.

47. Richard BECKHARD (1966). *Op. cit.*, pp. 23-24.

5

Réflexions sur la stratégie du groupe de formation et le rôle de l'agent de changement dans le développement organisationnel*

Alexander WINN

Dans un article récent (Winn, 1969), j'avais défini le développement organisationnel comme une stratégie normative, rééducative, qui vise non seulement à modifier les convictions, les échelles de valeurs et les attitudes des membres de l'organisation, mais aussi à créer des conditions permettant une remise en question des structures formelles de celle-ci. Ainsi considéré, le développement organisationnel ne limite plus son objet à l'amélioration de la qualité des interréactions individuelles, il vise aussi à mettre en œuvre l'aptitude du système à redéfinir et à modifier ses structures fondamentales.

Une telle modification devrait inclure un réexamen du circuit de l'information et la redéfinition des sources et de la distribution du pouvoir. C'est ce que Buckley (1967) appelle la propriété morphogène du système, qu'il considère comme la caractéristique distinctive essentielle des organisations humaines.

Ce qu'il y a d'important dans l'effort de développement organisationnel, c'est la création et l'entretien d'une instance permettant la résolution permanente des différences et un système de prise de décisions susceptible d'apporter

* Ce texte, adapté d'une étude présentée au Congrès international de psychologie appliquée, à Liège en juillet 1971, a d'abord paru dans *Bulletin de Psychologie*, 296e parution, vol. 25, nos 5 à 7, 1971-1972, pp. 250-256.
L'auteur aimerait exprimer ici sa gratitude à André-Jean Rigny pour son aide dans la rédaction du texte français.

des solutions aux problèmes à venir. En bref, le système à créer devrait permettre un réexamen permanent et une restructuration de l'organisation en sorte qu'elle s'adapte mieux à des changements accélérés de la technologie et de l'environnement.

La plupart des praticiens du développement organisationnel s'appuient presque exclusivement sur ce que Bennis (1969) appelle le modèle « amour-vérité », lequel part du principe que l'homme est raisonnable et responsable, et qu'une fois la confiance établie, le changement social souhaité prendra place dans l'organisation sans qu'il soit besoin d'aucune autre source d'influence[1].

Par ailleurs, et c'est peut-être plus grave, beaucoup trop nombreux sont les conseillers qui confondent le développement organisationnel et la technique des groupes de formation (*T-Groups*). De tels praticiens du développement organisationnel limitent presque exclusivement leurs interventions au domaine interpersonnel. Ils ne tiennent compte qu'en paroles d'éléments importants de l'efficacité d'une organisation, comme le cheminement du travail, la structure fondamentale de l'organisation, ses tâches, sa technologie, son environnement. Dès lors, il ne faut pas s'étonner que bien des programmes de développement organisationnel, fondés uniquement sur la stratégie des groupes de formation, n'aient pas atteint les résultats qu'on en attendait, tout comme il en fut vingt ans plus tôt des programmes d'entraînement aux relations humaines.

Parallèlement au succès quelque peu limité de la stratégie du groupe de formation dans le développement organisationnel, on assiste aujourd'hui à une prolifération de variantes du groupe de formation telles que les groupes de rencontre, la thérapie de groupe pour sujets normaux, les marathons ou microlabs, dans lesquels l'insistance est radicalement réorientée des processus de groupes et de création d'équipes vers les dimensions intra et interpersonnelles, et où dominent les éléments non verbaux. Le bien-fondé de cette approche du développement organisationnel a été mis en question par Argyris (1967) et l'auteur (Winn, 1970) dans un autre contexte.

---

1. Peut-être que, notre culture devenant de plus en plus profane, le modèle « amour-vérité » et les techniques qu'il comporte, du type « sensibilisation par le groupe », « rencontre de base par le groupe », thérapie de groupe et autres, exprime notre nostalgie religieuse, ce qui expliquerait sa popularité. Par ailleurs, il reste gênant que certains praticiens ferment les yeux sur les pulsions irrationnelles et destructrices de l'homme. Robert Tannenbaum et Sheldon A. Davis, par exemple, dans leur étude « Valeurs, homme et organisation » (présentée à la *McGregor Conference*, au *Management Institute of Technology* [MIT], en octobre 1967) suggèrent que nous passions d'une approche présentant l'homme comme essentiellement mauvais à une vue le faisant paraître originellement et fondamentalement bon. Certes, en même temps que la religion perdait de son influence, certains d'entre nous ont cessé de croire au péché originel, mais ceci ne justifie pas une régression à des concepts psychologiques préfreudiens.

En même temps que les interventions se limitaient au modèle du groupe de formation, les conseillers recommandaient à leurs clients la création d'un réseau interne d'agents de changement, sortes de catalyseurs destinés à assister l'organisation dans sa progression vers un système authentiquement ouvert, mieux adapté aux exigences aussi bien du dedans que du dehors.

Peut-être pourrions-nous poser quelques questions à propos des deux éléments qui semblent cruciaux dans l'effort du gestionnaire pour construire une organisation plus efficace : 1) la stratégie des groupes de formation, et 2) le rôle de l'agent de changement.

Les praticiens qui utilisent les groupes de formation comme stratégie exclusive de développement organisationnel sont les héritiers intellectuels de la théorie des organisations fondée sur les relations humaines. Le principe qui sous-tend cette stratégie, c'est que la dimension oubliée par les théoriciens classiques, à savoir celle des motivations à coopérer, doit prédominer dans l'intervention du conseiller. L'approche du groupe de formation vise à créer dans l'organisation un climat, un système d'opinions, de valeurs et d'attitudes déterminant dans le style des relations de chacun avec les autres et avec l'autorité. L'accent est mis sur l'ouverture, l'authenticité, la confrontation.

L'insistance sur l'ouverture et la confrontation dans la stratégie du groupe de formation est particulièrement significative. Aucune relation n'est complètement exempte d'hostilité. S'il devient permis d'exprimer l'hostilité ouvertement (d'une manière contrôlée), cela clarifie l'atmosphère et autorise le développement de relations satisfaisantes sur le plan affectif et orientées vers la tâche. Si cette ouverture est supprimée, cela laisse un résidu de sentiments corrosifs et cause des frictions psychologiques dans les relations.

Cependant, s'il est vrai, comme le disent Dunnette et Campbell (1970), que les travaux de recherche sur les résultats de la stratégie du groupe de formation sur les individus et les organisations ne soient pas encore très convaincants (pour ce qui est des mesures objectives d'attitudes, de prises de conscience, etc.), cette stratégie demeure un outil éducationnel riche de promesses. En effet, si l'on accepte l'idée que les domaines traditionnellement négligés des motivations et de l'esprit de coopération est de toute première importance, il devient impératif d'insister sur le climat. L'ouverture, la confiance, l'acceptation du risque ne peuvent se développer que si l'atmosphère est propice.

Peut-être faudrait-il en premier lieu se demander, non pas si le groupe de formation a des effets significatifs sur les personnes et l'organisation, mais plutôt quelle stratégie d'intervention doit être utilisée dans une organisation donnée. Un diagnostic circonspect permettra de choisir l'éducateur et le type de laboratoire répondant le mieux aux circonstances. Ce dont la stratégie des groupes de formation a eu le plus à souffrir, c'est de l'ardeur de certains conseillers qui y ont eu recours dans toutes les occasions où était en cause le développement organisationnel. Cette approche simpliste rappelle la manière qu'avaient les premiers théoriciens de la gestion de ramener leurs vues de l'organisation à quelques préceptes universels. Ceci est vrai en particulier des « classiques », tels Fayol (1925), Gulick et Urwick (1937). Si on les suivait, le bon procédé d'organisation serait toujours le même.

On peut faire la même critique à certaines approches plus récentes centrées sur la gestion participative[2]. Or, il devient de plus en plus évident (Vroom, 1960) que les effets positifs de la participation à la décision varient avec certaines prédispositions des personnes. C'est ainsi que les personnes autoritaires, ou celles qui ont de faibles besoins d'indépendance, ne semblent pas autrement attirées par la possibilité de la participation du personnel à la prise de décision.

Le diagnostic des besoins d'une organisation doit faire place aux variables contingentes de l'efficacité, lesquelles incluent bien sûr les besoins de ses différentes catégories de membres, mais aussi certains paramètres inhérents aux données, comme la technologie, les diverses tâches requises, le cheminement du travail, etc. Burns et Stalker (1961) ont démontré que le schéma d'organisation nécessaire dans l'industrie électronique n'est absolument pas celui qui convient dans celle des machines destinées aux textiles. Plus que toutes les autres variables indépendantes, ce sont la technologie et l'environnement qui prédéterminent le modèle le plus efficace de développement organisationnel. L'intervention éducationnelle peut être tout à fait différente dans une fabrique d'épingles de sûreté et dans l'industrie aérospatiale.

Lawrence et Lorsch (1967), avec leur théorie de l'organisation fondée sur la contingence, présentent probablement le cadre conceptuel le plus prometteur produit par la recherche depuis dix ans ou plus. Leur travail met en lumière le fait que le degré de stabilité de l'environnement d'une organisation et la diversité ou l'uniformité qui en découlent sont liés à la caractéristique essentielle de toute organisation, qui est le degré de différenciation entre ses divers organes. Par différenciation, on entend les différences entre les orientations, et cognitives et affectives, des responsables de ces services, et les différences de structure formelle de l'un à l'autre.

La recherche indique clairement que, dans les organisations efficaces, les structures des organes fonctionnels et les orientations de leurs membres sont en harmonie avec les exigences de leur fraction de l'environnement. Mieux encore, des recherches plus récentes (Morse, 1970) ont fait ressortir que, lorsqu'une unité fonctionnelle a des procédures de fonctionnement et un climat bien adaptés aux besoins de sa tâche particulière, non seulement elle est efficace,

---

2. Voir, par exemple, Rensis LIKERT (1967). *The Human Organization : Its Management and Value*, New York, McGraw-Hill.

mais ses membres sont fortement motivés. D'où l'on peut déduire que, dans une usine d'épingles de sûreté produisant des articles standardisés pour un environnement commercial stable, une organisation fortement structurée, qui travaillera avec des tâches et des règlements bien définis, sera non seulement efficace, mais encore elle permettra un haut degré de satisfaction à ses employés. La maîtrise de leur travail, l'efficacité de leur production leur donneront un sentiment de compétence.

Dans une semblable organisation, introduire la participation aux prises de décision et recourir à la méthode des groupes de formation peut se révéler inopérant. À l'inverse, dans un environnement hautement incertain comme celui de l'industrie aérospatiale, ou dans un département de recherche aux prises avec des variables non prévisibles, l'organisation bien articulée à cet environnement présentera une définition de structure lâche, un minimum de règlements écrits et de procédures fixes, une participation assez généralisée aux décisions et un haut niveau de compétence interpersonnelle. Dans une telle situation, la stratégie des groupes de formation peut représenter l'approche la plus efficace pour le développement organisationnel[3].

Faire porter l'accent du modèle « amour-vérité » sur le modèle « contingence » pour la stratégie des interventions comporte d'évidentes implications[4]. D'abord, les individus et les organisations fournissent le meilleur de leur efficacité dans un contexte social dont les hypothèses de base sont acceptées comme évidentes. Le modèle « contingence », pourrait-on objecter, reflète une vision essentiellement « conservatrice » de l'existence. Celle-ci condamne l'organisation au type d'existence auquel les modèles de thérapie adaptative condamnaient autrefois l'individu. Cependant, la santé mentale inclut maintenant une composante qui s'efforce d'agir sur l'environnement.

Plus encore, si l'on accepte l'idée que les organisations sont entropiques et peuvent fournir une information non valable, ceci conduit à considérer que les organisations confrontées à une technologie de routine et à un environnement sans heurts ont à faire face aux mêmes problèmes que celles qui utilisent une technologie complexe et ont un environnement turbulent. Le dilemme est réel, cependant le degré d'urgence des problèmes et le choix de la stratégie restent bien différents dans une usine d'épingles de sûreté et dans l'industrie aérospatiale, et l'approche « contingence » n'exclut pas l'utilisation d'un élément innovateur dans une organisation par ailleurs stable.

3. Voir les cas *TRW Systems* A, B et C, dont le copyright appartient au président et aux membres de *Harvard College* (1967).
4. Ceci est fondé sur les commentaires de Chris Argyris sur un stade antérieur de la présente étude.

Lawrence et Lorsch mettent l'accent sur l'importance de l'intégration d'unités fortement différenciées et font ressortir que la confrontation, utilisée comme moyen de résolution des conflits, caractérise les organisations qui ont du succès. La stratégie du groupe de formation peut être particulièrement efficace en rendant légitime la confrontation comme mode de résolution des conflits et en favorisant l'intégration d'unités peu différenciées. L'intégration d'unités hautement différenciées peut demander le recours à une méthode plus complexe.

Dans une grande organisation groupant plusieurs usines et dont les activités allaient de la production de force motrice à celle de matériaux bruts et à la transformation de ces matériaux dans des unités spéciales, la direction générale prit conscience des orientations et des besoins différents des responsables, suivant qu'ils se trouvaient à l'une ou à l'autre extrémité de ce *continuum* de l'environnement qui allait de la certitude à l'incertitude. On prit la décision de créer une séparation formelle entre les usines qui produisaient les matériaux bruts et celles qui les transformaient et fabriquaient les produits finis. La raison de cette décision est évidente : les usines de transformation et de fabrication demandaient à leurs directions plus d'esprit d'entreprise et une orientation à court terme vers le marché, contrairement à l'orientation à long terme, fondée sur les prix de revient, des unités produisant les matériaux de base. Les nombreuses « articulations » qui grinçaient entre des unités aussi différenciées avaient depuis des années empoisonné l'existence de l'organisation. On avait utilisé la stratégie des groupes de formation, sous forme de laboratoires de « cousins », ainsi que des groupes organiques de travail et des groupes interservices. Les problèmes rencontrés et discutés étaient prévisibles concernant les relations structure fonctionnelle / structure hiérarchique (*staff / line*), siège social / usine locale et centralisation / décentralisation.

La séparation structurelle avait été faite dans l'intention d'améliorer l'articulation entre l'environnement commercial incertain des usines de transformation et de fabrication, d'une part, leurs directions et leurs services, d'autre part. Cependant, non seulement la décision de restructuration ne fut pas comprise, mais encore elle créa une forte frustration parmi les cadres moyens, surtout ceux des services fonctionnels du siège social et des usines de matériaux de base. Les usines de transformation et de fabrication étaient plus récentes. Leur départ fut ressenti comme un abandon, d'où découlèrent des sentiments de rancune et de culpabilité. Ils quittaient la « grande famille » que l'usage précédent des groupes de formation avait contribué à forger.

Le bien-fondé d'un recours à l'approche du groupe de formation dans cette situation de séparation réelle n'était pas évident. Cela aurait fait ressortir deux pôles contradictoires : comment peut-on se conduire en situation d'amour et de séparation simultanés[5] ? On adopta une procédure différente. Il fallait que le changement structurel soit accepté par ceux qui demeuraient dans les unités originales les plus anciennes de l'organisation, ceci tant sur le plan cognitif que sur le plan affectif. Sur le plan cognitif, le concept d'« articulation » entre la structure organisationnelle et son environnement fut expliqué aux cadres. Ils en examinèrent les problèmes sous l'aspect de la différenciation et de l'intégration. Ces points étant éclaircis et les sentiments liés à une impression de perte ou de blessure étant mis au jour, les participants purent intérioriser les réalités organisationnelles et la séparation structurelle en y apportant plus d'adhésion sur les plans rationnel et émotionnel[6].

Une autre illustration de non-fonctionnalité de la stratégie des groupes de formation pourrait être utile à ce niveau. Dans une autre grande firme multinationale, on fit appel à des conseillers pour mettre en œuvre un programme destiné à l'une des usines de l'Ouest africain où un violent malaise se faisait sentir. Ce malaise se manifestait sur différents plans, depuis celui des relations industrielles jusqu'à celui des relations entre les communautés et l'entreprise. À la démarcation ethnique entre des Nord-Américains blancs et des Européens expatriés, d'une part, et la population locale noire, d'autre part, correspondaient aussi deux extrêmes opposés sur les plans de la richesse, de l'éducation et du statut professionnel. Entre ces deux extrêmes, on trouvait des techniciens noirs ou blancs et un petit pourcentage d'ingénieurs noirs éduqués en Europe. L'ensemble se présentait d'une manière assez typique de l'Ouest africain, avec ses taudis d'un côté et son développement urbain agréable, de style nord-américain, de l'autre.

Les manières de sentir héritées des pratiques coloniales du passé restaient très fortes dans les communautés. Certains préjugés contre les Noirs, profondément enracinés, avaient encore cours. Par exemple : il était presque légitime, institutionnellement, qu'un Noir épouse une femme blanche. Elle était alors considérée comme un « pont », lui comme quelqu'un qui s'élève dans l'échelle sociale et, à ce titre, il était fréquemment invité chez les Blancs. Son inféodation au groupe des expatriés ne pouvait plus être mise en doute. Mais qu'un Blanc épouse une Noire et l'élite expatriée considérait qu'il désertait ses rangs, remettant en question son appartenance au groupe des Blancs. Ceux-ci se sentaient menacés par son abandon et réagissaient de manière hostile. La plupart des Blancs ayant épousé des Noires quittaient, après peu de temps, le

5. Quoique la thérapie familiale rencontre très fréquemment le problème séparation et amour, et s'applique au « lien à double sens », l'utilisation de ce modèle pour un groupe de quelque 30 gestionnaires dans une session d'étude d'une semaine n'a pas semblé prometteuse.
6. Dans le modèle « contingence » du développement organisationnel apparaît bien la place d'un apport théorique approprié qui demeure, il faut l'espérer, l'un des instruments principaux du changement.

service de la compagnie. De plus, les politiques de salaires, d'attribution de logements ou de privilèges, comme les voitures de fonction pour les cadres supérieurs, étaient soumises à de multiples standards. Le salaire d'un ingénieur blanc, par exemple, pouvait être considérablement plus élevé que celui de son collègue noir faisant le même travail.

Dans ce contexte, un conseiller orienté vers les relations interpersonnelles recommanda un modèle de développement organisationnel consistant en une série de laboratoires de groupes de formation dirigés chacun par deux moniteurs « importés », l'un blanc, l'autre noir nord-américain[7]. Chaque groupe serait composé de douze cadres, six noirs et six blancs. De toute évidence le conseiller n'avait même pas essayé d'émettre un diagnostic. S'il l'avait fait, il aurait été conduit à mettre en doute l'utilité d'une stratégie de groupes de formation dans cette situation. La pathologie était évidente au niveau macrosocial et les problèmes majeurs n'étaient liés qu'accessoirement aux relations entre personnes ou entre groupes. La stratégie des groupes de formation aurait installé la frustration comme un élément permanent et aurait été perçue comme une manipulation, une tentative d'amener les cadres noirs à accepter que leurs collègues blancs soient privilégiés en matière de salaires, de logement, etc.

Sans aucun doute, l'aide apportée par le conseiller à l'organisation aurait été bien plus riche s'il avait été lui-même orienté sur la contingence plutôt que sur les relations interpersonnelles. Il aurait alors pu diagnostiquer que le cas ressortait du problème de la relation organisation-environnement et prendre acte de l'échec des instances intégratives (départements chargés des problèmes des communautés et des relations publiques) pour trouver un moyen de répondre à la fois aux exigences de l'environnement et aux attentes des deux milieux culturels.

Bien que le rôle de l'agent de changement soit plus riche s'il est orienté vers la contingence que simplement vers la stratégie des groupes de formation, le présent article pose en principe que la durée d'efficacité du conseiller dans l'organisation-cliente est limitée, quel que soit son statut par rapport à celle-ci.

On en arrive ici à voir qu'une différence fondamentale entre ces diverses stratégies réside non plus dans leur contenu, mais dans la définition même de l'agent de changement qui aura à choisir entre elles et à les mettre en œuvre. Et, tout d'abord, on est conduit à se demander quelle position il convient de prendre dans l'alternative entre agent de changement extérieur à l'entreprise et agent

7. Notons au passage que l'apport d'un moniteur noir nord-américain dans une culture nègre ouest-africaine aurait contribué à faire percevoir l'expatrié comme quelqu'un qui ne peut distinguer entre des visages d'Africains, qui porte en lui le stéréotype monolithique du nègre et qui est aveugle à toutes les échelles de différence entre les éléments de la population noire autochtone.

interne. Le premier est habituellement — mais pas toujours — un spécialiste diplômé avec une formation dans les sciences du comportement, le second est fréquemment un spécialiste, parfois l'assistant d'un spécialiste, théoriquement employé à plein temps par l'organisation, et toujours à un poste spécifique du service du personnel.

L'agent de changement interne n'est pas apparu à la suite d'un besoin clairement identifié. De grandes sociétés recourant à la stratégie du groupe de formation avaient besoin à la fois d'une liaison avec les éducateurs externes et de collaborateurs pour s'occuper de toutes les activités reliées aux groupes de formation. L'idée fut chaudement soutenue par les conseillers extérieurs qui ne pouvaient plus physiquement suffire à une demande accrue de l'industrie et à leurs obligations d'enseignement et de recherche à l'université. Pour répondre à ce besoin, en partie provoqué, de nombreux programmes à temps complet apparurent destinés à l'éducation des agents de changement internes (entre autres au *National Training Laboratories* [NTL], à l'*University of California, Los Angeles* [UCLA], à la *Boston University* [BU]).

Il peut être utile maintenant de réexaminer quelques-unes des idées qui ont conduit à cette ruée vers la création de réseaux internes d'agents de changement. Pour commencer, on prêta peu d'attention au problème de la dimension «pouvoir», si bien qu'invariablement l'agent de changement interne se vit placé assez bas dans l'échelle hiérarchique, ce qui ne conférait pas de fondement légitime à son influence. Très peu de données ont été publiées sur l'efficacité des agents de changement internes, si l'on excepte quelques comptes rendus de leur participation à des groupes de formation. Il y a pourtant quelques indices qui conduisent à s'interroger sur cette efficacité. On peut citer en particulier leur «taux de mortalité» élevé, comme aussi leur taux de mobilité d'une organisation à l'autre, ou vers le milieu universitaire initial.

De plus, on assiste aujourd'hui à une floraison de firmes-conseils d'une ou deux personnes, créées par d'anciens agents de changement internes. De nombreuses sociétés importantes, parmi lesquelles *Union Carbide*, Polaroid, *TRW Systems*, Alcan, *Standard Oil*, Ontario-Hydro, Air Canada, connues pour leur confiance dans le développement organisationnel et leurs efforts dans ce sens, ont fait l'expérience d'agents de changement internes à rotation rapide. Ceux d'entre eux qui sont encore officiellement dans ces compagnies passent une bonne fraction de leur temps à faire de l'enseignement et de la consultation extérieure.

On peut soutenir que, théoriquement, et dans la mesure où certaines parties de l'organisation acceptent de reconnaître la valeur du travail d'un de ses membres, on peut s'attendre à ce que ceux qui bénéficient des services de ce dernier éprouvent pour lui non seulement une reconnaissance pour son aide et de l'affection, mais aussi le sentiment qu'ils pourront dépendre de lui dans des circonstances futures. Or, ce sentiment de dépendance conduit inévitablement à l'hostilité et au rejet.

L'expérience montre que le rôle peut-être le plus fonctionnel que remplit l'agent interne de changement est d'être une cible tout indiquée pour détourner l'agressivité. On cite de nombreux cas où un membre du personnel de statut peu élevé, qui agissait comme conseiller interne, a servi de bouc émissaire. C'était là le résultat d'une tentative d'intégration d'une équipe de cadres supérieurs, représentant des services très différenciés. On peut s'attendre à voir ce fait se produire quand des conflits non résolus existent à des niveaux élevés de la hiérarchie. L'hostilité engendrée par ces conflits est détournée vers une personne de statut inférieur, ce qui permet de sauvegarder l'harmonie superficielle des relations au sein de l'équipe de haute direction et laisse en héritage une culpabilité réprimée résultant de ce détournement.

La documentation professionnelle a accordé une attention considérable à ce rôle de bouc émissaire. Vogel et Bell (1960), par exemple, démontrent, dans leurs recherches sur la famille nucléaire, que, lorsque les parents éprouvent de l'anxiété à propos de leur relation, ils évitent la communication directe, de crainte de mettre en danger leur mariage lui-même. En gardant entre eux une distance émotionnelle, en évitant de s'affronter sur les sujets de conflit et en faisant de l'enfant leur bouc émissaire, les parents peuvent préserver entre eux un fragile équilibre. En revanche, ce comportement entraîne des conséquences chez l'enfant, qui est fortement troublé émotionnellement, et chez les parents, qui éprouvent de la culpabilité. Le recours au bouc émissaire est évidemment un processus pathologique qui, utilisé aux fins d'intégration, aboutit à diminuer l'engagement de l'agent interne de changement et à faire naître des sentiments de culpabilité chez ceux qui l'emploient. Cette culpabilité, à son tour, détermine un surcroît d'hostilité, et le cercle se referme.

On peut aussi considérer la relation entre un agent interne de changement et son organisation en utilisant un cadre conceptuel différent. Zaleznik *et al.* (1958), dans leur recherche sur la productivité et la satisfaction, ont élaboré la théorie de la certitude sociale et le concept de cohérence du statut comme éléments de prévision du comportement humain. L'idée générale est que, quand le statut total d'une personne n'est pas cohérent, c'est-à-dire quand les divers facteurs qui y contribuent, comme le sexe, l'âge, l'éducation, le salaire, le poste occupé, etc., ne sont pas en harmonie les uns avec les autres, des difficultés se développent dans les relations. Les relations avec une personne au statut peu cohérent portent en elles un élément d'ambiguïté. Cette ambiguïté est génératrice d'anxiété et empêche le développement de conditions de certitude sociale.

Or, un agent interne de changement a besoin d'avoir des relations plus claires et moins ambiguës. C'est là la signification et l'objet de la certitude sociale. Mais, dans la réalité, on rencontre plus souvent des statuts à faible cohérence et des relations ambiguës. La formation que l'agent interne de changement a reçue dans les sciences du comportement n'est pas en harmonie avec la culture industrielle et, quoique l'importance de son influence soit bien perçue, son niveau hiérarchique, son salaire et les autres symboles de son statut restent bas. Quelque chose ne va pas. Et le type de relation qui se crée avec une personne au statut peu cohérent tourne facilement à la taquinerie ou à la plaisanterie. La « relation dans la taquinerie » devient un moyen d'organiser socialement une relation ambiguë dans laquelle sont présents et se combinent le besoin de maintenir une relation de travail et le besoin de souligner la différence de rang. Ainsi, la grande mobilité des agents internes de changement pourrait s'expliquer par l'impossibilité à laquelle ils se heurtent d'atteindre des conditions de certitude sociale qui les soulageraient de leur anxiété.

Quoique le concept du bouc émissaire et celui de la cohérence du statut semblent expliquer le « taux de mortalité » élevé des agents internes de changement, il est assez tentant de formuler l'hypothèse qu'à certains niveaux puissent prendre place des phénomènes supplémentaires. Sans pousser trop loin la similitude, on peut envisager le rôle de l'agent interne sous l'angle qu'Everett Hughes (1962) désigne par « braves gens et sale besogne » (*Good People and Dirty Work*). Hughes soulève la question des si nombreux « braves gens » d'Allemagne qui, après la guerre, nièrent avoir jamais été informés des forfaits des nazis. Il suggère que nous pourrions inconsciemment donner à certaines personnes le mandat d'aller au-delà de ce que nous accepterions nous-mêmes de faire et même de reconnaître.

Ainsi, l'agent interne de changement joue un rôle additionnel[8]. Il aide le cadre opérationnel de l'organisation à liquider ses sentiments personnels ambivalents à l'égard du développement organisationnel. Nous ne pouvons jamais être totalement engagés dans une action quelle qu'elle soit, ni dans un sentiment unique vis-à-vis d'une personne, d'un objet ou d'une intention. Il y a toujours des sentiments et des souhaits concurrents et contradictoires. Les ambivalences sont nombreuses : le besoin de changement dans une organisation coexistant avec le besoin de stabilité ; le désir de coopération, avec le désir de compétition ; le besoin de dépendance, avec le désir d'indépendance ; le désir de dévier, avec le désir de se conformer ; etc.

L'ambivalence que le gestionnaire éprouve envers le changement social peut trouver à se satisfaire par procuration en la personne de l'agent interne de changement, celui à qui la « sale besogne » a été confiée. Le gestionnaire donne son soutien à l'agent interne de changement quand tout va bien, mais que les

8. Plusieurs idées qui apparaissent dans ce développement sont tirées de conversations privées avec Philip Slater et de certains de ses écrits. Voir, par exemple, son article : « Social Basis of Personality » dans N. J. SMELSER (sous la direction de), *Sociology, an Introduction*, New York, Wiley, 1967.

budgets soient diminués et l'agent de changement ouvrira en général le défilé des économies. Par là, le gestionnaire peut donner satisfaction à son besoin d'un pôle contraire de stabilité en émasculant l'homme, le privant de sa fonction[9].

L'expérience des praticiens (Barrett, 1967) semble appuyer l'idée qu'il est très difficile, sinon impossible, de conférer à une personne appartenant à l'organisation l'image d'un véritable tiers. Dans des circonstances troublées, par exemple lorsque l'agent interne de changement se sent menacé par des réductions budgétaires, il peut avoir tendance à utiliser les informations dont il dispose pour s'assurer un soutien politique. L'organisation peut craindre ce mode d'adaptation de type gestapo et il importe peu que la tendance soit réelle ou imaginaire.

Les propres ambivalences de l'agent interne de changement pourraient aussi être en partie responsables de ses difficultés. Il peut manifester celles-ci en évitant inconsciemment de faire ce qu'il s'est consciemment engagé à faire. Il peut, par exemple, montrer une tendance à manipuler à la fois les sentiments de culpabilité et les besoins de dépendance de son client et, par voie de conséquence, attirer sur lui-même un regain d'hostilité[10].

« Les agents de changement dans notre société, dit Bennis (1969), sont les législateurs, les architectes, les ingénieurs, les politiciens et les assassins. » Peut-être conviendrait-il d'ajouter à cette liste à la fois les patrons des organisations industrielles et ceux des syndicats. L'élément qui manque à l'agent de changement, qu'il soit à l'intérieur ou à l'extérieur de l'organisation, est un pouvoir reconnu légitime d'influence. Attacher un agent interne de changement à la haute direction, au lieu de le maintenir à un niveau inférieur, semble une solution simple. Malheureusement, ce n'est pas le cas.

La question est complexe. Un responsable du développement organisationnel rattaché à la haute direction peut susciter plus de problèmes qu'il n'en résout et ceci indépendamment du niveau de sa compétence. Ce qu'une telle situation rend possible, ce serait qu'il court-circuite la communication directe et ouverte entre les niveaux hiérarchiques, dont dépend la survie de l'organisation. Le patron ne peut pas déléguer la responsabilité qui est la sienne quant au *processus* de survie et de renouvellement pour pouvoir se consacrer au *contenu* et à la production. Ce serait là abdiquer sa responsabilité. Il n'y a que dans la

9. Ainsi que Philip Slater l'a un jour suggéré, la meilleure illustration de ce fait est peut-être celle que l'on peut tirer du rôle que l'on assigne à l'épouse dans la culture nord-américaine. Le mari donne l'image d'une personnalité en quête de défis, prête à accepter changement, mobilité, etc. Confronté à la décision d'accepter son transfert dans une nouvelle localité, il peut dire à son patron que, si ce n'était sa femme, qui a ses attaches dans le milieu présent, il n'hésiterait pas à bouger. Le mari satisfait alors son besoin de stabilité par procuration, par sa femme.
10. Je dois à Robert Golembiewski de m'avoir fait dégager cette idée.

famille nucléaire, fondée sur la permanence et non sur l'exercice temporaire d'une charge, que cette division des rôles est encore évidente, peut-être parce que les relations y sont plus diffuses, moins structurées que dans l'entreprise, et qu'elle est le centre où affluent les sentiments éprouvés et les désirs quelque contradictoires qu'ils puissent apparaître. Même si à un certain niveau de conscience le patron est d'accord pour que l'agent de changement agisse comme son *alter ego* et fasse la « sale besogne » ; à un niveau plus profond, l'autre pôle de son ambivalence émergera. Il peut en vouloir à son conseiller d'accomplir justement ce qu'il voulait lui-même réussir, c'est-à-dire faire jaillir du système des informations valables. Dans une sorte de jeu à la Dorian Gray, le patron peut être incliné à détruire la preuve qu'il avait perdu contact avec la réalité. Beaucoup d'échecs de conseillers, alors même qu'ils étaient soutenus par la haute direction, reflètent ce paradoxe.

Le conseiller-éducateur de l'extérieur, capable d'offrir des méthodes d'intervention plus flexibles, a une meilleure chance d'entretenir avec un système-client une relation soutenue que son homologue interne ou un agent de changement externe orienté exclusivement sur le groupe de formation. Mais, même pour lui, la durée de vie de cette relation est limitée. Le seul modèle d'intervention permanent pour lui est du type « frappe et va-t'en ». S'il demeure trop longtemps avec une organisation, s'il y est trop engagé, la dépendance de celle-ci par rapport à lui fera immanquablement surgir des sentiments d'hostilité et de rejet. Mais peut-être est-ce là le prix qu'il doit payer pour contribuer à rendre plus indépendante la position des gestionnaires opérationnels.

La mise en route et l'exécution du changement ne peuvent être déléguées à un tiers en sorte que le patron puisse avoir plus de temps à consacrer au marketing ou aux problèmes de finance ou de production. Définir une structure organisationnelle efficace et désirable reste la responsabilité fondamentale de l'équipe de direction, tant au sommet qu'au niveau opérationnel, et celle-ci ne peut s'y dérober.

Références bibliographiques

ARGYRIS, C. (1967). « On the Future of Laboratory Education », *Journal of Applied Behavioral Science*, vol. 3, pp. 153-183.

BARRETT, R. (1967). « Comments on R. E. Walton's Article, Interpersonal Confrontation and Basic Third Party Functions : A Case Study », *Journal of Applied Behavioral Science*, vol. 4, pp. 346-347.

BENNIS, W. G. (1969). *Organization Development : Its Nature, Origins and Prospects*, Reading, Mass., Addison-Wesley.

BUCKLEY, W. (1967). *Sociology and Modern Systems Theory*, Englewood Cliffs, Prentice-Hall.

BURNS, T. et STALKER, G. M. (1961). *The Management of Innovation*, Londres, Tavistock Publication.

DUNNETTE, M. D. et CAMPBELL, J. P. (1970). « Laboratory Education : Impact on People and Organization », dans G. W. DALTON, P. R. LAWRENCE, L. E. GREINER (sous la direction de), *Organizational Change and Development*, Homewood, Ill., Irwin-Dorsey.

FAYOL, H. (1925). *Industrial and General Administration*, Paris, Dunod.

GULICK, L. et URWICK, L. F. (sous la direction de) (1937). *Papers on the Science of Administration*, New York, Columbia University, New York Institute of Public Administration.

HUGHES, E. C. (1962). « Good People and Dirty Work », *Social Problems*, vol. 10, pp. 3-11.

LAWRENCE, P. R. et LORSCH, J. W. (1967). *Organization and Environment : Managing Differentiation and Integration*, Cambridge, Mass., Harvard University, Graduate School of Business Administration, Division of Research.

MORSE, J. J. (1970). « Organizational Characteristics and Individual Motivation », dans J. W. LORSCH et P. R. LAWRENCE (sous la direction de), *Studies in Organization Design*, Homewood, Ill., Irwin-Dorsey.

VOGEL, E. F. et BELL, N. W. (1960). « The Emotionally Disturbed Child as the Family Scapegoat », dans N. W. BELL et E. F. VOGEL (sous la direction de), *A Modern Introduction to the Family*, Glencoe, Ill., Free Press, pp. 382-397.

VROOM, V. H. (1960). *Some Personality Determinants of the Effects of Participation*, Englewood Cliffs, Prentice-Hall.

WINN, A. (1969). « The Laboratory Approach to Organization Development : A Tentative Model of Planned Change », *Journal of Management Studies*, vol. 6, p. 154.

WINN, A. (1970). « Forbidden Games », *International Journal of Group Psychotherapy*, vol. 20, pp. 356-365.

ZALEZNIK, A., CHRISTENSEN, C. R. et ROETHLISBERGER, F. J. (1958). *The Motivation, Productivity and Satisfaction of Workers : A Prediction Study*, Cambridge, Mass., Harvard University, Graduate School of Business Administration.

6

De la technicité à la « managementalité »

Un cas de changement culturel dans une entreprise à haute teneur technologique

Brian HOBBS,
Pierre MÉNARD
et Robert POUPART

Plusieurs gestionnaires d'organisations du secteur de la technologie de pointe sont aujourd'hui, et de plus en plus, confrontés avec le même problème : comment gérer plus efficacement leur système technologique ou, plus spécifiquement, comment injecter plus de savoir-faire managerial dans le travail scientifique. Dans un contexte marqué par la contrainte économique et l'accent sur la productivité, plusieurs hauts gestionnaires sont amenés à expérimenter de nouvelles méthodes ou philosophies pour mieux contrôler les coûts et augmenter la flexibilité dans l'utilisation des ressources. Ces expériences ne sont pas toutes couronnées de succès. Il apparaît souvent rapidement que les choses ne sont pas aussi simples qu'elles en ont l'air à prime abord et que les concepts, méthodes et philosophies organisationnels et manageriaux élaborés en fonction de processus de production standardisée ne sont pas forcément transférables dans un contexte à haute teneur technologique. De plus, les tentatives de mariage entre des valeurs manageriales et celles de spécialistes se heurtent souvent à une forte résistance interne. Pourquoi en est-il ainsi ? L' approche du problème est ici essentiellement culturelle, la culture organisationnelle étant définie comme une vision de la réalité partagée par un certain nombre de personnes qui se traduit dans des jugements et des croyances concernant l'état actuel et idéal des choses. L'introduction de nouveaux standards de gestion dans une organisation implique forcément que ses hauts gestionnaires véhiculent implicitement ou explicitement un nouvel ensemble de valeurs. La réaction des autres groupes de l'organisation dépendra de leur perception de cette nouvelle réalité et de leur évaluation de sa proximité ou de sa distance par rapport à leur culture actuelle.

Ce chapitre se divise en trois parties. Tout d'abord, nous discuterons des principales questions inhérentes à la gestion des entreprises à haute teneur technologique et de leur relation avec une perspective culturelle. Ces considérations seront ensuite appliquées à un cas : celui de l'introduction d'un changement majeur dans les systèmes de gestion d'une grande compagnie d'ingénierie et de construction. La troisième partie fera état de lignes directrices concernant l'introduction d'une culture axée sur le savoir-faire managerial dans une organisation marquée par une culture plus technique ou scientifique : de la technicité à la « managementalité ».

La gestion des organisations à haute teneur technologique : technologie de pointe et technologie « dure »

Les organisations à haute teneur technologique font montre de caractéristiques propres concernant la nature de leur travail, la nature de l'organisation et la nature de leur personnel.

La nature du travail

Les entreprises à haute teneur technologique produisent généralement des biens ou services dont les exigences technologiques sont élevées. Plus que d'autres, elles ont donc besoin de compter sur une unité qui se consacre à la recherche, à la conception et au développement (R, C et D). Dans les faits, dans la majorité des organisations à haute teneur technologique, cette unité est séparée des unités de production. Elle peut ainsi compter sur une structure de gestion autonome et s'appuyer sur des pratiques et une culture qui lui sont propres. Une telle unité peut même exister pour ainsi dire par elle-même, comme c'est le cas dans plusieurs firmes de consultation en ingénierie.

Contrairement aux unités de production standardisée, le travail des unités de R, C et D est le plus souvent articulé autour de projets plutôt qu'en fonction de ses rapports avec d'autres unités organisationnelles. Les projets ont ceci de particulier :

- leur vie est limitée dans le temps et elle est souvent relativement courte ;
- leur raison d'être est clairement définie par un produit ou un service livrable ;
- leur cycle de vie est très typé :

1) identification de projet ou étude de préfaisabilité,

2) conception de projet ou étude de faisabilité,

3) phase d'ingénierie détaillée,

4) construction du prototype ou expérimentation *in vivo*,

5) transfert à la production de masse ou au client.

Le nombre de phases, leur appellation ou leur durée varient d'un projet à l'autre, d'une organisation à l'autre et souvent aussi en fonction des produits ou services en cause, mais le processus de travail est toujours le même. Comme les problèmes de gestion sont généralement reliés au processus de travail, ceux-ci varient beaucoup selon qu'ils prennent naissance dans le cadre d'un processus de production standardisée ou ou dans un contexte de R, C et D.

L'innovation est le pain quotidien de toute unité de R, C et D. Ces unités ont donc toujours à composer avec un degré relativement élevé d'incertitude. Il est démontré que l'incertitude à forte dose a une influence considérable sur le comportement organisationnel et, donc, sur le choix des modes de régulation appropriés.

- Une augmentation de l'incertitude requiert davantage de traitement de l'information, plus d'ajustement mutuel et donc une augmentation de l'interaction.
- L'incertitude rend la prédiction, la supervision et le contrôle plus difficiles.
- L'incertitude est génératrice de conflits entre les gestionnaires et les spécialistes, de même qu'entre spécialistes.
- L'incertitude favorise l'émergence de perspectives et de visions différentes et conduit donc à une diversité culturelle.

Les problèmes de gestion dans un contexte de R, C et D sont donc complexes. Dans un environnement plus standardisé, le travail peut être planifié plus précisément. Il peut être contrôlé par des règles et des procédures et régularisé par une supervision attentive. Les problèmes de gestion sont donc habituellement moins complexes et font plus souvent qu'autrement appel aux bonnes vieilles pratiques de « la gestion par exception ». Dans ce contexte, il est plus facile pour les gestionnaires de garder le contrôle des opérations.

L'incertitude technique et l'incertitude du marché peuvent aussi varier beaucoup entre des organisations qui font toutes partie de la famille de haute teneur technologique. Les innovations révolutionnaires du secteur de la technologie de pointe (*high tech*) ont bénéficié, au cours des dernières années et sur toutes les scènes, de considérablement d'attention. Il est toutefois utile de rappeler que la majorité des organisations à haute teneur technologique sont exploitées dans des environnements beaucoup moins turbulents que ceux de la technologie de pointe et dans lesquels les processus d'innovation sont souvent plutôt progressifs que révolutionnaires ou radicaux. Généralement, ces organisations qui sont exploitées dans des eaux plus calmes utilisent un assortiment plus ou moins vaste de technologies qui évoluent presque toutes moins rapidement et de façon plus incrémentale que la technologie de pointe. Dans ces cas, les problèmes de gestion sont plutôt de l'ordre de l'établissement des modes de collecte de l'information sur l'innovation technologique dans une variété de champs extérieurs à la firme et de la mise en place des mécanismes et processus de choix technologiques et d'adaptation à des secteurs, applications ou projets particuliers. Il ne s'agit pas ici de technologie de pointe, mais plutôt de technologie « dure » (*hard tech*). Les exigences organisationnelles et culturelles de l'innovation radicale sont bien connues : unités organisationnelles restreintes et autonomes, champions de produit ou entrepreneurs, liberté d'action et identification fanatique à l'équipe, au produit ou au service. L'expression « technologie de pointe » évoque des images de petits génies distraits réunis en équipes compactes, dans des environnements artificiels et autour de laboratoires sophistiqués ajoutés à une force de marketing agressive qui se bat opiniâtrement pour conserver sa place face à une compétition féroce.

Pour une grande majorité d'organisations à haute teneur technologique, ces prescriptions et ces images sont évidemment tout à fait inappropriées. Quels sont donc les problèmes de gestion inhérents aux organisations à haute teneur technologique qui sont exploitées dans le secteur de la technologie « dure » et non de pointe ?

La nature du travail accompli par une organisation à haute teneur technologique varie en fonction d'incertitudes techniques et de marché liées aux projets en cours pris un à un. Elle varie aussi en fonction du nombre, de l'importance et de la diversité des projets en cours aussi bien à un moment donné qu'au cours d'une période plus longue. Les problèmes reliés à la création et à la gestion d'une équipe de projet (*task-force*), unique responsable d'un seul projet d'envergure, sont très différents de ceux qui découlent de la gestion d'un flot continu de projets comportant des degrés et des sources variables et variés d'incertitude et de complexité.

La nature de l'organisation

Pour toute organisation, qu'elle ait ou non une forte teneur technologique, la taille est un des déterminants majeurs de la structure et du fonctionnement. L'augmentation de la taille entraîne une poussée de la spécialisation. Dans la famille de haute teneur technologique, ceci prend la forme d'une division du travail qui progresse à mesure que les professionnels deviennent plus spécialisés. La division du travail et la spécialisation du personnel exacerbent les problèmes d'intégration de la contribution des différentes spécialités. La taille des différentes unités organisationnelles augmente aussi avec l'accroissement du personnel. De plus, la spécialisation entraîne dans son sillage les problèmes d'allocation des ressources et de délimitation des compétences.

Si les mécanismes d'ajustement mutuel suffisent à régler les problèmes de gestion des spécialistes réunis en petits groupes, il en va tout autrement pour les organisations de grande ou moyenne taille. Quels sont donc les problèmes de gestion inhérents aux organisations à forte teneur technologique qui comptent au moins une centaine de spécialistes affectés à des tâches de R, C et D ?

Le travail de R, C et D requiert presque toujours la contribution de différents groupes de spécialistes. La diversité des contributions et les exigences de leur intégration multiplient les interfaces de groupes. Ces interfaces impliquent des relations d'interdépendance. La multiplication des interfaces et des relations d'interdépendance est une des caractéristiques dominantes des organisations à forte teneur technologique qui les distingue des organisations fonctionnelles de production standardisée.

La nature du personnel

Le travail de R, C et D exige et attire des spécialistes hautement qualifiés, généralement des ingénieurs et autres scientifiques de disciplines variées. Les spécialistes ont tendance à valoriser leur autonomie, leur savoir, leur compétence et la qualité technique et scientifique de leur travail. Bien que les ingénieurs et les scientifiques partagent également ces valeurs professionnelles de base, il est nécessaire de faire une distinction entre la *culture scientifique* et la *culture d'ingénierie*.

La culture scientifique valorise l'indépendance et pousse souvent ses tenants à travailler seuls et à résister à joindre les rangs d'équipes multidisciplinaires. Les scientifiques recherchent la reconnaissance de pairs membres de leur communauté (souvent des chercheurs ou des universitaires) qui n'appartiennent pas à la firme. Dans cette optique, ils consacrent souvent beaucoup de temps et d'énergie à se tenir au courant de la documentation scientifique par la lecture ou par la communication avec des collègues de statut supérieur ou équivalent. Ils sont préoccupés par le progrès scientifique et le développement technologique.

La culture d'ingénierie est plus prosaïque. Elle valorise la carrière et le succès. Conséquemment, ses tenants triment dur pour mériter la reconnaissance de leurs patrons et ainsi assurer leur avenir professionnel. Ils s'identifient plus facilement à leur organisation, surtout si celle-ci a une mission bien définie. Ainsi, par exemple, les ingénieurs qui travaillent sur des projets d'envergure dont l'orientation et les objectifs sont clairs ont facilement tendance à s'identifier à ces projets. Ils sont moins préoccupés par le progrès scientifique et le développement technologique que les scientifiques. Ils sont davantage intéressés à adapter le savoir scientifique et la technologie aux exigences spécifiques de leurs projets.

Les cultures scientifiques et d'ingénierie ont beaucoup en commun puisqu'elles constituent toutes les deux des sous-cultures de spécialistes. Il est donc difficile de rencontrer un type pur puisque et les ingénieurs et les scientifiques adhèrent à divers degrés à l'un ou l'autre des éléments de ces deux sous-cultures. Néanmoins, une organisation ou une unité organisationnelle pourrait être dominée par l'un ou l'autre modèle culturel. C'est ainsi aussi que les organisations à technologie de pointe et les organisations à technologie « dure » se distinguent puisque les premières sont dominées par la culture scientifique, alors que les secondes sont dominées par la culture d'ingénierie.

Les organisations à haute teneur technologique ne comptent pas exclusivement dans leurs rangs des spécialistes. Conséquemment, elles incarnent aussi d'autres types de valeurs. La culture manageriale valorise le contrôle, la prévisibilité et la responsabilité (*accountability*). La culture manageriale favorise l'identification à l'organisation, à ses besoins généraux et à son orientation stratégique. Les organisations à haute teneur technologique, comme toutes les organisations qui emploient un grand nombre de spécialistes, sont la scène de conflits apparemment inévitables et interminables entre la culture de ces spécialistes et la culture manageriale. La coexistence de personnel consacré à la gestion, au contrôle et à la planification et des groupes diversifiés de spécialistes crée un contexte dans lequel une grande variété de points de vue peuvent et doivent être articulés et maintenus. C'est là le phénomène de la *diversité culturelle*.

Les problèmes reliés à l'organisation du travail

La structure d'organisation

Le travail de R, C et D est généralement organisé autour de projets, alors que les ressources humaines, elles, sont généralement regroupées par spécialités à l'intérieur d'unités fonctionnelles. Dans un environnement de production de masse ou standardisée, l'organisation du travail et l'organisation des ressources humaines se recouvrent à peu près totalement. Dans les organisations à haute teneur technologique les modes d'organisation peuvent prendre une grande variété de formes structurales. À un extrême, on trouve l'organisation en unités fonctionnelles qui regroupent les spécialistes d'une même discipline. À l'autre extrême, l'organisation constitue des équipes multidisciplinaires pour chacun des projets. Quelques organisations à haute teneur technologique utilisent aussi une organisation matricielle qui correspond à une généralisation et à une formalisation du concept d'équipes multiples et d'unités multiples ; chaque équipe est chapeautée par un gestionnaire de projet qui peut être associé ou non à une unité fonctionnelle particulière. Le choix entre les structures organisationnelles fonctionnelles, multidisciplinaires ou matricielles constitue un problème fondamental pour toutes les organisations à haute teneur technologique. La nature du travail de R, C et D requiert des interfaces multiples, des réseaux de relations variables et la coexistence de dimensions fonctionnelles et de projets, quelle que soit la structure. Par ailleurs, dans chaque forme structurale, les interfaces sont gérées différemment et les unités fonctionnelles et de projets se voient ainsi conférer des degrés variables d'autonomie et d'importance.

L'ambiguïté organisationnelle

La double allégeance du personnel au groupe fonctionnel et au groupe de projet, la forte interdépendance des relations entre ingénieurs et scientifiques et l'existence d'interfaces multiples contribuent toutes à l'amplification de l'ambiguïté des rôles. Le désir de clarification est une réaction réflexe à l'ambiguïté organisationnelle. Plusieurs organisations à haute teneur technologique dépensent de grandes quantités d'énergie à l'élaboration de descriptions de tâches et de définitions de responsabilités complexes dans le but de réduire cette ambiguïté de rôle. D'autres organisations maintiennent volontairement et explicitement cette ambiguïté. Pour toutes les raisons mentionnées plus haut, un certain degré d'ambiguïté organisationnelle est inévitable dans toute organisation à haute teneur technologique. Par contre, le choix entre la réduction et le maintien de l'ambiguïté constitue un problème managerial important.

Imputabilité et responsabilité

La majorité des hauts gestionnaires voudraient pouvoir imputer à leur personnel et à leurs cadres des résultats clairement définis. Par contre, dans le travail de R, C et D, il y a une grande part de partage des responsabilités puisque, interface oblige, le rendement de chacun dépend aussi du rendement de plusieurs autres. Ceci est particulièrement vrai dans les organisations matricielles. Ce problème de gestion est ainsi à la fois clair et complexe : comment réconcilier le désir d'imputabilité individuelle avec le partage des responsabilités et la multiplicité des interfaces ?

L'intégration du travail

Un des principaux problèmes de gestion dans les organisations de R, C et D concerne l'intégration efficace des contributions de plusieurs spécialistes œuvrant dans des disciplines différentes ou dans différentes phases d'un projet. Par exemple, quelle est la personne la mieux qualifiée pour conduire une équipe pendant la phase de conception ? S'agirait-il du spécialiste technique ou du gestionnaire de projet professionnel ?

Estimation et contrôle des coûts

Tous les systèmes de contrôle des coûts et du temps sont basés sur une comparaison avec des standards. Dans le cas des projets de R, C et D, le standard utilisé à des fins comparatives est une évaluation des coûts et de la durée du travail faite avant le début des travaux. Les incertitudes techniques entourant le travail de R, C et D rendent problématiques les estimations précises, mais, sans estimation rigoureuse, tout contrôle devient extrêmement difficile.

Cette question du contrôle est complexe et comporte plusieurs dimensions distinctes mais interreliées. D'abord, il y a la question de l'estimation et du contrôle du travail de conception, qui est d'abord et avant tout une question reliée aux ressources humaines concernées. Plusieurs spécialistes de la conception, ou spécialistes fonctionnels, considèrent que toute estimation de coûts et de durée des activités à la phase de conception d'un projet est absolument futile. Bien sûr, plusieurs gestionnaires de projets maintiennent le contraire avec force. Il s'agit là d'une différence typique entre les cultures de spécialistes et manageriale ; l'une cherche à maintenir l'autonomie, l'autre cherche à imposer le contrôle, la prévisibilité et l'imputabilité. Le problème pour le concepteur ou le spécialiste fonctionnel est qu'il devra s'en tenir aux estimations une fois que celles-ci seront faites et acceptées. Ceci peut être dangereux si les gestionnaires ont tendance à mesurer le rendement en fonction de sa concordance avec les estimations. Pour les gestionnaires, le problème est celui de l'impossibilité de produire des estimations fiables sans la participation et la collaboration des spécialistes concernés ; il est aussi relié à la difficulté d'application des estimations dans un contexte d'incertitude technique et au danger des effets entraînés par le déplacement des buts (*goal displacement*), le respect des estimations devenant alors l'objectif dominant au détriment de considérations reliées à la qualité. Le contrôle des coûts de conception est une question délicate et importante en ce qui a trait au travail de R, C et D et qui mérite d'être considérée séparément des autres questions reliées au contrôle des coûts.

La seconde dimension est celle du contrôle des coûts du projet d'ensemble. Les coûts de conception ne représentent souvent qu'une infime portion des coûts d'ensemble d'un projet. Par contre les décisions prises pendant la phase de conception ont souvent un impact majeur sur les coûts de l'ensemble du projet. Plusieurs questions sont ici interreliées. Qui devrait être responsable du contrôle des coûts ? Comment le contrôle des coûts devrait-il être effectué ? Sur quelle base ? Qui devrait colliger l'information nécessaire au contrôle des coûts et à qui cette information devrait-elle être présentée ? À quelles fins cette information sera-t-elle utilisée ? Toutes ces questions sont particulièrement importantes pendant la phase de conception et peuvent fort bien devenir l'objet et l'occasion de conflits entre les spécialistes techniques, les gestionnaires de projets et les hauts gestionnaires.

La troisième dimension concerne l'achèvement de la phase de conception. À quel moment devrait-on mettre un terme à la phase de conception ? Ici encore deux perspectives s'affrontent. D'une part, les gestionnaires et le personnel préoccupés par le contrôle des coûts voudraient voir la phase de conception rapidement achevée de façon à obtenir ainsi les estimations définitives des coûts pour la planification du budget et aussi pour limiter les coûts reliés à la phase de conception. D'autre part, si la phase de conception est achevée trop rapidement compte tenu du degré d'incertitude technique, les estimations ne seront pas fiables et les demandes de modifications budgétaires risquent d'être nombreuses. L'achèvement trop hâtif de la phase de conception peut aussi mener à la production de concepts pauvres et conduire à une multiplication des *erreurs de conception*. Évidemment, le personnel technique voudrait voir la phase de conception se poursuivre jusqu'à l'élimination de toute incertitude.

Contrôle des coûts et contre-validation

Il est ici question du contrôle du travail d'un expert par une personne qui n'est pas un membre du groupe de spécialistes. Il s'agit généralement du gestionnaire de projet ou de l'un de ses représentants. Ce mode de contrôle de la qualité est généralement appelé la contre-validation (*check and balance*). La question centrale est donc claire : qui devrait être responsable du contrôle de la qualité dans un projet ou une organisation à forte teneur technologique ?

Les compromis

Le travail d'une organisation à forte teneur technologique doit, par nature, répondre à de multiples critères. Il est donc impossible de maximiser simultanément tous les critères. Deux types fondamentaux de compromis doivent être faits.

Tout d'abord, il y a le compromis entre les coûts et la qualité. Ce compromis est relié au conflit entre la « surconception » et le contrôle des coûts et mène à de multiples heurts entre la perspective et les intérêts divergents du personnel technique et du personnel de gestion. Ce problème se transforme souvent en barrière insurmontable entre ces deux groupes. Le personnel technique favorise généralement la qualité au détriment des coûts et ceci pour deux raisons. D'abord, il a comme point de mire l'excellence technique et ce pour des raisons professionnelles. Deuxièmement, la qualité technique est souvent en corrélation avec la sécurité. La surconception est souvent difficile à détecter. La sous-conception, par contre, est évidente. Le personnel technique veut minimiser ses risques et préfère donc s'adonner à la surconception. La question ici est de savoir quelle est la combinaison appropriée de considérations reliées à la qualité et aux coûts.

Le compromis entre les coûts et la qualité repose sur des décisions qui peuvent être prises pour chacun des projets considéré isolément. Par contre, les compromis entre les exigences spécifiques à court terme d'un projet particulier et les besoins à long terme de développement technologique ne peuvent pas être évalués de cette façon. Les gestionnaires de projets et le personnel technique devront donc s'affronter à nouveau sur cette question. Comment maintenir l'équilibre approprié entre ces deux perspectives nécessaires et complémentaires ?

La sous-traitance

Une des caractéristiques importantes des organisations à haute teneur technologique est qu'elles font souvent appel à la sous-traitance pour différentes portions du processus de gestion de leur projet ; la construction, l'ingénierie détaillée et parfois l'ensemble ou une partie du travail de conception sont ainsi souvent donnés à forfait à des partenaires externes. Dans de telles circonstances, les spécialistes deviennent plus engagés dans la gestion du processus et moins dans le travail technique ou scientifique en tant que tel. La question est ici de savoir quelle portion du processus de gestion de projet peut être offerte à des sous-traitants et dans quelle proportion ? Quel est le niveau d'expertise technique qui doit être gardé à l'intérieur de l'organisation de façon à assurer la qualité technique et le développement technologique d'une part et, d'autre part, pour maintenir le degré d'autonomie souhaitable vis-à-vis des sous-traitants ?

La distribution du pouvoir

La majorité des problèmes ou questions discutés jusqu'à maintenant relativement à l'organisation du travail ont trait à des conflits entre les perspectives et les cultures manageriales et de spécialistes. Le pouvoir organisationnel doit être réparti entre des unités qui représentent et incarnent ces deux perspectives divergentes. La question de la distribution du pouvoir devient très concrète lorsqu'il s'agit de se demander à qui échoira la responsabilité de l'intégration du travail, du contrôle de la qualité et des coûts, de l'achèvement de la phase de conception et des décisions concernant les compromis et la sous-traitance.

Les questions reliées à la gestion des ressources humaines

Bien que tous les problèmes soulevés précédemment aient des implications importantes pour le personnel, il n'en reste pas moins que deux questions sont plus spécifiquement reliées à la gestion des ressources humaines.

Le **locus** *d'identification*

La description des caractéristiques propres des ressources humaines œuvrant dans les secteurs à haute teneur technologique a déjà permis de discuter brièvement des *loci* naturels d'identification des membres des cultures scientifique, manageriale et d'ingénierie. Dans une organisation à technologie « dure » typique, il y a plusieurs *loci* possibles d'identification : la profession, le projet, l'organisation ou n'importe laquelle de ses unités (service, gamme de produit...). Il faut bien comprendre que ces faits ne constituent pas des données inexorables ; ils peuvent être influencés et l'action manageriale peut contribuer à leur donner forme. La question est ici de savoir quel doit être le *locus* d'identification des différents groupes à l'intérieur de l'organisation et de savoir comment les gestionnaires peuvent transiger avec ces faits. Par exemple, les promotions de fonction technique à des positions manageriales, aussi bien que la rotation des postes, sont intimement liées à des questions qui sont d'ordre culturel puisqu'elles impliquent un changement de *locus* d'identification des personnes affectées.

Valeurs, attitudes et comportements

Les individus et les groupes organisationnels sont caractérisés par différents ensembles de valeurs et de croyances qui guident leur comportement au travail ; ces valeurs doivent être influencées de façon significative par les gestionnaires. Il s'agit là d'un fait qui est aujourd'hui reconnu dans le domaine de la gestion ; par exemple, les auteurs du célèbre best-seller *À la recherche de l'excellence* démontrent clairement comment les hauts gestionnaires en insistant sur des valeurs reliées au concept de qualité peuvent jouer un rôle clé dans le succès d'une entreprise. La question ici, pour les hauts gestionnaires des entreprises à forte teneur technologique, est de déterminer quelles sont les valeurs, les attitudes et les comportements qu'ils désirent encourager et développer, et aussi de s'assurer que les politiques, procédures et décisions organisationnelles soient en accord avec ces valeurs et ces attitudes.

Il est donc maintenant clair que les hauts gestionnaires œuvrant dans le secteur des organisations à forte teneur technologique doivent réfléchir à plusieurs questions relatives à l'organisation du travail et aux ressources humaines avant de penser implanter un changement culturel dans ces organisations. L'étude de cas qui suit illustre que, si ces questions fondamentales ne sont pas considérées, les risques de difficulté ou même d'échec sont grandement augmentés.

Le cas

Alpha est une grande firme d'ingénierie et de construction du secteur énergétique (pour assurer la confidentialité et l'anonymat, plusieurs détails ont été suffisamment modifiés). En 1984, Alpha a connu, sous la tutelle de son nouveau président-directeur général, une importante réorientation et une réorganisation majeure. Pendant cette réorganisation, les auteurs ont réalisé un grand nombre d'entrevues en profondeur avec les cinq niveaux supérieurs de gestion et avec quelques autres informateurs clés de différents niveaux de la pyramide. Sa réorientation et sa réorganisation ont forcé la compagnie à faire explicitement face aux questions fondamentales qui se posent à toute organisation à forte teneur technologique. L'étude de cas montre comment Alpha a fait face à ces questions. L'étude de cas permettra de déboucher sur des généralisations et des prescriptions.

Pettigrew (1985) distingue les trois variables du *contexte* du changement, du *contenu* du changement et du *processus* de changement. C'est ce cadre d'analyse qui sera adopté pour la description du cas. Le contexte du changement se réfère à la description de l'organisation et à ses caractéristiques sociales, économiques et technologiques avant la tentative de réorientation et de réorganisation. Le contenu du changement fait référence à la nature des changements que les hauts gestionnaires ou d'autres groupes à l'intérieur de l'organisation ont voulu promouvoir ou plus précisément aux positions prises par différents groupes sur les questions fondamentales pour toute entreprise à haute teneur technologique. Le processus de changement se réfère à la stratégie de changement et aux mécanismes mis en place pour assurer ce changement. Cette approche a le double avantage de simplifier et de clarifier les distinctions entre trois éléments qui, bien qu'ils soient en fait très différents, sont souvent confondus et de souligner la nature des relations qui existent entre eux : c'est sur la nature des relations entre ces trois éléments que se baseront les généralisations et les prescriptions.

Le contexte du changement

Alpha est une unité relativement autonome à l'intérieur d'une compagnie divisionnalisée. Les relations avec le siège social et les autres divisions sont de peu d'importance. Nous ne les discuterons pas ici. La presque totalité du travail d'Alpha s'effectue dans le secteur énergétique, dans lequel elle jouit d'une réputation bien établie pour la conception et la construction de projets clés en main.

Les caractéristiques du produit

Il est clair qu'Alpha œuvre dans le domaine de la technologie « dure » et non dans celui de la technologie de pointe. Il ne se fait pas de recherche fondamentale à Alpha. Malgré tout, Alpha est un leader technologique dans son domaine. Du point de vue du client, sa technologie est relativement complexe et difficile à maîtriser, alors que, de l'intérieur, la technologie d'Alpha est considérée comme étant relativement bien connue et facilement maîtrisée. Alpha assure sa position de leader dans le domaine en incorporant régulièrement des innovations incrémentales dans ses réalisations. L'innovation technologique chez Alpha consiste, pour le personnel, à demeurer bien informé sur les innovations technologiques dans plusieurs domaines à l'extérieur de la compagnie, à s'adonner à la recherche appliquée, à apporter des améliorations incrémentales au produit et à adapter les technologies existantes aux exigences spécifiques de chaque projet.

Bien que tous les projets d'Alpha se situent dans le secteur de la technologie « dure », ils varient considérablement en taille, en nature et en degré d'incertitude technologique. Les produits d'Alpha se divisent en trois classes, chacune s'adressant à un marché différent et utilisant des technologies de base différentes. Les produits de la première classe (de type A), la construction de grands ensembles énergétiques, constituent une part très importante de la charge de travail d'Alpha même s'ils sont peu nombreux. Le degré de complexité technologique de cette classe de produits est moyen. La principale source d'incertitude technique et d'innovation réside dans l'adaptation des technologies aux exigences spécifiques de projets particuliers. Les améliorations dans les méthodes de construction constituent aussi une partie non négligeable des innovations pertinentes à ce type de produits. Les produits de la seconde classe (de type B) demandent plusieurs catégories de nouveaux concepts d'équipement et comptent parmi les produits les plus similaires et standards d'Alpha. Leur niveau de complexité technique est relativement bas et ce type de produits a été divisé en une série de produits et de sous-produits standardisés. Le volume d'affaires d'Alpha en cette seconde classe de produits est assez important. Alpha mène de front la réalisation de plusieurs projets de cette seconde classe. Les différents projets de cette seconde classe varient considérablement en taille et en importance. Par contre, cette variabilité a peu d'impact sur les coûts unitaires, ce qui fait que les projets de grande envergure constituent une accumulation plus ou moins linéaire de petits sous-projets. Les améliorations de produits constituent la source principale d'innovation technologique et donc de modifications dans les standards de production. Les systèmes de contrôle d'Alpha constituent la troisième catégorie de produits (type C). Ces produits sont ceux qui sont marqués par le plus haut degré de complexité technologique. Il s'agit là d'un domaine qui évolue rapidement et Alpha doit se maintenir au fait des développements qui ont cours à l'extérieur de la compagnie en maintenant son propre programme de recherche appliquée. Alpha a un grand nombre de projets de la classe des systèmes de contrôle, dont plusieurs servent au rajeunissement d'équipements qui commencent à dater. Les coûts unitaires de ce type de projet sont relativement bas lorsqu'on les compare aux coûts d'approvisionnement des produits de type A et aux nouveaux équipements (type B), mais les coûts de conception et d'ingénierie sont proportionnellement plus élevés. Les systèmes de contrôle reliés à de nouveaux équipements sont traités comme des sous-projets de type B. Il s'agit là du seul lien majeur entre les trois classes de produits et, de toute façon, ce lien ne s'applique qu'à une fraction minime du total des produits de type C.

Structure et procédés administratifs

Même si la taille et la nature de l'incertitude technologique des projets d'Alpha varient beaucoup, ils suivent tous un processus administratif en trois phases. La première étape est celle de l'étude préliminaire, au cours de laquelle la faisabilité du projet est évaluée et plusieurs concepts de remplacement sont considérés.

C'est à la fin de cette première phase que le concept est arrêté. La deuxième étape est celle de la conception qui mène au développement du concept, qui passe du concept de base à l'ensemble détaillé des spécifications. Pendant la troisième phase, l'ingénierie de détail et les plans sont achevés. Le projet se réalise en accord avec les spécifications et est ensuite présenté au client.

La structure tridivisionnelle d'Alpha reflète exactement le processus administratif en trois phases. La division de la planification est responsable des études préliminaires, la division de l'ingénierie est responsable de la phase de conception, et la division de la construction est responsable de la phase finale. L'organisation d'Alpha reflète aussi les différences entre les types de produits. Les divisions de planification, d'ingénierie et de construction sont ainsi toutes divisées en trois services, un pour chaque type de produit.

Le **locus** *d'identification*

Alpha s'enorgueillit d'une tradition de sécurité d'emploi et de promotion par ancienneté. En fait, presque toutes les personnes qui occupent les cinq niveaux supérieurs de la hiérarchie peuvent s'appuyer sur au moins quinze ans d'ancienneté. La spécialisation est aussi érigée en tradition puisqu'il y a très peu de rotation de personnel entre les services. Quelques individus dans le secteur du contrôle des coûts cumulent aussi une expérience dans la division de la construction, alors que d'autres dans la division de la construction viennent de la division d'ingénierie. Mais la presque totalité des individus travaillant dans les divisions d'ingénierie et de planification a peu ou pas d'expérience en dehors de leur propre service d'origine. Les chefs de services et de sections d'ingénierie proviennent presque tous des rangs. Toutes les interviews réalisées avec les cadres (à l'exception de la personne à la vice-présidence) ont clairement démontré qu'il y a une identification très forte au service. Ce *locus* d'identification peut s'expliquer en partie par la stabilité et la sécurité d'emploi qui caractérisent Alpha. Par contre, il faut aussi voir que le service peut être conçu comme un carrefour où se rencontrent deux sources d'identification. Le personnel peut s'y identifier simultanément autant avec le type de produit qu'avec la phase du projet sur lequel il travaille.

L'identification au type de produit s'explique facilement par les réseaux de communication et d'interdépendance que le processus de travail impose au personnel d'Alpha. À mesure que la réalisation d'un projet progresse d'une des trois phases à l'autre, il doit s'installer une communication assez intense d'abord entre le personnel qui travaille à la division de la planification et celui de la division de l'ingénierie et, plus tard, entre ce dernier et ceux qui travaillent dans la division de la construction. Ces communications sont axées sur la tâche et forcent les contacts entre les individus travaillant à la réalisation des mêmes projets. Le personnel a très peu de raisons de communiquer avec les collègues qui réalisent d'autres projets reliés à d'autres types de produits. Il y a donc très peu de communication entre les services à l'intérieur d'une même division.

Les entrevues avec les gestionnaires et le personnel des différents services ont révélé que les membres de chaque service ont tendance à se concentrer sur la phase du projet dont ils sont responsables. Ceci les conduit à exagérer l'importance de cette phase pour le processus de gestion d'ensemble. Étant donné que les phases correspondent aux divisions, le personnel de chaque division a tendance à développer une culture et un point de vue communs. Les membres du personnel de chaque division se sont ainsi construit une vision des choses qui place leur propre travail et leurs propres préoccupations au centre du processus d'ensemble. C'est ainsi qu'ils perçoivent et évaluent leur monde et leur contribution à partir d'une perspective qui est déterminée par leur place dans le processus de gestion d'ensemble. Nos entrevues démontrent clairement que les orientations valorielles sont beaucoup plus homogènes à l'intérieur de chaque division qu'entre les divisions.

Presque toutes les personnes que nous avons interviewées détiennent un diplôme en génie. Les différences entre divisions ne peuvent pas par conséquent être attribuées au processus de socialisation normal lié à la formation universitaire, mais doivent plutôt être attribuées aux différentes sous-cultures organisationnelles qui se sont bâties sur la trame des cultures de spécialistes.

Les caractéristiques des divisions

La division de la planification est responsable des études préliminaires. Son personnel doit intégrer les dimensions techniques, économiques, politiques, sociales et environnementales pertinentes aux études de faisabilité. Il doit aussi suivre l'évolution générale de ces différentes dimensions pour accomplir la mission de planification chez Alpha. C'est dans cette perspective qu'il interagit fréquemment avec les planificateurs au siège social. La division de planification est la seule à entretenir un contact régulier avec le siège social.

Le personnel de cette division est ainsi orienté pour répondre à long terme à des critères multiples. Il a tendance à s'identifier avec Alpha et ses besoins à long terme, mais est aussi préoccupé par les besoins du siège social, du client et de la société en général. Sa loyauté va à Alpha, mais des considérations éthiques l'amènent à s'étendre à d'autres partenaires.

Les services de la division de planification sont les plus petits ; ils comptent environ 25 personnes chacun. Ils sont aussi les plus multidisciplinaires ; ils réunissent des économistes, des planificateurs financiers et d'autres types de professionnels. Le personnel des services de planification se perçoit comme ayant la responsabilité générale de l'évolution globale des opérations et de leur contrôle. Selon leur perception, les services d'ingénierie et de construction dépendent d'eux à cet égard. Les services d'ingénierie d'Alpha sont les plus gros. Chaque service est divisé en six ou huit sections en fonction des différentes technologies spécialisées qui sont utilisées pour chacun des types de produits. Le personnel de ces services travaille donc quotidiennement avec des groupes spécialisés différents. Eu égard à la dichotomie entre les valeurs scientifiques et d'ingénierie, les employés de la division d'ingénierie sont, de tous les employés d'Alpha, ceux qui s'identifient le plus aux valeurs scientifiques. Leur plus grande préoccupation concerne la qualité technique de chacun des concepts. Au-delà des projets particuliers, ils se soucient beaucoup du développement de leur spécialité et ils veulent, pour ce faire, rester à la fine pointe des développements qui ont cours à l'extérieur de la compagnie et améliorer continuellement les concepts des projets successifs (c'est-à-dire concourir à l'amélioration du produit et au développement technologique). Leur loyauté va d'abord à la profession et à la protection des standards de qualité technique.

Alpha n'utilise pas son propre personnel pour bâtir la grande majorité de ses projets. Elle sous-traite plutôt la construction d'équipements auprès de fabricants et l'installation d'équipements et la construction auprès de compagnies de construction. Toutefois, Alpha continue d'assumer la responsabilité générale et doit ainsi contrôler le processus d'allocation et de gestion de la sous-traitance pour en assurer la qualité ou le contrôle des coûts. Les services de construction sont donc relativement petits si on les compare à ceux d'ingénierie et ce, surtout, compte tenu de la taille et de l'importance des projets de construction concernés.

Les services de construction comprennent de cinq à huit gestionnaires de sites, et des sections spécialisées dans le contrôle des coûts, l'approvisionnement, la gestion de contrat et le support logistique dans les sites de construction. Chaque gestionnaire de site est responsable de quelques groupes spécialisés dans le contrôle des coûts, la gestion de contrat, la surveillance, l'estimation et l'inspection. Le personnel est continuellement pris par la gestion quotidienne des sites de construction. Leur horizon temporel est assez court et ils sont orientés vers l'action et les résultats. Leur préoccupation tourne autour des échéances et des délais qui sont inhérents à tout travail de construction. Ils sont aussi préoccupés par le contrôle des coûts, l'efficacité de l'exécution et la sécurité physique, mais ils ont moins tendance à rechercher la qualité pour elle-même. Leur loyauté va au projet ou aux différents projets dont ils sont responsables. Leurs décisions d'ordre éthique concernent principalement les délais et les augmentations de coûts causés par des problèmes non prévisibles et, conséquemment, les compromis qui en découlent. La figure 1 présente un résumé schématique des orientations culturelles des différentes divisions.

La prédominance de la division de l'ingénierie

Bien que les différentes divisions soient plutôt centrées sur elles-mêmes, il y a un consensus à Alpha sur le fait que ce sont les services d'ingénierie qui ont le plus d'influence. Ceci est attribuable en partie à leur taille et au fait que la réputation d'Alpha est principalement basée sur l'excellence technique des produits. Le processus administratif et d'allocation des responsabilités contribue aussi à cet état de chose.

Bien que le processus administratif soit séparé en trois phases: les études préliminaires, la phase de conception et, finalement, la phase de construction, dans les faits, pour des raisons pratiques et contextuelles, ces séparations ne sont jamais complètement étanches. Chez Alpha, l'érosion des frontières entre les trois phases du processus administratif a permis au service d'ingénierie d'acquérir une grande influence sur les trois phases.

Les études techniques sur lesquelles les rapports préliminaires sont basés sont réalisées dans les services d'ingénierie pertinents, qui sont mandatés par les différents services de planification. Quoique cette situation laisse aux services de planification le contrôle des considérations d'ordre économique, de marché, environnemental et politique, elle délègue, dans une grande mesure, le contrôle du contenu technique aux services d'ingénierie.

Les services d'ingénierie ont même tendance à s'attribuer un avantage plus grand que celui qui leur est dévolu par cette procédure formelle. Assez souvent le travail de la phase de conception est fait par les ingénieurs mêmes qui ont mené les études techniques nécessaires pour le rapport préliminaire. Ces ingénieurs ont tendance à se percevoir comme possédant le contrôle du contenu du projet avant et après l'approbation officielle qui accompagne le passage de la phase préliminaire à la phase de conception. Pour plusieurs raisons qui tendent à se renforcer mutuellement, les ingénieurs ont tendance à investir assez peu d'efforts dans les rapports préliminaires et à se sentir relativement peu concernés par leur contenu. En effet, les projets ne sont pas tous approuvés et les ingénieurs considèrent comme une pure perte les énergies qu'ils auraient investies dans des projets qui ne devraient pas être approuvés au bout du compte. En ce sens, il est évidemment rationnel de minimiser l'investissement en temps et en énergie dans des rapports préliminaires parce qu'une certaine quantité de pertes est forcément inévitable. Il est cependant très difficile d'évaluer autant les énergies effectives qui sont consacrées au rapport préliminaire que les énergies optimales qui devraient l'être. Par contre, chaque personne, ou groupe de personnes, qui est engagée dans ces rapports, porte sur ceux-ci un jugement purement intuitif qui a tendance à varier en fonction de la position de la personne dans le processus administratif. Chez Alpha il semble y avoir un consensus selon lequel les services d'ingénierie investissent assez peu dans les

FIGURE 1
Orientations culturelles des différentes divisions d'Alpha

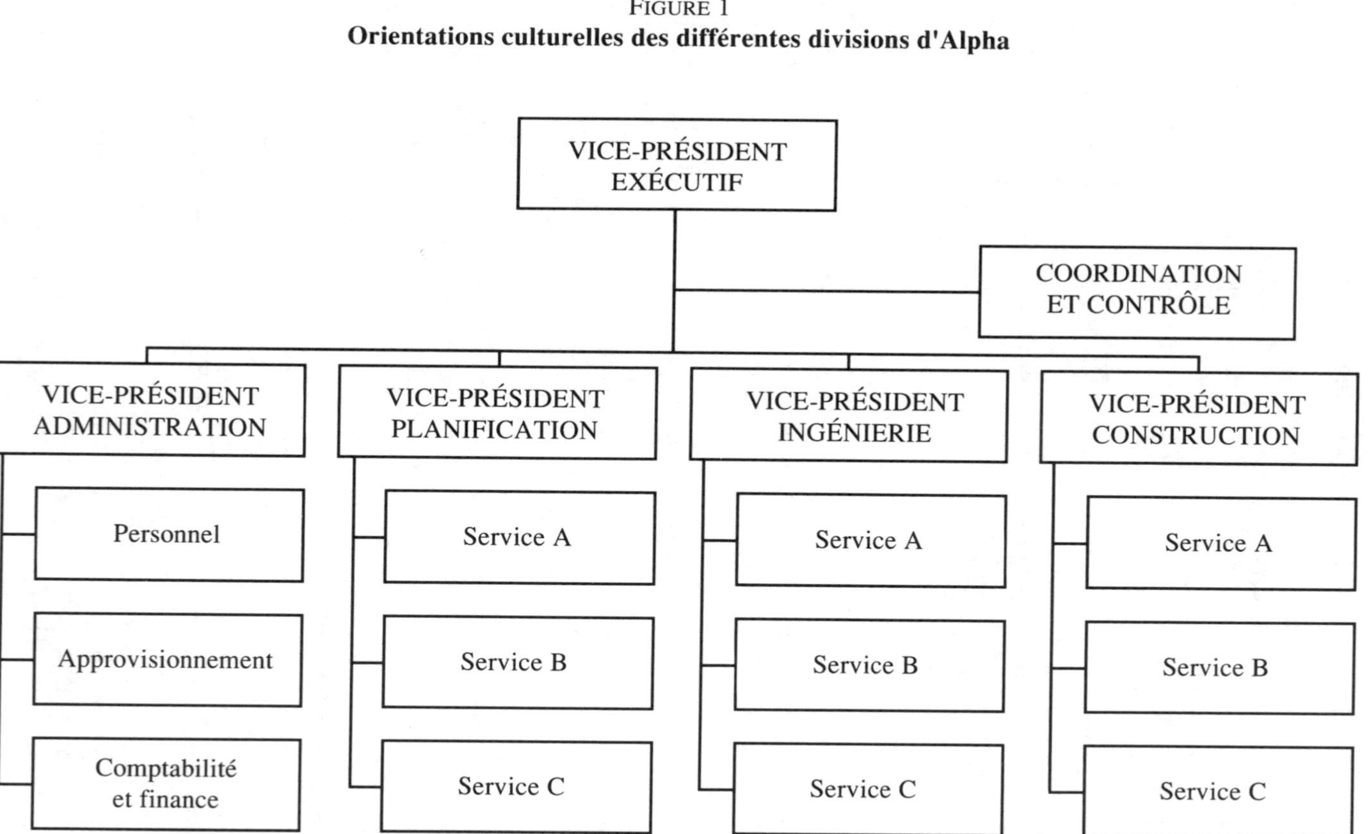

études préliminaires. Les services d'ingénierie considèrent que cet investissement minimal est, dans les faits, optimal, alors que les divisions de planification et les hauts gestionnaires le perçoivent comme étant nettement insuffisant. De plus, parce qu'ils investissent assez peu dans son contenu et parce qu'ils se perçoivent comme détenant le contrôle de ce contenu, les services d'ingénierie n'ont pas tendance à se sentir très engagés ou liés par le rapport préliminaire. Leur attitude témoigne que son contenu peut toujours être changé plus tard et au besoin.

La frontière entre les phases de conception et de construction a, elle aussi, tendance à s'éroder au profit d'une augmentation de l'influence des services d'ingénierie. L'augmentation de l'influence des services d'ingénierie sur la phase de construction est possible à cause des recouvrements entre le travail de conception et le travail de construction. Ce recouvrement est dû en partie à l'extension des préalables nécessaires et au besoin de commander des équipements avant que le travail de conception ne soit terminé ; il est aussi dû au fait que, dans les grands projets de construction, la mise en chantier a souvent lieu avant que le travail de conception ne soit achevé et au fait que des modifications dans la conception originale sont souvent nécessaires pour corriger des « erreurs » de conception ou pour adapter le concept à des conditions non prévues. Le recouvrement partiel des phases de conception et de construction appelle donc un grand nombre de modifications qui sont dans les faits contrôlées par les différents services d'ingénierie.

Bien que les modifications soient inévitables dans le domaine de l'ingénierie et de la construction, il est très difficile de dire si, dans les faits, il y en a trop ou pas assez puisque les coûts d'une réduction des modifications se traduisent souvent par une augmentation des efforts de conception, une flexibilité réduite et un allongement de la période de conception. Toutes les compagnies d'ingénierie et de construction ont leurs propres légendes et histoires d'horreurs à propos des coûts liés aux modifications. Les ingénieurs possèdent aussi leur propre liste de modifications coûteuses causées par les clients qui ne savaient pas très bien ce qu'ils voulaient ou qui ont tout simplement changé d'idée, et par le manque de ressources et de temps pour le travail de conception.

Alpha ne fait pas exception. Chaque groupe a son propre répertoire d'histoires et d'anecdotes qui tendent toutes à appuyer ses positions. Il y a par contre un consensus général chez Alpha selon lequel il y a trop de modifications, souvent apportées trop tard et qui causent des problèmes de contrôle des coûts. Même si ce consensus de base existe, les opinions n'en divergent pas moins beaucoup sur l'importance souhaitable de la réduction de ces modifications.

Changement au sommet

C'est au début de 1984 que les choses ont commencé à changer chez Alpha. À la suite de changements au plus haut niveau du siège social, M. Joseph Lambert est devenu le nouveau vice-président exécutif d'Alpha. M. Lambert avait débuté sa carrière comme ingénieur chez Alpha, mais avait ensuite quitté Alpha pour joindre les rangs d'une autre division du même siège social. C'est dans cette division qu'il avait acquis une solide réputation de gros travailleur et de gestionnaire de projet efficace. Juste avant son retour à Alpha, M. Lambert était responsable d'un projet majeur qui avait été considéré par tous comme un franc succès. La nouvelle haute direction du siège social avait donc nommé M. Lambert à la tête d'Alpha. M. Lambert est donc maintenant devenu le patron de ses anciens supérieurs, dont plusieurs comptent plusieurs années d'ancienneté de plus que lui.

Le contenu du changement

Avant de s'asseoir dans son nouveau fauteuil de vice-président exécutif, M. Lambert avait déjà des opinions très arrêtées sur l'état des choses à Alpha. Il avait aussi déjà en tête un ensemble d'objectifs généraux clairs et interreliés. Sa conception de la réorientation et de la réorganisation d'Alpha était basée sur les leçons qu'il avait tirées de son expérience comme gestionnaire de projet dans l'autre division et sur ses déductions relatives aux facteurs qu'il croyait être à l'origine du succès du dernier projet majeur qu'il avait si brillamment mené avant sa toute récente nomination.

En tant que gestionnaire de ce projet, il avait été responsable tant de la conception que de la construction. Dans les faits, c'est lui qui détenait l'ultime responsabilité pour tous les aspects du projet. Organisationnellement, il était chargé d'un groupe de travail qui avait été mis sur pied précisément pour la gestion de ce projet. En tant que tête dirigeante de ce groupe de travail, il relevait directement du vice-président exécutif du siège social. Il avait ainsi l'avantage d'être pratiquement indépendant de toute contrainte organisationnelle. Il se percevait lui-même comme une personne très orientée vers l'action et à qui on pouvait ultimement imputer les résultats d'ensemble. Il se percevait aussi comme une personne qui savait être très proche des exigences réelles des projets et comme le défenseur de celles-ci face à des intérêts opposés. Plus précisément, il se voyait comme l'arbitre ultime des compromis à faire entre les considérations liées au coût et les considérations liées à la qualité.

Comme son dernier projet à succès s'était étendu sur plusieurs années, il y avait un recouvrement considérable entre les phases de conception et de construction. À cause de l'ampleur, de la durée et de la distance du projet (dans les pays en voie de développement), une grande partie du travail d'ingénierie s'était faite sur le site même. Les conditions de travail sur le site plaçaient les gens qui travaillaient sur la conception, la construction et le contrôle des coûts en contact étroit les uns avec les autres sous la supervision du groupe de travail mené par M. Lambert. Ces conditions physiques et organisationnelles avaient placé M. Lambert dans une excellente position pour assurer le contrôle du travail de conception et de construction, aussi bien que leur intégration et pour faire les compromis nécessaires.

Un autre élément important du succès lié à ce contexte était, d'après M. Lambert, la mise en place d'un système de contrôle des coûts très poussé. Ce système était basé sur la production de plans détaillés et d'estimations fiables et sur une surveillance étroite et continue de toute déviation de ces plans. Pour assurer le succès de ce système, il avait dû engager des évaluateurs et experts de très haute compétence et de très haut niveau et établir une politique qui rendait toute autorisation de modifications des plans très difficile à obtenir. La majeure partie du travail sur ce projet avait été sous-traitée auprès d'organisations travaillant à forfait. Cette relation contractuelle avait donc libéré M. Lambert et son groupe de travail d'une bonne partie du travail administratif tout en leur donnant en même temps le contrôle effectif du projet, de ses progrès et de ses coûts.

M. Lambert considérait qu'Alpha était, à bien des égards, un exemple à ne pas suivre. Il voyait Alpha comme une organisation assez bureaucratisée et dominée par les services d'ingénierie. Il considérait que la culture d'Alpha était dominée par la sécurité d'emploi, la promotion par ancienneté, par des relations interpersonnelles basées sur l'accommodement plutôt que sur la confrontation et par le respect de la tradition des pratiques établies plutôt que l'initiative. Il considérait aussi que la majeure partie des projets souffrait d'une grande inefficacité, de coûts trop élevés causés par une surabondance de modifications, surtout pendant la phase de construction, et aussi par une préoccupation excessive pour la qualité technique. Le « plaqué or » était l'expression qu'il utilisait pour désigner cette obsession pour la qualité superflue, la surconception et les modifications de conception arbitraires et dispendieuses. Il considérait aussi que les services d'ingénierie travaillaient isolément et produisaient des concepts qui répondaient assez pauvrement aux conditions actuelles du site de projet et aux exigences réelles du projet.

M. Lambert voulait opérer chez Alpha un changement de façon que ses conditions de gestion et d'exploitation ressemblent davantage à celles du dernier projet d'envergure qu'il avait géré. Son objectif était d'augmenter l'efficacité en plaçant la responsabilité générale du contenu du projet, du contrôle des coûts et du temps dans les mains d'un seul gestionnaire de projet (réduisant ainsi les exigences pour ce qui est des ressources humaines). Le gestionnaire de projet serait à la tête d'un petit groupe permanent qui mandaterait d'autres services en fonction des exigences du projet. Le gestionnaire de projet demeurerait responsable du contenu des mandats qu'il distribuerait et aurait aussi à les valider. Il aurait de plus le contrôle des ressources financières et des décisions concernant les compromis. M. Lambert avait le sentiment que le gestionnaire de projet devrait aussi être très proche des réalités du site de construction et des exigences réelles de tous ses projets.

La structure organisationnelle

Dans le but de créer ces conditions qu'il jugeait optimales, M. Lambert opéra plusieurs changements structurels importants. Le plus important de ces changements structurels était sans conteste celui par lequel il regroupait l'ingénierie et la construction sous la direction d'une seule vice-présidence et les plaçait toutes deux dans une structure matricielle (figure 2). M. Lambert pensait que la majorité des problèmes les plus importants se manifestaient pendant les phases de conception et de construction et que c'est pendant ces deux phases que les besoins de coordination étaient les plus élevés. Les études préliminaires restaient sous la responsabilité du groupe de planification. Les services de construction qui avaient maintenant la responsabilité générale du contenu des projets et du contrôle des coûts et du temps ne devaient pas voir leur taille augmenter. Toutefois ils ont, dans les faits, acquis de nouvelles ressources. De nouvelles positions de gestionnaires de projets furent créées et placées sous la responsabilité des différents chefs des services de construction. Un gestionnaire de projet fut nommé pour chaque paire de produits de type A et trois furent nommés pour chacun des deux autres types de produits. Chacun de ces gestionnaires de projets se voyait appuyé par un coordonnateur de l'ingénierie et un coordonnateur de site. Les gestionnaires de site relevaient directement du coordonnateur de site et le coordonnateur de l'ingénierie avait de quatre à six ingénieurs sous ses ordres (figure 3).

Imputabilité, responsabilité et intégration du travail

L'extension de l'imputabilité, l'augmentation de la responsabilité et une amélioration de l'intégration du travail figuraient parmi les objectifs explicites de la réorganisation. Un grand nombre des points de vue, procédures et changements proposés n'étaient en fait que des moyens pour arriver à ces fins. L'intégration du travail devait être assurée en remettant la responsabilité de chaque projet dans les mains d'un gestionnaire de projet. Tout lui serait imputable, mais il ne serait pas directement engagé dans l'exécution. Il procéderait plutôt par mandat ; les mandataires seraient à leur tour responsables, devant lui et l'équipe des hauts gestionnaires, de l'accomplissement de leur mandat, qui leur serait imputé. C'est de cette façon que M. Lambert voulait rendre tout un chacun responsable de ses actes et les lui imputer.

FIGURE 2
La nouvelle structure matricielle d'Alpha

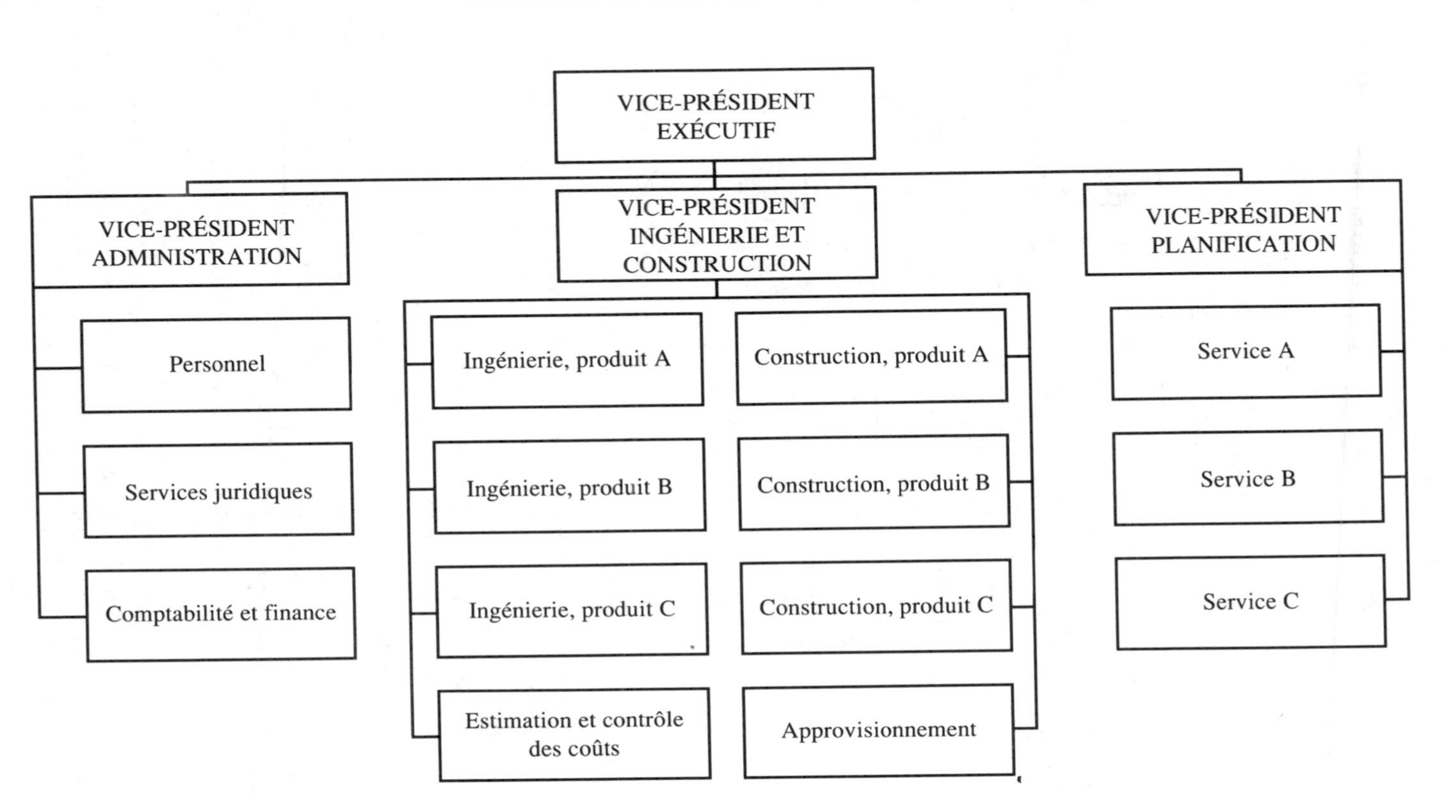

FIGURE 3
Nouvelle structure des services de construction d'Alpha

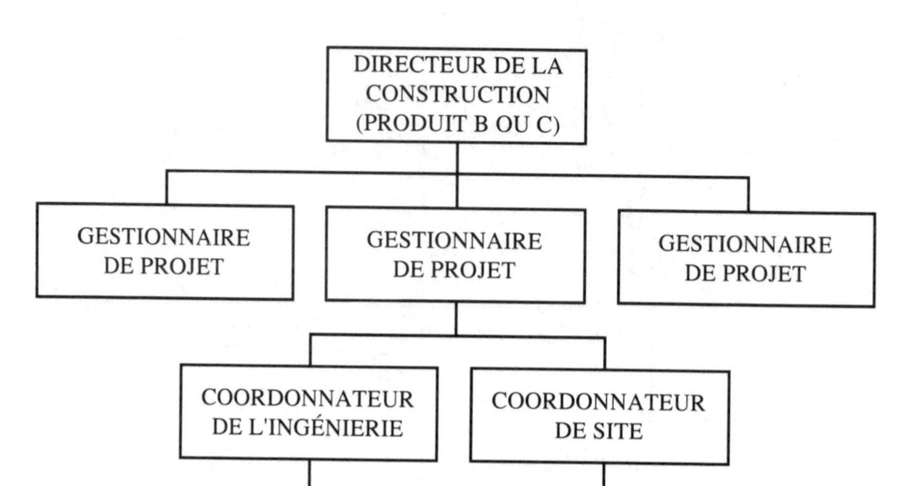

Estimation et contrôle des coûts

L'amélioration du contrôle des coûts était un autre objectif fondamental et explicite de la réorganisation. En fait, plusieurs membres d'Alpha percevaient qu'il s'agissait là de l'objectif majeur de leur nouveau vice-président exécutif. Plusieurs des autres changements proposés peuvent en effet être vus comme étant subordonnés à cette fin.

L'atteinte des objectifs d'amélioration du contrôle des coûts et d'augmentation de la responsabilité et de l'imputabilité dépendait de la capacité d'établir des plans basés sur des estimations valables et fiables. L'imputabilité des résultats et un contrôle efficace des coûts reposent tous deux sur l'existence d'un plan ou de repères préalables. Dans le contexte de projets technologiques, ceci implique que les estimations et la surveillance des progrès se fassent par rapport à des plans précis.

De façon à renforcer la fonction d'estimation ou d'évaluation, M. Lambert retira la responsabilité de cette tâche aux services d'ingénierie et de construction et créa un nouveau service d'estimation et de contrôle des coûts. Les évaluateurs allaient aussi être mandatés par les gestionnaires de projets. La fonction de contrôle des coûts fut aussi renforcée par le simple fait qu'elle fut mise hors de portée du contrôle direct des services d'ingénierie et de construction. Le centre de contrôle des coûts devait surveiller les progrès accomplis en fonction des plans et informer les gestionnaires de projets et l'équipe du vice-président exécutif de tout délai et de tout excès. Ses membres devenaient les chiens de garde d'Alpha.

La production d'estimations et l'établissement d'un système de contrôle managerial basé sur la surveillance du projet par rapport aux plans requéraient que le contenu des différents projets soit aussi stable que possible. La question du contrôle devient donc dépendante de celle de l'achèvement de la phase de conception.

Presque tout le monde chez Alpha était d'accord avec le fait qu'il y avait eu par le passé trop de modifications et que celles-ci avaient été souvent faites beaucoup trop tard, entraînant ainsi des augmentations des coûts de construction et des délais importants. M. Lambert accordait beaucoup d'importance à toute cette question. Tous les projets devraient être approuvés par lui afin de passer de la phase des études préliminaires à la phase de conception de même qu'avant le passage de la phase de conception à la phase de construction. Il voulait ainsi établir deux points de contrôle; un premier point de contrôle à l'étape de l'achèvement des études préliminaires et un second point de contrôle au moment de l'achèvement de la conception détaillée et des spécifications.

Les évaluateurs aussi conçoivent que l'achèvement de la phase de conception doit arriver aussi tôt que possible parce qu'ils considèrent que la préparation d'estimations pour des concepts qui doivent de toute façon être changés plus tard est une perte de temps et d'énergie. Les spécialistes du contrôle des coûts, eux, veulent deux choses: d'abord une estimation des coûts du travail de conception avant le début de la conception et, deuxièmement, une estimation détaillée des coûts de construction avant le début de la phase de construction. En cela les gestionnaires de projets sont aussi d'accord avec eux.

À l'intérieur du service d'estimation et de contrôle des coûts, l'évaluation et le contrôle des coûts sont sous la responsabilité de deux sections différentes. De façon que le travail progresse sans heurt à l'intérieur même du service, les estimations doivent être terminées pendant la phase de conception et avant que le projet ne soit incorporé dans le système de contrôle des coûts. Pour que cela soit possible, le concept doit être arrêté avant la fin de la phase de conception.

Une pression est donc exercée sur les services d'ingénierie pour qu'ils fassent deux choses: d'abord pour qu'ils produisent des estimations de coûts du travail de conception et s'en tiennent strictement à celles-ci et, deuxièmement, pour qu'ils arrêtent le concept aussi tôt que possible pour ainsi réduire le nombre et l'importance des changements et des modifications qui entraînent toujours des délais et des excès de coûts. En ce qui a trait au premier de ces deux impératifs, le personnel des services d'ingénierie, fidèle à sa propre culture professionnelle, prétend qu'il est impossible de faire des estimations précises des coûts de conception. Ils ajoutent qu'ils sont les seuls à pouvoir comprendre la nature de leur travail et que le personnel des centres d'estimation et de contrôle des coûts et des services de construction n'est pas qualifié pour produire des estimations fiables des coûts de conception. Certains vont même jusqu'à prétendre que les coûts de conception ne devraient pas être l'objet d'un contrôle ; ou bien parce que de toute façon ils ne représentent qu'une infime proportion des coûts de capitalisation de l'équipement, ou bien parce que le coût total de la réalisation d'un projet et sa qualité dépendent en grande partie de la qualité de la conception. Donc, un dollar dépensé pour la conception est un dollar bien dépensé. Dans cette optique, la meilleure façon de réduire les coûts totaux est d'augmenter les coûts de conception et le temps alloué pour l'achèvement du concept.

En ce qui a trait à l'achèvement de la phase de conception, le personnel des services d'ingénierie souhaiterait qu'il intervienne aussi tard que possible. Ceci leur permet d'apporter des améliorations et de produire des concepts de meilleure qualité. Plusieurs pensent ainsi que la position prise par M. Lambert, et appuyée par la majeure partie du personnel d'Alpha, est plutôt radicale. Ils disent de lui et de ses disciples qu'ils préféreraient voir un ouvrage mal bâti plutôt que de faire des changements. Ils prennent le point de vue opposé en affirmant que le concept n'est jamais arrêté avant que l'ingénierie de détail, qui est elle-même largement faite pendant la phase de construction, ne soit terminée.

Il est très clair que les services d'ingénierie essaient de défendre leur autonomie professionnelle en résistant à toute tentative de contrôle venant de l'extérieur. Ces points chauds contribueront à l'isolement des services d'ingénierie du reste du personnel d'Alpha.

L'essence du nouveau système de gestion allait donc résider dans la production d'estimations fiables et la surveillance du progrès basée sur les plans. M. Lambert affirma très explicitement que le personnel devait être évalué sur la base de sa capacité à se conformer aux plans et à respecter les estimations. La production et le respect des estimations devinrent donc une question politique très délicate. Les membres des services d'ingénierie ne sont pas les seuls à contester l'habileté des évaluateurs à estimer et à contrôler les coûts avec précision. Les services de construction et d'approvisionnement s'opposent aussi fortement à être évalués en fonction de ces estimations.

Contrôle de la qualité et contre-validation

Historiquement, chez Alpha, la qualité technique a toujours été la préoccupation et la responsabilité des services d'ingénierie. Après la réorganisation, les gestionnaires de projets se trouvent donc à avoir la responsabilité générale de tous les aspects des projets, incluant la qualité technique. Le travail de conception doit être exécuté par les services d'ingénierie, mais il doit être validé par le gestionnaire de projet et son coordonnateur d'ingénierie.

M. Lambert voulait implanter un système par lequel toute tâche allait être exécutée par une unité, mais validée par l'autre. C'est ce système qu'il appelait un système de contre-validation. La validation des concepts techniques par le coordonnateur d'ingénierie n'en constitue qu'un exemple. Les évaluateurs, les contrôleurs, les approvisionneurs étaient tous divorcés des services d'ingénierie et de construction en partie pour permettre la mise sur pied d'un système de contre-validation. L'idée ici est de distinguer et de séparer l'exécution de sa validation et de sa responsabilité ultime. M. Lambert croyait que ce système allait contribuer à l'atteinte de ses objectifs de contrôle des coûts et de prise en charge de la responsabilité et de l'imputabilité. Il croyait aussi que ce système allait exiger de son personnel une plus grande capacité de confrontation et que tout cela allait réaliser au mieux les objectifs des projets.

Cette idée de séparation entre l'exécution et la responsabilité était complètement étrangère à la culture d'Alpha et presque inconcevable pour la majorité de son personnel. Un grand nombre croyaient que la contre-validation était en fait un des objectifs spécifiques de la réorganisation. Par contre, bien peu étaient en mesure d'expliquer la signification de ce système et d'en donner un exemple. Il s'agit là d'un indice très clair que ce système de contre-validation était à peu près impensable pour la majorité. Chez Alpha, la croyance que les ressources nécessaires à l'exécution devaient aller dans l'unité responsable des résultats était très incrustée. La survivance de cette croyance rendait les nouveaux rôles de gestionnaires de projets et d'évaluateurs plutôt insignifiants et incompréhensibles pour un grand nombre d'individus : « Comment un gestionnaire de projet sans ressources peut-il être responsable des résultats ? » « Pourquoi les évaluations devraient-elles être préparées à l'extérieur des services d'ingénierie et de construction ? » « Pourquoi ces services devraient-ils se sentir obligés de respecter des plans basés sur des estimations qu'ils ne contrôlent même pas ? » « Si vous voulez me rendre responsable des résultats, alors donnez-moi les ressources et je ferai le travail ! »

L'idée de la contre-validation perdait aussi beaucoup de la faveur du personnel parce qu'elle était vue comme une duplication des efforts. Ceci était particulièrement clair dans le cas de la production des estimations. En principe, une fois la réorganisation terminée, tous les évaluateurs devaient être rassemblés dans le même service. En effet, officiellement, de telles positions n'existaient plus que dans ce service. Toutefois, plusieurs gestionnaires des services d'ingénierie et de construction admettaient ouvertement avoir dans leurs unités des évaluateurs camouflés sous d'autres titres. Ils croient fermement qu'il est absolument nécessaire pour eux que cette fonction soit sous leur contrôle.

Les compromis

Des compromis doivent être faits dans tous les projets techniques. La conception de M. Lambert à ce sujet était très claire. Il croyait que dans le passé les compromis qualité/coût avaient trop souvent favorisé la qualité au détriment des coûts. C'est ce qu'il appelait le « plaqué or » et il désirait changer cet état de fait à l'avantage du contrôle des coûts. C'est dans cette optique qu'il donna la responsabilité des décisions relativement aux compromis aux gestionnaires de projets, convaincu qu'il était que ceux-ci étaient plus proches des exigences réelles de leurs projets. M. Lambert se réfère constamment à ces dernières. Si le développement technologique à long terme fait partie de ses préoccupations, cette préoccupation ne se traduit pas dans son discours : il s'agit là d'un élément qu'il ne mentionne jamais. Il ne voit aucune contradiction entre les exigences spécifiques d'un projet et le développement technologique à long terme. Il considère que la production de concepts qui sont bien adaptés aux exigences spécifiques de chaque projet constitue la meilleure façon de promouvoir le développement technologique.

Inutile de dire que les services d'ingénierie sont d'une opinion très différente. Ils croient que le travail de développement technologique ne peut pas se faire lorsque les projets sont considérés un à un. Ils croient plutôt que cette préoccupation doit être maintenue en menant la réalisation de plusieurs projets de front, sur une assez longue période et en continuité.

La sous-traitance

Le projet à succès dont M. Lambert avait été responsable avant de joindre les rangs d'Alpha avait été exécuté par un grand nombre de sous-traitants. Les travaux de conception et de construction avaient tous deux été sous-traités. M. Lambert était convaincu que ces relations contractuelles avec d'autres compagnies avaient beaucoup contribué au succès de son projet. C'est ce qu'il voulait répéter chez Alpha. La phase de construction était déjà gérée par la méthode de la sous-traitance et il désirait bien poursuivre cette pratique. Toutefois la majeure partie du travail de conception avait traditionnellement été faite à l'intérieur même d'Alpha, bien qu'une partie de ce travail, particulièrement l'ingénierie de détail et la conception des petites composantes, aie aussi été régulièrement sous-traitée. En plaçant toute la responsabilité entre les mains d'un gestionnaire de projet appuyé de peu de ressources humaines, M. Lambert tentait de créer entre le gestionnaire de projet et les services d'ingénierie une relation analogue à celle qu'établit un accord contractuel. L'idée même de préparation et de respect des estimations et celle de la distribution de mandats contribuaient à créer elles aussi des relations quasi contractuelles.

M. Lambert désirait aussi augmenter la quantité de travail de conception qu'Alpha sous-traitait. Il croyait que la sous-traitance était plus efficace au niveau des coûts et qu'elle allait permettre la production de concepts plus innovateurs. Il croyait aussi que la sous-traitance favorisait le développement technologique.

Plusieurs personnes de plusieurs services, et surtout le personnel des services d'ingénierie, ne partageaient pas cette opinion. Ils voyaient Alpha comme un leader mondial dans son domaine. La sous-traitance d'une partie importante du travail de conception signifie pour eux qu'Alpha achèterait sur le marché externe un savoir-faire déjà acquis à l'intérieur. Tout travail de conception fait à l'extérieur doit aussi être validé à l'intérieur et ils considèrent que les coûts combinés de la sous-traitance et de la validation interne sont supérieurs aux coûts de conception interne. Ceci soulève aussi la question de la duplication des efforts. Les services d'ingénierie pensent aussi que la sous-traitance d'une plus grande partie du travail de conception réduirait leur grandeur en deçà du niveau critique nécessaire au développement technologique. Ils perçoivent donc que la sous-traitance du travail de conception va à l'encontre de la promotion du développement technologique.

La distribution du pouvoir

La réorientation et la réorganisation proposées par M. Lambert allaient considérablement brasser les cartes de la distribution du pouvoir chez Alpha. Les proches de M. Lambert mentionnent la soumission des services d'ingénierie au contrôle des gestionnaires de projets dans les services de construction comme étant un geste volontaire et explicite dans le sens de l'atteinte des objectifs de l'accroissement d'efficacité par la diminution des coûts, de la réduction du « plaqué or » et du rapprochement du travail de conception des exigences réelles des projets.

Quelques-uns, plus particulièrement les gestionnaires de projets et leurs subordonnés, croient que M. Lambert n'a pas suffisamment ébranlé la base de pouvoir des services d'ingénierie. Ils voudraient pouvoir sous-traiter directement à l'extérieur le travail de conception, sans intervention aucune de la part des services d'ingénierie. Ils prétendent que sans ce pouvoir ils sont les otages des services d'ingénierie et sont donc incapables de négocier des mandats « raisonnables ».

Le locus *d'identification*

M. Lambert et le groupe de travail avec lequel il avait œuvré avant sa nomination à Alpha s'étaient identifiés presque fanatiquement avec leur projet. M. Lambert considère que cette identification au projet a contribué à son succès en augmentant la motivation, en subordonnant tout aux exigences réelles du projet et en créant une culture très orientée vers l'action.

Il voudrait donc que cette identification au projet devienne la marque de commerce d'Alpha. La structure matricielle dominée par les gestionnaires de projets a été implantée dans le but de stimuler ce processus d'identification au projet. Aucun autre *locus* d'identification valable n'existe dans l'esprit de M. Lambert.

Valeurs, attitudes et comportements

En ce qui a trait aux types de valeurs, d'attitudes et de comportements attendus des subordonnés, M. Lambert est aussi très précis. Il veut faire affaire avec des hommes d'action qui sont prêts à prendre des risques, à s'engager publiquement envers des objectifs particuliers et à accepter la responsabilité des résultats. Il favorise la confrontation : la meilleure façon d'arriver à des solutions satisfaisantes pour toutes les parties et efficaces.

En cette matière, M. Lambert considérait que l'état des choses à Alpha avant son arrivée était tout à fait inacceptable et que les changements qu'il proposait étaient nécessaires. Il considérait ces changements comme une réorientation radicale. Les changements qu'il proposait permettent de bien souligner les différences que M. Lambert voyait entre l'état des choses à Alpha au moment de son arrivée et sa nouvelle orientation.

Sa perception n'était pas partagée par tous les gestionnaires d'Alpha. Plusieurs considéraient que la position d'Alpha en cette matière était enviable. Alpha jouissait d'une réputation internationale d'excellence technique et d'un large bassin de savoir-faire interne. Plusieurs admettaient que quelques inefficacités pouvaient se glisser ici ou là, mais n'étaient pas convaincus que cela appelait un changement radical ni que les changements proposés allaient augmenter l'efficacité. Ils voyaient donc les changements proposés comme n'étant ni nécessaires ni urgents.

De plus, Alpha avait traversé deux réorganisations majeures dans la dernière décennie. La première réorganisation avait tenté, sans succès, d'implanter une structure matricielle. Plusieurs gestionnaires voyaient dans les changements proposés par M. Lambert une autre tentative d'implanter le même type de structure. Pour eux, les changements proposés ne représentaient donc pas du tout une rupture avec le passé. Ils représentaient plutôt un retour en arrière vers une époque qui ne leur inspirait aucune nostalgie.

Le processus de changement

Avant de prendre les commandes d'Alpha, M. Lambert avait pris le temps de visiter tous les services pour des discussions informelles et avait suivi un séminaire de gestion prestigieux et spécialisé pour gestionnaires de très haut niveau dans une université américaine de renom.

Tout de suite après sa nomination au poste de vice-président exécutif, M. Lambert procéda à la nomination d'un vice-président des divisions de planification et de services administratifs, mais décida d'assumer lui-même la vice-présidence des divisions d'ingénierie et de construction.

M. Lambert donna le botté d'envoi du processus de changement en convoquant une réunion spéciale des vice-présidents et des chefs de services. Il s'agissait pour lui d'expliquer les objectifs qu'il voulait poursuivre dans la future restructuration d'Alpha.

Entre autres choses, ces changements impliquaient l'élimination de plusieurs positions aux échelons supérieurs. Leur nombre allait donc passer de 27 à 17. Après cette réunion spéciale, M. Lambert rencontra individuellement tous les chefs de services pour mieux comprendre leur réaction et évaluer leur adhésion à ses objectifs. C'est à la suite de cette série de rencontres que M. Lambert nomma les nouveaux chefs de services. Parallèlement à ces démarches initiales, M. Lambert créa un groupe de travail spécial. À cause de l'urgence de la situation et des caractéristiques qu'il percevait chez le personnel d'Alpha, le groupe de travail fut composé essentiellement de collègues avec lesquels il avait travaillé avant de revenir chez Alpha. Leurs bureaux furent regroupés autour de celui du vice-président, ce qui leur garantissait un accès facile à celui-ci.

Trois mois après sa nomination, M. Lambert convoqua ses nouveaux chefs de services et les membres de son groupe de travail à une session de travail qui devait se tenir à l'extérieur de la ville dans une auberge gastronomique. C'est au cours de cette réunion que le groupe de travail présenta ce qu'on allait dorénavant appeler le fameux «livre bleu» (sa couverture était effectivement bleue). Le livre bleu détaillait les responsabilités de tous ceux qui étaient engagés dans le processus de gestion de projet en trois phases et la structure qui allait concrétiser cette nouvelle distribution des responsabilités. Le contenu du livre bleu fut abondamment discuté et modifié en fonction des consensus émergents. Les missions des différents services furent aussi discutées de même que la question corollaire du nombre de sections requis à l'intérieur de chaque service.

Après cette réunion, M. Lambert éconduisit tous les chefs de sections. Ils apprirent alors qu'ils avaient deux semaines pour se trouver une nouvelle position sur le nouveau «marché concurrentiel» d'Alpha. Les anciens chefs de services et leurs assistants qui n'avaient pas encore trouvé de nouvelles positions entraient aussi dans la course de ce nouveau marché.

Jusque-là M. Lambert s'était montré très satisfait de l'évolution des choses. Il se voyait comme un gestionnaire très participatif et ouvert aux contributions de tous, comme le démontrait d'ailleurs amplement l'effort collectif d'amélioration du livre bleu. Par contre, plusieurs subordonnés n'avaient pas apprécié sa gestion «rude et cavalière» des ressources humaines. Tout de suite après la nomination des chefs de sections, M. Lambert les convoqua, avec les chefs de services, à une réunion spéciale dans un hôtel du centre de la ville. Généralement parlant, l'ordre du jour de cette réunion était exactement le même que celui de la rencontre précédente du groupe de travail et des chefs de services dans une auberge gastronomique. M. Lambert ouvrit la réunion par un discours dans lequel il invitait tous les membres d'Alpha à devenir plus engagés et à s'identifier davantage aux objectifs de l'organisation. Les quelques mois à venir allaient constituer une période de rodage pendant laquelle il allait évaluer le rendement de tous ceux qui occupaient des positions de gestion. « Dans un an, il se pourrait que la moitié d'entre vous ne soit plus parmi nous. Je ne peux pas le dire dès maintenant. Tout dépendra de votre rendement. »

Les personnes présentes à cette réunion réagirent avec enthousiasme et se mirent à trimer dur pour élaborer la nouvelle structure organisationnelle. Le livre bleu fut à nouveau modifié. Les missions des services furent définies et le nombre de sections pour chacun des services fut aussi arrêté.

Les chefs de sections élaborèrent ensuite la structure de leur section et sa mission. La coordination entre sections allait être assurée par des réunions de services régulières. Dans la plus pure tradition d'Alpha, tous postulaient qu'il devrait y avoir au moins dix personnes dans chaque section.

À ce moment-là, le cycle budgétaire était sur le point d'être terminé et l'exercice annuel de planification de la main-d'œuvre était en cours, le tout parallèlement à l'élaboration de la nouvelle structure. Les chefs de services présentèrent et leurs plans concernant la nouvelle structure et leur planification de main-d'œuvre pour l'année à venir à M. Lambert et aux membres de son groupe de travail.

C'est à la réception de ces plans que M. Lambert réalisa que la structure générale et les estimations de main-d'œuvre allaient entraîner une augmentation de 5 % de la masse salariale d'Alpha. Convaincu qu'il était qu'Alpha était déjà surchargée par ses ressources humaines, M. Lambert était bel et bien déterminé à réduire le personnel d'environ 30 %. Il donna donc le mandat à son groupe de travail de réviser les plans en coupant la main-d'œuvre de 30 %. Ils eurent deux jours pour accomplir cette tâche et soumettre de nouveaux plans qui, tout en maintenant le nombre de groupes, allaient réduire leur taille de façon différentielle, le tout produisant la réduction de 30 % requise.

Les nouveaux plans furent imposés aux chefs de services au cours de rencontres individuelles avec M. Lambert et son groupe de travail. Inutile de dire que les chefs de services et de sections étaient furieux. Non seulement ils étaient convaincus que leurs ressources humaines se trouvaient par trop limitées, mais de plus ils ressentaient que l'énorme quantité de temps et d'énergie qu'ils avaient mise à la préparation de leurs plans avait été complètement perdue. De surcroît, ils se sentaient pénalisés pour avoir agi en toute bonne foi dans le sens de la réorientation et de la restructuration désirées par M. Lambert. Les victimes de la réduction de 30 % continuèrent d'occuper leur travail jusqu'à ce qu'elles soient transférées à de nouvelles positions. Une bonne partie d'entre elles fut absorbée par les plans de retraite anticipée et par des transferts à d'autres divisions du siège social. Par contre, quelques centaines de personnes restèrent sur le pavé et devinrent ainsi membres de ce que l'on allait dorénavant railleusement appeler le « Club vacances ».

Il devait y avoir une nouvelle rencontre générale réunissant M. Lambert, son groupe de travail et les nouveaux chefs des différents groupes. Cette réunion devait aussi être consacrée à la structure, à la mission et au contenu du livre bleu. Cette rencontre n'eut jamais lieu. Plusieurs y virent la fin du processus de consultation. À partir de ce moment, plusieurs de ceux qui avaient été jusque-là enthousiasmés par la réorganisation commencèrent à devenir plus réticents. Plusieurs adoptèrent une attitude « attendons, on verra bien » et le cynisme devint monnaie courante. Compte tenu de la façon dont les processus et stratégies de changement précédents avaient été perçus chez Alpha, un sentiment de « déjà vu » se mit à faire surface.

Quelques mois plus tard, une nouvelle session de travail de trois jours, à laquelle assistaient M. Lambert, son groupe de travail, les vice-présidents et chefs de services, fut à nouveau tenue dans une auberge gastronomique. Le livre bleu était toujours à l'ordre du jour de même que les lignes directrices pertinentes au changement et les règles et procédures nécessaires.

M. Lambert et son groupe de travail avaient le sentiment que, jusque-là, c'étaient eux qui avaient plus ou moins dirigé le processus de changement. Ils décidèrent donc que, pour laisser plus de place à la participation des autres, ils n'allaient pas élaborer les règles et procédures d'opérationnalisation de la réorganisation. Cette tâche allait être laissée aux chefs de services. Pendant la réunion, quelques lignes directrices générales furent présentées par le groupe de travail et des discussions eurent lieu pour clarifier la façon dont les responsabilités allaient être distribuées. À cette réunion plusieurs chefs de services furent plutôt silencieux et inactifs. M. Lambert et les membres de son groupe de travail interprétèrent cela comme le symptôme d'un manque de compréhension de leur part et comme un signe additionnel d'immobilisme bureaucratique.

À la fin de la réunion, les chefs de services reçurent le mandat d'écrire les règles et procédures qui allaient opérationnaliser la réorganisation. Un mois et demi plus tard ils soumirent le résultat de leur travail à M. Lambert et à son groupe de travail. La série de propositions qui furent alors soumises ne rencontrèrent pas l'assentiment de M. Lambert et de son groupe de travail, qui jugèrent qu'elles étaient plutôt incohérentes et qu'elles n'allaient pas dans le sens de la réorientation qu'ils désiraient imprimer à Alpha. Le résultat du travail des chefs de services fut donc mis de côté et on n'en parla plus jamais.

C'est là que le processus de changement s'enraya. Ce cas fut écrit à peine quelques mois plus tard. Les règles et procédures qui devaient rendre le changement chez Alpha opérationnel n'avaient toujours pas été écrites. Alpha est maintenant perturbée par un grand nombre de luttes politiques internes et M. Lambert est de plus en plus perçu comme étant complètement coupé des réalités quotidiennes du travail.

Cette dernière perception trouve un certain fondement dans le fait que M. Lambert occupe en même temps les deux plus importantes positions à Alpha : vice-président exécutif et vice-président de l'ingénierie et de la construction. Comme, à titre de vice-président exécutif, il est responsable des relations avec le siège social et plusieurs compagnies externes, il est incapable d'être présent quotidiennement à son bureau d'Alpha et est, par le fait même, plus ou moins conscient de la situation qui y règne. Les membres de son groupe de travail, pour remplir le vide créé par l'absence de M. Lambert, ont pris en charge quelques-unes de ses responsabilités. Les membres de son groupe de travail sont perçus comme des étrangers qui ne font que passer chez Alpha et qui constituent un écran entre M. Lambert et les réalités quotidiennes concrètes de son organisation.

Conclusions et prescriptions

Les conclusions à tirer de cette étude se fondent sur les prémisses suivantes : les positions prises sur les questions relatives au contenu du changement et au processus utilisé pour l'implanter doivent être à la fois cohérentes entre elles et pertinentes au contexte du changement. La diversité culturelle est inévitable dans toute organisation à haute teneur technologique, mais son degré et ses effets peuvent et doivent être contrôlés.

Les conclusions relatives au contenu du changement

La structure organisationnelle

Cette étude de cas a permis de considérer brièvement trois différents types de structures dans trois contextes différents : Alpha avant la nomination de M. Lambert, Alpha après la réorientation et la réorganisation, et le groupe de travail du projet que M. Lambert dirigeait avant sa nomination chez Alpha. Le groupe de travail apparaît être un arrangement structurel approprié pour la gestion d'un projet majeur d'ingénierie et de construction en région éloignée. Compte tenu du contexte de déracinement et d'éloignement, la structure du groupe de travail semble contribuer à la création d'une culture centrée sur l'action et sur une identification fanatique au projet.

Avant sa réorientation, Alpha se caractérisait par une structure fonctionnelle dominée par les services d'ingénierie. Cette structure était parfaitement cohérente avec plusieurs des caractéristiques dominantes de l'organisation de l'époque: la priorité donnée au développement technologique et à la qualité technique, les besoins de coordination entre les phases de conception et de construction.

M. Lambert désirait réorienter Alpha pour donner la primauté à l'efficacité managériale. Ceci impliquait la subordination du développement technologique et de la coordination des phases de conception et de construction au contrôle managérial. M. Lambert voulait aussi reproduire chez Alpha plusieurs des caractéristiques du groupe de travail qu'il avait précédemment dirigé. Il choisit donc d'implanter une structure matricielle dominée par les éléments de produits et/ou de construction. Il fallait opérer un changement structurel. Par contre, il ne semble pas que cette structure ait été très appropriée. Son objectif de création d'un environnement de groupe de travail chez Alpha n'était pas complètement réaliste.

Pour les grands projets de type A, la création d'un environnement de groupe de travail est tout à fait possible. Par contre, pour les produits de types B et C le grand nombre de petits projets de même nature rend la création d'un tel environnement très difficile. Les gestionnaires de projets de ce type de produits conduisent en même temps de 30 à 40 projets. Les services d'ingénierie correspondants participent donc à quelques centaines de projets chaque année. L'idée de la création d'équipes temporaires est donc complètement impraticable dans un tel contexte. Le travail des services d'ingénierie doit en effet continuer comme par le passé. Les mêmes personnes doivent continuer de travailler ensemble sur le même débit de projets. De leur point de vue, les changements se sont traduits, dans les faits, par une augmentation du nombre et de la nature des contrôles externes, une augmentation de la complexité administrative et une perte de responsabilité, de statut et de pouvoir.

Compte tenu du fait que l'objectif de la réorganisation chez Alpha était d'améliorer la coordination entre les phases de conception et de construction d'une part et, d'autre part, de permettre la négociation des compromis inévitables entre les considérations liées à la qualité et celles liées aux coûts, un autre arrangement structurel aurait dû être envisagé: la création d'unités organisationnelles combinant l'ingénierie et la construction de chaque type de projets sous la direction d'un même supérieur. Cette option n'a pas été retenue. La majorité des prescriptions qui suivent sont également applicables aux deux arrangements structuraux. L'importance de leurs effets peut cependant varier en fonction de l'arrangement structurel choisi.

L'ambiguïté organisationnelle

L'ambiguïté organisationnelle et l'ambiguïté de rôle peuvent avoir des effets très différents en fonction du contexte. Dans le contexte d'un groupe de travail comme celui que M. Lambert dirigeait avant sa nomination à Alpha, le personnel est généralement entièrement dévoué à la cause du projet. Il est donc plus facile d'y obtenir une coopération généralisée. Dans un tel cas, l'ambiguïté organisationnelle peut être très efficace. On peut en effet s'attendre à voir les gens faire ce qui doit être fait sans d'abord se demander si cela fait partie de leur description de tâche ; on peut aussi s'attendre à voir les gens faire preuve d'une initiative et d'un esprit de coopération qui les amènent à confronter leurs perceptions de façon très efficace quand il se passe quelque chose qui ne semble pas servir au mieux les objectifs du projet. Dans un tel climat de coopération, la réduction de l'ambiguïté de rôle par les descriptions de tâches peut être tout à fait contre-productive. Elle peut entraîner une culture du chacun-pour-soi, dans laquelle chacun sera poussé à limiter ses actions et ses intérêts au cadre de sa définition de rôle.

Dans le contexte d'une organisation continue qui gère plusieurs projets à la fois, les pôles d'identification sont nombreux et les exigences « réelles » des projets sont beaucoup plus difficiles à identifier. Aux compromis normaux à l'intérieur d'un projet s'ajoutent dans ce cas des compromis qui doivent être faits entre les projets.

Dans cette situation il y a deux réactions possibles à l'ambiguïté de rôle. Les deux sont des mécanismes de protection. La première réaction peut être un conservatisme timoré. Les gens seront portés à minimiser les risques d'erreur en adoptant une attitude « attendons, on verra bien ». Chez Alpha ce qui était appelé la « politique du silence » correspondait bien à cette attitude distante et passive.

La deuxième réaction peut être une baisse de la coopération et une augmentation des luttes politiques internes. Dans toute organisation continue, tout changement de structure, de fonctionnement et d'allocation des responsabilités a un impact direct sur les statuts, la visibilité et le pouvoir. Dans un contexte d'affrontement entre valeurs et priorités, l'ambiguïté de rôle et le partage des responsabilités peuvent mener à un manque de coopération et à une augmentation des frictions interservices. Dans un tel contexte, il serait bien avisé d'établir aussi clairement que possible les responsabilités de chaque unité et les mécanismes présidant à leur coordination.

Compromis et intégration du travail

Dans toute organisation à haute teneur technologique, les compromis entre les considérations liées à la qualité technique et celles liées aux coûts, et entre le développement technologique et l'efficacité administrative sont inévitables.

L'importance à accorder à l'un ou à l'autre des pôles devient une question de choix stratégique.

Quel que soit le choix stratégique, ces compromis doivent être gérés, que l'arrangement organisationnel soit matriciel ou non. De plus, les décisions concernant les compromis à faire se prennent continuellement dans l'organisation. Si elles ne se prennent pas explicitement, elles se prennent implicitement. Il est préférable de les rendre explicites.

La documentation en gestion de projet, particulièrement sur la structure matricielle, abonde en recommandations sur le partage des responsabilités entre les spécialistes techniques et les gestionnaires de projets ou de produits. Dans l'étude de cas présentée ici, M. Lambert proposait que le pouvoir soit entièrement remis aux responsables de produits et de projets même en ce qui a trait aux questions reliées à la qualité technique. Des recherches récentes (Katz et Allen 1985) ont démontré que ni l'une ni l'autre de ces deux solutions structurales ne sont associées à un rendement élevé. Ces recherches indiquent que le rendement est le plus élevé lorsqu'il y a une claire distinction entre l'autorité décisionnelle de l'ingénierie et celle de la gestion de projet. De plus, le rendement est significativement plus élevé lorsque le gestionnaire de projet a autorité sur toute question non technique incluant les relations avec les partenaires externes, l'intégration des contributions provenant de différents services techniques et les compromis entre le coût, la gestion du temps et les objectifs techniques. Les responsables de l'ingénierie devraient avoir autant l'autorité sur le personnel technique que le pouvoir de décision dans les questions d'ordre technique. L'évaluation du personnel est le seul domaine dans lequel le partage des responsabilités s'associe à un rendement élevé. L'expérience d'Alpha est tout à fait compatible avec ces résultats. Les questions qui semblent causer le plus de difficultés dans la réorganisation récente chez Alpha sont celles concernant les mécanismes de contre-validation et le contrôle du contenu technique par les gestionnaires de projets.

Ces résultats de recherche peuvent cependant être tempérés par la considération d'une règle de base qui est souvent utilisée dans ce type d'industrie : lorsqu'une proportion de 80 % de la contribution technique provient d'un seul service fonctionnel, ce service devrait être responsable de l'intégration des contributions techniques provenant d'autres services. Si cette règle de l'art devait être appliquée à Alpha, elle impliquerait que l'intégration des contributions techniques pour la majorité des petits projets devrait être de la responsabilité des services d'ingénierie. Dans les faits, les services d'ingénierie continuent d'effectuer ce travail d'intégration, même si officiellement il est assigné, par la récente réorganisation, aux gestionnaires de projets.

Locus *d'identification et diversité culturelle*

Avant la récente réorganisation d'Alpha, la majeure partie de son personnel avait une double identification. D'abord avec leur division fonctionnelle (planification, ingénierie, construction) et, ensuite, avec leur produit (type A, B ou C). À ces deux pôles d'identification, M. Lambert voulait en substituer un troisième : le projet particulier. Ce nouveau *locus* d'identification était suffisamment rapproché du type de produit pour être cohérent avec ce pôle d'identification, mais était beaucoup trop éloigné de la dimension fonctionnelle.

Dans le contexte structurel de groupe de travail que M. Lambert avait connu avant sa nomination à Alpha, l'identification au projet était tout à fait faisable. Les gens s'étaient déracinés, retirés de leur contexte précédent et placés dans un environnement dans lequel ils travaillaient ensemble en tant qu'équipe sur un projet unique pour une période assez longue. Il leur était donc facile de bâtir une cohésion autour de la seule chose qu'ils avaient en commun, le projet. Tous savaient que le groupe de travail allait être démantelé à la fin du projet. Ils nourrissaient donc peu d'intérêt pour les guerres frontalières et la construction d'empires personnels.

Dans le contexte d'Alpha de la coexistence de quelques centaines de plus petits projets (pour les types de produits B et C), même dans une structure matricielle, il n'y a pas vraiment de formation d'équipes de projets, même temporaires. Différents spécialistes œuvrent dans des groupes spécialisés, dans lesquels ils doivent continuellement s'occuper d'un flot ininterrompu de projets. Dans ce contexte, le groupe de travail et la nature du travail, et non le projet particulier, constituent les éléments permanents auxquels il est possible de s'identifier. En effet, à mesure que les gens travaillent ensemble dans des groupes spécialisés, ils ont tendance à développer des points de vue communs. Il est donc inévitable que plusieurs pôles d'identification coexistent à l'intérieur de l'organisation. Cette tendance est de plus renforcée par la tradition de sécurité d'emploi et de rotation de personnel limitée typique d'Alpha. L'introduction d'une structure matricielle et les vues d'identification au projet ne fournissaient pas au personnel autant de pôles concrets d'identification. Le pouvoir des groupes concernés et les relations entre eux ont pu être quelque peu touchés, mais la composition réelle des groupes spécialisés, la nature de leur travail et la nature des relations professionnelles entre groupes n'ont pu changer que très peu.

La diversité culturelle est un corollaire de la multiplicité des pôles d'identification. Cette diversité est inévitable et probablement même désirable. En effet, il n'est pas réaliste d'espérer qu'une telle diversité puisse s'homogénéiser dans une même culture dans une période assez courte. Même si tel était le cas, l'homogénéisation serait probablement contre-productive particulièrement dans un environnement à haute teneur technologique. Il ne s'agit pas de conclure que les hauts gestionnaires de ce type d'organisation sont complètement impuissants devant cette question: la diversité culturelle peut et doit être gérée puisqu'elle entraîne deux conséquences importantes pour toute organisation à forte teneur technologique. D'abord puisqu'il faut s'attendre à une multiplicité de perspectives, il faut aussi prévoir la création de mécanismes qui permettent la réconciliation et l'arbitrage des différences. Ceci est particulièrement vrai lorsque des compromis doivent être faits en fonction de critères de rendement différents. Deuxièmement, puisqu'il est normal de percevoir et d'évaluer les choses à partir de son propre point de vue, la diversité crée un contexte dans lequel l'incompréhension et les difficultés de communication peuvent se créer et se propager facilement. Ceci est particulièrement le cas pour une nouvelle équipe de hauts gestionnaires qui arrivent de l'extérieur. Tout ce que cette nouvelle équipe dira ou fera prendra une diversité de significations dans les différents groupes de l'organisation. Plus l'ambiguïté du message sera élevée, plus la probabilité d'interprétations différentes par des groupes différents sera elle aussi élevée.

La diversité culturelle doit donc être maintenue mais aussi contrôlée. Il faut alors penser à la création d'un métalocus d'identification qui puisse entraîner une plus grande compréhension et une meilleure acceptation des perspectives des autres groupes de l'organisation. Comme M. Lambert le croyait, le métalocus d'identification approprié, dans des grands projets à l'intérieur desquels les spécialistes sont assignés à la même équipe à temps plein, est certainement le projet. Par contre, dans une organisation continue traitant un flot ininterrompu de plus petits projets, le type de produit risque d'être un pôle d'identification plus approprié. En effet, une forte identification à un produit ou à une gamme de produits est un facteur clé pour la réconciliation et l'arbitrage de perspectives divergentes. Plusieurs mécanismes de gestion peuvent permettre de favoriser ce type d'identification. Pensons tout d'abord au regroupement des groupes d'ingénierie et de construction par paire pour un type de produit sous le leadership d'un gestionnaire de produit.

Il est aussi possible de favoriser la rotation du personnel entre ces paires de services de façon à faciliter une meilleure compréhension mutuelle et la création d'une métaperspective commune. Il est aussi possible de concevoir le flot de travail et les arrangements physiques de telle sorte que les interactions face à face entre groupes à l'intérieur du type de produit soient maximisées de façon à réduire les effets négatifs de la coexistence de perspectives multiples.

Pour prévenir le deuxième effet indésirable de la diversité culturelle (l'incompréhension généralisée), deux options sont possibles: la clarté des messages et la communication bidirectionnelle. Le cas Alpha démontre clairement que, dans un contexte de diversité culturelle, les hauts gestionnaires n'ont pas les moyens d'envoyer des messages ambigus sur les objectifs de l'organisation de même que sur les valeurs, les politiques et les directives. Les messages de M. Lambert à l'égard de la responsabilité, de l'imputabilité, de la contre-validation, de l'évaluation et du contrôle des coûts, des valeurs, des attitudes et des comportements valorisés ne pouvaient pas être parfaitement clairs puisqu'il s'agissait de terres totalement ou partiellement inconnues pour la grande majorité du personnel, incluant les gestionnaires de haut niveau. Dans le contexte de la diversité culturelle qui était déjà en place, l'ambiguïté a engendré de l'insécurité, de l'incompréhension et l'affrontement de perspectives différentes sur plusieurs questions.

Il ne faut jamais postuler qu'un message est clair. La clarté doit être produite par l'ouverture de canaux de communication bidirectionnels entre les différents groupes et par l'investissement de temps et d'énergie dans la vérification des perceptions et la correction des incompréhensions. Un processus de consultation continue entre les partenaires est donc essentiel à l'implantation d'une nouvelle culture organisationnelle.

Les conclusions relatives au contexte et au processus de changement

Au moment de la nomination de M. Lambert au poste de vice-président exécutif d'Alpha, la majeure partie du personnel ne percevait pas que la situation puisse être urgente ou critique. Dans une situation de crise (comme celle dans laquelle Iacocca a débarqué chez Chrysler), une nouvelle équipe de hauts gestionnaires aura toutes les chances d'obtenir un soutien généralisé de la part de tous pour une entreprise de changement radical. Par contre dans un contexte où le sentiment d'urgence n'est pas généralisé, il faut prendre beaucoup de temps et d'énergie pour expliquer la nécessité d'un changement radical afin que le personnel s'y engage vraiment. Ceci implique donc un processus de consultation très coopératif. La réorganisation de M. Lambert n'a pas été perçue comme une réponse à une crise, mais plutôt comme une prise de pouvoir. Cette perception a été renforcée par la présence du groupe-conseil que M. Lambert a importé et par la similitude entre les changements proposés et les méthodes utilisées par M. Lambert et son groupe dans la réalisation de leur projet précédent. Les changements radicaux proposés par M. Lambert et son groupe de travail furent perçus comme une évaluation négative et une attaque injustifiée d'Alpha et de son personnel. Plusieurs employés percevaient même que le processus de changement allait mener à la destruction d'Alpha. Compte tenu de l'histoire d'Alpha, les changements proposés furent perçus comme un retour dix ans en arrière, à l'époque de la tentative d'implantation d'une structure matricielle. Les concepteurs et promoteurs d'un changement organisationnel ont souvent tendance à le percevoir comme la solution finale des maux de l'organisation. Les autres membres de l'organisation peuvent avoir tendance à développer du scepticisme et à voir cette solution non pas comme la meilleure, mais comme un autre grain d'un chapelet plus ou moins long de prières manageriales.

M. Lambert poursuivait un ensemble cohérent d'objectifs. Il avait aussi en tête un processus de consultation et de confrontation qui allait d'abord engager les chefs de services, plus tard les chefs de sections et enfin leurs personnels. Pourquoi le processus de changement n'a-t-il pas permis d'atteindre les objectifs poursuivis par M. Lambert?

Pour répondre à cette question, M. Lambert et les membres de son groupe de travail invoquent la mentalité bureaucratique et rigide du personnel d'Alpha, pour lequel il est normal de résister au changement. Ils pensent aussi que la majeure partie des employés d'Alpha ne sont pas capables de faire face à leurs nouvelles responsabilités. Les problèmes auxquels ils font face dans la gestion de leur processus de changement leur semblent confirmer le bien-fondé de leurs attitudes vis-à-vis d'Alpha et de son personnel.

Que cette perception interprétative soit fondée ou non, son existence même sera opérante et elle aura donc tendance à se vérifier. Un grand nombre de réactions interprétées comme une résistance au changement sont tout à fait compréhensibles compte tenu du contexte historique d'Alpha.

La réorganisation d'Alpha dépouillait les services d'ingénierie de leur statut, de leur visibilité et de leur pouvoir. Dans les faits, plusieurs percevaient la réorganisation comme une attaque de front des services d'ingénierie. On peut difficilement s'attendre à ce que le personnel de ces services soit enthousiasmé par une telle réorganisation.

De plus, plusieurs employés, surtout dans les services d'ingénierie, craignaient que la nouvelle importance accordée au contrôle des coûts et à l'efficacité administrative puisse mener à une négligence injustifiée et même dangereuse de la qualité technique et du développement technologique. Puisque cela irait à l'encontre des intérêts de l'organisation, il est difficile ici aussi de s'attendre à beaucoup d'enthousiasme et de coopération.

Deux choses auraient pu améliorer la situation et réduire la distance qui sépare la nouvelle orientation de la culture de spécialistes. Tout d'abord, cette culture valorise très fortement l'expertise. M. Lambert et son groupe auraient pu affirmer clairement que l'expertise technique des services d'ingénierie était à leurs yeux un atout très important pour Alpha et utiliser tous les signes possibles pour bien le démontrer. Deuxièmement, la culture de spécialistes valorise la qualité technique et le développement technologique. La réorientation ne proposait pas que ces considérations soient complètement négligées, mais elle fut quand même perçue en ce sens. Il aurait peut-être fallu reconnaître l'importance de ces considérations et donner aux services d'ingénierie le contrôle des décisions d'ordre technique. De toute façon, ils contrôlent dans les faits ces décisions, même s'ils n'en ont pas la responsabilité et ne bénéficient donc pas de la visibilité et du statut qui l'accompagnent. Il aurait ainsi été possible d'alléger les problèmes de perte de statut et d'autonomie. Les décisions de compromis entre les considérations liées aux coûts, à la qualité et au contrôle du temps auraient pu rester dans les mains des gestionnaires de projets.

En entrevue, M. Lambert mentionnait assez fréquemment la nécessité du développement du personnel et son engagement et son intérêt pour les possibilités de carrière de ses subordonnés. Par contre, ses messages publiques étaient tout à fait différents. Ils contribuaient à créer un contexte de sélection plutôt qu'un contexte de développement personnel.

Il était clair pour tous, compte tenu de la façon dont M. Lambert présentait sa réorganisation et de la façon dont il parlait d'Alpha et de son personnel, qu'il n'appréciait ni l'état actuel des choses à Alpha ni son personnel. Dans un tel contexte de désapprobation généralisée, il espérait pouvoir créer un contexte favorable à l'engagement personnel, au risque et au sens des responsabilités, alors qu'en fait il produisait les effets contraires : lorsqu'il s'adressa aux chefs de services et de sections réunis pour annoncer que la moitié d'entre eux pourrait ne plus être là dans un an et demi, tous ceux qui assistaient à sa présentation comprirent que M. Lambert voulait se débarrasser des indésirables et donc que la situation comportait un risque personnel très élevé. Lorsqu'il demanda aux gestionnaires de projets s'ils étaient prêts à se mettre la tête sur le billot et à investir dans les estimations de coûts et de temps, son message fut reçu comme une indication très claire que les erreurs n'allaient pas être tolérées.

M. Lambert maintenait aussi délibérément un degré relativement élevé d'ambiguïté organisationnelle dans l'espoir que les employés allaient être à la hauteur de la situation et devenir beaucoup plus engagés comme cela avait été le cas dans son projet précédent.

Pendant l'évolution du processus de changement, il avait demandé à deux reprises au personnel d'Alpha de participer à la réorganisation. D'abord, lorsqu'il fut demandé aux chefs de services et de sections de produire les évaluations de main-d'œuvre pour le budget annuel et, deuxièmement, lorsque les chefs de services reçurent le mandat de créer les procédures administratives qui allaient accompagner la réorganisation. Dans les deux cas, les personnes concernées investirent des quantités importantes d'énergie dans ce travail seulement pour apprendre plus tard que ce qu'ils avaient produit était inacceptable. Ils recevaient le message que le processus de consultation n'était qu'un écran de fumée et que l'engagement était, dans les faits, très risqué.

La prédiction de M. Lambert, selon laquelle le personnel d'Alpha allait se comporter de façon conservatrice, rigide et distante, ne mit donc pas de temps à se réaliser. Il y a plusieurs choses qu'il aurait pu faire pour changer cette situation. Il aurait pu réduire autant que possible l'ambiguïté organisationnelle entourant les façons de travailler qu'il privilégiait. Il aurait aussi fallu qu'il ne rate pas une occasion de renforcer positivement le type de comportement qu'il désirait. En réduisant le nombre de sanctions négatives, il aurait ainsi indiqué clairement que le droit à l'erreur existait.

Le résumé des prescriptions

En réaction aux pressions économiques, les hauts gestionnaires d'un nombre de plus en plus grand de firmes à haute teneur technologique, grandes et petites, doivent passer d'une culture de l'ingénierie à une culture manageriale. L'expérience démontre qu'une telle conversion n'est pas facile à opérer, particulièrement dans le cas d'organisations à produits multiples caractérisées par un certain degré de traditions bureaucratiques, et ce *a fortiori* dans le cas d'équipes de hauts gestionnaires provenant de l'extérieur. Dans un tel contexte, les prescriptions suivantes pourraient être utiles.

Les prescriptions liées au contenu

1) Examinez de très près les exigences des différents projets avant d'aller d'une structure fonctionnelle à une structure matricielle avec des équipes de projets dans lesquelles le pouvoir de décision est concentré sur le site même du projet. Ceci peut être approprié pour de grands projets qui occupent les membres de l'équipe à temps plein parce qu'alors il est possible d'effectuer une intégration culturelle. Ne le faites pas pour les gammes de produits dans lesquelles un grand nombre de plus petits projets se présentent comme un flot continu. Dans ces cas le gestionnaire devrait avoir le contrôle complet de l'ingénierie et de la construction de façon à pouvoir assurer la nécessaire intégration culturelle.

2) En ce qui a trait à la distribution du pouvoir, maintenez un bon équilibre en laissant l'autorité sur le personnel technique et dans les décisions d'ordre technique aux services d'ingénierie, sauf dans les cas où des décisions de compromis entre la performance technique et les coûts doivent être prises. Ne surestimez pas les bénéfices tirés d'un processus de contre-validation pour la qualité technique ; vous risqueriez d'être alors tout à la fois irréaliste et dysfonctionnel. Insistez sur l'importance de la qualité technique et du développement technologique et laissez la responsabilité du contrôle de la qualité aux services d'ingénierie.

3) Si vous soupçonnez que le climat puisse être bureaucratique et/ou compétitif, ne faites pas trop de place à l'ambiguïté dans la définition des rôles et ne laissez pas non plus trop de latitude au personnel dans la clarification de ses rôles. Vous risqueriez d'engendrer un conservatisme excessif ou de créer des conflits. Énoncez aussi clairement que possible les responsabilités respectives de chaque unité et définissez la nature de leurs relations. Ensuite attaquez-vous à la problématique du changement du climat organisationnel.

4) Affirmez clairement les vertus de la diversité culturelle en soulignant l'importance des valeurs d'ingénierie et en expliquant la nécessité des valeurs managériales. Consacrez vos efforts à l'obtention d'une intégration culturelle en utilisant des mécanismes comme ceux des groupes de travail pour les projets de grande envergure, des gestionnaires de produits pour les plus petits projets, de rotation de personnel et d'augmentation des communications latérales en favorisant les arrangements organisationnels et spatiaux appropriés.

5) Prenez des positions très claires et explicites sur des questions qui risquent d'être controversées comme le contrôle des coûts, l'achèvement de la phase de conception, la sous-traitance, etc. Prenez le temps de bien expliquer votre position sur chacune de ces questions et d'y gagner votre personnel.

Les prescriptions relatives au processus de changement

1) Si les employés ne sont pas convaincus de la nécessité du changement, prenez le temps de l'expliquer et de les en persuader. Si vous essayez de nier cette réalité ou de la bousculer, vous allez produire des déformations perceptuelles et de la résistance au changement.

2) Utilisez toujours l'information directe. Méfiez-vous des communications indirectes via des comités-conseils. Cela risque d'augmenter les déformations perceptuelles.

3) Modelez vos messages en fonction de l'histoire de l'organisation. Les messages sont toujours décodés en fonction de l'histoire d'une organisation avant que d'être décodés en fonction de leur contenu.

4) Définissez très clairement les objectifs poursuivis, les valeurs, les attitudes et les comportements attendus. Ne misez pas sur l'ambiguïté. Elle engendre de l'insécurité et des réactions de défense dysfonctionnelles.

5) Soyez cohérent. Assurez-vous que vos actes correspondent à vos mots. Assurez-vous bien que les procédures et les critères de rendement et d'évaluation soient en accord avec les valeurs, les attitudes et les comportements que vous voulez promouvoir et les encouragent.

6) Donnez-vous à vous et aux autres le droit à l'erreur. Surtout si vous insistez sur l'importance du risque et de l'imputabilité.

7) Faites bien attention à ce qu'il n'y ait pas trop ou trop peu de consultations. N'engagez pas un processus de consultation si vous n'êtes pas prêt à en accepter les résultats. Ne consultez pas si vous avez déjà décidé de la réponse. Votre crédibilité est en jeu.

En résumé, si vous introduisez un changement culturel dans un contexte de diversité culturelle, faites tout ce que vous pouvez pour minimiser l'incertitude. Clarifiez les règles du jeu et les valeurs qui doivent être partagées. Engagez un processus de consultation basé sur une communication bidirectionnelle face à face. Engagez-le et utilisez-le. Gagnez les gens à vos idées et assurez-vous qu'ils les interprètent correctement et uniformément. Écoutez bien votre personnel pour bien comprendre où sont les questions sans réponse et les points de tension et de conflits. Définissez très clairement votre position sur chacun d'eux. Un changement culturel représente un effort managerial très complexe et très exigeant; il y a toujours le danger de minimiser l'ensemble des questions symboliques qui sont impliquées.

C.Q.F.D. : Le management n'est pas seulement une question de technicité. C'est surtout une question de mentalité; et la « managementalité » n'est pas seulement une mentalité de management. C'est donc bien, aussi et surtout, une affaire de management des mentalités.

Références bibliographiques

KATZ, Ralph et ALLEN, Thomas J. (1985). « Project Performance and the Locus of Influence in the R&D Matrix », *Academy of Management Journal*, vol. 28, mars.

PETTIGREW, Andrew (1985). « Culture and Politics », dans J. M. PENNINGS (sous la direction de), *Strategic Decision Making in Complex Organizations*, Jossey Bass.

7

Les cercles de qualité
Une structure parallèle ou...

Pierre DUBOIS
Pierre BOUTIN

Grâce à une publicité exceptionnelle, les cercles de qualité ont suscité beaucoup d'espoir, mais ils ont aussi été une source de déception. Nos expériences dans les milieux industriels nous ont permis de tester à maintes reprises les forces et les limites de cette forme d'organisation du travail et de mieux comprendre l'enthousiasme et les critiques à son égard.

Ce texte en résume notre compréhension, une compréhension acquise sur le terrain avec des entreprises québécoises. Il se compose de trois parties. La première partie traite des origines et de la nature des cercles de qualité. Elle comprend la définition, le fonctionnement, l'organisation, la structure et les activités des cercles. La deuxième partie réunit l'information sur les conditions de base, la séquence de mise en œuvre et les rajustements de parcours, qui éclaire le processus de mise en œuvre des cercles de qualité. La troisième partie décrit une expérience de mise en place de cercles de qualité et discute de leur viabilité et de leur évolution.

Origine

Vous souvenez-vous de la médiocrité notoire des produits japonais fabriqués au cours des années 50 ? Tout ce qui portait l'étiquette « Fabriqué au Japon » semblait être voué à une autodestruction rapide.

Pour changer cette image et surtout la piètre qualité de leurs produits, les industriels et le gouvernement japonais ont entrepris d'améliorer la qualité de la production. Leur objectif était de concevoir des méthodes assurant une qualité supérieure dans la fabrication de leurs produits. Deux experts américains spécialisés dans le contrôle de la qualité, W. E. Deming et J. Juran ont contribué de façon importante à l'élaboration de ces méthodes.

L'apport de W. E. Deming s'est traduit principalement par l'utilisation d'outils statistiques et de méthodes efficaces de gestion de la qualité des produits. Pour sa part, J. Juran a proposé une nouvelle orientation du contrôle de la qualité. Il a affirmé que cette responsabilité fait partie du rôle des cadres de tous les niveaux de gestion de l'entreprise, de même que des inspecteurs du contrôle de la qualité.

Les Japonais ont interprété à leur façon la formation des experts américains, c'est-à-dire qu'ils l'ont adaptée à leur système de gestion, qui favorise, entre autres, un lien durable entre l'employé et l'entreprise ainsi qu'une forte orientation vers le travail en groupe pour les personnes d'une même unité.

D'abord, ils ont repris l'idée de Juran en intégrant le contrôle de la qualité au processus de fabrication plutôt que de le confier exclusivement à un service spécialisé. Cependant au Japon, les cadres et les employés sont considérés comme des éléments d'égale importance dans l'atteinte des objectifs de l'entreprise. Ainsi, la qualité de la production est devenue l'affaire de tout le personnel et non le souci exclusif des gestionnaires ou d'un service souvent perçu comme le trouble-fête de l'entreprise[1]. Une main-d'œuvre stable a permis aux Japonais d'investir considérablement dans le développement de formations spécialisées et leur diffusion à l'ensemble du personnel. De cette façon, tous devenaient en mesure de bien jouer leur nouveau rôle qui visait à cerner et à analyser les problèmes de qualité. Le travail en groupe étant valorisé, des rencontres de groupe spontanées ont commencé à être tenues pour discuter des problèmes de qualité et y trouver des réponses. La formule du cercle de qualité voyait alors le jour.

Au début des années 60, un spécialiste japonais, Dr Ishikawa, a fait la promotion de ces cercles de qualité auprès des industriels de son pays. Pour lui, les cercles de qualité pouvaient contribuer de façon importante non seulement à la qualité des produits et des systèmes de production, mais aussi à l'amélioration du produit lui-même. En raison d'une publicité nationale massive ainsi que d'excellentes techniques de formation, le nombre des cercles de qualité s'est multiplié rapidement. Leur évolution les a amenés à étendre leurs activités dans des domaines autres que celui de la production ainsi que dans divers secteurs d'affaires.

1. Un industriel japonais, au retour d'une visite industrielle aux États-Unis, a raconté la boutade suivante : « Dans l'entreprise japonaise, l'ennemi c'est le défaut. Aux États-Unis, l'ennemi c'est l'inspecteur du contrôle de la qualité. »

Le premier cercle de qualité a été formé au Japon en 1962. En 1982, le Centre japonais de productivité évaluait à 125 000 le nombre de cercles de qualité regroupant en tout plus d'un million de membres.

Vingt années de gestion de la qualité et de mobilisation de la main-d'œuvre ont finalement porté leurs fruits, et la réussite japonaise est manifeste dans le reste du monde.

Il serait certainement simpliste de conclure que seul *un* facteur ou que seule *une* technique, si valable soit-elle, explique l'hégémonie japonaise sur les marchés industriels internationaux. Les cercles de qualité n'expliquent pas à eux seuls l'augmentation de 100 % de la productivité japonaise au cours des dix dernières années (augmentation qui n'a atteint que 27 % aux États-Unis).

Toutefois, il est raisonnable de conclure que les cercles de qualité sont responsables, plus que les traits culturels, de la mobilisation extraordinaire des travailleurs japonais en vue d'une amélioration continue de la production industrielle. Ainsi, en 1981, Toyota a obtenu, grâce aux cercles de qualité et à d'autres programmes de gestion participative, une moyenne annuelle de dix-sept suggestions par employé (dont quinze seront mises en œuvre par la direction) comparativement à une moyenne de 0,83 à la société *General Motors* (dont 0,23 est retenue).

Impressionnées par ces performances, beaucoup de sociétés nord-américaines importent l'idée des cercles de qualité.

La mise en œuvre des premiers cercles de qualité aux États-Unis remonte à 1974. *Lockheed Missile and Space Company* et *Honeywell* ont été les premières à utiliser cette méthode. En 1988, une étude menée par la *General Accounting Office* montre que 61 % de toutes les sociétés employant plus de 500 personnes avaient adopté un programme de cercles de qualité. Trois programmes sur quatre ont cependant démarré depuis 1980.

Les principales caractéristiques de cette méthode de gestion sont décrites dans les pages suivantes.

Description des cercles de qualité

Le concept des cercles de qualité a mûri et évolué au Japon pendant vingt ans avant de faire son apparition en Amérique du Nord. Si les cercles de qualité sont liés à la culture japonaise, ils n'en sont pas indissociables. La raison en est simple : il est facile de reconnaître dans les principes de base des cercles de qualité plusieurs éléments de saine gestion déjà énoncés ici depuis quelques décennies par nos propres experts en gestion et en science du comportement. C'est ce que tentera de souligner l'examen de la définition, de la structure et de l'organisation des cercles de qualité dans le monde occidental.

Définition

Un cercle de qualité est une petite équipe constituée d'employés volontaires et de leur supérieur, tous formés en vue d'analyser et de résoudre les problèmes de leur atelier ou de leur service.

Voici les principaux éléments de cette définition.

Volontariat: Le volontariat constitue l'essence même des cercles de qualité. On n'impose pas aux employés la participation à un cercle de qualité. Cela est particulièrement vrai lorsqu'une entreprise veut évoluer d'une culture traditionnelle à une culture participative. Il est souvent alors nécessaire de laisser le choix à l'égard de la participation en espérant que les résultats du programme dissipent les doutes et les hésitations que peut entretenir une partie du personnel. Dans ce cas, le principe de la libre adhésion au cercle de qualité doit être énoncé explicitement et maintenu quel que soit le succès obtenu avec l'application de ce programme. Par contre, là où l'entreprise jouit d'une culture participative bien établie, le volontariat ne semble pas nécessaire ni même approprié. On doit plutôt penser à un système qui permet la participation de tous pour demeurer conséquent avec la culture existante. Ces rajustements s'appuient sur la prémisse qu'une personne, dans des conditions propices, a tendance à accepter et même à rechercher des responsabilités, c'est-à-dire, dans le cas présent, celles de cerner et d'analyser les problèmes dans le domaine qui lui est familier.

Groupe de résolution de problèmes: Les membres d'un cercle de qualité proviennent de la même unité administrative ou opérationnelle. L'objectif premier des cercles de qualité justifie cette méthode de composition des groupes: chaque cercle se propose en effet de cerner, d'analyser et de résoudre les problèmes de son propre service. Ce moyen offre aux participants la possibilité d'exercer un contrôle accru sur leurs conditions environnantes. C'est aussi un moyen de rapprocher la prise de décision le plus possible de l'action.

Processus continu: La majorité des cercles de qualité aux États-Unis, en Europe et au Japon se réunissent chaque semaine durant une heure. Cette réunion a lieu pendant les heures normales de travail, dans les locaux de l'établissement. Le cercle de qualité n'attend pas qu'un problème se présente pour se réunir pas plus qu'il n'arrête ses activités lorsqu'un problème a été examiné et résolu. Il est un moyen d'étudier continuellement ce qui se passe au niveau du travail et de signaler les problèmes à résoudre ou les améliorations à apporter. Les membres déterminent leurs propres cibles de travail. Ainsi, ils ont la possibilité de mettre en pratique leur sens de la gestion et de contrôler leur travail dans l'atteinte des objectifs qu'ils se sont eux-mêmes fixés. En plus, ils ont l'occasion de participer à un processus complet de changement: de la détermination du problème à l'évaluation des résultats des correctifs apportés.

Processus de groupe: Les nombreuses interactions entre les personnes et l'apprentissage de la concertation au travail sont une occasion de créer un tissu social stimulant pour le cercle. L'animateur a en ce sens la responsabilité de former et de consolider son équipe.

Supérieur hiérarchique: L'expérience démontre que l'animation d'un cercle doit être assumée par le supérieur hiérarchique de l'unité. Si l'un des membres de son équipe joue ce rôle de façon régulière, le responsable perçoit généralement que son leadership est menacé. Toutefois, les groupes qui fonctionnent de façon «semi-autonome», où la responsabilité de l'animation peut être partagée entre les participants, constituent évidemment une exception à cette règle.

Formation: La définition des cercles de qualité implique que les participants reçoivent une formation adéquate et diversifiée sur des aspects techniques, administratifs et psychologiques, et ce, pour leur permettre d'utiliser leur potentiel et de faire preuve d'un haut degré d'imagination et de créativité en solutionnant des problèmes de nature opérationnelle. De cette façon, il leur est plus facile d'assumer leur rôle d'expert dans leur domaine propre.

Fonctionnement

Comme il a déjà mentionné, les membres d'un cercle de qualité se réunissent généralement une fois par semaine pendant une heure. Durant ces rencontres, ils sont les maîtres d'œuvre du processus complet de résolution de problèmes à l'égard duquel ils ont été formés et qui comprend habituellement les étapes suivantes (voir la figure 1).

1. a) De façon périodique, faire un survol de la situation actuelle de l'unité de travail en sollicitant les observations, les commentaires et les suggestions du personnel de l'unité. Il s'agit de regrouper l'ensemble des idées selon les différents secteurs d'activité qui caractérisent l'unité de travail. Ensuite, un secteur d'activité est choisi comme cible prioritaire d'amélioration.

   b) Établir un objectif. À l'aide des indices de performance propres au secteur d'activité choisi, les participants établissent un objectif quantifiable, stimulant et réaliste. Ainsi, le cercle pourra guider ses efforts et mesurer sa progression jusqu'à l'atteinte de l'objectif visé.

FIGURE 1
Processus de solution de problèmes

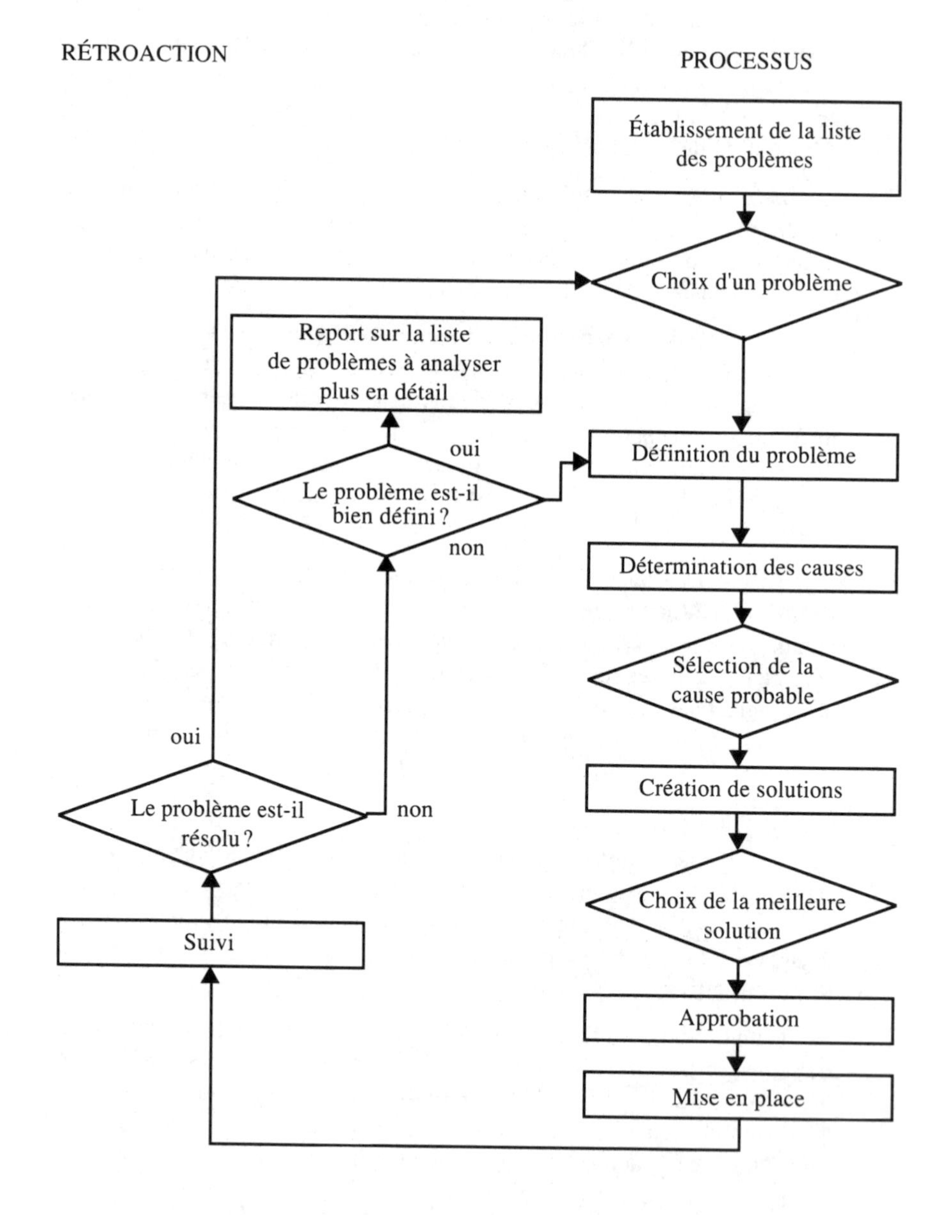

c) Déterminer les problèmes à résoudre pour atteindre l'objectif. Une définition adéquate de chaque problème donne des images très concrètes et visuelles des obstacles que le cercle doit surmonter pour atteindre son objectif. Les problèmes établis ne sont pas un produit de l'imagination, mais bien celui de l'observation.

d) Classer les problèmes par ordre de priorité. Afin d'aider le cercle à obtenir un consensus sur ce choix, les participants peuvent consulter une grille de sélection où ils déterminent des critères de priorité tels que l'importance des effets, le degré de complexité, et l'ampleur des ressources à y affecter. À partir de cette base commune, ils sont invités à comparer leur choix individuel et à expliquer les raisons de ce choix, pour en arriver à un choix collectif.

e) Déterminer les causes probables des problèmes prioritaires. Les participants se reportent à leurs expériences de travail pour indiquer des éléments concrets et précis qui pourraient contribuer à l'existence du problème visé.

f) Vérifier ces causes. Cette étape requiert diverses techniques d'analyses statistiques, fonctionnelles ou d'analyses de processus et l'utilisation de diagrammes de causes-effets. Il y a une technique appropriée pour chacune des situations. Elle permet au cercle de recueillir de nouvelles données et de déterminer avec plus de certitude la ou les causes les plus probables.

g) Trouver des solutions en vue d'éliminer ces causes. Il s'agit de stimuler la créativité des participants et de produire, dans un premier temps, le plus d'idées possible de solution. L'utilisation de différentes techniques de « remue-méninges » est particulièrement efficace. Dans un deuxième temps, l'évaluation de ces idées, toujours selon une grille de sélection constituée des critères établis par les participants, permet d'indiquer la ou les solutions à retenir.

2. Proposer ces solutions à la direction et aux non-membres. Le cercle a avantage à soumettre les solutions aux non-membres, particulièrement si elles entraînent des changements qui les toucheront. Ensuite, il faut obtenir le feu vert de l'autorité en question. Le cercle doit donc faire preuve de persuasion et la qualité de sa présentation aura un effet déterminant. Un élément souvent essentiel de la présentation est l'analyse coûts-avantages de la solution proposée.

3. Mettre en œuvre les solutions acceptées si le groupe est en mesure de le faire ou obtenir qu'elles soient mises en œuvre par les personnes-ressources. Lorsque le cercle est responsable de la réalisation de la solution, il fait appel aux notions de gestion de projet et au journal d'exécution pour la planification et l'exécution.

4. Assurer un suivi des problèmes solutionnés. Le cercle doit vérifier la progression et l'atteinte de l'objectif fixé au départ et, le cas échéant, apporter les correctifs requis. L'utilisation d'un graphique permet de visualiser et de communiquer les progrès obtenus. Si l'objectif n'est pas atteint ou que le problème n'est pas résolu, le cercle pourra revenir à l'étape où une révision s'impose.

Ce processus et ces techniques permettent une analyse détaillée des problèmes ainsi que l'établissement de solutions nouvelles et valables à ces problèmes. Ils exigent en outre que le groupe, la direction et le personnel fassent preuve de patience puisque plusieurs heures de travail devront être consacrées à la solution des problèmes ou à la réalisation d'idées d'amélioration.

Organisation et structure

Bien qu'une certaine souplesse soit requise pour la mise en place d'une structure appropriée de cercles de qualité, la structure reproduit généralement l'organisation hiérarchique commune à la plupart des entreprises. Cette affinité avec les structures existantes est un facteur important de l'intégration des cercles de qualité au fonctionnement de l'entreprise.

À la base, les employés volontaires d'une même unité se regroupent autour de leur animateur, qui est ordinairement le superviseur hiérarchique immédiat des membres du cercle. L'animateur joue un rôle de formateur auprès des membres dans l'utilisation des différents outils et techniques, agit comme personne-ressource auprès du groupe pour émettre des idées et des suggestions, assure les relations du cercle avec la hiérarchie et les personnes-ressources invitées, anime évidemment les réunions et contrôle le suivi du projet du cercle.

Les animateurs des cercles de qualité relèvent d'un coordonnateur (voir la figure 2), dont le rôle et la compétence déterminent en grande partie le succès des cercles de qualité dans une entreprise. En effet, le coordonnateur met en place les cercles de qualité, coordonne les ressources spécialisées que nécessitent certains projets, et mesure et évalue le rendement du programme. Le coordonnateur relève généralement du directeur de l'établissement et fait partie du comité directeur. Il doit connaître les principes de développement organisationnel et les rouages techniques et administratifs de l'organisme.

Lorsqu'il n'y a qu'un nombre restreint de cercles, le coordonnateur peut y travailler à temps partiel. Les établissements qui ont formé plus de sept ou huit cercles de qualité se sont toutefois vite rendu compte de la nécessité de nommer un coordonnateur à temps complet. La charge de travail du coordonnateur dépend de la complexité de la technologie et de la stratégie d'expansion des cercles de qualité au sein de l'établissement. Si l'organisation des divers cercles de qualité exige plus de trois coordonnateurs, il peut être nécessaire de recourir à un coordonnateur principal, à temps complet ou à temps partiel.

FIGURE 2
Hiérarchie des cercles de qualité

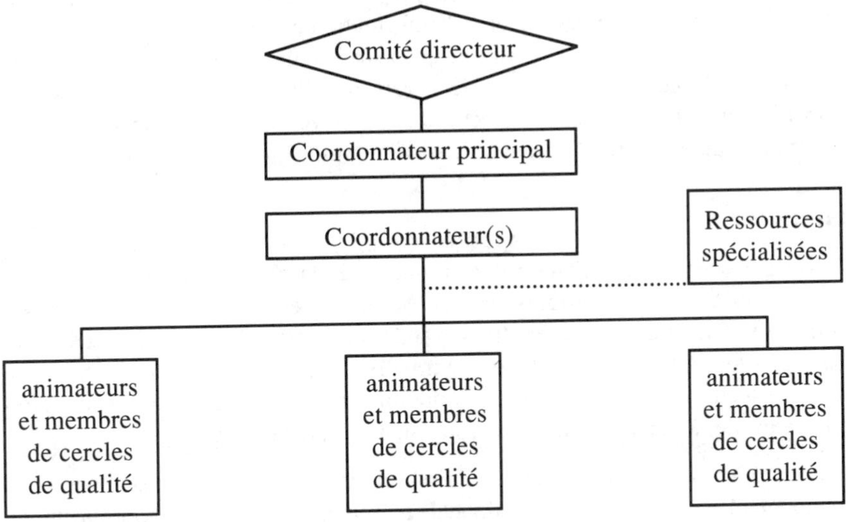

Comité directeur

Coordonnateur principal

Coordonnateur(s)

Ressources spécialisées

animateurs et membres de cercles de qualité

animateurs et membres de cercles de qualité

animateurs et membres de cercles de qualité

Le comité directeur établit la stratégie de gestion et les politiques de fonctionnement des cercles de qualité, la stratégie de formation des animateurs et des participants au programme, ainsi que la structure d'approbation des projets suivant la nature de ces derniers.

Le comité directeur comprend habituellement de cinq à dix membres, dont la majorité provient des niveaux intermédiaires de l'organisme, il est composé également d'un ou de deux membres du syndicat, du ou des coordonnateurs, et d'un ou de plusieurs membres de la haute direction de l'établissement. Il convient de noter que, dans les petites entreprises, le comité directeur peut ne comprendre que deux ou trois personnes.

La structure d'approbation des projets des cercles doit respecter la hiérarchie en place. Aussi, il incombera au niveau hiérarchique responsable d'examiner et d'approuver le projet d'un cercle. Par conséquent, les cadres de l'établissement doivent être informés des principes et des modalités de gestion du programme.

L'originalité des cercles de qualité est plus apparente au niveau des rôles que chacun des acteurs doit jouer. Ainsi, le membre du cercle, dont la tâche quotidienne demeure inchangée, a l'occasion d'assumer un rôle essentiel au fonctionnement du cercle : celui d'un « chercheur » en son domaine d'activité, soucieux de bien définir et résoudre les problèmes. De ce rôle dépend la qualité des activités du cercle. Pour leur part, les animateurs et surtout les coordonnateurs apprennent à aider les membres dans leur recherche des informations nécessaires et à leur faciliter l'accès aux personnes qui les détiennent. Cette aide est particulièrement importante lorsque le projet d'un cercle commande la consultation (par exemple, pour obtenir l'information nécessaire) d'un niveau de direction dont les membres du cercle ne relèvent pas directement dans la structure habituelle. En ce sens, le cercle de qualité doit se démarquer du fonctionnement strictement hiérarchique pour développer un réseau de communication souple et efficace ainsi qu'une vision plus globale de l'entreprise.

Activités

Formés à l'origine pour améliorer la qualité de la production industrielle, les cercles de qualité ont progressivement multiplié et diversifié leurs activités. Ainsi, ils traitent généralement trois grandes catégories de problèmes : ceux qui se rapportent à la qualité de la vie au travail (conditions matérielles, intérêt du travail, sécurité, horaire, etc.), à l'économie (qualité, productivité, frais d'exploitation) et à la technique (processus, matériel, technologie).

Par contre, ils excluent les sujets comme les avantages sociaux et la rémunération, les griefs, et la politique de recrutement et de renvoi ; normalement, d'autres mécanismes régissent ces aspects.

D'après un rapport officiel de 1980, 45 % des activités des cercles de qualité japonais portent sur des projets de réduction des frais d'exploitation. L'amélioration de la qualité vient au deuxième rang avec 30 % des activités des cercles. L'amélioration du matériel, des qualifications professionnelles, de la sécurité et de l'environnement représentent, dans des proportions égales, environ 25 % des activités des cercles[2].

Au Québec, la distribution des activités des cercles de qualité parmi ces trois catégories est sensiblement différente. Plus de 50 % des projets des cercles touchent le secteur technique, tandis que 40 % des activités se rapportent à la rentabilité du service. Les projets d'amélioration des conditions de vie au travail représentent environ 10 % de l'ensemble des travaux des cercles.

Cette diversification des activités justifie les nouvelles, et plus heureuses, dénominations données au cercle de qualité, notamment groupe de progrès, équipe d'amélioration et équipe de développement.

2. On note aussi des activités que l'on peut qualifier de farfelues. Ainsi, lors de notre mission d'étude au Japon et de notre visite chez Sony, un cercle avait déterminé que les employées célibataires commettaient plus d'erreurs que leurs collègues mariées. Il a donc proposé la mise en place d'une formation visant à faciliter le mariage de ces employées (cours de bonnes manières, cuisine, etc.).

Enfin, autrefois réservés aux milieux manufacturiers, les cercles atteignent maintenant les entreprises de services comme les banques, les hôpitaux et les municipalités. Plus de 50 % des mandats de notre société visent la mise en œuvre de cercles de qualité au sein des entreprises de services, contre 5 % au Japon.

Au-delà de la mécanique

Puisque le fonctionnement des cercles semble simple et donne de si bons résultats au Japon, pourquoi ne pas se fier à cette expérience et les mettre en place tels quels dans nos organisations? À notre avis, cela serait une grave erreur, comme l'a démontré le taux d'échec assez important de ces programmes aux États-Unis[3]. Voici pourquoi.

Il est vrai que les cercles de qualité font appel à une structure qui s'accommode facilement à ce qui existe déjà dans les entreprises. Dans leurs principes de base, on reconnaît des éléments de saine gestion des ressources humaines.

Par contre, la mise en œuvre et l'existence de cercles de qualité dans une entreprise sont susceptibles d'apporter des modifications sensibles du processus d'apprentissage et du processus politique de l'entreprise. Cependant, ces deux types de modifications doivent être considérés à la fois comme conditions préalables et comme conséquences des cercles de qualité. Ainsi, pour être propice à ce programme, une culture organisationnelle doit intégrer ces éléments. Par exemple, les cercles de qualité entraînent l'entreprise dans un processus de formation et d'apprentissage où des employés et finalement tous les membres d'un organisme apprennent à cerner, à analyser et à solutionner en groupe des problèmes (conséquence). Donc, les cercles de qualité sont beaucoup plus faciles à adapter dans un contexte organisationnel qui accorde déjà une place importante à la recherche de méthodes d'exploitation plus efficaces (condition préalable). C'est ce qui a permis au Japon de passer d'une orientation axée sur la production à une orientation axée sur la qualité et d'élaborer un concept comme celui des cercles de qualité. Il faut du temps et de la persévérance pour y arriver.

En outre, le transfert d'un certain pouvoir aux membres de ces cercles constitue le deuxième élément important qui est à la fois une condition préalable et une conséquence. Par exemple:

---

3. La démarche américaine typique de mise en place des cercles de qualité consiste à envoyer le coordonnateur assister à un séminaire public de formation présenté par des conseillers, à acheter le matériel didactique et à démarrer deux ou trois cercles pour « voir ce que cela donnera ».

- donner à des employés le contrôle d'une heure par semaine où ils ont le droit de choisir leur sujet de travail;
- leur permettre l'accès à l'information et aux personnes-ressources dont ils ont besoin pour être efficaces;
- leur donner accès au niveau adéquat de prise de décision de l'organisation (conditions préalables).

Ainsi, les membres d'un cercle de qualité ne peuvent prendre de décision unilatérale quant à l'application des solutions qu'ils proposent, mais ils acquièrent le droit de discuter des sujets qui touchent leurs compétences et leur intérêt. Les cercles donnent alors aux membres la possibilité d'établir des réseaux de communication à l'extérieur de leur unité de travail. Ces activités peuvent modifier la distribution du pouvoir dans l'organisme (conséquence). D'ailleurs, les niveaux intermédiaires de gestion y voient souvent une menace envers leur autorité et une diminution de leur pouvoir[4]. Certains employés peuvent aussi se sentir menacés s'ils n'ont pas développé leur sens de l'initiative ou s'ils demeurent très dépendants de leur superviseur pour prendre des décisions qui touchent leur travail.

À notre avis, la perception dans un organisme que ces changements au niveau de la formation et du partage de l'autorité ne sont pas souhaitables ou que le fonctionnement des cercles n'a pas eu pour effet d'entraîner l'organisme vers ces changements, est en soi un indice que les cercles de qualité sont voués à un échec.

Mise en œuvre des cercles de qualité

Conditions essentielles de succès

Une enquête récente menée aux États-Unis auprès de vingt sociétés dotées de cercles de qualité révèle que l'expérience a été, pour plusieurs, très décevante. L'insuccès de l'introduction des cercles de qualité s'explique par une mise en œuvre hâtive (parfois d'une durée d'une semaine), la méfiance des travailleurs, l'absence de soutien des cadres intermédiaires, la formation très sommaire des participants et surtout par une culture organisationnelle inadéquate, voire incompatible avec cette forme d'organisation du travail.

4. En fait, les cadres sont amenés à partager avec les cercles de qualité la responsabilité de résoudre les problèmes, ce qui traditionnellement a toujours été une de leurs prérogatives.

Les cercles de qualité peuvent donc échouer. Par conséquent, il est important que toutes les conditions essentielles à leur succès soient réunies : le soutien actif de la direction, la mise en œuvre d'un programme complet, des communications efficaces, la formation des participants, la participation des cadres intermédiaires et une philosophie de gestion participative.

Philosophie de gestion

On a coutume de dire que le succès des cercles de qualité dépend de l'appui de la direction. Cet énoncé s'avère trompeur, malgré la part de vérité qu'il contient. Tout d'abord, il est très risqué de lier un programme de cercles de qualité à l'appui d'un seul ou de quelques membres de la haute direction. À ce moment, le programme dépend de la bonne ou de la mauvaise fortune de ces personnes au sein de l'entreprise. Cet énoncé est mis en doute puisqu'il implique que les cercles de qualité constituent un programme *ad hoc* plus ou moins étranger à l'organisation, qui peut plaire ou non, selon l'intérêt qu'il suscite chez chacun des membres de la direction. Cette façon de voir, qui ne se fonde pas sur des raisons plus profondes, mène souvent à un échec. Le succès d'un programme de cercles de qualité repose avant tout sur une philosophie de gestion participative explicite, diffusée et généralisée dans l'entreprise.

Une philosophie de gestion se définit comme l'ensemble des valeurs auxquelles souscrivent principalement les dirigeants d'une entreprise. Ces valeurs expriment leurs convictions quant à la supériorité d'un mode de fonctionnement sur tous les autres. Ainsi, les dirigeants qui reconnaissent en leur personnel une grande part de la valeur et de la force de leur entreprise, croient que le succès présent et à venir de cette dernière sera assuré dans la mesure où ils pourront mobiliser efficacement toutes leurs ressources humaines. Dès lors, les dirigeants chercheront à mettre en place des mécanismes appropriés pour développer une culture organisationnelle qui correspond à leur philosophie de gestion.

Dans les entreprises qui possèdent une philosophie de gestion participative, les cercles de qualité seront choisis à la condition qu'ils permettent de mobiliser davantage le personnel de l'entreprise et de contribuer au développement d'une culture participative. Il y est peu question de préférences personnelles et encore moins d'un mode de gestion.

Les cercles de qualité seront alors perçus comme le meilleur moyen disponible pour concrétiser rationnellement une philosophie de gestion participative. Seule une philosophie de gestion participative explicite permettra aux cadres intermédiaires et supérieurs de vraiment assumer et appuyer les activités des cercles de qualité.

Enfin, les cercles de qualité ne constituent pas un correcteur ou une solution des problèmes organisationnels d'une entreprise comme l'absence de communications, de piètres relations de travail, l'absentéisme et un système déficient de contrôle de la qualité. La mise en œuvre des cercles de qualité doit se réaliser dans un contexte organisationnel adéquat tant au plan du climat de travail qu'à celui des systèmes de production.

Appui visible de la direction

Pour que les cercles de qualité fonctionnent efficacement, il faut que la direction de l'organisme leur accorde son soutien actif et explicite. Ce soutien peut prendre la forme d'un appui technique, administratif et financier, mais doit également miser sur l'utilisation de symboles qui affirment l'importance du programme aux yeux de tous et valorisent le travail de ses participants.

Communications

La qualité des communications est, en effet, une autre condition essentielle au succès des cercles de qualité. D'abord, une bonne compréhension du concept des cercles de qualité est nécessaire à tous les niveaux de la hiérarchie pour éviter de créer de fausses attentes. Puis, il importe de communiquer très ouvertement les objectifs et la politique de la société relativement au programme. Il est indispensable que les intentions de la direction soient clairement perçues et comprises dans l'ensemble de l'entreprise. En outre, la direction doit préparer l'organisme à fournir sans réserve et rapidement les renseignements techniques et économiques que requièrent les cercles pour leurs analyses.

Structure de gestion

La structure administrative du programme doit être claire et fonctionnelle, et les membres des cercles de qualité doivent connaître les responsabilités qui leur incombent et aussi les limites qui leur sont imposées. Elle doit établir des mécanismes administratifs appropriés pour faciliter la mise en application des propositions des cercles de qualité qui ont été adoptées ainsi que les activités qui étayent le suivi des opérations.

À ce chapitre, le coordonnateur joue un rôle de premier plan. Il assume la coordination des différents cercles et de leurs projets, et sa compétence ainsi que sa connaissance de l'exploitation de l'entreprise sont un atout souvent décisif. D'ailleurs, l'attribution de ce poste à une personne dont la compétence est reconnue de tous est souvent l'un des symboles utilisés par la direction pour témoigner de façon visible son appui au projet.

Formation des participants

Il ressort de plus en plus clairement des études menées sur les cercles de qualité que la formation des participants (membres, animateurs, coordonnateurs et comité directeur) constitue l'un des facteurs clés de la réussite de cette méthode de gestion participative. Il est nécessaire de faciliter l'adaptation des membres à ce nouvel environnement où on leur demande d'être des observateurs, des analystes et des innovateurs. À cette fin, les membres doivent acquérir une base cognitive solide pour être en mesure de développer une vision juste et de mieux comprendre ce qu'ils ont à faire... pour bien le faire. *Participation et formation du personnel vont donc de pair.*

Le succès des cercles de qualité repose sur une méthode rigoureuse d'analyse et de résolution de problèmes. Il est donc important que les membres des cercles de qualité soient initiés aux différentes techniques d'analyse et de résolution de problèmes (remue-méninges, méthodes statistiques, diagrammes d'analyse de causes-effets, Pareto, etc.). Un programme de formation en relations interpersonnelles peut aussi s'avérer très utile pour assouplir le fonctionnement des cercles de qualité. L'animateur doit évidemment recevoir une formation spécialisée en animation de séances.

Il importe aussi que les activités de formation se fondent sur une analyse systématique des besoins et reflètent les particularités techniques et organisationnelles de la société. À ce chapitre, la démarche américaine de mise en place des cercles de qualité essentiellement axée sur des séminaires publics de formation est particulièrement fautive. Il est heureux que cette mode ne soit pas spécialement populaire au Québec.

Bref, une mise en œuvre discrète, hâtive ou entreprise « pour voir ce que cela donnera » est vouée à l'échec.

Séquence de mise en œuvre

Voici un aperçu des étapes nécessaires à la mise en œuvre d'un programme de cercles de qualité.

Séance d'information pour la direction

La direction de l'entreprise prend généralement connaissance des cercles de qualité par l'intermédiaire d'articles ou de rencontres avec des collègues d'entreprises dotées de ce programme. Elle communique ensuite avec un conseiller pour obtenir des renseignements détaillés sur les avantages et les inconvénients des cercles et sur la séquence, les modalités et les conditions de mise en œuvre d'un programme.

Il est recommandé d'organiser une séance d'information à l'intention des cadres supérieurs et intermédiaires au cours de laquelle tous les aspects d'un programme de gestion participative et de cercles de qualité sont abordés et discutés en profondeur. Si la réaction est positive, on peut passer à l'étape suivante de mise en œuvre du programme.

Étude de faisabilité

L'étude de faisabilité, sous la responsabilité d'un comité d'étude formé de cadres supérieurs et intermédiaires, de représentants syndicaux et d'un conseiller externe, est essentielle au succès du programme. Elle permet surtout de tenir compte des réticences que certains cadres ou membres de l'organisme peuvent exprimer à l'égard du programme, car elle vise principalement à déterminer les facteurs qui faciliteront ou qui entraveront le fonctionnement des cercles de qualité dans l'entreprise. L'étude doit être réalisée par des spécialistes qui possèdent une connaissance approfondie en développement organisationnel, en qualité de la vie au travail et en technologie de production.

Cette phase doit permettre de répondre aux questions suivantes :

- Est-ce que l'entreprise possède une philosophie de gestion et une culture qui facilitent la mise en œuvre des cercles ?
- Quels sont les facteurs qui, le cas échéant, peuvent nuire à une mise en place efficace des cercles de qualité ? Comment apporter des correctifs ?
- Quelles devraient être la structure et les politiques administratives des cercles de qualité (constitution du comité directeur, choix du coordonnateur, choix du ou des services d'introduction des cercles, etc.) ?
- À quelles techniques d'analyse et de solution de problèmes de travail devrait-on former les animateurs et les membres des cercles de qualité de l'entreprise ?
- Quels sont les avantages et les inconvénients qui peuvent résulter de l'implantation d'un programme ?
- Quels sont les coûts relatifs au programme ? Comment se comparent-ils aux avantages économiques ou autres du programme ?
- Quels critères peuvent servir à mesurer l'efficacité du programme ?

Le conseiller externe participant au comité *ad hoc* responsable de l'étude de faisabilité guidera ce dernier dans l'exécution de cette étude et réalisera des interventions spécifiques de diagnostic organisationnel.

Cette étude utilise habituellement une méthode fondée sur l'analyse documentaire, l'entrevue et, le cas échéant, un questionnaire d'attitudes conçu précisément à cette fin. Le comité d'étude peut recommander la mise en œuvre immédiate ou différée du programme ou encore le report de ce dernier suivant son appréciation de la compatibilité de la culture de l'entreprise avec les valeurs véhiculées par le programme des cercles de qualité. Il peut proposer une stratégie de développement organisationnel qui aura pour effet de modifier la culture actuelle de l'entreprise et de permettre ainsi la mise en œuvre d'un programme de cercles de qualité.

Le rapport de cette étude de faisabilité servira de guide aux activités et aux décisions du comité directeur du programme.

Mise en œuvre des cercles de qualité

La mise en œuvre des cercles de qualité débute avec la constitution du comité directeur des cercles de qualité et le choix du coordonnateur. Le comité devra établir clairement les politiques de fonctionnement (la charte) des cercles de l'entreprise. La communication de cette charte au personnel sera suivie de l'appel des volontaires au sein des unités choisies pour le démarrage de ce programme.

La formation des membres du comité directeur, du coordonnateur, des animateurs et des membres des cercles constitue la composante critique de la mise en place des cercles de qualité dans l'entreprise. Elle doit être complétée d'une stratégie d'information de tous les cadres de l'entreprise en ce qui concerne tous les volets du programme. La formation doit être rigoureuse, systématique et porter sur les méthodes d'analyse et de solution de problèmes de travail, le processus de travail des cercles et les techniques d'animation.

Suivi et évaluation

Il est important d'évaluer le fonctionnement du programme des cercles de qualité et de communiquer les résultats à tout le personnel en cause. Des analyses de coûts-avantages, la compilation de questionnaires d'attitudes et d'autres mesures (absentéisme, etc.) s'avèrent très utiles pour mesurer l'efficacité du programme.

Difficultés courantes

Certaines difficultés sont susceptibles de se manifester dans le fonctionnement des cercles de qualité. Elles peuvent nécessiter des changements dans les modalités ou encore une modification importante dans la conception du programme. Voici les difficultés les plus fréquentes.

Complexité des problèmes

En vue d'acquérir rapidement de l'expérience et de connaître le succès, les membres sont encouragés à s'attaquer d'abord à des problèmes simples, qui font appel à des ressources modestes et dont les solutions sont applicables à court terme. Le principe de la hiérarchie de l'apprentissage est alors appliqué aux cercles de qualité. Les problèmes sont par conséquent de portée restreinte, mais souvent jugés importants par les membres parce qu'ils sont irritants. Le cercle de qualité représente donc rapidement l'instrument privilégié qui élimine les problèmes mineurs, mais dont se plaignaient depuis longtemps les employés et la maîtrise.

Cependant, certains groupes hésitent longtemps à aborder les problèmes plus complexes de leur unité, ce qui risque de miner la crédibilité du cercle et sa viabilité à long terme. Pour éviter cela, ils doivent surmonter certaines barrières organisationnelles. Ainsi, le coordonnateur et le comité directeur peuvent faciliter leurs démarches et établir les relations nécessaires pour susciter la coopération. L'animateur peut obtenir le pouvoir explicite d'en référer aux différents niveaux de la hiérarchie. Il est aussi possible d'encourager les cercles à demander à la direction des suggestions de problèmes qu'ils pourraient tenter de résoudre. Le coordonnateur peut enfin seconder le cercle dans l'application du processus de résolution de problèmes à des situations complexes.

Participation des non-membres

Il est rare que tous les membres d'une même unité fassent partie d'un cercle de qualité. Par conséquent, plusieurs personnes peuvent être touchées par les recommandations du cercle, même si elles n'en font pas partie. Elles sont souvent très sceptiques face aux cercles, particulièrement lorsque ceux-ci en sont à leur première année d'existence.

Pour stimuler ces personnes à se joindre aux efforts des cercles, certaines mesures s'imposent. Le cercle doit rendre disponibles aux non-membres les résumés de ses rencontres. Les membres doivent être encouragés à solliciter leurs collègues de façon formelle par des enquêtes ou des questionnaires pour obtenir d'eux des suggestions ou des précisions sur les problèmes qui les concernent. Il est important aussi que le cercle offre la possibilité aux personnes touchées par les problèmes d'examiner les propositions du cercle et de faire des suggestions, qui pourront entraîner certaines modifications avant la présentation du projet à la direction.

Rôle du coordonnateur

Le coordonnateur représente l'engagement et le soutien actif de la direction. Si ses services sont peu ou mal utilisés, les cercles se privent d'un élément important pour leur bon fonctionnement.

Le coordonnateur doit fournir un appui constant aux cercles et son action n'est pas seulement valable au début des activités. Son rôle est essentiel pour aider les cercles lorsqu'ils sont déconcertés par le roulement des membres, par des difficultés à réunir leurs membres pour des raisons d'horaire ou de vacances, par un manque de confiance face à un sujet complexe et ardu ou lorsqu'ils ont à obtenir la collaboration de différents secteurs ou niveaux hiérarchiques.

Hostilité ou indifférence des cadres intermédiaires

C'est l'un des problèmes les plus courants et il semble que les niveaux hiérarchiques intermédiaires constituent souvent une barrière à la mise en œuvre de stratégies et de programmes de changements organisationnels. Plusieurs peuvent se sentir menacés par les cercles de qualité, qui échappent un peu à leur autorité et qui viennent usurper certaines de leurs prérogatives. Pour réduire cette appréhension, le cercle doit fournir aux cadres les procès-verbaux de ses réunions et tenir au besoin des rencontres d'information informelles sur les opérations en cours qui touchent leur compétence. Il ne doit surtout pas court-circuiter la voie hiérarchique dans la présentation de ses projets.

Formation

Il est sage de prévoir un recyclage périodique pour aider les membres des cercles à acquérir une plus grande maîtrise des techniques de résolution de problèmes et, s'il le faut, de techniques d'analyses plus précises, car l'habitude de travailler à de petits problèmes peut les mener à un usage truqué des techniques apprises et entraîner des difficultés lorsqu'ils abordent des problèmes complexes.

Reconnaissance

La reconnaissance est importante pour motiver les participants. Les opinions sont généralement très diversifiées sur sa pertinence et la forme qu'elle peut prendre. Quoi qu'il en soit, les formes de reconnaissance doivent évoluer avec les cercles et le cadre plus global des programmes de mobilisation des ressources humaines de l'entreprise.

La présentation des projets à la direction est pour plusieurs une incitation importante. Une reconnaissance sous forme de lettre de la part des cadres, de publicité dans le journal de l'entreprise, de prix ou de trophée pour les meilleures réalisations sont autant de marques de considération qui peuvent aussi indiquer à tout le personnel l'appui et l'intérêt de la direction envers ce programme.

Avec le temps et des réalisations entraînant des améliorations importantes ou des réductions de coûts significatives, d'autres formes de reconnaissance seront à envisager, notamment des programmes collectifs de partage des gains de productivité.

Suivi des travaux

Une fois que leurs solutions ont été acceptées, plusieurs cercles négligent de faire le suivi de leurs activités. Pourtant, les cercles doivent assumer la responsabilité de vérifier la mise en œuvre et les effets de leurs recommandations. En fonction de la nature du changement, cette responsabilité doit s'étendre sur une période précise, par exemple de six mois à un an. À l'aide d'outils comme les questionnaires et les analyses de coûts ou de valeur produite, le cercle est en mesure de comparer les résultats obtenus avec l'objectif fixé au départ. Ces mécanismes de rétroaction lui permettent de suggérer, le cas échéant, les correctifs nécessaires et de développer une plus grande confiance, qui le portera à aborder des problèmes plus complexes.

La direction de nombreuses entreprises estime que, dans sa première année, ce programme demande à être appuyé plutôt qu'évalué. Le souci d'une évaluation qualitative et quantitative doit se manifester dès la deuxième année, ne serait-ce que pour vérifier si les résultats sont à la hauteur des objectifs visés par le programme. De toute façon, l'absence de ce genre d'évaluation risque de toucher sérieusement la crédibilité du programme.

Évaluation des cercles de qualité

Enjeu

Une mise en œuvre réussie et durable des cercles de qualité n'est pas aisée. L'erreur flagrante est, pour plusieurs entreprises, de vouloir les mettre en place sans les considérer comme une partie ou un élément d'une stratégie plus large.

Dans ce cas, on est séduit par un concept simple, une « technologie » accessible et des coûts d'« achat » prévisibles. De plus, les cercles semblent être un programme séparé, fonctionnant parallèlement et qui ne devrait pas causer de problèmes. Cette perception des cercles de qualité les condamne à une stagnation rapide et à une disparition inévitable.

Le cercle de qualité n'est pas un programme de la direction pour motiver ses employés, mais un mécanisme qui doit faire partie d'une stratégie d'amélioration de la productivité et de la qualité de la gestion de l'ensemble de l'organisme. En fait, il vise autant à améliorer la productivité que la satisfaction au travail. Négliger le premier aspect, c'est courir le risque que les cercles s'écroulent par manque d'une perspective d'affaires. Négliger l'autre, c'est perdre rapidement l'appui des employés. Ces deux facteurs sont intimement liés et aussi importants pour les travailleurs qu'ils le sont pour les cadres.

Bref, pour susciter les suggestions et la participation des échelons inférieurs, il faut que les échelons supérieurs se mobilisent, et ce, d'une façon conséquente et soutenue. Les efforts d'adaptation des cercles à nos systèmes de gestion doivent donc être orientés vers cet aspect.

Illustration pratique

Voici un exemple de mise en place de cercles de qualité chez un concessionnaire d'automobiles de la région de Montréal, *Park Avenue Chevrolet Oldsmobile Cadillac Inc.*

Sensibilisation aux cercles de qualité

Le processus de mise en œuvre d'un programme de cercles de qualité a démarré lorsque les dirigeants de *Park Avenue* ont accepté de participer à une étude de faisabilité commandée par le Conseil provincial des comités paritaires de l'automobile et réalisée par notre société. Cette étude a porté sur l'évaluation des possibilités de mise en œuvre de cercles de qualité dans le domaine de l'automobile et a regroupé des concessionnaires, des stations-service et des distributeurs de pièces. Les résultats de l'étude pour *Park Avenue* ont été globalement positifs et ont fait état d'un fort désir de participation des employés. Stimulés par ces résultats, les dirigeants ont commencé à sensibiliser les cadres pour décider, une année plus tard, de mettre en œuvre un programme de cercles de qualité avec l'assistance de notre société.

But et objectifs du programme

Comme il est indiqué dans la charte du programme de cercles de qualité de *Park Avenue*, ce dernier a pour mission d'assurer une amélioration continue de l'exploitation grâce à une participation accrue du personnel et à une meilleure qualité de vie au travail. Pour s'acquitter de cette mission, le programme doit être orienté vers les quatre objectifs suivants :

- favoriser le dialogue et la communication entre le personnel et la direction ;
- assurer un contexte de travail qui soit stimulant et qui constitue une source de défis pour le personnel ;
- accroître la connaissance et la formation du personnel dans son milieu de travail ; et
- développer davantage la compétitivité des services grâce à un souci constant de la qualité.

Les dirigeants s'attendaient aussi à une certaine amélioration de la productivité globale, mais celle-ci était considérée surtout comme une conséquence de l'amélioration de l'exploitation et ils n'ont pas voulu exercer de pression en fixant un objectif précis à cet égard.

Mise en œuvre du programme

Les dirigeants, c'est-à-dire le propriétaire et les deux autres actionnaires, ont assumé le leadership nécessaire aux premières étapes de la mise en œuvre. Ils ont choisi les membres du comité directeur et le coordonnateur. Ce comité comprend un actionnaire (qui est aussi cadre supérieur), trois cadres intermédiaires, y compris le coordonnateur, et deux employés, dont le président du syndicat.

Ensuite, le comité directeur a tenu des séances d'information adressées aux autres cadres pour les renseigner sur les modalités du programme et pour que ce dernier s'intègre plus facilement aux différentes activités de l'entreprise. Les politiques de base et les grandes lignes du fonctionnement des cercles y étaient discutées et adoptées.

Le projet mis de l'avant visait, dans une première étape, la création de quatre cercles, nombre qui s'est élevé à sept à la fin de la mise en œuvre. Trois critères principaux ont été déterminants dans le choix des services qui accueilleraient les quatre premiers cercles :

1) un degré de satisfaction moins élevé qu'ailleurs ;

2) la maturité au travail des employés se traduisant par leurs connaissances et leur fiabilité ; et

3) la possibilité d'améliorer la productivité et le service à la clientèle.

FIGURE 3
Organigramme du projet des cercles de qualité

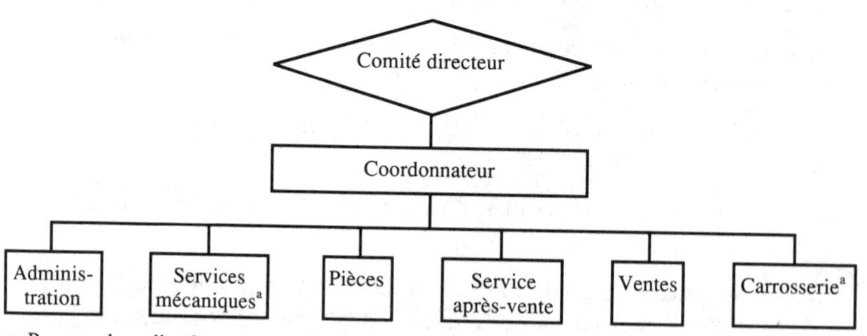

a. Personnel syndiqué.

Face au syndicat, la position des dirigeants était sans équivoque : les cercles de qualité n'étaient pas adoptés pour le remplacer. Le président du syndicat s'est occupé lui-même d'informer les membres du projet mis de l'avant par la direction, et aucun problème n'est apparu par la suite.

La présentation du projet aux employés a été un succès. Le pourcentage de volontaires obtenu à la suite de cette rencontre a été de 60 %, ce qui aurait permis de former trois fois plus de cercles que prévu à cette étape. Le choix des participants s'est fait par tirage au sort et, une fois les cercles formés, le coordonnateur a établi avec chacun des animateurs un horaire permettant des rencontres régulières.

Évaluation

À titre d'exemple, le cercle des services mécaniques s'est attaqué aux problèmes et aux inconvénients causés par les nombreuses ouvertures et fermetures des portes de garage. L'application de la solution proposée a nécessité des débours de 3 490 $. Les avantages strictement financiers sont des gains évalués à 13 320 $ pour la première année. En effet, les gains de productivité ont été très appréciables dans l'ensemble. Comme l'exemple précédent le démontre, un suivi détaillé a été assuré pour la réalisation de chaque projet. Par contre, comme l'augmentation des gains de productivité n'était pas l'objectif premier, cette évaluation n'a pas été faite de façon globale.

Cet exemple, un peu spectaculaire, n'explique pas à lui seul la satisfaction des dirigeants de *Park Avenue* face au programme de cercles de qualité. Rappelons la mission de ce programme : assurer une amélioration continue de l'exploitation grâce à une participation accrue du personnel et à une meilleure qualité de vie au travail. La figure 4 indique les pourcentages recueillis, après un an, à l'égard des types de problèmes ou d'améliorations étudiés par deux cercles de services très différents.

FIGURE 4
Distribution en pourcentage des interventions des cercles de qualité

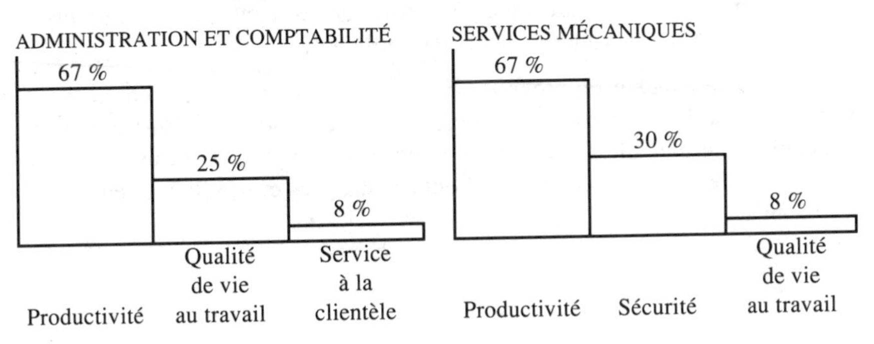

Ainsi, la majorité des actions des cercles de qualité a porté sur l'amélioration de l'exploitation. Les participants sont en mesure d'en apprécier les retombées positives et de ressentir l'ampleur accrue de leur rôle dans le bon fonctionnement du service, et ce, en exerçant leur autonomie quant au choix des sujets d'amélioration.

Que les projets aient eu pour objectifs de réduire les coûts ou les pertes de temps, de diminuer les facteurs d'accidents ou d'améliorer l'environnement de travail, leur réalisation a contribué au développement d'une meilleure qualité de vie au travail. Les efforts des participants et le soutien actif de la direction ont tous deux été nécessaires pour mener ces projets à terme.

Participation pour les uns, engagement pour les autres, ces deux éléments ont été essentiels au succès du programme des cercles de qualité, et ceux de *Park Avenue* les ont simplement mis en pratique.

Appréciation du programme

Voici quelques-uns des commentaires recueillis auprès des différents membres de l'entreprise.

Les dirigeants de *Park Avenue* ont révélé que leurs attentes face au programme des cercles de qualité ont été largement dépassées. C'est avant tout le changement d'attitude qu'ils ont observé au sein du personnel. L'attitude négative de certains employés s'est nettement transformée en une attitude positive et, pour les autres, leur attitude n'en est que plus positive. Par exemple, les membres de l'atelier mécanique avaient l'habitude d'adopter un horaire d'été afin de fermer l'atelier les vendredis après-midi. Ils ont décidé de ne pas adopter cet horaire pour ne pas nuire à la qualité du service à la clientèle.

Les cadres, les superviseurs et les employés sont unanimes dans leur appréciation: ce programme leur permet de s'asseoir ensemble, de discuter d'égal à égal et de solutionner des problèmes à l'avantage de tous.

Pour les employés de plus de quinze ans d'ancienneté, déçus parce que leurs suggestions d'amélioration n'aboutissent jamais faute de temps pour les traiter, ce programme a enfin apporté des solutions concrètes à leurs besoins et surtout fait renaître leur intérêt envers leur milieu de travail.

Le coordonnateur du programme de cercles, promu récemment au poste de directeur de l'exploitation, considère les cercles de qualité comme un outil essentiel lui permettant d'améliorer l'exploitation de façon continue. Pour un seul des cercles, 79 problèmes sur 93 ont été analysés et solutionnés en un peu plus d'un an.

Évolution

Autre indice de succès, la direction de *Park Avenue* a décidé de s'engager davantage dans la participation active du personnel au fonctionnement de l'entreprise.

La réalisation du projet d'expansion à sept cercles de qualité s'est poursuivie. Toutefois, pour encourager la participation de chaque employé dans l'entreprise, tout en conservant l'autonomie propre et *vitale* des cercles de qualité, les dirigeants y ajouteront un programme intitulé Communication performance[R] élaboré par notre société et qui s'inscrit dans l'évolution naturelle des cercles de qualité. Ce programme permet de compléter les structures de communications internes des services par l'ajout de mécanismes de rencontres pouvant atteindre tous les employés d'un service. La structure de communication proposée a l'avantage de mobiliser toutes les ressources humaines à l'intérieur d'une structure simple qui est mise en place par les directeurs de service et les gérants sans modifier la structure organisationnelle existante. Ce mécanisme de communication permet à l'entreprise d'associer étroitement les cadres et les employés en vue d'atteindre des objectifs organisationnels diversifiés.

Avantages des cercles de qualité

La publicité des cercles de qualité concernait surtout les améliorations touchant les aspects économiques et plus particulièrement les réductions des coûts.

Dans les premières années de mise en œuvre des cercles sur le continent nord-américain, particulièrement dans le secteur industriel, le rendement du capital investi dans ce programme a été de l'ordre de 12 pour 1, voire de 20 pour 1. Aujourd'hui, ces chiffres sont beaucoup moins élevés et les avantages économiques offerts aux utilisateurs oscillent davantage entre des ratios de l'ordre de 3 pour 1 et de 7 pour 1. Il faut retenir que les cercles de qualité s'autofinancent.

Cependant, les avantages économiques relatifs aux cercles de qualité ne doivent pas cacher les autres avantages de nature opérationnelle et organisationnelle.

Les avantages organisationnels sont définis comme des améliorations susceptibles d'avoir un impact de longue durée sur l'ensemble de l'organisation. Ce sont des éléments difficilement quantifiables tels que le climat organisationnel, les attitudes au travail ainsi qu'un personnel mieux informé et œuvrant dans un milieu qui favorise la croissance des personnes. Les avantages opérationnels quant à eux font référence à l'exécution des tâches, soit l'amélioration des processus de transformation, de circulation de l'information et d'accroissement de la qualité des produits ou des services.

Une étude menée auprès de 24 sociétés, ayant une bonne expérience des cercles de qualité, a indiqué par ordre d'importance les principaux avantages associés au fonctionnement des cercles (voir le tableau 1).

TABLEAU 1
Avantages des cercles de qualité

AVANTAGES	ORDRE D'IMPORTANCE	
Amélioration des communications	1	
Satisfaction au travail	2	*ex æquo*
Amélioration du climat	2	
Amélioration de la productivité	4	*ex æquo*
Amélioration de la qualité	4	
Réduction des coûts	6	

Source: Joel E. ROSS et William C. ROSS (1982). *Japanese Quality Circles and Productivity*, Reston, Virginia, Reston Publishing Company Inc., A Prentice-Hall Co.

Les avantages économiques ne sont donc pas au premier rang des bénéfices observés d'un programme de cercles de qualité. Cette réalité, pour la majorité des sociétés, tient à ce que la résolution de problèmes demeure encore du ressort des cadres, des superviseurs et des spécialistes. Mais, dans ces conditions, le cercle de qualité devient davantage un moyen de concertation et de circulation d'information, ce qui lui permet de jouer un rôle significatif dans une stratégie d'amélioration de la productivité et de la qualité de la gestion de l'organisation dans l'ensemble.

Conclusion

Au premier abord, le cercle de qualité semble un mécanisme relativement simple qui ne modifie pas la structure habituelle de l'organisme et qui peut aider l'organisme à utiliser plus efficacement le potentiel des ressources humaines qui demeurent souvent mal utilisées.

Toutefois, pour être en mesure de bénéficier au maximum des avantages décrits précédemment, la structure en parallèle des cercles doit évoluer vers une plus grande intégration dans la structure formelle.

L'étude de C. Sthol[5] sur l'amélioration de la communication attribuée aux cercles de qualité permet d'illustrer cette affirmation. Cette étude souligne, chez les membres de cercles de qualité :

- une attitude plus positive face à la communication dans l'entreprise, à la qualité et à la quantité d'information ainsi qu'à la fiabilité de ses sources. Les membres se sentent encouragés à échanger et à partager l'information à l'intérieur de leur société ;
- une connaissance plus complète de leur entreprise, du personnel de différents niveaux et services, du fonctionnement et des contraintes de l'organisme ; et
- l'acquisition d'une vision plus globale de l'entreprise, où la perception de leur tâche et de leurs relations avec les autres s'inscrit dans un contexte plus large.

L'étude associe directement ces effets *aux interactions que développent les cercles de qualité et qui sont nécessaires à leur bon fonctionnement.* À l'intérieur du processus de résolution de problèmes, les membres doivent certes demander de l'information et avoir accès à beaucoup plus de gens de leur entreprise qu'ils ne le pourraient autrement. Avec l'appui nécessaire et l'expérience des cercles, le membre a l'occasion d'établir un réseau de communications et de jouer un rôle de « relais » entre son groupe de collègues et les personnes de l'extérieur. Cette possibilité offerte aux membres du cercle de qualité est l'une des causes principales de l'amélioration de la communication, d'où l'importance pour l'entreprise de faciliter l'accès du groupe aux informations pertinentes à ses travaux et d'encourager les communications non seulement à l'intérieur d'un même secteur, mais aussi entre les divisions inhérentes à tout organisme. Plus le cercle de qualité sera en mesure de modifier les relations de communication entre les cadres supérieurs et intermédiaires, les superviseurs et les employés, plus les avantages seront importants.

Face à l'utilisation des cercles de qualité, les dirigeants doivent choisir l'une des deux options suivantes : la première implique le maintien d'une structure parallèle où le programme des cercles de qualité est géré comme un ensemble de projets à court terme utilisant des groupes de tâches. Les avantages de cette démarche ne sont que d'ordre économique. La deuxième option implique une vision à long terme d'un programme qui sera intégré progressivement à la structure formelle. Le cercle de qualité est alors considéré comme une étape parmi d'autres qui tend vers un système et une culture organisationnels fondés sur la participation de tous ses membres.

---

5. Dr. Cynthia STHOL (1984). *Quality Circles and the Quality of Communication in Transaction*, Cincinnati, Ohio, International Association of Quality Circles.

Évidemment, les cercles de qualité pris isolément ne font pas évoluer l'organisme automatiquement vers les étapes qui mènent à une gestion participative plus complète. Le point déterminant de cette évolution est la volonté de la direction de s'y engager pleinement.

Références bibliographiques

CRACKER, Olga, CHARNEY, Cyril et CHIU, Johnny Sik Leung (1984). *Quality Circles, A Guide to Participation and Productivity*, Toronto, Methuen Publications Canada.

FITZGERALD, Laurie et MURPHY, Joseph (1982). *Installing Quality Circles : A Strategy Approach*, San Diego, Cal., University Associates San Diego.

ROSS, Joel E. et ROSS, William C. (1982). *Japanese Quality Circles and Productivity,* Reston, Virginia, Reston Publishing Company Inc., A Prentice-Hall Co.

STOHL, Cynthia (1984). *Quality Circles and the Quality of Communication in Transaction*, Cincinnati, Ohio, International Association of Quality Circles.

THOMPSON, Philip C. (1982). *Quality Circles, How to Make Them Work in America*, New York, Amacom.

8

Technologies et qualité de vie au travail

Le point sur la question

Maurice LEMELIN
Alain RONDEAU
Nancy LAUZON

Technologie et qualité de vie au travail (QVT), voilà deux notions qui occupent de plus en plus l'avant-scène des préoccupations organisationnelles. D'une part, il est évident que, dans cette ère d'internationalisation de l'économie ou de globalisation des marchés, les entreprises ne peuvent rester à l'écart de l'évolution technologique. D'autre part, ce serait faire fi de la réalité que de croire que les notions de qualité de vie en général et plus précisément de qualité de vie au travail ne prennent pas une place importante du moins dans notre monde occidental. Mais ces deux notions sont-elles opposées ? Changements technologiques ou nouvelles technologies signifient-ils automatiquement une diminution de la QVT ou au contraire ces notions sont-elles conciliables ? Voilà la question qui sera traitée dans les prochaines pages. Mais, auparavant, tentons de cerner ce concept de QVT.

La QVT : une définition

D'une façon sommaire, on pourrait dire que l'expression QVT fait simplement appel à la qualité de l'expérience au travail. C'est en somme un concept global qui touche simultanément tant le travail en soi que la relation entre le travail et la vie hors du travail en passant, par exemple, par les aspects de santé et de sécurité. Ainsi on ne peut parler de QVT sans que les tâches elles-mêmes présentent un certain intérêt pour le travailleur. La conception propre du travail est donc au cœur de la QVT. Par ailleurs, les horaires de travail, qui ne concernent pas directement le travail en soi, influencent néanmoins la QVT par cette relation entre le travail et la vie en général (famille, relations sociales...).

Par rapport à cette QVT, certains auteurs ont décrit le travail par ses composantes extrinsèques et intrinsèques, ces dernières faisant appel aux conditions psychosociales du travail, c'est-à-dire à ce qui rejoint les préoccupations profondes de l'humain, alors que les aspects extrinsèques se réfèrent davantage aux conditions socio-économiques d'emploi. Trist, par exemple, un des créateurs mêmes de l'expression QVT, relève parmi les aspects extrinsèques le salaire juste et suffisant et les avantages sociaux, la sécurité d'emploi, les éléments de santé et de sécurité ainsi que la garantie d'une procédure équitable. Tous ces éléments sont évidemment importants. Toutefois, ils demeurent périphériques par rapport au travail même (Trist, 1981).

Pour ce qui est des aspects intrinsèques, les chercheurs s'entendent relativement bien sur les principales caractéristiques d'une tâche riche. Le premier de ces aspects a trait à la nature variée des tâches à accomplir. Une tâche est d'autant plus riche qu'elle est diversifiée, qu'elle nécessite l'utilisation d'un éventail d'habiletés distinctes et, partant, le maintien d'un niveau optimal d'activation (Gardner et Cummings, 1988). Au contraire, une tâche est pauvre si la personne est sous-stimulée par un travail trop peu exigeant, routinier, ou soumise à des exigences ambiguës, conflictuelles ou anxiogènes.

Le second aspect se rapporte à la nature significative de la tâche à réaliser. Une tâche est considérée comme significative lorsqu'elle est perçue comme importante pour d'autres personnes (elle peut influencer leur travail) et s'avère un défi pour l'employé qui l'exécute (Hackman et Oldham, 1980).

Le troisième élément concerne la nature complète de la tâche à accomplir. Une tâche est riche lorsqu'elle constitue un module de travail naturel ayant un début et une fin clairement identifiables et où l'individu est en mesure de prendre conscience de la valeur réelle de sa contribution (Rondeau, 1987).

Le quatrième aspect a trait à l'autonomie que la tâche procure à celui qui la réalise (Hackman et Oldham, 1980), c'est-à-dire qu'une tâche riche l'amène à avoir un sentiment d'influence sur le déroulement de son travail et à se sentir responsable de ce qu'il accomplit.

Un cinquième aspect porte sur l'apprentissage, c'est-à-dire que la tâche est suffisamment complexe pour amener la personne à acquérir de nouvelles connaissances ou à développer de nouvelles habiletés.

Enfin, une tâche offre une bonne QVT quand l'individu y trouve un futur souhaitable ou désirable. En d'autres mots, l'intérêt à brève échéance a ses limites. L'employé doit voir, dans son travail, des perspectives d'avenir, par exemple, un apprentissage continu, des défis nouveaux, etc.

L'espace dont nous disposons ne permettant pas de traiter profondément chacun de ces aspects extrinsèques et intrinsèques du travail par rapport à la technologie, nous allons, à l'instar de la Fondation européenne pour l'amélioration des conditions de vie et de travail (1986), regrouper ceux-ci en quatre grandes composantes, à savoir : l'emploi, la conception des postes, la carrière et l'environnement.

Le premier facteur, l'emploi, sera retenu à cause de son lien avec la notion de sécurité d'emploi, de salaires et d'avantages sociaux. D'ailleurs, plus simplement, peut-on parler de QVT si à la base il n'y a pas d'emploi ? La question de la conception des postes sera développée en englobant les différentes caractéristiques intrinsèques de l'emploi. Puis, la notion de carrière sera abordée surtout dans une perspective de futur souhaitable pour l'individu. Finalement, les aspects de santé et de sécurité seront traités dans le cadre plus large d'environnement du travail.

Pour chacun de ces éléments, les principaux effets des nouvelles technologies seront relevés. D'abord, sera présenté le scénario pessimiste, qui décrit l'impact négatif que la technologie peut avoir sur la QVT. Pour la suite, c'est la version optimiste qui sera traitée suivie enfin de la perspective neutraliste.

L'introduction de nouvelles technologies

Plusieurs raisons incitent les gestionnaires à introduire de nouvelles technologies plus sophistiquées (Kraut, 1987). Par exemple, ils peuvent vouloir ainsi diminuer leurs coûts de main-d'œuvre en réduisant le nombre d'employés de l'entreprise, les coûts liés à leur formation ou encore, en remplaçant une main-d'œuvre spécialisée par des employés moins qualifiés et, par conséquent, moins coûteux. Il se peut également que la décision d'implanter de nouvelles technologies relève de leur désir d'offrir de nouveaux services de meilleure qualité ou moins dispendieux à produire. Enfin, certains introduiraient de nouvelles technologies dans le but d'améliorer les emplois et cela, sans égard pour leurs conséquences sur la productivité.

Effets sur l'emploi

Point de vue négatif

Les pessimistes ou négativistes dénoncent les buts de l'automatisation liés à l'élimination de la main-d'œuvre et à la réduction des emplois à court et à long terme (Deschênes, 1988). L'automatisation économise sur la main-d'œuvre, car des volumes croissants de travail peuvent être traités par le même personnel ou inversement la même quantité avec une main-d'œuvre réduite (Fondation européenne pour l'amélioration des conditions de vie et de travail, 1986).

Ces tenants du déterminisme technologique négatif fondent leur affirmation sur des prévisions selon lesquelles l'automatisation va mener à des pertes massives d'emplois (Armstrong, 1984; Booth et Plowright [1982], McDermott [1981], cités dans Hughes [1989]; Menzies, 1981). Ils affirment notamment que la majorité des emplois de bureau sont particulièrement vulnérables face à l'automatisation à cause de la dimension routinière de ce type de travail (Armstrong, 1984; Booth et Plowright [1982], cités dans Hughes [1989]; Menzies, 1981).

Les négativistes ne contestent pas l'hypothèse voulant que l'automatisation produise un déplacement d'emplois. Toutefois, ils ne croient pas que les employés dont les postes sont éliminés par les nouvelles technologies puissent occuper les postes créés, faute de posséder les qualifications requises. Bref, ils estiment que le secteur tertiaire ne pourra réengager les travailleurs ayant perdu leur emploi à cause de l'automatisation et que la main-d'œuvre féminine sera particulièrement touchée puisqu'elle s'y trouve concentrée (Armstrong, 1984; Deschênes, 1988; Menzies, 1981).

Point de vue positif

S'il y a des points de vue négatifs à l'égard de la technologie, il y en a aussi heureusement des positifs. Force est toutefois d'admettre que pour ce qui est des emplois ces optimistes voient surtout l'économie dans une perspective globale. En se basant sur l'histoire des révolutions industrielles antérieures et sur l'expérience de l'introduction de nouvelles technologies, ils observent non pas des pertes d'emplois, mais plutôt un déplacement de la main-d'œuvre. Certes, affirment-ils, l'automatisation provoquant des changements économiques et structurels fait disparaître de nombreux emplois à court terme. Mais, par contre, grâce aux gains de productivité qu'elle engendre, elle permet d'en créer d'autres à long terme et ces nouveaux emplois devraient pouvoir compenser largement les mises à pied résultant de l'automatisation (Osborne [1979], Rinehart [1987], cités dans Hughes [1989]; McCurdy, 1989; Rumberger et Levin, 1985).

État de la situation

Au-delà de ces perspectives négatives et positives, qu'en est-il au juste? Quel est l'effet net des nouvelles technologies sur l'emploi?

Cette question du solde net de la création et de la suppression d'emplois demeure malheureusement toujours sans réponse (Deschênes, 1988). Une étude réalisée par l'Organisation de coopération et de développement économique (OCDE) (1986) conclut qu'à ce jour les technologies nouvelles ont eu peu d'effets nets sur l'emploi, dans l'ensemble, dans les pays de l'OCDE. L'incidence la plus importante des nouvelles technologies semble toucher non pas le volume d'emplois, mais plutôt la répartition des emplois entre régions, secteurs, industries et professions, entraînant toutefois des problèmes d'adaptation.

Une étude du Conseil économique du Canada (CEC) (Picot et Lavallée, 1986) va également dans le même sens. Les auteurs ont examiné les changements de l'emploi de 1971 à 1981 pour constater que l'emploi avait augmenté de 32 %, une hausse qui serait attribuable davantage à la demande intérieure des biens et services qu'aux changements technologiques (Deschênes, 1988).

Bref, on n'est pas convaincu de la création nette d'emplois, mais on s'entend par ailleurs sur un déplacement de la main-d'œuvre et sur le fait que ce sont principalement les emplois de bureau traditionnellement occupés par les femmes qui seront touchés par le virage technologique (CEC, 1987 ; Deschênes, 1988 ; McCurdy, 1989). Ceci n'est pas étonnant puisque, selon les études, non seulement la première moitié des années 80 a été dominée par les innovations liées à la bureautique, 64 % des techniques adoptées entre 1980 et 1985 relevant de cette catégorie, mais encore cette tendance devrait se poursuivre dans les années à venir (CEC, 1987). Cette prépondérance de la bureautique dans les innovations technologiques des firmes s'expliquerait notamment par ses avantages quant aux coûts et aux caractéristiques d'implantation (CEC, 1987).

Le débat entre les déterministes négatifs et positifs consiste donc à clarifier si les travailleurs dont les emplois sont éliminés par l'automatisation, notamment les femmes, pourront ou non occuper les emplois créés par les nouvelles technologies (Armstrong, 1984 ; David-McNeil et Garand, 1989 ; Humphreys, 1981 ; Menzies, 1981). D'où l'importance accordée par certains auteurs à l'élaboration d'actions concertées en ce qui a trait à la formation et au recyclage de la main-d'œuvre afin de pallier cette inadaptation de la main-d'œuvre au marché du travail (Armstrong, 1984 ; David-McNeil, 1986a ; Humphreys, 1981 ; Menzies, 1981).

Quant aux prévisions sur la structure de l'emploi, il n'est pas étonnant que les résultats diffèrent. D'une part, ce domaine de recherche est relativement nouveau (CEC, 1987). D'autre part, certains facteurs, dont la concurrence nationale et internationale, la conjoncture économique, les politiques gouvernementales et le rythme d'introduction des nouvelles technologies dans les organisations, influent grandement sur l'ampleur et la nature des prévisions (CEC, 1987 ; David-McNeil, 1986a ; McCurdy, 1989). Or, les chercheurs ne considèrent pas nécessairement toutes ces variables dans leur modèle et ne les évaluent pas de la même façon.

Pour terminer, comme le précise David-McNeil (1986a), on remarque que les impacts des nouvelles technologies sur l'emploi varient considérablement selon les secteurs d'activités, les entreprises et les technologies. Par conséquent, la nécessité d'entreprendre des analyses sectorielles s'impose puisqu'elles peuvent permettre d'identifier les secteurs d'activités et les emplois les plus touchés par l'automatisation. Peu de chercheurs se sont toutefois orientés vers ces avenues particulières de recherches jusqu'à présent (Denny et Fuss [1983], Osterman [1986], cités dans Lynch et Osterman [1989]).

Effets sur la conception de l'emploi

Si on n'est pas certain de l'impact des nouvelles technologies sur la quantité des emplois, que sait-on de leurs effets sur la qualité des postes? Est-ce que la réorganisation du travail nécessitée par l'implantation des technologies informatiques modifie les tâches dans le sens d'une plus grande variété, d'une complexité accrue ou encore d'un contrôle réduit ou, au contraire, les tâches s'en trouvent-elles globalement appauvries?

Point de vue négatif

Les tenants du paradigme négatif affirment que les systèmes informatiques, de par leur conception même, imposent des méthodes de travail qui diminuent à la fois l'intervention individuelle, la satisfaction intrinsèque, la diversité des tâches et des aptitudes requises et même les possibilités d'avancement ainsi que les récompenses extrinsèques (Armstrong, 1984; Braverman, 1974; Booth et Plowright [1982], Rinehart [1987], cités dans Hughes [1989]; Menzies, 1981). Selon certains auteurs, ces hypothèses reposent sur l'affirmation que la conception de la machine est dirigée par des objectifs capitalistes à savoir un désir de hausser la productivité et de baisser les coûts de la main-d'œuvre, entraînant de ce fait une détérioration des conditions de travail (Clark *et al.*, 1987; Kraft, 1987). Les tenants de cette hypothèse (Kraft, 1987; Kraft et Dubnoff, 1986) considèrent donc que les nouvelles technologies ne font que reproduire dans le secteur tertiaire la division traditionnelle du travail (conception/exécution) déjà existante dans les entreprises manufacturières.

On est donc porté à croire que l'automatisation réduit la variété et le défi du travail, la technologie simplifiant les tâches. Dans le même ordre d'idées, la liberté d'agir et l'autonomie sont réduites puisque l'individu est soumis en quelque sorte à la machine. Celle-ci, d'ailleurs, permet un contrôle plus facile par l'employeur (Edwards [1979], Marglin [1976], cités dans Armstrong [1984]; Braverman, 1974; Gregory et Nussbaum [1982], cités dans Iacono et Kling [1987]; Kraft et Dubnoff, 1986; Noble, 1984).

Au plan social, l'automatisation des bureaux réduit les possibilités de liens ou de contacts informels entre les employés (Armstrong, 1984; Arnold [1981], Downing [1981], West [1982], cités dans Hughes [1989]; Menzies, 1981). Chacun cantonné et isolé devant son ordinateur personnel, la dynamique informelle s'en trouve réduite et, de là, la considération et l'appui des collègues facilement estompés.

L'automatisation peut aussi représenter pour plusieurs un cul-de-sac. Premièrement, il est évident que plusieurs emplois sont ou seront dorénavant éliminés ou accomplis par la technologie (Ghelfi, 1988). Deuxièmement, au rythme où évolue cette technologie, il n'y a pas à douter que certaines personnes ne se sentent pas ou ne sont pas aptes à suivre cette évolution et par conséquent sont menacées. Troisièmement, certaines tâches devenant répétitives, elles n'offrent pas l'occasion d'un apprentissage continu.

Certains auteurs affirment que l'automatisation peut entraîner une bipolarisation du personnel (Bjo/rn-Andersen, 1983; Braverman, 1974; Bureau international du travail (BIT), 1985; Armstrong [1983], cité dans Clark *et al.* [1987]; Deschênes, 1988). À une extrémité du spectre, le travail est ou sera caractérisé par une taylorisation accrue, à savoir une fragmentation et une parcellisation des tâches, une intensification de la cadence du travail, une supervision accrue, une perte du contrôle du travail en d'autres mots, un plus grand besoin d'ajustement à des contraintes extérieures ainsi qu'une perte du savoir-faire. Il en résulte une sous-utilisation de capacités menant à une perte d'aptitudes et de connaissance du métier.

À l'autre extrémité du spectre, certains postes seront revalorisés laissant un *vacuum* entre ces deux groupes d'emplois. Conséquemment, on pourra observer sur le marché du travail à la fois une pénurie de main-d'œuvre spécialisée très qualifiée et un taux de chômage élevé créé par le fait que plusieurs travailleurs déplacés n'auront pas l'occasion d'acquérir les qualifications nécessaires pour occuper les postes vacants liés aux exigences des nouvelles technologies (Deschênes, 1988).

Point de vue positif

Voilà donc pour la perspective pessimiste ou négative de l'automatisation. Que disent maintenant les optimistes ?

Pour ceux-ci, l'automatisation va, dans l'ensemble, rehausser le rôle des employés plutôt que de le minimiser. En effet, la technologie va prendre en charge la majorité des tâches répétitives et ennuyeuses tant et si bien que, globalement, les composantes de l'emploi feront davantage appel à l'intelligence et apporteront plus de variété et de défi. Il en découle assez clairement que l'employé pourra ainsi apprendre beaucoup plus qu'en accomplissant des tâches faisant peu appel à son potentiel intellectuel (Broom [1970], Dubin [1970], Hald [1981], cités dans Clark *et al.* [1987]).

On est aussi porté à croire dans cette optique que, loin de réduire l'autonomie, l'évolution technologique va accroître la marge de manœuvre du personnel. Par exemple, comme le souligne Clark *et al.* (1987), « l'automatisation d'un bureau peut réduire les tâches de classement et de transcription et ainsi laisser aux employés plus de temps à consacrer à des fonctions plus administratives (p. 62) ». Ou encore l'automatisation peut amener une décentralisation de la prise de décision permettant d'élargir la portée du travail (Clark *et al.*, 1987).

Enfin, ce qui finalement n'est pas à dédaigner, l'enrichissement des tâches peut entraîner une augmentation de salaire.

Scénario neutraliste

Les deux scénarios présentés sont relativement déterministes, c'est-à-dire que l'effet sur le travail est directement relié aux caractéristiques intrinsèques des technologies informatiques ou en dépend. Faute de recherches empiriques rigoureuses sur le sujet, l'argumentation demeure en grande partie théorique.

Or, opter pour une de ces deux vues, c'est peut-être trop faire abstraction de variables intermédiaires qui pourraient être, entre autres, les pratiques de gestion et plus particulièrement celles relatives au mode d'implantation (Bjo/rn-Andersen, Eason et Robey, 1986; Chamot, 1987; David-McNeil, 1986a, 1986b; Denis, 1987; Hughes, 1989; Iacono et Kling, 1987; Long, 1987). L'on sait fort bien en effet que, dans le domaine organisationnel, le processus est souvent autant sinon plus important que la finalité. Un même changement technologique, par exemple, peut aboutir dans une organisation à des résultats fort heureux, tandis qu'il conduira à des conséquences désastreuses dans une autre. D'ailleurs, cette question sera traitée en détail plus loin.

Enfin, comme le mentionne Hughes (1989), les auteurs, ignorant trop souvent l'hétérogénéité des emplois de bureau et des applications informatiques, supposent que les impacts de l'automatisation sont les mêmes pour différentes situations. Également, des variables comme l'industrie, le type de technologie, la grandeur de l'organisation, sa culture et les décisions des gestionnaires ne sont habituellement pas considérées lors de l'étude des effets des nouvelles technologies (Lowe [1987], cité dans Hughes [1989]). Une minorité de chercheurs commencent cependant à considérer certaines de ces variables dans leur plan de recherche (Crompton et Jones, 1984; Crompton et Reid [1982], Evans [1982], Glenn et Feldberg [1983], cités dans Hughes [1989]). À cet égard, l'étude de Crompton et Jones (1984) présente une solide analyse du processus de déqualification pour des emplois de cols blancs.

Quant aux travaux relatifs à l'impact de l'automatisation en fonction de différents types d'emplois, Bjo/rn-Andersen (1984), Menzies (1984) et Wynne (1983) nous en fournissent des illustrations. Cette dimension du type d'emploi s'avérera d'autant plus importante dans le futur que, comme le mentionne Denis (1987), « la bureautique, dans les étapes ultimes de son implantation, va modifier profondément le travail du cadre, qu'il s'agisse du gestionnaire ou du professionnel (p. 136) ».

Pour l'instant, toujours selon Denis (1987), nous n'en sommes globalement qu'au tout début de ce développement, soit à l'étape de la mécanisation des tâches d'exécution, la prochaine étape touchant les activités de gestion, soit le travail des cadres.

Effets sur la carrière

Scénario négatif

D'une façon pessimiste, on est porté à croire que l'automatisation réduit les perspectives de carrière du moins pour un bon nombre d'employés (Armstrong, 1984; Applebaum [1984], Baran [1984], Baran et Teegarden [1984], Noyelle [1984], cités dans Feldberg et Glenn [1987]). D'abord, comme on l'a déjà mentionné, il est difficile de parler de carrière au moment même où notre emploi est menacé. Ensuite, une tâche appauvrie ne présente pas véritablement de futur enviable. Mais qu'en est-il des promotions? Quel est l'impact de la technologie sur la progression de carrière?

Tout d'abord, il peut arriver que les technologies diminuent les connaissances et les habiletés requises pour effectuer un travail donné, ce qui entraîne une déqualification. Les employés sont ainsi privés de moyens ou d'occasions de prouver leurs aptitudes à exécuter des tâches de niveau supérieur (Clark *et al.*, 1987; Dunmire, 1984). Ensuite, l'appauvrissement des tâches peut aussi faire en sorte que les exigences pour occuper ces postes s'en trouvent réduites. À titre d'exemple, les exigences de scolarité peuvent être minimales, ce qui a pour conséquence de cantonner les employés dans ces postes (Driscoll [1980], Nussbaum et Gregory [1980], cités dans Kraut [1987]). Ils entrent en quelque sorte dans un cul-de-sac dès le départ (Applebaum [1985], cité dans Chamot [1987]). Enfin, à cause de la bipolarisation des tâches, l'écart séparant les emplois requérant une haute qualification des emplois ne demandant aucune qualification particulière risque de s'élargir, réduisant par le fait même les possibilités de mobilité professionnelle et organisationnelle (Armstrong, 1984; Cossette [1982], cité dans Deschênes [1988]; Menzies, 1984).

Scénario positif

Avec un œil optimiste, on est enclin à croire, en dépit de ce qui vient d'être dit, que les nouvelles technologies faciliteront la mobilité des carrières. En effet, tel qu'il a été souligné plus haut, l'automatisation élimine ou éliminera progressivement les tâches répétitives et peu valorisantes. En conséquence, il ne restera comme composantes de l'emploi que des tâches faisant davantage appel à l'ingéniosité ou à l'intelligence de l'individu, d'où l'utilisation et le développement du potentiel humain. Moins accaparé par les tâches mécaniques, le personnel de soutien sera en mesure de viser des postes intrinsèquement et extrinsèquement plus satisfaisants (Clark *et al.*, 1987; Humphreys, 1981).

Perspectives indirectes

En face de ces deux visions de l'avenir, on ne peut ici trancher d'une façon claire le débat à l'aide d'études scientifiques prouvant, hors de tout doute ou même avec une relative marge d'erreur, l'effet net de l'automatisation sur les carrières. Dans ce domaine, les croyances positives ou négatives prévalent encore contre les faits. Plusieurs interrogations demeurent sans réponse. Par exemple, reconnaîtra-t-on les exigences accrues des outils informatiques et rémunérera-t-on leur utilisation en conséquence ? La tendance actuelle observée semble indiquer que, contrairement à ce qui se produit pour les employés d'usine, on ne le fait pas (Denis, 1987). Toutefois, des recherches additionnelles seraient nécessaires pour répondre plus sérieusement à cette question.

À cela s'ajoute la nécessité d'étudier la question de la mobilité en tenant compte des différences entre les groupes formés selon la race de leurs membres, l'âge, l'éducation, etc. (Feldberg et Glenn, 1987).

Par ailleurs, tout comme pour la conception des tâches, on est porté à croire qu'à nouveau le processus peut être aussi important que le résultat ou du moins peut le déterminer largement. La façon dont l'automatisation est introduite peut facilement accroître le sentiment d'aliénation de l'employé ou, au contraire, lui faire acquérir une plus grande ouverture d'esprit. Ainsi, lorsqu'on le tient complètement à l'écart du processus d'automatisation, l'employé peut se sentir frustré et développer un sentiment d'aliénation. Au contraire, en étant informé et en participant au processus, l'employé s'ouvrira à de nouvelles dimensions. L'apprentissage de nouvelles activités et possiblement de meilleures perspectives de carrière pourront s'offrir à lui.

Effets sur la santé et la sécurité

Perspectives négatives

S'il est un sujet qui a prêté à la controverse ces dernières années, c'est bien l'impact des nouvelles technologies sur la santé et la sécurité. Tension visuelle, stress, douleurs musculaires, risques pour la femme enceinte, voilà quelques-uns des sujets de préoccupation ou du moins de discussion. Mais qu'en est-il dans les faits ?

Il existe un certain nombre d'écrits rapportant des effets négatifs des nouvelles technologies et, particulièrement, des écrans de visualisation. On rapporte, de façon générale, que le travail devant ces écrans semble se traduire par une plus grande fatigue générale, une plus grande irritabilité et certains problèmes de sommeil (Congrès du travail du Canada, 1982 ; Larouche, 1987 ; Payeur, 1985). De même, un stress relié à une charge mentale augmentée apparaît. On fait alors référence au technostress (Brod, 1984 ; Foster, 1988 ; Payeur, 1985). À cet égard, certains experts du Bureau international du travail (BIT) (1985) estiment qu'avec les nouvelles technologies les charges mentales et le stress d'origine professionnelle peuvent devenir un problème plus important que la fatigue physique.

L'Institut de recherche en santé et sécurité du travail du Québec (IRSST) (1989), de son côté, parle de la vulnérabilité du système musculo-squelettique, qui se concrétise en des douleurs à la nuque et aux épaules (Le Borgne [1983], cité dans CEQ [1985]; Congrès du travail du Canada, 1982). Au niveau des yeux, la tension visuelle aboutit à des troubles oculaires (Le Borgne [1983], cité dans CEQ [1985]; Clark *et al.*, 1987; Congrès du travail du Canada, 1982; Dakshinamurti, 1985; Fondation européenne pour l'amélioration des conditions de vie et de travail, 1986; IRSST, 1989).

Perspectives positives

À ces quelques études soulignant certains aspects négatifs de l'automatisation, on pourrait opposer une série de données soutenant le contraire (Northcott [1985], Ostberg [1984], cités dans Hughes [1989]), car il s'agit d'un domaine où les preuves irréfutables n'ont pas encore été apportées (Clark *et al.*, 1987; Hughes, 1989). Cependant, pour les besoins de la cause, on peut relever certaines études qui montrent que finalement ce n'est pas tant la technologie en soi qui nuit à la santé et à la sécurité, mais davantage les facteurs environnementaux, la façon dont cette automatisation est implantée et l'organisation du travail dans son ensemble.

Ainsi, les chercheurs attribuent principalement la présence de symptômes subjectifs de stress, chez les utilisateurs de terminaux à écran de visualisation, à la nature de leurs tâches plutôt qu'à l'écran même. Plus les tâches sont monotones et répétitives et moins elles exigent de qualification et d'initiative, plus le stress est élevé. De même, le niveau de contrôle que les opérateurs exercent sur leur travail a une incidence sur le stress, en particulier s'il est associé à une évaluation du rendement (IRSST, 1989).

Pour ce qui est des troubles visuels et oculaires, on peut avancer à la lumière des recherches réalisées que des variables ergonomiques et l'environnement physique pourraient expliquer certains des symptômes observés, comme par exemple le rapport de luminosité entre l'écran et les objets environnants (IRSST, 1989). Il en est de même des malaises du système musculo-squelettique, qui sont souvent liés à une conception et un aménagement inadéquats de l'ameublement, à l'absence d'interruption du travail pendant des périodes prolongées et à une mauvaise structuration des tâches. Ajoutons enfin pour résumer que les résultats de l'enquête du Congrès du travail du Canada (1982) indiquent que les problèmes de santé signalés varient selon les mesures d'autonomie (surveillance, manque de contrôle) et de satisfaction au travail.

En somme, compte tenu de ce que les recherches enseignent, on est porté à croire que ce ne sont pas tant les technologies en soi qui améliorent ou détériorent la qualité de vie au travail que, dans une large mesure, le processus d'introduction, les pratiques de gestion ou l'organisation globale du travail

(BIT, 1985; David-McNeil, 1986a et 1986b; Humphreys, 1981; Payeur, 1985). En ce sens, le déterminisme, si déterminisme il y a, doit être largement modulé par la pratique organisationnelle. Il importe donc, si l'on veut mieux comprendre l'impact véritable de la technologie, de se pencher maintenant sur le facteur qui semble déterminer le sens que prendra son implantation.

En parcourant la documentation traitant de ce sujet, on constate que jusqu'à présent l'étude de cette problématique est surtout demeurée théorique. Peu de recherches empiriques ont été menées. Nonobstant ce fait et les limites qu'il pose, il est tout de même possible de mettre en lumière l'état de la situation à partir des informations accessibles.

L'introduction de nouvelles technologies

Variables clés de l'implantation

Les expériences d'automatisation des entreprises indiquent que trop souvent l'aménagement de l'implantation s'articule uniquement autour des caractéristiques de la technologie, négligeant de considérer les individus et les structures organisationnelles concernés par ces changements (Bjo/rn-Andersen et Kjaergaard, 1987; Lucas, 1976). L'absence de gestionnaires des ressources humaines au nombre des responsables de projets d'automatisation en témoigne notamment (Long, 1987). Il ressort également de l'analyse d'implantations que la tendance à n'accorder qu'une importance minime au processus d'implantation lui-même demeure (Bikson, 1987; Lucas, 1976). À cet égard, le fait que la majorité des firmes n'aient pas de budget réservé à l'implantation et ne puissent même pas évaluer, dans la plupart des cas, les coûts relatifs aux diverses activités l'entourant (rencontres, procédure de planification, etc.) illustre bien cette situation (Bikson, 1987). Pourtant, cette préoccupation des chercheurs concernant l'importance du processus d'implantation n'est pas récente. Déjà, au milieu des années 60, certains se préoccupaient de créer des modèles d'implantation (Churchman et Shainblatt [1965], cité dans Lucas [1976]). Toutefois, il semble que ce domaine de recherche n'ait pas créé l'engouement puisqu'une dizaine d'années plus tard, on déplorait toujours la rareté d'études empiriques sur ce thème (Schultz et Slevin [1975], cités dans Lucas [1976]).

Ces constatations concernant le manque d'intérêt accordé à l'aménagement de l'implantation semblent difficiles à expliquer surtout à la lumière des résultats de recherche concernant les causes d'échec dans l'introduction de nouvelles technologies. Ainsi, une étude américaine concernant 2 000 entreprises ayant implanté des systèmes informatiques révèle non seulement que 40 % de celles-ci n'ont pas atteint les objectifs poursuivis, mais encore que moins de 10 % des causes d'insuccès seraient reliées à l'aspect technique. Ce sont plutôt des problèmes liés aux aspects humains et organisationnels, tels qu'« une mauvaise définition des problèmes censés être résolus par la nouvelle technologie, une piètre gestion de la technologie, une mauvaise planification et une absence de formation adéquate », qui seraient responsables de ces échecs (Bikson et Gutek [1984], cités dans Long [1987]).

Toutefois, malgré ce caractère limité et relativement théorique de la documentation concernant les processus d'implantation de nouvelles technologies, il faut reconnaître que l'on semble accepter maintenant l'existence de trois types de questions distinctes qui vont influencer le sens que va prendre la technologie et le succès de son implantation.

Il s'agit des questions relatives aux caractéristiques de l'environnement organisationnel où est implantée cette technologie, à la stratégie d'implantation privilégiée et, enfin, aux caractéristiques mêmes de la technologie utilisée. Étudions plus en détail ces diverses questions.

Caractéristiques de l'organisation

Parmi les caractéristiques organisationnelles qui semblent liées au succès de l'implantation, Bikson (1987) indique que ce sont « les caractéristiques propres à la conception même du travail » qui sont les plus significatives. Plus précisément, il semble que ce soit la variété et le défi que présente le travail de même que l'existence de ressources suffisantes pour l'accomplir adéquatement qui émergent comme les meilleurs indicateurs du succès de l'implantation.

En définitive, ces résultats confirment les allégations de Frese (1987) indiquant que les tâches sur lesquelles se greffe la technologie doivent déjà posséder des caractéristiques « motivantes ». De plus, comme le suggère Bikson (1987), cela semble montrer qu'une implantation de technologie visant la rationalisation du travail et la déqualification peut jouer tout autant contre l'employeur que contre l'employé. Ainsi, l'implantation de nouvelles technologies pourra avoir un effet positif ou négatif selon qu'elle sera associée à une amélioration des outils pour accomplir un travail déjà intéressant ou, au contraire, à une aliénation accrue due au fait que la technologie fixe ses exigences propres au travailleur (Wall et Martin, 1987). Il semble enfin que cet effet positif ait d'autant plus de chances de se produire que la technologie touchera des tâches à caractère fortement technique ou d'écritures (Hugues, 1989), conformément au scénario positif discuté antérieurement.

L'existence de ressources suffisantes pour accomplir adéquatement le travail (Bikson, 1987) rejoint en quelque sorte un autre élément mis en évidence par Frese (1987), l'importance d'un environnement fonctionnel (*practicability*) de travail. En d'autres termes, la technologie sera implantée d'autant plus efficacement qu'elle contribuera à faciliter le travail. L'aménagement de l'environnement donne lieu souvent à diverses controverses dont l'aspect symbolique est significatif pour le travailleur. Lorsque ce dernier constate que l'organisation a fait un investissement important en matière de technologie et qu'elle n'en fait pas dans un environnement ergonomique efficace (exemples : disposition, éclairage, etc.), cela constitue, à ses yeux, un indice du peu d'importance qu'on lui accorde. À l'inverse, des aménagements structurels d'envergure (exemples : climatisation, ventilation, etc.) effectués « parce que la machine l'exige » auront souvent le même effet. Il importe donc de s'assurer, au moment de la planification des changements technologiques, de tenir compte aussi de l'aménagement requis pour soutenir le travailleur dans l'intégration de la technologie à son travail.

Parmi les autres facteurs organisationnels reliés à l'implantation de la technologie, Frese (1987) en mentionne deux autres dont, à son avis, on doit tenir compte. Le premier concerne la décentralisation de l'organisation. Il faut que les décisions concernant la technologie soient liées à la logique de chaque poste de travail plutôt que de procéder d'une logique de système central. Certes, l'implantation de nouvelles technologies dans une organisation a des impacts sur la structure de pouvoir. Ce contrôle de l'information devient ici un enjeu majeur de l'implantation et il importe d'intégrer les données dans de larges systèmes pour vraiment tirer profit de cette technologie tout en assurant suffisamment de latitude décisionnelle à chaque unité desservie. L'acceptation de la technologie ne peut se faire que dans la mesure où les utilisateurs potentiels peuvent anticiper des conséquences positives de cette implantation dans leur travail. Si, au contraire, cet outil n'ajoute rien au fonctionnement actuel sinon un accroissement du pouvoir du système central, il y aura risque de voir son implantation entravée.

Le second facteur, allant dans le même sens, concerne le contrôle sur le processus de prise de décision. Il se réfère au sentiment plus ou moins partagé que chacun peut exercer du contrôle ou de l'influence sur les décisions organisationnelles qui le concernent ou, au contraire, être l'objet de l'arbitraire. Depuis les expériences classiques où Tannenbaum (1968) a pu montrer le lien entre la distribution du contrôle et de l'influence au sein de l'organisation et son efficacité, on a tendance à croire que l'implantation de nouvelles technologies sera plus efficace si les employés ont le sentiment de conserver la maîtrise du processus et de pouvoir en influencer l'évolution.

Bikson (1987), pour sa part, ne confirme pas empiriquement ces allégations quoiqu'il démontre un lien significatif entre le succès de l'implantation technologique et « l'orientation positive de l'organisation face au changement ». Il reconnaît aussi que « la participation de l'utilisateur » a un effet significatif. En somme, ces diverses variables semblent indiquer que des dispositions de l'organisation pour engager les employés dans le processus d'implantation devraient avoir un impact positif sur le sens que prendra la technologie.

Enfin, Frese (1987) suggère diverses caractéristiques propres à l'environnement de travail qui, à son avis, méritent d'être prises en considération au moment de l'implantation d'une nouvelle technologie.

Tout d'abord, c'est l'aspect sécuritaire qui retient son attention. Comme il en a été question plus haut, nombreuses sont les études ayant établi un lien entre l'implantation de la technologie et l'apparition de divers problèmes reliés à la santé et à la sécurité au travail (exemples : fatigue et tension visuelle, vulnérabilité du système musculo-squelettique, technostress, effets psychologiques tels l'irritabilité, le sentiment d'insignifiance, etc.).

Il apparaît clair aujourd'hui que, comme tout changement organisationnel, la mise en place d'une technologie produit des effets secondaires à caractère tant physiologique que psychosocial. C'est à la fois par des stratégies de prévention et des stratégies d'intervention à mesure que les problèmes surgissent (Mackay et Cooper, 1987) que l'on pourra en arriver à une implantation adaptée de la technologie.

Ensuite, Frese (1987) considère comme important que l'environnement de travail favorise l'interaction sociale. En d'autres termes, il constate que l'implantation technologique peut se traduire tant par un isolement accru des personnes que par une interaction sociale accentuée, selon l'organisation de l'environnement de travail. Ainsi, comme les systèmes informatisés intègrent fréquemment de multiples fonctions (exemples : classement de l'information, prise de décision, communication, etc.), ils peuvent avoir comme effet de réduire le besoin d'interaction sociale. À l'inverse, cette même implantation de technologie nouvelle peut entraîner un accroissement de l'interaction sociale lorsque les employés sont amenés à s'entraider pour approfondir leurs connaissances du système ou lorsqu'ils doivent en faire une utilisation partagée. C'est donc dans la façon de l'implanter comme dans le partage de l'utilisation que l'on produira des effets positifs ou négatifs sur les relations sociales. Or, il s'avère que le soutien social est un mécanisme de base pour contrer l'effet du stress (House, 1981 ; Mackay et Cooper, 1987). De plus, l'interaction sociale semble être un élément déterminant de la maîtrise de la technologie (Frese, 1987). L'interaction sociale constructive devient donc, selon Frese (1987), un élément important pour garantir l'acceptation de la nouvelle technologie.

Enfin, la possibilité de personnaliser l'environnement de travail retient son attention. Il rappelle l'influence de l'environnement de travail sur l'utilisation de l'intelligence et de la créativité personnelle au travail de même que sur la croissance émotionnelle et le développement du sentiment de confiance en soi. Il en vient à conclure à l'importance de soutenir la personnalisation de l'environnement de travail comme un mécanisme d'intégration de la technologie. Ainsi, le fait de s'approprier la technologie et de l'adapter à sa façon de travailler favoriserait son acceptation.

Bikson (1987) confirme en quelque sorte l'importance de ces deux derniers aspects, l'interaction sociale et la personnalisation de l'environnement de travail, en établissant un lien significatif entre certaines particularités de la technologie pertinentes à ces questions et le succès de l'implantation. Ces particularités seront reprises plus loin lorsqu'il sera question des propriétés mêmes de la technologie.

En définitive, ces caractéristiques organisationnelles touchent l'organisation du travail et l'environnement dans lequel il s'exerce. Bien que significatives dans le succès de l'implantation, elles constituent pourtant la partie souvent négligée de ce même processus d'implantation. Une stratégie efficace à cet égard devra prévoir les ressources nécessaires.

Caractéristiques de la stratégie d'implantation

Bikson (1987) considère que ce sont les éléments liés à la stratégie d'implantation qui sont les plus difficiles à cerner. Malgré cela, il est tout de même possible d'isoler certaines caractéristiques de la stratégie d'implantation reconnues comme ayant un impact positif sur l'implantation de nouvelles technologies.

Le premier aspect concerne la participation des employés à l'aménagement et à l'installation des nouveaux outils informatiques (Bikson, 1987; Bjo/rn-Andersen, 1984; Frese, 1987; Lucas, 1976, 1982). À ce sujet, certains auteurs constatent que, tout en étant une condition essentielle, elle s'avère particulièrement difficile à définir et à gérer.

Par ailleurs, à la lumière des expériences actuelles, force est de constater qu'un nombre restreint d'entreprises optent véritablement pour l'engagement des employés lors de l'introduction de nouvelles technologies. De fait, on note encore fréquemment que les organisations, souvent sans malice, pour éviter de perturber les gens avec des préoccupations encore trop vagues, hésitent à faire part à leurs employés des changements technologiques envisagés. Fréquemment, on attend que le projet soit mieux articulé pour fournir une information plus complète aux employés, alors qu'évidemment, cela ne contribue qu'à accroître leur anxiété et leur sentiment que tout a été décidé avant qu'ils ne soient mis dans le coup.

D'autres raisons que celle-ci peuvent toutefois inciter les gestionnaires à ne pas engager le personnel dans ce changement organisationnel. Par exemple, il se peut que la participation des employés ne corresponde pas du tout aux valeurs véhiculées dans l'entreprise. En conséquence, les délais et les dépenses supplémentaires qu'elle occasionnerait sont perçus par les décideurs comme étant injustifiés. Mais, il est également possible que l'entreprise ne retienne pas cette option du fait qu'elle ne dispose pas de la personne requise pour coordonner cette participation et ainsi jouer le rôle d'animateur. Enfin, les résistances possibles des utilisateurs et celles des concepteurs de systèmes, habituellement peu enclins à travailler avec les utilisateurs, peuvent contribuer à empêcher les gestionnaires d'opter pour la participation des employés.

Quoi qu'il en soit, il faudrait éviter de considérer la participation comme une panacée. Car, bien qu'elle soit à privilégier, elle comporte néanmoins des limites. Comme le démontrent Vijlbrief, Algeria et Koopman (1985), cités dans Long (1987), bien que les employés soient des experts en ce qui concerne les décisions relatives à leurs tâches, ils éprouvent des difficultés manifestes lorsqu'ils sont appelés à se prononcer sur des questions nécessitant des connaissances techniques particulières ou une vision globale de l'entreprise.

En définitive, on s'entend sur le fait que la participation des utilisateurs est une variable importante de la stratégie d'implantation de nouvelles technologies. De toute façon, il serait illusoire de croire qu'une organisation peut conserver secrète une future automatisation. Déjà au moment de l'analyse des besoins, les employés prennent conscience de ce qui se passe et commencent à sentir leur impuissance à influencer des décisions qui les touchent. C'est donc au tout début du processus qu'il importe de les engager. Ceci est d'autant plus nécessaire qu'on connaît, depuis les expériences classiques de Coch et French (1948) sur le phénomène de résistance au changement, l'importance d'engager les personnes concernées par un changement si l'on veut y gagner leur adhésion. Cependant, il n'en demeure pas moins que cette participation doit être gérée avec circonspection.

Le second aspect concerne la formation et l'information qu'offre l'organisation à ses ressources humaines par rapport aux nouvelles technologies. Plusieurs auteurs déplorent le peu d'importance qu'accordent les entreprises à cette dimension de la stratégie d'implantation (Hughes [1986], Quillard *et al.* [1983], Westin *et al.* [1985], cités dans Long [1987]).

Idéalement, cette formation devrait permettre à l'employé non seulement d'acquérir des connaissances techniques, mais également de développer de nouvelles attitudes favorisant son adaptation aux changements occasionnés par l'automatisation de ses tâches. Actuellement, les gestionnaires sont enclins à reconnaître essentiellement les besoins en formation des employés concernant l'aspect technique et cette formation demeure trop souvent restreinte. En effet, les organisations, préoccupées des coûts de formation, tendent à construire des programmes spécifiquement élaborés pour enseigner l'utilisation adéquate d'un appareil sans vraiment permettre la maîtrise réelle du système sous-jacent. Or, comme le rappelle Frese (1987), le sentiment de maîtrise de la technologie est un facteur déterminant la perception de son travail. Ainsi, les travailleurs mal formés ont tendance à se considérer comme les serviteurs de la technologie («Le système veut que je fasse ceci»), alors qu'une formation adéquate les amènerait à percevoir la technologie comme un outil à utiliser pour accroître leur propre efficacité. L'implantation de nouvelles technologies doit donc inclure un programme de formation approprié. Cela signifie non seulement que les travailleurs devront apprendre à bien faire fonctionner le système, mais qu'en plus, ils devront en venir à élaborer un « modèle mental » de ce que fait le système, ce qui leur permettra d'explorer de façon appropriée et active le potentiel et les limites du système (Mack [1984], cité dans Frese [1987]).

Enfin, il est certain que cette préoccupation de s'assurer que les employés réussissent à « apprivoiser » la technologie nécessite la conviction au sein de l'organisation que les efforts de formation, d'information et de socialisation par rapport à la technologie constituent des moyens privilégiés pour favoriser son implantation.

Un troisième aspect concerne la façon dont la stratégie intègre à la fois les aspects techniques et sociaux du travail (Bikson, 1987 ; Frese, 1987). Afin de respecter ces éléments, certaines entreprises privilégient l'analyse sociotechnique lors de l'implantation de nouvelles technologies. On doit notamment à Mumford les premières applications de cet instrument aux situations d'automatisation (Mumford [1981], Mumford et Henshall [1979], cités dans Long [1987] ; Mumford, 1983).

Comme l'ont clairement mis en évidence les tenants de l'analyse sociotechnique des organisations, il importe que la division du travail entre la machine et l'homme, de même que la division du travail entre les individus, soient optimisées de façon à créer une unité naturelle de travail en incluant des activités à la fois significatives et complètes. Dans cette perspective, on doit donc s'assurer, au moment de l'implantation d'une nouvelle technologie, que l'on considère l'unité de travail globalement.

Caractéristiques de la technologie

Il va de soi que les caractéristiques de la technologie utilisée influenceront le sens que prendra l'implantation technologique (Bikson, 1987 ; Bjo/rn-Andersen, 1984 ; Lucas, 1982). Bikson (1987) affirme même que certaines d'entre elles forment une condition nécessaire au succès du processus d'automatisation.

Frese (1987) rappelle que les recherches sur cette question mettent en évidence trois aspects de la technologie considérés comme importants lors de l'automatisation.

Tout d'abord, c'est l'aspect fonctionnel de la technologie qui semble influencer son acceptation. Une technologie est perçue comme fonctionnelle lorsqu'elle améliore l'exécution d'un travail, lorsque le système modélise bien la réalité. Il importe donc que l'utilisateur soit en mesure de reconfigurer le système pour l'ajuster aux exigences de la tâche ou à différentes façons de l'exécuter, plutôt que d'être soumis à une architecture rigide qui demande de transformer la tâche pour l'adapter au système.

En second lieu, la technologie sera d'autant plus facilement acceptée qu'elle sera d'utilisation facile. Cette expression se réfère à un certain nombre de qualités qui semblent directement associées à l'acceptation ou au rejet d'une technologie donnée. Parmi ces qualités, on trouve la tolérance envers les erreurs de l'utilisateur, la capacité de lui donner du *feed-back* concernant ses gestes, la nature auto-explicative de cette information, ainsi que la facilité de l'apprentissage du système et son adaptabilité au style de l'utilisateur. Enfin, il faut noter que c'est en situation réelle de travail que l'on peut vraiment vérifier la facilité de l'utilisation d'un système et non en laboratoire.

Enfin, l'acceptation d'une technologie semble reliée à sa convivialité (*user friendliness*), c'est-à-dire son degré d'accessibilité même pour des utilisateurs non avertis. En d'autres termes, cette technologie ne devrait pas être anxiogène, mais, au contraire, son utilisation devrait permettre un accroissement de la satisfaction que tire l'employé à exécuter son travail. Cet aspect est renforcé par des caractéristiques du système qui répondent aux attentes des travailleurs et leur permettent ainsi d'améliorer leur bien-être et d'individualiser leur activité de travail.

Pour sa part, Bikson (1987) a vérifié empiriquement les caractéristiques pouvant influencer positivement l'implantation de nouvelles technologies. Les résultats de sa recherche en dénombrent six, réparties en deux catégories. En premier lieu, apparaissent les critères liés à l'interaction quotidienne entre l'employé et la machine, soit l'aspect fonctionnel de la technologie et l'existence d'un bon support de l'interface machine-utilisateur (temps de réponse de la machine, manuel adéquat d'instructions, etc.). Ensuite, viennent les spécifications relatives à l'équipement et à son aménagement. Cela s'exprime par des postes de travail non partagés, une technologie favorisant la communication (exemple: courrier électronique) et des logiciels adaptés aux besoins de l'utilisateur.

En bref, tant les dimensions théoriques qu'empiriques nous indiquent que la technologie doit d'abord servir adéquatement l'utilisateur pour s'avérer un critère de succès.

Conclusion

Il ressort assez clairement des recherches analysées qu'en soi, les nouvelles technologies ne semblent pas très déterminantes dans l'amélioration ou la détérioration de la qualité de vie au travail. Celle-ci apparaît davantage reliée au processus d'intégration ou d'implantation qu'à la technologie même.

Cette intégration d'une nouvelle technologie s'avère une opération complexe qui dépasse de beaucoup la simple acquisition de l'équipement. Les trois niveaux d'intervention inventoriés ici semblent indiquer de fait qu'une bonne stratégie d'implantation de nouvelles technologies doit se faire avec l'accord des personnes concernées si l'on désire qu'elle soit couronnée de succès. De plus, cette participation doit respecter un certain nombre de caractéristiques bien particulières :

- Elle doit débuter au moment même où l'on songe à intégrer la technologie. C'est alors qu'on évalue les besoins de l'organisation et la faisabilité de l'opération qu'il importe de s'associer les travailleurs. Tout retard accroît le risque de se les aliéner et devient difficilement récupérable malgré toute bonne volonté.

- Elle doit être fondée sur un programme étendu de formation. Il s'agit ici non seulement de formation technique, mais aussi de formation au processus même de la participation, afin que tous les acteurs engagés puissent apporter une contribution significative aux divers niveaux de l'implantation.

- Elle doit permettre de corriger la trajectoire de l'implantation. Cette participation doit être conçue de façon telle que l'implantation puisse respecter le rythme d'apprentissage des travailleurs. De plus, il convient de tester, sur une échelle réduite et dans des conditions réelles, la technologie dont l'utilisation est envisagée afin de pouvoir y apporter les modifications requises.

- Elle doit être soutenue par un programme de communication qui rende visible la progression de l'implantation et qui incite les travailleurs à se former mutuellement. À cet effet, le soutien social apparaît clairement comme un outil privilégié de maîtrise de la technologie.

- Enfin, toute participation s'avère particulièrement difficile en situation jugée menaçante. Toute implantation de nouvelles technologies doit être explicite quant à son impact sur la sécurité d'emploi des travailleurs et doit leur permettre de se représenter de façon assez précise le résultat escompté. C'est à cette seule condition que la collaboration de chacun peut être acquise.

En définitive, l'implantation de nouvelles technologies ne peut réussir que si à la fois l'entreprise et le travailleur peuvent anticiper des conséquences personnelles et sociales positives. Probablement plus que toute autre situation de changement organisationnel, elle est teintée d'incertitude à un point tel que l'engagement de tous les acteurs concernés est probablement la seule façon d'endiguer le flot d'insécurité qu'elle suscite. Toutefois, il importe aujourd'hui de bien maîtriser cette pratique, car la technologie constitue une part de plus en plus importante de l'organisation du travail et sa désuétude accélérée rend constant le besoin de changement. Cette maîtrise du processus de changement organisationnel s'avérera sans nul doute un des éléments centraux du succès des entreprises de demain.

Références bibliographiques

ARMSTRONG, Pat (1984). *Labour Pains : Women's Work in Crisis*, Toronto, Women's Press.

BIKSON, Tora K. (1987). « Understanding the Implementation of Office Technology », dans Robert E. KRAUT (sous la direction de), *Technology and the Transformation of White-Collar Work*, Hillsdale, N.J., Earlbaum and Associates, pp. 155-176.

BJO/RN-ANDERSEN, Niels (1983). « The Changing Roles of Secretaries and Clerks », dans H. J. OTWAY et M. PELTU (sous la direction de), *New Office Technology : Human and Organizational Aspects*, Londres, Frances Pinter, pp. 120-137.

BJO/RN-ANDERSEN, Niels (1984). « Management Use of New Office Technology », dans H. J. OTWAY et M. PELTU (sous la direction de), *The Managerial Challenge of New Office Technology*, Londres, Butterworth, pp. 99-124.

BJO/RN-ANDERSEN, N., EASON, K. et ROBEY, D. (1986). *Managing Computer Impact : An International Study of Management and Organizations*, Norwood, N.J., Ablex Publishing Corporation.

BJO/RN-ANDERSEN, Niels et KJAERGAARD, Dian (1987). « Choice En Route to the Office of Tomorrow », dans Robert E. KRAUT (sous la direction de), *Technology and the Transformation of White-Collar Work*, Hillsdale, N.J., Earlbaum and Associates, pp. 237-251.

BRAVERMAN, H. (1974). *Labor and Monopoly Capital*, New York, Monthly Review Press.

BROD, Craig (1984). *Technostress, the Human Cost of the Computer Revolution*, Reading, Mass., Addison-Wesley.

BUCHANAN, David A. et BODDY, David (1982). « Advanced Technology and the Quality of Working Life : The Effects of Word Processing on Videotypists », *Journal of Occupational Psychology*, vol. 55, pp. 1-11.

BUREAU INTERNATIONAL DU TRAVAIL (1985). *Automatisation, organisation du travail et stress d'origine professionnelle*, Genève, Bureau international du travail.

CHAMOT, Dennis (1987). « Electronic Work and the White-Collar Employee », dans Robert E. KRAUT (sous la direction de), *Technology and the Transformation of White-Collar Work*, Hillsdale, N.J., Earlbaum and Associates, pp. 23-33.

CLARK, Susan, DECHMAN, Margaret *et al.* (1987). « Incidence de la bureautique sur le travail, les travailleurs et les travailleuses et les lieux de travail », Laval, Centre canadien de recherche sur l'informatisation du travail, avril.

COCH, L. et FRENCH, J. R. P. Jr. (1948). « Overcoming Resistance to Change », *Human Relations*, vol. 1, pp. 512-533.

CONGRÈS DU TRAVAIL DU CANADA (1982). *Vers une nouvelle technologie plus humaine : Étude des effets des terminaux à écrans cathodiques (TEC) sur la santé et les conditions de travail des employés de bureau au Canada*, Ottawa, centre d'éducation et d'études syndicales du CTC.

CONSEIL ÉCONOMIQUE DU CANADA (1987). *Le recentrage technologique. Innovations, emplois, adaptations*, Ottawa, ministère des Approvisionnements et Services, Canada.

CROMPTON, Rosemary et JONES, Gareth (1984). *White-Collar Proletariat Deskilling and Gender in Clerical Work*, Philadelphie, Temple University Press.

DAKSHINAMURTI, Ganga (1985). « Automation's Effect on Library Personnel », *Canadian Library Journal*, décembre, pp. 343-351.

DAVID-MCNEIL, Jeannine (1986a). « Concilier les objectifs d'efficacité et les besoins socio-économiques des travailleurs et des travailleuses : défi de l'informatisation des organisations », dans *Actes du Symposium international sur les répercussions de l'informatisation en milieu de travail (1985)*, Montréal, Institut de recherches politiques, pp. 153-163.

DAVID-MCNEIL, Jeannine (1986b). « L'informatisation des bibliothèques : progrès ou menace ? », *Documentation et bibliothèques,* octobre-décembre pp. 107-116.

DAVID-MCNEIL, Jeannine et GARAND, Micheline (1989). *Les incidences du traitement de texte et de la saisie de données informatisées sur la quantité et la qualité des emplois des utilisatrices*, Montréal, HEC et Centre canadien de recherche sur l'informatisation du travail.

DENIS, Hélène (1987). *Technologie et société. Essai d'analyse systémique*, Montréal, Éditions de l'École polytechnique de Montréal.

DESCHÊNES, Lucie (1988). « Nouvelles technologies de l'information, emploi et travail : l'exemple des secrétaires », communication présentée lors du colloque « La technologie et le bureau bilingue », Nouvelle-Écosse, mai 1987, Laval, Centre canadien de recherche sur l'informatisation du travail.

DUNMIRE, Jean (1984). « The Impact of Microtechnology on Women's Employment : Strategies for Change », communication présentée au colloque « Concerning Work », Winnipeg, 21 et 22 octobre 1983, dans *Conference Proceedings Series No. 4*, Ottawa, Canadian Centre for Policy Alternatives, pp. 88-92.

FELDBERG, Roslyn L. et NAKANO GLENN, Evelyn (1987). « Technology and the Transformation of Clerical Work », dans Robert E. KRAUT (sous la direction de), *Technology and the Transformation of White-Collar Work*, Hillsdale, N.J., Earlbaum and Associates, pp. 77-97.

FONDATION EUROPÉENNE POUR L'AMÉLIORATION DES CONDITIONS DE VIE ET DE TRAVAIL (1986). *Les nouvelles technologies dans les services publics. Rapport de synthèse*, Luxembourg, Office des publications officielles des communautés européennes.

FOSTER, Constance L. (1988). « Staff Considerations in Technical Services : The Chameleon Approach », *Library Management and Technical Services*, The Harworth Press Inc., pp. 71-86.

FRESE, Michael (1987). « Human-Computer Interaction in the Office », dans C. L. COOPER et I. T. ROBERTSON (sous la direction de), *International Review of Industrial and Organizational Psychology, 1987*, New York, Wiley, pp. 117-166.

GARDNER, Donald G. et CUMMINGS, Larry L. (1988). « Activation Theory and Job Design : Review and Reconceptualization » dans B. M. STAW et L. L. CUMMINGS (sous la direction de), *Research in Organizational Behavior*, vol. 10, Greenwich, Conn., JAI Press, pp. 81-122.

GHELFI, Jean-Pierre (1988). « Paix sociale, nouvelles technologies et participation », dans René LEVI (sous la direction de), *La vie au travail et son avenir*, Lausanne, Éditions Réalités Sociales, pp. 68-79.

HACKMAN, I. Richard et OLDHAM, Greg R. (1980). *Work Redesign*, Reading, Mass., Addison-Wesley.

HOUSE, J. S. (1981). *Work Stress and Social Support*, Londres, Addison-Wesley.

HUGHES, Karen D. (1989). « Office Automation : A Review of the Literature », *Relations industrielles*, vol. 44, n° 3, pp. 654-679.

HUMPHREYS, Elizabeth W. (1981). *Technological Change and the Office*, Ottawa, Labour Market Development Task Force.

IACONO, Suzanne et KLING, Rob (1987). « Changing Office Technologies and Transformation of Clerical Jobs : An Historical Perspective », dans Robert E. KRAUT (sous la direction de), *Technology and the Transformation of White-Collar Work*, Hillsdale, N.J., Earlbaum and Associates, pp. 53-75.

INSTITUT DE RECHERCHE EN SANTÉ ET EN SÉCURITÉ DU TRAVAIL DU QUÉBEC (1989). « Les écrans suscitent toujours des questions ! », *L'IRSST*, vol. 6, n° 2, été-automne, pp. 4-11.

KLING, Rob et IACONO, Suzanne (1984). « Computing as an Occasion for Social Control », *Journal of Social Issues*, vol. 40, n° 6, pp. 77-96.

KRAFT, Philip (1987). « Computers and the Automation of Work », dans Robert E. KRAUT (sous la direction de), *Technology and the Transformation of White-Collar Work*, Hillsdale, N.J., Earlbaum and Associates, pp. 99-111.

KRAFT, Philip et DUBNOFF, Steven (1986). « Job Content, Fragmentation, and Control in Computer Software Work », *Industrial Relations*, vol. 25, n° 2, printemps, pp. 184-196.

KRAUT, Robert E. (1987). « Social Issues and White-Collar Technology : An Overview », dans Robert E. KRAUT (sous la direction de), *Technology and the Transformation of White-Collar Work*, Hillsdale, N.J., Earlbaum and Associates, pp. 1-21.

LAROUCHE, Viateur (1987). « Nouveaux types de conflits », dans Alain LAROCQUE *et al.*, *Technologies nouvelles et aspects psychologiques*, Sillery, Presses de l'Université du Québec, pp. 23-37.

LONG, Richard J. (1987). *New Office Information Technology : Human and Managerial Implications*, New York, Croom Helm.

LUCAS, Henry C. Jr. (1976). *The Implementation of Computer-Based Models*, New York, National Association of Accountants.

LUCAS, Henry C. Jr. (1982). *Information Systems Concepts for Management*, New York, McGraw-Hill Inc.

LYNCH, Lisa M. et OSTERMAN, Paul (1989). « Technological Innovation and Employment in Telecommunications », *Industrial Relations*, vol. 28, n° 2, printemps, pp. 188-205.

MCCURDY, Thomas (1989). « Some Potential Job Displacements Associated with Computer-Based Automation in Canada », *Technological Forecasting and Social Change*, vol. 35, pp. 299-317.

MACKAY, Colin J. et COOPER, Cary L. (1987). « Occupational Stress and Health : Some Current Issues », dans C. L. COOPER et I. T. ROBERTSON (sous la direction de), *International Review of Industrial and Organizational Psychology, 1987*, New York, Wiley, pp. 167-199.

MENZIES, Heather (1981). *Women and the Chip Cases Studies of the Effects of Informatics on Employment in Canada*, Montréal, Institut de recherches politiques.

MENZIES, Heather (1984). « Office of the Future, The Future of Work : People and Technology », communication présentée au colloque « Concerning Work », Winnipeg, 21 et 22 octobre 1983, dans *Conference Proceedings Series No. 4*, Ottawa, Canadian Centre for Policy Alternatives, pp. 61-67.

MUMFORD, Enid (1983). « Successful Systems Design », dans H. J. OTWAY et M. PELTU (sous la direction de), *New Office Technology : Human and Organizational Aspects*, Londres, Frances Pinter, pp. 68-85.

NOBLE, David F. (1984). « Is Progress What It Seems to Be ? », *Datamation*, vol. 30, n° 19, novembre, pp. 140-154.

ORGANISATION DE COOPÉRATION ET DE DÉVELOPPEMENT ÉCONOMIQUE (1986). « Technologie et emploi », *Science, technologie, industrie (STI)*, n° 1, automne.

PAYEUR, Christian (1985). *Nouvelles technologies et conditions de travail : matériaux pour une stratégie syndicale*, Montréal, Centrale des enseignants du Québec.

PICOT, Garnett et LAVALLÉE, Laval (1986). « Structure Change in Employment of Industries and Occupations 1971-1981 : An Input-Output Analysis », Discussion Paper n° 316, Ottawa, Conseil économique du Canada.

RONDEAU, Alain (1987). *La motivation au travail : Où en sommes-nous ?*, rapport de recherche n° 87-18, École des hautes études commerciales, août.

RUMBERGER, Russel W. et LEVIN, Henry M. (1985). « Forecasting the Impact of New Technologies on the Future Job Market », *Technological Forecasting and Social Change*, vol. 27, pp. 399-417.

TANNENBAUM, Arnold S. (1968). *Control in Organization*, New York, Wiley.

TRIST, Eric (1981). « La qualité de vie au travail et l'amélioration de l'organisation », dans *S'adapter à un monde en pleine évolution*, Ottawa, ministère des Approvisionnements et Services, Canada, pp. 43-58.

WALL, Toby D. et MARTIN, Robin (1987). « Job and Work Design », dans C. L. COOPER et I. T. ROBERTSON (sous la direction de), *International Review of Industrial and Organizational Psychology, 1987*, New York, Wiley, pp. 61-91.

WYNNE, Brian (1983). « The Changing Roles of Managers », dans H. J. OTWAY et M. PELTU (sous la direction de), *New Office Technology : Human and Organizational Aspects*, Londres, Frances Pinter, pp. 138-151.

9

Le changement planifié et la gestion de la qualité

Jean-Michel MASSE

Notre but est de présenter la gestion intégrale de la qualité comme une pratique renouvelée du changement planifié. Le texte comporte trois parties. La première établit de façon succincte le pourquoi de l'urgence des transformations organisationnelles en cours, les caractéristiques essentielles de la réponse organisationnelle gagnante ainsi que le processus de planification des changements organisationnels requis. La deuxième partie présente le témoignage sur leur cheminement personnel et celui de leur organisation de trois vice-présidents responsables de l'implantation du projet qualité de leur entreprise. En plus, s'ajoute le témoignage d'un consultant expérimenté dans le domaine, qui fait suite à sa participation à un séminaire itinérant international organisé dans le but de cerner les tendances fortes de ce courant dans les dix prochaines années. La troisième et dernière partie décrit, à titre d'illustration, la stratégie d'implantation d'un projet qualité, soit le Défi performance d'Hydro-Québec.

L'approche qualité et le choix d'une stratégie de changement

L'objet de cette partie est de présenter les éléments principaux à considérer pour bien apprécier ce qu'est une approche de gestion intégrale de la qualité ainsi que les efforts organisationnels requis pour que son implantation soit un succès.

Les pressions pour changer

Les changements organisationnels se sont longtemps effectués selon un rythme lent, imperceptible. Depuis quelque dix ans, ils se manifestent par des courants qui vont en s'accélérant. Actuellement, aucune organisation n'échappe au bouleversement provoqué par les diverses pressions internes et externes pour changer.

Dans un contexte économique concurrentiel et difficile, où les changements technologiques sont rapides et la compétition internationale de plus en plus exigeante (Johnston et Daniel, 1991), les deux pressions externes les plus fortes pour susciter un tel changement dans les entreprises sont les suivantes : d'une part, il y a les difficultés financières survenues à la suite d'une baisse de productivité ou d'une perte des parts du marché et, d'autre part, le succès retentissant des entreprises ayant réussi leur implantation d'un programme de gestion de la qualité.

Les pressions internes pour le changement proviennent principalement de la nécessité de décentraliser les décisions afin de favoriser un plus grand intrapreneurship chez les cadres. En effet, les gestionnaires désirent être plus actifs et plus mobilisés. Ils veulent travailler dans une structure organisationnelle souple, intégrée et différenciée. La pression interne vient donc de la volonté d'un personnel de plus en plus exigeant et scolarisé de participer aux décisions. Les capacités intellectuelles des employés doivent être davantage valorisées et l'investissement dans la formation du personnel de plus en plus grand (Johnston, 1992 ; Donavan, 1988). Le tableau 1 regroupe en cinq catégories les diverses pressions internes et externes pouvant inciter à l'heure actuelle les entreprises à changer.

En somme, les pressions externes et internes font souvent de l'implantation d'un projet qualité une question de survie pour l'entreprise. Actuellement les entreprises gagnantes sont celles qui ont réussi à se transformer rapidement et à incarner dans leur pratique quotidienne de gestion les principes de l'amélioration continue.

La réponse organisationnelle gagnante

La réponse organisationnelle permettant de faire face rapidement à ces diverses transformations est à la fois simple et complexe. D'une part, elle est simple, comme le démontre l'organisation qui gère d'une façon intégrale la qualité de son produit ou service. Il suffit d'offrir à ses clients la bonne chose au moindre coût et atteindre ainsi rapidement un niveau de performance inespéré. L'implantation de tels programmes assure la survie de l'entreprise et même son développement en lui permettant d'atteindre une plus grande profitabilité (Juran et Godfrey, 1990 ; Farquhar et Johnston, 1990).

TABLEAU 1

Les pressions externes et internes pour le changement

P1	L'ENVIRONNEMENT SOCIAL	**Contexte, culture, éducation :** les nouveaux besoins
P2	L'ENVIRONNEMENT ÉCONOMIQUE	**Globalisation, mondialisation :** les nouveaux défis
P3	LES POLITIQUES DE L'ENTREPRISE	**Satisfaction des clients :** performance, excellence, productivité, profitabilité
P4	LE POTENTIEL DES RESSOURCES	**Optimisation des ressources :** le respect des prsonnes
P5	L'ACTUALISATION DE SOI	**Motivation :** le goût de relever un défi

Source : Groupe Conseil Éduplus Inc.

D'autre part, cette réponse est également complexe, car elle repose sur une modification profonde des habitudes de gestion (Imai, 1989; Kaplan et Norton, 1992). La figure 1 donne les nouveaux défis du gestionnaire qualité pour qu'il atteigne la réponse organisationnelle gagnante. Ces défis consistent en une orientation clients par l'établissement d'un partenariat clients-fournisseurs; une mobilisation de tout le personnel pour résoudre les problèmes rencontrés; une innovation permanente améliorant les produits et services offerts; une recherche constante pour simplifier et accélérer les processus administratifs et de production; et, finalement, l'articulation des contributions spécifiques de chacun dans l'atteinte des objectifs financiers visés par l'entreprise.

Tous ces nouveaux défis sont extrêmement importants et l'entreprise se doit de trouver une réponse appropriée dans une période relativement courte. Plusieurs entreprises ont réussi autant à mobiliser toutes leurs ressources qu'à augmenter leur productivité (Main, 1990). En effet, les entreprises qui ont remporté l'un ou l'autre des prix prestigieux en gestion intégrale de la qualité sont là pour témoigner de la pertinence de ces transformations et de leur faisabilité. Les prix qualité dont il est question sont le prix Deming au Japon (depuis 1951), le prix Malcolm Baldrige aux États-Unis (depuis 1987) et le prix Canada pour l'excellence en affaires, catégorie qualité (depuis 1989).

Voici quelques exemples précis d'entreprises américaines ayant remporté le prix Malcolm Baldrige en 1990. IBM Rochester a obtenu des gains de productivité de 30 % de 1986 à 1989 et a réduit son cycle de fabrication de 60 % depuis 1983. *Cadillac Motor Car Co.* a, quant à elle, réduit de 29 %, durant la période de 1986 à 1989, ses coûts liés à la garantie accordée à ses véhicules lors de la première année d'utilisation. Une entreprise de services, *Federal Express*, créée en 1973, détient en 1990 43 % des parts du marché; son plus proche concurrent en possède 26 %. Depuis 1987, le degré de satisfaction de ses consommateurs est de 95 % aux États-Unis et de 94 % au niveau international. Enfin, *Wallace Co. Inc.* a réduit ses fournisseurs de 2000 à 325, a augmenté son volume de ventes de 69 % et a multiplié par 7,4 ses profits (*Malcolm Baldrige National Quality Award* [MBNQA], 1991).

Florida Power & Light qui a remporté, en 1989, le premier prix Deming offert dans la catégorie « compagnie non japonaise » a également fait des gains de productivité tout à fait exceptionnels (Hudiburg, 1991). Par la révision de ses processus, 3 M a notamment atteint les trois résultats suivants : la réduction du coût par unité de production de 20 % pour chacune des trois dernières années, la diminution de 600 heures à 6 heures du temps requis pour faire le roulement de son inventaire et finalement, en trois ans, la multiplication par trois de la productivité globale de l'entreprise (Anderson, 1991).

FIGURE 1
La réponse organisationnelle gagnante

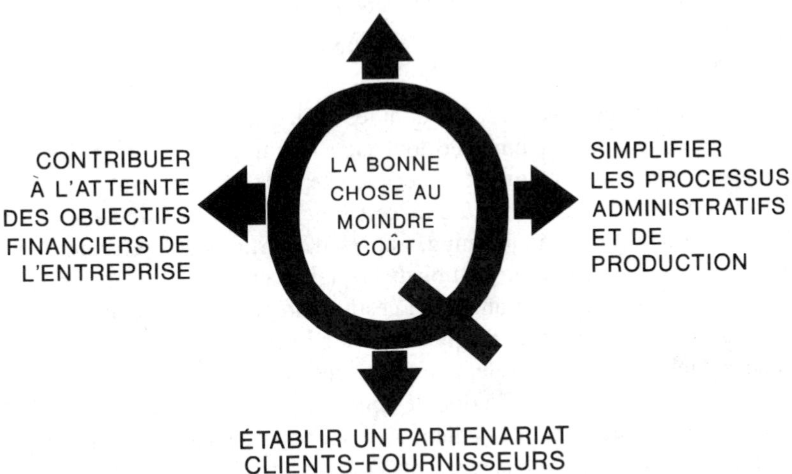

Source: Groupe Conseil Éduplus Inc.

Fait à souligner, *Xerox* du Canada et *Xerox* des États-Unis ont remporté en 1989 et le prix canadien et le prix américain de la qualité. *Xerox* témoigne depuis lors que toutes les compagnies qui ont posé leur candidature et gagné ces prix au cours des années croient qu'un profond engagement envers leurs clients et à l'égard de la qualité est non seulement rentable, mais, dans certains cas, nécessaire à leur survie dans un marché concurrentiel (*Xerox Canada*, 1990).

Ces compagnies sont devenues par la force des choses des références et des points de comparaison. Ces champions de la qualité démontrent hors de tout doute que la gestion intégrale de la qualité est la réponse organisationnelle gagnante.

Le premier geste à poser

Il est évident que les résultats atteints par les diverses entreprises performantes énumérées plus haut sont suffisamment parlants pour interpeller tout chef d'entreprise en difficulté, qu'il soit dans le secteur manufacturier ou de services. Celui-ci ne s'interroge plus sur la pertinence de cette stratégie, mais bien sur le comment. Sa réflexion le porte habituellement à lire quelques articles ou volumes sur le sujet, à visiter des entreprises ayant implanté de tels programmes et à écouter les suggestions d'action des experts ou consultants dans le domaine.

Après une période de réflexion, le gestionnaire se rend vite compte que les démarches d'implantation de la qualité totale varient beaucoup d'une entreprise à l'autre. Il n'y a pas vraiment de démarche idéale, de réponse facile : le gestionnaire se doit de faire ses propres choix, car toute stratégie doit être adaptée à une entreprise donnée pour bien fonctionner. Par ailleurs, deux conditions apparaissent essentielles dans une telle démarche. Ce sont : l'engagement ferme de la haute direction et celui de tout le personnel dans la mise en place du processus d'amélioration continue.

Une enquête menée sur la façon dont les projets qualité ont effectivement démarré éclaire bien le dilemme de tout chef d'entreprise désirant faire un premier geste dans la bonne direction. L'enquête faite par un membre émérite (Nayatani, 1990) de l'organisme *Japanese Union of Scientists and Engineers* (JUSE), responsable du prix Deming, auprès de participants assistant à des séminaires internationaux sur la gestion de la qualité a permis d'identifier treize façons de commencer un programme de gestion intégrale de la qualité (voir la figure 2). Les façons les plus fréquentes d'amorcer un tel programme sont regroupées dans le premier cercle. L'analyse des données recueillies permet à l'auteur de l'étude d'énoncer une double conclusion. D'une part, la façon dont les entreprises amorcent le changement a en soi peu de signification : le geste significatif est d'amorcer le changement. D'autre part, il est important que la haute direction sache que l'entreprise aura atteint son objectif, soit l'implantation d'un programme de gestion de la qualité, lorsque tous les gestes énumérés dans ladite étude auront été posés.

S'inspirant de cette étude, voici donc une présentation sommaire de l'ensemble des gestes liés à l'introduction et à la promotion d'un programme de qualité. Ces divers gestes peuvent être répartis en trois catégories d'intervention. La première a trait aux politiques de l'entreprise. Dans cette catégorie, quatre gestes sont à poser. Ce sont la clarification par la haute direction de son projet d'entreprise (choix des orientations et des politiques stratégiques), l'établissement de sa démarche qualité et de la stratégie appliquée à l'organisation (établissement du message qualité, des objectifs visés, des plans d'amélioration de la qualité), la conduite régulière de diagnostics qualité (vérifications de la qualité et diagnostics des coûts de la non-qualité) et finalement l'élaboration d'indicateurs de qualité (clarification des normes et échelles de mesure utilisées).

La deuxième catégorie concerne la dimension de la standardisation des opérations et des services offerts. Ici également, il y a quatre gestes à poser. Ce sont la révision des processus en vue d'établir la valeur ajoutée de chacune des opérations courantes à exécuter et de les standardiser. Les trois autres actions sont les suivantes : la clarification des programmes et des points de contrôle, la systématisation et l'amélioration du programme d'assurance qualité et finalement la clarification des responsabilités, des rôles et de l'autorité à chaque niveau.

Enfin, la troisième série d'actions porte sur le processus de mobilisation et de formation de l'ensemble du personnel. Cinq gestes sont à poser dans cette catégorie d'intervention. Ce sont l'implantation de programmes de formation et de leurs suivis, le développement chez tous de la culture qualité, la mobilisation de tous les employés, la création du matériel requis pour diffuser l'approche qualité et ses outils, et finalement la gestion de l'information et le contrôle du message qualité relié à l'ensemble de ce programme.

FIGURE 2

Les façons les plus fréquentes d'amorcer une démarche qualité

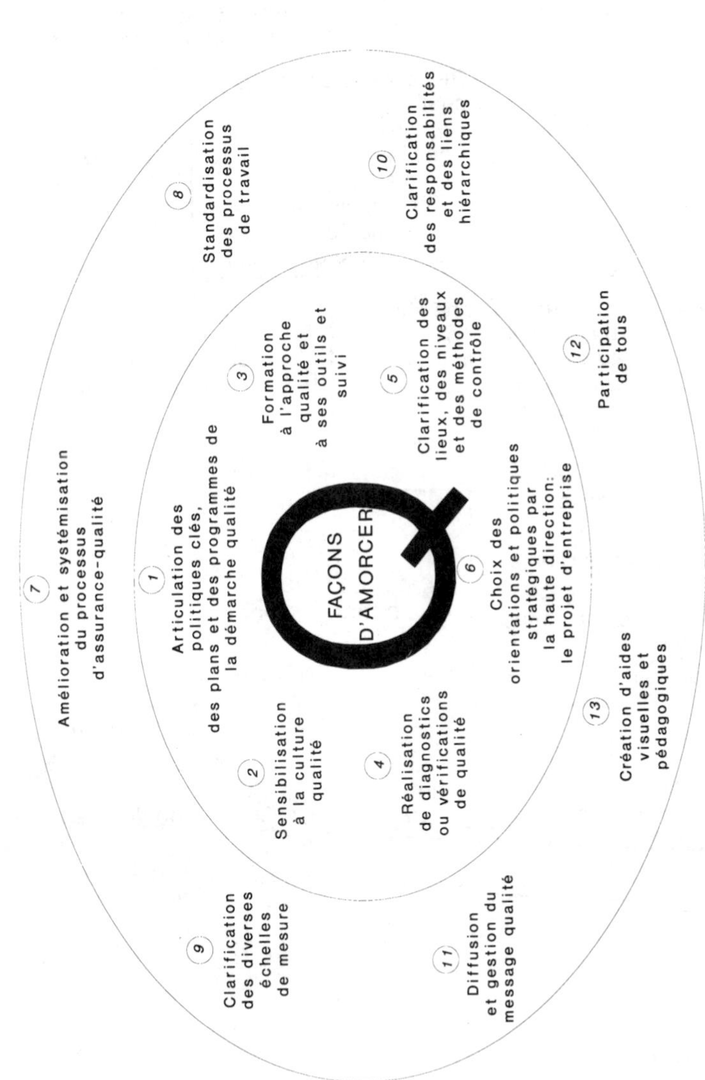

Source: Groupe Conseil Éduplus Inc.

FIGURE 3
La mesure des résultats et la politique qualité

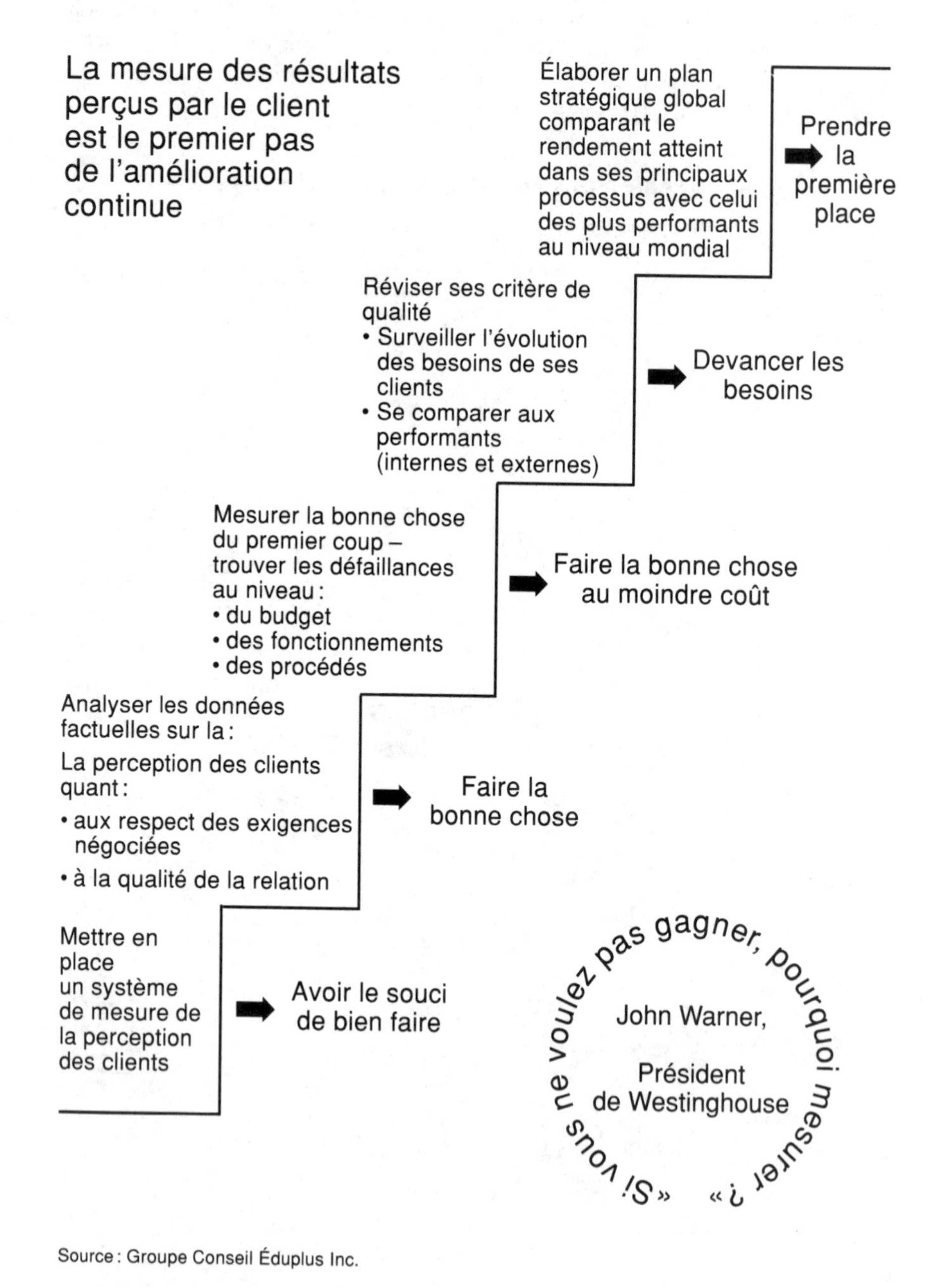

Source : Groupe Conseil Éduplus Inc.

L'ampleur du changement à planifier

L'implantation réussie d'une démarche qualité requestionne les éléments clés de la gestion de tout système organisationnel. L'approche qualité retenue est nécessairement globale, car les intervenants sont tous les groupes interunités, toutes les équipes de travail et finalement tous les individus. De plus, les clients et les fournisseurs y sont nécessairement engagés. Les méthodes de travail collectives doivent être revues, systématisées et chacun doit se les approprier de manière qu'elles soient communes à tous. Ces méthodes deviennent constamment appliquées pour la résolution de problème, la prise de décision, la révision des processus, l'établissement d'un réseau clients-fournisseurs, la collecte des données et leurs études statistiques. La démarche qualité réussie devient vite la stratégie d'entreprise, car elle intègre ses politiques et ses programmes, sa planification stratégique, ses programmes de formation ainsi que tous ses comités de gestion existants (Mizuno, 1989; Berry, 1991).

L'ampleur, le rythme et la rapidité d'implantation des transformations est fonction du niveau d'ambition de la haute direction. Les entreprises qui veulent se comparer aux plus performantes ou même devenir une référence dans leur secteur doivent d'emblée envisager l'ensemble de la démarche, adopter une stratégie globale et l'appliquer d'une façon systématique, rigoureuse et par étapes. Pour d'autres qui veulent simplement bien faire, la première étape est la mise en place d'un système de mesure de la perception de leurs clients suivie éventuellement de la négociation avec eux de spécifications acceptables pour les deux parties de la qualité des produits ou services. Par la suite, la mesure de la conformité avec les exigences négociées et la mise en place des plans d'amélioration continue augmenteront nécessairement le niveau de rendement de l'entreprise. D'une façon ou de l'autre, la démarche finira par devoir être complète. La figure 3 illustre les diverses étapes du cheminement d'une entreprise vers la qualité ainsi que le niveau d'ambition correspondant à chacune.

L'essentiel de l'approche qualité

L'approche qualité peut se réduire à cinq critères (Périgord, 1987), qui sont définis dans la figure 4. Le premier critère concerne le respect des exigences du client. Le produit ou service offert doit obligatoirement être une réponse adéquate aux besoins et aux spécifications exprimés par le client. Actuellement, le défi lancé à toute entreprise est de satisfaire totalement son client, et ce au moindre coût. Le client est satisfait lorsqu'il perçoit de façon immédiate que ses besoins et ses attentes ont été comblés ou dépassés et qu'à l'usage, le produit ou service fourni s'avère effectivement conforme à ses besoins et à ses attentes. En somme, l'entreprise gagnante promet ce qu'elle peut livrer et tient parole (Blanchard, 1991).

Le deuxième critère correspond à un accent sur la prévention plutôt que sur la correction après coup. L'approche qualité consiste essentiellement à travailler collectivement à éliminer toutes les causes d'erreur le plus en amont possible dans le processus de fabrication d'un produit ou de livraison d'un service. Le troisième critère d'une approche qualité correspond au succès obtenu du premier coup. L'objectif visé est d'éliminer les sources les plus fréquentes d'erreurs. Celles-ci sont souvent dues au manque de connaissance ou d'attention et à la conviction injustifiée de savoir. Il s'agit d'implanter une stratégie de conscientisation et de formation incitant tout un chacun à l'exécution d'une tâche sans erreur.

Le quatrième critère est celui de la mesure de la qualité. L'utilisation de données quantitatives recueillies d'une façon objective et fiable est l'assurance que la production ou le service est conforme aux exigences du client. La mesure reliée au degré de satisfaction des exigences négociées devient le nouvel instrument de contrôle du gestionnaire. Enfin, le cinquième critère est la mobilisation de tous. La participation est la règle de base permettant l'implantation d'un projet qualité dans toute entreprise. En effet, l'amélioration de la qualité nécessite une démarche interactive où chacun se sent concerné et engagé. De par ses tâches et responsabilités, chaque membre de l'entreprise a, en effet, un impact sur la qualité. Il en ressort que chacun a une responsabilité individuelle et collective par rapport au projet qualité.

En somme, l'essentiel de l'approche est de considérer la recherche de la qualité comme un processus qui amène à être constamment à l'affût des occasions d'améliorer ses produits, ses services, ses processus, ses relations.

La nécessaire évolution du rôle des cadres

La gestion de la qualité comporte plusieurs enjeux interdépendants qui forcent une évolution dans le rôle des cadres. Ces enjeux sont liés à la qualité du travail (valorisation des capacités individuelles et responsabilisation de chacun), à la qualité des relations (confiance mutuelle, esprit d'équipe, coopération), à la qualité de l'organisation (structure facilitant l'adaptation et la capacité de réaction) et à la qualité de gestion (orientation et responsabilisation).

Le gestionnaire qualité est un leader et un chef d'équipe (Dilenschneider, 1991). Il est l'agent de concertation et de mobilisation. Il doit être un visionnaire attentif aux résultats et préoccupé de la satisfaction de son client. Les dernières recherches sur la gestion et le leadership vont toutes dans cette direction (Kotter, 1990). Le gestionnaire qui réussit confronte les processus, trace une direction, partage une orientation, développe son équipe par l'action et célèbre avec elle les succès rencontrés (Kouzes et Poser, 1987).

L'articulation des domaines de résultats visés au niveau de la gestion de chacune des unités de travail est un souci majeur pour chaque entreprise désirant réussir l'implantation de la qualité dans sa gestion quotidienne. Le cadre responsable des opérations est celui qui exerce le rôle pivot pour faciliter ou freiner la transition de l'entreprise vers ce nouveau mode de gestion. Face à un tel projet, sa responsabilité première est de faire un travail de consolidation et de concertation auprès des membres de son unité. Pour ce faire, il lui faut optimaliser sa planification, ses processus de travail et sa gestion. La figure 5 présente pour chacun de ces axes de gestion deux domaines de résultats illustrés par quelques comportements spécifiques de gestion permettant de l'actualiser. Ce travail de synthèse a été fait en concertation avec les vice-présidences ressources humaines et qualité d'Hydro-Québec.

FIGURE 4
Les cinq conditions absolues de la qualité totale

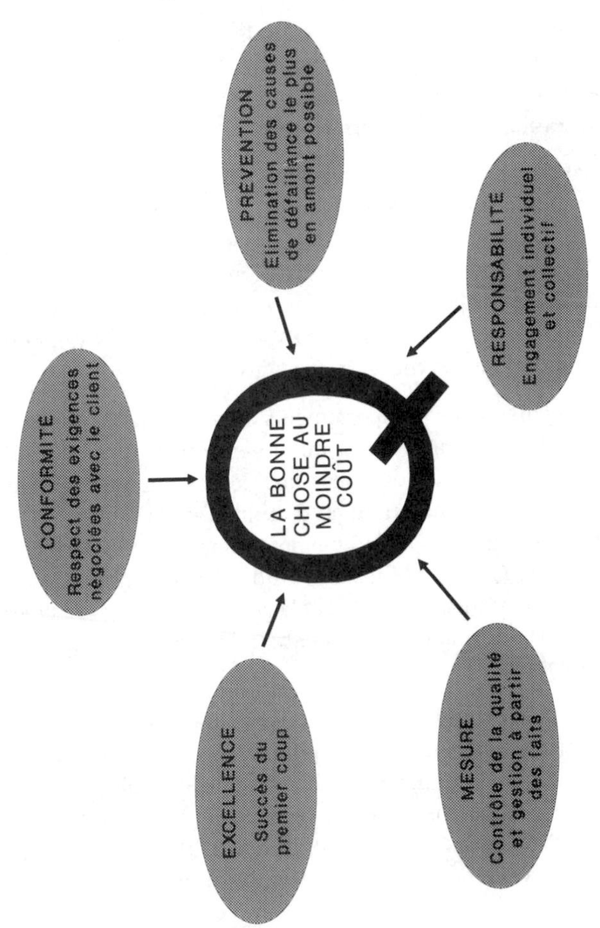

Source : Groupe Conseil Éduplus Inc.

Le gestionnaire doit développer l'efficacité de son unité de travail et mobiliser son personnel pour remplir la mission de son unité et concrétiser la vision qu'il en dégage. La stratégie novatrice et gagnante pour optimaliser la planification est de se focaliser sur l'orientation clients (Berry, 1991 ; Heil, 1991). Il la réalise en faisant en sorte que chacun des membres de son unité soit à l'écoute des besoins des clients de l'unité. Il favorise ainsi l'établissement d'une relation de partenariat avec chacun des clients et la responsabilisation de son personnel. Tous s'engagent à assurer à leurs clients un service conforme aux exigences négociées. Le gestionnaire accorde la priorité à certains services en conformité avec les besoins de ses clients.

L'efficacité des processus de travail de l'unité est fonction d'une plus grande participation à un travail en équipe plus systématique et rigoureux ainsi que d'une plus grande responsabilisation de chacun. Pour ce faire, la première tâche du cadre est de renforcer le niveau de confiance entre les membres de son unité en favorisant la crédibilité de chacun et le respect mutuel. Il doit également encourager son équipe à utiliser les outils de la qualité et lui faciliter l'accès aux ressources de l'entreprise. En somme, il forme les membres de son unité en leur déléguant des responsabilités qui conviennent à leurs capacités et en leur offrant un soutien adapté à leurs besoins.

Les décisions de gestion doivent prendre en considération l'évaluation de la conformité des services et produits avec les exigences négociées. C'est la mesure des résultats obtenus et le processus d'amélioration continue qui permettent d'atteindre une optimisation de la gestion. La responsabilisation et la mobilisation des employés s'approfondissent par le moyen des groupes d'amélioration, lesquels ont comme mandat d'analyser les occasions d'amélioration et de suggérer à la direction des mesures correctives.

Tous ces changements de comportements au niveau de la gestion font en sorte que le cadre vit nécessairement et quotidiennement plusieurs dilemmes d'action (voir la figure 6). Voici quelques-uns de ces dilemmes : Faut-il toujours mettre l'accent sur le client et ce au détriment de la qualité du produit ? Les données factuelles vont-elles définitivement remplacer l'expérience et l'intuition du gestionnaire ? Quel est le juste équilibre à maintenir entre la gestion des processus (centration sur le rendement) et la gestion des personnes (centration sur le développement) ? L'amélioration continue remplace-t-elle vraiment la recherche de l'innovation ?

Les cadres étant en évolution et l'entreprise en transition, il est évident que tous doivent se concerter pour trouver l'équilibre approprié dans une situation donnée. Ceux qui réussissent à implanter la démarche qualité (Schaffer et Thomson, 1992) soulignent que la recherche de ce nouvel équilibre est grandement facilitée par l'établissement d'objectifs d'amélioration réalisables à court terme et offrant une probabilité élevée de succès. En effet, les premiers succès remportés

FIGURE 5
Les nouveaux défis du gestionnaire
UN CHANGEMENT À INSPIRER
Partager une orientation

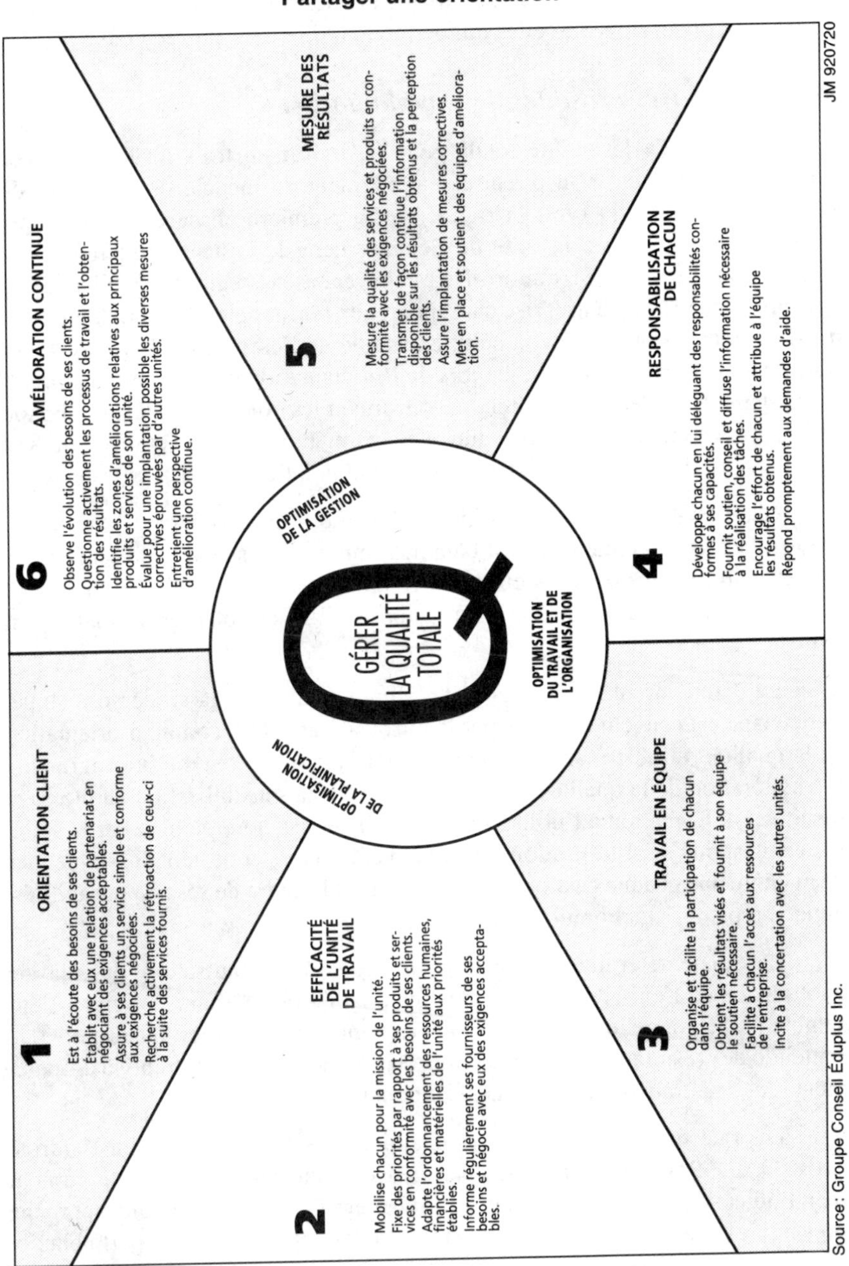

Source : Groupe Conseil Éduplus Inc.

sont stimulants et très motivants. De plus, l'implantation des nouvelles pratiques de gestion doit se faire d'une façon progressive, car chacun doit pouvoir apprendre à partir de son expérience et de celle des autres. Finalement, les pratiques retenues doivent être uniquement celles qui fonctionnent réellement dans l'entreprise, à savoir celles qui permettent d'obtenir les résultats visés.

Les trois phases critiques de l'implantation

L'implantation de la qualité totale peut se diviser en trois phases critiques (MBNQA, 1991), qui s'inspirent essentiellement du modèle de processus de changement de Lewin (voir la figure 7). La première phase correspond aux premiers gestes posés à la suite de l'engagement de la haute direction. Sont inclus, à un moment ou l'autre dans cette étape stratégique, le bilan de la situation actuelle de l'entreprise par rapport aux normes clés de la stratégie de la qualité retenue, l'analyse de la culture actuelle de l'entreprise afin d'y déceler les forces et les résistances en jeu lors de l'implantation de la culture qualité. Il y a également les décisions à prendre concernant les objectifs visés, la sélection de l'approche qualité privilégiée ainsi que ses méthodes, outils et techniques et enfin l'établissement de la stratégie de formation à l'échelle de l'entreprise.

Cette phase est vraiment terminée lorsque l'entreprise peut faire la démonstration que la cible visée est bien déterminée, que sa stratégie est préventive et mobilisatrice, que les outils, techniques et méthodes sélectionnés sont pertinents au travail à exécuter et, finalement, que son plan de formation est réaliste.

La deuxième phase correspond à l'implantation de la stratégie retenue. Cette étape est souvent amorcée par la mise en place d'un comité d'orientation de la qualité, qui a le mandat de coordonner la mise en œuvre du programme d'amélioration de la qualité. Elle se continue par la sensibilisation au message qualité et la formation à l'utilisation des outils de gestion retenus. Par la suite, l'accent est mis sur l'utilisation effective de ces outils et des données obtenues de manière que chaque gestionnaire puisse, dans le cadre de ses responsabilités, gérer son plan d'amélioration continue.

La troisième et dernière phase correspond à l'actualisation, dans la vie quotidienne de l'entreprise, de l'approche qualité, qui, partant, s'étend à l'ensemble du personnel et des sous-systèmes. Une démonstration quantitative de l'atteinte des résultats visés prouve hors de tout doute que l'entreprise a finalement réussi sa transformation organisationnelle.

Les questions utilisées par les examinateurs du prix Malcolm Baldrige (MBNQA, 1991) pour évaluer la pertinence d'une approche qualité cernent bien l'objectif à atteindre. Ce sont les suivantes : Est-ce vraiment une approche préventive ? Les outils, techniques et méthodes retenus sont-ils pertinents et

FIGURE 6
Échelle d'intensité des principaux dilemmes du gestionnaire

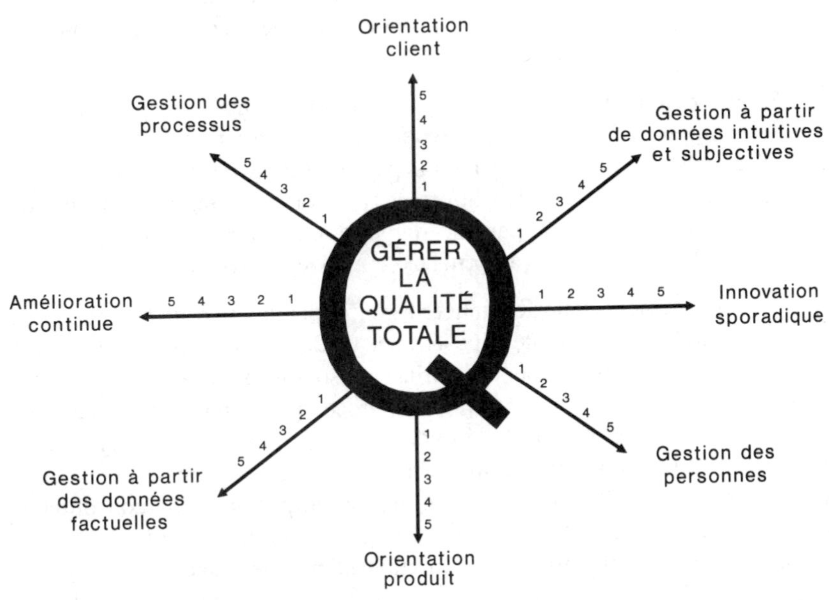

Source: Groupe Conseil Éduplus Inc.

sont-ils effectivement utilisés dans le cadre de la gestion quotidienne ? L'approche est-elle intégrée et systématique et est-elle appliquée de façon constante ? Y a-t-il des cycles réguliers d'évaluation et d'amélioration ? Jusqu'à quel degré l'approche est-elle basée sur une utilisation effective d'informations quantitatives, objectives et fiables ? Enfin, quelle est l'originalité de l'entreprise dans son intégration des divers outils et techniques de la qualité ?

La réponse à ces questions, utilisées aux fins d'étalonnage et de comparaison, constitue une excellente base pour évaluer le sérieux et la pertinence de tout effort organisationnel vers la qualité. Soulignons que l'avantage du référentiel du MBNQA est sa neutralité et sa constante évolution. En effet, ses forces et ses faiblesses font régulièrement l'objet de vifs débats, aux États-Unis, parmi les divers tenants de la qualité qui requestionnent son approche, sa pertinence, ses critères d'attribution (voir à ce sujet le dernier débat dans le périodique *Harvard Business Review* de janvier-février 1992).

En résumé

Les entreprises se transforment rapidement parce que le contexte économique et social a fait évoluer une donnée fondamentale : la qualité se définissait auparavant par l'orientation vers le produit et, maintenant, elle se définit par l'orientation vers le client. Il s'ensuit que la mesure des résultats de gestion porte maintenant de façon constante sur la conformité des produits et services avec les exigences négociées. La question que tous se posent maintenant est la suivante: «Faisons-nous la bonne chose de la bonne façon et ce au moindre coût ?»

Pour répondre d'une façon adéquate à ces nouvelles exigences, la structure hiérarchique et bureaucratique évolue vers une structure de type horizontale, tels les réseaux clients-fournisseurs par produit ou service. L'approche de gestion privilégie le partage de l'information, et la concertation. Les solutions des problèmes sont élaborées par des équipes d'amélioration et non plus exclusivement par les personnes en autorité. Ce sont là les nouveaux défis de gestion.

Les changements valoriels inhérents à l'implantation d'un programme de gestion intégrale de la qualité reposent sur quelques principes classiques du développement organisationnel. Ces principes sont les suivants: l'engagement de la haute direction, la simplification des processus, la mobilisation de toutes les personnes concernées pour résoudre au fur et à mesure les problèmes rencontrés, l'utilisation systématique d'une démarche collective de résolution de problème, la sensibilisation et la formation du personnel, la consolidation des unités de travail (Huse, 1975; Merry et Allerhand, 1977). À ceux-ci s'ajoutent plus spécifiquement l'orientation clients, le respect des exigences négociées, l'utilisation d'outils méthodologiques facilitant le processus de résolution de problème, l'importance accordée à l'analyse statistique des données afin de baser toute décision de gestion sur des données factuelles pertinentes (Kelada, 1991; Kume, 1985).

Les témoignages d'intervenants clés

Les témoignages de trois cadres supérieurs responsables du projet qualité de leur entreprise respective et d'un associé principal de la plus importante firme québécoise en gestion de la qualité mettent en relief l'ampleur des défis personnel et organisationnel que chacun doit relever dans une telle situation. Ces témoignages ont été recueillis par l'auteur à la fin de 1991 et au début de 1992. Les extraits présentés sont ceux de Monsieur Jean-Marie Gonthier, vice-président exécutif qualité et ressources humaines d'Hydro-Québec, de Monsieur Denis Martel, vice-président systèmes et président du Comité d'orientation de la qualité de la Confédération des caisses populaires et d'économie Desjardins, de Monsieur Jean-Pierre Laroche, vice-président qualité du Canadien National (CN) et de Monsieur Laurent Chartier, vice-président opérations du Groupe CFC.

Ces promoteurs de la qualité nous disent en leurs propres mots que la qualité est actuellement le voyage à entreprendre: c'est la bonne direction à suivre. L'éducation et la formation sont essentielles à celui-ci, car la qualité est un changement de culture, d'habitudes de travail. Pour entreprendre ce voyage, le leadership de la haute direction est critique, la participation de tous suscite engagement et responsabilisation et, finalement, les comportements souhaités doivent être ceux effectivement récompensés par l'entreprise. Enfin, soulignons qu'à la suite d'une analyse de contenu de ces divers témoignages (voir le tableau 2), il ressort nettement que l'implantation de la qualité est une démarche de changement planifié qui comporte ses particularités propres.

FIGURE 7
Le processus de changement

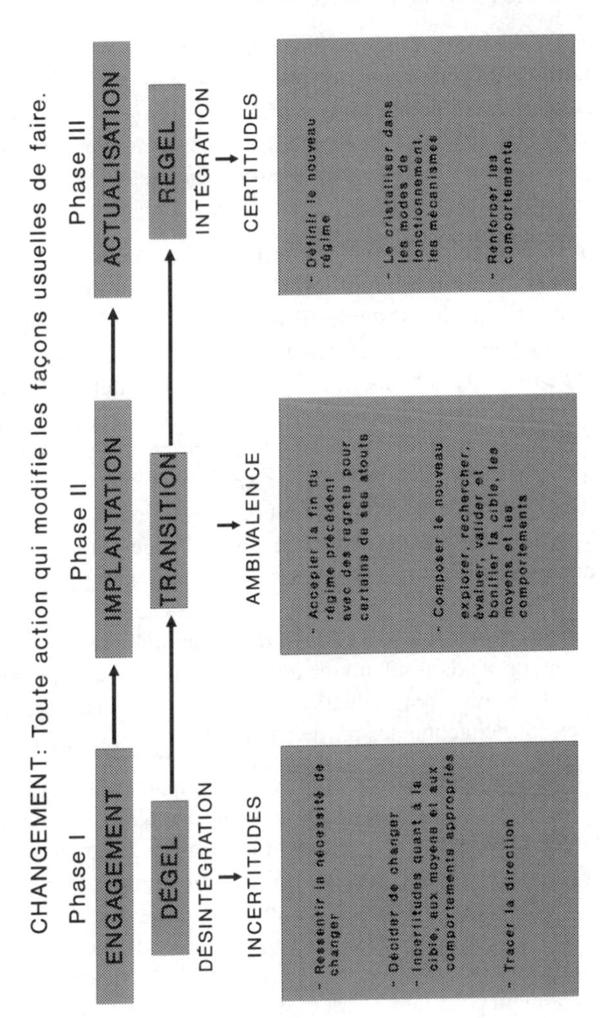

MODÈLE DE KURT LEWIN
Le processus de changement est une PROGRESSION d'un état vers un autre état stable.
Vouloir accélérer le processus risque d'en rompre l'équilibre précaire.

Source : Groupe Conseil Éduplus Inc.

Voici les principaux extraits de ces quatre témoignages.

Extraits du témoignage de Monsieur Jean-Marie Gonthier, d'Hydro-Québec

« Le gouvernement nous a servi une semonce en 1990 en nous demandant un plan d'amélioration de la productivité et de contrôle de nos coûts. Défi Performance est la réponse d'Hydro-Québec. Défi Performance vise un changement culturel profond dans l'entreprise et des résultats permanents. C'est le Comité de direction de l'entreprise qui prend toutes les décisions de gestion de ce processus et de ses ajustements. Le rôle de la vice-présidence qualité est de faire en sorte que le projet soit le projet de l'entreprise.

« Les présidents ont décidé de faire confiance totalement au processus, car il y a beaucoup d'autres entreprises qui ont obtenu d'excellents résultats en faisant le choix de la qualité. Au début, nous sommes partis avec l'expérience de *Florida Power and Light* (FPL) et de *Kanzei Electric*. Actuellement, nous élargissons davantage le concept et nous nous apercevons que, si cela est bien fait, bien géré, il n'y a aucune raison de ne pas atteindre les résultats visés.

« Pour faciliter le changement de l'entreprise, nous avons, au début, identifié quatre dossiers principaux à surveiller. Ce sont : l'évolution de l'organisation, les relations de travail, les systèmes d'information, qui peuvent tous mettre des freins au changement culturel et la gestion des ressources humaines, soit tous les systèmes de ressources humaines. Par la suite, deux autres dossiers se sont ajoutés : le développement des employés à partir de la formation des cadres et le phénomène de la communication dans l'entreprise. Maintenant, il y a six dossiers et c'est là que l'approche devient non seulement une approche de qualité, mais un véritable projet de développement organisationnel. Ce sont les dossiers qui vont avoir la plus grande influence pour changer la culture de l'entreprise. Sinon, nous perdons notre temps à essayer d'implanter un système simple et parfait, que la structure de l'entreprise, si elle ne change pas, rendra coûteux et complexe. Nous avons essayé au départ de rendre notre projet le plus clair possible. Cependant, on vit dans un monde de complexités : l'entreprise est complexe et la solution l'est aussi par déduction. Au fur et à mesure que nous avançons, nous éclaircissons chacune des parties de l'approche et du modèle.

« Je pense que, dans une opération comme celle d'implanter la gestion de la qualité chez Hydro-Québec, si nous n'avons pas une stratégie d'ensemble pour vraiment implanter la gestion intégrale de la qualité à la grandeur de l'entreprise, et cela implique les six dossiers de fond énumérés, nous n'y arriverons jamais. La machine est tellement bâtie solidement qu'elle a tendance à s'autorégulariser. Si tu ne donnes pas un coup assez grand pour la déstabiliser complètement ou la maintenir déstabilisée, elle se replace. Et là, tu as l'impression d'avoir travaillé vraiment pour rien. C'est pour cela que nous avions mis en place la vice-présidence qualité.

TABLEAU 2
Les messages de nos intervenants clés

PARTICULARITÉS DE L'APPROCHE DE GESTION DE LA QUALITÉ

1) La gestion de la qualité est une approche privilégiée pour maintenir et développer ses parts de marché.

2) L'engagement des cadres supérieurs envers une telle démarche est facilité par les résultats positifs des entreprises qui en ont réussi l'implantation et par le fait que les promoteurs sont des chefs d'entreprise.

3) Le maintien de l'engagement qualité est favorisé par le contact avec les clients, les pressions internes des employés et les résultats positifs obtenus.

4) La culture sous-jacente à l'approche qualité comporte un alignement des relations selon le modèle de client-fournisseur interne et un effort constant vers l'amélioration continue. Toute la dynamique interne du pouvoir est modifiée par l'introduction de cette orientation client.

5) La gestion de la qualité est une approche à la fois systématique et multiforme qui ne réussit que si elle est adaptée à la culture spécifique de l'entreprise qui l'implante.

TRAITS COMMUNS AVEC DES DÉMARCHES
DE CHANGEMENT PLANIFIÉ

1) L'implantation de la gestion de la qualité est un acte de leadership de la haute direction, fondé sur une vision d'un futur désirable et possible.

2) L'efficacité de la démarche repose d'abord sur la formulation d'objectifs clair et spécifiques à chaque entreprise.

3) L'intégration progressive de l'approche de gestion de la qualité dans la culture de l'entreprise nécessite l'alignement des systèmes d'entreprise (ressources humaines, budgets, systèmes d'information, etc.) pour soutenir les changements désirés.

« L'objectif est d'opérer un changement en douceur sur toute la ligne. Il va y avoir des ajustements à faire sur le plan administratif, sur le plan organisationnel. Cela va amener des ajustements dans l'entreprise au niveau des ressources, du personnel, des cadres, etc. Nous voulons susciter le changement en connaissance de cause et le planifier le plus possible. Nous voulons éviter les marches d'escalier trop brusques.

« Notre stratégie d'implantation est à la fois prudente, parce que nous nous doutions des réactions, et agressive, pour forcer les éléments de résistance connus. En 1991, les cadres supérieurs ont eu seize jours de formation. Nous avons forcé les gens à s'engager, à bouger. On ne peut pas seulement tirer, il faut parfois pousser. Au départ, tout le monde acceptait le projet et était conscient de l'ampleur du travail à faire. Maintenant, nous réalisons après un an que tous veulent continuer à faire comme avant, sans rien laisser tomber, et, en plus, changer. Ce paradoxe très évident révèle que les gens doivent faire le saut. Ils sont de plus en plus mal à l'aise. Quand nous leur proposons ce qui est planifié dans le changement, ils nous répondent qu'ils n'ont pas le temps, qu'ils doivent faire leur *job*. Nous les mettons face à leur projet : les ramenons à leurs engagements et à leurs décisions. Ils sont alors obligés de faire des choix. Et c'est là que se font les ajustements au niveau des moyens par rapport au plan de départ. Il n'y a pas eu d'arbitrages en ce qui a trait aux objectifs et aux valeurs de l'approche.

« Un des défis majeurs de l'équipe qualité actuellement, dans un changement qui s'opère à la grandeur de l'entreprise et dans tous ses domaines de gestion, c'est de garder le plus de cohérence possible. C'est comme un thermomètre. Si la température descend en bas de 0°, la crédibilité va tomber vite. Si nous nous maintenons à un niveau de chaleur confortable, au niveau de la cohérence, autant les syndicats que les employés vont dire : "Il y a des discussions, mais quand même on continue à avancer dans la bonne direction. L'entreprise est sérieuse." C'est le message que nos employés et nos syndicats nous envoient. Pour une fois, cela a l'air sérieux. De là à dire qu'on marche main dans la main, il y a une marge : il ne faut pas exagérer. On commence à travailler ensemble. Il reste maintenant à découvrir comment collaborer.

« L'expérience de FPL est fort intéressante pour nous. En prenant les faits et les indicateurs de gestion de FPL de 1983 à 1990, l'approche qualité est clairement un succès dans les résultats de gestion. Par contre, il y a lacune au niveau de la direction globale : ils ont oublié de s'occuper de leur système de gestion, c'est-à-dire de tout ce qui encadre les opérationnels. Ils ont fait un excellent travail au point de vue de ceux qui travaillent sur le plancher, mais au-dessus ils ne se sont pas suffisamment occupés de la bureaucratie. Ils ont simplement estimé que les changements implantés à la base monteraient peu à peu. Sauf que cela ne s'est pas produit assez vite et ils se sont fait attraper par toutes sortes de difficultés économiques. Ils ont toujours tenu pour acquis, par rapport à tous ces dossiers-là, qu'en travaillant en profondeur à la base, l'organisation changerait d'elle-même, une meilleure communication s'instaurerait, tout le monde serait plus satisfait. Il est prévu dans notre plan que nos équipes vont travailler les processus opérationnels, et pour qu'elles connaissent un succès, nous nous occupons tout de suite de mettre les processus de gestion au service de la base. Si nous ne réussissons pas cela, il peut nous arriver ce qui est arrivé à FPL.

« Le premier conseil que je donnerais à tout dirigeant voulant implanter un programme de gestion de la qualité est qu'avant de s'engager dans un programme de qualité totale, il faut que sa compagnie soit certaine de se bien connaître et très consciente de la raison pour laquelle elle s'engage. Exemple : Est-ce pour régler des problèmes importants ou est-ce pour se dépasser ? Une fois qu'on connaît le déclencheur, les éléments qui vont motiver les solutions sont alors mis en place. Ici, lorsque nous avons posé notre diagnostic, nous avions un mal de cheval, donc il nous fallait un remède de cheval et non pas seulement des aspirines.

« Deuxièmement, je recommande que les dirigeants fassent attention à ne pas copier les solutions d'ailleurs. Il faut que le remède soit adapté à la maladie. Autant dans la façon de faire que dans les choses à faire. La solution est disproportionnée si elle est trop grande ou trop petite par rapport au problème vécu. Il faut une nette adéquation entre la raison pour laquelle on veut faire de la qualité totale et la définition que l'on va donner à la qualité totale dans son entreprise particulière.

« Le troisième message que je veux transmettre est qu'actuellement il y a trop de gens qui parlent de la qualité totale et qui n'en font pas. Ils n'en pratiquent qu'un élément ou deux. Partout où on a essayé d'implanter la qualité dans un seul secteur ou en partie, on a échoué parce que les conditions n'étaient pas favorables dans le restant de l'entreprise. Ces opérations partielles dans l'entreprise ont terni un peu la réputation de notions de qualité totale ou d'excellence. Par exemple, une plus grande ouverture vers les clients qui n'est pas accompagnée de changement dans le mode de communication, d'activités reliées aux cercles de qualité, est une approche clients. Dire qu'on fait alors de la qualité totale est abuser des termes. Il en est de même pour ceux qui utilisent des techniques de rapprochement avec leur personnel dans leurs unités sans pour autant toucher aux autres facettes de la gestion de l'entreprise. Pour parler d'implantation de la qualité, il faut toucher le foyer de l'entreprise, sa planification, la mobilisation des ressources humaines, travailler à l'amélioration continue avec tout le monde et gérer l'assurance-qualité : il faut s'assurer que l'on contrôle les processus de l'entreprise. Si l'on ne coordonne pas tous ces éléments, on doit éviter de parler de qualité totale. »

Extraits du témoignage de Monsieur Denis Martel, de la Confédération des caisses populaires et d'économie Desjardins

« Lorsque j'ai découvert ce que proposait la qualité, j'ai vu que cela collait à ce que j'étais comme individu et à ce que je souhaitais que l'organisation soit depuis plusieurs années. Ce que j'avais beaucoup de difficultés à nommer, à identifier, le projet qualité le proposait d'une façon simple et cohérente. Enfin, j'avais trouvé un moyen qui correspondait à ce que je suis comme gestionnaire et comme individu.

« La qualité est vraiment un retour aux sources. En somme, on avait perdu notre base. L'entreprise fonctionnait par elle-même, pour elle-même, en oubliant sa raison d'être fondamentale, sa mission première.

« Implanter la qualité exige des conditions préalables. Ce n'est pas suffisant de parler de qualité et de proposer des modèles. Il faut que les conditions de réorganisation soient en place pour que l'opération puisse réussir. Nous avons dû faire une réorganisation, afin que de nouveaux porteurs de dossiers puissent véhiculer les nouveaux messages. C'est parce que le premier directeur a décidé que l'entreprise changerait que le changement est arrivé.

« Au début, ce sont quelques braves qui ont osé aller de l'avant. Puis le changement s'est opéré par propagation et aussi parce que les résultats atteints étaient parlants. La pression exercée par les employés qui avaient participé à ces projets a également été un stimulant important. Être géré dans un concept de qualité rend les employés plus à l'aise, les encourage à contribuer davantage à l'entreprise.

« Nos gestionnaires sont des spécialistes qui ont atteint des postes de gestion. Ils se rendent compte qu'ils sont en train de se donner une base pour mieux gérer : des moyens, des concepts, une démarche de formation à la gestion. Pour eux, c'est stimulant.

« Jusqu'à maintenant, les résultats obtenus à l'intérieur de l'entreprise sont très bons. Quand nous avons prise sur la plupart des événements à l'intérieur des vice-présidences, de chacune des directions, cela va relativement bien. Cela se complexifie lorsque nous mettons en interaction deux vice-présidences, deux, trois directions : nous y réussissons cependant. C'est plus difficile, mais faisable. Là où cela devient ardu, c'est lorsqu'on veut une relation complète clients-fournisseurs avec les fédérations, les caisses. Le concept de qualité nous amène à interroger toute notre structure.

« Les critères pour reconnaître la performance des gestionnaires ont changé. Ces critères encouragent les changements de comportements. On reconnaît maintenant les gens qui collaborent, qui travaillent en équipe. Les nouvelles règles du jeu sont en place. Il y a des indications claires sur la façon d'agir selon les nouvelles règles du jeu.

« Je craignais que nous perdions l'enjeu de notre relation avec nos fournisseurs externes, mais nous l'avons remporté plus facilement que prévu. Notre projet qualité a créé beaucoup d'intérêt chez nos fournisseurs, qui y voient également leur intérêt. Nous avons réussi là des performances assez formidables. Elles ont même stimulé quelques entreprises à aller plus loin dans une démarche analogue.

« Le premier contact avec les clients internes a été le plus grand obstacle de départ. On s'interrogeait même sur la pertinence de rencontrer nos clients : "Qu'est-ce qu'ils connaissent à nos produits ?" Cela a été un choc culturel initial important. Maintenant, cette relation est acquise.

« Nos gens sont essoufflés de vivre des ambiguïtés depuis des années. Ils se disent : "Enfin on a un moyen de clarifier les mandats et le partage des responsabilités. Advienne que pourra, faisons confiance au processus en cours. Réglons ça." L'avantage de nos interventions n'est pas toujours évident et il nous faut le clarifier. L'attrait de la qualité est l'accroissement de l'efficacité, pour mieux répondre à nos clients.

« Moi aussi, j'ai des difficultés à appliquer les concepts, je ne l'ai jamais caché, et parfois je me trompe. Ce que j'aime, c'est que maintenant mes directeurs me le disent et je m'ajuste. Je suis en chemin comme les autres. Des réunions trimestrielles rassemblent tous les gestionnaires : nous discutons et échangeons sur nos bons coups et nos points à améliorer. C'est un changement majeur. Auparavant, un vice-président ne pouvait pas dire à son équipe qu'il avait des problèmes.

« Gérer est une question de service. Au moment où l'on contrôle moins, on reçoit plus d'informations exactes et, par conséquent, on exerce plus d'influence sur ce qui se passe. Les gens discutent davantage : s'ils ne sont pas d'accord, ils disent pourquoi. C'est important d'avoir l'heure juste dans une organisation ; c'est ainsi que la vraie information circule.

« L'urgence d'implanter la qualité s'est manifestée et, ce qui est intéressant, nous avons été capables de produire des résultats rapidement. Là, nous commençons à mieux cerner les types de résultats que nous visons. Les cibles d'amélioration sont mieux identifiées et nous commençons à distinguer entre les individus et les résultats à atteindre.

« À un président de compagnie qui est tenté par l'option qualité, je dirais qu'il faut que les objectifs de son projet qualité soient très clairs et les résultats à atteindre bien déterminés. Là-dessus, il ne doit pas y avoir de compromis. On fait de la qualité parce qu'il y a des résultats à atteindre. Il faut être honnête avec les employés en leur disant le pourquoi de la décision.

« À un cadre qui veut cheminer par rapport à la qualité, je suggérerais d'accentuer sa tendance à être curieux et disponible à tout ce qui se passe. Il faut aller voir ce qu'est la qualité, visiter des entreprises, aller à des colloques, lire, se former, etc.

« À un spécialiste interne qui n'a aucun pouvoir comme tel, je dirais que la qualité questionne fondamentalement une culture, des connaissances, une façon de faire apprises dans les universités et qu'il considère comme sa grande valeur. Cela insécurise beaucoup. Cependant, la bonne réponse aux besoins du client est la nouvelle façon d'acquérir plus de pouvoir et d'influence dans l'entreprise. »

Extraits du témoignage de Monsieur Jean Pierre Laroche, du Canadien National (CN)

« Je me suis intéressé au début de ma carrière au développement organisationnel. J'ai essayé d'appliquer toutes les méthodes proposées dans ce temps-là, en particulier Blake et Mouton, Herzberg, etc. Le dernier véritable effort que j'ai fait remonte à 1971. J'avais alors introduit deux cours de base pour tous les cadres : l'un alliait la résolution de problème et la créativité et l'autre mettait l'accent sur l'importance à accorder aux ressources humaines. Le but recherché était de stimuler les cadres à utiliser l'intelligence de leurs employés, à les intégrer à leur gestion. Les résultats obtenus ont été pauvres. Par exemple, pour la session de résolution de problème, sur les 75 cadres qui ont suivi le cours, il y en a deux seulement qui ont appliqué la technique enseignée. Ces résultats ont été décevants.

« J'ai choisi alors d'aller vers l'administration et je suis devenu directeur du personnel pour la région Saint-Laurent. Puis, je suis devenu vice-président des ressources humaines à Via Rail et cela pendant sept ans. C'est à cette époque que j'ai commencé à entendre parler du courant de la qualité. À la suite d'une conférence publique de Juran, nous l'avons rencontré pour une séance de travail privée. C'est là que j'ai réalisé qu'il y avait quelque chose de nouveau dans ce courant. Peu après, un nouveau directeur de la formation s'est joint à Via Rail et a amorcé un programme de service à la clientèle. Cela touche un aspect important de l'approche qualité : le contact avec la clientèle. Les retombées positives de ce programme m'ont convaincu du bien-fondé de l'approche.

« Par la suite, les diverses lectures faites en relation avec la qualité m'ont incité à adhérer à cette approche. Le discours me plaisait. J'ai su qu'enfin on avait trouvé une approche gagnante, car ceux qui parlaient de la qualité étaient des présidents de compagnie qui attribuaient les succès de leur entreprise en grande partie à la qualité. Ils disaient : "Voici ce que cela a fait pour nous, voici les résultats obtenus" et ces résultats étaient toujours très concrets. Finalement, le seul critère qui m'a vraiment convaincu, c'est que la qualité réussit ailleurs.

« Quand je suis revenu au CN en 1984, j'avais une stratégie à vendre à la haute direction. J'y suis parvenu à l'été 1988 : cela m'a pris quatre ans pour les convaincre. J'accepte des défis difficiles à réaliser, mais réalisables. Avec la qualité, ce fut difficile, car peu à peu j'ai pris conscience que mon niveau de crédibilité à l'intérieur de l'entreprise avait baissé. Ce glissement était dû au fait que mon approche remettait en question la façon de faire et que la terminologie que j'employais ne leur était pas familière. Des termes tels que « gestion des processus » ou « participation des employés » avaient peu de signification pour eux. Par exemple, pour réduire les coûts, la réponse habituelle est de diminuer le nombre de postes, et ce sans se préoccuper de l'impact de cette mesure sur le client ou de savoir si l'ouvrage va être fait au bout du compte. Moi, en 1989, j'avais commencé à parler du souci du client, de la gestion des processus, de la recherche des causes. Ces contenus, les cadres ne les comprenaient pas. Ils étaient alors tous très convaincus qu'ils se souciaient du client : aujourd'hui, ils savent que cela n'était pas vrai. Ils ne faisaient jamais l'analyse des causes : ils sautaient immédiatement aux conclusions et pensaient faire de la résolution de problème. Je leur parlais d'améliorer leur façon de gérer une cour de triage en utilisant des mots qu'ils ne comprenaient pas. J'ai nagé sous l'eau pendant deux bonnes années.

« À l'automne 1988, les 45 cadres supérieurs se sont réunis trois jours avec un consultant qui nous parlait de la qualité totale comme stratégie d'entreprise. On a amorcé deux projets-pilotes au début de 1989. La décision de s'engager totalement a été prise à la suite d'une visite, en juin 1990, au siège social de *Xerox*, près de New York. Ce voyage d'une journée a rassemblé quelque 25 cadres supérieurs, dont le président. L'option pour la qualité s'est accomplie dans l'avion lors du voyage de retour. Tous avaient réalisé que c'était ce qu'ils cherchaient et qu'il fallait aller de l'avant.

« La présentation de *Xerox* a donc été très importante. Les présentateurs venaient de différents secteurs comme la qualité, la communication. Celui qui a eu le plus d'impact a été le vice-président marketing. Auparavant, il avait été vice-président opérations. Quand notre vice-président opérations l'a entendu, il a été convaincu : cela voulait dire quelque chose pour lui. Si on avait entendu seulement les gens de la qualité, cela n'aurait pas été suffisant.

« Ce qui nous a beaucoup aidé, par la suite, c'est de faire venir des clients à nos programmes de formation : ils nous ont adressé des messages très clairs. Ce programme comportait un cours de cinq semaines réparties sur deux ans : le concept mis de l'avant était la nécessité de travailler avec le client. Les cadres trouvaient cela intéressant, mais ce n'est que peu à peu qu'ils ont compris. L'autre élément dont on faisait la promotion était l'étalonnage, soit la comparaison avec les meilleures entreprises. Auparavant, on se comparait peu ou pas avec les autres entreprises de services et, peu à peu, tous ont voulu se comparer avec les meilleures, quel que soit le domaine.

«Nous avons alors commencé à aller visiter d'autres entreprises et nos cadres ont vu comment l'approche qualité se déroulait ailleurs. La visite des entreprises a été pour nous, avec la rencontre de nos clients, le véritable déclencheur. Par exemple, un de nos chefs de service voulait communiquer ces nouvelles façons de faire à ses principaux assistants. Ceux-ci étaient comme des rocs: ils n'entendaient rien. Il est parti avec eux voir ailleurs. Cela a fait son chemin.

«Pour convaincre à l'intérieur de l'entreprise, j'utilise les stratégies de nos clients vis-à-vis de nous. Nos clients nous imposent des démarches qualité. Chaque fois que cela survient, je le rend public. C'est ainsi que nous évoluons: nous nous sommes tournés vers nos clients. Je fonctionne avec une vision de ce que je veux faire, plutôt qu'avec un plan bien détaillé. J'ai une vision des obstacles et j'ajuste les plans en conséquence.

«La qualité est un changement de culture, de façon de penser. Pour vraiment comprendre, les cadres doivent s'engager personnellement: ils doivent le faire eux-mêmes. Nos cadres ont tendance à dire: "O.K., je comprends le concept" et ils veulent s'arrêter aussitôt. Ils ne prennent pas assez le temps de vraiment comprendre toute la signification du concept. Il faut l'assimiler au travers d'une session et de ses démarches. Quant aux outils de la qualité, il faut passer par la formation de base, travailler avec quelques équipes pour vraiment comprendre comment ils s'appliquent. Il faut une ou deux expériences d'identification d'un processus, d'identification d'un problème. Il faut avoir vécu ce qui se passe dans une salle quand on dit aux cadres: "Voici l'ordinogramme de vos activités: qu'est-ce que vous en pensez?" Nos cadres ne sont pas habitués à prendre un tel recul par rapport à leurs tâches, car ils sont habitués à gérer des chiffres.

«C'est menaçant la qualité et la gestion des processus, car il y a beaucoup de luttes de pouvoir au sein de l'organisation. Le pouvoir n'est pas basé sur la réalité du client ou sur la réalité des processus. Quand on dit: "On va donner la primauté au client et ensuite regarder les processus mis en jeu pour répondre à sa demande", les gens orientés vers le pouvoir n'aiment pas cela, car c'est une nouvelle règle de jeu qu'on impose.

«Actuellement, chaque vice-président est responsable de l'implantation de la qualité dans son secteur. Certains sont plus engagés que d'autres. Les vice-présidents régionaux ont en partie pris l'initiative. Tous ont fait également beaucoup de travail pour essayer de communiquer notre mission, notre vision et nos valeurs aux employés.

«Il faut apprendre la base. C'est comme à l'école: il y a un cheminement pour accéder à l'université. Il faut passer par chacune des étapes. Les présidents d'entreprise parlaient à la fin des années 1980, du parcours de l'apprentissage (*learning journey*). Au fur et à mesure que l'on s'engage, on apprend et devient plus compétent. De plus en plus, les vice-présidents, avec l'aide de facilitateurs, utilisent les techniques de résolution de problème lors de leurs réunions. Ils font souvent en une journée ce qu'ils n'auraient pas fait en un mois auparavant.

« Nous organisons bientôt un premier atelier pour former six facilitateurs en gestion des processus. Nous avons choisi trois processus clés. Notre stratégie est d'engager les meilleurs consultants, d'intégrer cette approche et ensuite de la diffuser par nous-mêmes. Nous avons peut-être 60 processus clés dans notre entreprise. Notre but est d'aller chercher les meilleurs outils et d'apprendre en les utilisant. »

Extraits du témoignage de Monsieur Laurent Chartier, du Groupe CFC

L'entrevue de Monsieur Chartier fait suite à sa participation au séminaire itinérant international « Le face à face du Pacifique II ». Ce séminaire de réflexion, dirigé par Monsieur Hervé Sérieyx, avait pour but de faire le point sur les nouvelles tendances de gestion dans les entreprises japonaises et américaines les plus performantes. Ce séminaire faisait suite, onze années plus tard, au premier « Face à face du Pacifique », qui a donné naissance à un courant de pensée fort important en qualité (Archier et Serieyx, 1984, 1986). L'objet de l'entrevue fut de cerner les points forts de la qualité qui ressortent à la suite d'une telle réflexion.

Voici les quelques extraits choisis :

« La qualité est toujours le moyen le plus efficace pour conserver les marchés occupés et en acquérir de nouveaux et ce pour toutes les entreprises visitées (telles que NEC, Toshiba, Boeing, Microsoft, etc.). Il ressort de façon évidente que la qualité est toujours là et qu'elle est plus forte que jamais.

« Les entreprises américaines et japonaises associent maintenant à la qualité la notion du temps requis pour faire un produit, produire une facture, etc. La qualité est donc maintenant de plus en plus associée aux notions de vitesse et de durée. Les gains faits sont phénoménaux : les entreprises japonaises sont parvenues à changer en quelques minutes leurs moules de production, alors que le temps requis auparavant était de quelques heures. La technique *Single Minute Exchange of Dye* (SMED) est utilisée.

« La qualité devient de plus en plus totale pour les entreprises visitées. Au-delà de l'axe à partir duquel l'entreprise a commencé à faire de la qualité (soit la mobilisation du personnel, la qualité du produit, etc.), chacune tend de plus en plus vers les autres dimensions de la qualité, afin d'en gérer toutes les dimensions. Le second souffle de la qualité l'amène à être plus globale et plus précise en matière de résultats visés. Les entreprises les plus performantes se sont en fait attaquées à la qualité d'une façon graduelle, une dimension après l'autre.

«Les Japonais ont une notion fort pragmatique et situationnelle de la qualité. Ils en inventent la culture au fur et à mesure de leurs besoins et des résultats obtenus. Par exemple, chez Toshiba, les programmes de qualité sont actuellement identifiés à des programmes de productivité. C'est là une bonne leçon à retenir, car pour nous c'est presque une hérésie d'associer qualité et productivité. Nous oublions parfois le but visé et demeurons souvent trop dogmatiques.

«La synergie entre les entreprises japonaises et américaines pour les technologies d'amélioration continue est étonnante. L'information circule vite dans les deux sens. Et il est actuellement difficile de dire qu'est-ce qui provient d'où. Il y a une nette interaction et une convergence d'idées, et un enrichissement mutuel entre les entreprises les plus performantes des deux rives du Pacifique.

«Les grandes entreprises américaines mettent de plus en plus l'accent sur la sécurité d'emploi afin de pouvoir obtenir de leurs ressources humaines la qualité recherchée. Le personnel est prêt à participer à des processus d'amélioration pour autant que leurs besoins de base restent comblés. Il n'est pas prêt à le faire si la conséquence d'un tel effort est la perte de son travail. Il en ressort qu'une des conditions pour qu'une personne s'engage envers la qualité, c'est sa véritable appartenance à une entreprise, sa sécurité de base. C'est la redécouverte d'un des principes fondamentaux de la gestion japonaise. Aux États-Unis, on discute de plus en plus ouvertement les conditions d'emploi, les conditions économiques, le maintien des emplois.

«Un courant de plus en plus fort associe aux États-Unis et au Japon la qualité à une réalité morale, éthique. Afin de fixer les normes de qualité à un niveau élevé, les entreprises se doivent de partir d'un idéal et pour ce faire elles retournent de plus en plus ouvertement aux choix valoriels de leur fondateur, au projet d'entreprise initial conçu par lui, à sa vision. Il en est ainsi, car, pour implanter la qualité, cela prend un rêve, un idéal, une raison d'être. Ce mouvement provient des entreprises qui ont approfondi leur projet qualité et qui ont conclu qu'elles ne pouvaient le nourrir uniquement avec des dimensions techniques. En plus, ce courant est de plus en plus valorisé par les clients qui désirent que les entreprises respectent leur environnement.

«Une évolution significative est survenue aux États-Unis depuis peu par rapport au projet qualité. D'une part, les entreprises voient de plus en plus la qualité comme un grand projet de changement planifié. Il en résulte que, dans la plupart des entreprises visitées, il y a une concertation évidente entre les responsables de la qualité et ceux du développement organisationnel. Cette alliance n'était pas visible en 1985 lors d'une visite de quelque douze entreprises américaines; ces deux secteurs ne se parlaient pas. D'autre part, la qualité s'institutionnalise de plus en plus. Les entreprises relient les systèmes de rémunération et de primes aux résultats liés à la qualité produits par la gestion.

En outre, ces mêmes entreprises incitent de plus en plus leurs cadres à se préoccuper d'objectifs à moyen et à long terme. Ce sont là des changements dans les pratiques de gestion très significatifs.

«Le style de gestion valorisant la participation de tous, l'écoute des employés est toujours présent, mais il masque de moins en moins le besoin d'une orientation claire de la haute direction. Ce deuxième courant se fait sentir de plus en plus compte tenu des turbulences économiques actuelles et de la vitesse des changements en cours. Dans les entreprises performantes, les deux mouvements se complètent: les cadres prennent toute leur place, de même que les employés. Chacune des parties a sa zone de responsabilités et de pouvoir. Cela a un effet très rassurant chez tous: chacun a sa place et sa zone de pouvoir propre. D'une part, les directions supérieures des entreprises visitées accordent beaucoup de soin à l'élaboration des visions d'entreprise pour huit, dix ou douze ans et ce afin d'assurer et d'appuyer leur leadership. D'autre part, chacune a trouvé des moyens concrets pour faciliter la responsabilisation de ses employés. En effet, les projets d'entreprise s'incarnent de plus en plus dans des engagements précis envers les clients. À titre d'exemple, à Wells Fargo, le client ne doit pas attendre plus de cinq minutes avant d'être servi, sinon l'employé doit lui remettre une somme compensatoire. Ces engagements envers les clients sont très appréciés par ces derniers et sont également très mobilisants pour les employés.

«Tous les interlocuteurs rencontrés s'accordent pour dire que le cadre conceptuel de l'approche qualité est à point: tous les paramètres ont été identifiés. La différence entre les entreprises qui font de la qualité et les autres réside dans le fait que les premières passent à l'action. Il est inutile d'accorder beaucoup de temps à la réflexion et à la conceptualisation, car tout a été dit. Cependant, les entreprises visitées ont incarné de façons très différentes l'une de l'autre leur approche qualité: la personnalité de chacune des entreprises transcende bien leur projet qualité.

«Le maillage reste un outil clé de la qualité totale au Japon. Il prend même de plus en plus d'importance aux États-Unis, où les exigences de qualité envers les fournisseurs augmentent. La qualité est maintenant associée à deux préoccupations majeures: la zone de responsabilité première de chacun et sa compétence propre. D'où un plus grand intérêt pour le maillage.

«Enfin, pour terminer, soulignons que ce qui est le plus surprenant chez ces grandes entreprises visitées, c'est leur dynamisme ou leur volonté de toujours faire mieux: ils veulent toujours s'améliorer. Ils sont en constante recherche d'une plus-value: ils la valorisent fortement et le disent simplement. Toutes les compagnies visitées ont une vision de compétition, de mondialisation et ont même des stratégies de gestion et de réunion des cultures.»

Le Défi performance : la stratégie de changement d'Hydro-Québec

La présentation de la stratégie du Défi performance d'Hydro-Québec a pour objet d'illustrer d'une façon concrète les éléments requis pour stimuler et faciliter la transformation d'une entreprise de cette envergure (20 067 employés). Ce cas (auquel l'auteur n'a pas été directement associé) a été sélectionné, car les composantes essentielles du changement organisationnel y sont pleinement représentées. Rappelons la formule de base (Beckhard, 1969) : pour qu'il y ait un changement (C), il est nécessaire qu'une entreprise vive une pression (P), connaisse bien les forces et faiblesses de sa réalité actuelle (RA), articule une vision (V) de ce qu'elle désire et, finalement, formule un plan lui permettant d'amorcer une démarche de transition (DT). Plus il y aura synergie entre tous ces éléments, moins forte sera la résistance normale à ce changement. La figure 8 illustre cette formule classique du changement en y intégrant les éléments du Défi performance présentés ci-après. L'essentiel de cette présentation est composé de larges extraits de documents fournis par la vice-présidence qualité (Hydro-Québec, 1990, 1991) de cette entreprise.

La pression pour changer

En novembre 1990, Hydro-Québec amorçait un virage important et élaborait une stratégie de changement : le Défi performance. Cette stratégie, qui se réalisera en cinq ans, vise à implanter la gestion de la qualité dans toutes les activités de l'entreprise.

L'élaboration de cette stratégie fut accélérée lorsque, en avril 1990, le gouvernement lui demanda de se doter d'un plan quinquennal d'amélioration de sa productivité et de ses coûts. Hydro-Québec en profita pour mettre sur pied un groupe de travail ayant pour mandat de poser un diagnostic sur sa situation actuelle et de proposer une solution qui lui permettrait d'assurer une plus grande satisfaction de ses clients.

Dans un premier temps, le groupe de travail, assisté par un consortium de consultants (Le Groupe CFC, Qualtec Inc. Électricité France, Eurequip), a dressé la liste des problèmes vécus dans l'entreprise. Afin de valider cette analyse, il a étudié une quarantaine d'indicateurs de gestion aptes à cerner le rendement de l'entreprise. L'étude des indicateurs s'est accompagnée d'une comparaison avec les entreprises membres de l'Association canadienne de l'électricité.

L'analyse de la situation et les comparaisons ont démontré que le rendement d'Hydro-Québec a été, au cours des dix dernières années, généralement insatisfaisant.

Hydro-Québec a donc étudié les stratégies utilisées par des entreprises qui ont sensiblement augmenté leur rendement au cours des dernières années. Après s'être assurée que les problèmes de ces entreprises étaient bien du même ordre que les siens, elle a voulu savoir ce que celles-ci avaient fait pour les résoudre. Elle a découvert que ces entreprises performantes ont su, à partir d'une gestion intégrale de la qualité, intégrer dans un ensemble cohérent tous les éléments de gestion liés à leur mission, à leur culture, à la compétence de leurs employés ainsi qu'à leurs structures, à leurs systèmes et à leur technolo-

FIGURE 8
Les ingrédients du changement chez Hydro-Québec

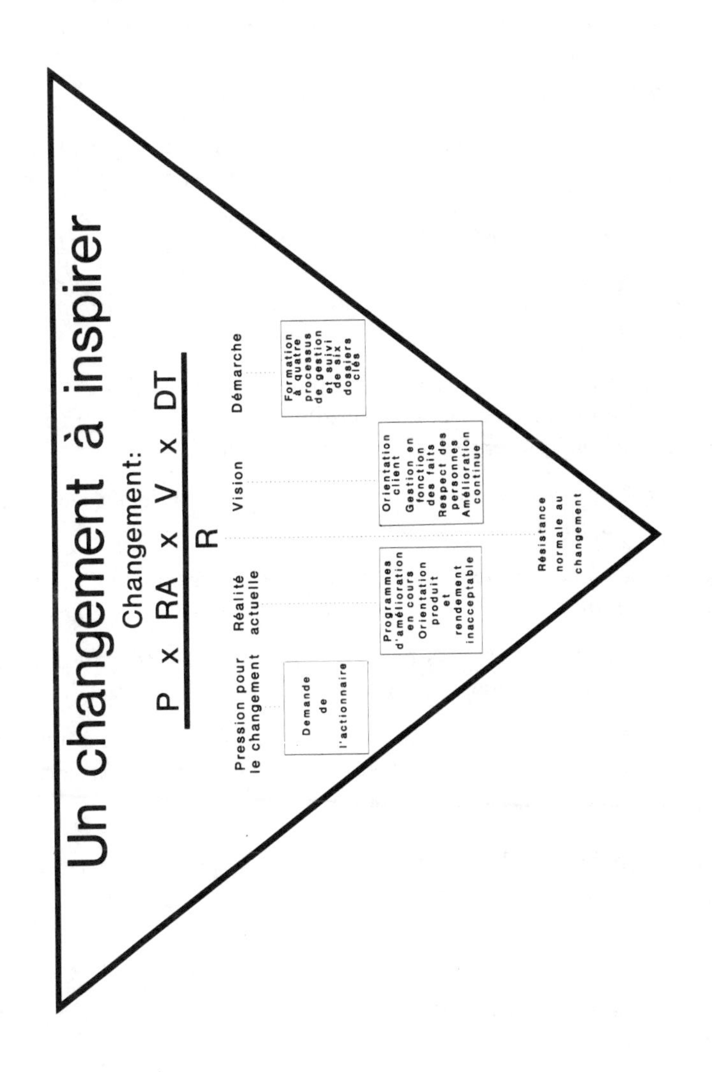

Source : Groupe Conseil Éduplus Inc.

gie. Aussi ont-elles progressé rapidement en réduisant au minimum les actions conflictuelles ou incohérentes et en agissant sur l'ensemble de ces éléments de gestion.

Forte de cette réflexion, Hydro-Québec a donc décidé, en novembre 1990, d'amorcer des changements importants en adoptant une stratégie de gestion intégrale de la qualité afin que les mesures d'amélioration qu'elle tente de réaliser depuis dix ans puissent s'intégrer désormais dans un tout harmonieux, cohérent et produisant des résultats durables. Cette stratégie, déjà utilisée par l'ensemble des entreprises performantes étudiées, fait partie intégrante du Défi performance, projet mobilisateur dont s'est dotée l'entreprise pour améliorer son rendement global. C'est ce projet que l'entreprise a déposé au gouvernement, en réponse à sa demande d'un plan quinquennal d'amélioration.

L'articulation théorique du Défi performance

Le Défi performance est avant tout un modèle de gestion de la qualité qui intègre des outils rigoureux propres à permettre à l'entreprise d'améliorer son rendement et de satisfaire totalement ses clients. La définition de la qualité retenue par Hydro-Québec est la suivante : *c'est une approche de gestion qui vise à satisfaire totalement, et au moindre coût, les besoins des clients, par une plus grande mobilisation des ressources humaines et une maîtrise des processus de travail.*

Le modèle de gestion retenu s'inspire de celui de FPL. Il s'appuie sur quatre principes fondamentaux qui constituent la base de la nouvelle philosophie de gestion de l'entreprise, donc de sa nouvelle culture. Il s'agit de :

- *l'orientation clients* (les actions de l'entreprise sont orientées en fonction de la satisfaction des besoins des clients externes) ;
- *la gestion en fonction des faits* (la prise de décision s'appuie sur des données objectives et quantitatives, et non sur des opinions ou des impressions) ;
- *le respect des personnes* (les personnes se traitent les unes les autres avec considération et participent aux activités qui les concernent) ;
- *l'amélioration continue* (la satisfaction des clients est l'objet d'une recherche constante et systématique grâce au cycle « planifier, faire, vérifier, agir » (PFVA), approche rigoureuse de la gestion de la qualité).

Ces principes de la qualité se concrétisent par des interventions dans quatre axes de gestion (figure 9).

- *La gestion des cibles d'amélioration :*

  Elle vise à orienter l'ensemble des actions et des ressources de l'entreprise vers l'atteinte de la satisfaction totale des clients. Cette approche prévoit, à

FIGURE 9
Le modèle de gestion

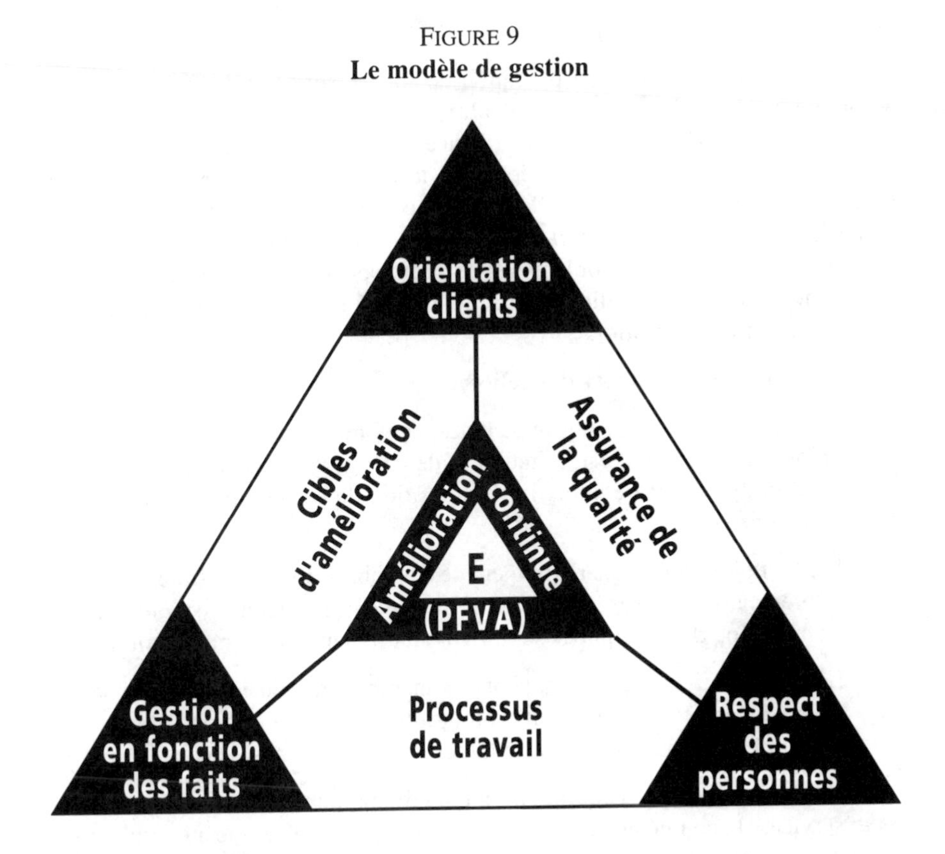

Source : Hydro-Québec.

partir d'une vision stratégique et d'une meilleure connaissance des attentes des clients, la mise en place d'une dizaine de cibles qui concentrent les activités de l'entreprise sur les clients.

– *La gestion des processus de travail :*

L'amélioration de la qualité dépend étroitement de l'existence de descriptions des processus de travail systématiquement documentées et expliquant comment chaque activité doit être exécutée pour obtenir les résultats recherchés.

– *La gestion de l'assurance de la qualité :*

Elle vise à mettre en place les éléments assurant que toutes les activités de l'entreprise sont réalisées de façon à satisfaire totalement les besoins et les attentes du client. Il s'agit donc de faire en sorte qu'à chaque étape de leur réalisation, ces activités soient bien faites la première fois et par la suite à tout coup, au moindre coût.

– *La gestion des équipes d'amélioration :*

L'entreprise favorise la participation de son personnel aux équipes d'amélioration, dont le mandat est de régler les problèmes. Les équipes d'amélioration sont au cœur même du Défi performance. Elles favorisent la mobilisation de tous les employés pour l'amélioration de la qualité dans l'entreprise et la recherche de l'excellence. Elles permettent aux employés d'identifier les améliorations qui peuvent être apportées à leur travail, de développer leur capacité d'analyse des problèmes et de participer personnellement à la résolution de ces problèmes. Elles favorisent le travail d'équipe et contribuent à une meilleure communication.

Il y a trois types d'équipes d'amélioration :

- Les *équipes naturelles* regroupent des membres d'une unité administrative unique. Leur mandat est d'étudier et de corriger un problème soulevé par un employé ou une équipe. La composition de ces équipes se fait volontairement.
- Les *équipes multiunités* regroupent des membres d'unités différentes, mais de même niveau. Leur mandat est normalement fixé par un gestionnaire. La composition de ces équipes se fait volontairement ou par nomination.
- Les *équipes de projet* regroupent des membres de plusieurs unités de niveaux différents. Leur mandat est toujours fixé par un gestionnaire de haut niveau. La composition de ces équipes se fait par nomination.

La mise en place de ces équipes permettra d'améliorer la qualité des produits et services, la compétence des employés et leur qualité de vie au travail, tout en favorisant une plus grande satisfaction des besoins des clients.

Enfin, l'implantation du modèle de gestion s'appuie sur l'utilisation d'outils techniques et scientifiques de deux catégories : le processus de résolution des problèmes et les outils statistiques.

La Démarche qualité

La *Démarche qualité* se réfère spécifiquement au processus de résolution de problème que comporte le Défi performance. Il s'agit d'une méthode systématique de recherche et de solution de problème, fondée sur la collecte et l'examen des données factuelles.

La Démarche qualité se visualise à la figure 10, illustrant les étapes que doit franchir une équipe d'amélioration de la qualité dans le processus d'amélioration de la qualité des produits ou des services de son unité. Cette figure permet également de communiquer de façon standardisée les progrès de l'équipe d'amélioration aux autres membres de l'unité ou de l'entreprise.

FIGURE 10
La démarche qualité

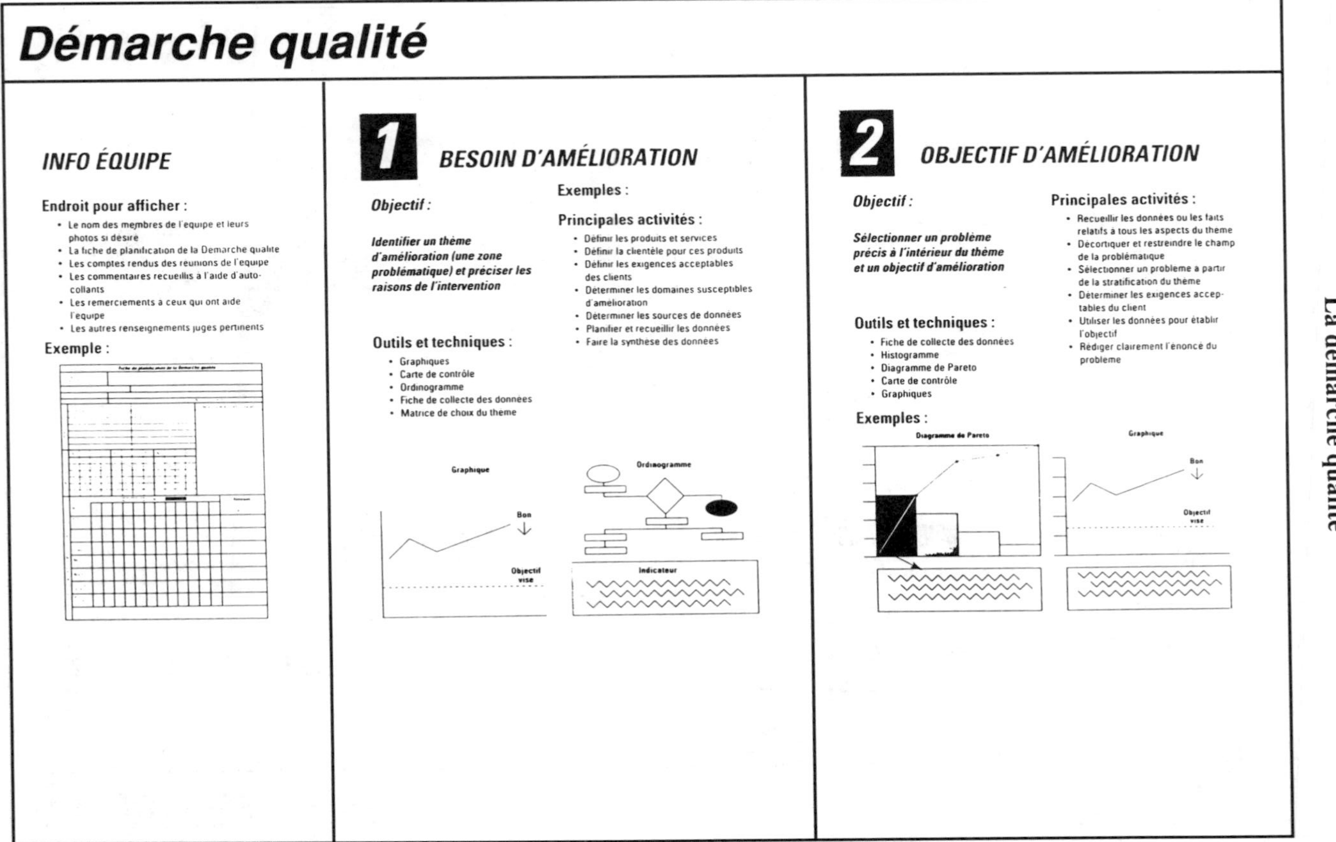

Démarche qualité

CAUSES DU PROBLÈME

Objectif :

Déterminer et valider la ou les causes premières du problème retenu

Principales activités :

- Procéder à l'analyse des causes et des effets du problème
- Poursuivre l'analyse au niveau des causes premières que l'on peut éliminer
- Sélectionner les causes premières dont l'incidence probable sur le problème retenu est la plus grande
- Valider les causes premières à l'aide de données

Outils et techniques :

- Diagramme causes-effets
- Diagramme de Pareto
- Diagramme de corrélation (dispersion)

Exemples :

Analyse des causes et des effets (Diagramme en arête de poisson)

Diagramme de Pareto

Diagramme de dispersion

4 MESURES CORRECTIVES

Objectif :

Sélectionner et expérimenter les mesures correctives qui visent à enrayer la ou les causes premières du problème

Principales activités :

- Élaborer et évaluer les mesures correctives potentielles qui visent les causes premières validées, satisfont les exigences acceptables des clients et se révèlent les plus rentables
- Dresser un plan d'action répondant aux questions : qui, quoi, quand, où et comment, et qui tient compte des facteurs de succès déterminés dans l'analyse des forces et des résistances
- Obtenir le soutien, la collaboration et les approbations nécessaires
- Mettre en application les mesures correctives

Outils et techniques :

- Estimation des coûts
- Matrice des mesures correctives
- Analyse des forces et des résistances
- Plan d'action

Exemples :

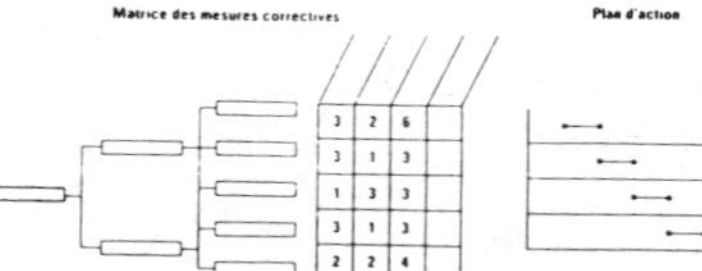

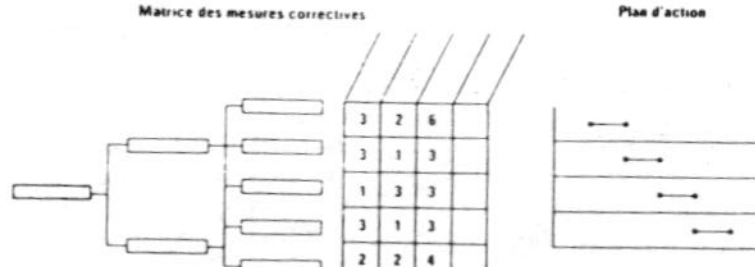

Démarche qualité

5 RÉSULTATS

Objectif :

Évaluer l'efficacité des mesures correctives en mesurant le degré de réalisation de l'objectif d'amélioration

Principales activités :

- Comparer l'état de la situation avant et après l'application des mesures correctives, à l'aide du même indicateur
- Confirmer les effets des mesures correctives, en s'assurant bien que les causes premières ont été neutralisées
- Comparer les résultats obtenus à l'objectif visé
- Mettre en application d'autres mesures correctives si les résultats ne sont pas satisfaisants

Outils et techniques :

- Histogramme
- Diagramme de Pareto
- Graphiques

Exemples :

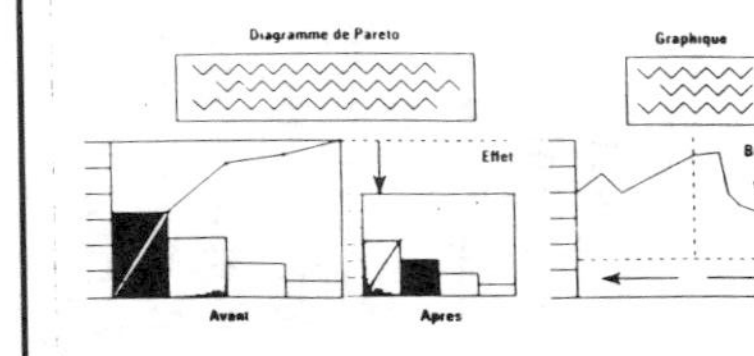

6 STANDARDISATION

Objectif :

Intégrer de façon définitive les mesures correctives au processus de travail

Principales activités :

- S'assurer que les mesures correctives sont intégrées aux méthodes de travail quotidiennes
- Expliquer aux employés la nécessité de modifier le processus de travail
- Former les employés à l'application de nouvelles normes dans leur processus de travail
- Établir des contrôles périodiques et définir les responsabilités de chacun en ce qui a trait au suivi du processus de travail
- Identifier les autres unités de l'entreprise qui pourraient bénéficier de ces travaux en tenant compte des règles de transposition

Outils et techniques :

- Système de contrôle
- Carte de contrôle
- Graphiques
- Méthodes et normes
- Formation

Exemples :

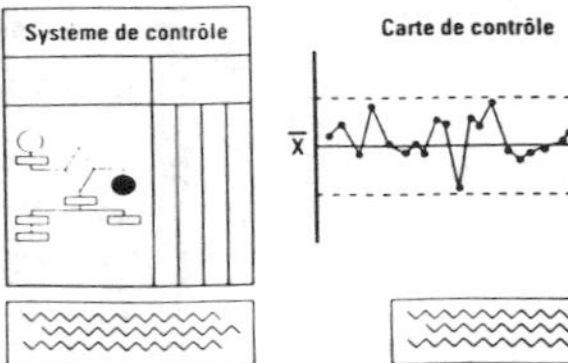

7 BILAN ET PERSPECTIVES

Objectif :

Passer en revue le fonctionnement de l'équipe et le déroulement de la Démarche afin de se pencher sur les questions en suspens et prévoir la Démarche suivante

Principales activités :

- Analyser et évaluer les problèmes non résolus
- Planifier d'autres mesures au besoin
- Passer en revue les leçons tirées de l'expérience en matière de résolution de problèmes et de dynamique de groupe

Outils et techniques :

- Plan d'action
- P F V A

Exemples :

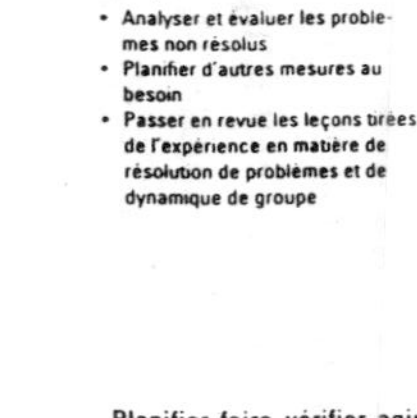

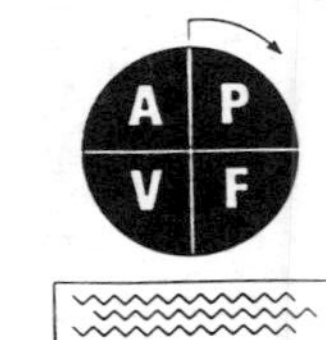

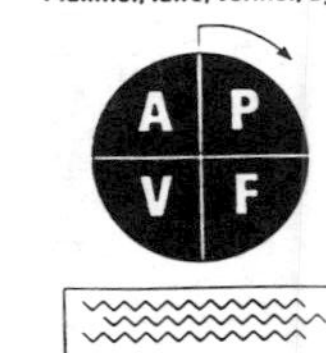

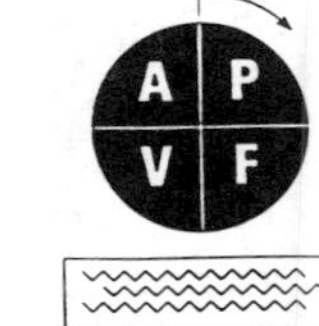
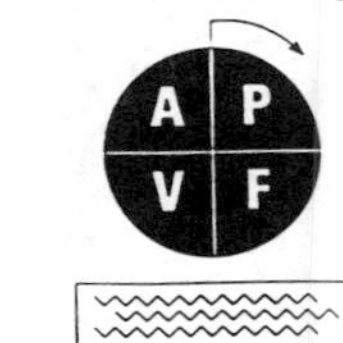
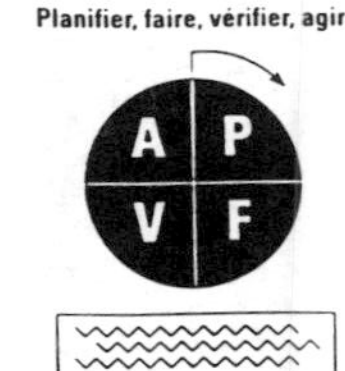

Le processus de résolution des problèmes utilise une application du PFVA en sept étapes :

Planifier correspond aux trois premières étapes, qui sont les suivantes : identifier un thème d'amélioration (une zone problématique) et préciser les raisons de l'intervention ; sélectionner un problème précis à l'intérieur du thème et un objectif d'amélioration ; déterminer et valider la ou les causes premières du problème retenu.

Faire est équivalent à l'étape 4, soit sélectionner et expérimenter les mesures correctives qui visent à enrayer la ou les causes premières du problème.

Vérifier consiste, à l'étape 5, à évaluer l'efficacité des mesures correctives en mesurant le degré de réalisation de l'objectif d'amélioration.

Et enfin, *agir* s'accorde aux deux dernières étapes : intégrer de façon définitive les mesures correctives au processus de travail et passer en revue le fonctionnement de l'équipe et le déroulement de la démarche afin de se pencher sur les questions en suspens et prévoir la démarche suivante.

Essentiellement, la Démarche qualité encadre l'action des équipes d'amélioration de la qualité en permettant à l'équipe de recueillir, d'organiser et d'analyser l'information et de suivre ses progrès dans la résolution de problème.

De plus, la Démarche qualité permet à ceux qui ne sont pas membres de l'équipe de comprendre les problématiques et les objectifs, et d'offrir leur collaboration. Il s'agit également d'un processus qui renforce les quatre principes d'amélioration de la qualité du Défi performance.

Le caractère scientifique de la gestion de la qualité se concrétise non seulement par le processus de résolution des problèmes, mais aussi par le recours systématique à des outils techniques et statistiques de mesure et de vérification.

Les résultats visés

L'ensemble des outils et des actions qui sont prévus dans le modèle de base (le triangle) conduiront à des résultats (les trois cercles) qui se superposent à ce modèle (voir la figure 11).

La gestion des différents axes du modèle, influencée par les principes de la qualité, entraînera chez Hydro-Québec l'optimisation de la planification, du travail, de l'organisation et de la gestion. Il en résultera la maîtrise des processus de travail, la mobilisation des ressources humaines et la satisfaction du client et, du même coup, l'excellence ainsi qu'un accroissement de la productivité et de la profitabilité.

FIGURE 11
Les finalités du Défi performance

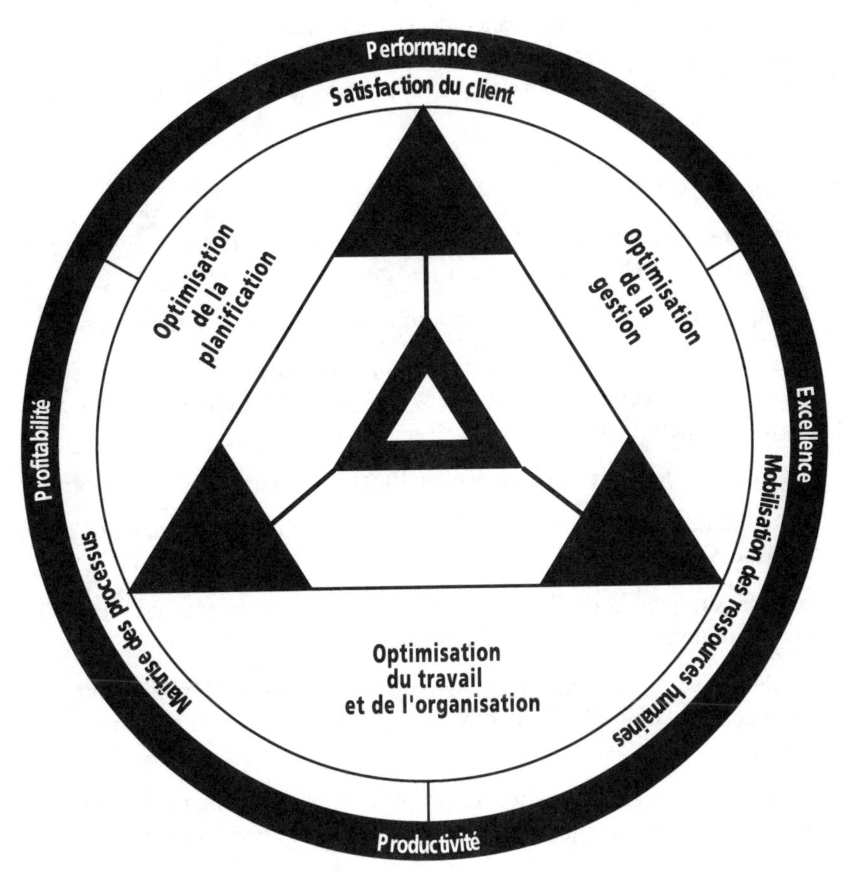

Source : Hydro-Québec.

Enfin, le Défi performance prévoit que les quatre principes de base de la qualité devront modifier la culture de l'organisation en influençant l'environnement organisationnel et le mode de gestion (voir la figure 12).

L'environnement organisationnel sera influencé par la révision des politiques organisationnelles actuelles dans des dossiers prioritaires tels que la structure organisationnelle, les relations de travail, la communication, les systèmes de ressources humaines, le développement des employés, les systèmes d'information. Le mode de gestion de l'entreprise sera influencé par la formation des cadres à de nouvelles pratiques de gestion relatives à la planification, aux processus de travail, à l'assurance de la qualité, aux équipes d'amélioration. L'évolution tant de l'environnement organisationnel que du mode de gestion est le levier permettant de faire passer l'entreprise de la culture actuelle à la culture souhaitée.

L'amorce du changement

La première année a eu pour objectif de *préparer le terrain* et de *mettre en place les éléments essentiels pour amorcer une amélioration continue.*

Hydro-Québec a d'abord introduit la qualité dans ses structures par :

- la création du Comité directeur qualité qui, composé du président du Conseil et chef de la direction, du président et chef de l'exploitation et de leur comité de gestion, gère le projet ;
- la formation de la vice-présidence qualité ;
- la nomination d'un conseiller gestion de la qualité dans chaque région et dans le Groupe équipement ;
- la mise sur pied d'une structure de pilotage dont le rôle est de faciliter l'implantation de la gestion de la qualité.

Par la suite, afin de créer un climat favorable à l'implantation de la gestion de la qualité, diverses activités de formation et d'information ont été organisées :

- formation des cadres supérieurs : les présidents et les membres de la haute direction ont reçu en moyenne vingt jours de formation à la qualité ;
- formation de 78 équipes de pilotage (comités de gestion) ;
- information du personnel au moyen de 300 rencontres ;
- information des syndicats par plusieurs rencontres et signature d'une lettre d'engagement avec le syndicat 2000.

La tenue de 117 séances de mobilisation afin d'encourager les employés à se porter volontaires comme membres d'équipe et la formation de 675 employés, facilitateurs, responsables ou membres des équipes d'amélioration ont permis la création de 42 équipes naturelles, la majorité en région, et d'une équipe de projet. Leur implantation a donné un regain d'énergie dans toute l'entreprise.

À plusieurs égards, la première année a été une année de conception et de mise au point. Il fallait tout apprendre de l'approche qualité. Dans ce but, l'entreprise:

– s'est dotée d'un centre de documentation sur la qualité;

FIGURE 12
Les ingrédients essentiels de la démarche de changement chez Hydro-Québec

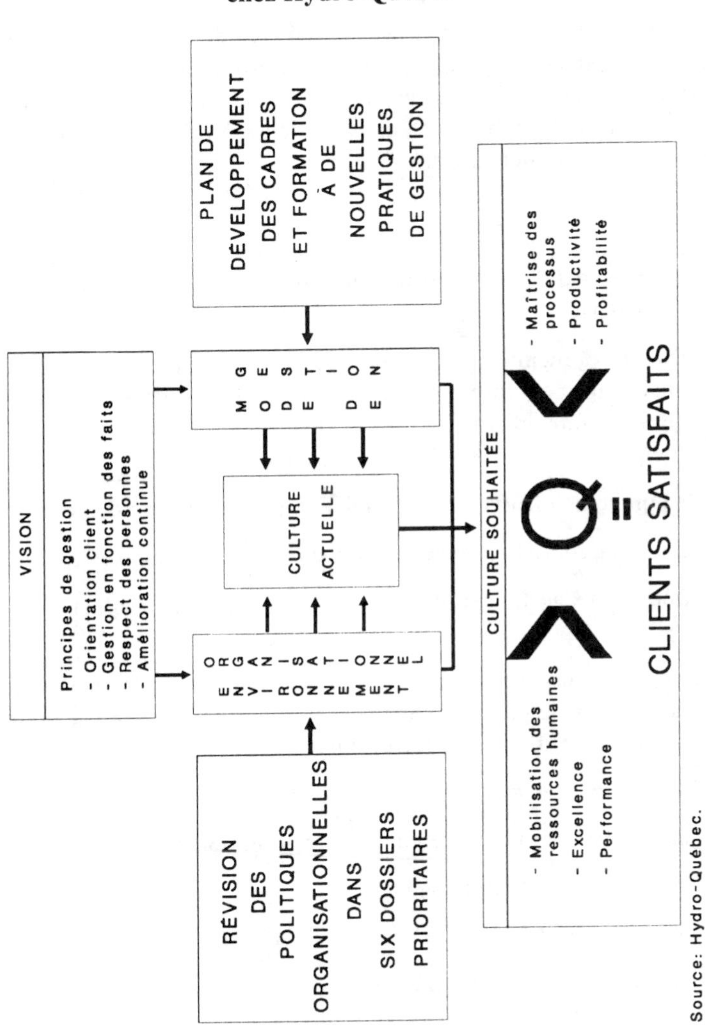

Source: Hydro-Québec.

- a fait appel à des consultants et au savoir-faire d'autres entreprises pour créer ou adapter certains outils stratégiques, dont la Table des tables (tableau servant à compiler, à hiérarchiser et à analyser les besoins des diverses clientèles) ;
- a étudié différents systèmes de reconnaissance des contributions ;
- a analysé plusieurs méthodes utilisées par les entreprises pour comparer leur rendement dans un domaine donné avec les performances de chefs de file dans ce domaine.

Enfin, Hydro-Québec a aussi abordé l'étude de la gestion des cibles d'amélioration. Il a donc fallu expérimenter cette approche de gestion dans des domaines clés comme les ventes, la qualité du service et la sécurité. Les résultats ont été encourageants et, dans plusieurs domaines, on a pu modifier la tendance observée depuis dix ans.

Les étapes ultérieures

L'objectif principal de la deuxième phase sera l'*appropriation* de la démarche par tout le personnel.

Chacun des membres du Comité de gestion de la haute direction devra prendre un engagement formel auprès des présidents et élaborer un plan qualité. Ce plan doit définir précisément les efforts qui seront faits par chaque unité pour participer activement au Défi performance.

De nombreux efforts de communication seront encore déployés afin :

- d'assurer l'appropriation de la démarche par tout le personnel ;
- de permettre aux gestionnaires de mieux comprendre et assumer leur nouveau rôle ;
- de développer des mécanismes de collaboration avec les syndicats et les associations afin de permettre une véritable concertation en vue de satisfaire la clientèle et l'actionnaire d'Hydro-Québec.

On poursuivra le travail par :

- la création de 300 nouvelles équipes d'amélioration ;
- la formation de quinze formateurs ;
- la formation de 170 équipes de pilotage et de 2 000 membres d'équipe ;
- la mise en place d'un système de suivi des activités des équipes et d'un système de reconnaissance des contributions.

Enfin, l'entreprise se penchera sur ses processus de travail et s'assurera, à partir des règles rigoureuses d'assurance de la qualité, que toutes les tâches sont essentielles à la satisfaction des attentes des clients.

La préoccupation majeure de la deuxième phase sera l'implantation du nouveau cadre de planification :

- d'abord, les présidents dirigeront, avec leurs subordonnés immédiats respectifs, la communication de la vision du devenir d'Hydro-Québec en l'an 2000 ;
- ensuite, une première Table des tables sera élaborée, qui permettra de connaître les véritables attentes des diverses clientèles et orientera toutes les activités ;
- l'entreprise poursuivra l'implantation de la gestion des cibles. Ce cadre de planification orientera l'ensemble de ses actions en fonction des Engagements de performance qu'elle doit remettre au gouvernement en 1993.

En conclusion, la présentation détaillée du Défi performance met bien en relief les enjeux majeurs auxquels les entreprises de la taille d'Hydro-Québec doivent faire face pour implanter un tel programme. L'ampleur des transformations requises fait comprendre le pourquoi des deux conditions essentielles à la réussite d'un tel projet, à savoir l'engagement de la haute direction et la participation de tout le personnel.

Références bibliographiques

ANDERSON, D.N. (1991). « A World Class Quality : A Way of Life », présentation faite au Conference Board of Canada le 30 octobre.

ARCHIER, G. et SÉRIEYX, H. (1984). *L'entreprise du 3e type*, Paris, Seuil.

ARCHIER, G. et SÉRIEYX, H. (1986). *Les pilotes du 3e type*, Paris, Seuil.

BECKHARD, R. (1969). *Organization Development : Strategies and Models*, Reading, Addison-Wesley.

BERRY, T.H. (1991). *Managing the Total Quality Transformation*, New York, McGraw-Hill.

BLANCHARD, K. (1991). « Don't Let the Rat Min the Race », présentation au colloque national de l'American Society for Training and Development (ASTD), San Francisco.

« Debate : Does the Baldrige Award Really Work ? », *Harvard Business Review*, vol. 70, n° 1, 1992, pp. 126-147.

DILENSCHNEIDER, R.L. (1991). *A Briefing for Leaders : Communication as the Ultimate Exercise of Power*, New York, Harper Business.

DONAVAN, M. (1988). « Employee Involvement Trends for the Decade Ahead », *Association for Quality and Participation Journal*, Clearwater, Fl., PDS Inc., mars, 7 pages.

FARQUHAR, C.R. et JOHNSTON, C.G. (1990). *Total Quality Management : A Competitive Imperative*, Ottawa, Conference Board of Canada.

HEIL, E. (1991). « How One Manager Spends his Time », *Commitment-Plus*, vol. 6, n° 12, octobre, pp. 1-4.

HUDIBURG, J.J. (1991). *Winning with Quality : The FPL Story*, New York, Quality Ressources.

HUSE, E.F. (1975). *Organization Development and Change*, Boston, West Publishing.

HYDRO-QUÉBEC (1990). « Le Défi performance : une stratégie de changement, une stratégie d'implantation (1991-1996) ». Document inédit de la vice-présidence qualité.

HYDRO-QUÉBEC (1991). « L'énergie du défi. Bilan sommaire de la première année du Défi performance ». Document inédit de la vice-présidence qualité.

IMAI, M. (1989). *Kaizen : la clé de la compétitivité japonaise*, Paris, Eyrolles.

JOHNSTON, C.G. et DANIEL, M.J. (1991). *Customer Satisfaction Through Quality : An International Perspective*, Ottawa, Conference Board of Canada.

JOHNSTON, W.B. (1992). « Global Work Force 2000 : The New World Labor Market », *Going Global : Succeeding in World Markets*, Boston, Harvard Business Review, pp. 35-47.

JURAN, J.M. et GODFREY, A.B. (1990). *Total Quality Management (TQM) : Status in the U.S.*, Wilton, Conn., Juran Institute.

KAPLAN, R. S. et NORTON, D. P. (1992). « The Balanced Scorecard : Measures that Drive Performance », *Harvard Business Review*, vol. 70, n° 1, pp. 71-79.

KELADA, J. (1991). *Comprendre et réaliser la Qualité totale*, Montréal, Éditions Quafec.

KOTTER, J.P. (1990). *A Force for Change : How Leadership Differs from Management*, New York, Free Press.

KOUZES, J.M. et POSER, B.Z. (1987). *The Leadership Challenge : How to Get Extraordinary Things Done in Organizations*, San Francisco, Jossey-Bass.

KUME, H. (1985). *Statistical Methods for Quality Improvement*, Tokyo, Association for Overseas Technical Scholarship (AOTS).

MAIN, J. (1990). « How to Win the Baldrige Award », *Fortune*, 23 avril, pp. 101-116.

MALCOLM BALDRIGE NATIONAL QUALITY AWARD (1991). *Self-Assessment Workshop*, Cincinnati, Association for Quality and Participation.

MERRY, U. et ALLERHAND, M. E. (1977). *Developing Teams and Organizations*, Reading, Addison-Wesley.

MIZUNO, S. (1989). *Company-Wide Total Quality Control*, Tokyo, Asian Productivity Organization.

NAYATANI, Y. (1990). « Conception of Japanese TQC », dans *International Seminar on TQC for Senior Management*, Tokyo, JUSE.

PÉRIGORD, M. (1987). *Réussir la Qualité totale*, Paris, Éditions d'organisation.

SCHAFFER, R. H. et THOMSON, H. A. (1992). « Successful Change Program Begin with Results », *Harvard Business Review*, vol. 70, n° 1, pp. 80-89.

XEROX CANADA (1990). « Qualité : le pont avec nos clients, cinquante et une diapositives ». Document inédit de la vice-présidence qualité.

10

La qualité totale au CN

Jean Pierre LAROCHE

Le contexte du Canadien National (CN)

Le CN est une société d'État canadienne. Depuis sa création en 1922, le CN est une compagnie diversifiée, œuvrant dans de multiples domaines tels que le transport ferroviaire de marchandises et de voyageurs, les communications, l'hôtellerie, la navigation, les messageries, l'immobilier, le gaz et le pétrole, la consultation internationale, etc. Au milieu des années 80 cependant, il se concentra presque exclusivement sur le transport de marchandises, à la suite des décisions gouvernementales de privatiser certains secteurs (hôtellerie, communications, messageries) ou tout simplement de prendre directement le contrôle de certaines activités (navigation et services aux voyageurs).

Cette concentration dans le transport de marchandises se fit à un moment critique pour la compagnie. Depuis la fin de la Seconde Guerre mondiale, les chemins de fer canadiens avaient constamment vu leur part du marché s'effriter au profit des camions. Alors que cette part était d'environ 70 % au début des années 50, elle se situait quelque peu au-dessous de 30 % en 1985. Le nombre et la qualité des routes, ainsi que la capacité de transport des remorques routières, avaient donné au camionnage un avantage structurel marqué en raison de la flexibilité des itinéraires et des horaires. La livraison juste-à-temps, concept importé du Japon, n'avait fait que renforcer l'avance des camions. Était-il possible d'arrêter cette érosion du marché des chemins de fer ? Était-il possible de survivre sans l'arrêter ?

À cette tendance vinrent s'ajouter deux nouvelles législations du gouvernement fédéral. D'abord la déréglementation du transport, introduite le 1er janvier 1987, qui avait pour effet d'augmenter la concurrence en permettant des taux confidentiels et l'accès, pour tout chemin de fer, au réseau de ses concurrents. Puis l'Accord de libre-échange entre le Canada et les États-Unis, dont un des effets éventuels était la modification de l'axe de distribution des ressources naturelles et des produits manufacturés accentuant les échanges nord-sud aux dépens des échanges est-ouest.

La compagnie se trouvait à la croisée des chemins. Son réseau ferroviaire était sous-utilisé : 90 % du trafic des marchandises s'effectuait sur un tiers des voies, 9 % sur le deuxième tiers et 1 % sur le dernier tiers. Le niveau d'endettement était élevé. Les profits, bien que constants, n'atteignaient pas le seuil minimum requis, soit le loyer de l'argent.

En même temps, plusieurs de nos clients commençaient à se montrer plus exigeants quant à la qualité du service. Engagés eux-mêmes dans des expériences de qualité totale, ils élevaient leurs attentes envers leurs fournisseurs.

Que faire ? Un certain nombre de compagnies nord-américaines ayant aussi fait face à des problèmes de survie affirmaient s'en être sorties grâce à la qualité totale.

Au fait, qu'est-ce que la qualité totale ?

Selon une anecdote, le concept de qualité totale aurait vu le jour dans le cadre de la mission MacArthur au Japon après la Seconde Guerre mondiale. À ce moment-là, W.E. Deming donnait des conférences aux industriels japonais sur la façon de gérer une entreprise en se servant d'outils statistiques pour analyser les processus de production. Tout comme aux États-Unis, son message ne passait pas. Un jour, lors d'une conférence à la société *Japanese Union of Scientists and Engineers* (JUSE), un participant se leva pour dire qu'il avait essayé les méthodes de Deming et qu'elles fonctionnaient.

Le résultat : sous l'influence de Kaoru Ishikawa, aujourd'hui très réputé pour ses contributions à la qualité totale, et de la JUSE, de nombreuses entreprises japonaises commencèrent à utiliser les méthodes statistiques de Deming. La qualité de leurs produits s'améliora de façon significative. Dans les années 70, les Japonais commencèrent à s'emparer d'importantes parts du marché dans plusieurs secteurs, dont ceux de l'automobile et de l'électronique. Le reste du monde, particulièrement les Américains, se trouva soudainement devant une nouvelle réalité : les Japonais étaient parvenus à manufacturer des produits de meilleure qualité et à moindre coût. Comment y étaient-ils parvenus ?

Nul doute (du moins dans l'esprit des Japonais eux-mêmes), l'application des outils statistiques de Deming avait porté fruit. À telle enseigne que trois grandes photos ornent aujourd'hui les murs du hall d'entrée du siège social de la multinationale Toyota à Tokyo : celle de l'empereur, celle du président-directeur général et enfin, la plus grande, celle de Deming.

Vers la fin des années 70 et le début des années 80, de nombreuses missions d'industriels nord-américains se rendirent au Japon pour essayer de comprendre le phénomène. On en revint avec toutes sortes d'explications, chacun y allant de sa petite théorie. Pour les uns, la clé du succès nippon tenait aux cercles de qualité ; pour les autres, c'était la sécurité d'emploi, ou le maillage d'entreprises, ou le concept juste-à-temps, ou les vertus du travailleur japonais, ou encore les bas salaires, etc.

Après un peu plus de dix années d'essais d'implantation de la qualité totale dans les entreprises nord-américaines, on comprend un peu mieux ce qu'elle est et ce qu'elle n'est pas. On s'entend pour dire que la qualité totale est d'abord et avant tout une philosophie de gestion d'une entreprise et non une technique ou une recette.

Pour des auteurs comme Michel Périgord (1987), la qualité totale « est un ensemble de principes et de méthodes organisés en stratégie globale, visant à mobiliser toute l'entreprise pour obtenir une meilleure satisfaction du client au moindre coût ». Pour plusieurs entreprises américaines qui ont connu un certain succès dans ce domaine, telles *Xerox* ou Motorola, c'est tout simplement la capacité qu'a une entreprise de répondre aux besoins de ses clients 100 % du temps.

Comment y arrive-t-on ? Par quel chemin ? Par quels moyens ? Chaque entreprise se doit de trouver sa voie. Les Américains parlent de *learning journey with no end*, donc d'un effort d'apprentissage sans fin. Cette expression décrit assez bien la démarche nécessaire pour amener une entreprise à manufacturer des produits ou à fournir des services sans faille.

Quant à nous, il nous semblait qu'il fallait repenser la stratégie de l'entreprise. C'était donc au niveau de la haute direction qu'il fallait débuter.

Le Centre de formation au leadership du CN

À la fin de 1988, 45 cadres supérieurs du CN, dont le président-directeur général, se réunirent pour une session de trois jours afin de discuter de qualité totale avec l'aide d'un spécialiste. À la fin de cet atelier, il fut décidé de tenter des expériences-pilotes à deux endroits différents de notre réseau. Avant de s'engager totalement dans la qualité, nos dirigeants voulaient se familiariser davantage avec les concepts, les outils et les implications d'une telle démarche.

Comme nous étions convaincus que la qualité totale était une façon de penser, nous décidâmes de concentrer nos premiers efforts sur le leadership requis des cadres supérieurs. Un article de J.F. Bolt (1985) marqua tout particulièrement notre réflexion et la démarche qui s'ensuivit. Celui-ci affirmait que la formation des cadres supérieurs pouvait être utilisée pour façonner et implanter la stratégie d'entreprise et réaliser les objectifs en découlant.

Dans un volume publié en 1989, J.F. Bolt explicitait sa pensée en identifiant dix buts qui pouvaient être poursuivis pour la formation des cadres supérieurs :

1) créer une identité organisationnelle ;
2) développer une vision d'entreprise commune ;
3) aider à préciser, à communiquer et à introduire la stratégie globale de l'entreprise ;
4) façonner, modifier et gérer la culture de l'entreprise ;
5) modifier les attitudes, accroître les connaissances et les compétences ;
6) identifier les principaux défis de l'entreprise et s'y attaquer ;
7) améliorer le travail d'équipe et la collaboration entre les divers services ;
8) fournir une occasion de communiquer les défis et les problèmes de l'entreprise ;
9) convaincre la direction supérieure de la nécessité d'une planification plus poussée avant l'action ;
10) améliorer le leadership des participants.

C'est avec ces objectifs en tête que fut mis sur pied le Centre de formation au leadership du CN, un programme de formation fait sur mesure pour 225 cadres supérieurs de l'entreprise.

Dans une première démarche, nous commençâmes par interviewer 60 cadres supérieurs pour mieux connaître leurs perceptions des problèmes et des défis de l'entreprise ainsi que des remèdes à apporter. Leurs réponses sont schématisées au tableau 1.

En gros, les cadres interviewés nous disaient qu'il fallait cesser de se regarder le nombril et se préoccuper davantage du client ; accroître la collaboration entre services et entre niveaux hiérarchiques ; stimuler l'esprit d'innovation et d'entrepreneurship ; faire passer les affaires du CN devant celles des services ; multiplier les communications internes relatives à nos défis, à nos objectifs et à notre stratégie ; évoluer vers des relations de collaboration avec les syndicats de cheminots.

Cinq modules de formation d'une durée d'environ une semaine chacun furent mis sur pied. Par groupes de 25, les 225 cadres supérieurs participèrent aux cinq modules échelonnés sur une période de deux ans.

TABLEAU 1
Changements requis pour assurer le succès du CN

SITUATION PRÉSENTE		SITUMATION DÉSIRÉE
Accent sur l'environnement interne	—>	Accent sur l'environnement externe
Concentration sur l'exploitation des trains	—>	Concentration sur le client et le marché
Identification au service	—>	Identification au CN
Rivalité entre services	—>	Coopération entre services
Attitudes défensives face au changement	—>	Attitudes d'intrapreneurship et d'innovation
Accent sur la spécialité	—>	Accent sur la bonne marche de l'entreprise
Communications fermées	—>	Communications ouvertes
Relations antagonistes avec les syndicats de cheminots	—>	Relations de coopération avec les syndicats de cheminots

L'enseignement était donné par des consultants externes qui avaient dû préalablement passer un certain temps à l'intérieur de l'entreprise pour y puiser du matériel didactique adapté à la situation concrète du CN.

Les grands thèmes abordés au Centre de formation au leadership du CN apparaissent aux tableaux 2 et 3.

TABLEAU 2
Sommaire des modules 1 et 2

- Mission et vision
- Stratégie
- Valeurs d'entreprise
- Accent sur le client
- Gestion financière et générale
- Prise en charge individuelle

TABLEAU 3
Sommaire des modules 3, 4 et 5

MODULE 3	MODULE 4	MODULE 5
– Leadership et vision créatrice	– Gestion d'un réseau	– Leadership en action
– Créativité et innovation	– Qualité totale	– Risques à prendre
– Travail en équipe	– Gestion du changement	– Projets révélateurs
– Prise en charge individuelle	– Intrapreneurship	
	– Prise en charge individuelle	

Suivent quelques exemples de ce qui s'est passé durant et entre les sessions. Au cours du module 1 par exemple, les participants mirent au point la mission, la vision, les valeurs, ainsi que la stratégie de l'entreprise. Les 20 premiers cadres supérieurs en firent une première ébauche, qui fut soumise au groupe suivant de 25 cadres, qui la critiquèrent et l'améliorèrent. Cette deuxième version fut présentée aux trois groupes suivants qui, à leur tour, apportèrent des modifications. Cette troisième version fut revue par les quatre derniers groupes et mena ainsi à un quatrième projet qui, lui, fut envoyé à chacun des 225 participants pour leurs derniers commentaires. La résultante de tout ce cheminement : une mission, une vision, des valeurs et une stratégie d'entreprise comprises et acceptées de tous. Le tableau 4 présente la mission et la vision du CN.

Étant donné que l'enseignement du Centre de formation au leadership du CN mettait énormément l'accent sur la transposition concrète des idées discutées en classe, une majorité de participants mirent sur pied des sessions d'information à l'intention de leurs subordonnés, où étaient présentés la mission et la vision de la compagnie, de même que les principaux défis.

Des clients furent invités à participer au module 2 : soit un client par sous-groupe de huit participants. Pour plusieurs de nos cadres, c'était leur premier contact direct avec un client pour discuter des services du CN. Pour les autres, c'était une occasion de prendre un peu de recul et de voir la relation client-fournisseur dans une perspective plus large que celle des contacts quotidiens. De nombreuses possibilités d'amélioration de la collaboration et de nos services furent identifiées, ce qui mena à divers projets de travail communs par la suite.

Un des concepts présentés au cours du module 2 était la *connaissance du client*. Pour bien servir un client, il faut bien connaître ses besoins. Or, une façon de mieux connaître les besoins d'un client (primaire) est de travailler directement avec les clients (ultimes) de celui-ci. Il est ainsi possible de déterminer avec beaucoup plus de précision comment nous pouvons aider le client primaire à mieux servir le client ultime. Cette approche fit peur à certains. Elle fut par contre expérimentée avec beaucoup de succès par d'autres.

TABLEAU 4
Mission et vision du CN

MISSION

Satisfaire les besoins de transport et de distribution de sa clientèle en assurant le meilleur service en ce qui concerne la ponctualité, la sécurité et l'absence d'avarie.

VISION

Pour réaliser sa mission et réussir en affaires à long terme, le CN se doit d'être :

- près de sa clientèle ;
- premier en matière de service ;
- premier en matière de qualité ;
- premier en matière de sécurité ;
- responsable à l'égard de l'environnement ;
- une entreprise concurrentielle en matière de coûts et financièrement saine ;
- une entreprise où il est stimulant et valorisant de travailler.

Au module 3, il s'agissait d'élaborer une vision créatrice pour le CN du futur. Comme nous l'avons déjà indiqué, l'avenir du transport ferroviaire de marchandises est incertain en Amérique du Nord. Si nous voulons arrêter l'érosion constante de notre part du marché à l'avantage du camionnage, il faudra changer plusieurs de nos façons de faire. Les exercices suscitèrent énormément de créativité chez les participants. Tranquillement se formait l'idée de ce que nous devions faire. Des chefs syndicaux participèrent à ce troisième module. Ils contribuèrent avec dynamisme à produire de nouvelles idées.

Le module 4 fut celui de la qualité totale et de l'intrapreneurship. Les participants expérimentèrent diverses techniques de créativité puis s'appliquèrent à concevoir des idées, des projets et des améliorations possibles. Puis, utilisant une approche suggérée par G. Pinchot (1985), ils planifièrent leur implantation. Le tout était intégré dans un contexte de qualité totale.

Le cinquième module avait pour but de faciliter le passage des concepts à l'action. Les meilleures idées du module 4 avaient été retenues. Utilisant des méthodes de gestion de projet, les participants venaient travailler en groupe au développement et à la réalisation de leurs projets.

La Qualité au travail : stratégie d'entreprise

C'est donc dans le contexte du Centre de formation au leadership du CN que s'est élaborée notre stratégie de qualité totale, démarche que nous avons nommée Qualité au travail.

La figure 1 fait voir les principaux éléments de cette démarche de même que les liens entre la Qualité au travail et la stratégie d'entreprise. Comme l'indiquait le tableau 4 présenté plus tôt, notre mission et notre vision d'entreprise sont au cœur de notre démarche. Ces deux énoncés démontrent clairement la conviction qu'ont nos dirigeants que le succès du CN repose entièrement sur notre capacité de satisfaire les besoins de nos clients. Notre stratégie de Qualité au travail est d'abord et avant tout orientée vers le client.

Ce repositionnement stratégique nous oblige donc à repenser notre façon de mesurer notre rendement. Comme la plupart des compagnies nord-américaines, nous nous sommes limités presque exclusivement, dans le passé, au suivi des budgets et à des mesures concernant l'exploitation de nos trains. Nous sommes maintenant en voie d'élaborer des mesures concernant la satisfaction de la clientèle, la qualité de nos services, le taux d'avarie des marchandises transportées, la sécurité, l'environnement et la participation du personnel.

Comme il est possible de le constater à la lecture de la figure 1, ces nouveaux indicateurs de performance sont directement reliés à notre mission et à notre vision. Des objectifs annuels d'amélioration sont fixés pour chacun d'eux. Les divers services sont responsables d'élaborer des plans d'action permettant la réalisation de ces objectifs.

La figure 1 permet aussi de saisir les liens entre la mission, la vision, le leadership de la haute direction, les indicateurs de la performance de notre entreprise, les principes, les techniques et les outils de qualité, ainsi que les plans stratégiques des divers services. C'est la gestion intégrale de la qualité appliquée à toutes les activités, par tous et de façon continue.

Leadership

La haute direction a vraiment la responsabilité de montrer la direction à suivre et de donner le ton. Elle seule peut le faire. Sans elle, tout effort sérieux de qualité totale est voué à l'échec ou à un demi-succès. Mais la chose exige des changements majeurs dans la façon de penser la gestion de l'entreprise. Le tableau 1 que nous avons présenté plus tôt dans ce texte donne une bonne idée des changements requis au CN. Il est impérieux que les cadres supérieurs en viennent à comprendre et à épouser ces nouvelles orientations culturelles et leurs ramifications concrètes dans le quotidien.

FIGURE 1
La Qualité au travail du CN

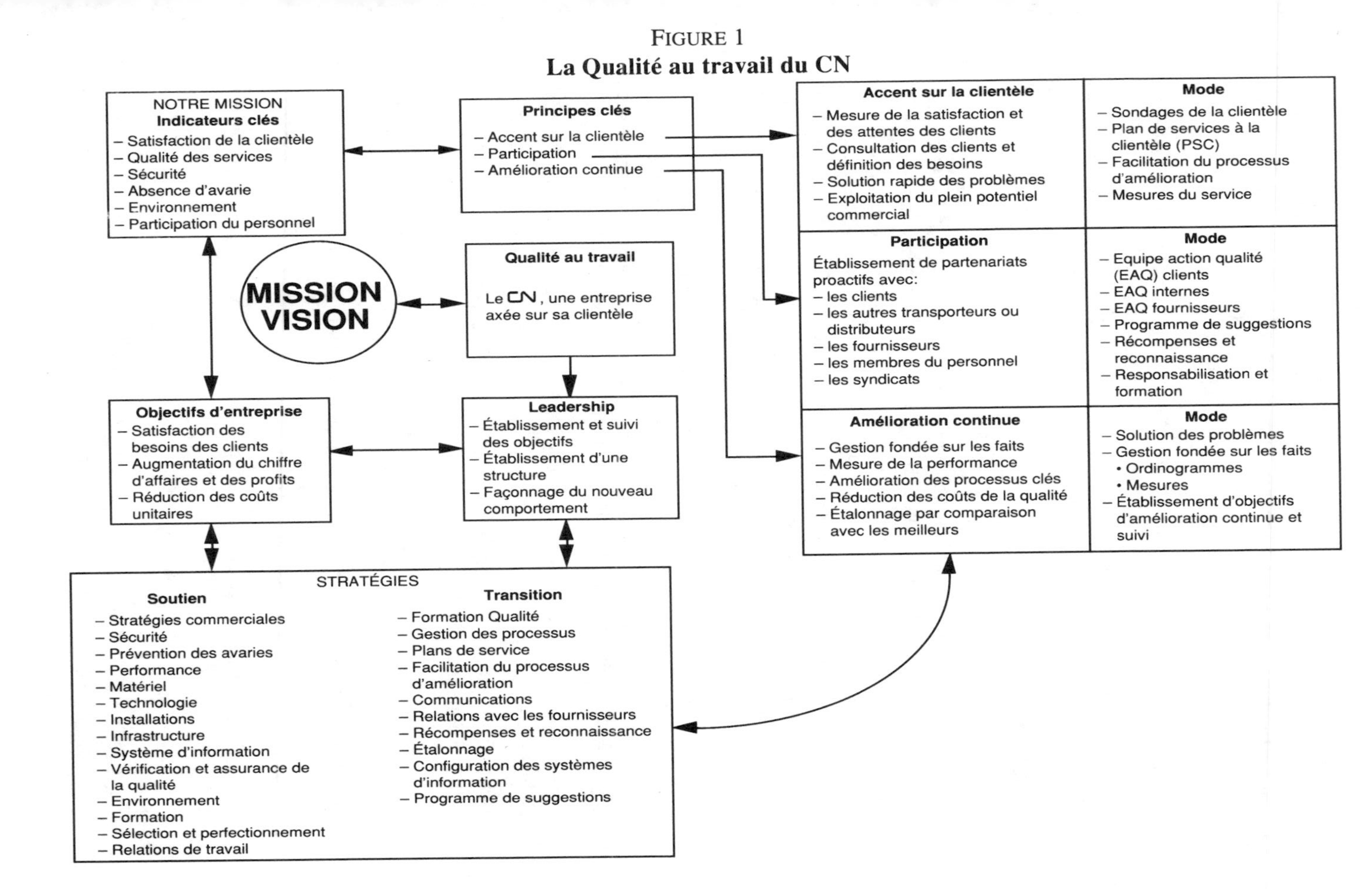

Jack Welch (1989), président-directeur général de la *General Electric*, décrit bien le défi des hauts dirigeants : « En affaires, les bons leaders créent une vision, l'articulent, se l'approprient avec passion et amènent leur entourage à la réaliser. » Il en va de même de la Qualité au travail au CN. Voilà pourquoi nous avons tant investi dans la formation de 225 cadres supérieurs.

Les dirigeants du CN se sont donné trois rôles principaux pour assurer le succès de la stratégie de Qualité au travail : l'établissement d'objectifs et d'une structure de gestion, et le bon exemple.

Objectifs d'entreprise

Comme tous les autres chemins de fer nord-américains, le CN a dû procéder à de nombreux changements technologiques pour faire face à la concurrence des autres modes de transport. La pénétration de nos marchés par le camionnage a amené l'élimination graduelle d'un grand nombre de voies ferrées secondaires. Plusieurs experts prévoient l'élimination presque complète de ces voies au cours des vingt prochaines années, pour faire place à un réseau de voies principales transportant les marchandises sur de très longues distances et alimenté par des services de transports intermodaux.

Ce contexte de rétrécissement a fait que, depuis plusieurs années, les dirigeants du CN ont concentré leur attention presque uniquement sur la réduction des coûts. Il a fallu repenser cette orientation de base et revaloriser l'importance du service à la clientèle et de l'accroissement de notre marché.

Notre stratégie de Qualité au travail s'appuie donc sur trois grands objectifs d'entreprise :

1) améliorer la qualité de nos services afin de conserver nos clients et d'en attirer de nouveaux ;

2) accroître nos revenus et notre part du marché dans un contexte de plus en plus concurrentiel ;

3) réduire nos coûts d'exploitation par l'amélioration continue de nos processus.

Structure de gestion

La culture traditionnelle du CN se prêtait bien à une certaine décentralisation des responsabilités. Conséquemment, nous avons décidé, très tôt dans notre démarche, que la responsabilité de la mise en œuvre de la Qualité au travail relevait de chaque vice-présidence régionale ou de fonction et que chacune devait s'entourer d'un comité de direction dont le rôle serait :

1) de mettre en place un plan annuel de mise en œuvre de la Qualité au travail et d'en assurer le suivi ;
2) de créer des équipes qualité, d'en assurer le suivi et d'approuver leurs recommandations ;
3) d'affecter les ressources ;
4) de valoriser publiquement le processus de Qualité au travail.

Un comité directeur général veille à la coordination des efforts pour toute l'entreprise. Son rôle est le même que celui décrit ci-dessus, sauf que son champ d'application est le CN dans son ensemble.

Un comité consultatif, composé de spécialistes en qualité représentant les diverses unités, joue les rôles suivants :

1) recommander et appuyer des plans d'action et participer à leur mise en œuvre ;
2) encourager toutes les initiatives valorisant la Qualité au travail et assurer de l'aide ;
3) partager toute information utile quant à la mise en œuvre du processus ;
4) faire preuve de leadership pour valoriser la mise en œuvre de la Qualité au travail.

Le bon exemple

La culture traditionnelle du CN a été fortement influencée par des méthodes de gestion datant du début du XXe siècle. Non pas que le CN n'ait pas évolué, mais, comme tous les autres chemins de fer en Amérique du Nord, les règlements d'exploitation des trains, la ligne de conduite en matière de discipline du personnel et, jusqu'à récemment, la réglementation des tarifs ont eu et ont encore aujourd'hui une influence profonde sur la gestion de l'entreprise. Nous avons aussi mentionné plus tôt l'accent mis sur la réduction des coûts.

Il fallait, dorénavant, s'orienter vers le client. Pour que cela se fasse, un engagement sans équivoque de la direction générale était requis. En période de changement, les employés de la base ont besoin de recevoir des signaux clairs leur indiquant la nouvelle route à suivre. Les cadres supérieurs sont un peu comme des phares en mer. L'adoption par l'un d'eux d'un nouveau rôle peut avoir un magnétisme considérable. En revanche, une décision ou un geste inspiré de la vieille école de pensée, et en contradiction avec la nouvelle, peut saboter d'un seul coup plusieurs mois de travail.

Nous avons fait plusieurs suggestions à nos cadres supérieurs pour leur permettre de démontrer leur appui à la Qualité au travail :

1) accorder la priorité aux sujets reliés au service et à la qualité lors de leurs réunions ;

2) participer aux sessions de formation sur la qualité ;

3) agir à titre d'instructeur lorsque leurs subalternes suivent une formation en Qualité au travail ;

4) attirer constamment l'attention de leurs collègues et de leurs subordonnés sur les principaux aspects de la stratégie de la Qualité au travail ;

5) encourager collègues et subordonnés à utiliser les principaux outils de la qualité totale ;

6) s'engager personnellement dans des équipes d'action qualité ;

7) modifier les politiques qui ne cadrent pas avec les principes de la Qualité au travail ;

8) s'engager régulièrement dans des démarches de rétroaction avec leurs collègues et leurs subordonnés sur l'à-propos de leur soutien.

Principes de base de la Qualité au travail

Les nombreuses discussions qui eurent lieu au Centre de formation au leadership du CN nous ont amenés à définir la qualité comme la nécessité de fournir, aux clients externes et internes, des services qui répondent constamment à leurs exigences.

La capacité de fournir un service de qualité repose sur trois grands piliers :

– l'accent sur la clientèle,

– la participation des partenaires,

– l'amélioration continue.

Ces trois éléments doivent venir en tête des préoccupations de la direction supérieure et guider chacun des gestes des membres du personnel.

Bien que la qualité totale ait engendré son propre cortège de techniques et d'outils, nous pensons qu'elle est d'abord et avant tout une façon de penser la gestion d'une entreprise. C'est une philosophie d'action qui se doit d'imprégner toutes les stratégies, décisions et activités du CN. Elle requiert des changements de valeurs, en particulier en ce qui a trait aux trois principes cités plus haut.

L'accent sur le client suppose qu'on souscrive entièrement au principe que la raison d'être du CN est de satisfaire sa clientèle. Un tel énoncé peut paraître simpliste. Mais faire en sorte qu'il devienne réalité représente des efforts considérables et sans fin. Les sessions du Centre de formation au leadership du CN nous ont permis de réaliser à quel point les préoccupations de l'interne prennent souvent le pas sur celles de l'externe ; que les guerres de clocher nous mènent souvent à négliger le client ; que nos mesures de performance étaient exclusivement centrées sur des aspects internes, etc. C'est à toutes ces manifestations qu'il faut s'attaquer.

Le second aspect de notre changement de valeurs concerne les partenaires : les employés, les syndicats de cheminots, les clients et les fournisseurs. Il s'agit essentiellement de coopération. Comment maximiser la synergie de tous ces intervenants pour être en mesure de fournir un service de qualité ?

De nombreuses croyances bien ancrées dans notre façon de penser la gestion doivent céder la place à des convictions nouvelles, comme l'illustre le tableau 5.

Partenariat et coopération constituent la pierre angulaire de toute stratégie de qualité totale. Ils supposent des changements d'attitude, à la fois profonds et subtils, de la part des dirigeants. Ces derniers sont d'ailleurs les seuls à pouvoir amorcer et assurer une telle transition.

Mais il n'est pas facile pour un cadre nord-américain de saisir véritablement toute la portée de cette nouvelle valeur. M. Keller (1990) nous fournit un bon exemple de cette difficulté dans son volume intitulé *Rude Awakening : The Rise, Fall and Struggle for Recovery of General Motors*. Au début des années 80, alors qu'il cherchait à comprendre comment les fabricants japonais s'y étaient pris pour produire des autos de meilleure qualité et à un moindre coût que leurs concurrents américains, le président-directeur général de *General Motors*, Roger Smith, eut l'idée de négocier une entreprise à risques partagés avec Toyota. L'idée était simple : amener Toyota à gérer une usine aux États-Unis afin de voir si les méthodes japonaises étaient importables ; et, si elles l'étaient, de les copier.

TABLEAU 5
Le partenariat

CROYANCES TRADITIONNELLES
- Les employés ne sont pas payés pour penser, mais pour travailler.
- Les relations patronales-ouvrières sont de par leur nature antagonistes.
- Clients et fournisseurs n'ont rien à voir avec la capacité de notre compagnie de fournir de bons services.
- Etc.

CONVICTIONS NOUVELLES
- Il est essentiel de se prévaloir des idées et des initiatives des employés si nous voulons vraiment améliorer notre service.
- Il faut rechercher la collaboration des syndicats pour atteindre les objectifs de l'entreprise.
- Il est indispensable d'engager les clients systématiquement dans la définition de leurs besoins et la solution des problèmes.
- Nous devons travailler avec nos fournisseurs pour les aider à relever la qualité de leurs produits et services.

L'usine de Fremont, en Californie, qui avait été fermée quelques années auparavant en raison de difficultés patronales-ouvrières, fut choisie comme site d'expérimentation. Le projet fut appelé NUMNI et sa gestion fut confiée aux gens de Toyota. La main-d'œuvre était composée en grande partie du personnel américain de l'ancienne usine qui avait été fermée.

L'expérience s'avéra un succès dès le début. Convaincue que la clé de la supériorité de Toyota se situait au niveau de la technologie, la direction de *General Motors* envoya de nombreuses missions à Fremont pour y découvrir le secret des Japonais. Mais, comme le dit si bien Maryann Keller, les visites d'usine, les enregistrements sur bande vidéo et l'étude des manuels de procédures sont des méthodes d'observation assez peu appropriées quand l'essentiel de la différence se situe au niveau des relations humaines.

En fait, la technologie de production utilisée à Fremont était plutôt ancienne. Le secret de Toyota était simple : traiter les employés avec respect, les encourager à penser de façon autonome, leur permettre de prendre des décisions pour améliorer les processus de travail et leur faire savoir qu'ils contribuaient à un projet collectif. Ces choses-là se filment difficilement.

L'entêtement de *General Motors* à rechercher une recette technologique dura plusieurs années.

L'exemple de NUMNI démontre à quel point il peut être difficile pour un Nord-Américain, éduqué selon les principes de l'individualisme, de saisir vraiment l'importance et la signification véritable de relations basées sur la coopération.

Encore là, le Centre de formation au leadership du CN a joué un grand rôle pour favoriser une évolution des mentalités. Malgré de nombreuses et heureuses initiatives prises par les 225 cadres supérieurs — qui témoignent clairement d'une progression dans la direction désirée —, nous n'oserions pas affirmer, au moment d'écrire ces lignes, que la transformation est complète et sans équivoque. L'apprentissage sera long et la route semée d'embûches. Cependant, nous pouvons affirmer que s'est développée au CN une conviction nette que les ressources humaines constituent notre seul véritable avantage concurrentiel si nous savons nous en servir. Toutes les autres ressources peuvent être achetées et, pour cette raison, on ne peut compter sur elles comme source de supériorité. Notre habileté à surpasser nos concurrents viendra de la capacité qu'auront les employés, de divers niveaux et de divers services, de travailler ensemble à mettre en place des stratégies appropriées et de les exécuter, en collaboration avec nos clients et nos fournisseurs. Il s'agit là d'une stratégie d'intégration totale.

La troisième sphère où un changement fondamental des valeurs est requis touche l'amélioration continue des processus. À compter du moment où une personne joint les rangs d'une compagnie, elle commence un cheminement qui l'amène à intérioriser graduellement ses politiques, ses façons de faire, ses usages et sa culture. Conséquemment, elle en vient à tenir pour acquis et à accepter plusieurs systèmes dysfonctionnels, selon D.R. McCamus (1991), président du conseil de *Xerox Canada*.

Une des façons d'amener les gens à changer leurs façons de faire est de mesurer ce qui se passe vraiment et de rendre ces mesures visibles pour le plus grand nombre. La qualité totale repose en bonne partie sur un penchant à tout mesurer afin de mieux guider les efforts d'amélioration. Il y a plusieurs années de cela, Albert Duquesne, dans sa chronique radiophonique à Radio-Canada, répétait : « Le civisme est une foule de petites choses. » Il en va de même pour la qualité : c'est une foule de petits détails auxquels il faut apporter une attention méticuleuse afin d'en assurer un déroulement adéquat. Seul l'exécutant lui-même peut assurer ce niveau d'attention en se mesurant continuellement et en faisant toute action requise quand ses extrants ne sont pas ce qu'ils devraient être. Conséquemment, chaque exécutant doit apprendre à maîtriser les principaux outils de la qualité, soit la statistique et les techniques de résolution de problème, en plus d'être formé pour son travail.

Là encore, il s'agit d'un changement majeur quant à la façon de penser la gestion et la supervision. C'est l'approche des petits pas, appliquée de façon constante et continue par tous les intervenants.

La Qualité au travail : mise en œuvre

Le Centre de formation au leadership du CN a joué un rôle de catalyseur en ce qui a trait à notre stratégie de qualité totale. Voyons maintenant comment nous assurons sa réalisation.

Accent sur la clientèle

Une entreprise de transport ferroviaire de marchandises est une entreprise de service dont les clients viennent en grande partie des secteurs primaires et secondaires. Pour la plupart, ils sont, comme nous, en train de découvrir l'importance de la qualité totale. Souvent le défi est de les amener à accorder autant d'attention aux processus qui sous-tendent la distribution de leurs produits qu'ils en accordent à la production.

Notre défi consiste à les amener à travailler avec nous pour améliorer la qualité des processus de part et d'autre.

Mais avant d'en arriver là, il nous faut mettre de l'ordre dans notre propre maison, d'où l'importance que nous attachons au concept de client interne. Si nous voulons que nos serre-freins puissent être en mesure d'assurer l'aiguillage du bon wagon, au moment opportun chez nos clients, cela suppose au préalable l'exécution impeccable d'une multitude de tâches par de nombreux employés de divers services. Il en va de même pour nos commis à la facturation : leur capacité de produire une facture sans erreur repose sur la qualité de l'information entrée dans nos systèmes par d'autres employés.

Pour arriver à fournir un service de qualité au client ultime, soit le client commercial, il faut donc que chaque employé considère comme un client le destinataire de ses extrants, qui s'en sert pour exécuter sa tâche.

Ce concept de client interne exige des relations professionnelles tout à fait différentes de celles qui ont existé dans le passé. Alors que ces relations étaient basées en grande partie sur l'autorité hiérarchique, elles doivent dorénavant être guidées surtout par la nécessité de satisfaire les besoins des clients internes et externes. Alors qu'elles étaient dictées par le groupe d'appartenance et l'esprit de clocher, ces relations doivent maintenant favoriser le travail d'équipe souvent multidisciplinaire.

La figure 2 illustre cette nouvelle forme de relations.

FIGURE 2
Comparaison entre les relations professionnelles passées et actuelles au CN

LE VIEUX CN	LE NOUVEAU CN
Style : contrôle	**Style :** soutien mutuel
Stratégie organisationnelle : guerres de clocher	**Stratégie organisationnelle :** travail d'équipe
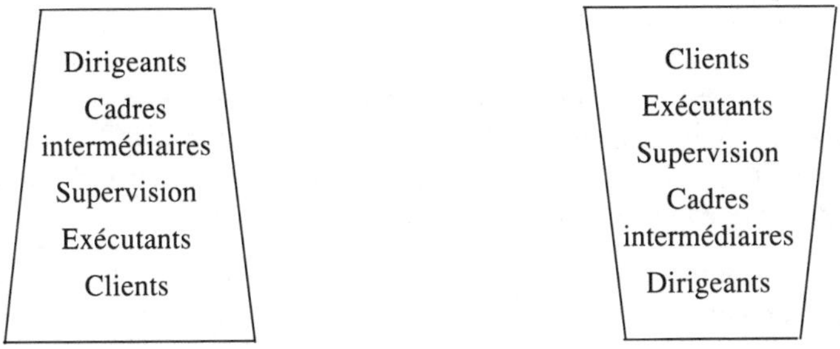 Dirigeants	Clients
Cadres intermédiaires	Exécutants
Supervision	Supervision
Exécutants	Cadres intermédiaires
Clients	Dirigeants

Source : modèle inspiré de la compagnie *Xerox*.

La figure 2 fait ressortir clairement que le rôle de la structure hiérarchique est d'aider la base à donner un meilleur service aux clients. L'autorité ne vient plus du niveau hiérarchique, mais de la nécessité de servir le client.

Une telle transformation de nos valeurs et de nos usages est indispensable. Nos clients qui, eux aussi, se sont engagés dans des démarches de qualité tiennent cette nouvelle philosophie pour acquise chez leurs fournisseurs. Plus ils avancent dans leur propre démarche, plus ils deviennent exigeants. Et nos concurrents ne sont pas sans le savoir. Tous les grands réseaux ferroviaires nord-américains sont maintenant engagés sur la voie de la qualité. Le même phénomène se manifeste chez les camionneurs. Certains, tels *Federal Express* aux États-Unis et Reimer Express au Canada, sont reconnus comme des chefs de file dans le domaine.

Cinq démarches ont été entreprises pour assurer un plus grand accent sur le client.

La mesure des attentes et de la satisfaction de la clientèle

Comme beaucoup d'autres compagnies, le CN n'a jamais, par le passé, mesuré de façon systématique les attentes et la satisfaction des clients quant à ses services. C'est quelque chose que nous allons maintenant faire régulièrement. Les points à améliorer seront notés et les divers services se verront confier la responsabilité d'apporter les correctifs nécessaires.

Les plans de services à la clientèle

Bien s'entendre avec un client au sujet des services qu'il doit recevoir constitue la pierre angulaire d'un service de qualité. Dans les domaines du transport et de la distribution du fret, trop d'aspects du service à fournir ne font pas l'objet d'ententes claires. Conséquemment, le client n'est jamais vraiment satisfait ou encore ne sait pas s'il l'est.

Nous avons donc conçu un outil que nous avons nommé Plan de services à la clientèle, grâce auquel des équipes multidisciplinaire du CN rencontrent leurs homologues chez le client. Ensemble, ils revoient en détail tout le processus à suivre dans la prestation des services. Les exigences, qu'elles soient explicites ou implicites, sont définies de telle sorte que tous les intervenants, chez le client, sachent à quoi s'attendre, et que chacun, au CN, ait une idée précise de notre engagement.

Ces rencontres sont aussi une excellente occasion pour nos représentants de mieux connaître le client et d'offrir de nouveaux services.

Les clients du client

Comme nous le mentionnions précédemment, une approche que nous utilisons avec de plus en plus de succès consiste à rencontrer les clients de nos clients et à analyser leurs besoins, afin de mieux les comprendre. De telles études permettent souvent d'apporter des solutions importantes aux problèmes d'approvisionnement des uns et des autres, qui se traduisent par des améliorations de productivité, des réductions de coût et un service de transport plus approprié pour toutes les parties concernées.

Résolution des problèmes de service

Dans le monde du transport, il y a constamment des écarts entre le service négocié et le service offert. Les besoins des clients changent continuellement ; il en va de même de notre capacité d'offrir les services promis. Quand de tels problèmes se manifestent, il est important que les employés du CN réagissent rapidement et apportent des correctifs à long terme plutôt que des palliatifs.

Dans le passé, nos employés n'avaient ni la compétence ni l'autorité requises pour corriger ou améliorer des processus de travail formels. Comme dans toutes les entreprises, ils pouvaient apporter des solutions ponctuelles ou atténuer les effets négatifs d'un système déficient par l'application de solutions *ad hoc*. Par contre, ils n'avaient pas, ou alors peu, la possibilité de modifier le processus formel. C'était là la tâche du personnel de supervision ou des spécialistes en génie industriel.

Dans un régime de qualité totale, c'est cette capacité que nous voulons donner à tous les employés. Quand un problème est identifié, nous voulons que les exécutants concernés se réunissent, s'entendent sur la difficulté à résoudre, ses causes probables et les correctifs à apporter. Pour ce faire, il est prévu que tous les employés suivront des cours en résolution de problème et en amélioration des processus de travail. C'est là un effort de plusieurs années. Entre-temps, nous allons former tout spécialement des facilitateurs qui sauront animer des réunions entre clients et représentants du CN dont l'objectif sera de convenir rapidement des améliorations à apporter.

Ces facilitateurs deviendront en fait des experts dans les techniques de base de la qualité, et aideront aussi les nouvelles équipes de qualité à passer de la théorie à la pratique.

Exploitation du potentiel commercial

Qu'il s'agisse de nouvelles affaires ou même de marchés perdus ou vulnérables, toute situation doit être envisagée comme une occasion d'apprendre et de promouvoir nos services.

Là aussi nous comptons sur tous nos employés, sur notre programme de suggestions, sur les équipes de qualité, pour être mis au courant de ces occasions et pour prendre les mesures nécessaires. Il sera aussi très important de bien mesurer l'impact de ces interventions afin de guider nos efforts.

Participation des partenaires

Au CN, nos principaux partenaires sont les clients, les autres transporteurs et distributeurs, les fournisseurs, les employés et les syndicats.

Les clients

Nous avons déjà traité des clients dans les sections précédentes. Il nous reste simplement à insister ici sur le fait que nous essayons d'encourager le plus possible la formation d'équipes de qualité avec eux.

Les autres transporteurs et distributeurs

Un chemin de fer dispose d'un réseau de voies ferrées bien délimité. Les besoins de distribution des clients, par contre, sont rarement limités au réseau du transporteur ferroviaire. Le client veut un service « porte à porte », satisfaisant certaines caractéristiques quant aux coûts de transport, aux délais de livraison, à l'absence d'avarie, etc. Si ces exigences sont satisfaites, peu lui importe que ses marchandises soient transportées par un ou plusieurs transporteurs. Il revient au fournisseur principal de prendre les dispositions nécessaires avec les autres distributeurs.

Évidemment, dispenser un service de qualité supérieure et à un moindre coût devient un défi considérable quand il s'agit d'un effort collectif. Si les relations antagonistes et les querelles de clocher sont présentes à l'intérieur d'une seule organisation, il est facile d'imaginer ce qui peut se passer quand plusieurs compagnies sont en cause.

Là encore, nous entendons appliquer de façon systématique les concepts et les techniques de la qualité. Nous favorisons de plus en plus la création d'alliances stratégiques avec d'autres transporteurs. Des équipes de qualité multiemployeurs sont utilisées pour rendre compatibles les divers processus de travail.

Les fournisseurs

Selon plusieurs experts, le coût de la non-qualité pourrait atteindre jusqu'à 40 % des revenus dans une entreprise de service. Au CN, où nous avons des revenus annuels d'environ 3,5 milliards de dollars, cela équivaut donc à 1,4 milliard de dollars. De ce coût, on dit aussi que 40 % environ pourraient être attribués à des produits et services de piètre qualité achetés de fournisseurs. Pour cette raison, les relations avec nos fournisseurs doivent être, elles aussi, axées sur l'amélioration de la qualité.

En coopération avec l'Association des chemins de fer américains (AAR), nous avons commencé à fixer à nos fournisseurs des normes de qualité qu'ils doivent respecter. Nous allons aussi travailler avec nos fournisseurs de la même façon que nous le faisons avec nos clients pour les aider à améliorer leur qualité.

Les syndicats

Selon les gestionnaires japonais, l'intégration totale des syndicats à l'effort de qualité est nécessaire à son succès. Et, bien que leur présence en sol nord-américain date à peine de dix ans, les Japonais ont réussi à mettre en place un tel type de coopération dans plusieurs usines nord-américaines.

Pour nous Canadiens, il s'agit là d'un véritable changement de paradigme, tant pour les dirigeants que pour les chefs syndicaux. Toute notre histoire parle de conflits et d'intérêts incompatibles. En 1990, le Congrès du travail du Canada a pris position au sujet de la qualité, décourageant ses membres de toute coopération avec les entreprises. Cet énoncé de politique va rendre improbable à court terme toute entente formelle avec nos syndicats de cheminots.

Nous sommes conscients cependant que la direction peut faire beaucoup pour améliorer le climat patronal-ouvrier, en commençant par encourager les employés à participer davantage à l'amélioration de nos services. Nous avons aussi décidé de profiter de toutes les occasions possibles pour permettre aux chefs syndicaux de se familiariser avec notre stratégie, en les invitant à participer :

- à des sessions d'information sur les défis de la compagnie ;
- à des rencontres d'information sur la Qualité au travail ;
- à des cours de formation sur la qualité ;
- à des visites chez des clients ;
- à des équipes de qualité.

Le personnel

Le partenariat avec les clients, les autres transporteurs, les fournisseurs et les syndicats est un élément essentiel de toute stratégie de qualité totale. Cependant, il est impossible à réaliser sans la participation véritable du personnel et sa prise en charge du processus d'amélioration de la qualité.

Notre stratégie de participation du personnel a été grandement influencée par l'approche des projets révélateurs décrite par R. H. Schaffer (1988) dans son volume *The Breakthrough Strategy*.

Selon Schaffer, il est important de viser des résultats tangibles dès le début du processus d'amélioration. Il propose donc de choisir des projets :

1) ayant une grande importance pour l'unité ou la compagnie ;
2) présentant une très grande probabilité de succès ;
3) réalisables à l'intérieur de quelques semaines (en les divisant en sous-projets au besoin) ;
4) dont les résultats sont mesurables ou quantifiables ;
5) dont les participants sont intéressés et capables d'en assurer la réussite ;
6) dont les buts sont atteignables dans les limites des budgets et de l'autorité des participants.

C'est en conformité avec ces critères que le comité de direction a pris un certain nombre de décisions qui ont influencé notre démarche jusqu'à ce jour :

- l'amélioration des processus de travail s'applique à toutes les activités de la compagnie ;
- chaque vice-présidence est responsable de la mise en œuvre de la Qualité au travail dans son unité ;

- la formation aux techniques de qualité ne sera donnée qu'aux employés faisant partie d'une équipe d'action qualité travaillant à un projet d'amélioration;
- la formation à la qualité sera donnée le plus possible par les chefs hiérarchiques eux-mêmes.

La mise en marche de la Qualité au travail dans les services s'est donc faite grâce à des réunions de lancement où, à l'aide de techniques de remue-méninges, des projets d'amélioration sont identifiés.

Les projets qui répondent aux critères mentionnés plus haut sont retenus. Les participants sont choisis en fonction de la contribution qu'ils peuvent apporter. Ils sont formés et ils s'attaquent au problème avec l'aide d'un facilitateur. Les progrès des équipes de qualité sont suivis par les comités de direction des diverses unités.

Nous sommes aussi en train de revoir notre programme de suggestions pour l'intégrer à notre démarche de qualité. Alors que l'ancien programme favorisait les suggestions d'ordre technologique et mécanique, le nouveau encouragera davantage les suggestions concernant l'amélioration des processus de travail. Comme l'expérience l'a démontré dans d'autres compagnies, nous espérons que le nombre de suggestions augmentera considérablement. Celles-ci constitueront une excellente source d'idées et un moyen privilégié de participation.

Les témoignages de nos employés sont clairs: la meilleure forme de reconnaissance, le plus bel encouragement qu'on puisse leur donner, c'est d'implanter les idées qu'ils mettent de l'avant pour améliorer leurs processus de travail, et cela le plus rapidement possible, au vu et au su de tous.

Nous avons de plus mis en place diverses activités pour susciter et soutenir l'intérêt de tous. Depuis 1986, nous communiquons de façon systématique les résultats financiers de l'entreprise, ses défis, ses objectifs. Chaque année, le président-directeur général et les principaux vice-présidents font le tour du pays pour expliquer la situation du CN. On y présente aussi notre mission, notre vision et nos valeurs d'entreprise. Des vidéocassettes de ces présentations sont produites afin d'atteindre les employés dans tous les coins de notre réseau. Des rencontres spéciales ont été organisées à l'intention des dirigeants syndicaux. De nombreux articles sur le sujet paraissent dans nos publications internes.

Tous nos programmes de formation, qu'ils soient de nature technique, professionnelle ou gestionnaire, ont été revus pour s'assurer qu'ils respectaient bien la nouvelle orientation du CN.

L'amélioration continue

La participation des employés à l'amélioration de nos services à la clientèle mène tout naturellement au cycle d'amélioration continue suggéré par W.E. Deming : planifier, dispenser, contrôler, ajuster (PDCA) (voir la figure 3) et recommencer. La répétition continue des quatre étapes de ce cycle entraîne une spirale d'améliorations qui accroissent la satisfaction des clients, à un coût toujours moindre (Deming, 1988). L'outil de base qui alimente le fonctionnement de ce cycle, un peu comme l'essence pour un moteur, c'est la statistique.

FIGURE 3
La spirale PDCA

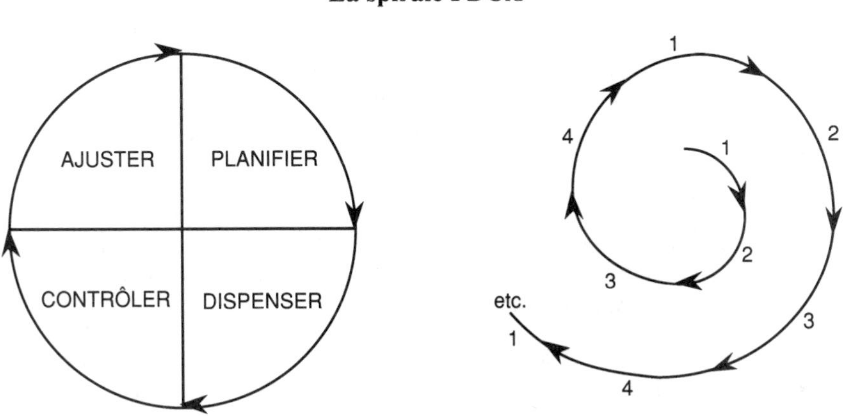

Gérer en se fondant sur les faits

Un des grands objectifs de la qualité totale est d'augmenter de façon considérable le nombre de décisions prises en se fondant sur les faits. À partir des faits, il devient possible de mieux saisir la réalité qu'on veut améliorer. Confrontés à des faits bien observés et mesurés, les gens sont moins portés à défendre des opinions divergentes et à se quereller. Enfin, il est aussi plus facile de se fixer des objectifs réalistes de changement et d'en assurer le suivi lorsque les faits sont là pour nous guider.

Notre stratégie de Qualité au travail vise donc l'instauration d'une nouvelle culture, à la grandeur du CN, où mesure et statistique deviendront des outils courants entre les mains de tous nos employés. Les techniques enseignées sont celles que l'on retrouve dans la majorité des entreprises engagées dans une démarche semblable, soit :

- ordinogramme des processus ;
- diagramme causes-effets ;

– exploration des causes possibles (les cinq pourquoi);

– tableau de données;

– diagramme de Pareto;

– graphique à barres;

– chronogramme;

– histogramme;

– graphique de contrôle;

– résolution de problème en groupe.

Ces techniques sont décrites en appendice.

L'institutionnalisation de ces outils se fait d'abord par la formation en classe, mais surtout, ensuite, par leur application systématique à l'amélioration quotidienne des processus de travail, et cela dans tous nos services.

La gestion des processus clés de travail

Comment amener les employés à faire continuellement des suggestions pour améliorer leur travail? Comment s'assurer que la majorité de ces suggestions corresponde aux besoins du CN?

Un des moyens utilisés par beaucoup d'entreprises ayant connu du succès dans la qualité totale est la gestion des processus clés. Reimer Express, par exemple, concentre l'essentiel de ses efforts sur deux processus clés, soit la circulation des marchandises et la circulation des fonds, chacun d'eux étant une structure séquentielle divisée en sous-processus. Chaque sous-processus a été mis en ordinogramme et mesuré. Des objectifs annuels d'amélioration sont fixés pour chacun. On invite les employés à faire des suggestions d'amélioration et à participer à des équipes de qualité. L'évaluation du rendement des cadres et la partie variable de leur rémunération sont basées sur les améliorations effectives apportées au fonctionnement de leur processus d'appartenance. Le recrutement, la sélection et la formation du personnel sont tous axés sur le bon fonctionnement de ces processus.

Au CN, nous avons commencé à identifier ces processus clés. Notre but est ensuite de les mesurer et de nous en servir pour guider nos efforts d'amélioration continue.

Le coût de la qualité

Une des objections les plus fréquentes faites envers la qualité totale par les non-avertis a trait à l'énormité des coûts requis pour fabriquer des produits sans faille ou offrir un service impeccable. Cela n'est pas surprenant, car, dans la tradition nord-américaine, un produit de grande qualité implique de nombreux inspecteurs de qualité qui rejettent pour leur défectuosité un pourcentage élevé d'unités produites.

La trouvaille des Japonais a été de démontrer qu'on pouvait atteindre des niveaux de qualité incomparables en amenant les exécutants eux-mêmes à prévenir les défectuosités par l'amélioration de leur processus de travail. Ce faisant, l'expérience a prouvé que non seulement on pouvait réduire les reprises et les rejets, mais qu'on aboutissait généralement à des processus plus simples et plus courts, et par conséquent moins coûteux. Ce qui a amené des experts comme P.B. Crosby (1986) à clamer que «la qualité, c'est gratuit».

C'est cette expression de Crosby qui a amené les praticiens de la qualité totale à parler du coût de la qualité au lieu du coût de la non-qualité, comme la logique l'aurait voulu. Cette non-qualité se manifestant généralement sous les formes suivantes: rebuts, gaspillage, duplication, activités inutiles, complexité indue, reprises, retards, etc. Comme nous le mentionnions plus tôt, on estime généralement que dans une entreprise de service le coût de la non-qualité peut atteindre jusqu'à 40 % des revenus.

Le coût de la qualité rattaché à chacun des processus clés est une autre façon d'attirer l'attention des gestionnaires et des exécutants et de guider leurs efforts d'amélioration. Nous allons donc évaluer ces coûts et nous en servir pour établir des objectifs d'amélioration annuels.

L'étalonnage

L'étalonnage est un terme qui décrit une nouvelle technique de gestion utilisée par les entreprises pour assurer la compétitivité de leurs produits ou services. Selon D.T. Kearns, ancien président-directeur général de *Xerox,* cité par R.C. Camp (1989):

> C'est un processus par lequel une entreprise compare de façon continuelle ses produits, ses services et ses pratiques à ceux des autres compagnies reconnues comme les meilleures au monde, dans un domaine particulier (p. 10).

Un tel processus de comparaison est très utile pour aider les dirigeants à évaluer la capacité des divers processus de l'entreprise et pour les stimuler à faire mieux. C'est une approche que nous avons beaucoup utilisée au CN au cours des dernières années, et nous comptons continuer de le faire au cours des prochaines années.

Les mesures de performance d'entreprise

Au fur et à mesure que nous avançons sur le chemin de la qualité totale, nous réalisons de plus en plus que nos statistiques financières ne suffisent plus pour mesurer notre performance globale; des mesures de la satisfaction de nos clients et de la qualité de nos services sont désormais requises.

Il appartient donc à la direction de fixer les objectifs d'entreprise et de déterminer les mesures de performance globale qui nous guideront dans nos efforts.

Processus de déploiement

Comme nous l'avons mentionné plus tôt, la Qualité au travail est d'abord une façon de penser la conduite d'une entreprise ; elle doit en imprégner toutes les activités. Et chacun a sa part à accomplir.

Voici le rôle des divers niveaux hiérarchiques (voir la figure 4) :

1) Rôle de la haute direction

- Définir la mission et la vision.
- Fixer les objectifs.
- Établir la stratégie.
- Choisir les indicateurs de performance d'entreprise.
- Exiger des plans d'action des niveaux inférieurs.
- Assurer le suivi de l'amélioration.

2) Rôle des services

- Mettre les stratégies au point.
- Élaborer les indicateurs de performance et les communiquer.
- Gérer l'amélioration des processus clés.
- Comparer la qualité de fonctionnement de leurs processus avec ceux des meilleures entreprises.
- Mettre en place de nouveaux systèmes et de nouvelles technologies.
- Mesurer l'amélioration.

3) Rôle des exécutants

- Gérer les contacts avec les clients.
- Fournir le service.
- Améliorer la qualité de nos services de façon continue.

FIGURE 4
Processus de déploiement

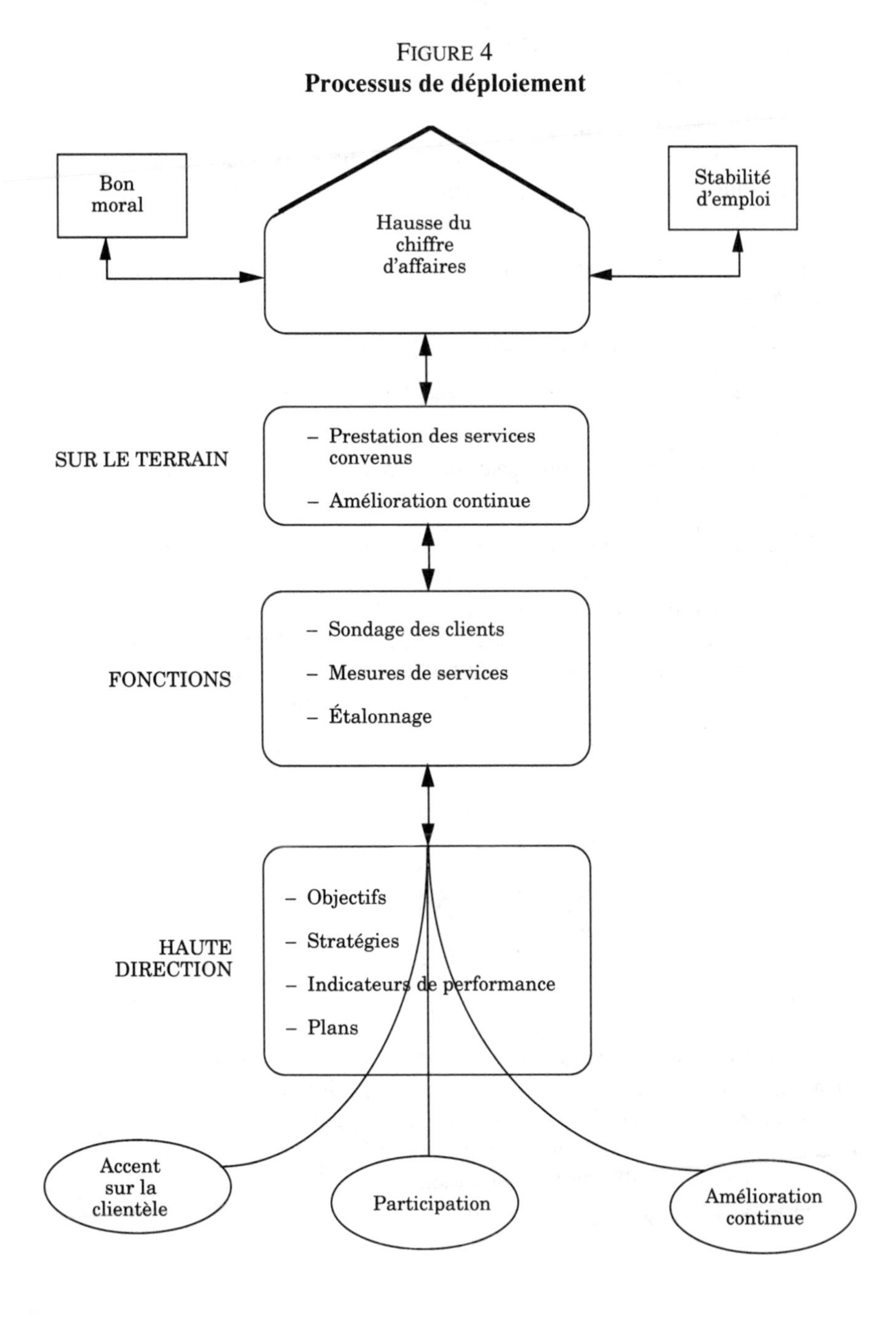

Appendice : Outils de la Qualité au travail

L'*ordinogramme* représente visuellement, à l'aide de diverses formes géométriques, la séquence des tâches et des décisions constituant le déroulement complet d'un processus de travail. La mise en ordinogramme a plusieurs usages. Elle permet :

- d'identifier les variations existant entre ce qui se passe réellement et ce qui devrait se passer ;
- de faire ressortir les étapes inutiles ou manquantes ;
- d'identifier les connexions défectueuses entre les diverses étapes du processus ;
- d'enseigner comment un processus doit être accompli et comment il est relié à d'autres.

Le *diagramme causes-effets*, aussi nommé diagramme en arêtes de poisson par suite de son aspect, ou diagramme Ishikawa du nom de son inventeur, a pour but d'identifier de façon systématique les causes d'un problème en les reliant à certaines catégories. Cette catégorisation inclut généralement la main-d'œuvre, le matériel, les machines ou l'équipement, les méthodes de travail et, s'il y a lieu, le milieu, l'aspect financier et la direction. (Voir la figure 5.)

FIGURE 5
Le diagramme causes-effets

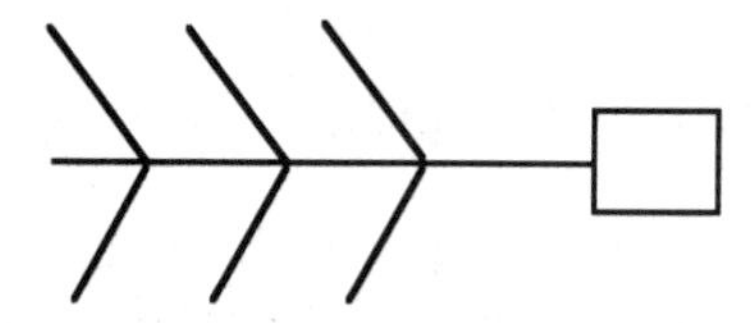

Les techniques de remue-méninges et de causes-effets sont utilisées pour identifier les causes d'un problème à partir de l'information et de l'expérience des participants. Il est facile de prendre un symptôme pour une cause. Par les *cinq pourquoi*, c'est-à-dire en répétant jusqu'à cinq fois la question « Qu'est-ce qui est la cause de telle ou telle situation ? », on s'assure d'aller au fond des choses et d'identifier la cause réelle d'un problème. (Voir la figure 6.)

FIGURE 6
Les cinq pourquoi

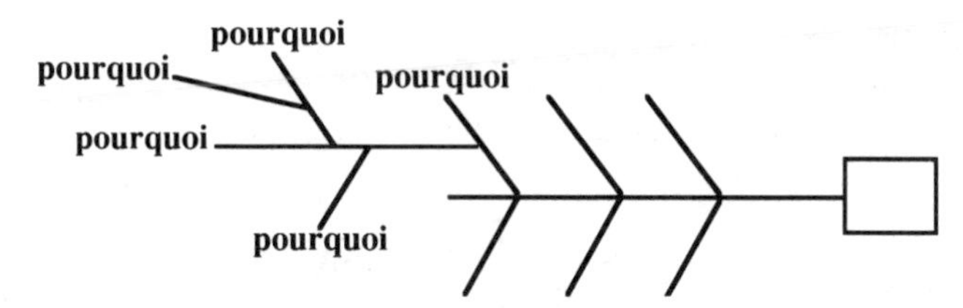

Le *tableau de données* est l'outil statistique de base pour amasser et classifier de l'information quantitative. (Voir la figure 7.)

FIGURE 7
Le tableau de données

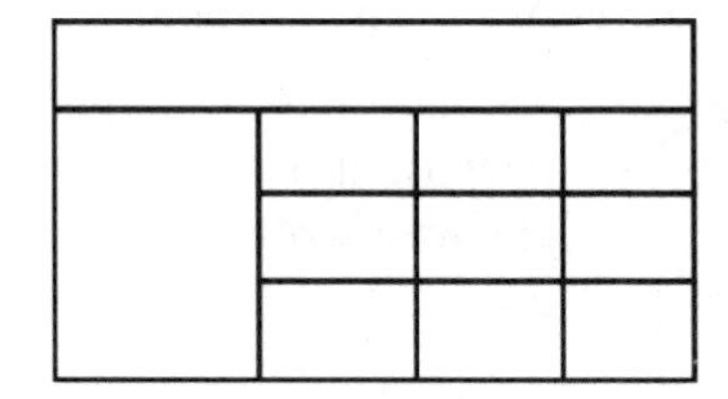

Pareto avait étudié la distribution de la richesse en Italie au siècle dernier. Il avait constaté que 80 % de la richesse étaient entre les mains de 20 % de la population. On a retrouvé ce rapport 80/20 dans de nombreuses situations depuis.

Le *diagramme de Pareto* (voir la figure 8) est utilisé pour faire ressortir de façon quantitative les causes les plus importantes d'un phénomène et aussi pour concentrer les efforts d'amélioration sur les choses qui comptent.

FIGURE 8
Le diagramme de Pareto

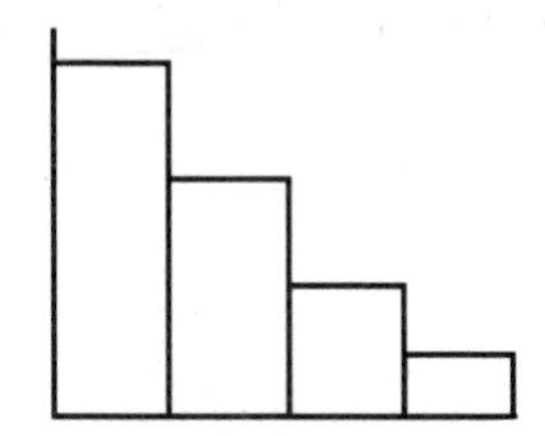

Le *graphique à barres* sert à représenter la fréquence, la grandeur ou l'importance de divers aspects d'un phénomène. (Voir la figure 9.)

FIGURE 9
Le graphique à barres

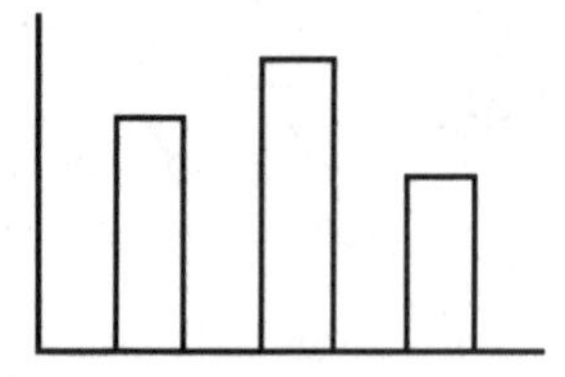

Le *chronogramme* est l'illustration graphique de l'évolution d'une ou de plusieurs observations dans le temps. (Voir la figure 10.) Une notion importante de la qualité totale est le contrôle et la réduction des variations. Cette technique permet de faire le suivi des efforts d'amélioration.

FIGURE 10
Le chronogramme

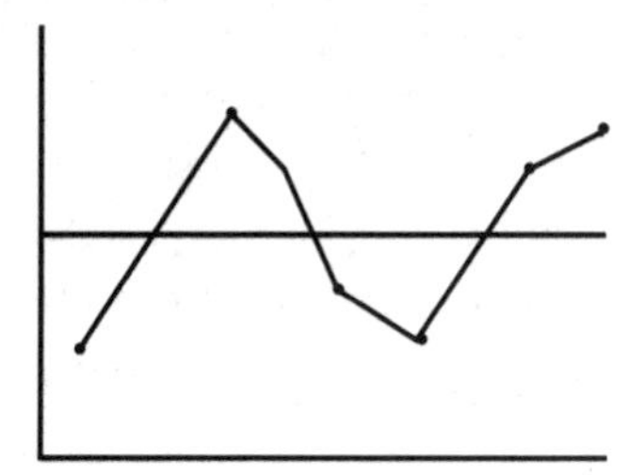

L'*histogramme* s'apparente au graphique à barres. Alors que ce dernier mesure des catégories nominales, l'histogramme est basé sur des mesures d'intervalle. Il permet de visualiser la distribution des fréquences d'un phénomène et par conséquent d'établir l'amplitude de sa variation. (Voir la figure 11.)

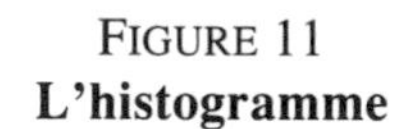

FIGURE 11
L'histogramme

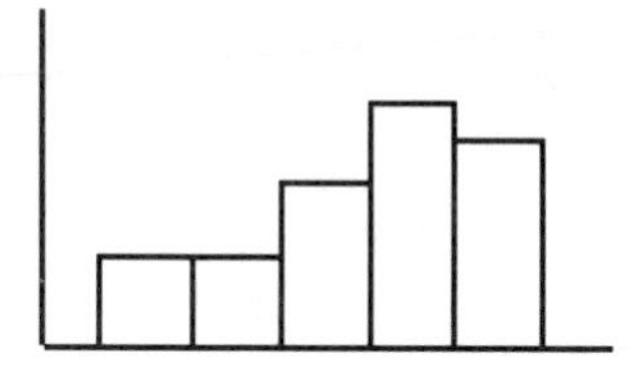

Le *graphique de contrôle* est un chronogramme pour lequel on a déterminé une valeur limite supérieure et une valeur limite inférieure, qui servent à indiquer l'étendue de la variation qui est inhérente au processus. Quand les mesures prélevées se situent à l'intérieur de ces limites, on dit que le processus de travail est contrôlé ; si une ou plusieurs des mesures se situent à l'extérieur des limites, on dit du processus qu'il est hors contrôle. (Voir la figure 12.)

FIGURE 12
Le graphique de contrôle

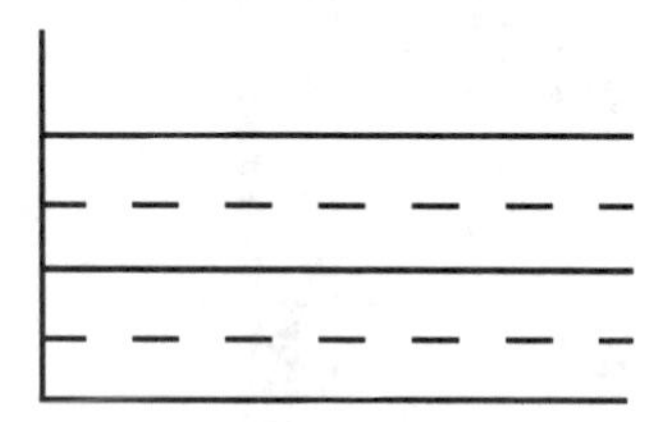

Le graphique de contrôle sert à déterminer le type d'intervention requise pour améliorer le processus. Pour améliorer un processus contrôlé, il faut modifier le processus lui-même ; pour améliorer un processus hors contrôle, il faut identifier et prévenir les causes spécifiques des variations hors limites.

Dans un contexte culturel de qualité totale, la majorité des efforts d'amélioration des processus de travail se font en petits groupes. Il est donc essentiel de former les gens à travailler en groupe et à résoudre les problèmes auxquels ils font face. Notre modèle de *résolution de problème en groupe* comporte six volets : la définition du problème, la recherche des causes premières, l'élaboration des solutions, la planification de l'implantation des solutions, le contrôle et l'évaluation (voir la figure 13).

FIGURE 13

La résolution de problème en groupe

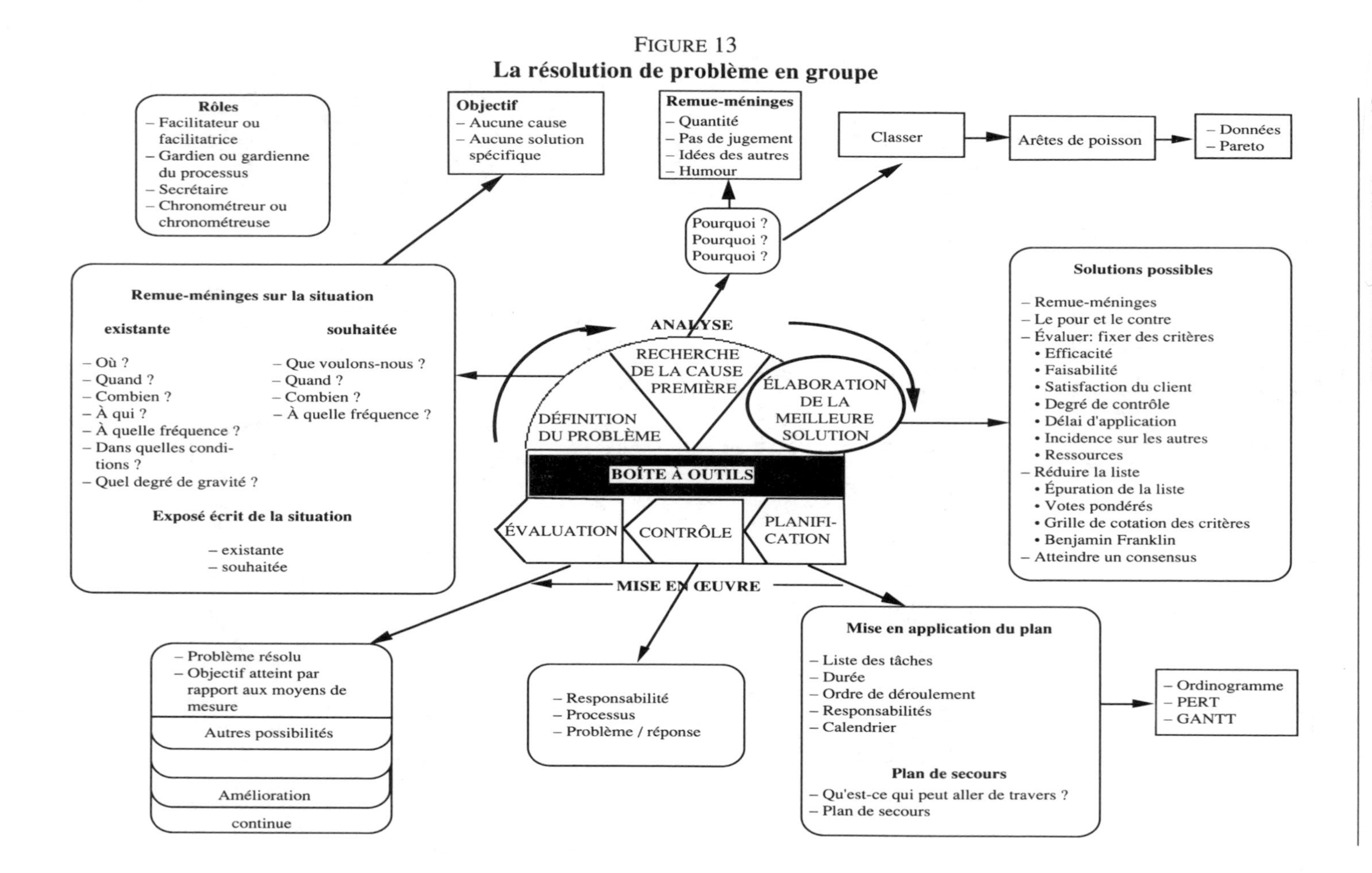

Références bibliographiques

BOLT, J.F. (1985). «Tailor Executive Development to Strategy», *Harvard Business Review*, novembre-décembre, pp. 168-176.

BOLT, J.F. (1989). *Executive Development: A Strategy for Corporate Competitiveness*, New York, Harper & Row.

CAMP, Robert C. (1989). *Benchmarking*, Milwaukee, ASQC Quality Press.

CROSBY, P.B. (1986). *La qualité, c'est gratuit: l'art et la manière d'obtenir la qualité*, Paris, Economica.

DEMING, W. Edwards (1988). *Qualité: la révolution du management*, Paris, Economica. Traduction de l'américain et adaptation pour l'édition française par Jean-Marie Gogue.

KELLER, Maryann (1990). *Rude Awakening: The Rise, Fall and Struggle for Recovery of General Motors*, New York, Harper Perennial.

MCCAMUS, David R. (1991). «A Vision for Quality», *Canadian Business Review*, été.

PÉRIGORD, Michel (1987). *Réussir la qualité totale*, Paris, Les éditions d'organisation.

PINCHOT, G. (1985). *Intrapreneuring*, New York, Harper & Row.

SCHAFFER, Robert H. (1988). *The Breakthrough Strategy*, Cambridge, Ballinger Publishing Co.

WELCH, Jack (1989). «Speed, Simplicity, Self-Confidence», *Harvard Business Review*, septembre-octobre, pp. 112-120.

11

La médiation interpersonnelle

André Carrière

Lorsqu'il se produit entre deux collègues des dissensions d'une telle ampleur que chacun en vient à considérer l'autre comme un adversaire personnel, comme un obstacle à ses objectifs, comme une menace contre son bien-être, bref quand deux individus se trouvent aux prises avec un sérieux conflit, on peut imaginer divers scénarios pour la suite des événements.

Une des possibilités est que l'affrontement entre les deux s'intensifie sur plusieurs fronts et se poursuive jusqu'à ce que le plus puissant des deux ou le plus adroit réussisse à force de pression à affaiblir ou à neutraliser son opposant, qui ne peut que baisser pavillon et panser ses blessures. C'est la classique lutte de pouvoir; on la considère souvent comme une situation gagnant-perdant, quoique, compte tenu des coûts et des conséquences qu'elle entraîne, on pourrait tout aussi bien n'y trouver que des perdants.

Les deux protagonistes pourraient aussi soumettre de gré ou de force leur différend au jugement d'une autorité extérieure, qui décidera lequel des deux a raison et lequel est dans l'erreur. Cette décision pourrait provenir de leur patron, d'un juge ou d'un arbitre, ou encore de leur groupe d'appartenance, qui tranchera en faveur de la position défendue par l'un ou l'autre. Ce recours a pour effet de les délester de leur pouvoir de décision dans une matière dont ils sont les premiers responsables. C'est un mode plus civilisé que le recours à la force brute, mais, tout comme le précédent, il laisse, au plan relationnel, un terrain propice à une insatisfaction persistante.

On pourrait aussi faire intervenir dans la situation des modifications de structure qui vont annuler, à toutes fins utiles, la nécessité de communication ultérieure entre les parties du conflit : démission, congédiement, déménagement, mutation, restructuration, création de postes, etc. On réussit ainsi à éliminer le conflit, faute d'arène, mais on ne réussit pas aussi facilement à éteindre les émotions et le sentiment d'échec qui s'y rattachent.

Enfin, une autre option est de ne rien faire et de souhaiter que le temps en vienne graduellement à atténuer et à dissiper le conflit, ce qui est toujours une possibilité, l'autre étant que la relation conflictuelle en vienne plutôt à s'encrasser, à s'institutionnaliser pour ainsi dire, continuant ainsi à polluer le climat des groupes dont font partie les protagonistes. Le prix à payer alors se mesurera en comportements défensifs, en stratégies de compétition, en communications évitées ou biaisées et en sabotages plus ou moins subtils.

Ces options diverses sont coûteuses en temps, en énergie et en stress, mais nous apparaissent souvent comme les seules possibilités. Pourtant, nous savons bien que nous avons toujours à notre disposition une cinquième option, qui est celle de la discussion franche et ouverte et de la négociation raisonnable entre adultes. S'installer l'un en face de l'autre, prendre le temps de se comprendre mutuellement et élaborer une entente qui tient compte des intérêts des personnes concernées, bien sûr que c'est là la voie la plus sage et la plus recommandable. Mais l'obstacle majeur c'est que, pour être en mesure de vraiment collaborer l'un avec l'autre à trouver une solution à leur problème commun, des opposants doivent se faire mutuellement confiance, et la confiance réciproque est justement un élément qui leur fait défaut depuis qu'ils sont en conflit; autrement dit, pour arriver à bien dénouer leur conflit, il leur faudrait ne pas être en conflit!

Tenter de régler à l'amiable un conflit à forte teneur émotive n'est pas une tâche impossible, mais cela reste, malgré la bonne volonté que l'on peut montrer de part et d'autre, une entreprise fragile et hasardeuse. Une fois que les gestes d'ouverture de l'un auront été interprétés comme des pièges par l'autre, une fois que les concessions proposées par l'un auront été classées comme une reconnaissance de ses torts, une fois que les démonstrations les plus rationnelles de l'un auront été écartées sans appel par l'autre, on peut comprendre qu'ils deviennent tentés de recourir aux autres options mentionnées précédemment.

Ils sont les victimes les plus éprouvées par cette situation conflictuelle, mais, en même temps, se sentent impuissants pour sortir eux-mêmes de l'impasse; ils en ont les ressources, pour ce qui est de la compétence et de l'information, mais c'est comme si d'une certaine façon ils en avaient perdu le mode d'emploi.

Dans ce contexte, l'intervention d'un médiateur ou d'une médiatrice prend tout son sens; compte tenu des résistances à la concertation qu'engendre leur méfiance réciproque, les protagonistes pourront bénéficier de l'apport d'une tierce partie, qui leur procurera les conditions dont ils ont besoin, mais qu'ils peuvent difficilement se donner eux-mêmes. Dans cette perspective, la médiation ne constitue pas une sixième voie, elle correspond plutôt à une façon de rendre la cinquième option — celle où les protagonistes prennent en main le règlement de leur différend — plus viable.

Le médiateur ne vient pas trancher en faveur de l'un ou de l'autre, il ne vient pas leur dicter les termes d'un accord, il vient leur prêter main-forte pour qu'ils y parviennent eux-mêmes.

Notion de médiation

Dans son sens le plus large, on pourrait dire que la médiation correspond à un type d'aide de la part d'une tierce partie en vue de favoriser un accord. Pour nous permettre une identification et une analyse plus approfondie de la nature de cette aide, nous aurons besoin d'une définition plus précise ; considérons donc la médiation comme un *processus d'intervention entre deux parties adverses de la part d'un intermédiaire neutre qui les aide à développer un terrain d'entente satisfaisant.* Clarifions maintenant les diverses composantes de cette définition.

Processus d'intervention...

Comme toute intervention, la médiation correspond à une démarche active de la part d'un intervenant qui, provenant de l'extérieur du système, vient exercer une influence sur ce système ; elle comprend une séquence organisée de gestes posés par lui en vue d'atteindre le but visé, qui est en l'occurrence l'obtention d'un accord.

... entre deux parties adverses...

Les parties qu'on dit adverses sont habituellement dans une impasse et aux prises avec un problème qu'elles considèrent comme complexe. Leur situation de conflit peut reposer sur des divergences au plan des objectifs ou des intérêts ou venir de positions respectives, qui se sont avérées incompatibles et irréconciliables. Les deux parties peuvent être en compétition pour l'utilisation de certaines ressources ou pour l'usage de certaines prérogatives, ou encore une des parties peut, en voulant réaliser ses objectifs, bloquer l'autre dans l'atteinte des siens ou s'ingérer dans ses plates-bandes. Une relation conflictuelle peut aussi s'être développée à partir d'attentes que l'un entretient et auxquelles l'autre ne répond pas au niveau de leurs rôles respectifs.

Habituellement associée à une intervention de médiation, il y a donc une situation de désaccord, d'opposition ou de mésentente sur des points précis ; il existe, dans le territoire partagé par les parties, un problème non résolu, pour lequel aucune solution simple n'apparaît possible et dont la non-résolution maintient les protagonistes en état d'antagonisme.

La plupart du temps, l'antagonisme n'est pas limité aux positions prises de part et d'autre et il aura, avec le temps et avec l'investissement de chacun pour défendre sa position, débordé au niveau de leur expérience socio-émotive, jusqu'à perturber leur capacité de maintenir une relation fonctionnelle de collaboration. Ainsi, leurs sentiments d'animosité pourront également être alimentés par les interprétations différentes données aux événements qui se sont produits, les tactiques « déloyales » utilisées par l'autre pour gagner des points, les intentions plus ou moins malveillantes qu'ils supposent chez l'autre et, de façon générale, par la causalité et la responsabilité que chacun attribue à l'autre dans l'origine et le maintien du conflit. La méfiance de l'un se nourrissant de celle de l'autre, le conflit s'envenime, déborde dans d'autres sphères d'activités et nous assistons à une escalade qui devient incontrôlée.

L'origine du conflit entre deux personnes peut aussi s'expliquer de façon inverse, par des différences de fond au plan de leurs styles cognitifs et interpersonnels, ou encore au plan de leurs valeurs respectives ; cette incompatibilité d'ordre personnel en vient à s'actualiser sous la forme d'un différend sur des points précis, mais qui sert tout aussi bien d'exutoire à leur antagonisme. Il y a donc, de façon générale, dans le système qui est l'objet d'une intervention :

1) une opposition sur une ou des questions particulières ;

2) une relation qui est perturbée, ou à tout le moins tendue.

Bien que, comme nous venons de le décrire, la situation qui fait appel à un médiateur comporte habituellement une certaine dose d'antagonisme et d'hostilité, il existe néanmoins des interventions de médiation — que l'on pourrait alors appeler médiation préventive — dans des situations où les parties cherchent sans animosité à trouver les meilleures façons de concilier des intérêts divergents. C'est le cas par exemple de l'élaboration d'une convention d'affaires entre deux nouveaux associés ou, encore, d'une intervention de clarification de rôle.

... de la part d'un intermédiaire neutre...

L'intervenant ne fait pas partie du système qui est objet d'intervention ; il n'est pas membre de la dyade ni partie du conflit. Cette situation lui permet de jouir d'une perspective d'ensemble pour analyser la situation et lui donne aussi l'occasion d'occuper une position mitoyenne, d'où il aura accès à chacun des éléments de la dyade tout en servant d'élément de transition dans la circulation de l'information.

C'est un intermédiaire dont on exige la neutralité, c'est-à-dire qu'il ne soit pas personnellement touché par le débat, qu'il n'ait pas d'investissement personnel présent ou futur dans une issue quelconque, qu'il n'ait pas d'idéologie ou de valeurs à promouvoir à travers son intervention.

Être neutre implique aussi d'agir de façon impartiale. On sait qu'au point de départ il n'a pas de parti pris ni de dépendance particulière par rapport à l'un des protagonistes; on sait aussi qu'il ne prendra pas parti au cours de son intervention et qu'il ne formera pas de coalition avec l'un et contre l'autre. Tout en s'efforçant de comprendre la perspective de chacune des deux parties, il ne s'identifie à aucune et essaie plutôt de maintenir une perspective globale, objective et dégagée sur la situation problématique.

Cela n'en fait pas un être exempt d'opinions personnelles et d'évaluations subjectives de la situation. La neutralité et l'impartialité du médiateur signifient plutôt que, quelles que soient ses préférences personnelles, elle seront mises entre parenthèses et ne feront pas partie de ses outils de travail; elles ne devraient pas entraîner chez lui des comportements qui viendraient favoriser une partie au détriment de l'autre ou un dénouement en particulier.

Comme le souligne Moore (1986), c'est vraiment au niveau des perceptions qu'auront de lui les personnes en cause que se confirmera sa véritable impartialité. Il aurait beau ne ressentir aucun parti pris, si un des protagonistes ne le perçoit pas comme tel, il perdra son statut d'intermédiaire neutre et de personne-ressource crédible.

Cette neutralité attendue de la part d'un médiateur se situe d'abord et avant tout au niveau du contenu du litige ou du problème. Pour ce qui est du processus même de l'intervention, il est bien évident que le médiateur est ici bien loin d'être neutre; il aura des idées bien arrêtées sur les comportements qu'il privilégie et il ne se retiendra pas d'exercer son influence pour promouvoir activement certaines méthodes plutôt que d'autres, s'il les considère plus équitables ou s'il croit qu'elles ont plus de chance de mener à un accord.

... qui les aide à développer...

Le médiateur ne vient pas se substituer aux personnes responsables dans la recherche et l'élaboration d'une solution; il vient les aider à le faire. En choisissant ou en acceptant de recourir à un médiateur, c'est comme si les protagonistes faisaient le choix de miser sur leurs propres capacités de négocier une solution satisfaisante; ils choisissent de garder le contrôle de leurs affaires plutôt que de s'en remettre à d'autres qui le feraient à leur place, que ce soit dans un rôle de représentant, d'allié, de négociateur, de juge ou d'autorité. Ils choisissent d'affronter directement et le problème et leur adversaire, mais cette fois en s'adjoignant une personne-ressource qui vient coordonner leurs énergies et ainsi rendre leur démarche plus susceptible de se rendre à terme.

... un terrain d'entente...

On ne s'attend pas d'un médiateur, du moins quand on est réaliste, qu'il nous procure une solution miracle et instantanée ; le médiateur n'est ni un pompier ni un magicien. On s'attend de lui qu'il mette en œuvre des conditions et des moyens qui vont faciliter un accord, car le but de l'intervention est d'élargir le terrain d'entente et de parvenir à un accord. Si c'est un accord qui règle définitivement le problème et dissipe les oppositions, tant au plan technique qu'au plan psychologique, tant mieux, mais, dans plusieurs cas, on se contentera d'une entente qui au moins établit un mode de gestion des divergences moins coûteux, ou encore qui procure une voie de sortie du cul-de-sac. Au minimum, la médiation pourrait simplement aboutir à une décision commune et éclairée de faire appel à un autre mode de résolution du conflit, comme par exemple au choix d'un arbitre pour prendre une décision, qu'ils se reconnaîtraient, après expérience, incapables de prendre ensemble. Mais, d'une façon générale, on peut se permettre d'entretenir des attentes plus élevées et de viser à une solution qui comportera pour chacun un maximum de gains et un minimum de coûts, solution susceptible de réduire le taux d'antagonisme jusqu'à un niveau où de part et d'autre la perspective d'une relation future plus coopérative et plus satisfaisante puisse être envisagée.

... satisfaisant

La solution recherchée par le médiateur est non pas celle qui rationnellement et logiquement serait la meilleure réponse au problème original, mais plutôt celle qui, compte tenu des intérêts communs et respectifs des personnes concernées, leur apparaît à elles comme la meilleure solution à laquelle ils pourraient parvenir dans les circonstances. Donc, un accord sera jugé satisfaisant, pour autant qu'il l'est pour les deux personnes concernées et non pour autant qu'il correspond à des exigences extérieures à elles. Pour y arriver, le médiateur pourra élaborer avec elles des critères communs d'évaluation et recommander les critères les plus objectifs possible, mais les critères finalement retenus pour évaluer l'entente seront ceux que se seront appropriés les protagonistes eux-mêmes.

La définition proposée rallierait assez facilement, croyons-nous, les divers théoriciens et praticiens qui œuvrent dans ce secteur d'activités, et cela quel que soit leur champ d'application ou leur style personnel, car elle reprend les éléments de base qui caractérisent toute forme de médiation. Toutefois pour une notion plus complète, cinq caractéristiques additionnelles mériteraient d'être considérées, caractéristiques qui nous permettront de spécifier davantage la médiation par rapport à d'autres formes d'intervention et d'en dégager certaines applications possibles.

Le médiateur n'a pas de pouvoir décisionnel

On peut être une tierce partie impartiale sans nécessairement agir en tant que médiateur. Ce qui distingue le rôle du médiateur de celui d'un juge ou d'un arbitre, c'est qu'il ne confère à l'intervenant ni pouvoir pour imposer une entente ni autorité pour trancher ou clore le débat. C'est la responsabilité d'un tribunal judiciaire ou d'arbitrage d'émettre des jugements sur la valeur des positions défendues et de statuer sur le sort des protagonistes, alors que le médiateur, n'ayant pas à se prononcer, va plutôt renforcer les protagonistes dans leur pouvoir décisionnel. L'influence du médiateur ne repose pas sur un pouvoir institutionnel, le médiateur n'ayant pas en fait d'autre autorité que celle que lui attribuent les protagonistes.

Lors d'une querelle entre deux individus, le juge a comme mandat de décider lequel des deux est le plus dans son droit, il n'a pas à les aider à trouver un compromis acceptable, ni à concilier leurs intérêts. Il ne lui revient pas dans sa charge de se préoccuper des conséquences de son jugement sur l'avenir relationnel des protagonistes, alors que c'est là une dimension que le médiateur ne veut pas ignorer.

La médiation est axée sur des problèmes résolubles

La médiation n'est pas un lieu privilégié pour déverser le trop-plein de son amertume, ni pour explorer la dynamique psychologique sous-jacente d'une relation troublée, ni pour identifier le plus coupable des deux, c'est avant tout un lieu pour résoudre des problèmes et prendre des décisions. S'il est vrai que tout conflit peut être analysé tant au plan psychologique qu'au plan de l'objet du désaccord, règle générale, on se centrera en médiation sur les aspects les plus fonctionnels, ceux qui se prêtent le mieux à des engagements clairs et à des ententes concrètes. Cela fait partie de l'art du médiateur de pouvoir traduire les insatisfactions et les frustrations personnelles, ainsi d'ailleurs que les oppositions idéologiques, dans des termes qui vont identifier un problème à résoudre, un problème qui place les protagonistes dans une situation d'équipe de travail.

Cela ne signifie pas pour autant qu'il faille ignorer l'expérience subjective et interdire toute expression d'ordre émotif, au contraire, car c'est aussi l'art du médiateur de pouvoir permettre, et aussi faciliter, une exploration des émotions et un partage de perceptions et de réactions interpersonnelles, mais au moment propice et avec un dosage approprié et sans que justement le système en devienne submergé. Le médiateur va donc favoriser l'orientation des énergies des protagonistes dans une direction explicitement établie, axée sur l'aménagement d'un futur plus satisfaisant plutôt que sur une analyse et une compréhension réciproque des événements passés.

Parfois, le but reconnu et prioritaire d'une rencontre sera, non pas d'arriver à une décision commune sur un litige en particulier, mais de paver la voie à une réconciliation ; même dans cette perspective, le médiateur favorise une traduction de cet objectif relationnel dans une formulation qui amènera les protagonistes à s'engager dans un processus commun de solution de problème. « Comment pouvez-vous dépasser les obstacles actuels à une future relation de collaboration ? » plutôt que « Qu'est-ce qui s'est passé pour que votre relation en vienne ainsi à se détériorer ? »

Le médiateur est d'abord un facilitateur

La médiation est au carrefour d'un ensemble de processus qui sont tous pertinents à la résolution de conflit, mais qui par ailleurs n'appartiennent pas exclusivement au domaine de la médiation. Ainsi, pour exercer efficacement son rôle de médiateur, l'intervenant peut être appelé à conduire et à faciliter des processus comme :

- la circulation de l'information,
- la résolution de problème et la prise de décision,
- la confrontation constructive,
- la relation d'aide,
- la modification des attitudes,
- la clarification de rôle,
- la négociation,
- la consolidation d'équipe.

Coordonner les activités des protagonistes et prendre en charge les méthodes nécessaires pour soutenir et canaliser leurs efforts en vue d'un règlement sont les apports majeurs d'une tierce personne. Ils constituent la principale raison de sa présence et sa contribution la plus nécessaire ; ainsi tout le monde s'entend sur la primauté à accorder aux fonctions de facilitation dans le rôle de médiateur. Tous les médiateurs s'attribuent le mandat de gérer un processus de médiation, mais l'ordre de priorité qu'ils établissent parmi les divers sous-processus mentionnés peut varier de l'un à l'autre, selon la discipline professionnelle à laquelle ils se rattachent et la conception qu'ils se font de leur rôle.

Un autre élément de différence entre les professionnels de la médiation est l'utilisation que chacun fera de sa propre expertise sur le contenu. Ainsi, certains médiateurs vont insister pour s'en tenir à un rôle de facilitateur sans apporter de contribution personnelle au plan du contenu, alors que d'autres ne se priveront pas de puiser dans leurs propres ressources créatives et dans leur familiarité avec le type de litige concerné pour élaborer et proposer eux-mêmes des solutions de compromis. On retrouve ici une des dimensions qui permet à Kolb (1983) de distinguer deux types de médiateurs, soit ceux qui mettent l'accent sur un rôle de coordination (*orchestrators*) et ceux qui s'engagent activement dans l'élaboration des solutions (*deal-makers*).

La médiation s'appuie sur une démarche commune

Compte tenu du fait qu'un individu est d'autant plus susceptible de respecter une entente qu'il a contribué activement à son élaboration, la démarche commune impliquée par la médiation offre un avantage évident. Ainsi, travailler de concert avec un vis-à-vis pour préciser les termes d'un accord éventuel exige un plus grand engagement que simplement donner son adhésion à une proposition transmise par un intermédiaire. Toute médiation implique une part de concertation entre les parties, mais encore ici on trouvera certaines différences dans les pratiques selon l'importance accordée au fait que les deux protagonistes se retrouvent côte à côte à chacune des étapes du processus, allant du premier aperçu des points de vue de chacun jusqu'à la négociation finale.

Le plus souvent, la médiation interpersonnelle est associée à une situation où les deux protagonistes sont vus et entendus en même temps par le médiateur, et ceci pour la plus grande partie de l'intervention. Il n'est pas exclu par ailleurs qu'une partie du travail du médiateur puisse s'exercer en sessions privées avec chacun des protagonistes, le plus souvent avant d'amorcer le travail à deux, et aussi à l'occasion dans un rôle d'agent de liaison entre les protagonistes. Mais, de façon générale, les médiateurs vont plutôt encourager une démarche collective de solution de problème, dans laquelle toute l'information pertinente pourra circuler librement, au vu et au su de tous et sans que l'intermédiaire devienne le dépositaire d'informations précieuses.

Le client de la médiation est le système

Le médiateur ne se donne pas pour mandat de régler les problèmes individuels de A ni ceux de B. Il s'attaque à leur problème commun, où sont englobés dans une perspective systémique les intérêts et les besoins personnels de A et de B.

Les solutions sur lesquelles le médiateur se concentrera ne sont pas au niveau de la personnalité de A ni du fonctionnement individuel de B, mais au niveau de l'interaction de leurs rôles, au niveau de leur mode de communication et de collaboration et au niveau de l'équilibre entre leurs intérêts communs et respectifs.

Il n'est pas superflu de souligner cette priorité de la médiation, car dans une unité aussi petite qu'une dyade, où la visibilité de chaque personne est énorme et où les émotions sont parfois à fleur de peau, il peut exister des ambiguïtés quant à la forme d'aide que procure un médiateur.

Les besoins d'aide individuelle dans un cadre de gestion du conflit sont réels et tout à fait légitimes. Vivre et affronter l'hostilité et l'antagonisme est très éprouvant et les protagonistes peuvent s'attendre, avec raison, à un certain soutien personnel de la personne-ressource. Le médiateur professionnel devra être en mesure de leur procurer cette aide et, ce faisant, adoptera des attitudes et des comportements que l'on pourrait retrouver dans une situation d'aide ou de *counseling* individuel. Mais, malgré cela, il est primordial de maintenir une distinction claire entre son rôle et celui d'un thérapeute.

Il ne faut pas oublier que nous sommes dans un contexte où deux personnes, en situation d'opposition et de rivalité, utilisent conjointement les ressources d'un même intervenant et que celui-ci se doit de maintenir une distance relativement équivalente face à chacun. Une manifestation prolongée ou répétée d'empathie à l'égard de A est susceptible de miner aux yeux de B l'impartialité du médiateur, ou encore de confirmer B dans son sentiment de non-responsabilité : « Si nous avons un conflit, ce n'est pas de ma faute, c'est à cause de A qui a des problèmes. »

Le médiateur veille donc à trouver un dosage adéquat et une distribution appropriée dans l'utilisation de ses ressources d'aidant. Il cherche à « traiter » la relation entre les deux individus plutôt que les difficultés de chacun, et cela même dans d'éventuelles rencontres individuelles de prémédiation.

Le système interpersonnel

Nous nous sommes centrés dans ce chapitre sur la médiation entre des personnes, et plus particulièrement dans le cadre d'une relation à deux. Quel que soit le degré de complexité du système menacé par un conflit, le processus d'intervention d'une tierce partie reste théoriquement le même ; les médiations qui s'effectuent à une échelle plus large, que ce soit entre des sous-groupes d'une unité, entre des divisions organisationnelles, au niveau des relations intercommunautaires ou patronales-syndicales, ou même au plan des relations internationales, sont toutefois influencées par des contingences particulières qui en déterminent la pratique et que, pour notre part, nous n'aborderons pas ici. Précisons plutôt les caractéristiques d'un système interpersonnel restreint comme la dyade ; parmi les éléments qui distinguent ce niveau d'intervention, nous en soulignerons quatre.

1) Les oppositions interpersonnelles sont le plus souvent personnalisées ; les protagonistes vont facilement mélanger leurs positions par rapport à un objet de dissension avec leurs réactions à la personne qui s'y oppose. Dans une relation où il n'y a qu'un seul autre interlocuteur, il devient encore plus facile qu'ailleurs de confondre la source et le message. Il n'est pas toujours aisé, et ce particulièrement dans des relations continues, de faire la part des choses

entre les divergences au plan du contenu et les antagonismes d'ordre interpersonnel, chacun des deux niveaux servant de verre grossissant pour évaluer la situation. Ce n'est pas simple à démêler, ni pour les protagonistes, qui n'ont plus accès aux mêmes sources d'information, ni pour un témoin extérieur, à qui il manque les données subjectives.

Mais il est important de les démêler, non pas pour départager les causes, mais de façon à pouvoir mettre l'accent sur les aspects résolubles du problème. Par ailleurs le médiateur pourra aussi heureusement compter sur la contrepartie de ce phénomène, soit qu'une amélioration à un niveau entraîne aussi un changement à l'autre.

2) Les émotions constituent dans tout conflit un élément de base. Cela s'avère d'autant plus vrai dans un conflit à deux, où les zones personnelles de chacun sont vulnérables et exposées. Les individus vivent dans un conflit interpersonnel des menaces directes contre leur image et leur estime d'eux-mêmes ; leurs besoins fondamentaux de reconnaissance, d'appartenance, de sécurité et d'intégrité font partie des moteurs du conflit.

   Ce que ressentent les individus doit être pris en considération dans l'élaboration d'un terrain d'entente. Les pressions pour objectiver le débat et dépersonnaliser le conflit ont parfois pour effet de nier et d'évacuer la composante émotive, alors qu'il s'agit là d'un type d'information nécessaire que l'on doit inclure dans le dossier et faire saisir à l'adversaire, car qu'on les rende explicites ou non, les gains et les coûts psychologiques sont susceptibles de peser dans la balance au cours de la négociation.

3) Le système interpersonnel est un système à la fois complet et fragile. Toutes les personnes concernées y sont en interaction directe l'une avec l'autre sans mandataires, sans négociateurs et souvent sans comptes à rendre à personne d'autre. Toute l'information utile est disponible sur place. Chacun tient dans ses mains le sort de la relation, par le droit de veto qu'il peut exercer à n'importe quel moment et par la possibilité qu'il a toujours de mettre un terme à l'interaction. Dans un duel, chacun des guerriers est seul de son camp et toujours au front. Il n'y a pas de vote dans une décision à deux, il n'y a pas d'abstention, il n'y a pas de possibilité de coalition. La seule personne avec qui on peut faire une alliance... c'est son adversaire.

4) Les principales forces qui agissent sur le système interpersonnel étant toutes présentes sur place, donc accessibles directement, le fonctionnement de ce système devient potentiellement modifiable à court terme : il peut passer assez rapidement d'états d'antagonisme à des états de solidarité et inversement.

   La seule addition d'une autre personne va introduire des changements majeurs dans la situation interactionnelle. Le mode de communication et de collaboration des protagonistes peut ainsi devenir une cible d'intervention et de changement du médiateur, non seulement par rapport au différend qui est sur la table, mais aussi dans une perspective à long terme.

Ce dernier point permet de souligner la différence qui existe entre la médiation interpersonnelle et certains types de médiation plus connus qui s'effectuent lors de négociations syndicales ; les médiateurs en relations de travail, appelés en dernier recours pour sortir d'une impasse, voient souvent leur rôle se limiter à l'élaboration et à la suggestion d'un compromis qui pourra ou non être accepté par les parties adverses ; en comparaison avec la médiation-facilitation dans un contexte interpersonnel, il s'agit alors d'un type d'intervention plus ponctuelle, souvent centrée uniquement sur le contenu et qui ne vise pas à modifier de l'intérieur le fonctionnement du système, qui restera une lutte de forces.

Précisons toutefois que ce type d'intervention se retrouve aussi parfois au niveau interpersonnel ; c'est le cas d'un système transitoire, où ni l'un ni l'autre des protagonistes n'investit dans la relation, comme par exemple lors d'une réclamation que fait un consommateur insatisfait auprès d'un commerçant ; il est bien possible que leur négociation fasse peu de cas des gains mutuels qu'ils pourraient retirer d'une éventuelle relation positive. La situation sera différente dans une relation continue où l'avenir de la relation peut, s'il est valorisé par une des parties ou les deux, avoir un effet de levier important dans le cours de la médiation.

Médiation formelle ou informelle

Plusieurs des éléments mentionnés jusqu'ici font référence plus particulièrement à la médiation conçue dans la perspective d'une intervention formelle. La médiation formelle peut se caractériser par les points suivants :

- elle est assumée par un professionnel de la médiation ;
- celui-ci se situe à l'extérieur du réseau de relations des protagonistes ;
- ses services sont sollicités soit à titre privé, soit à travers une institution publique ou un service de ressources humaines ;
- il a le mandat clairement reconnu d'agir en tant que médiateur ;
- il procède d'une façon systématique et planifiée.

Son activité professionnelle s'appuie sur un choix de stratégies et de méthodes reconnues. Ainsi, si l'on découpe ses diverses interventions, on retrouve dans chacune une série d'opérations qui peuvent, *grosso modo*, s'apparenter au modèle suivant (Carpenter et Kennedy,1988) :

- faire l'analyse du conflit;
- élaborer une stratégie adéquate;
- trouver une définition commune du problème;
- déterminer une procédure acceptable pour mener une négociation;
- identifier les enjeux et les intérêts de chaque partie;
- développer un éventail d'options pour solutionner le problème;
- s'entendre sur une solution;
- décider des formes concrètes de la mise en application.

Son intervention peut être brève ou s'étendre sur plusieurs rencontres. Elle peut porter sur un point unique ou comporter plusieurs décisions imbriquées. Les interventions qui se font au Service de médiation des petites créances (ministère de la Justice), donnant au plaignant et à l'intimé la possibilité d'un règlement à l'amiable avant le passage en cour, sont des exemples d'interventions à la fois brèves, rarement plus qu'une rencontre, et portant sur des points bien circonscrits.

Un type de médiation formelle de plus longue durée et d'une plus grande ampleur est la médiation dite familiale (Murray,1986), qui est sûrement le type d'aide interpersonnelle qui a le plus contribué dans les années 80 à répandre cette notion de médiation. La médiation familiale correspond à une aide qui est offerte aux membres d'un couple qui, ayant déjà décidé de se séparer ou de divorcer, veulent parvenir à une entente commune concernant des questions comme la garde des enfants, le partage des biens, la résidence, etc.

On pourra retrouver dans les milieux de l'entreprise l'équivalent de la médiation familiale, s'adressant ici aux partenaires d'une petite entreprise ou à des associés professionnels, qui décideraient de mettre un terme à leur association et qui auraient à se concerter sur les contrats en cours, le partage des possessions communes, l'utilisation de la raison sociale, le rachat des parts, etc.

Les champs d'application de la médiation formelle sont très vastes quant aux besoins appréhendés, mais encore peu développés quant aux pratiques réelles. En s'inspirant de l'expérience américaine (Folberg et Taylor,1984), on peut toutefois entrevoir des interventions formelles dans des secteurs comme les relations interculturelles, les milieux communautaires, les relations entre voisins, entre copropriétaires; elles existent déjà au niveau des relations propriétaires-locataires par l'entremise de la Régie du logement (Carignan,1987). L'intervention de médiateurs serait possible dans les conflits de génération (adolescents, adultes, aînés), dans des problèmes de succession, les relations entre professeurs et étudiants, entre parents et éducateurs, entre bénéficiaires et préposés, entre professionnels et clients, entre membres de conseils et d'associations politiques, en fait dans toute situation sociale où des individus sont en relation d'interdépendance et susceptibles de défendre des intérêts divergents.

Dans les milieux de travail, au niveau d'une même organisation, les conflits interpersonnels ne sont pas chose rare et peuvent faire l'objet d'interventions formelles de la part de consultants, soit en tant que cible unique, soit à l'intérieur d'un cadre plus large d'intervention de consolidation d'équipe ou de développement organisationnel.

Mais dans les milieux organisationnels, quand il y a médiation, plus souvent qu'autrement, elle s'exerce plutôt de façon informelle. La médiation informelle ou émergente poursuit les mêmes objectifs que la médiation formelle et peut s'inspirer de ses pratiques, mais elle s'exerce le plus souvent dans un contexte où :

- l'intervenant n'est pas un spécialiste de la gestion des conflits ;
- il fait partie intégrante du réseau de relations des protagonistes ;
- son mandat n'est pas nécessairement clair ni reconnu ;
- ses services sont plus souvent acceptés que sollicités ;
- son mode d'opération est plutôt variable et impromptu.

Lors d'un conflit persistant entre deux employés, deux cadres ou un supérieur hiérarchique et un employé, ceux et celles qui en sont témoins ont le choix ou bien de s'en tenir à distance, ou bien de s'en mêler ; s'ils s'en mêlent, ils vont le faire de différentes façons : mettre fin au conflit de façon autoritaire s'ils en ont le pouvoir, prendre parti pour l'un des deux et venir consolider sa position, tenter d'exercer une influence auprès de l'un ou de l'autre. Ils pourraient tout aussi bien décider de s'interposer entre les deux dans le but de faciliter un règlement et ainsi exercer de façon informelle des fonctions de médiation.

Dans ce contexte, l'intervenant potentiel ne correspondra pas toujours de façon idéale aux critères que nous exposions pour définir le médiateur, particulièrement en ce qui a trait à la neutralité et à l'absence de pouvoir décisionnel. La plupart du temps, il a un passé de relations établies avec les protagonistes ; ses objectifs personnels ou de travail peuvent être affectés par le conflit et par sa non-résolution. Son rôle dans l'organisation peut lui donner le pouvoir de déterminer une issue particulière. Sa familiarité avec le contenu du désaccord et sa compétence en la matière peuvent lui faire déjà privilégier certaines solutions. Chacun de ses éléments pourrait constituer un obstacle à la prise en charge d'un processus de médiation, mais pourrait aussi devenir un atout et lui permettre d'être particulièrement bien placé pour favoriser un accord. Chaque cas est un cas d'espèce en médiation informelle. Parfois, le supérieur hiérarchique sera malgré son statut la personne toute désignée, dans un autre cas, une personne de même niveau sera plus appropriée.

En l'absence de ressources formelles de médiation et prenant en considération le choix d'intermédiaires potentiels plutôt restreint dont peuvent disposer les protagonistes, la personne aura à décider si finalement elle ne serait pas elle-même la mieux placée pour jouer ce rôle. La pertinence de son offre de service dépend des coûts engagés si aucune tentative de gestion du conflit n'est mise en œuvre.

Peut-être ne suis-je pas neutre dans cette situation conflictuelle, peut-être ai-je le pouvoir d'imposer ma volonté ou de jouer un rôle d'arbitre, mais je peux faire le choix, pour me permettre d'être agréé et efficace comme médiateur, de mettre entre parenthèses mes propres réactions personnelles ou les pouvoirs que me confère mon statut hiérarchique et d'agir comme intermédiaire entre les deux de façon à les aider à parvenir eux-mêmes à un accord satisfaisant. C'est d'une part à moi de juger de mon intérêt et de mes compétences pour intervenir, mais c'est surtout à chacun des protagonistes qu'il reviendra de juger si mon intervention est une intrusion et de me considérer ou non comme une ressource impartiale et capable de se centrer sur leurs intérêts.

Quoi qu'il en soit et malgré ses propres ambivalences et résistances par rapport à son intervention dans les affaires d'autrui, il est possible et souvent souhaitable qu'un gestionnaire puisse être en mesure d'exercer les fonctions *ad hoc* de médiateur et il pourra pour ce faire s'inspirer de principes déjà énoncés (facilitation du processus, formulation de problèmes résolubles, souci d'une démarche de travail en équipe, centration sur le système, dosage du socio-émotif, « équidistance ») et pratiquer des interventions semblables à celles d'un médiateur formel. Même s'il intervient de façon moins systématique ou plus ponctuelle dans le conflit, il peut avoir intérêt à se situer dans un modèle d'action analogue à celui du médiateur formel.

L'action du médiateur

Que fait un médiateur ? Comment se concrétise son influence dans la situation de conflit ? Le postulat principal sur lequel s'appuie la conception du rôle du médiateur présentée ici est que le médiateur se considère comme une ressource complémentaire. Il s'ajoute au système interpersonnel pour actualiser et canaliser les ressources déjà présentes et pour éliminer ou réduire les obstacles qui l'empêchent actuellement de fonctionner de façon efficace et satisfaisante. Il s'appuie sur les habiletés, les compétences et les informations que possèdent les personnes concernées, ressources qui sont actuellement paralysées ou sous-utilisées. Il compte sur l'énergie qui pourrait être mise à profit pour sortir de l'impasse, si cette énergie n'était pas accaparée par le maintien de positions défensives. Il suppose que leurs ressources de créativité sont peut-être actuellement détournées au profit d'une recherche d'arguments pour convaincre l'autre, de tactiques pour le piéger et l'obliger à se rallier à son propre point de vue ou de moyens pour se préparer des portes de sortie, plutôt qu'à l'émergence de véritables solutions. Le médiateur compense donc, par les ressources qu'il apporte, les lacunes (temporaires) du système.

Le choix de ses techniques d'intervention est donc déterminé par le diagnostic qu'il fait des besoins du système. Qu'est-ce qui manque actuellement au système interpersonnel pour opérer de façon optimale ? De quelles conditions et ressources les protagonistes ont-ils actuellement besoin pour réorienter leur tir en direction du problème plutôt que vers leur adversaire ?

Dans son diagnostic du système interpersonnel en proie à un conflit, l'intervenant est susceptible de retrouver certains des phénomènes suivants : évitement des contacts ou interactions explosives, absence d'écoute véritable, distorsion des communications, comportements défensifs, cycle d'attaques et de ripostes, isolement et repli, démotivation, tension et anxiété, sentiment d'impuissance, rigidité cognitive, recherche constante d'appuis à l'extérieur, prolifération des sujets de discorde, production de solutions inappropriées.

Le système interpersonnel est donc bien malade. Il a besoin d'être remis sur pied et c'est à quoi va s'occuper le médiateur ; il va exercer une influence visant à ce que les deux acteurs concernés en viennent à adopter un certain nombre de conduites appropriées :

1) *se parler,*

2) *s'engager,*

3) *se respecter,*

4) *se comprendre,*

5) *évoluer,*

6) *se concerter,*

7) *négocier,*

8) *prendre une décision.*

Ce sont là les buts que poursuit l'action du médiateur. Reprenons chacun de ces objectifs en explicitant sa pertinence dans le contexte psychosociologique du conflit et en précisant certaines des fonctions que peut exercer une tierce personne à chaque niveau.

Organiser les contacts

La première condition pour arriver à un consensus est que les parties puissent se rencontrer, se parler, interagir ; il est nécessaire que l'information circule. Mais, dans un contexte de compétition où chacun est sur ses gardes, on éprouvera des résistances à commencer les pourparlers, surtout parce que ce geste pourrait être perçu comme un signe de faiblesse. « En proposant moi-même une rencontre, je crains qu'il s'attende à des concessions majeures de ma part et que ça lui donne un avantage. » Alors chacun reste dans ses retranchements, en se berçant de l'illusion que l'autre finira peut-être par se rendre compte de ses erreurs et viendra de lui-même faire amende honorable.

Une tierce personne est dans un tel contexte bien placée pour jouer un rôle d'intermédiaire. C'est plus facile et moins compromettant de répondre positivement à l'invitation, et même aux pressions, d'un tiers à qui l'on ne prête pas d'arrière-pensée. Un médiateur peut procurer un lieu, un territoire neutre, où aucun ne se sent désavantagé, et un moment, établi d'avance et d'une durée suffisante, qui n'aura pas les limites des discussions impromptues sur le pas de la porte. Un lieu et un temps destinés spécifiquement à l'étude du problème, à l'abri des témoins gênants et dont les particularités ont déjà été agréées de part et d'autre.

En convoquant ou en recevant en même temps les parties, le médiateur reconnaît et légitime de ce fait la situation de conflit, et transmet simultanément le message indiquant que ce conflit n'est pas insoluble.

Dans les cas où une rencontre immédiate est inopportune, selon le degré de probabilité qu'elle vire à l'escalade, l'intermédiaire pourra alors amorcer la médiation en adoptant un rôle d'agent de liaison et ainsi voyager de l'un à l'autre pour la négociation des conditions nécessaires pour que les parties acceptent de s'installer à la même table.

Susciter la prise en charge

« Je ne suis pas à la source de ce problème, j'en suis la victime. C'est l'autre, le méchant, qui est responsable de cette situation, c'est donc à lui que revient de trouver une solution, pas à moi. » Il peut y avoir chez des protagonistes une ambivalence et une résistance à vraiment investir de l'énergie pour dénouer le problème et le médiateur cherchera alors à les amener à s'engager de façon à les faire passer du sentiment d'être la victime du problème à la volonté de devenir un agent de la solution. Pour y réussir, il peut s'y prendre de diverses façons. L'une d'elles est de susciter de leur part une participation active à tous les niveaux en sollicitant leur diagnostic, leurs opinions, les intérêts qu'ils défendent, les résultats qu'ils espèrent, les coûts que leur occasionne le conflit. Il peut aussi leur faire vérifier les coûts personnels qu'implique une non-résolution. Il cherchera aussi à les engager dans l'organisation et la mise en place de la procédure.

Une autre tactique qui a pour effet de les faire s'engager est de pouvoir recadrer le problème dans une perspective relationnelle et les faire se détacher de la perspective « le problème est chez l'autre » pour accepter que le problème se situe entre eux et que, dès lors, l'engagement de chacun est essentiel. Le médiateur peut se permettre, plus que l'autre protagoniste, de souligner la part de responsabilité qui revient à chacun, sans être perçu alors comme voulant se décharger de la sienne.

Dans ses efforts pour intensifier leur sentiment de responsabilité, le médiateur aura intérêt à se concentrer sur le futur, plutôt que de s'embourber dans l'exploration du passé. Il lui sera plus facile de les amener à s'approprier tous deux les objectifs visés et à se partager la prise en charge des moyens de les atteindre, plutôt qu'à s'entendre sur la répartition des torts.

Maintenir des conditions de respect mutuel

Tout affrontement est dangereux et source de tension, et quiconque accepte de venir en médiation est en droit de s'attendre à un climat où il pourra s'exprimer en toute sécurité, sans crainte de représailles. Le médiateur cherchera à le dégager du besoin de se défendre et à faire ainsi débloquer l'énergie qu'il utilisait pour se protéger.

Ainsi, dès le départ, il fait expliciter les attentes des protagonistes quant au type de climat qu'ils souhaitent et il annonce son intention de protéger farouchement la zone démilitarisée qu'est le lieu de médiation et de maintenir des conditions équitables pour tous. Au fur et à mesure, il aura peut-être à désamorcer les mines que constituent les provocations ou les accusations, soit en les dénonçant ouvertement, soit en les ignorant délibérément ou encore en trouvant une façon de les intégrer dans l'analyse de la problématique.

À l'occasion d'échanges vifs, il pourra s'interposer, soit pour les neutraliser s'ils deviennent des débuts d'escalade, soit pour les canaliser dans une direction compatible avec la poursuite de leur cible commune. La seule présence rassurante d'une tierce personne peut atténuer le besoin d'attaque et de défense et créer d'elle-même un climat moins hostile, mais il faut bien comprendre qu'elle peut aussi avoir l'effet inverse, permettant à la personne ainsi protégée d'exprimer ce qu'elle n'aurait pas osé dire en la seule présence de l'adversaire.

Pour assurer des conditions qui respectent autant le droit de chacun à l'expression que le droit à la protection de son intégrité, le médiateur devra parfois tempérer, mais aussi parfois faciliter, l'affrontement. C'est une question de dosage. Celui qui s'assoit de tout son poids sur le couvercle de la marmite pour empêcher toute vapeur de s'échapper court le risque de subir une explosion, alors que celui qui garde la main sur le couvercle tout en laissant la pression se dégager au besoin réussira mieux à éviter cette explosion.

L'intervenant peut à l'occasion passer de longs moments en retrait des échanges, mais il doit veiller à ne pas laisser lui échapper le contrôle du processus. Une prise de bec sournoise et blessante où le médiateur serait demeuré impuissant constituerait un handicap difficile à surmonter pour la suite de la médiation.

Assurer une bonne compréhension de l'information échangée

Un conflit a pour effet de transformer des personnes en de piètres communicateurs. Elles ne sont plus l'une pour l'autre des interlocuteurs efficaces. Elles sont de mauvais émetteurs d'information et de mauvais récepteurs. Quand elles s'expriment, elles surchargent le circuit en voulant persuader, justifier, imposer, contester. Quand elles écoutent, elles évaluent prématurément, elles sélectionnent et déforment l'information, elles opposent radicalement les positions. Elles sont incapables d'écouter sans réagir, ayant trop peur que leur silence soit perçu comme une approbation.

Communiquer devient synonyme de se défendre. Leur façon de s'exprimer empêche l'autre de bien écouter et leur façon de mal écouter l'empêche de bien exprimer sa pensée.

Intervient le médiateur, qui viendra compenser leurs lacunes, jusqu'à ce qu'ils redeviennent plus compétents dans l'art de la communication. Il le fait principalement en exerçant deux rôles, le premier, celui d'interlocuteur privilégié pour chacun, et l'autre, de pont entre les deux.

Quand le médiateur, à l'aide de toutes les techniques reconnues d'écoute active, s'attarde à écouter attentivement et à comprendre A, il répond à un besoin de A qui est fondamental, soit celui d'être compris. Être écouté sans être contesté, voir légitimer ma façon de voir les choses, me faire confirmer que je ne suis ni un imbécile, ni dénué de logique, ni déloyal, ni injuste en pensant ce que je pense et en voulant ce que je veux, c'est important, et c'est là un besoin que manifestement un adversaire défensif ne saura jamais combler. Bénéficier d'une oreille nouvelle, intéressée, qui ne filtre pas le message, va me permettre de m'exprimer de façon moins défensive et de mettre un nouvel ordre dans mes idées.

Pendant que la tierce personne poursuit son écoute de A, B, en attendant son tour, est lui aussi bien obligé d'écouter. Dégagé du besoin de corriger et de réfuter au fur et à mesure comme il le fait d'habitude, il aura l'occasion, peut-être pour la première fois, de saisir la perspective de A. Ainsi, le médiateur en structurant des échanges personnels tour à tour avec chacun des protagonistes leur permet et de mieux s'exprimer et d'être mieux compris.

Le médiateur pourra aussi servir de pont entre les deux, un pont où au passage les propos de l'un seront clarifiés, vérifiés, nettoyés de leur charge émotive excédentaire avant d'être soumis à la réaction de l'autre. Sensible aux préoccupations de B, il pourra traduire celles de A dans une forme qui permettra à B de mieux les comprendre. Ses reformulations serviront autant à vérifier l'expression de l'émetteur que la compréhension du récepteur.

Dans sa gestion du processus de communication, il aura l'occasion d'exercer diverses autres fonctions comme :

- faire clarifier les doubles messages ;
- faire distinguer les inférences des faits, les perceptions des interprétations ;
- vérifier auprès de A si les effets de ses paroles correspondent bien à ses intentions ;
- rendre l'implicite accessible aux deux parties ;
- organiser et simplifier les données ;
- vérifier les allégations ;
- remettre plus tard sur le tapis les propos de A ignorés de B ;
- gérer la circulation des interventions.

Favoriser un changement des attitudes

Aucun progrès ne sera possible tant que les deux resteront cantonnés dans leur position respective. Il faut les aider à s'en détacher. Ayant mis tant d'énergie à défendre et à protéger leur position, ils en sont venus à s'emprisonner dans leur propre perspective. Leur perception, et du problème et de l'adversaire, est devenue figée et imperméable aux influences extérieures, car ils ont construit un ensemble de rationalisations qui leur permet d'y maintenir un sentiment de cohérence et de se convaincre qu'ils ont raison.

S'ils parviennent à dépenser moins d'énergie à se défendre, ils pourront s'ouvrir à de nouvelles perspectives et ainsi se détacher de celle dans laquelle ils se sont enfermés. C'est là un processus qui peut être mis en branle par le médiateur.

Comprendre et confirmer l'individu est déjà un pas dans cette direction. C'est pour autant que je me sens compris que je peux arrêter de vouloir toujours me justifier et me défendre et commencer à être disponible pour évoluer et changer d'idée.

Tout en écoutant l'individu, le médiateur s'efforce de lui faire clarifier les besoins et les intérêts qui sous-tendent ses exigences. Il l'aide à mieux saisir la différence entre son besoin véritable et les modes jusqu'ici exigés de l'autre pour satisfaire ce besoin, de façon à relativiser ses demandes initiales et à pouvoir envisager des possibilités de remplacement. Le médiateur se sert de sa position d'intermédiaire pour faire ressortir le bien-fondé et la logique intérieure de la position adverse ; il n'est pas nécessaire que chacun adhère à la perspective de l'autre ni même qu'il la comprenne parfaitement, l'important étant surtout de partir un mouvement qui l'amènera à mettre sa propre perspective en doute.

Car le médiateur est un semeur de doute. Sans contester directement, sans se laisser prendre au piège d'une argumentation soutenue, il encourage un processus de réexamen des exigences et des positions initiales au profit d'une reformulation des objectifs poursuivis. Il les aide à saisir que les modifications et les ouvertures qu'ils feront ne sont pas nécessairement des concessions faites à l'adversaire, mais peuvent aussi bien procéder d'un réaménagement de leurs priorités personnelles.

Le recadrage du problème, qui fait partie de tout processus de médiation, sera aussi de nature à favoriser une décristallisation. Les protagonistes seront amenés à comprendre que leur position pouvait être cohérente, mais basée sur une perception incomplète de la réalité, et que, maintenant qu'ils ont accès à toute l'information objective et subjective, maintenant qu'ils ont modifié leur perception du problème pour adhérer à une perspective plus intégratrice et plus réaliste, il est légitime de se réajuster.

Le processus d'ouverture graduelle sera d'autant plus encouragé que l'individu en constate la réciproque de l'autre côté de la table. Le médiateur veillera donc à équilibrer les signes d'ouverture de part et d'autre.

Animer la concertation

Le système interpersonnel en conflit est l'objet de deux types de forces, d'une part des forces d'antagonisme, qui sous-tendent le problème, et d'autre part des forces de collaboration, dont dépend l'atteinte d'une solution. Le rôle du médiateur est de rétablir un nouvel équilibre en faveur des forces de collaboration.

Il cherchera à amener les protagonistes à se situer comme une équipe de travail qui poursuit un objectif commun. C'est le passage de la perspective de « moi contre lui » à celle de « moi et lui contre le problème à régler ».

Pour qu'ils adhèrent à cette façon de voir, le médiateur devra confirmer leur interdépendance, leur poursuite d'objectifs plus vastes au niveau par exemple de la mission de leur organisation, la raison d'être de leur relation et qu'une solution négociée pourrait leur amener des gains respectifs. Non seulement ils ont besoin l'un de l'autre pour parvenir à un accord, mais n'est-ce pas ensemble qu'ils détiennent les meilleures ressources à combiner pour y arriver ?

La collaboration est un mode de travail qu'ils doivent apprivoiser de nouveau ensemble. Cet apprentissage leur sera facilité s'ils peuvent s'exercer d'abord sur des points moins chauds (le lieu, l'horaire, l'organisation du travail, la procédure de discussion, les attentes par rapport au rôle de la tierce personne, etc.). Ils ont besoin de vérifier la volonté et la capacité de l'autre de se déclarer d'accord avec eux, avant de quitter leurs retranchements, et c'est une confirmation que le médiateur veillera à leur procurer graduellement, avant qu'ils ne s'attaquent au cœur de leurs divergences.

Dans la série de clarifications qu'ils ont à faire et d'ententes progressives à établir, le rôle du médiateur s'apparente à celui de l'animateur d'une équipe de travail, qui guide un processus de résolution de problème, impliquant les fonctions habituelles au plan de la circulation et de la clarification de l'information comme au plan de la procédure de discussion et du maintien du climat ; il les aide à structurer leur tâche, à en distinguer diverses parties, à y établir un ordre ; il rend explicite au fur et à mesure la part d'accord et de divergence ; il fait le point à des moments appropriés.

Se dirigeant vers une décision prise en commun, ils ont besoin d'information valable et une des fonctions du médiateur sera d'aller lui-même chercher une telle information, en n'hésitant pas à faire expliciter les véritables enjeux et les véritables priorités.

Dans ce processus de résolution de problème, deux opérations en particulier, servant toutes deux à résoudre l'opposition dans le débat, nécessiteront une attention spéciale de la part du médiateur. La première est l'élaboration d'une cible clairement perçue de la même façon par les deux. Le médiateur se fera le promoteur d'une redéfinition de la situation problématique dans une perspective qui tient compte en même temps de ce que chacun cherche à obtenir et de ce qu'il cherche à éviter.

La définition ici recherchée n'a pas nécessairement à répondre aux critères d'un diagnostic précis, exact et complet ; son but est surtout de servir de moteur et de balise pour une réorientation de leur énergie. Le médiateur qui parvient à trouver ou à faire expliciter une façon de formuler le problème qui convient autant à l'un qu'à l'autre et qui donne une direction claire aux efforts qu'ils doivent mettre en commun, a déjà la moitié de son mandat d'accompli.

L'autre opération particulièrement utile dans le contexte d'un conflit est l'élaboration d'un éventail d'options, de solutions possibles. Établir ensemble avant de s'engager dans le processus de décision une liste de divers dénouements ou arrangements possibles les aide à se détacher de « l'unique solution » qu'ils avaient en tête en entrant et les amènera à négocier et à s'approprier des critères communs dans l'évaluation subséquente, devant mener à un choix. Cette opération permet aussi au médiateur qui veut les faire profiter de sa créativité et de son angle particulier de vision, d'ajouter à cette liste des options additionnelles qui auraient été oubliées par les protagonistes et qui correspondraient à des formes de compromis acceptables.

Qui dit concertation ne dit pas nécessairement enthousiasme délirant. La collaboration peut être un mode d'opération ardu quand elle ne repose pas sur des sentiments de solidarité. Deux rameurs pris pour partager la même chaloupe auront donc souvent besoin des conseils de la vigie pour maintenir le cap sur la destination convenue.

Encadrer le déroulement de la négociation

L'image que certaines gens semblent avoir acquise d'une négociation est celle d'un jeu d'adresse, où le gagnant est celui qui réussit par diverses tactiques manipulatoires à soutirer de son vis-à-vis des concessions majeures, tout en se gardant d'en accorder d'équivalentes.

Fisher et Ury (1982) auront grandement contribué à modifier cette image auprès d'un certain public en présentant la négociation plutôt comme une entreprise commune où chacun gagne à faire gagner l'autre; cette perspective centrée sur les gains respectifs s'inscrit donc dans le même courant que celui de la médiation, le rôle du médiateur devenant dans ce contexte de promouvoir et de superviser une négociation raisonnée.

Fisher et Ury font une distinction entre la négociation raisonnée et la négociation sur position. Dans ce dernier type, chaque négociateur, à partir de positions et d'exigences déclarées au point de départ, tente d'influencer son adversaire et d'obtenir un compromis qui lui donnera un maximum d'avantages avec un minimum de concessions de sa part. La négociation qui s'effectue dans un contexte de concertation — la négociation raisonnée — est bien différente de celle qui favorise une compétition et une lutte de pouvoir. Elle ressemble plus à une démarche collective de solution de problème, où la solution recherchée est celle qui tiendra compte des intérêts communs des protagonistes et, aussi équitablement que possible, de leurs intérêts respectifs.

Ce type de négociation se prépare tôt. Des énoncés affirmatifs de positions inflexibles, d'offres « finales », dès le début de la rencontre de médiation, ne font qu'amplifier le conflit. Le médiateur veille donc à couper court à ce type de discours au profit d'une discussion qui met plus en évidence les coûts que leur impose le conflit, les besoins qu'ils éprouvent, les intérêts qu'ils cherchent à satisfaire et les objectifs qui sont actuellement compromis. Il peut apparaître tout à fait indiqué à un médiateur novice de commencer son intervention en demandant à chaque partie ce qu'elle veut, mais il peut y avoir là un piège, si la déclaration qui s'ensuit mène à une cristallisation de leur position et un refus ultérieur de céder pour ne pas perdre la face.

Il reviendra au médiateur de refréner la hâte qu'ont les protagonistes d'en finir au plus tôt et, autant que faire se peut, il retardera le déroulement de la négociation jusqu'au moment où le système se sera assez consolidé pour se permettre une négociation raisonnée.

Une analyse commune des gains et des coûts, tant au plan des ressources convoitées qu'au plan des besoins émotionnels et relationnels, permettra d'élaborer des options où chacun retirerait certains gains et éviterait certaines pertes, des options où aucun des deux finalement n'est perdant. Il leur restera à faire un choix commun parmi les diverses options ou à combiner plusieurs options en une, selon les gains et les coûts que chacun cherchera à privilégier.

Le processus n'est pas toujours aussi ordonné et rationnel qu'il peut l'apparaître sur papier ; une dyade peut bouger rapidement et le dessin du casse-tête peut se modifier au fur et à mesure qu'on y place des morceaux. Le médiateur trouvera donc un équilibre entre, d'une part, un encadrement systématique de l'examen des solutions possibles à la lumière des critères retenus et, d'autre part, une attention à bien capter les réaménagements subtils dans les intentions de quelqu'un et à saisir l'opportunité du moment. Le meilleur compromis restera toujours celui que l'on propose au moment où il a le plus de chances d'être accepté.

Il est toujours possible que le médiateur soit appelé à encadrer des négociations dans un contexte où la méfiance aura noyé les possibilités de concertation ou dans un type de litige qui ne se prête pas à une perspective intégratrice (pas d'interdépendance ou ressources limitées). Ses ressources de tierce personne seront toutefois utiles pour procurer une structure, faire expliciter des règles de procédure appropriées et équitables et répondre à des besoins de clarification et de formulation de compromis.

Consolider le consensus

Parvenir à un accord satisfaisant pour les deux protagonistes est le but de la médiation. Ni l'un ni l'autre n'obtient autant qu'il aurait eu s'il avait été seul à décider, mais, en comparaison de ce qu'ils auraient perdu s'il n'y avait pas d'entente, ils sont tous les deux gagnants. Qui plus est, le processus de négociation peut leur avoir procuré des gains qu'ils n'escomptaient pas au départ.

Un accord clair est un accord durable et le médiateur prendra donc le temps d'en vérifier la compréhension respective des parties et de faire expliciter les implications que chacun y voit. Une bonne façon de s'assurer de la validité de la solution convenue est d'anticiper les modalités concrètes de sa mise en application. Il est utile qu'à cette étape la tierce personne s'engage activement dans la vérification des détails de l'accord. C'est un rôle pour lequel elle est la mieux placée. Connaissant les préoccupations et les zones de méfiance de chacun, elle pourra s'en faire le porte-parole et faire clarifier les engagements pris de part et d'autre, et, s'il y a lieu, prévoir des mécanismes de contrôle ; tout protagoniste qui exigerait tant de garanties court le risque de perturber le nouvel équilibre encore précaire et de stimuler une escalade de méfiance réciproque.

Une autre fonction qui peut convenir au rôle de médiateur est celle de secrétaire ou de facilitateur-formulateur. Il sera souvent utile, parfois même indispensable, de sceller leur entente par un document écrit, qu'ils auront tous deux contribué à élaborer et dont ils pourront approuver la teneur ensemble sur place... avant d'aller célébrer !

Le modèle qui précède nous aura permis d'identifier un certain nombre de fonctions que peut exercer une personne qui voudrait en aider deux autres à dépasser leur situation de conflit; le choix de présenter ainsi l'action du médiateur s'appuie sur la volonté de procurer un cadre qui puisse aussi bien convenir à l'exercice formel de la médiation qu'aux comportements que pourrait adopter un médiateur informel.

Bien entendu, lors d'une médiation contractuelle, ces fonctions vont s'inscrire à l'intérieur d'une démarche systématique et planifiée, précédée d'une analyse de la situation conflictuelle et d'une clarification du mandat de l'intervenant. Le spécialiste de l'extérieur, dont la compréhension du problème dépend des informations que possèdent les protagonistes, aura beau jeu de proposer un cadre structuré de délibérations, procurant par le fait même aux protagonistes un nouveau départ dans une démarche de formulation de problème et de recherche de solutions.

Le médiateur informel n'a pas toujours la même latitude, et souvent il sera lui-même porté à se contenter de son propre diagnostic personnel de la situation pour intervenir directement au niveau des solutions; il aurait cependant avantage pour rendre son action plus efficace à donner, autant que faire se peut, un cadre structuré à son intervention, et surtout à ne pas escamoter cette étape cruciale que constitue la formulation collective d'une cible commune.

Chaque conflit est unique et le diagnostic qu'en fera l'intervenant formel ou informel déterminera quels besoins du système peuvent lui servir de porte d'entrée et quel ordre établir entre les divers besoins. Ainsi, par exemple, il se peut qu'avant de s'engager dans une démarche commune, les protagonistes aient besoin de s'entendre par personne interposée sur certains éléments de solution. La rencontre entre les adversaires, au lieu d'être le point de départ du processus de médiation, pourrait même dans certains cas en être l'aboutissement, faisant suite à une série de transactions menées par la tierce personne. L'influence du médiateur pour modifier les attitudes des individus et cerner leurs besoins psychologiques pourra à l'occasion s'exercer beaucoup mieux en entrevue individuelle qu'en présence de l'adversaire.

Il y a aussi des moments où les conditions d'une communication claire pourraient s'avérer difficilement conciliables avec celles de la concertation; ainsi, dans le cas où une différenciation trop clairement présentée risquerait d'exacerber les oppositions et de bloquer tout progrès, le médiateur peut choisir de tolérer une certaine dose d'ambiguïté, le temps de permettre au système de contourner et de dépasser l'obstacle plutôt que de s'y casser les dents. Tout est une question de dosage, et d'ajustement aux particularités de chaque situation.

Le développement de la médiation

Dans toute organisation, l'apparition de divergences entre des présumés collaborateurs est un phénomène courant. Vouloir l'empêcher serait nier la vie même de l'organisation. On avance souvent comme un des critères de santé d'une organisation sa capacité de pouvoir encourager une confrontation créatrice des différences entre ses membres. Mais encore faut-il que l'on puisse procurer des conditions qui permettent d'éviter que cette confrontation devienne coûteuse et destructive.

Nous savons que les difficultés interpersonnelles que les gens éprouvent dans le cadre de leur travail quotidien correspondent pour bon nombre d'entre eux à une source majeure de stress. Nous savons que ceux qui sont aux prises avec un conflit interpersonnel sont le plus souvent démunis et peu en mesure d'enclencher par eux-mêmes un mode adéquat de résolution de ce conflit. Nous connaissons aussi par ailleurs la tendance des organisations à minimiser et à camoufler la dimension émotive des rapports de travail, abandonnant pour ainsi dire les protagonistes à leur sort. Comment, dans les cas où elle s'y prêterait, la médiation peut-elle apporter une réponse à cette situation?

Premièrement, par l'intermédiaire des services de ressources humaines. Il n'est pas irréaliste de penser que les consultants internes d'une organisation, dont le mandat consiste à répondre d'une part aux besoins des groupes et d'autre part à des besoins individuels, puissent ajouter à leur champ d'activités des interventions auprès de systèmes interpersonnels en difficulté. Ils sont bien placés pour servir d'intermédiaires entre des individus dont le mode de collaboration s'avère bloqué ou déficient, et ceci avant que la situation ne dépérisse au point de rendre toute intervention impraticable.

L'autre voie possible du développement de la médiation est la formation des gestionnaires au rôle de médiateur. Malgré les ressources formelles de gestion des conflits dont pourrait disposer une organisation, il y aura toujours place à l'exercice informel des fonctions de médiation, dans le cadre des responsabilités courantes du gestionnaire. Les recherches de Sheppard et de ses associés (1989) nous indiquent que les gestionnaires valorisent le rôle de médiateur et le préfèrent à d'autres lors de l'analyse de situations hypothétiques. Par ailleurs, face à des conflits réels, ils auront tendance à y intervenir de façon autoritaire ou à se limiter à un rôle d'intermédiaire. Parmi les raisons invoquées, on fait état particulièrement du sentiment d'inaptitude devant la tâche de médiateur; pouvoir intervenir sans avoir dans sa poche une solution ou un compromis à proposer implique un certain degré de confiance dans ses capacités de structurer et d'animer un processus de facilitation. C'est là une compétence qui peut s'apprendre et se développer et qui permettra au gestionnaire de pouvoir légitimer les difficultés interpersonnelles tout en servant d'élément déclencheur d'un mode de résolution.

Les conflits ont toujours eu pour effet de mettre les gens en face de leurs limites personnelles, et ceci est aussi vrai pour ceux qui en sont témoins que pour les protagonistes. La médiation n'empêche pas cet état de fait, mais elle peut recadrer le type d'intervention possible d'une tierce personne en lui procurant un modèle d'action pour faciliter ce qui correspond en fait à un mode d'autogestion des conflits.

Références bibliographiques

CARIGNAN, G. (1987). « Médiation et conciliation à la Régie du logement », dans GOUVERNEMENT DU QUÉBEC, *Médiation et administration publique*, Québec, Gouvernement du Québec, pp. 15-23.

CARPENTER, S.L. et KENNEDY, W.J.D. (1988). *Managing Public Disputes : A Practical Guide to Handling Conflict and Reaching Agreements*, San Francisco, Jossey-Bass.

FISHER, R. et URY, W. (1982). *Comment réussir une négociation*, Paris, Seuil.

FOLBERG, J. et TAYLOR, A. (1984). *Mediation : A Comprehensive Guide to Resolving Conflicts without Litigation*, San Francisco, Jossey-Bass.

KOLB, D.M. (1983). *The Mediators*, Cambridge, MIT Press.

MINISTÈRE DE LA JUSTICE DU QUÉBEC. *La médiation aux petites créances* (brochure).

MOORE, C.W. (1986). *The Mediation Process : Practical Strategies for Resolving Conflicts*, San Francisco, Jossey-Bass.

MURRAY, A. (1986). « La médiation familiale : une progression rapide », *Recueil de droit de la famille*, n° 2, pp. 311-325.

SHEPPARD, B.H., BLUMENFELD-JONES, K. et ROTH, J. (1989). « Informal Thirdpartyship : Studies of Everyday Conflict Intervention », dans K. KRESSEL et D.G. PRUITT (sous la direction de), *Mediation Research*, San Francisco, Jossey-Bass.

12

Les pratiques de réseaux dans le domaine de la santé mentale

Luc BLANCHET

La santé mentale d'un individu résulte de l'interaction dynamique entre des facteurs biologiques, psychologiques et contextuels (ministère de la Santé et des Services sociaux [MSSS], 1989). Elle est influencée par des conditions multiples et interdépendantes, telles que les conditions économiques, sociales, culturelles, environnementales et politiques (Comité de la santé mentale du Québec [CSMQ], 1985). Grâce à l'apport de divers mouvements sociaux (mouvement communautaire, désinstitutionnalisation, mouvement des femmes, etc.), on assiste présentement au Québec, comme ailleurs en Occident, à un élargissement du champ de la santé mentale. Jadis centré exclusivement sur la personne, ce champ s'est ouvert progressivement sur les interrelations entre la personne et son environnement. Cette ouverture sur les dimensions contextuelles de la santé mentale a eu des effets, tant sur les pratiques de soins que sur le développement de la promotion de la santé mentale (Blanchet *et al.*, 1990).

Pourtant, s'inspirant des modèles médical et psychanalytique, et s'inscrivant dans une logique d'autosuffisance, les services de santé mentale sont encore largement dominés par les approches thérapeutiques individuelles, quelle que soit d'ailleurs la diversité de leurs fondements théoriques. Nul ne conteste la difficulté d'effectuer, dans la pratique clinique, l'opérationnalisation de cette ouverture aux dimensions contextuelles de la santé mentale. C'est à cet objectif que s'emploient, entre autres, les pratiques de réseaux dans le système de soins.

Il serait difficile toutefois de cerner l'apport de ces pratiques de réseaux, et donc de situer notre propos, sans faire un bref rappel de l'histoire récente du système de soins de santé mentale au Québec. Ce système a en effet connu un développement rapide et important au cours des 30 dernières années, évolution qui s'inscrit dans un courant plus général de réformes prévalant en Occident.

Un peu d'histoire

On peut diviser cette histoire récente en trois périodes distinctes (Boudreau, 1984): la première s'étendrait de la fin de la Deuxième Guerre mondiale jusqu'au début des années 60. Avant 1960, les services de santé mentale se distribuent presque exclusivement dans les milieux asilaires. Cette période correspond à un monopole religieux sur les institutions de santé au Québec et à des constructions successives de grandes institutions à la périphérie des villes. Il s'agit essentiellement d'héberger les personnes en difficulté psychologique, de leur procurer un gîte, de la nourriture et des vêtements. Il se fait, à cette époque, très peu de traitements psychothérapeutiques et encore moins de réadaptation.

En 1960, s'amorce au Québec un grand déblocage collectif, qui se manifeste par des réformes en profondeur dans tous les secteurs d'activités: la vie politique, l'information, l'éducation, la santé, le monde du travail. Les services de santé mentale n'échappent pas à cette remise en question. Ainsi, à la suite de la parution du livre *Les fous crient au secours* (Pagé, 1961), une commission d'enquête est instituée sur la situation des personnes internées: leurs conditions de vie, l'absence présumée de soins, etc. Cette commission d'enquête recommandera la cessation de construction des asiles, la régionalisation des services et l'ouverture de services de psychiatrie dans les hôpitaux généraux. Parallèlement, on assiste à l'émergence du pouvoir des psychiatres dans ces institutions, où se développe une conception scientifique de la « maladie mentale » et de son traitement.

Plusieurs lois suivirent les recommandations de cette commission, comme la Loi de la curatelle publique, la Charte des droits et libertés de la personne, la Loi des personnes handicapées. Elles reflètent le désir de l'État d'intervenir dans le domaine de la santé et de le réglementer.

À cette période que l'on considère désormais comme l'« âge d'or de la psychiatrie » (Boudreau, 1984) succède une troisième période qui commence avec les années 70. On pourrait nommer cette période celle du système global de la santé et des affaires sociales. Elle se caractérise par la naissance du mouvement communautaire en psychiatrie et l'émergence du pouvoir technocratique dans le monde de la santé en général. La santé mentale y est désormais perçue comme un droit de tous, la notion de pouvoir aux usagers fait son apparition. Nous entrons dans un modèle de santé publique globale.

Cette évolution du système de soins de santé mentale a des correspondances évidentes avec l'évolution sociopolitique du Québec. En effet, après cette période de désenchantement et de « fin des illusions », période que l'on a également nommée celle de la « grande noirceur », correspondant aux années 1945-1960, suit une période dite de « grand refus », qui s'étend de 1960 à 1972. Cette période a également été nommée révolution tranquille au Québec. On assiste alors à la contestation du pouvoir clérical puis, plus tard, du pouvoir médical, à la critique de l'univers institutionnel et à la naissance du mouvement antipsychiatrique. Puis, c'est la période de crise, de 1973 à 1982 : crise économique bien sûr, mais aussi crise des valeurs, des croyances et des théories (Enriquez, 1977). C'est alors l'éclatement des perspectives d'intervention, l'essor de la psychiatrie communautaire et de toutes sortes de nouvelles thérapies (bioénergie, gestaltisme, thérapie familiale, etc.). C'est aussi le début des préoccupations « alternatives » ; les premières *ressources alternatives en santé mentale*[1] voient le jour : la Maison St-Jacques en 1972 (Équipe de la Maison St-Jacques, 1981), Action-Santé de Pointe-Saint-Charles en 1974 (Blanchet, 1978). Ce n'est pas par hasard si les pratiques de réseaux, dont il sera question ici, ont émergé durant cette période.

Enfin, et pour clore ce bref survol, on constate que la dernière décennie se caractérise par des préoccupations plus économistes, sans pouvoir affirmer qu'elle constitue déjà une période historique distincte. Il semble s'opérer une certaine récupération par l'État, du moins par ses technocrates, des discours progressistes en santé mentale, récupération caractérisée par un souci extrême de rentabilité économique et sociale. Nous assistons néanmoins à une démocratisation des structures, dont un exemple est justement la toute récente politique de santé mentale du Québec, dont tout le monde s'accorde à dire qu'elle est plus une politique de services de santé mentale qu'une politique plus vaste et ouverte de promotion de la santé mentale.

Cette politique propose néanmoins une organisation décentralisée des services, des pouvoirs exécutifs accordés aux diverses régions du Québec, et des actions précises et concertées en matière de désinstitutionnalisation. Sans parler clairement de pratiques de réseaux, le MSSS (1989) y recommande tout de même de porter « une attention particulière aux conditions qui doivent être assurées pour le retour des personnes dans la communauté, aux modalités d'entente avec les intervenants qui y participent, aux différentes stratégies propres à faciliter la collaboration de la communauté et enfin, aux modes de collaboration interrégionale et de coopération avec différents secteurs autres que la santé et les services sociaux ».

1. Il s'agit d'organismes sans but lucratif qui poursuivent des objectifs de déprofessionnalisation des approches, de déhiérarchisation des statuts et de participation des usagers aux processus décisionnels. Leurs moyens d'intervention privilégiés sont l'entraide et la solidarité, telles qu'elles sont vécues dans diverses activités thérapeutiques ou de revendication politique (Guertin et Lecomte, 1983).

Quelques clarifications conceptuelles

La notion de réseau social vient de l'anthropologie (Barnes, 1954). Bien qu'il en existe plusieurs définitions, nous nous limiterons, aux fins de cet exposé, aux acceptions les plus courantes. Mais il y a lieu, tout d'abord, de faire une distinction entre le réseau social et le soutien social, qui sont deux concepts fort différents.

Le réseau social

On admet généralement que le réseau social se subdivise en réseau social primaire ou informel et réseau social secondaire, lequel peut être semi-formel ou formel. Le réseau social primaire se définit par rapport à un individu et représente cette entité microsociologique qui est constituée par l'ensemble de la famille, de la parenté, des amis, des voisins et des compagnons de travail qui ont des liens d'affinités avec cet individu, en dehors de tout contexte institutionnalisé (Blanchet *et al.*, 1982). Il s'agit en somme des personnes qui sont importantes pour l'individu, avec qui il partage ses préoccupations, et qui l'aident à affronter les problèmes de la vie quotidienne (Henderson, 1977). À la différence du réseau primaire, lequel se définit par rapport à l'individu, le réseau secondaire, lui, se définit par rapport à une fonction sociale. Il s'agit en somme de personnes qui sont réunies, dans un contexte plus ou moins institutionnalisé, pour effectuer des tâches ou des fonctions liées à des objectifs. Des exemples : une équipe de travail, un syndicat ou une école constituent autant de réseaux secondaires plus ou moins formels. Ces distinctions entre réseau social primaire et secondaire ne sont pas sans importance quand on parle de pratiques de réseaux, comme nous le verrons plus loin.

Le soutien social

Quant au soutien social, il s'agit là d'une notion plus contemporaine et qui se réfère à la fois au soutien instrumental et au soutien affectif. Quand on parle de soutien social, on parle d'un effet général ou immunitaire sur le bien-être individuel (Leavy, 1983). En d'autres termes, plus un individu est bien inséré socialement et affectivement dans un réseau social personnel ou primaire, plus il sera immunisé contre les problèmes de la vie. On parle également d'un effet-tampon (Nuckolls *et al.*, 1972 ; LaRocco *et al.*, 1980 ; Cohen et Hoberman, 1983 ; Jung, 1984 ; Kessler et McLeod, 1985) du soutien social, lequel favorise le maintien de la bonne santé quand il y a augmentation de stress. Autrement dit, en cas d'émergence de problèmes, si un individu est bien soutenu socialement, il a plus de chances de se maintenir en bonne santé.

Contributions à l'intérêt pour les réseaux sociaux

L'intérêt pour les réseaux sociaux dans le domaine de la santé mentale est relativement récent: une quinzaine d'années tout au plus. Sans expliquer longuement l'origine de cet intérêt, mentionnons tout de même trois sphères d'influence principales:

1) Dans le champ psychiatrique, les mouvements sociaux de remise en question de l'asile dans les années 60 (Goffman, 1958) et des pratiques psychiatriques institutionnelles dans les années 70 (Basaglia, 1970; Cooper, 1970) ont amorcé le développement de ces deux avenues majeures et complémentaires que sont la désinstitutionnalisation (autant du personnel de ces institutions que de la clientèle, pourrait-on ajouter) et les pratiques d'intervention communautaire liées aux réseaux sociaux.

2) Dans le champ des sciences sociales, il faut mentionner les contributions de l'anthropologie et de la sociologie: contribution de l'anthropologie culturelle, avec l'étude détaillée du tissu social et son découpage en réseaux sociaux, primaire et secondaire; et contribution de la sociologie, en particulier des études américaines depuis 1975, qui a porté sur deux types de rapports:

   – *Les rapports entre les réseaux sociaux et la psychopathologie individuelle.* On a observé ici des variations dans les caractéristiques quantitatives et qualitatives des réseaux primaires des individus selon leur sexe, leur ethnie et leur diagnostic psychiatrique. Par caractéristiques qualitatives du réseau primaire, nous entendons leur étendue, leur densité, la réciprocité des interactions entre les membres du réseau, leur composition, etc. Ainsi, les réseaux primaires des hommes et des femmes n'ont pas les mêmes caractéristiques (Philips, 1981), ceux des francophones, des anglophones ou des italophones d'un même quartier (Labelle et Desmarais, 1975) n'ont pas non plus les mêmes caractéristiques, et pour parler directement des sujets qui nous occupent, le réseau primaire d'une personne sans diagnostic psychiatrique est deux fois plus étendu que celui d'une personne qui a un diagnostic de névrose et quatre fois plus étendu que celui d'une personne qui a un diagnostic de psychose (Pattison *et al.*, 1975). Ces données quantitatives auraient un sens limité s'il ne s'y ajoutaient des différences qualitatives dans la réciprocité des liens; la densité des rapports entre les membres du réseau, c'est-à-dire la proportion des personnes qui se connaissent déjà entre elles; et la composition surtout familiale de certains réseaux de psychotiques contre la composition équilibrée entre famille, parenté, amis et compagnons de travail pour des personnes n'ayant pas de diagnostic psychiatrique (Tolsdorf, 1976; Henderson *et al.*, 1978; Sokolovsky *et al.*, 1978). Voilà, rapidement esquissés, quelques indices sur ces rapports.

- *Les rapports entre le soutien social et la santé mentale.* Comme nous l'avons mentionné précédemment, l'importance du soutien social, tant dans ses effets généraux ou immunitaires que dans ses effets-tampons en cas de crise, ne saurait être sous-estimée dans nos projets d'intervention clinique, puisqu'au-delà de ce qui se joue dans l'intervention elle-même, n'est-ce pas avant tout dans le milieu d'insertion sociale que prend forme et se manifeste la santé mentale des individus ?

3) Dans le champ de la théorie des systèmes, celle-ci et les principes de l'intervention systémique, notamment de la thérapie familiale systémique, ont contribué au développement des pratiques de réseaux. Mentionnons simplement ici les notions qui ont été utiles dans l'élaboration et l'expérimentation de ces pratiques de réseaux. Nous voulons parler ici des notions d'homéostasie, de triangle et de triangulation, de sens du symptôme dans le système, de double contrainte, de circularisation de l'information, du rôle et de la place des secrets dans la famille ; la notion de consensus contre celle de conflits, des approches stratégiques et paradoxales, de la prise en considération des règles du milieu socioculturel, du génogramme et de l'inventaire du réseau, de la clarification des mandats, et enfin des responsabilités respectives de la personne en difficulté, de l'intervenant et du réseau primaire dans tout projet d'intervention clinique.

Aide professionnelle ou aide naturelle ?

Une première question qui surgit lorsque l'on parle de pratiques de réseaux est celle de savoir quelle place l'aide professionnelle et l'aide naturelle occupent dans les stratégies d'existence des personnes qui vivent un stress pouvant mener à des problèmes de santé mentale. De nombreuses études contemporaines sur les comportements de recherche d'aide indiquent que le recours aux services professionnels ne constitue qu'un faible pourcentage des démarches possibles parmi celles entreprises par ces personnes (Rosenblatt et Mayer, 1972 ; Gourash, 1978 ; Kulka *et al.*, 1979 ; Eddy *et al.*, 1979). Les ressources personnelles des individus, le soutien social disponible dans leurs réseaux primaires, les ressources informelles ou semi-formelles présentes dans la situation, constituent autant d'autres voies de recours utilisées dans les faits.

Toutes ces avenues, incluant le recours aux services professionnels, apparaissent liées à des variables personnelles et contextuelles fort complexes. Qu'il nous suffise, à titre indicatif, de mentionner ici une étude portant sur les stratégies d'existence des personnes âgées (Corin *et al.*, 1984) et dans laquelle les auteurs font état des variables suivantes dans le choix des stratégies individuelles d'affrontement des problèmes. Ces variables sont :

- l'importance perçue des problèmes;
- le rapport aux ressources formelles;
- des variables liées au style de sociabilité (la proportion des activités régulières effectuées solitairement, la position dans les échanges de contacts sociaux, la position perçue dans les échanges de services);
- la disponibilité des relations sociales;
- et, enfin, des variables «positionnelles», sociodémographiques et de milieu.

La question précédente incite à s'interroger sur la place que le système de soins de santé mentale fait à cette aide informelle, si importante. Un examen tant soit peu critique de nos pratiques professionnelles conduit à poser un diagnostic assez dur: en effet, à quelques exceptions près, le recours aux réseaux d'aide naturelle est inversement proportionnel au niveau d'expérience professionnelle et de spécialisation des intervenants. De l'hôpital au Centre local de services communautaires (CLSC) et jusqu'à l'organisme communautaire, l'engagement des réseaux d'aide naturelle dans les interventions semble suivre une courbe croissante.

Certaines dynamiques qui prennent place lors du recours à notre système de soins pourraient expliquer en partie ce diagnostic. En premier lieu, le modèle d'intervention auquel se réfère l'intervenant professionnel — modèle plus ou moins médical, psychologique ou social — a des répercussions sur le phénomène de responsabilisation sociale des proches de la personne en difficulté. Et cela, aux différentes étapes de la démarche, c'est-à-dire depuis la perception et la définition du problème présenté jusqu'à la recherche de solutions.

Qui définit que telle situation fait problème? Comment le problème présenté est-il perçu, non seulement par la personne qui consulte, mais aussi par les membres de son environnement social et par l'intervenant? Quelle définition ou lecture du problème prévaudra lors de la mise en place de l'intervention? Autant de questions qui se présentent souvent comme des grains de sable dans l'engrenage du savoir-faire professionnel.

Quant à la recherche de solutions, le fait d'y associer des membres des réseaux d'aide naturelle aurait des implications manifestes dans la multiplicité et la richesse des solutions disponibles. L'intervenant professionnel qui se prive de cette association rétrécit d'autant ses possibilités d'action communautaire, mais la formation et le statut professionnels ont des impératifs auxquels il n'est pas facile, semble-t-il, de se soustraire. Comme le disait un collègue ami, au sujet de la pratique individuelle en bureau privé: de quoi donc la pratique *privée* nous *prive*-t-elle, si ce n'est de cette multiplicité et de cette richesse de perceptions d'un même problème, multiplicité et richesse qui s'appliquent également à la recherche de solutions?

On le voit donc, à la différence de l'aide informelle qui prévaut dans les groupes sociaux naturels, lorsque le recours aux services professionnels a lieu, les rôles des acteurs en cause ont tendance à se rigidifier. Et il faut bien constater que, pour ce qui est du choix des interventions, il arrive souvent que les hiérarchies professionnelles se disputent la primauté des modèles et que les usagers, mis à part quelques résistances plus ou moins bien organisées, se conforment aux modèles d'intervention proposés, quels qu'ils soient.

Nous tenons à souligner, au passage, qu'il existe des situations où le réseau d'aide informel est effrité, morcelé, quand il n'est pas carrément épuisé par la difficulté ou la persistance d'un problème donné. On assiste même à une inversion de prédominance des réseaux primaires et secondaires dans la vie sociale de certains psychotiques. Il arrive donc que le réseau primaire de certaines personnes soit pratiquement inexistant. La seule issue autre que l'institutionnalisation ou le vagabondage consisterait alors à aider ces personnes à se construire un nouveau réseau social, soit en les invitant à chercher elles-mêmes les personnes-ressources dont elles ont besoin, soit, comme c'est le plus souvent indiqué, en les mettant personnellement en contact avec des lieux de rencontre ou des groupes d'entraide, tout en assurant, bien sûr, le suivi de ces démarches (Guay, 1984).

Quelques modèles québécois de pratiques de réseaux

Parmi les nombreuses expériences québécoises de pratiques de réseaux dans le domaine de la santé mentale, nous nous limiterons à présenter ici trois modèles de pratique qui ont été choisis en fonction de leur influence pédagogique sur d'autres pratiques, mais surtout en raison du fait que ces trois groupes de travail ont obtenu des subventions de recherche dans le but d'approfondir et de formaliser davantage si possible leur pratique de réseaux. Nous les présenterons également en ordre de développement historique.

Le groupe de recherche-action en intervention en réseau de l'Unité de recherche psychosociale de l'Hôpital Douglas (Verdun)

Le premier modèle présenté ici est celui qui a été développé à l'Unité de recherche psychosociale du Centre de recherche de l'Hôpital Douglas à Verdun. Ce projet est né de l'insatisfaction d'un noyau de cliniciens et de chercheurs par rapport à la pratique de la psychiatrie de secteur: on critiquait d'une part son manque d'insertion communautaire et d'autre part on lui faisait le reproche de demander à la communauté d'intégrer des personnes qui sortent des hôpitaux psychiatriques, mais sans travailler particulièrement sur la tolérance du milieu, sa capacité d'accueil et sur le soutien social disponible. Ce modèle s'est élaboré progressivement à partir du milieu des années 70 grâce au fait que des équipes de psychiatrie de secteur dirigeaient des patients vers une équipe d'intervention en réseau, qui avait comme lourd défi de tenter de dénouer les situations de crise ou d'impasse vécues par les équipes de secteur. Cette première phase d'expérimentation sur environ une dizaine de familles a été suivie d'une deuxième phase d'implantation sur le terrain où on a tenté de répondre à 25 nouvelles demandes de services, sans présélection, au moyen d'une pratique de réseaux.

Le travail se fait le plus souvent à domicile. La phase d'évaluation comporte trois étapes : du contact téléphonique et de l'écoute de la demande on passe à l'élaboration de la carte du réseau, ce qui permet à la fois d'effectuer une première ouverture vers le réseau et de manifester un intérêt pour les conditions de vie quotidienne des personnes qui consultent un psychiatre. La dernière étape consiste en une négociation entre l'individu qui fait la demande, sa famille et une partie de son réseau primaire lorsqu'il est présent, et l'équipe d'intervention quant aux modalités thérapeutiques à mettre en place. Le réseau primaire constitue la pierre angulaire de ce modèle d'intervention et en même temps se propose comme une solution de remplacement de l'institutionnalisation. Comme choix de stratégies, on minimise le recours aux hospitalisations et aux médicaments, et on maximise l'apport du réseau primaire, son soutien affectif et concret dans les moments difficiles. Lors des rencontres en réseau, en plus du travail d'animation, on favorise l'analyse des conditions d'existence aliénantes (par exemple les rôles stéréotypés liés au sexe, la condition de la femme dans la société, les conditions de vie, le chômage, l'aide sociale, etc.).

Le portrait général de la clientèle de ce groupe de recherche peut être résumé ainsi (Équipe d'intervention en réseau du C.H. Douglas, 1984) : en tout, on a offert une pratique de réseaux à 25 personnes, dont la moyenne d'âge était de 38 ans. Il s'agit de quinze femmes et dix hommes, dont les deux tiers vivaient seuls, soit comme célibataires, soit comme personnes séparées ou divorcées. Le tiers de ces personnes ne travaillait pas. Les problèmes présentés étaient variés, les diagnostics psychiatriques également, mais deux types de problèmes se dégageaient principalement : les problèmes de couple ou de famille, surtout liés à la perte du conjoint et les problèmes liés à l'emploi, en particulier pour la moitié des hommes qui ont consulté un psychiatre.

Cette recherche a démontré essentiellement que l'intervention en réseau était une pratique applicable à une situation de clinique externe de psychiatrie, puisque les deux tiers des participants à la recherche ont pu bénéficier de ce type de pratique. Si l'on a constaté une amélioration subjective et objective de tous les participants à cette recherche, il faut néanmoins constater que les personnes qui ont eu accès à de l'intervention en réseau ont vu également s'améliorer leur vie sociale et leur vie de loisirs, ce qui n'a pas été le cas des personnes qui ont refusé cette approche. Avant de conclure sur cette première recherche québécoise en matière de pratique de réseaux, nous aimerions souligner les aspects « alternatifs » de cette pratique (Blanchet *et al.*, 1981) qui en font à la fois une pratique difficile et à contre-courant par rapport aux modèles dominants. Ces aspects seront divisés en cinq principaux :

1) *Composition de l'équipe*

Les intervenants cliniques habituels (ergothérapeutes, infirmières, psychiatres, psychologues et travailleurs sociaux), malgré leur volonté de remise en question, ont acquis des attitudes réflexes parfois difficiles à reconnaître et à changer. En cela, la présence de deux chercheurs en provenance des sciences sociales (une anthropologue et un sociologue) a été essentielle. Leur formation de recherche et leurs points de vue moins psychologiques et médicaux ont obligé les cliniciens à remettre en question leurs attitudes pour en arriver à utiliser dans l'intervention elle-même les facteurs sociaux, idéologiques et politiques liés aux problèmes présentés.

2) *Réunification des aspects biologiques, psychologiques et sociaux*

Habituellement, dans la présentation d'un problème en milieu psychiatrique, ces trois aspects sont dissociés. Pourquoi ? À cause de divers facteurs liés à l'idéologie dominante, à savoir la responsabilité individuelle dans les problèmes de santé, la montée du professionnalisme, la spécialisation des tâches, etc. Dans la pratique de ce groupe, ces trois aspects sont constamment unifiés en vue d'effectuer une analyse globale des problèmes présentés. En ce sens, la réunion du réseau primaire, en réponse à une demande de services, s'oppose à l'idéologie médicale.

3) *Démystification du pouvoir professionnel*

L'idéologie médicale véhicule aussi la croyance que le spécialiste est « le seul capable de diagnostiquer un problème et de le traiter » le plus souvent, d'ailleurs, chez un seul individu. En conformité avec cette idéologie, le patient se perçoit comme l'unique responsable de ses problèmes et s'attend à un traitement individualisé et médico-psychologique. Lors de la négociation en vue de réunir le réseau primaire pour participer à la discussion des problèmes présentés, cette équipe explique au patient son manque de connaissance des paramètres de la vie quotidienne. Elle favorise ainsi une participation égalitaire entre les trois instances engagées dans l'intervention : le patient, son réseau et l'équipe. Cette façon de procéder entraîne une certaine démystification du savoir des professionnels de la santé et du pouvoir qui s'y rattache. D'ailleurs, la réunion du réseau autour du patient constitue en elle-même une situation subversive, car elle met en commun des perceptions diverses et souvent contradictoires d'un même problème, en plus de favoriser une remise en question des rapports de pouvoir et de savoir entre les différentes instances concernées.

4) *Rôle et place des secrets*

Dans l'organisation sociale actuelle, il y a une division très nette entre la vie privée et la vie publique de l'individu. Cela a pour conséquence que les événements de la vie privée deviennent des secrets qui peuvent, en plus de refléter l'aliénation de l'individu, maintenir l'homéostasie dans les familles ou les réseaux au détriment de l'individu. Dans cette optique, concevoir les problèmes de santé mentale comme faisant uniquement partie de la vie privée contribue au maintien de l'aliénation. La réunion du réseau aura au contraire pour effet de révéler la présence de systèmes de communication fermés et d'en provoquer l'éclatement, rendant alors public ce qui était jusque-là tenu secret. Cette ouverture, lorsqu'elle est exercée de manière spontanée et consentie, favorisera le partage de conditions communes d'existence, donnera parfois un sens à la souffrance des patients et exercera une fonction désaliénante à l'intérieur des familles et des réseaux.

5) *Structures de soutien affectif*

En rapport avec la critique que ce groupe fait de la psychiatrie de secteur, l'aspect « alternatif » le plus important de sa pratique est justement la mise en place de structures de soutien affectif qui permettent aux membres du réseau de se mobiliser autour des personnes en crise, et qui peuvent dépsychiatriser à long terme les problèmes. Le travail de ce groupe consiste en effet à mener les patients vers un meilleur équilibre grâce au soutien concret et affectif qu'ils reçoivent dans leur réseau.

Le groupe de recherche sur les pratiques de réseaux (Montréal)

Le deuxième groupe de recherche dont il sera question maintenant est celui qui a pris naissance au début des années 80 à l'École de service social de l'Université de Montréal. Ce groupe mènera pendant quelques années des recherches sur le développement de pratiques de réseaux auprès de clientèles des services sociaux. Ce groupe s'est intéressé particulièrement au rapport entre les réseaux primaire et secondaire, et au processus dynamique de collectivisation et d'autonomisation (Brodeur, 1984) propre à l'intervention en réseau. En effet, les acteurs sociaux engagés dans une telle intervention, c'est-à-dire les intervenants et les réseaux sociaux, qu'ils soient primaires ou secondaires, sont au départ au lieu même de la contradiction sur les deux axes suivants : individu/collectivité et dépendance/autonomie. Selon les membres de ce groupe, c'est dans un mouvement dialectique entre les deux pôles de ces axes que s'inscrit le processus de l'intervention en réseau, qui conduira plus tard à la réalisation de ces objectifs de collectivisation et d'autonomisation.

La réflexion de ce groupe porte aussi sur le risque que les valeurs et les intérêts des spécialistes de la santé mentale prédominent sur ceux des usagers. Rapports de classe, relations de domination des spécialistes sur les populations cibles, tels sont bien les écueils prévisibles des pratiques institutionnelles dont le mandat se limite à offrir des services. Engager les usagers en élaborant *avec* eux et non pas *sur* eux un projet de recherche conduit en effet à des remises en question sérieuses des rôles professionnels et institutionnels des intervenants. Cela fait appel à des attitudes particulières chez les intervenants en réseau.

Ces attitudes souhaitables seraient (Daher, 1984) : l'ouverture existentielle, la capacité d'offrir une présence à toute épreuve (par l'authenticité et le respect du rythme du réseau), la centration sur la personne et la collectivité (et non sur le problème) et le fonctionnement existentiel à tous les niveaux. À ces attitudes nous croyons qu'il y aurait lieu d'ajouter le désir et la capacité de l'intervenant d'abandonner son statut de thérapeute professionnel (renonçant partiellement à toute la gamme de pouvoirs professionnels, institutionnels et symboliques dont il est investi par le réseau), pour prendre celui, beaucoup plus menaçant pour lui, d'animateur d'un processus collectif de recherche de solutions autonomes.

Ainsi l'intervenant en réseau, de praticien ou thérapeute devant répondre à une demande individuelle qu'il était, devient peu à peu une personne-ressource à la disposition du milieu, une sorte de catalyseur des potentialités des réseaux. L'intervenant est paradoxalement le mandataire de l'institution tout en défendant les intérêts du milieu dans lequel il intervient. Il doit donc, en tant que représentant d'une institution fournissant des services, se départir de l'autorité qui lui est conférée par cette institution pour se mettre réellement au service des réseaux primaires et, ce faisant, remettre également l'institution qu'il représente au service de la population. Car, quelles que soient les expériences de chaque intervenant en réseau dans son rapport avec l'institution, il est bien le témoin de cette dissociation aliénante entre la mesure de rentabilité sociale d'une institution et son adhésion véritable à l'évolution d'une réalité collective.

À la fin de sa période de recherche financée, ce groupe de l'École de service social de l'Université de Montréal s'est en partie dissous pour recréer, cette fois dans le domaine privé, un Institut de recherche et de formation en intervention de réseaux (IRFIR). Cet Institut a fait, dans sa pratique, le constat du désengagement des groupes sociaux naturels. Désengagement lié, selon lui, à une double atrophie : la première atteindrait la capacité, sinon le désir même, d'entreprendre des actions autonomes, accompagnée souvent de la perte de confiance en une telle capacité — Lerner (1981) parlerait ici de *surplus powerlessness* —, alors que la seconde atrophie serait celle du sentiment d'appartenance à son groupe. Cette deuxième atrophie se caractériserait surtout par l'affaiblissement du sens de la propriété que devrait avoir le groupe par rapport aux problèmes et aux projets qui lui appartiennent de droit.

Les causes d'un tel désengagement seraient circulaires et à examiner à trois niveaux (IRFIR, 1987) :

1) Dans les rapports entre les groupes sociaux naturels (réseaux primaires) et les institutions de service (réseaux secondaires). Il s'agirait essentiellement ici de la mise en présence de deux types de savoir : l'un, populaire ou vernaculaire (Illich, 1983), qui s'écraserait sous le poids de la légitimité sociale et juridique de l'autre, le savoir scientifique. Le réseau primaire intérioriserait le mode de gestion du social proposé par l'institution (c'est-à-dire un découpage sémiologique des phénomènes sociaux, suivi d'offres de services correspondant aux problèmes identifiés), et il moulerait son langage et ses demandes pour les rendre intelligibles à l'institution et ainsi avoir droit aux services. L'Institut avance même que, si l'offre de services est individuelle, le groupe naturel mandatera un émissaire. C'est la situation de la demande qui s'ajuste à l'offre.

2) Dans les rapports internes des réseaux primaires, rapports qui seraient stérilisés par l'intervention institutionnelle, qui viendrait enlever leur nécessaire nature conflictuelle en proposant l'harmonisation à tout prix des rapports sociaux. Alors que le jeu de réaménagement des conflits et des coalitions permettrait aux réseaux primaires de gérer efficacement leurs contradictions.

3) Enfin, dans les rapports internes des réseaux secondaires ou institutions de services, où ce qui est essentiellement observé, c'est la pratique de l'idéologie occupationnelle, c'est-à-dire créer, planifier, opérationnaliser et gérer des services — la fameuse « logique des services ». Ainsi structurée, l'institution court-circuiterait toute ligne de transmission de l'information qui lui permettrait de connaître les demandes implicites de la collectivité.

Le Service enfance-famille de l'Hôpital Jean-Talon (Montréal)

Enfin, le dernier groupe dont il sera question est celui du Service enfance-famille du Département de psychiatrie de l'Hôpital Jean-Talon à Montréal. Il s'agit d'un groupe de huit cliniciens et cliniciennes (ergothérapeute, psychoéducateur, psychologues, psychiatres et travailleuses sociales), qui est appuyé dans sa démarche par un groupe de chercheurs associés au Laboratoire de recherche en écologie humaine et sociale (LAREHS), de l'Université du Québec à Montréal. Le Service enfance-famille a élaboré dans les cinq dernières années un projet de recherche qui s'inscrit dans le courant des études traitant de la contribution de l'environnement social de soutien d'un individu à son bien-être et à sa croissance personnelle. Selon la tendance générale dans ce domaine de recherche, les chercheurs sont d'avis qu'un environnement stable et cohérent, à l'intérieur duquel l'individu se sent intégré, contribuerait grandement au maintien de la santé. Toutefois, les résultats des recherches étant plus abondants pour des échantillons d'adultes, ce groupe a pensé qu'il était essentiel de vérifier cette hypothèse dans un contexte d'interventions cliniques auprès d'une clientèle infantile.

Dans cette équipe, les intérêts de recherche se sont orientés surtout vers l'importance que revêt l'écologie sociale auprès d'une population clinique. En plus des changements chez l'enfant, le groupe de l'Hôpital Jean-Talon souhaite mieux connaître les effets directs et indirects observés chez certains membres de l'environnement social de soutien de l'enfant lorsque ces personnes sont réunies, avec d'autres membres du réseau de soutien de l'enfant, dans un même lieu (interventions en réseau). Cette étude a été conçue de manière à souligner les changements qui surviennent dans l'environnement social de soutien d'un enfant et à comparer un groupe où une intervention en réseau a été effectuée (groupe-réseau) à un autre où une telle intervention n'a pas eu lieu (groupe témoin).

La question de recherche posée par cette équipe est donc la suivante: lorsque l'on offre un programme d'interventions en réseau à des enfants présentant des problèmes d'ajustement psychologique, quels changements peut-on observer au niveau de:

1) l'ajustement psychologique de l'enfant (tel qu'il est perçu par le ou les parents);
2) la définition et l'attribution du problème (telles que les formulent le ou les parents);
3) la cohésion et l'adaptabilité familiales (telles qu'elles sont perçues par le ou les parents);
4) l'environnement social de soutien de l'enfant, tant dans ses aspects dynamiques que structurels (tel qu'il est inventorié par l'enfant et le ou les parents)?

Une question subsidiaire s'ajoute: «Ces changements sont-ils propres ou spécifiques au groupe-réseau?»

Les sujets de la recherche sont des garçons et des filles de six à douze ans, de nationalité canadienne, de langue française, avec des profils nosologiques spécifiques, incluant les problèmes relationnels dans la famille, les problèmes de comportement et des syndromes tels que la dépression ou l'anxiété, ces profils nosologiques représentant 73 % des demandes adressées au Service enfance-famille par les enfants de ce groupe d'âge.

Aux fins de cette recherche et vu la grande variabilité des critères servant à définir une intervention en réseau, le groupe du Service enfance-famille (Blanchet, 1991) a proposé une définition qui s'est dégagée lors de ses réunions en équipe multidisciplinaire:

> L'intervention en réseau est une intervention qui réunit dans un même temps et lieu l'enfant à propos duquel on consulte, sa famille, ainsi que les membres importants, désignés et consentants, de son réseau social personnel (famille extérieure à la maisonnée, parenté, amis, voisins, gardiens, école, autres intervenants, etc.) en vue de définir le problème présenté et d'y chercher des solutions (p. 42).

Mentionnons, pour clarifier cette définition, que, parmi les membres importants, désignés et consentants du réseau social personnel de l'enfant, la présence d'au moins une personne extérieure à la maisonnée (ne vivant pas sous le même toit que l'enfant) et n'ayant pas de lien de génération directe avec l'enfant (noyau familial) sera nécessaire pour que l'on puisse parler d'intervention en réseau. Il faut noter ici que cette définition minimale veut démarquer l'intervention en réseau de l'intervention familiale ; il n'est pas du tout exclu, bien au contraire, que plusieurs autres membres du réseau personnel de l'enfant participent aux réunions du réseau.

Cette recherche permet donc de vérifier empiriquement des intuitions cliniques tout en expérimentant une intervention thérapeutique innovatrice dans un milieu hospitalier. De plus, elle offre une occasion exceptionnelle de parfaire les formations respectives tout en favorisant une collaboration dynamique entre chercheurs et cliniciens. Les expériences respectives servent à alimenter les champs de compétence de chacun. Il s'agit d'un cheminement professionnel où les cliniciens deviennent partie intégrante de la recherche, alors que les chercheurs deviennent préoccupés par des considérations beaucoup plus cliniques. Dans ce contexte riche en stimulations, les membres de cette équipe se voient donc engagés dans un processus de cheminement collectif et personnel. Leur engagement personnel s'étend de la conception originale du projet à la réalisation concrète de chacune de ses phases.

Au moment de la rédaction de ce texte, l'expérimentation n'est pas encore terminée et il serait prématuré de discuter des résultats même préliminaires de cette recherche. On peut cependant observer que la pratique de réseaux développée au Service enfance-famille de l'Hôpital Jean-Talon a amené les intervenants de ce Service à s'interroger sur la difficulté de modifier des pratiques professionnelles déjà bien établies et ce, en dépit de leur conviction profonde que l'environnement social de soutien de l'enfant en difficulté a un rôle important à jouer dans la définition des problèmes présentés et la recherche de solutions. De plus, il est apparu clairement, lors de cette démarche collective, que le morcellement et l'étanchéité des services à l'enfance (ce découpage structurel entre bureaux de services sociaux (BSS), CLSC, centres hospitaliers (CH), commissions scolaires, etc.) répondaient à des impératifs sociaux, idéologiques et politiques sur lesquels un groupe social en particulier, le Service enfance-famille dans ce cas-ci, malgré toute sa bonne volonté, avait peu de prise. Établir le partenariat et favoriser la concertation communautaire demeurent des objectifs sans aucun doute valables, mais combien d'embûches, de résistances professionnelles et administratives il faut franchir pour y parvenir !

Cette équipe aura donc fait le constat du hiatus qui subsiste entre les discours technocratiques contemporains et la réalité des pratiques institutionnelles. En plus des résultats de recherche à venir, elle aura déjà contribué à réexaminer sous un angle nouveau les limites et les impasses de la surprofessionnalisation et du morcellement des services à l'enfance.

Conclusion

La notion de réseau social dans le champ de l'intervention en santé mentale est vraiment d'actualité. Depuis une quinzaine d'années en effet, on a vu apparaître et se développer au Québec plusieurs modèles de pratiques de réseaux à partir de demandes formulées à des services professionnels. Parallèlement à ces développements, ont surgi, dans le champ de la santé mentale toujours, un grand nombre de ressources alternatives, communautaires, de groupes d'entraide, formels et semi-formels, venant répondre aux besoins multiples et variés de communication, de solidarité et d'une entraide particulière souvent négligés par les interventions professionnelles.

Comme pour toute pratique nouvelle, plusieurs questions restent encore sans réponse définitive. Qui définit le réseau, et à quel moment ? Quels concepts théoriques sont sous-jacents aux différents modèles d'intervention en réseau ? Quelles conceptions du social sont véhiculées par ces modèles ? S'agit-il de réseaux construits ou de réseaux émergents ? Quelle est la spécificité de cette approche ? Y a-t-il des situations cliniques où cette approche serait particulièrement indiquée ou contre-indiquée ? À ces questions sur la forme et le contenu s'en ajoutent d'autres sur le processus même de l'intervention : dans le cas fréquent, par exemple, d'une demande individuelle, comment faire pour élargir le cadre de l'intervention ? Comment passer d'une demande d'attention centrée sur une personne, à une intervention incluant divers acteurs sur lesquels on intervient et qui interviennent à leur tour, partageant leurs perceptions diverses du problème présenté et conduisant à une redéfinition éventuelle de ce problème ? Il y a aussi des questions d'ordre idéologique. Pourquoi se fait-il si peu d'intervention en réseau ? Cette approche des problèmes entre-t-elle en conflit avec l'idéologie véhiculée par l'intervention individuelle ? Si c'est le cas, quels sont les enjeux sociaux et politiques de ce conflit ? Et quel rôle joue le fameux secret professionnel dans tout cela ? Enfin, y aurait-il actuellement une certaine mystification de cette forme d'intervention ?

Par ailleurs, si les pratiques de réseaux ont été abordées ici sous l'angle de l'intervention clinique, elles ont aussi une importante dimension d'organisation communautaire. C'est la question du réseau social comme terrain thérapeutique ou comme terrain d'organisation. En d'autres termes, quelles différences apparaissent selon que l'on fait du réseau une utilisation clinique (à partir d'une demande individuelle ou même familiale) ou une utilisation communautaire (à partir d'une problématique sociale) ? Entre ces deux manières de « faire du réseau » pour ainsi dire, quels sont les points de convergence et de divergence, les complémentarités et les oppositions ?

Finalement, il y a lieu d'interroger aussi le rapport entre nos pratiques et nos contextes d'intervention : quelles exigences, quelles contraintes dans nos pratiques sont liées à nos contextes de travail, à nos modèles d'organisation, à notre statut personnel dans l'organisation ? Quelle influence a le statut social de la ressource, de l'intervenant et des bénéficiaires ? Y a-t-il des contextes favorables au développement de cette approche ? Si oui, lesquels ? Dans les difficultés d'implantation d'une pratique de réseaux, par exemple, quelle part jouent les résistances personnelles, professionnelles, administratives ? Autrement dit, quelles sont les caractéristiques à la fois personnelles (valeurs, idéologie, expériences, etc.) et contextuelles (pression sociale, contraintes et rapports avec l'institution) favorisant les pratiques de réseaux ?

Entre, d'une part, les modalités d'interventions technicisées, provenant des milieux institutionnels — où la rémunération et la sécurité d'emploi ne sont pas des données négligeables — et, d'autre part, l'entraide spontanée et gratuite qui survient en situation de crise dans les milieux de vie naturels, il y a une place pour ces solidarités qui émergent dans des contextes plus ou moins formels. Les interventions faisant appel aux réseaux sociaux, qu'elles soient cliniques ou communautaires ou à la jonction des deux, peuvent justement constituer les lieux de telles solidarités microsociales.

Références bibliographiques

BARNES, J. A. (1954). « Class and Committees in a Norvegian Island Parish », *Human Relations*, vol. 7, pp. 39-58.

BASAGLIA, Franco (1970). *L'institution en négation*, Paris, Éditions du Seuil.

BLANCHET, Luc (1978). « La santé mentale à Pointe-Saint-Charles : vers une prise en charge collective », *Santé mentale au Québec*, vol. 3, n° 1, pp. 36-43.

BLANCHET, L. (sous la direction de) (1991). *Évaluation d'un programme d'intervention en réseau offert à des enfants présentant des problèmes d'ajustement psychologique*, Montréal, Hôpital Jean-Talon.

BLANCHET, L., COSSETTE, D., DAUPHINAIS, R., DESMARAIS, D., KASMA, J., LAVIGUEUR, H., MAYER, R. et ROY, L. (1982). *Réseau primaire et santé mentale : une expérience de recherche-action*, Unité de recherche psychosociale, Centre hospitalier Douglas.

BLANCHET, L., LAURENDEAU, M.-C. et PERREAULT, R. (1990). *La promotion de la santé mentale*, numéro spécial de *Santé et Société*, vol. 5.

BLANCHET, L., LAVIGUEUR, H., DAUPHINAIS, R., avec la collaboration de MAYER, R. (1981). « L'intervention en réseau, un modèle alternatif de prise en charge communautaire », *Santé mentale au Québec*, vol. 6, n° 2, pp. 126-132.

BOUDREAU, Françoise (1984). *De l'asile à la santé mentale. Les soins psychiatriques : histoire et institutions*, Montréal, Éditions Saint-Martin.

BRODEUR, Claude (1984). « Un projet d'action sociopolitique », dans C. BRODEUR et R. ROUSSEAU (sous la direction de), *L'intervention de réseaux, une pratique nouvelle*, Montréal, Éditions France-Amérique, pp. 47-69.

COHEN, S. et HOBERMAN, H. M. (1983). « Positive Events and Social Supports as Buffers of Life Change Stress », *Journal of Applied Social Psychology*, vol. 13, n° 2, pp. 99-125.

COMITÉ DE LA SANTÉ MENTALE DU QUÉBEC (1985). *La santé mentale, de la biologie à la culture : avis sur la notion de santé mentale*, Québec, Éditeur officiel du Québec.

COOPER, David (1970). *Psychiatrie et anti-psychiatrie*, Paris, Éditions du Seuil.

CORIN, E., TREMBLAY, J., SHERIF, T. et BERGERON, L. (1984). « Stratégies et tactiques : les modalités d'affrontement des problèmes chez des personnes âgées de milieu urbain et rural », *Sociologie et Sociétés*, vol. 16, n° 2, pp. 89-104.

DAHER, Pierre (1984). « Les attitudes fondamentales de l'intervenant en intervention de réseaux », dans C. BRODEUR et R. ROUSSEAU (sous la direction de), *L'intervention de réseaux, une pratique nouvelle*, Montréal, Éditions France-Amérique, pp. 71-82.

EDDY, W. B., PAAP, S. M. et GLADD, D. D. (1979). « Solving Problems in Living: The Citizens View-Point », *Mental Hygiene*, vol. 54, pp. 64-72.

ENRIQUEZ, E. (1977). « Interrogation ou paranoïa: enjeu de l'intervention psychosociologique », *Sociologie et Sociétés*, vol. 9, n° 2, pp. 79-105.

ÉQUIPE DE LA MAISON ST-JACQUES (1981). « La Maison St-Jacques, un centre d'intervention alternatif en santé mentale », *Santé mentale au Québec*, vol. 6, n° 2, pp. 138-142.

ÉQUIPE D'INTERVENTION EN RÉSEAU DU C. H. DOUGLAS (1984). « Réseau primaire et santé mentale: résultats des interventions effectuées auprès des patients identifiés et de leur réseau primaire », *Santé mentale au Québec*, vol. 9, n° 1, pp. 133-142.

GOFFMAN, Irving (1958). *Asylums: Essays on the Social Situation of Mental Patients and Other Inmates*, Garden City, N. J., Doubleday, Anchor. Traduction française: *Asiles: études sur la condition sociale des malades mentaux*, Paris, Les Éditions de Minuit, 1968.

GOURASH, N. (1978). « Helping-Seeking: A Review of the Literature », *American Journal of Community Psychology*, vol. 6, n° 5, pp. 413-425.

GUAY, Jérôme (1984). *L'intervenant professionnel face à l'aide naturelle*, Chicoutimi, Gaëtan Morin, éditeur.

GUERTIN, M. et LECOMPTE, Y. (1983). « Éditorial: Structures intermédiaires ou alternatives », *Santé mentale au Québec*, vol. 8, n° 1, pp. 3-6.

HENDERSON, S. (1977). « The Social Network, Support and Neurosis: The Function of Attachment in Adult Life », *British Journal of Psychiatry*, vol. 131.

HENDERSON, S., DUNCAN-JONES, P., MCAULEY, H. et RITCHIE, K. (1978). « The Patient's Primary Group », *British Journal of Psychiatry*, vol. 132.

ILLICH, Ivan (1983). *Le genre vernaculaire*, Paris, Éditions du Seuil.

INSTITUT DE RECHERCHE ET DE FORMATION EN INTERVENTION DE RÉSEAUX (1987). *Manifeste*, Montréal. Inédit.

JUNG, J. (1984). « Social Support and its Relation to Health: A Critical Evaluation, *Basic and Applied Social Psychology*, vol. 5, n° 2, pp. 143-169.

KESSLER, R. C. et MCLEOD, J. D. (1985). « Social Support and Mental Health in Community Samples », dans S. COHEN et S. L. SYME, *Social Support and Health*, Orlando, Academic Press, pp. 219-240.

KULKA, R., VEROFF, J. et DOUVAN, E. (1979). « Social Class and Use of Professional Help for Personal Problems : 1957 and 1976 », *Journal of Health and Social Behavior*, vol. 20, n° 1, pp. 2-17.

LABELLE, M. et DESMARAIS, D. (1975). *Les réseaux d'amis à Ville-Émard — Côte-Saint-Paul*, Unité de recherche psychosociale, Centre hospitalier Douglas. Rapport de recherche inédit.

LAROCCO, J. M., HOUSE, J. S. et FRENCH, J. R. P. Jr. (1980). « Social Support, Occupational Stress, and Health », *Journal of Health and Social Behavior*, vol. 21, n° 3, pp. 202-218.

LEAVY, R. L. (1983). « Social Support and Psychological Disorder : A Review », *Journal of Community Psychology*, vol. 11, pp. 3-21.

LERNER, Michael P. (1981). « Surplus Powerlessness », *Social Policy*, Oakland, Cal., janvier.

MINISTÈRE DE LA SANTÉ ET DES SERVICES SOCIAUX (1989). *Politique de santé mentale*, Québec, Éditeur officiel du Québec.

NUCKOLLS, K. B., CASSEL, J. et KAPLAN, B. H. (1972). « Psychosocial Assets, Life Crises and the Prognosis of Frequency », *American Journal of Epidemiology*, vol. 95, pp. 431-441.

PAGÉ, Jean-Charles (1961). *Les fous crient au secours, témoignage d'un ex-patient de Saint-Jean-de-Dieu*, Montréal, Les Éditions du Jour.

PATTISON, E. M., DEFRANCISCO, D., WOOD, P., FRAZIER, H. et CROWDER, J. A. (1975). « A Psychological Kinship Model for Family Therapy », *American Journal of Psychiatry*, vol. 132.

PHILIPS, S. L. (1981). « Network Characteristics Related to the Well-Being of Normals : A Comparative Base », *Schizophrenia Bulletin*, vol. 7, n° 1.

ROSENBLATT, A. et MAYER, J. E. (1972). « Help Seeking for Family Problems : A Survey of Utilization and Satisfaction, *American Journal of Psychiatry*, vol. 128, pp. 126-130.

SOKOLOVSKY, J., COHEN, J., BERGER, D. et GEIGER, J. (1978). « Personal Networks of Ex-Mental Patients in a Manhattan SRO Hotel », *Human Organization*, vol. 37, n° 5.

TOLSDORF, C. C. (1976). « Social Networks, Support and Coping : An Exploratory Study », *Family Process*, vol. 15, n° 407.

13

La richesse en recherche qualitative
La technique du commentaire continu

Robert WITKIN
Robert POUPART

La technique du commentaire continu permet de recueillir, à peu de frais, des données qualitatives très riches, et ce dès la phase préliminaire d'un programme de recherche. La méthode peut aussi être utilisée pour conduire des recherches psychosociales plus extensives et en profondeur. L'utilisation de la méthode sera illustrée à l'aide d'exemples tirés d'un projet-pilote qui constituait une partie d'un programme de recherche beaucoup plus large sur les centres locaux de services communautaires (CLSC) de la province de Québec. L'étude-pilote a porté sur une clinique d'avortement dans un CLSC.

La méthode consiste à remplacer les techniques d'entrevues traditionnelles par une autre dans laquelle le chercheur encourage et aide le sujet à faire un commentaire au temps présent sur des événements imaginairement revécus qui devraient être significatifs dans la vie personnelle ou professionnelle des sujets. Le sujet doit littéralement s'imaginer qu'il revit ces événements au temps présent et il lui est demandé de les commenter au moment même où il les revit, de façon à les rendre « visibles » pour le chercheur. L'idée en est bien simple. Ce qui est demandé au sujet c'est de faire ce que les bons raconteurs d'histoires, les poètes, les orateurs et les comédiens font spontanément quand ils veulent communiquer la qualité, l'intensité et la présence des événements qu'ils cherchent à dépeindre. Il s'agit d'utiliser le temps présent pour amener le spectateur au cœur de la scène, dans les premières rangées, au cœur de l'événement, pour bien réussir à lui communiquer directement l'essence même des dimensions sensuelles et affectives des événements vécus dans la vie quotidienne. Bien sûr, des interactions centrées sur le présent peuvent avoir cours sans que les verbes utilisés soient, *stricto sensu*, au temps présent. Toutefois, cette technique augmente la qualité de présence du discours et focalise l'attention du locuteur sur la riche immédiateté des événements. C'est cette fine qualité de texture qu'il s'agit de faire surgir en exigeant l'usage du temps présent dans les verbalisations centrées sur l'« ici et maintenant ». Dans une verbalisation centrée sur le temps présent, les événements sont perçus dans le processus même de leur création et de leur déroulement. Un événement peut être un fait, une pensée, un sentiment, une action, un mouvement ou quoi que ce soit d'autre. Lorsqu'un sujet dit que quelque chose est arrivé, il abstrait l'événement du processus même de son occasion. Quand il en parle comme si cet événement était en train d'arriver maintenant, il cherche par ses mots à faire voir le processus même de son surgissement, il le montre, il le projette sur l'écran de son contexte global. Il y infuse ainsi une certaine qualité et les forces et tensions présidant à son déroulement sont alors rendues visibles.

L'exemple le plus complexe de communication centrée sur le présent se retrouve dans le domaine artistique. Le plus souvent, quand un sujet est invité à réfléchir sur ses propres actions, c'est le modèle scientifique et non le modèle artistique qui est utilisé. Selon un postulat, le sujet se croit appelé à agir comme un scientifique du quotidien ou à considérer ses actions dans le contexte d'une quelconque théorie plus ou moins objective de l'action. Ce qu'il dit de ses actions peut être perçu comme un indicateur de ses connaissances sur le monde objectif et à la fois de sa plus ou moins grande capacité à répondre adéquatement aux exigences de cette réalité externe. Dans la société occidentale, l'éducation et la socialisation des enfants sont dominées par des exemples de discours scientifique plutôt que par des exemples de démarche artistique. Il ne faut donc pas beaucoup de temps avant que ce mode de discours s'étende aussi à la façon dont le sujet réfléchit à sa propre action et à sa propre expérience. C'est pour cette raison que nous avons cherché à nous éloigner des méthodes traditionnelles (questionnaires et entrevues); nous croyons qu'elles sont inappropriées pour permettre la collecte de données qualitatives riches.

Cette technique a tout d'abord été mise au point en tant qu'instrument de recherche. Il est toutefois évident qu'elle peut aussi avoir des effets socialisants et thérapeutiques importants. Cette technique ou des techniques semblables sont bien sûr utilisées en psychothérapie. Par exemple, un patient pourrait être invité à revisiter la maison d'un ami pour imaginer, décrire tout ce qu'il a pu à ce moment-là voir, sentir, goûter, toucher et ainsi de suite. Il n'est donc pas déraisonnable de suggérer que cet instrument puisse jouer un rôle important dans des programmes d'éducation et de formation.

La formation de l'informateur

Au cours d'une entrevue traditionnelle, les habiletés de l'interviewé sont plus ou moins tenues pour acquises. C'est cette présomption qu'il ne faut surtout pas avoir pour pouvoir utiliser le commentaire continu. Certains sujets réussissent à apprendre cette technique très rapidement. Pour d'autres, elle présente plus de difficultés. Pour s'assurer que les commentaires aient suffisamment de couleur, de texture et de richesse, les sujets doivent avoir l'occasion de pratiquer la technique et de développer leurs habiletés. La formation nécessaire à l'apprentissage du commentaire continu est ici divisée arbitrairement en trois stades : le stade d'introduction, le stade intermédiaire et le stade final. Cette distinction en trois stades ne sert ici que des fins purement pédagogiques.

Le stade d'introduction

Nous commençons en expliquant au sujet la technique et en la justifiant par la richesse des données que nous cherchons à obtenir au moyen de telles verbalisations. Il faut ensuite illustrer la technique en donnant à l'interviewé une démonstration de l'utilisation de celle-ci. Le chercheur choisit donc une mince tranche de son passé récent, par exemple : « Les dix minutes écoulées après que j'ai fermé la porte de ma maison pour venir au bureau ce matin. » Il est très important pour la production du commentaire continu que les événements choisis soient réels et situés dans un temps et un lieu précis. Il est aussi préférable pour la démonstration de la technique d'utiliser des événements qui sont plus ou moins mondains et non dramatiques ; plus les événements sont « ordinaires », mieux c'est. Après avoir choisi sa mince tranche historique, le chercheur la revit en imagination et déroule à son sujet son commentaire continu en utilisant le temps présent pour exprimer tout ce qui lui vient à l'esprit au moment où il retraverse la trame de ces événements, spontanément et sans répétition (c'est en effet ce qui sera demandé plus tard au sujet). Naturellement ceci exige que le chercheur ait d'abord pratiqué lui-même la technique pour en venir à la maîtriser très bien. Cette démonstration cherche à faire comprendre à l'interviewé qu'il s'agit bel et bien d'inclure dans le discours tout ce qui lui vient à l'esprit ou qu'il éprouve même si certains éléments de cette suite d'instantanés peuvent paraître plus ou moins banals, non pertinents ou tout simplement ennuyants. Tout ce qui apparaît sur la pellicule des événements au moment où ils se déroulent, doit faire partie du commentaire. Le terme « commentaire » est ici utilisé dans son sens le plus large. Il inclut non seulement ce qui est dit pour montrer au chercheur les événements tels qu'ils se déroulent, mais aussi tous les éléments où le sujet est porté à penser tout haut ou à se tenir à lui-même une conversation intérieure.

À la suite de la démonstration, le sujet est invité à pratiquer lui-même la technique. Il s'agit alors de choisir la première séquence d'événements qui seront revécus en prenant bien soin de ne pas choisir des événements qui puissent être d'un grand intérêt pour le chercheur ou émotionnellement chargés ou menaçants pour le sujet. L'exercice à cette étape préliminaire devrait se faire avec du matériel qui est complètement étranger aux intérêts du chercheur et donc complètement étranger à ce sur quoi le sujet sera invité à appliquer ses habiletés nouvelles dans un stade ultérieur.

Même avec les explications du chercheur et la démonstration de la technique, plusieurs sujets sont portés à utiliser le temps passé au moment où ils commencent à utiliser la technique. Une fois que le sujet a commencé à dérouler son commentaire, il est nécessaire que le chercheur le ramène au temps présent et continue de l'aiguiller en ce sens. Cette orientation du sujet doit être faite avec discrétion, sobriété et sensibilité de façon à ne pas interrompre le flot du commentaire et de façon à ne pas miner la confiance du sujet. Dès que l'habileté a été suffisamment développée et que la technique est utilisée plus couramment, avec une abondance suffisante de détails, cette insistance sur l'utilisation du temps présent peut être abandonnée à condition que le discours demeure, lui, très centré sur le présent. Dans l'exemple qui suit, l'interviewée fait son commentaire sur les événements qui ont pris place entre sa sortie du métro et son entrée dans la salle où elle devait être interviewée. Seulement deux brefs extraits sont utilisés. Dans le premier, la verbalisation n'est pas du tout centrée sur le présent.

Je suis sortie du train. J'ai regardé pour trouver le signe de la sortie pour les escaliers mobiles. Je l'ai trouvée, j'ai pris l'escalier mobile. Je suis arrivée à l'étage suivant. J'ai regardé autour pour trouver le signe de la sortie vers l'étage d'en haut (le niveau de la rue). Il était là, à côté des escaliers qu'il faut monter. Quand je suis arrivée dans la grande salle du métro, avant de passer les tourniquets, j'ai regardé pour trouver la direction dans laquelle il fallait que j'aille. Après ça j'ai vu Vicky une boutique de vêtements, je me suis rappelée qu'avant je passais toujours devant et puis je me suis rappelée que c'était dans cette direction là qu'il fallait que j'aille.

C'est à ce moment que nous avons interrompu le sujet en insistant sur la nécessité de la qualité de présence des événements racontés. « Je suis ici dans le métro, je descends du wagon... » Le sujet ramasse ses idées pendant un bout de temps, se recueille et recommence.

Je sors du wagon. Je me dis : « Il y a donc bien du monde ici. Quelle foule ! » Ma première pensée c'est de chercher la sortie puis de m'en aller vers la sortie. Je prends l'escalier mobile puis pendant ce temps-là je pense à quelqu'un que j'ai rencontré dans le métro y a pas longtemps au moment où j'entrais dans cette même station. Je me demande : « Est-ce qu'elle m'a reconnue ? »

Finalement, je ne lui avais pas parlé. Je voulais me dépêcher un peu pour la rejoindre. On s'est croisées, mais comme elle marchait plus vite que moi elle a continué en avant puis je suis restée en arrière. Après un bout de temps je me suis demandé si j'aurais dû essayer de la rejoindre. Je me demande encore si elle m'avait reconnue.

J'ai toujours l'impression que les gens me remarquent parce que je suis bien grande. Je sens toujours qu'une fois que les gens m'ont vue, ils vont se rappeler de moi, même si nos yeux ne se rencontrent pas, mais, finalement, je me demande pourquoi je ne lui ai pas parlé. J'aurais dû lui parler. J'aurais dû le faire. Le voilà, je vois le signe pour les directions qui nous permettent de monter à l'étage supérieur. Je monte les marches. Je regarde autour pour m'orienter, même si c'est un environnement qui m'est pas mal familier. Il y a quelques années, je prenais cette sortie-là du métro pas mal souvent. Je vois la boutique de vêtements Vicky, après ça je me dirige vers les tourniquets. Je regarde la vitrine. Je me rappelle que la dernière fois que je suis venue, c'était pour une conférence sur la sexologie ici à l'Université du Québec et puis qu'en sortant je m'étais arrêtée à cette boutique de vêtements. Il y avait des chapeaux d'hiver dont le prix était réduit. J'en avais acheté un, un petit chapeau de laine angora bleu avec une petite fleur sur le côté que je trouvais plutôt drôle.

Dans le premier extrait il n'y a pratiquement pas d'utilisation du temps présent, et la verbalisation se présente comme une séquence dénudée et linéaire de phrases attachées les unes aux autres ; un peu comme ceci : « D'abord il est arrivé ça, ensuite il est arrivé ça, et puis après il est arrivé ça. » Il y a une absence de détails, de profondeur et de texture dans la verbalisation.

Par contre, dans le deuxième extrait, le sujet est davantage capable de présenter un récit centré sur le présent, bien que son recours constant aux souvenirs lui permette d'échapper dans une grande mesure à la contrainte du temps présent. Le deuxième extrait couvre le même espace temporel que le premier extrait, qui est beaucoup plus court. La structure linéaire du premier extrait est encore visible dans le second, mais il s'y superpose aussi une trame riche de détails concernant la rencontre antérieure avec une femme dans le métro ; ses réflexions sur elle-même, l'impression qu'elle crée chez les autres ; sa dernière visite à l'Université ; le petit chapeau bleu à la petite fleur sur le côté et ainsi de suite. Dans cette phase d'introduction, il est encore nécessaire d'indiquer occasionnellement au sujet la nécessité de revenir au temps présent. Il ne s'agit pas de rechercher simplement une accumulation de détails. Il faut surtout chercher à recréer le film des événements dans le processus même de leur déroulement. C'est l'insertion dans l'immédiateté de l'événement, plutôt que l'accumulation de détails, qui constitue le principal critère d'évaluation de la richesse qualitative.

Le stade intermédiaire

À mesure que le sujet maîtrise la technique, le chercheur peut, dans les tranches temporelles choisies, se rapprocher de plus en plus des événements pertinents à son intérêt principal, même s'il doit encore s'en tenir à une certaine distance ; il ne faut pas tout de suite aller au cœur de la question. Dans le premier des deux extraits qui illustrent un exercice de stade intermédiaire, le sujet conduit sa voiture vers un pont qu'il a décidé de traverser. Entre le moment de cette prise de décision et le moment de son arrivée au pont, il décide de changer sa destination. Il se dirigeait vers la clinique d'avortement d'un CLSC de banlieue et il décide plutôt de se diriger vers un autre CLSC, du centre de la ville, celui-là. C'est ainsi qu'il décrit le processus.

C'est le pont suspendu du boulevard Carpentier. C'est proche du CLSC. Je vais faire un détour pour aller me présenter à la clinique d'avortement. Ensuite je vais revenir au CLSC. Tout ça sans mentionner qu'il faut que je retourne à nouveau à la clinique pour faire les avortements dans l'après-midi. Après ça j'ai des réunions dans la soirée. Ça fait qu'il faut que je revienne encore au CLSC. Bien franchement, comme je prends le pont, je pense que je vais me contenter de juste aller au CLSC. Je vais les appeler à la clinique pour leur dire que je suis au CLSC, je ne veux pas aller à la clinique ce matin. Je vais y aller cet après-midi seulement pour les avortements. « Avec la gang que vous êtes — il y a déjà un docteur et deux infirmières — je pense que vous êtes pas mal capables de gérer les deux groupes... Ça fait que je pense que vous êtes pas mal capables de vous arranger par vous-mêmes. J'en avais parlé brièvement la semaine dernière. De toute façon ça ne vous dérangera pas trop. Je vais y être pour les avortements dans l'après-midi. C'est garanti. Yves et moi, on va se les partager, chacun notre tour, alors je vais y être pour ça — mais pas pour les groupes. » J'ai besoin de me préparer pour une réunion dans une des écoles primaires. Je me dis en moi-même : « Bon ! je vais leur dire par téléphone. Mais enfin ce serait plus gentil d'y aller en personne pour expliquer. » Et en même temps je réalise que ça va être plus facile de téléphoner. Peut-être que si je me rends sur leur territoire, dans leurs quartiers, ça va être plus difficile de me sortir de là. Ça va prendre plus de temps. Je vais avoir à parler à tout le monde. Il va falloir que je me montre la face aux filles. Ça fait que je vais sauver du temps.

Dans ce court extrait tiré d'un compte rendu plus long de tout le trajet qui l'a mené au travail cette journée-là, le sujet passe à travers tout le raisonnement par lequel il décide de ne pas se rendre à la clinique d'avortement le matin, comme il l'avait originellement planifié, pour rassurer les femmes qui devaient subir leur avortement cet après-midi-là. Le contenu ne semble pas exceptionnel. Ce qui est d'un certain intérêt ici est qu'il communique directement son malaise par rapport à sa décision et à sa façon de l'appliquer, son hésitation à mettre en œuvre sa décision et quelque chose à propos de sa relation avec ses autres collègues dans son processus de travail ainsi que son sentiment d'être l'objet de demandes excessives de la part de ses collègues. Il utilise la technique beaucoup plus couramment. À un certain moment, il abandonne la contrainte du commentaire et commence à s'adresser directement à ses collègues absents.

Le second extrait s'approche davantage des intérêts centraux du chercheur. Il se déroule dans le contexte d'une réunion de l'équipe de spécialistes chargée de l'avortement. Ces réunions d'équipe constituent des moments clés de la vie culturelle de la clinique. Cet extrait illustre comment le commentaire continu permet un contact vivant avec la dimension affective du processus de travail.

Hélène annonce officiellement qu'elle ne fera plus d'avortements à partir de maintenant. Elle décide de débarquer, et je réagis très négativement. Je sens que je suis abandonnée. Moi aussi je pense souvent à abandonner, mais j'ai jamais été capable de le faire et puis Hélène, elle, elle le fait puis elle arrête. Je dis à tout le monde que je l'accepte, mais c'est évident que je ne l'accepte pas... je suis en maudit. Je suis désappointée, je suis agressive, puis j'ai aussi beaucoup de tristesse, et puis c'est tous ces sentiments en même temps. Ça me dérange vraiment beaucoup. Je peux sentir mon cœur qui bat... Ça confirme que je travaillais avec elle, à ses côtés, sans savoir vraiment ce qui se passait dans sa tête. On étaient là physiquement côte à côte, mais c'était tout... Je sens beaucoup de rancœur, c'est toute cette affaire-là de nous autres qui nous battons ensemble pour la cause de l'avortement, et puis il y a un manque de communication, et puis on n'a pas partagé tout ce cheminement-là qu'elle a fait mentalement. C'est comme un manque de confiance puis un manque de confidences, puis tout à coup bang! elle dit qu'elle abandonne, qu'elle arrête. Un avortement c'est très lourd pour moi. Je vais commencer à faire des « mini-aspirations », avoir ma propre pratique, directement dans mon bureau.

Le stade final

Cette étape finale confronte le sujet à un événement culturel critique pour les chercheurs. Un événement culturel critique rend le processus de travail très problématique pour le sujet. Il ne s'agit pas seulement d'un événement qui dérange le processus de travail et frustre les sujets, mais il s'agit d'un événement émotionnellement menaçant à un niveau plus fondamental.

Dans le cas des docteurs et des infirmières de cette étude-pilote, nous avions déduit qu'un avortement « avancé » devait constituer un événement culturel critique. La limite normale pour un avortement au Québec est de trois mois. Nous avons demandé à nos sujets de nous faire voir un avortement qui était fait alors que cette limite était considérablement dépassée. Bien que nos sujets aient été interviewés indépendamment, sans qu'ils puissent communiquer les uns avec les autres, ils ont tous deux choisi le même avortement; ceci peut indiquer ou bien qu'il s'agissait là d'un fait extrêmement rare et inhabituel à la clinique, ou bien qu'il y avait vraiment quelque chose de spécial dans la façon dont ils avaient vécu cet avortement. Autant le docteur que l'infirmière ont été très émus par leur propre commentaire. À un certain moment donné, le docteur a décidé de ne pas continuer son commentaire. L'infirmière a décidé de continuer jusqu'à ce qu'elle fonde en larmes.

LE DOCTEUR

On est en train de regarder dans la passoire parce qu'après l'avortement on regarde toujours ce qui est sorti dans les débris, puis c'est là qu'on l'a vu. Peut-être que c'est parce que c'est juste plus gros que d'habitude, mais on voit distinctement les membres, la tête, les yeux du fœtus. Monique, qui réagit toujours plus fort à cause de sa personnalité, prend mon bras, elle le sert, « Regarde », elle parle d'une voix très basse bien sûr, c'est parce qu'elle ne veut pas que la patiente l'entende. « Regarde, regarde ce qu'on peut voir là-dedans... » Elle prend mon bras puis elle insiste avec son accent un peu théâtral, ça me tombe sur les nerfs... Je suis en train de me refermer, je suis en train de retraiter, c'est un blocage. Je lui dis de s'éloigner de moi, de me donner un petit peu de place pour respirer. Je me demande si c'est ce que je vois ou si c'est sa réaction qui me dérange. C'est tout exagéré ; c'est les restes d'une vie dans la passoire... c'est tous des flash-back *que j'ai tout le temps, j'en ai beaucoup de ces* flash-back*-là. Ma fille avait reçu un petit hamster, pour sa fête, et puis, sans qu'on sache, bien ce petit animal-là était enceinte ; une semaine plus tard, il y a douze petits hamsters dans la cage et puis la mère décide de manger ses petits, et puis j'en vois un et puis elle est en train de le gruger, ça me fait tout de suite penser à moi puis aux avortements, c'est comme des* flash-back *tout le temps...*

À ce moment le sujet décide de ne pas continuer.

L'INFIRMIÈRE

Mais la job qu'on a à faire c'est de creuser là-dedans aussi vite que possible pour soulager la femme, pour être bien sûr qu'on a tout, ranger le speculum puis la laisser aller. Et puis maintenant Julie décide de prendre une serviette de papier et de disposer les pièces sur la serviette pour le refaire comme si elle le dessinait. Autrement dit, elle met un bras ici, une jambe là, un autre bras, une autre jambe, la tête, les côtes, moi ça me donne mal au cœur. Julie aussi a le goût de vomir. Mon estomac me fait mal. Mon estomac, puis partout, puis je me rappelle, mais peut-être que je devrais pas dire ça. J'ai croisé mes jambes, je les ai pressées très fort sur ma vulve, ça me faisait mal. Mais on le fait vite pour que la fille puisse partir aussi vite que possible, puis juste comme elle vient de sortir, on tombe dans les bras l'une de l'autre avec beaucoup d'impuissance, beaucoup de tristesse. Je me demande si je me sens coupable dans tout ça parce qu'elle était si avancée que c'était juste trop pour moi. Je ne veux pas revivre des situations comme celle-là. Ça me met tout à l'envers. C'est horrible. Je ne me sens pas bien. Ça rejoint mes grandes valeurs, des valeurs mêlées. Je ne suis pas sûre si c'est des valeurs morales ou religieuses, parce que, comme tous les Québécois, j'ai été élevée dans la religion, dans des valeurs de vie, je me demande si je vais pouvoir continuer à faire ça. Je ne pense pas que je vais pouvoir être capable de le faire. Puis je pleure, puis je suis très prise émotionnellement. Julie sort de la pièce, elle s'en va dans un petit endroit de repos sur le côté. Elle regarde dehors, c'est le printemps, il y a des fleurs, des feuilles dans les arbres, qui poussent, je la vois pleurer.

Le sujet commence à pleurer doucement et finalement fond en larmes.

Discussion

L'objectif est d'explorer une technique qui permet la production d'un certain type de narration, centrée sur le présent, dans laquelle les pensées, les sentiments, les actions et les observations sont révélés dans le processus même de leur surgissement. Dans cet acte réflexif, les événements sont vus, croyons-nous, dans leurs aspects les plus sensuels et les plus sinueux ; ils sont vus de la façon même dont ils sont vus, sentis et recréés par les sujets. Il aurait été possible de demander aux sujets de répondre à des questions sur leurs sentiments pendant l'avortement, ils nous auraient peut-être parlé de sentiments de tristesse, d'impuissance, etc. De tels jugements sur leurs pensées et leurs sentiments, même s'ils peuvent être très valables dans le contexte d'une recherche, n'en demeurent pas moins des éléments cognitifs de deuxième ordre, essentiellement semblables à ceux produits par le chercheur lui-même. La préoccupation centrale, dans cette étude exploratoire, n'était pas liée aux sentiments des sujets, mais bien plutôt à la « topographie » de ces sentiments dans le processus même de leur naissance à l'occasion des différents éléments de la situation. Toutefois, un point appelle une clarification. Le fait que le sujet produise une réflexion centrée sur le présent en revivant imaginairement certains événements ne signifie pas nécessairement qu'il reproduise exactement l'état de conscience qui prévalait au moment où il a précédemment et originairement vécu ces événements. Nous ne prétendons pas refléter ainsi les pensées et les sentiments mêmes qui ont eu cours au moment où les événements historiques ont eu lieu. Une telle prétention serait injustifiée. Il y a une grande différence entre vivre un ensemble d'événements et les revivre en présence de quelqu'un d'autre pour lequel vous produisez un commentaire sur ces événements. Tout d'abord, les sujets sélectionnent ce qui leur vient à l'esprit ; ils choisissent certains aspects de la situation ; ils choisissent la façon dont ils vont les présenter, ils choisissent la façon de les condenser dans le temps, etc. Toutefois, il s'agit de la même personne qui revit ces événements, et nous croyons que le processus même de sélection et d'aménagement du commentaire continu révèle la structure des relations fondamentales de l'expérience culturelle de la vie du sujet. C'est sur cette hypothèse que nous fondons la validité des travaux par lesquels nous avons tenté de mieux comprendre comment la culture organisationnelle réussit à encourager et à rendre tolérables des actes professionnels qui questionnent les valeurs fondamentales de leurs agents.

14

Les interventions auprès des femmes
Formes actuelles et perspectives d'avenir

Solange CORMIER

L'entrée massive des femmes sur le marché du travail, l'accès de certaines d'entre elles à des postes de gestion supérieure ainsi que la mise en place de mesures gouvernementales provinciales et fédérales ont donné lieu à diverses pratiques, que nous désignons ici sous le vocable d'« interventions auprès des femmes ». Mais pourquoi intervenir ? Plus personne ne conteste le droit des femmes à entrer sur le marché du travail ; la plupart des femmes que chacun de nous connaît détiennent un emploi rémunéré. Il y a de plus en plus de femmes occupant des postes de direction et le nombre de femmes qui fondent leur propre entreprise ne cesse d'augmenter.

De fait, la participation effective des femmes au marché du travail ne pose plus problème. La progression continue du nombre de femmes au travail représente l'élément marquant de l'évolution de la main-d'œuvre au cours des dernières années. Le taux d'activité des femmes est passé de 51,8 % en 1981 à 55,9 % en 1986[1]. En 1989, la main-d'œuvre féminine représente 43 % de la population active. Et, selon des études prévisionnelles, les femmes devraient composer 62,3 % de la population au travail en l'an 2001.

Cependant, autant parmi les hommes que les femmes, plusieurs persistent à croire que les femmes travaillent soit par choix vocationnel, soit pour apporter un revenu d'appoint. Or, plusieurs femmes n'ont pas ce choix. Selon Statistique

1. EMPLOI ET IMMIGRATION CANADA (1989). « Profil des femmes dans la population canadienne », *Loi sur l'équité en matière d'emploi*, rapport annuel, Ottawa, Emploi et Immigration Canada.

Canada, en 1986, 42 % des femmes n'ont pas de conjoint, ce qui veut dire que ces femmes doivent subvenir à leurs besoins. Et, en 1987, 38 % des familles dont les deux conjoints travaillent se retrouveraient sous le seuil de la pauvreté si la femme n'avait pas de gains (Lavigne, 1989).

Malgré l'augmentation de la participation des femmes à la population active, la qualité de leur situation réelle en matière d'emploi ne s'améliore pas au rythme de leur accroissement numérique. Selon le recensement canadien de 1986, le salaire des femmes n'équivaut encore qu'à 65,5 % de celui des hommes[2]. La disparité salariale est souvent attribuée au manque d'expérience, au faible taux de syndicalisation, au type d'emploi, à l'âge et au temps partiel. L'interrelation de ces facteurs joue sûrement, mais elle n'explique pas tout. Particulièrement si on considère que cet écart salarial augmente avec l'avancement dans la hiérarchie organisationnelle : dans la catégorie des cadres supérieurs, le salaire des femmes canadiennes ne représentait en 1986 que 57,5 % de celui des hommes. Dans le même sens, Lesage (1989), ayant analysé les réponses à un questionnaire distribué à plus de 3 000 adultes inscrits aux programmes de certificat en gestion de l'École des hautes études commerciales, constate que, les trois variables : scolarité, âge et nombre de subordonnés, étant contrôlées, les femmes sont encore désavantagées quant au salaire.

En outre, trois femmes sur cinq se retrouvent dans trois secteurs : travail de bureau, ventes et services (Bournival, 1987). De même, les femmes spécialistes ou les femmes cadres occupent majoritairement des fonctions d'assistance à l'entreprise. On les retrouve dans les domaines des relations publiques, des communications, de la gestion du personnel, de plus en plus en comptabilité et en affaires juridiques (Poirier, 1989).

Enfin, l'une des réalités sociales abondamment documentée est que là où se trouve le pouvoir, les femmes n'y sont pas. En dépit du fait que les femmes cadres aient un excellent rendement, elles éprouvent encore beaucoup de difficulté à accéder aux postes de gestion supérieure (Bartol, 1978 ; Colwill, 1982 ; Davies, 1985 ; Morrison *et al.*, 1987 ; Paquerot, 1983 ; Seymour, 1987 ; Staley et Shockley-Zalabak, 1986). La proportion de femmes au sein de l'entreprise diminue avec le rang hiérarchique. Ce phénomène s'observe aussi bien dans les cultures occidentales et orientales, dans les pays développés et en voie de développement, dans les systèmes communistes, socialistes et capitalistes (Adler, 1986-1987).

Bref, les femmes sont concentrées dans quelques secteurs d'emploi. Elles sont moins rémunérées que leurs collègues masculins. Elles occupent des positions organisationnelles moins prestigieuses et comportant moins de pouvoir que celles des hommes (Davies, 1985 ; Hearn et Parkin, 1986-1987).

---

2. *Id. ibid.*, p. 29.

Mais, en même temps que l'accès de certaines femmes à des postes de direction retient l'attention, on assiste au phénomène de leur démission. Ainsi, Taylor (1986) rapporte que 25 % des femmes diplômées des meilleures écoles de gestion des États-Unis en 1976 et ayant occupé des postes prestigieux avaient quitté leur emploi dix ans plus tard. Au Québec, cinq des treize femmes cadres supérieures d'une importante société d'État ont renoncé à leur poste entre 1985 et 1987 (Goyer, 1989). Dans les deux cas, les principales raisons invoquées s'articulent autour des difficultés d'adaptation aux valeurs de l'organisation et de la dégradation de leur qualité de vie personnelle.

Si le contexte organisationnel semble difficile pour les femmes qui désirent y faire carrière, leur présence est aussi source d'inconfort pour les hommes qui détiennent le pouvoir. La plupart des études traitant de la présence des femmes au travail l'envisagent comme problématique pour l'employeur : celui-ci ayant à composer avec les congés de maternité, l'établissement de garderies, le roulement du personnel féminin, l'équité salariale, etc. (Campbell, 1985). Pour certains gestionnaires, le fait d'avoir à diriger des employées constitue en soi un problème. Ainsi, Cardwell (1985) commence son article en affirmant : « Mon malheur est double. Je suis un gestionnaire et je dirige des femmes (p. 198). »

De ce qui précède, il ressort que la situation est complexe, problématique et que les femmes ne sont pas vraiment intégrées au milieu du travail. La cohabitation et surtout la cogestion hommes-femmes ne va pas de soi. Devant ce constat, les réactions des organisations sont nombreuses et variées.

À l'un des pôles d'un *continuum*, se trouvent les organisations qui continuent de fonctionner comme si l'insertion des femmes dans le monde du travail ne les concernait nullement. Ce sont principalement des entreprises qui peuvent se soustraire aux exigences gouvernementales et syndicales. À l'autre pôle, certaines organisations font des efforts sérieux pour améliorer la situation des femmes et ce, dans une perspective globale de développement organisationnel. Entre ces deux positions extrêmes, on trouve diverses modalités d'action plus ou moins mitigées et plus ou moins intégrées à l'ensemble des priorités de l'organisation. Nous tenterons de dégager un portrait de ces pratiques. Afin de saisir le sens et la portée de ces interventions, nous présenterons d'abord les grandes lignes des pratiques qui ont cours actuellement avant de suggérer des pistes d'intervention pour le futur.

Pratiques actuelles

Les approches et les stratégies diffèrent à la fois selon les buts poursuivis et selon les moyens d'action privilégiés. Compte tenu de ces deux dimensions, nous avons regroupé les différentes formes d'action selon deux modèles :

approche structurelle et approche normative-éducative. Ces deux approches peuvent être complémentaires puisqu'elles représentent deux voies d'accès différentes au changement souhaité. L'approche structurelle favorise d'abord la modification des mécanismes formels de gestion des ressources humaines. Cette approche tient compte des aspects opératoires et elle est orientée vers des décisions d'ordre pratique (Dubost, 1987). Par contre, l'approche normative-éducative mise principalement sur le changement des attitudes et des valeurs comme facteur de modification des composantes formelles des organisations.

Approche structurelle

À la base de l'approche structurelle, on trouve la conviction que la situation désavantageuse des femmes est due essentiellement au fait que les postes décisionnels sont occupés de façon majoritaire par des hommes et que certains secteurs d'emploi demeurent des chasses gardées masculines. En conséquence, tant que les femmes ne seront pas représentées proportionnellement à leur nombre à tous les échelons de la hiérarchie et dans tous les secteurs d'emploi, il y aura discrimination à leur égard. Cette thèse postule également que les comportements se modifieront quand la distribution numérique sera plus égalitaire, la masse critique[3] étant estimée à 35 % (Kanter, 1977, 1987a). Il s'agit donc de mettre en place des mécanismes pour éliminer la discrimination des systèmes d'emploi et pour rendre le personnel des organisations davantage représentatif de l'ensemble des ressources humaines disponibles.

C'est dans ce contexte que sont apparus, en 1986, le programme québécois d'accès à l'égalité dans l'emploi et le programme fédéral de la loi C-62 sur l'équité en matière d'emploi.

Au Québec, les programmes d'accès à l'égalité s'appliquent obligatoirement aux ministères et organismes gouvernementaux. Ils peuvent également être implantés sur la recommandation de la Commission des droits de la personne du Québec ou imposés par le tribunal à la suite d'une plainte. L'obligation contractuelle[4] constitue une troisième voie d'application d'un programme d'accès à l'égalité. Enfin, toute organisation qui le désire peut volontairement mettre en place un tel programme.

3. La masse critique désigne la proportion au-delà de laquelle les membres d'un groupe ne sont plus perçus de façon stéréotypée comme les représentants de leur groupe social.
4. Les entreprises de plus de 100 employés qui veulent soumissionner des contrats de biens ou de services de 100 000 $ et plus au gouvernement du Québec doivent s'engager, si elles obtiennent le contrat, à établir un programme d'accès à l'égalité.

De plus, les sociétés de la Couronne et les entreprises assujetties à la réglementation fédérale et comptant au moins 100 employés sont obligées, en vertu de la loi C-62, de soumettre un rapport complet sur leurs effectifs et leurs pratiques de gestion des ressources humaines, d'élaborer et de mettre en œuvre un plan d'action assorti d'un processus de suivi et d'évaluation des résultats obtenus dans la réalisation de l'équité en matière d'emploi. Les femmes constituent l'un des quatre groupes désignés[5]. Les employeurs québécois qui font affaire avec le gouvernement fédéral[6] sont aussi tenus de découvrir et de supprimer dans leur organisation les obstacles artificiels au recrutement, à la sélection, à la formation et à la promotion des travailleurs qui sont membres des quatre groupes désignés. Pour fournir un aperçu de l'approche structurelle, nous donnerons les grandes lignes du programme québécois d'accès à l'égalité.

La stratégie d'accès à l'égalité est définie par la Commission des droits de la personne comme un processus de changement planifié et global mis en œuvre par une entreprise ou un organisme en vue :

- de déterminer et de supprimer la discrimination dans le système d'emploi de l'organisation ;
- d'assurer une représentation équitable des membres des groupes victimes de discrimination dans tous les secteurs de l'organisation.

L'intervention gouvernementale vise un double objectif. D'abord, il faut corriger les politiques et les pratiques discriminatoires dans le recrutement, l'engagement, la formation et les mécanismes de promotion. Puis, il s'agit d'améliorer le degré de responsabilité des femmes dans les différents secteurs d'activités et aux divers niveaux hiérarchiques. Plus précisément, de tels programmes ont pour but de supprimer les obstacles qui s'opposent à une intégration complète des femmes à tous les niveaux hiérarchiques d'une organisation et dans tous les types d'emplois. Plusieurs de ces obstacles sont désignés sous le vocable de « discrimination systémique ». La discrimination systémique correspond à une forme de discrimination subtile, non intentionnelle, ancrée dans les systèmes de gestion. Elle se traduit par les effets de certaines pratiques de gestion qui, neutres en apparence, n'en ont pas moins une incidence négative sur les femmes. Ces effets concernent principalement la limitation de l'accès des femmes à certains postes, à des promotions, à des participations à certains comités et à d'autres avantages.

5. Les quatre groupes désignés sont les femmes, les autochtones, les membres des minorités visibles et les personnes handicapées.
6. Les entreprises comptant au moins 100 employés et qui désirent soumissionner des contrats d'une valeur de plus de 200 000 $ aux marchés fédéraux doivent s'engager à mettre en œuvre l'équité en matière d'emploi.

La mise en place d'un programme d'accès à l'égalité doit faire suite à une analyse diagnostique de la composition des effectifs, du système d'emploi (postes, recrutement, sélection, mobilité verticale, salaires, conditions de travail) et de la disponibilité. À la lumière des résultats de cette analyse, l'organisation détermine des objectifs, fixe des échéances et propose des moyens d'action concrets qui seront mis en œuvre à la phase d'implantation. Le contrôle et l'évaluation permettent de vérifier périodiquement si les mesures appliquées produisent les effets escomptés. Un programme d'accès à l'égalité comprend trois types de mesures : des mesures d'égalité des chances, des mesures de redressement et des mesures de soutien[7]. Les mesures d'égalité des chances consistent à éliminer les pratiques discriminatoires. Les mesures de redressement accordent temporairement aux membres des groupes victimes de discrimination des avantages préférentiels. Et les mesures de soutien visent le règlement de certains problèmes d'emploi particuliers et elles sont accessibles à l'ensemble du personnel.

À propos de la mise en place d'une stratégie d'accès à l'égalité, le ministère québécois de la Condition féminine a été un précurseur dans ce domaine. En mai 1986, la ministre déléguée à la Condition féminine invitait des entreprises[8] à participer à un projet-pilote destiné à assurer le démarrage d'un programme d'accès à l'égalité. Une offre d'aide financière (50 000 $) et technique accompagnait cette invitation (Morazain, 1989). L'année suivante, quelque vingt entreprises s'étant prévalues de ces programmes concluaient des ententes avec le Secrétariat à la condition féminine en vue d'implanter un programme d'accès à l'égalité[9]. Actuellement plus de 79 entreprises et organismes publics et parapublics reçoivent un soutien financier et technique gouvernemental destiné à les aider dans l'élaboration ou la poursuite d'un programme d'accès à l'égalité[10]. Parmi les entreprises privées, hormis celles qui ont bénéficié de subventions spéciales, un petit nombre se prévalent de tels programmes (Lavigne[11], 1989). Et, dans l'ensemble, les initiatives volontaires en matière d'accès à l'égalité se font rares, même dans les entreprises reconnues par

7. Voir *L'accès à l'égalité : Guide d'élaboration d'un programme volontaire*, Québec, Commission des droits de la personne du Québec, 1988.
8. Les dix premières entreprises qui ont accepté d'implanter un programme d'accès à l'égalité sont Canadair, la Confédération des caisses populaires et d'économie Desjardins du Québec, Culinar, Domtex, la Fiducie Desjardins, Gaz Métropolitain, IST, Lavalin, les Papiers Perkins et Sherring (Morazain, 1989).
9. Voir *L'avenir est à l'égalité : les programmes d'accès à l'égalité en emploi pour les femmes*, Québec, Secrétariat à la condition féminine, 1987, 14 pages.
10. Conférence prononcée par la ministre déléguée à la Condition féminine, lors du dix-neuvième colloque de l'École de relations industrielles, en novembre 1988.
11. Marie Lavigne est présidente du Conseil du statut de la femme au gouvernement du Québec.

ailleurs pour leur ouverture en matière de gestion des ressources humaines (Legault, 1989). Si, à moins d'y être tenues par des mesures plus ou moins coercitives, les organisations sont réticentes à mettre en place un programme d'accès à l'égalité, on peut se demander quelles sont les implications d'une telle approche.

Volontaire ou imposée, l'approche structurelle comporte des avantages indéniables. Elle a le mérite de provoquer des changements numériques immédiatement vérifiables. Ainsi, l'analyse des rapports soumis par les 376 employeurs assujettis à la Loi sur l'équité en matière d'emploi permet de constater certains progrès. En un an (1988-1989), il y a eu augmentation de 1,06 % de la représentation des femmes parmi les personnes recrutées à plein temps. En outre, la représentation féminine a progressé dans dix des douze catégories professionnelles[12]. Cette approche a également le mérite de viser des changements qui responsabilisent les détenteurs de pouvoir, les décideurs.

La force de cette approche constitue aussi sa première limite, surtout lorsque les dirigeants, au lieu d'être les initiateurs engagés de ces changements, en sont les exécutants réticents. Dans ce cas, il devient facile de poser certains gestes qui, tout en ayant une valeur symbolique, ont peu d'impact dans la réalité quotidienne. Ces tactiques consistent, entre autres, à entreprendre une réflexion se poursuivant indéfiniment, à confier le mandat à un comité ayant peu de pouvoir, à prolonger indûment l'analyse diagnostique, à nommer une femme à un poste de gestion supérieure, ou encore à engager des femmes à des postes temporaires. En somme, quand la stratégie d'accès à l'égalité ne suscite pas l'adhésion de la haute direction, la stratégie implicite mais effective se résume à découvrir des moyens de prouver qu'on fait quelque chose.

Une deuxième limite concerne l'évaluation des pratiques de gestion des ressources humaines. Dans cette optique, les méthodes de planification et de gestion des ressources humaines sont envisagées comme des processus objectifs et neutres susceptibles d'être analysés et évalués de façon rationnelle. Or, cette position relève de l'illusion rationaliste.

En effet, il appert que les descriptions de poste comme l'analyse des pratiques de gestion sont souvent basées sur des mythes, comportent des enjeux politiques et, de ce fait, sont étroitement surveillées par les *gate-keepers* (Davies, 1985, Mintzberg, 1986). Par exemple, on connaît l'ingéniosité déployée pour faire correspondre étroitement la description d'un poste au profil d'un candidat pressenti. Ou encore les acrobaties rationalisantes effectuées pour continuer à justifier une fonction rendue désuète par l'avènement de technologies ou par une modification des clientèles. Comme le remarque Boivin (1989), le choix d'un système d'analyse sophistiqué et l'utilisation de mesures quantitatives n'éliminent pas les facteurs subjectifs et ne rendent pas nécessairement le processus plus objectif.

12. EMPLOI ET IMMIGRATION CANADA (1989). *Op. cit.*

Cette difficulté de traduire objectivement et de façon rationnelle les processus formels de gestion des ressources humaines se manifeste également à travers la formulation des moyens d'action proposés, laquelle permet difficilement de prédire quelles seront les retombées effectives du programme. Ainsi, à la Commission des écoles catholiques de Montréal (CECM), les deux premiers moyens d'action proposés à la phase d'*implantation* sont libellés ainsi :

- constituer et maintenir des effectifs comprenant une représentation équitable, compte tenu de la disponibilité de la main-d'œuvre ;
- réviser les méthodes de planification et de gestion des ressources humaines[13].

Concrètement, comment va se traduire l'équité de la représentation et comment va-t-on réviser les méthodes de gestion des ressources humaines ?

L'une des faiblesses majeures de l'approche structurelle provient de ce qu'elle conduit aisément à esquiver les processus socio-émotifs. Et comme l'accès à l'égalité pour les femmes, tout en constituant une réalité quantifiable, comporte aussi des dimensions culturelles, valorielles et attitudinales, l'implantation de tels programmes ne peut se faire sans une volonté réelle des dirigeants et sans l'engagement et l'adhésion de toutes les personnes concernées. Comme le remarque Tessier dans ce volume :

> La pure modification des structures formelles [...] ne conduit pas d'emblée à une modification des conduites concrètes ; il faut compter aussi sur une transformation des mentalités qui aille dans le sens des exigences implicites de la nouvelle structure (p. 167).

À vouloir faire l'économie des facteurs socio-émotifs, de telles mesures risquent de susciter l'apparition de subtiles opérations de sabotage ou de créer, au sein d'une organisation, des tensions qui pourraient s'avérer coûteuses pour tous et à tous les niveaux, y compris au plan économique.

C'est donc parallèlement ou en complément à ces mesures incitatives que des interventions normatives-éducatives ont été mises sur pied. Nous nous proposons de procéder à un premier bilan de ces interventions. Pour ce faire, nous commencerons par situer les paramètres de ce type d'intervention, puis nous aborderons les thèmes au cœur de ces interventions. Enfin, nous tenterons de dégager les quelques réflexions que ce tour d'horizon nous aura suggérées.

Approches normatives-éducatives

Pour être efficaces, les modifications structurelles dans les organisations doivent s'accompagner de transformations au plan des valeurs et des attitudes des individus qui les habitent (French et Bell, 1978). Les approches normatives-éducatives misent sur la modification des conduites individuelles comme

13. M. PALLACIO (1989). « L'accès à l'égalité à la C.E.C.M. », *Avenir*, vol. 3, n° 1, p. 22.

facteur principal du développement des organisations (Tessier, 1973). S'adressant aux femmes, les interventions normatives-éducatives visent à modifier leurs attitudes dans l'attente que ces changements individuels soient porteurs de changements au niveau de l'organisation.

L'initiative de ces interventions provient de différentes sources selon l'agencement des éléments contextuels et conjoncturels. De façon générale, le projet d'une intervention auprès des femmes émane du secteur des ressources humaines. Dans les organisations où un comité de la condition féminine est actif, ce dernier peut être l'instigateur d'interventions auprès des femmes. La diffusion et l'animation de l'intervention elle-même peut être assumée par des conseillères internes, quoique très souvent on fasse appel à des consultantes externes.

Ces interventions s'adressent à des groupes de femmes à l'intérieur d'une organisation soit comme étape dans l'implantation d'un programme d'accès à l'égalité, soit comme activité de formation. Les groupes peuvent être homogènes (employées de bureau) ou hétérogènes (secrétaires, commis, techniciennes, analystes, cadres, etc.). Dans tous les cas, ces interventions touchent des groupes composés exclusivement de femmes. Or, en principe, tous les membres de l'organisation sont concernés par la présence accrue des femmes dans le monde du travail. Dès lors, pourquoi intervenir auprès des femmes seulement? Trois facteurs motivent cette composition du groupe.

Premièrement, même si les hommes sont étroitement concernés par la problématique des femmes au travail et ce, comme conjoint, parent, supérieur, subordonné ou collègue, plusieurs n'y « voient » aucun problème, tandis qu'une majorité de femmes ressentent et expriment un malaise à la fois prégnant et diffus.

Deuxièmement, sans nier les facteurs de discrimination systémique inhérents aux systèmes de gestion où les postes d'encadrement et de direction sont très largement occupés par des hommes, il est apparu que les femmes elles-mêmes contribuaient à maintenir ces pratiques. Par exemple, les femmes sont souvent moins nombreuses au regard de leur nombre à postuler un emploi offert à l'intérieur de l'organisation que leurs homologues masculins (Rothwell, 1985). De même, de nombreux préjugés à l'égard des femmes dans le milieu du travail sont maintenus par les femmes elles-mêmes (Kanter,1977 ; Novarra, 1980).

Troisièmement, certaines tentatives d'intervention auprès de groupes mixtes n'ont pas donné les résultats escomptés (Fisher, 1985 ; Glucklich, 1985 ; Lowe *et al.*, 1988 ; Paul, 1985). D'une part, le fait d'examiner les rapports hommes-femmes et les pratiques discriminatoires crée une situation anxiogène et empêche l'établissement du climat de confiance, de soutien et d'ouverture observé dans les groupes de femmes. D'autre part, il est fréquent de voir la dynamique interpersonnelle qu'on désire changer s'installer dans ces groupes mixtes. Peut-être les femmes ont-elles besoin de développer et de respecter leurs propres thèmes à l'intérieur de leur sous-culture avant d'engager le dialogue avec les hommes (Marshall, 1985).

Au-delà de ces considérations particulières et à la lumière de l'idéologie qui les sous-tend, ces interventions donnent lieu à deux types de stratégies : les stratégies dites accommodatrices et celles dites transformatrices. La finalité des stratégies accommodatrices est le maintien ou l'amélioration du système social en place et les effets recherchés correspondent à des correctifs ou des réajustements de ce système. En revanche, les stratégies transformatrices articulent des projets de changement radical, ce qui implique non plus une modification, mais une rupture de l'ordre établi (Dubost, 1987). Nous qualifions d'accommodatrice la stratégie dont la visée principale est d'aider les femmes à prendre la place qui leur revient dans la culture organisationnelle dominante et nous réservons le terme de « stratégie transformatrice » aux interventions dont l'orientation principale est d'encourager les femmes à devenir des agentes de changement de cette culture.

Stratégies accommodatrices

Les stratégies accommodatrices renvoient à la fois aux éléments de discrimination systémique dans les organisations et aux manques des femmes dans leur comportement organisationnel. On prétend que si les femmes connaissent mieux la culture dominante du monde du travail et si elles apprennent de nouveaux comportements, elles réussiront à investir pleinement l'espace organisationnel. L'objectif des stratégies accommodatrices est, par conséquent, de permettre aux femmes de mieux saisir les contraintes et les occasions favorables qu'offre leur contexte de travail et de développer des habiletés qui leur assureront une meilleure intégration. C'est une tentative de socialisation des femmes, dans le sens où, pour devenir membre du groupe auquel elle veut appartenir, la postulante doit acquérir le système de valeur, les normes et les modèles de comportement requis par ce groupe (Schein, 1971 ; Symons, 1986).

Selon Schein, l'innovation n'est possible que si la socialisation est déjà avancée. Pour changer les règles du jeu grâce à son influence, il faut d'abord saisir, comprendre et maîtriser la culture et les normes dominantes, autrement le groupe dominé est regardé avec condescendance, voire avec mépris. Les femmes doivent peut-être renoncer momentanément à leurs valeurs pour accéder au pouvoir comme le suggèrent Fisher (1985) et Goyer (1989).

Afin de mieux saisir les enjeux d'une telle intervention auprès des femmes, nous présentons brièvement les grandes lignes d'un programme que nous avons mis sur pied ainsi que les réactions les plus souvent rencontrées chez les femmes ayant participé à ces ateliers. Les objectifs poursuivis sont de :

– sensibiliser les femmes à leur place dans l'organisation;
– identifier les pratiques discriminatoires, les préjugés, les stéréotypes et les mythes dont les femmes sont la cible;
– amener les femmes à mieux saisir les interrelations dynamiques entre l'identité, la féminité et le pouvoir dans les organisations;
– encourager la confiance et l'expression de soi des femmes;
– favoriser la création de réseaux de soutien.

L'intervention auprès des femmes fait appel aux dimensions expérientielle et cognitive du changement d'attitudes. Ce type d'intervention se démarque ainsi de plusieurs interventions qui, se voulant neutres au plan du contenu, sont centrées sur le processus. C'est pourquoi nous abordons brièvement le contenu des interventions auprès des femmes.

L'intervention comporte trois volets: a) une phase de sensibilisation, b) l'élaboration d'un plan de développement personnel et c) une étape de mobilisation. Les caractéristiques personnelles et socioculturelles des participantes ou l'histoire du groupe déterminent l'orientation à prendre et le temps imparti à chacun des volets. Par exemple, il arrive qu'un groupe soit prêt à entamer le volet de développement personnel, alors que, pour un autre groupe, la première partie de la phase de sensibilisation occupe tout le temps alloué.

a) Sensibilisation

Ces ateliers annoncés à l'intérieur de l'entreprise sont offerts à toutes les femmes. La participation, formellement volontaire, peut s'avérer dans les faits soumise à différentes contraintes. Par exemple, le statut ou la position organisationnelle des responsables du projet peut rendre la participation fortement recommandée. À l'opposé, certaines femmes hésitent à suivre la session de crainte d'être ridiculisées par leurs collègues ou leur supérieur immédiat.

En raison de ces contraintes entourant la participation aux ateliers de sensibilisation, on retrouve dans les groupes toutes les figures de la femme au travail: de celle qui ne voit aucun problème à la situation des femmes à celle qui soutient avoir été personnellement victime de discrimination. C'est donc dans un climat de confrontation des points de vue et des perspectives que sont présentés les différents thèmes.

Au plan de l'information, il s'agit de sensibiliser les femmes aux éléments contextuels et situationnels qui composent la réalité des femmes dans le monde du travail et de comparer cette situation à celle qui prévaut dans leur propre entreprise. L'identification et l'expression de leurs réactions personnelles fait partie intégrante de cette démarche.

Les contenus abordés sont regroupés en trois thèmes principaux : la situation générale des femmes dans le monde du travail, la culture organisationnelle et les attentes contradictoires maintenues à l'endroit des femmes.

Le thème de la *situation générale des femmes* dans le monde du travail renvoie aux données sociodémographiques concernant la place des femmes au travail : ghettos d'emplois féminins, sous-rémunération des femmes, difficultés d'accès aux promotions et à d'autres avantages.

Par le thème de la *culture organisationnelle* sont analysées des réalités quotidiennes tels les préjugés, les réactions sexistes dont les femmes sont la cible ainsi que les valeurs de la culture organisationnelle dominante. Par exemple, les femmes ont à identifier les comportements sexistes insidieux et plus ou moins subtils qu'elles ont pu observer. À ce chapitre, les remarques qui reviennent le plus souvent comprennent des allusions à l'apparence physique et à l'émotivité féminine. Ensuite, les femmes réagissent aux valeurs de la culture organisationnelle dominante notamment à la compétition, au contrôle émotif, à la force, au calcul, à la recherche du pouvoir à tout prix et au clivage entre la vie personnelle et la vie professionnelle[14].

Le troisième thème, les *attentes contradictoires*, explore le fait que, pour être crédibles, les femmes doivent constamment moduler leur conduite, qui ne doit apparaître ni trop masculine ni trop féminine. Elles doivent aller à l'encontre des stéréotypes féminins et, en même temps, être suffisamment féminines pour éviter le rejet (Morrison *et al.*, 1987). De plus, pour accéder à un poste de gestion supérieure, une femme doit fournir une performance exceptionnelle, mais au risque que cette performance exceptionnelle soit perçue comme une menace par ses futurs collègues (Solomons et Cramer, 1985). Enfin, une femme qui veut gravir les échelons hiérarchiques doit prouver qu'elle est suffisamment aguerrie et non émotive tout en possédant des habiletés interpersonnelles hors pair (Raynolds, 1987). En somme, pour être crédibles, les femmes doivent être, tout à la fois et en même temps, visibles et discrètes, émotives et non émotives, féminines et masculines, performantes, mais pas trop. Face à toutes ces attentes contradictoires, la marge de comportements et d'attitudes « justes » s'avère très étroite (Bartol, 1980).

Ayant réagi à ces données, les femmes prennent connaissance de l'analyse statistique de la situation des femmes dans leur propre entreprise : c'est-à-dire le nombre total de femmes, les secteurs où elles se trouvent en plus grand

14. Voir S. LANDRY (1990). « De l'insertion des femmes dans les hautes sphères des organisations », dans R. TESSIER et Y. TELLIER (sous la direction de), *Changement planifié et développement des organisations*, Sillery, Presses de l'Université du Québec, tome 2, pp. 121-156.

nombre, l'ancienneté, les salaires moyens, les postes décisionnels occupés par des femmes, etc. Quand elles ne disposent pas de l'information suffisante, elles sont invitées à contacter les personnes pouvant les renseigner adéquatement. Dans certains cas, des gestionnaires de la haute direction acceptent de venir rencontrer le groupe de participantes pour répondre à leurs questions.

Ce volet de sensibilisation est terminal pour certaines femmes. D'autres poursuivent leur cheminement en participant à la session de développement personnel.

b) Développement personnel

Dans ce deuxième volet, les femmes sont invitées, d'une part, à identifier les comportements dits féminins et, d'autre part, à reconnaître leurs attitudes face à l'exercice du pouvoir. Cette étape se termine par l'élaboration d'un plan de développement personnel. L'objectif n'est pas d'amener systématiquement les femmes à modifier leur comportement, mais de les confronter aux avantages et aux limites de ces comportements.

Plusieurs femmes reconnaissent être particulièrement minutieuses dans l'exécution de leur tâche, vouloir être parfaites et éprouver des difficultés à déléguer autant au foyer qu'au travail. Ce type de comportement rarement valorisé dans leur entreprise n'est pas nécessairement gage d'efficacité. De même, plusieurs femmes se font un point d'honneur de ne pas se vanter de leurs réussites. Elles ont à confronter cette attitude avec l'importance de la visibilité pour la mobilité ascendante. Les femmes reconnaissent également qu'elles consacrent beaucoup de temps à écouter leurs supérieurs, subordonnés ou collègues ; même si cette activité constitue une fonction importante dans une organisation, actuellement, elle n'est pas reconnue comme telle. Enfin, plusieurs femmes avouent supporter très difficilement l'échec et conséquemment prendre peu de risques. L'ensemble de ces comportements semble être en rapport avec l'attitude des femmes face au pouvoir.

En effet, la seule évocation de la dimension politique de la vie organisationnelle crée un malaise chez la plupart des femmes. Certaines déclarent, sans ambages, refuser de jouer ce jeu qu'elles considèrent comme malhonnête et fourbe. D'autres se disent satisfaites d'exercer leur rôle de soutien et de conseillère discrète auprès de l'homme qui exerce les responsabilités en première ligne. Enfin, une troisième catégorie regroupe les femmes qui, conscientes de l'importance du pouvoir comme moyen d'efficacité, se sentent démunies, perplexes et sans modèles.

Or, toute organisation est traversée par des luttes de pouvoir. On peut refuser d'admettre cette dimension de la vie organisationnelle, mais ce refus n'entame en rien la réalité de sa présence. Pareille attitude de négation contribue à tout le moins à renforcer la domination de ceux qui sont à l'aise dans l'exercice du pouvoir.

C'est dans ce contexte que sont présentés aux femmes les stratégies et les comportements politiques essentiels : entretenir un réseau, se faire des alliés, être attentive à son image dans l'organisation, se rendre visible, prendre des risques et faire équipe (Josefowitz, 1980 ; Livian, 1987).

Après avoir analysé les comportements et leurs réactions face au pouvoir, les femmes ont à se situer à la fois au regard des attentes organisationnelles et de leurs valeurs et intérêts. À l'aide de questionnaires et d'exercices structurés, elles ont l'occasion d'identifier de façon plus précise leurs valeurs et les zones de satisfaction au travail et dans leur vie personnelle.

Pour nombre de femmes, le développement personnel et professionnel est subordonné à la résolution du conflit entre le travail et la vie privée. En effet, l'une des préoccupations centrale pour la grande majorité des femmes touche l'équilibre entre le travail et la famille ou la vie personnelle. Et ce d'autant que, dans les groupes de femmes rencontrés, plusieurs admettent avoir apporté peu de modifications au rôle traditionnel de mère, même si elles y ont ajouté celui d'employée rémunérée ou de femme de carrière. S'ajoute à cette constatation le fait que le partage des tâches domestiques entre les conjoints est encore loin d'être équitable.

Ce moment de l'intervention révélant l'ambivalence des femmes face à leurs investissements les encourage à faire des choix qui, sans être définitifs, correspondent à leurs valeurs. C'est en fonction de ces choix et de ces renoncements que les participantes élaborent un plan d'action personnalisé. La participation au volet de la mobilisation peut être un élément de ce plan d'action.

c) Mobilisation

Bien que le fait d'informer et de sensibiliser les femmes à leur condition dans le monde du travail soit un premier pas vers le changement, cela ne suffit pas. Sans l'aide d'un groupe de soutien, les femmes ne sortent pas de la vision psychologisante et personnalisée de leur situation. C'est pourquoi la création de groupes de soutien s'avère une étape essentielle dans le processus de changement institutionnel.

Dans ce volet de la mobilisation, l'accent est mis sur l'importance de la fonction de mentor, l'analyse des réseaux personnels et les alliances possibles.

La relation avec un mentor, comme l'ont souligné plusieurs auteurs (Colwill, 1984 ; Kram et Isabella, 1985 ; Levinson *et al.*, 1978 ; Philipps-Jones, 1982 ; Roche, 1979 ; Yoder *et al.*, 1985), représente un instrument puissant dans le développement personnel et professionnel. Mais, comme les femmes sont encore peu nombreuses dans les postes de gestion supérieure, les mentors féminins sont rares. De plus, ces femmes, à cause de leur nombre très restreint, sont souvent réduites au rôle de femme-alibi. Dans un contexte compétitif, une telle position s'accompagne souvent de demandes de performance exagérée. Cela risque également de les enfermer dans les stéréotypes féminins. La position de femme-alibi crée ainsi des incertitudes quant à la façon de réagir aux plus jeunes et menace constamment leur acceptation, chèrement conquise, au sein du groupe dominant (Yoder *et al.*, 1985). Quand une femme accède à un poste de gestion supérieure, elle se trouve souvent isolée des cercles masculins et elle doit faire face elle-même à une absence de modèles pertinents (Huppert-Laufer, 1982; Kanter, 1977). Ces contraintes situationnelles rendent les femmes en position de pouvoir parfois réticentes à assumer des fonctions de mentor auprès de leurs consœurs.

En revanche, Kram et Isabella (1985) suggèrent que les relations entre collègues représentent des solutions de remplacement valables de la relation mentor-protégé. Les relations entre pairs contribuent au développement de la carrière par le partage d'informations utiles, l'élaboration de stratégies de carrière et l'échange de *feed-back* relié à la tâche. En outre, ces relations entre pairs satisfont des besoins psychosociaux comme la confirmation, le soutien émotif, le *feed-back* personnel et l'amitié. Elles peuvent ainsi compenser la désagrégation du tissu social à l'œuvre dans les grandes entreprises en offrant des possibilités de dialogue et d'enseignement mutuel (Melin, 1987).

À partir de ces réflexions, les femmes analysent leur réseau personnel à l'intérieur de l'organisation, afin de déterminer les fonctions exercées par les membres de cette constellation et d'identifier des pistes de développement. Quant aux alliances, les participantes explorent la possibilité d'être soutenues dans leur démarche par d'autres membres de l'organisation.

Ces rencontres sont une occasion pour plusieurs femmes de se rendre compte de leur isolement au travail et du peu d'importance qu'elles accordent à la qualité de leur réseau. Ce volet de la mobilisation débouche souvent sur la constitution d'un réseau de soutien.

Ce bref survol d'une modalité d'intervention accommodatrice et des thèmes examinés à l'intérieur des rencontres avec les femmes laisse entrevoir la qualité des échanges qui s'y déroulent. Ces échanges donnent lieu à des discussions et à des confrontations qui ne manquent pas de laisser les participantes avec autant de questions que de réponses. Quant à l'impact de ces sessions, nous avons pu constater que, pour certaines femmes, les sessions fournissaient l'occasion d'accepter de regarder en face des réalités déjà pressenties, mais soigneusement niées. Pour d'autres, ces rencontres ont servi à mieux cerner leur situation et leur ont permis d'entrevoir des solutions de remplacement de leur façon de composer avec la culture organisationnelle. Enfin, quelques-unes ont traduit leurs apprentissages en des choix de moyens d'action concrets.

Les avantages des stratégies accommodatrices se situent d'abord au plan individuel en offrant à chacune des possibilités d'analyse et de réflexion, un lieu où elles ont le loisir de partager et de confronter leurs perceptions et finalement, si elles poursuivent la démarche, une occasion de trouver du soutien à l'intérieur d'un groupe.

Cependant, de telles interventions comportent aussi des limites. Premièrement, la sensibilisation, le développement personnel et la mobilisation des femmes, s'ils ne sont pas encouragés par des instances organisationnelles, risquent de provoquer frustration et découragement. Par ailleurs, ces sessions ayant pour objectif de sensibiliser les femmes aux dimensions institutionnelles des problèmes qu'elles rencontrent, en ne s'adressant qu'aux femmes, s'inscrivent alors dans cette même problématique. Du côté des gestionnaires, ceux-ci peuvent se donner bonne conscience en permettant aux femmes d'exprimer leur insatisfaction, évitant ainsi d'avoir à procéder à un investissement suffisant pour qu'une majorité des acteurs concernés soient rejoints et que les changements amorcés touchent en profondeur la vie réelle de l'organisation.

Deuxièmement, les interventions effectuées auprès des femmes risquent de donner des résultats superficiels qui profiteront surtout à celles dont les antécédents, la personnalité, les motivations et les intérêts les préparent déjà à devenir des superfemmes. Si tel était le cas, les stratégies accommodatrices auraient comme effet non désiré de renforcer la culture dominante et, en conséquence, de rendre la tâche encore plus difficile pour les femmes qui veulent apporter à l'organisation une contribution spécifique.

Bref, les interventions accommodatrices permettent aux femmes de mieux connaître leur situation et les règles du jeu organisationnel. Pour celles qui optent pour un changement de jeu, il y a les stratégies transformatrices.

Stratégies transformatrices

Le modèle qui sous-tend l'approche structurelle et la stratégie accommodatrice est basé sur la similitude. Selon ce modèle, les femmes sont censées être identiques aux hommes comme spécialistes ou cadres et, par conséquent, capables de contributions semblables à celles de leurs homologues masculins. Dans cette perspective, le problème des femmes est l'accessibilité.

Un autre point de vue, davantage développé dans les pays européens, notamment en Suède, s'appuie sur la différence et non sur la similitude (Adler, 1986-1987). Sous cet angle, les contributions individuelles autant des hommes que des femmes sont évaluées à la lumière de leur originalité et de leur pertinence à la résolution des problèmes organisationnels et non selon des critères statiques et mythiques de performance (Kanter, 1987a, 1987b). Selon cette vision, un traitement équitable n'est pas une question de représentation statistique, mais plutôt une reconnaissance équivalente des différents styles et modalités de contribution des hommes et des femmes. Cette orientation assure le fondement d'une stratégie transformatrice.

Parler de stratégie transformatrice, c'est évoquer non plus des moyens d'accommodation, mais un changement radical de la culture organisationnelle qui valorise « la rationalité, l'objectivité, l'agressivité et la domination[15] ». Nous nous référons ici à la culture dominante construite par les hommes au travail et non à des cultures organisationnelles particulières.

Misant non sur la similitude, mais sur la différence, les statégies transformatrices ont pour but principal d'amener les femmes à devenir des agentes de changement en vue de promouvoir la reconnaissance et la valorisation de conduites, d'attitudes et de valeurs différentes. Pour y parvenir il leur faut travailler collectivement à changer les mentalités et les structures. De tels changements toucheront autant les hommes que les femmes.

Pour ce qui est des moyens d'action, les efforts s'inscrivent dans la dynamique du changement et des mécanismes de l'influence sociale. On met l'accent sur les conditions d'influence des minorités actives telles qu'elles sont présentées par Moscovici (1979). Le terme « minorité » ici ne désigne pas d'abord et uniquement le caractère numérique, mais la position adoptée par rapport « aux normes dites communes qui sont inévitablement les normes de la majorité ou de l'autorité (p. 26) ».

Alors que bon nombre d'acteurs sociaux maintiennent que, pour avoir de l'influence, il faut d'abord se constituer des réserves de pouvoir, posséder une compétence reconnue, se faire des alliés, Moscovici soutient qu'il est possible pour des minorités qui n'ont ni le pouvoir ni la compétence nécessaires pour imposer tout simplement leur point de vue à une population plus importante, d'introduire des éléments de changement.

Cependant pour qu'un groupe minoritaire soit actif dans les rapports sociaux, il importe qu'il dispose d'une position définie, d'un point de vue cohérent, d'une norme propre ; c'est-à-dire que cette minorité ne refuse pas la position dominante faute de la comprendre, mais parce qu'elle adopte et proclame une norme de rechange, une contre-réponse qui répond davantage à ses croyances, à ses besoins ou à la réalité effective. Ces traits distinctifs sont nécessaires à une minorité si elle veut devenir une source active d'influence, et pourtant ils ne suffisent pas. De plus, l'auteur maintient que « lorsqu'un individu ou un sous-groupe influence un groupe, le principal facteur de réussite est le style de comportement (p. 121) ». Moscovici définit quatre composantes du style de comportement influent : l'investissement, l'autonomie, l'équité et la consistance.

15. M. DESROSIERS (1989). *Vers une nouvelle conception des comportements chez les femmes cadres*, document de travail n° 19, Université du Québec à Montréal, p. 23.

L'investissement correspond aux comportements qui témoignent que les individus ou le groupe concernés sont fortement engagés par un libre choix. L'autonomie se réfère à l'indépendance de jugement et d'attitude traduisant la détermination d'agir selon ses principes tout en tenant compte des facteurs pertinents afin d'en tirer une conclusion rigoureuse et sans se laisser détourner par des intérêts personnels. L'équité signifie « l'expression *simultanée* d'un point de vue particulier et le souci de réciprocité de la relation dans laquelle s'expriment les opinions[16] ». La consistance représente la variable la plus importante. Elle désigne la cohérence des comportements verbaux et non verbaux et la détermination à revenir à la charge avec fermeté, mais sans rigidité ni tentative de domination (Desrosiers, 1989).

À la lumière de ce cadre théorique, les participantes s'engagent dans la confrontation et la clarification des diverses perspectives pour en arriver à un consensus au regard d'une action collective. En même temps, elles doivent examiner la façon dont les interactions quotidiennes structurent, organisent et construisent la réalité organisationnelle (Berger et Luckmann, 1969; Delia *et al.*, 1982; Gergen, 1985), principalement les rapports hommes-femmes. Il leur revient ensuite d'imaginer des modes de conduite et d'action qui puissent s'avérer une source de changement. Cette activité oblige les femmes à situer la qualité et la profondeur de leur engagement.

Les stratégies transformatrices touchent les femmes qui, déjà fort sensibilisées à leur situation à l'intérieur d'une organisation, s'identifient à la défense de la condition féminine.

Le principal avantage des stratégies transformatrices, c'est de viser des finalités collectives et non des intérêts personnels (Desrosiers, 1989). La présence de sentiments et de comportements de type collectif étant un bon indicateur de changement au sein de l'organisation (Abbondanza, 1989, Tougas et Veilleux, 1988), il y a tout lieu de croire à la pertinence de cette stratégie.

Un deuxième avantage de cette stratégie réside dans le fait qu'elle pourrait éventuellement rejoindre un certain nombre d'hommes. De plus en plus de travailleurs, de cadres et de dirigeants masculins commencent à s'interroger sur le sens et la validité du modèle de culture organisationnelle qui nous est présenté comme la seule réalité.

Cette stratégie comporte cependant de fortes exigences. Une telle position requiert des femmes une volonté, un engagement qui s'apparente à une attitude de missionnaire où prédomine, selon Mintzberg (1986), « le sentiment d'avoir une mission à remplir, une intention d'améliorer un aspect quelconque de la société, pour son bien, plutôt que pour en tirer profit (p. 496) ».

16. S. MOSCOVICI (1979). *La psychologie des minorités actives*, Paris, Presses universitaires de France, p. 154.

On est en droit de se demander dans quelle mesure un tel engagement peut être exigé des femmes. Surtout si on tient compte du fait que plusieurs d'entre elles ont déjà une double tâche : le travail et la famille. Par ailleurs, la désillusion croissante à l'égard des grandes organisations et bureaucraties traditionnelles rendra peut-être inévitable une attirance de plus en plus forte vers l'expérience des stratégies transformatrices.

En résumé, les interventions auprès des femmes, qu'il s'agisse de l'approche structurelle, des stratégies accommodatrices ou transformatrices, ont pour objet la qualité de l'insertion des femmes dans la sphère du travail. Cependant chaque stratégie privilégie un niveau de changement, des objectifs spécifiques et des moyens d'action qui lui sont propres. Chaque stratégie comporte également ses limites, laissant ainsi entrevoir des pistes de développement riches pour l'avenir.

Perspectives d'avenir

La mode et les rituels en vogue actuellement privilégient souvent des interventions brèves du style « Une minute pour devenir un excellent gestionnaire » et encouragent la formation ponctuelle axée sur la gestion de son temps, de son stress, de ses amours, de sa crédibilité, etc. Mais on oublie trop souvent que le niveau de complexité des personnes qui composent, construisent ou sabotent une organisation est supérieur à celui de n'importe quelle méthode mise en place pour les gérer. Les représentations, les principes reçus comme des évidences, les interprétations codées se tissent lentement à travers les rapports de travail ; les dénouer, les transformer demande la même persévérance (Sainsaulieu, 1985).

En ce sens, il nous apparaît que seules des interventions qui donnent la parole à tous les membres d'une organisation, qui élucident au fur et à mesure les résistances, les peurs et les oppositions, qui confrontent les différentes logiques en présence ont des chances d'engager une organisation dans un mouvement de changement avec les pertes, les deuils et les souffrances qu'implique tout changement, mais aussi avec les forces vives ainsi libérées.

Et, comme la plupart des entreprises modernes peuvent être considérées comme des systèmes souples, il convient davantage de restaurer la variation de certaines constantes que de procéder à un changement rigoureusement planifié en vue d'objectifs précis (Claux et Gélinas, 1982 ; Johannisson, 1987 ; Weick, 1982). Ce qui importe c'est la mise en marche de processus récursifs de changement « qui n'aboutissent pas à la solution mais à l'évolution d'une situation[17] ». En conséquence, le degré d'engagement des personnes concernées représente un indice d'efficacité beaucoup plus sûr que la rigueur et la logique du plan d'action élaboré.

17. G. Goyette et M. Lessard-Hébert (1985). *La recherche-action : ses fonctions, ses fondements et son instrumentation*, Québec, Gouvernement du Québec, Conseil québécois de la recherche sociale, p. 229.

À la lumière de ces considérations, les perspectives d'avenir apparaissent multiples, saturées d'ambiguïtés et d'incertitudes, mais riches de possibilités. Dans tous les cas, les initiatives marginales, les projets-pilotes, les groupes expérimentaux devraient être fortement encouragés, car ils constituent des foyers d'innovation (Quinn, 1985).

Plus précisément, les interventions auprès des femmes vont se poursuivre, mais l'accent va se déplacer des interventions accommodatrices aux stratégies transformatrices où une importance primordiale sera accordée à la parole des femmes pour que l'organisation puisse entendre ce qu'elles ont à dire. Entendre que leur préoccupation pour la famille et la qualité de vie personnelle ne signifie ni défection ni déloyauté à l'égard de l'entreprise. Reconnaître que l'attention portée aux relations interpersonnelles ne peut être que bénéfique pour l'organisation. Accepter que les peines, les inquiétudes, les haines, les joies, les enthousiasmes puissent être exprimés ouvertement sans devoir subir la transformation mutilante d'un discours apparemment rationnel. Vues sous cet angle, les interventions auprès des femmes pourront plus tard être remplacées par la création de réseaux d'hommes et de femmes qui seront engagés dans la reconnaissance et l'affirmation de telles attitudes dans le contexte organisationnel.

Les interventions auprès des hommes restent une avenue très peu explorée. Et pourtant la résistance des hommes constitue l'une des difficultés majeures à l'avancement des femmes ou à leur entrée dans certains secteurs. La plupart des hommes n'ont pas développé la même aisance à composer avec des femmes qu'avec d'autres hommes et ce malaise continue d'être la principale barrière à l'intégration à part entière des femmes dans l'entreprise. Enfin, les réactions des hommes à une femme en position d'autorité incluent souvent des sentiments d'hostilité, de confusion et surtout de malaise (Dubno, 1985; Dubno *et al.*, 1979; Hearn et Parkin, 1986-1987). Il faut donc espérer que des interventions auprès des hommes leur permettent d'élucider, de questionner, d'analyser leurs comportements, leurs attitudes et leurs réactions à l'égard des femmes, qu'elles occupent dans leur vie professionnelle un rang hiérarchique supérieur ou non, ou qu'elles soient dans leur vie personnelle fille ou partenaire de vie.

Enfin des interventions mixtes inviteront les femmes et les hommes à se pencher sur la qualité de leurs relations au travail. Celle-ci deviendra sous peu l'un des indicateurs de l'efficacité des organisations (Donleavy, 1985). L'intervention auprès de groupes mixtes porterait alors sur l'analyse commune des rapports hommes-femmes à divers niveaux de l'organisation. Si nous voulons changer la structure d'un ensemble, nous devons mettre en évidence les règles abstraites qui modèlent et limitent les activités de cette entité-comme-un-tout, nous devons donc travailler avec les frontières, et toute frontière est relation (Smith, 1982). On ne pourra continuer à *faire comme si* les hommes et les femmes au travail devenaient des êtres asexués (Enriquez, 1986; Gray, 1985). Les réalités et les fantasmes qui traversent les rapports femmes-hommes au travail ne pourront plus être niés même s'ils sont dérangeants. Ces interventions devraient servir principalement à partager des perceptions et des expériences personnelles (Colwill et Sztaba, 1986; Spencer et Heath, 1985) et à instaurer un dialogue ouvert entre les hommes et les femmes.

Mais cette reconnaissance des apports distinctifs des femmes dans le monde organisationnel s'inscrit dans une problématique beaucoup plus vaste, celle de la culture occidentale. Comme le soulignent plusieurs auteurs, dont Berman (1981), Capra (1983), Rifkin (1980) et Wilden (1983), c'est un changement profond de culture qui s'avère nécessaire. D'une culture modelée sur le paradigme cartésien mettant l'accent sur la maîtrise, le contrôle et la prévisibilité il nous faudra passer à une culture qui accepte de vivre avec l'incertitude, la différence, ce qui exige de favoriser l'innovation et la créativité.

Malgré l'ampleur des changements requis, la responsabilité de ces changements revient en dernier ressort à ceux qui ont le pouvoir de les faire et à celles qui ont la volonté de les réaliser. En l'occurence, c'est aux dirigeants qu'incombe la responsabilité de mobiliser les ressources par la transmission d'une vision, aux femmes, de faire valoir la pertinence de leurs revendications.

Références bibliographiques

ABBONDANZA, M. (1989). « Identités et solidarités des femmes cadres », dans F. HAREL-GIASSON et J. ROBICHAUD (sous la direction de), *Actes du colloque « Tout savoir sur les femmes cadres d'ici »*, Montréal, HEC, pp. 139-154.

ADLER, N. J. (1986-1987). « Women in Management World », *International Studies of Management and Organization*, vol. 16, n°s 3 et 4, pp. 3-32.

BARTOL, K. M. (1978). « The Sex Structuring of Organizations : A Search for Possible Causes », *Academy of Management Review*, vol. 3, pp. 805-815.

BARTOL, K. M. (1980). « Female Managers and Quality of Working Life : The Impact of Sex Role Stereotypes », *Journal of Occupational Behaviour*, vol. 1, pp. 205-221.

BERGER, P. et LUCKMANN, T. (1969). *The Social Construction of Reality*, Reading, Mass., Addison-Wesley.

BERMAN, M. (1981). *The Re-enchantment of the World*, Cornell, Cornell University Press.

BOIVIN, L. (1989). « Un salaire égal pour un travail équivalent : un principe difficile à évaluer », *Avenir*, vol. 3, n° 1, pp. 26-31.

BOURNIVAL, M.-T. (1987). « Les métiers d'avenir pour les filles », *La Gazette des femmes*, vol. 9, n° 4, pp. 9-15.

CAMPBELL, S. (1985). « Training the Managers : Thoughts from Where I Am Now », *Management Education and Development*, vol. 16, n° 2, pp. 99-103.

CAPRA, F. (1983). *The Turning Point — Science, Society and the Rising Culture*, Londres, Fontana.

CARDWELL, L. (1985). « Managing Women — A Man's View », *Management Education and Development*, vol. 16, n° 2, pp. 197-200.

CLAUX, R. et GÉLINAS, A. (1982). *Systémique et résolution de problèmes selon la méthode des systèmes souples*, Montréal, Agence d'Arc.

COLWILL, N. L. (1982). « Discrimination : Why Does It Work ? », *Business Quarterly*, vol. 47, n° 3, pp. 20-22.

COLWILL, N. L. (1984). « Mentors and Protégés, Women and Men », *Business Quarterly*, vol. 49, n° 2, pp. 19-21.

COLWILL, N. L. et SZTABA, T. I. (1986). « Organizational Genderlect : The Problem of Two Different Languages », *Business Quarterly*, vol. 51, n° 1, pp. 64-66.

DAVIES, J. (1985). « Why Are Women Not Where the Power Is ? An Examination of the Maintenance of Power Elites », *Management Education and Development*, vol. 16, n° 3, pp. 278-288.

DELIA, J. G., O'KEEFE, B. J. et O'KEEFE, D. J. (1982). « The Constructivist Approach to Communication », dans F. E. X. DANCE (sous la direction de), *Human Communication Theory*, New York, Harper & Row, pp. 147-191.

DESROSIERS, M. (1989). *Vers une nouvelle conception des comportements chez les femmes cadres*, document de travail, n° 19, Université du Québec à Montréal.

DONLEAVY, M. R. (1985). « Antidote to Babel : Organizational and Personal Renewal Through Women and Men Working Together », *Management Education and Development*, vol. 16, n° 2, pp. 230-237.

DUBNO, P. (1985). « Attitudes toward Women Executives : A Longitudinal Approach », *Academy of Management Journal*, vol. 28, n° 1, pp. 235-239.

DUBNO, P., COSTAS, J., CANNON, H., WANKEL, C. et EMIN, H. (1979). « An Empirically Keyed Scale for Measuring Managerial Attitudes Toward Women Executives », *Psychology of Women Quarterly*, vol. 3, pp. 357-364.

DUBOST, J. (1987). *L'intervention psychosociologique*, Paris, Presses universitaires de France.

ENRIQUEZ, E. (1986). « Le pouvoir et son ombre sexuelle », dans N. AUBERT, E. ENRIQUEZ et V. DE GAULEJAC (sous la direction de), *Le sexe du pouvoir*, Paris, Desclée de Brouwer, pp. 380-393.

FISHER, M. L. (1985). « On Social Equality and Difference, A View from the Netherlands », *Management Education and Development*, vol. 16, n° 2, pp. 201-210.

FRENCH, W. L. et BELL, C. H. (1978). *Organization Development, Behavioral Science Interventions for Organization Improvement*, 2e éd. rev., Englewood Cliffs, Prentice-Hall.

GERGEN, K. J. (1985). « The Social Constructionist Movement in Modern Psychology », *American Psychologist*, vol. 40, n° 3, pp. 266-275.

GLUCKLICH, P. (1985). « Reflections on Training Women and Men Together », *Management Education and Development*, vol. 16, n° 2, pp. 224-229.

GOYER, M.-F. (1989). « Choisir de ne plus être cadre », dans F. HAREL-GIASSON et J. ROBICHAUD (sous la direction de), *Actes du colloque « Tout savoir sur les femmes cadres d'ici »*, Montréal, HEC, pp. 117-120.

GOYETTE, G. et LESSARD-HÉBERT, M. (1985). *La recherche-action : ses fonctions, ses fondements et son instrumentation*, Québec, Gouvernement du Québec, Conseil québécois de la recherche sociale.

GRAY, H. L. (1985). « Men with Women Bosses : Some Gender Issues », *Management Education and Development*, vol. 16, n° 2, pp. 192-196.

HEARN, J. et PARKIN, P. W. (1986-1987). « Women, Men, and Leadership : A Critical Review of Assumptions, Practices, and Change in Industrialized Nations », *International Studies of Management and Organization*, vol. 16, n°s 3 et 4, pp. 33-60.

HUPPERT-LAUFER, J. (1982). *La féminité neutralisée : les femmes cadres dans l'entreprise*, Paris, Flammarion.

JOHANNISSON, B. (1987). « Beyond Process and Structure : Social Exchange Networks », *International Studies of Management and Organization*, vol. 17, n° 1, pp. 3-23.

JOSEFOWITZ, N. (1980). *Paths to Power*, Don Mills, Ontario, Addison-Wesley.

KANTER, R. M. (1977). *Men and Women of the Corporation*, New York, Basic Books.

KANTER, R. M. (1987a). « Men and Women of the Corporation Revisited : Interview with Rosabeth Moss Kanter », *Human Resource Management*, vol. 26, n° 2, pp. 257-263.

KANTER, R. M. (1987b). « Vers quels systèmes de rémunération ? », *Harvard L'expansion*, automne, pp. 69-86.

KRAM, K. E. et ISABELLA, L. A. (1985). « Mentoring Alternatives : The Role of Peer Relationships in Career Development », *Academy of Management Journal*, vol. 28, n° 1, pp. 110-132.

LAVIGNE, M. (1989). « Le défi des années 90 », *La Gazette des femmes*, vol. 11, n° 2, pp. 29-30.

LEGAULT, G. (1989). « Accès à l'égalité en emploi ? Équité en matière d'emploi ? Des programmes encore boudés », *Avenir*, vol. 3, n° 1, pp. 32-33.

LESAGE, P. B. (1989). « Salaires féminins et masculins et évolution professionnelle de 3009 adultes inscrits aux certificats en gestion aux H.E.C. », dans F. HAREL-GIASSON et J. ROBICHAUD (sous la direction de), *Les actes du colloque : « Tout savoir sur les femmes cadres d'ici »*, Montréal, HEC, pp. 177-190.

LEVINSON, D. J., DARROW, C. N., KLEIN, E. B., LEVINSON, M. A. et MCKEE, B. (1978). *Seasons of a Man's Life*, New York, Knopf.

LIVIAN, J.-F. (1987). *Gérer le pouvoir dans les entreprises et les organisations*, Paris, Éditions ESF.

LOWE, M., SILVEROSA, C. et WOOLLARD, J. (1988). « Developing Women Leaders in a Traditional Insurance Company », *Management Education and Development*, vol. 19, nº 3, pp. 227-238.

MARSHALL, J. (1985). « Paths of Personal and Professional Development for Women Managers », *Management Education and Development*, vol. 16, nº 2, pp. 169-179.

MELIN, L. (1987). « The Field-of-Force Metaphor : A Study in Industrial Change », *International Studies of Management and Organization*, vol. 17, nº 1, pp. 24-33.

MINTZBERG, H. (1986). *Le pouvoir dans les organisations*, Montréal, Agence d'Arc. Traduction française de *Power in and around Organizations*, Englewood Cliffs, Prentice-Hall, 1983.

MORAZAIN, J. (1989). « Les entreprises pionnières », *La Gazette des femmes*, vol. 11, nº 2, pp. 8-11.

MORRISON, A. M., WHITE, R. P. et VAN VELSOR, E. (1987). *Breaking the Glass Celling : Can Women Reach the Top of America's Largest Corporations ?*, Reading, Mass., Addison-Wesley.

MOSCOVICI, S. (1979). *La psychologie des minorités actives*, Paris, Presses universitaires de France.

NOVARRA, V. (1980). *Women's Work Men's Work*, Londres, Marion Boyers.

PAQUEROT, S. (1983). *Femmes et pouvoir*, Québec, Conseil du statut de la femme, service de la recherche.

PAUL, N. (1985). « Increasing Organizational Effectiveness : A Training Model for Developing Women », *Management Education and Development*, vol. 16, nº 2, pp. 211-222.

PHILLIPS-JONES, L. L. (1982). *Mentors and Protégés*, New York, Arbour House.

POIRIER, M. (1989). « L'entreprise et ses choix », dans F. HAREL-GIASSON et J. ROBICHAUD (sous la direction de), *Actes du colloque « Tout savoir sur les femmes cadres d'ici »*, Montréal, HEC, pp. 103-108.

QUINN, J. B. (1985). « Managing Innovation : Controlled Chaos », *Harvard Business Review*, mai-juin, pp. 73-84.

RAYNOLDS, E. H. (1987). « Management Women in the Corporate Workplace : Possibilities for the Year 2000 », *Human Resource Management*, vol. 26, nº 2, pp. 265-276.

RIFKIN, J. (1980). *Entropy : A New World View*, New York, Viking.

ROCHE, G. R. (1979). « Much ado about mentors », *Harvard Business Review*, vol. 57, n° 1, pp. 14-28.

ROTHWELL, S. (1985). « Is Management a Masculine Role ? », *Management Education and Development*, vol. 16, n° 2, pp. 79-98.

SAINSAULIEU, R. (1985). « Culture et sociologie de l'entreprise », *Connexions*, vol. 45, pp. 109-122.

SCHEIN, E. H. (1971). « The Individual, the Organization, and the Career : A Conceptual Scheme », *Journal of Applied Behavioral Science*, vol. 7, pp. 401-426.

SEYMOUR, S. (1987). « The Case of Mismanaged Ms », *Harvard Business Review*, vol. 87, n° 6, pp. 77-87.

SMITH, K. K. (1982). « Philosophical Problems in Thinking about Organizational Change », dans P. S. GOODMAN (sous la direction de), *Change in Organizations*, San Francisco, Jossey-Bass, pp. 316-374.

SOLOMONS, H. H. et CRAMER, A. (1985). « When the Differences Don't Make a Difference : Women and Men as Colleagues », *Management Education and Development*, vol. 16, n° 2, pp. 155-168.

SPENCER, S. et HEATH, C. E. (1985). « Managing Difference : Can Women Open Doors for Men ? », *Management Education and Development*, vol. 16, n° 2, pp. 128-133.

STALEY, C. C. et SHOCKLEY-ZALABAK, P. (1986). « Communication Proficiency and Future Training Needs of Female Professional : Self-Assessment Vs. Supervisors'Evaluations », *Human Relations*, vol. 39, n° 10, pp. 891-902.

SYMONS, G. L. (1986). « Coping with the Corporate Tribe : How Women in Different Cultures Experience the Managerial Role », *Journal of Management*, vol. 12, n° 3, pp. 379-385.

TAYLOR, A. (1986). « Why Women Managers Are Bailing Out ? », *Fortune*, vol. 14, n° 4, pp. 16-23.

TESSIER, R. (1973). « Une taxonomie des entreprises de changement planifié », dans R. TESSIER et Y. TELLIER (sous la direction de), *Changement planifié et développement des organisations : théorie et pratique*, 1re édition, Montréal et Paris, IFG et EPI s.a. éditeur, pp. 17-66.

TOUGAS, F. et VEILLEUX, F. (1988). « The Influence of Identification, Collective Relative Deprivation and Procedure of Implementation on Women's Response to Affirmative Action : A Causal Modeling Approach », *Canadian Journal of Behavioral Sciences*, vol. 20, n° 1, pp. 15-28.

WEICK, K. E. (1982). « Managing Organizational Change among Loosely Coupled Elements », dans P. S. GOODMAN (sous la direction de), *Change in Organizations*, San Francisco, Jossey-Bass, pp. 375-408.

WILDEN, A. (1983). *Système et structure : essais sur la communication et l'échange*, Montréal, Boréal Express. Traduction française de *System and Structure, Essays in Communication*, Londres, Tavistock, 1972.

YODER, J. D., ADAMS, J., GROVE, S. et PRIEST, R. F. (1985). « To Teach Is to Learn : Overcoming Tokenism with Mentors », *Psychology of Women Quarterly*, vol. 9, n° 1, pp. 119-131.

15

Le rôle de conseiller en développement international

Guy NOËL

En quoi consiste le rôle de conseiller en développement international ? Quelles sont les variables importantes dont le conseiller doit tenir compte pour bien réaliser son mandat ? Comment se pose la problématique du changement dans un environnement tel que celui d'un pays en développement ? Quels sont les points de comparaison avec une entreprise de changement dans le contexte d'une société développée au point de vue technologique ? Selon quelles particularités la dynamique de la relation entre le client et le conseiller évolue-t-elle ?

Je vais essayer de répondre à ces questions, à partir de mon expérience personnelle (acquise principalement en Afrique subsaharienne francophone). Le recours à l'expérience personnelle entraîne inévitablement quelques inexactitudes. Cette procédure n'en conserve pas moins une validité certaine dans le cas présent : j'ai pris soin de l'appuyer sur des observations de différentes sources, qui s'étendent sur plusieurs années et font référence à des environnements variés.

Pour conserver au texte son unité, je ne ferai pas ici de longs commentaires sur la théorie du changement planifié ni sur les politiques mises de l'avant par les organismes de développement, tels que la Banque pour la reconstruction et le développement (plus connue sous le nom de Banque mondiale), les organismes des Nations Unies ou l'Agence canadienne de développement international (ACDI). J'aborderai successivement les points suivants :

- le contexte de l'intervention, à partir de quelques définitions ;
- la situation personnelle du conseiller en développement international ;

– la relation du conseiller avec le client;

– et, enfin, le contrat avec le client.

Le contexte de l'intervention : quelques définitions

De façon à aider le lecteur à se situer, il me paraît à propos de commencer par présenter le cadre et les paramètres de l'action d'un conseiller en développement.

Un projet de développement international

Le gouvernement d'un pays en développement constate, à partir de certains indices comme l'employabilité de sa main-d'œuvre, que son système de formation professionnelle doit être revu et adapté aux conditions d'enseignement des nouveaux métiers.

Les capacités financières du pays sont limitées, car il est pauvre en ressources naturelles. Elles ne lui permettent pas d'engager les travaux d'envergure nécessaires à l'adaptation souhaitée de son système scolaire de formation professionnelle. Le gouvernement doit donc solliciter un financement auprès des organismes d'aide au développement international; il a le choix d'adresser sa requête soit auprès d'un organisme d'aide multilatérale, telle la Banque mondiale, soit auprès d'un organisme d'aide bilatérale telle, par exemple, l'ACDI. Les implications d'une aide venant de l'un ou de l'autre organisme sont différentes : dans le cas de l'aide multilatérale, il s'agit de prêts remboursables à faibles taux d'intérêt alors que l'aide bilatérale consiste souvent en subventions, sous la forme d'aide liée[1] (Verna, 1989).

Quel que soit le bailleur de fonds retenu, celui-ci, après réception de la requête du gouvernement, fait procéder à une étude de faisabilité du projet, dont l'objet est de déterminer les conditions de sa réalisation, de sa rentabilité économique et de son impact social. Une fois cette étude terminée, et en admettant que ses conclusions recommandent effectivement une tentative d'adaptation du système d'enseignement et de formation professionnelle du pays, le gouvernement pourra négocier avec son bailleur de fonds les conditions de son prêt ou de sa subvention.

Ces arrangements réglés, un appel d'offres peut être lancé, sous la responsabilité du gouvernement du pays, s'il s'agit d'un prêt de la Banque mondiale,

1. L'aide liée est celle qu'un pays donateur accorde à un pays bénéficiaire, à condition que les services inclus dans cette aide proviennent en priorité du pays donateur.

ou sous la responsabilité du gouvernement donateur, s'il s'agit d'une subvention. Dans le premier cas, c'est un appel d'offres international (auquel une demi-douzaine de firmes d'autant de pays sont invitées à soumissionner), alors que dans le deuxième cas il s'agit approximativement du même nombre de firmes nationales provenant du pays même qui accorde la subvention.

La réponse à l'appel d'offres consiste d'abord, pour les firmes ou organismes intéressés, en un examen fouillé des termes de référence, qui définissent le mandat à exécuter. Suit la rédaction d'une proposition d'offre de services qui comprend, en général, la formulation d'une méthodologie, la constitution d'une équipe de projet avec la répartition des tâches à effectuer. S'ajoutera plus tard la présentation d'un plan d'opération indiquant l'enchaînement des actions prévues au cours du mandat. Enfin, une proposition financière vient clore l'étape des préalables. Cette proposition est d'une importance capitale parce que le mandat est attribué à la proposition présentant le meilleur rapport qualité/prix.

Au terme du dépouillement des offres, le mandat est attribué à l'une des firmes soumissionnaires selon un barème communiqué avec les termes de référence ; cette firme est alors invitée à négocier avec les représentants du gouvernement national emprunteur, dans le cas d'un prêt venant d'un organisme international, ou avec ceux du gouvernement étranger donateur, dans le cas d'une subvention.

Si la négociation se conclut à la satisfaction des deux parties, elle aboutit à la signature d'un contrat définissant les modalités selon lesquelles les services doivent être rendus. Le contrat signé, le soumissionnaire peut alors procéder à la mobilisation des ressources humaines requises et à leur affectation sur le terrain.

Le conseiller en développement international

Le terme de « conseiller en développement international » est un terme quasi générique. Il recouvre une multitude de situations professionnelles et n'a pas grand-chose à voir avec le rôle de conseiller en changement planifié tel qu'on l'entend et le pratique dans les milieux professionnels du développement des organisations. En fait, ce terme sert à désigner tout spécialiste qui, à un titre ou à un autre, travaille dans un pays en développement dans le cadre d'un organisme privé ou public, à but lucratif ou non, pour contribuer à la réalisation de mandats très variés. Exemples : un programme de vaccination ou d'alphabétisation, un projet de développement des petites entreprises de production ou de services, etc. Sa compétence professionnelle est garantie par son expérience, condensée dans son *curriculum vitæ*.

Celui-ci sert à présenter sa candidature, que le pays bénéficiaire et le bailleur de fonds se réservent le droit d'approuver ou de refuser.

Un synonyme de « conseiller » est le terme d'« expert », dont l'imprécision n'est pas moins grande. On peut déplorer que certains individus œuvrant à l'étranger se parent de ce titre, alors que leur compétence professionnelle se situe dans une honnête moyenne par rapport à ce que l'on rencontre dans les milieux professionnels. Il est heureusement vrai, néanmoins, que de véritables experts apportent leur contribution au développement des jeunes États : ils bâtissent leur réputation sur les travaux et recherches qu'ils mènent à bien dans l'intérêt de leurs clients.

Le chef de mission

Dans la gestion d'un projet à l'étranger, on distingue communément trois rôles principaux, dont l'appellation peut varier, mais dont les fonctions se retrouvent toujours : le conseiller, le chef de mission et le directeur (ou l'administrateur) du projet ; celui-ci travaille au siège social alors que les deux premiers sont affectés aux opérations sur le terrain. De ces trois rôles, celui de chef de mission est le plus important pour la réussite d'un projet. Cette personne a en effet la responsabilité de représenter le contractant sur le terrain et elle est responsable devant le client de la bonne exécution du marché. On attribue généralement quatre volets à cette fonction. Le premier porte sur l'*administration* et concerne en particulier la gestion financière : le chef de mission a la possibilité d'engager des dépenses et il doit gérer le budget du projet conformément aux termes du contrat. On trouve ensuite le volet *gestion d'équipe* : le chef de mission est responsable de la coordination des travaux des conseillers (qu'il n'a pas lui-même toujours choisis) de façon qu'ils réalisent le plan d'opération approuvé. Le troisième volet est celui de *liaison* qui assure et maintient des communications fiables et harmonieuses entre le client et le contractant (son employeur). Enfin, le volet *conseil technique* permet au chef de mission de démontrer sa compétence dans le domaine d'application du projet, aussi bien vis-à-vis du client que vis-à-vis des autres conseillers.

Il est évident que chaque conseiller technique affecté au projet a un rôle extrêmement important à tenir, mais la fonction de chef de mission est cruciale, parce que c'est lui qui assure l'harmonisation de toutes les composantes du projet. Étant en contact avec le client, presque quotidiennement, il est le premier qui doit savoir, et quelquefois deviner, la satisfaction du client par rapport aux travaux faits et à effectuer. C'est la raison pour laquelle je me réfère implicitement à ce rôle dans ce texte.

Le conseiller en développement international : quelques éléments de sa situation personnelle

Pour mieux comprendre la situation du conseiller, il est utile maintenant d'examiner ses motivations, son rapport avec le pouvoir, les représentations qu'il se fait de son mandat et, enfin, les occasions favorables et les risques inhérents à son affectation à l'étranger.

Les motivations du conseiller

Quand une personne annonce qu'elle se prépare à partir à l'étranger, la réaction de l'entourage est très souvent teintée d'étonnement, sinon d'incrédulité. Les explications fournies par le futur conseiller sont rarement simples, mais elles peuvent être regroupées dans des catégories assez bien identifiables :

- *La motivation professionnelle* : c'est sans doute la plus souvent mise de l'avant, celle qui donne à la décision toute la respectabilité nécessaire. On s'y réfère pour expliquer le désir d'élargir son expérience de travail, d'être exposé à de nouvelles situations, d'avoir à relever de nouveaux défis. Le postulant estime avoir fait le tour de sa situation professionnelle, dont il connaît bien les limites, et se juge mûr pour un changement.
- *La motivation personnelle* : on exprime ici des besoins plus intérieurs dont l'expression prend des accents de confidence ; le candidat souhaite jouir d'une plus grande liberté, il cherche à côtoyer d'autres cultures, à s'ouvrir à une expérience plus planétaire, peut-être moins encombrée par la société de consommation occidentale. Ceux qui, après une ou deux affectations, ont « attrapé la piqûre », comme on dit dans le jargon du milieu, entendent s'aménager un mode de vie passablement différent de celui qu'ils ont connu jusqu'alors.
- *La motivation économique* : l'affectation de longue durée à l'étranger, avec l'exonération partielle ou totale de l'impôt, est pour beaucoup de conseillers une façon intéressante de faire des économies et d'accéder à une certaine aisance financière. Celle-ci permet de réaliser des projets (l'achat d'une maison) qui demanderaient beaucoup plus de temps pour se faire sans cette affectation.
- *La motivation politique* : par là, j'entends le désir de manifester un certain pouvoir sur l'ordre des choses ; elle semble relativement peu forte : rares sont les personnes qui, en 1991, s'en vont à l'étranger avec la volonté de « changer les choses ».
- *La motivation altruiste*, enfin : elle s'exprime (avec une certaine pudeur, en général) par le souhait d'apporter une contribution aux pays en développe-

ment, de les faire bénéficier de connaissances et de savoir-faire, qui pense-t-on, leur seront utiles et favoriseront leur développement socio-économique. Ce type de motivation est relativement peu exprimé de façon spontanée dans les milieux des organisations à but lucratif; je suppose qu'il l'est davantage dans les organismes à but non lucratif. Il s'agit en effet d'une des dimensions les plus importantes par rapport à l'efficacité d'un conseiller, car elle est l'indice de sa volonté de contribuer au développement de ses interlocuteurs, volonté sans laquelle l'action du conseiller risque fort de ne pas toucher ses destinataires supposés (Kealy, 1990).

Le pouvoir du conseiller

Pour tout conseiller, l'exercice du pouvoir (et les motivations et justifications qu'il suppose) est une des choses les plus difficiles à verbaliser. Le conseiller en développement ne loge pas sur ce point à une autre enseigne que ses collègues exerçant un pouvoir dans leur pays d'origine. Il ne manque pourtant pas de canaux pour exercer son influence, même si son expression explicite fait problème.

Le premier de ces canaux, le plus évident, est celui de la compétence professionnelle, dans un domaine spécifique, auquel le conseiller est fortement identifié; au point de se définir lui-même par cette compétence: «Je suis ingénieur, agronome, ou professeur...» Il est bien évident que le conseiller, engagé en raison de cette compétence, s'attend, plus ou moins explicitement, à exercer une influence dans sa spécialité; en général, c'est ce qui se passe. Mais les choses peuvent se corser lorsque le conseiller se rend compte que *toutes* ses recommandations ne sont pas retenues; il peut en concevoir du dépit, ce qui entraîne presque à coup sûr une répercussion négative sur son travail et sur ses relations avec ses divers interlocuteurs.

Ceci ne manque pas de survenir quand le conseiller n'a pas exercé une fonction de conseil auparavant et, surtout, s'il a occupé des fonctions de direction pendant des périodes prolongées dans son propre pays. Il faut faire preuve d'une grande prudence dans l'engagement des personnes qui ont tenu des postes de cadre: elles ont acquis des habitudes de travail souvent difficiles à changer et à concilier avec un mandat de conseiller qui reconnaît au client le droit d'avoir le dernier mot sur les propositions formulées.

Une remarque semblable peut être faite en ce qui concerne le jeune âge d'un conseiller (disons 30 ans ou moins). N'ayant pas encore acquis une véritable expérience professionnelle, cette jeune personne est souvent tentée d'exhiber sa compétence, et son impatience face aux lenteurs que ses recommandations rencontrent.

Une dernière remarque sur le rapport avec le pouvoir. Plus sa compétence est grande sur le plan technique, et faible sur le plan interpersonnel, plus grands sont les risques que le conseiller veuille influencer son client en se basant sur cette stricte compétence technique. Ceci est très légitime, mais contribue beaucoup à la naissance de résistances très fortes. Le peu d'utilisation fait de travaux dont la qualité ne peut être mise en doute s'explique souvent par une telle dynamique du pouvoir.

Un autre canal de l'expression du pouvoir du conseiller sont les moyens financiers et matériels dont il dispose pour effectuer son mandat. Dans ce domaine, tout est cas d'espèce, mais certains chefs de mission disposent de moyens auxquels leurs clients ne pourront jamais prétendre, compte tenu des ressources limitées du pays hôte. Il peut être tentant alors de faire étalage d'une certaine force, qui se manifeste par la vélocité de l'action ou la complexité des travaux. Des comparaisons avec ce que produit la division administrative ou le service auquel est rattaché le client — comparaisons qui vont souvent paraître désobligeantes — ne manquent pas de ternir la relation.

Ce qui s'observe sur le plan du travail se remarque aussi sur le plan personnel. Il est courant de voir le chef de mission arriver au service dans un véhicule en bon état, sinon flambant neuf, alors que son interlocuteur se déplace en mobylette, ou dans un véhicule qui accuse le poids des ans de façon manifeste. Et ainsi de suite pour tous les aspects de la vie. Il est vrai que les cadres des pays en développement bénéficient d'avantages en nature qui ont une valeur matérielle très importante. Mais, au bout du compte, c'est le conseiller qui s'en sort généralement le mieux, sauf si la comparaison se fait avec un haut fonctionnaire ou un cadre supérieur d'une entreprise parapublique.

Le conseiller, pour pouvoir exercer une influence, doit faire preuve de capacité de compréhension de la réalité culturelle dans laquelle il est amené à travailler, d'adaptation et d'intégration à cette réalité très différente de celle qu'il a toujours connue. C'est souvent là que les difficultés sont les plus difficiles à circonscrire pour le conseiller. Dépasser l'aspect anecdotique et folklorique de la réalité du pays d'accueil demande à la fois de la sympathie et un effort conscient. La sympathie évite de tomber dans la condescendance devant une culture plus vulnérable que la culture occidentale, dont l'infrastructure de production lui permet de se renouveler et de se diversifier, pour étendre progressivement son aire d'influence. Un effort est nécessaire parce que la connaissance du mode d'existence des populations requiert une accoutumance aux manifestations de la culture et une proximité de celles-ci qui ne sont pas données d'emblée. Par exemple, l'apprentissage d'une langue nationale demande de la constance, et on peut regretter que les vraies réussites dans ce domaine soient rares. Combien de conseillers, en effet, peuvent se dire familiers avec l'une ou l'autre des langues de leurs principaux interlocuteurs, ou plus modestement de leurs coutumes civiles ou religieuses ? Combien des conseillers qui travaillent au Maghreb ont lu en entier le Coran ? Ces quelques exemples permettent de saisir les difficultés de l'action dans un milieu culturel différent du sien.

Il reste à ajouter que, si le conseiller veut exercer une influence durable et utile, il doit être à même de comprendre et de formaliser les étapes du processus de changement qu'il provoque et auquel il entend participer. Force est de constater, malheureusement, que bien peu de conseillers possèdent le bagage conceptuel pour ce faire, faute d'une préparation adéquate, d'une expérience antérieure de conseil et d'une disposition d'esprit qui favorise l'appréhension et la compréhension de ce type de phénomène. La tentation est grande alors, quand des résistances se font jour, d'en donner une justification à bon compte, car elles lui compliquent bien la vie, ces résistances ! L'effort intellectuel qu'il faudrait alors fournir pour être à la hauteur des enjeux cède trop souvent la place à une rationalisation et à une réduction des faits ou même à leur négation. C'est sans doute dans ce genre de situation que le rôle du chef de mission devient crucial : c'est à lui que revient la responsabilité de faire avancer le projet, en conservant la collaboration et la confiance du client, et en aiguillant le conseiller dans son plan de travail.

Le mandat et le cadre de référence du conseiller

Dans le cas d'une affectation à l'étranger, le conseiller ne négocie pas lui-même son mandat. Celui-ci lui est communiqué par son employeur et est formalisé à partir des termes de référence qui figurent dans l'appel d'offres. Intervient aussi le contenu de la négociation qui a précédé la signature du contrat. Compte tenu des distances et des coûts de voyage, il n'y a pas habituellement de rencontre préalable entre le conseiller et ses futurs interlocuteurs. Cette réalité ne manque pas d'être relativement inquiétante pour lui, et demande, en conséquence, une bonne préparation avant l'arrivée au poste dans le pays hôte.

Cette période de préparation (dont certains bailleurs de fonds, paradoxalement, ne comprennent pas toujours la nécessité) doit permettre, en particulier, l'explicitation du cadre de référence de chacun des membres pressentis de la mission. Tous les conseillers retenus possèdent en effet un point de vue implicite sur la façon dont devrait être conduite l'action. Ce sont ces cadres de référence qu'il faut rendre explicites, de façon qu'ils puissent être discutés, débattus, confrontés, pour être, enfin, formalisés dans un document de référence du projet, en fonction duquel chacun des conseillers devra effectuer son travail. C'est à partir des critères contenus dans ce document que son action sera évaluée.

Il est normal que cette opération capitale pour la réussite de l'intervention s'accompagne de certaines tensions : dans ce milieu professionnel, chacun est persuadé, peu ou prou, de détenir la meilleure façon d'aborder le client et de réaliser le mandat au meilleur coût. Or, l'histoire du développement regorge d'exemples de projets qui ont échoué. Une partie de l'explication de ces échecs peut être fournie par l'orientation technocratique du recrutement : souvent le conseiller a été (ou est encore) engagé pour sa seule expertise professionnelle de base (génie, médecine, enseignement, agronomie, etc.) et trop rarement pour sa compréhension et son expérience des mécanismes de changement sociaux ou institutionnels. Disons-le simplement : la plupart des conseillers ne connaissent rien à la problématique du changement. Il reste beaucoup de chemin à parcourir, même chez les bailleurs de fonds, pour que cette tendance soit modifiée.

Les risques et les avantages de l'affectation du conseiller

Le fait que le travail du conseiller se fasse à l'étranger entraîne pour celui-ci un certain nombre de conséquences sur sa santé, sa vie familiale, son milieu professionnel et son déroulement de carrière.

Même si des progrès très remarquables ont été réalisés au cours des dernières années, les conditions sanitaires d'outre-mer sont toujours plus difficiles et contraignantes que dans les pays d'origine : il faut prendre des précautions auxquelles on ne pense même plus chez soi, et l'ingestion prolongée de médicaments contre certaines maladies (le paludisme, par exemple) entraîne des effets secondaires bien identifiés (fragilité du foie, baisse de la vision). À ce sujet, un dicton bien connu dans le milieu des expatriés dit : « Une année en Afrique compte double ! »

La dynamique familiale et sociale subit aussi les contrecoups du déménagement. Les membres de la cellule familiale sont coupés de leur environnement social et chacun doit se recomposer un milieu d'appartenance ; ce qui peut être difficile pour le conjoint qui ne travaille pas. Les variables individuelles jouent, ainsi que les facteurs sociétaux, dans la mesure où les choix apparaissent plus limités que dans le milieu d'origine.

L'éloignement modifie la relation avec le milieu professionnel, qui n'est plus immédiatement là pour offrir soutien et encouragement. Quand on entreprend une action de changement majeur dans une organisation, il est utile, souvent même bénéfique, de disposer de l'écoute et des conseils d'un collègue auprès de qui on peut tester ses hypothèses et à qui on peut exprimer ses inquiétudes en toute confiance. Ceci n'est généralement pas possible à l'étranger, où l'accès aux ressources professionnelles est lui aussi très limité, malgré les progrès des moyens de transport et de communication survenus ces dernières décennies. Le conseiller se sent souvent bien démuni parce qu'il n'a pas sous la main les instruments et les documents auxquels il est habitué et qui, croit-il, lui permettraient de faire un meilleur travail.

Autre conséquence de l'éloignement, les liens avec le groupe professionnel de référence se distendent et finissent même par se rompre. Ceci a un impact non négligeable sur le développement de la carrière du conseiller : après un certain nombre d'années à l'étranger, le conseiller perd contact avec la réalité de son propre pays ; l'histoire a continué d'avancer et il n'a pas été là pour y participer. Facteur peut-être plus dramatique encore, son milieu de référence tend à l'oublier, ce qui peut rendre la réinsertion difficile, sinon impossible. Le conseiller peut devoir alors continuer sa carrière à l'étranger, sans toujours avoir choisi un tel cheminement.

Le conseiller : la relation avec le client

Un projet en développement international se réalise toujours pour un *client*. Voyons maintenant en quoi consiste la relation du conseiller avec son client (ou ses clients, car un client peut parfois en cacher un autre !).

Le client du conseiller

Qui est le client du conseiller ? Ce n'est pas seulement par facétie que je dis qu'il n'est pas toujours facile de répondre à cette question. Au plan officiel et formel, en raison de la procédure de paiement dans les pays en développement, le client est quasiment toujours le gouvernement du pays où se fait l'intervention, par le truchement d'un organisme gouvernemental (un ministère ou une société publique ou parapublique). Le contrat est généralement signé par une personnalité politique de haut niveau[2].

Mais situer le client à ce niveau hiérarchique n'est pas d'une bien grande utilité pour l'action du conseiller de base. Il convient plutôt de bien définir à quels niveaux se situent les interlocuteurs véritables du chef de mission, en se souvenant que dans une telle situation l'effet de cascade joue à plein ; aussi bien en descendant qu'en remontant. Cette démarche nécessite un certain doigté diplomatique, car il faut ménager les susceptibilités et discerner où sont les intérêts des différents interlocuteurs. Il s'agit de ne mécontenter personne (à commencer par le petit personnel de bureau, qui a souvent une influence sans comparaison avec son statut formel), en sachant que certains devront être plus contentés que d'autres.

La demande d'intervention

Il est bien connu qu'il n'est pas évident pour le conseiller externe, travaillant dans son environnement d'origine, de bien saisir d'emblée la demande d'intervention de son client. À plus forte raison alors, s'il est doublement étranger au milieu où il doit exercer.

2. Je conserve soigneusement en souvenir la version originale du contrat d'une affectation de longue durée signée par une brochette de ministres, et contresignée par le général — président du pays lui-même.

Dans un cas comme celui de l'exemple cité au début de ce texte, la demande d'intervention semble se justifier d'elle-même: tout le monde est prêt à reconnaître que, sans main-d'œuvre qualifiée, un pays ne peut pas se développer sur le plan technique. Ce qui peut poser question au conseiller, qui, par définition, se doit d'avoir l'esprit interrogateur et même critique, ce sont les choix qui ont dû être faits pour que cette demande aboutisse. Par ailleurs, les autres besoins importants et urgents en sus de cette demande ne manquent pas dans le pays.

Ceci dit, dans un tel contexte, le conseiller n'a pas à remettre en question le bien-fondé de l'intervention: on ne lui demande pas son avis, cela est censé avoir été fait par d'autres personnes qui en avaient reçu le mandat spécifique. Il s'agit pour lui d'effectuer un travail bien défini dans le contrat. Rien ne l'empêche de faire des observations sur la pertinence de telle ou telle activité, mais à condition qu'il ait déjà rempli son mandat et qu'il sache y mettre les formes.

Plus gênants pour l'exécution du mandat peuvent être les changements survenus entre le moment où le projet a été défini et celui où a commencé la réalisation, compte tenu des délais qui existent entre les deux. Je me souviens d'un mandat qui consistait à l'origine à recruter et à former un certain nombre de personnes en vue de renforcer un département ministériel. Avant le début de l'intervention, les experts de la Banque mondiale avaient demandé au pays en cause de suspendre l'engagement dans la fonction publique, en raison d'ajustement structurel; le mandat ne consistait alors plus à former du personnel recruté selon certains critères, mais bien plutôt à former le personnel déjà engagé et disponible. (Comme on le verra plus loin, les bailleurs de fonds jouent en effet un grand rôle dans la formulation de la demande du client.)

En effet, entre le moment où paraît le premier document provenant du pays demandeur et l'arrivée des conseillers sur le terrain, il s'écoule en moyenne une période de deux à quatre ans. Pendant ce temps, la situation a pu grandement évoluer. Un changement de personnel politique et de responsables des dossiers dans les différents organismes a de fortes chances de s'être produit. La notion de long terme doit donc être bien présente, une fois envisagée une action dans un tel contexte; d'où la nécessité de toujours actualiser les données pertinentes.

La contribution du conseiller en développement international est quasiment toujours demandée en raison de sa compétence technique spécifique (médecine, ingénierie de production ou d'entretien, enseignement, agriculture ou agronomie, etc.), mais très rarement (sinon jamais) pour une contribution de facilitation et d'élucidation centrée sur les problèmes que peut rencontrer le pays demandeur. Ceci peut s'expliquer de plusieurs façons: d'abord, le nombre de conseillers vraiment capables de travailler dans une telle problématique est restreint. Ensuite, les bailleurs de fonds ont quelque difficulté à envisager ce mode d'action; et, enfin, les autorités locales tiennent à conserver leur pouvoir auprès de leurs commettants.

La problématique du changement

Une autre source de préoccupation pour le conseiller en développement est de savoir comment le client vit et se représente la problématique du changement.

Disons tout de suite que, si le conseiller veut procéder selon une approche de changement planifié (ce qui serait tout à fait justifié, en raison du contexte de l'intervention à entreprendre), il ne tardera pas à s'apercevoir qu'une telle approche repose sur des principes démocratiques de vie en société, du type de celle que nous pratiquons en Occident, depuis une période de temps relativement courte (Tessier et Tellier, 1973, 1990-1992). Or, les événements des derniers mois et ceux qui se déroulent actuellement dans le monde en témoignent éloquemment : les pays en développement, qu'ils soient du Sud ou de l'Est, sont loin d'être dirigés selon les règles de la démocratie à l'occidentale. Pour être plus explicite en ce qui concerne l'Afrique, mentionnons que seulement trois des chefs des États indépendants depuis 1960 ont quitté le pouvoir volontairement, alors qu'on a du mal à dénombrer ceux qui ont dû l'abandonner sous la contrainte. Un nombre respectable affiche, par ailleurs, une longévité de plus de quinze ans à la magistrature suprême.

Ce qui précède suggère que le conseiller doive adapter sa démarche d'implantation du changement à la conception et aux objectifs (explicites et implicites) de son client, ministre ou haut fonctionnaire ; il doit, de plus, essayer de tenir la gageure d'implanter un changement (n'est-il pas payé pour cela ?) dans un environnement sociopolitique qui le souhaite publiquement, ce changement, alors que, dans sa réalité profonde, tout le porte à le retarder le plus longtemps possible.

La relation entre le client et les bailleurs de fonds

Contrairement à la situation connue par le conseiller dans son pays d'origine, où le client, public ou privé, le rémunère directement pour les services rendus, dans les pays en développement, les bailleurs de fonds jouent un rôle qui n'est pas celui de troisième violon : ils participent à la décision de mettre ou non le projet sur pied.

Le pouvoir que leur procure leur argent, ce nerf de la guerre, les amène, en effet, à exercer une influence déterminante sur la conception, l'acceptation (ou le rejet) d'un projet et l'évaluation de sa réalisation. De ce point de vue, le pouvoir du bailleur prime sur celui du conseiller par rapport au client. De plus, le bailleur garde un mot à dire dans le choix du conseiller par le client, avant que le contrat ne soit signé. Lors de l'exécution des travaux, le bailleur de fonds, en raison de ses prérogatives, effectue des visites de suivi, au cours desquelles il rencontre client et conseillers, pour évaluer le déroulement de la mise en œuvre du projet.

Le bailleur peut ainsi infléchir notablement la politique d'emprunt d'un pays et le contenu des projets que celui-ci veut réaliser. Par exemple, la Banque mondiale oblige maintenant les pays emprunteurs à intégrer un volet de formation dans tous les projets d'infrastructure qu'elle accepte de financer, de façon à développer les ressources humaines du pays, que celui-ci y reconnaisse ou non une priorité. J'ai connu, pour ma part, une affectation de formation où il est bien vite devenu évident que l'intervention n'était guère désirée par le client ; elle était inévitable pour le pays, cependant, en raison de la politique de la Banque.

Le contrat entre le client et le conseiller

Il ne peut y avoir de projet en développement sans contrat dûment signé entre les deux parties. En quoi ce contrat diffère-t-il de celui que le conseiller peut négocier dans son pays d'origine ?

La négociation du contrat

Il est très rare, dans les situations ici présentées, que le conseiller négocie lui-même son contrat avec le client institutionnel. La négociation peut être faite par un agent commercial (qui reçoit une commission) ou par un représentant de la firme, qui lui aussi est intéressé par l'aspect commercial de la transaction. On est loin de la situation que le conseiller a pu connaître dans son pays d'origine, où il considère comme indispensable pour la réussite de son travail de négocier directement avec son client, une telle négociation constituant la première étape de l'intervention.

Dans un projet en pays en développement, le conseiller se voit donc attribuer un mandat qu'il doit réaliser selon des conditions fixées au préalable. Pour cela, le chef de mission dispose d'une équipe à la constitution de laquelle il peut éventuellement contribuer, mais pas toujours. Le choix des conseillers est soumis à des facteurs contraignants, dont ceux de la compétence, de l'expérience et de la disponibilité ne sont pas les moindres.

Contrat légal et contrat psychologique

L'intervention du conseiller est encadrée par un contrat qui a valeur légale. Ceci représente un aspect très particulier du travail du conseiller, qui a davantage l'habitude, dans son propre pays, de fonctionner avec une simple lettre d'entente, qui mentionne les termes de la contribution ainsi que le budget disponible et les modalités de la rémunération. À ma connaissance, il existe très rarement un contrat légal en fonction duquel les deux parties se situent. Ceci représenterait une contradiction avec la philosophie du développement organisationnel, puisque les interventions faites dans cette optique ont précisément pour but de rendre l'organisation moins rigide.

Le contrat, qui peut contenir un nombre important de clauses, est signé entre le client et le prestataire de services dans le cas d'un prêt de la Banque mondiale, entre le prestataire de services et l'agence de financement, dans le cas d'une subvention d'un organisme comme l'ACDI.

On peut comprendre que, dans un tel contexte, il soit particulièrement délicat d'introduire la notion de contrat psychologique : d'une part, il existe déjà un contrat légal qui définit les relations entre les deux partenaires ; d'autre part, il s'agit d'une notion avec laquelle le client n'est généralement pas familier, quand il ne l'ignore pas complètement. (Le vocable « psychologique » peut d'ailleurs entraîner une certaine insécurité et ainsi être évacué, sous prétexte qu'il n'y a rien de « psychologique » dans un programme d'entretien portuaire, par exemple.)

D'après mon expérience, cette notion ne peut être introduite avant que client et conseiller n'aient fait plus ample connaissance et n'éprouvent l'un vis-à-vis de l'autre une confiance bien établie. La durée de cette phase de familiarisation n'est pas prévisible, on s'en doute, et il arrive même que la relation reste contractuelle (au sens légal) durant tout le projet. Un conseiller rompu à la perspective du développement organisationnel devrait travailler, malgré tout, à dépasser la relation purement contractuelle, en sachant que cela ne sera pas facile à accomplir, comme le montre l'exemple suivant. Au tout début d'une affectation de trois ans, lors de la présentation de mes devoirs à mon client, je lui ai demandé s'il se trouvait des points du mandat sur lesquels il souhaitait que nous portions, mes collègues et moi-même, une attention particulière. Mon interlocuteur me répondit, de façon plutôt formelle, que si les termes du contrat étaient respectés, il serait quant à lui très satisfait. Au terme de mon séjour, trois ans plus tard, au moment de prendre congé, je demandais à mon client ses commentaires sur notre travail, pour ma propre gouverne. Il me remercia pour le travail effectué, et ajouta qu'il avait apprécié la façon dont, en tant que chef de mission, j'avais géré la conduite de mon équipe, car effectivement, au début de la mission, il s'était inquiété que j'aie à travailler avec des conseillers plus âgés que moi ; cela risquait, selon lui, d'avoir des conséquences délicates sur les travaux à faire. J'ai été bien surpris, intérieurement, d'entendre ce commentaire dont il aurait bien pu me faire part dès le début de mon mandat. Mais ma surprise fut encore bien plus grande, lorsque, animant dans une université québécoise un séminaire sur la gestion des équipes de projet, je relatai cette anecdote aux étudiants, en majorité africains ; ceux-ci m'ont assuré que ce n'était pas à mon client de dire ces choses, que je devais les découvrir par moi-même...

Il me semble donc que c'est au conseiller d'introduire peu à peu, sans nécessairement la nommer, cette notion de contrat psychologique, en s'appuyant sur la confiance qu'il doit de toute évidence mériter s'il veut aboutir à quelque chose dans l'exécution de son mandat. Il faut cependant qu'il évite de trop personnaliser la relation, parce qu'une administration ne connaît que des fonctions et non des personnes. En cas de changement de personnel, ce qui arrive relativement fréquemment, il faut alors retrouver un *modus operandi* qui soit à nouveau satisfaisant pour les deux parties ; un certain investissement de temps y est évidemment indispensable.

En fait, il s'effectue continuellement un chassé-croisé du formel au personnel entre le conseiller et son client. L'interlocuteur africain tient à un certain formalisme dans l'exercice de sa fonction, en même temps qu'il apprécie un contact plus personnel de la part de son interlocuteur à partir du moment où il a éprouvé une certaine confiance au sein de la relation. Dans le cadre d'un projet au Cameroun auquel je contribue depuis trois ans, je participe chaque année à plusieurs réunions dont l'objet est de faire le point sur les travaux en cours et de réviser la planification. Je suis toujours amusé par le fait que dans la journée j'assiste à une réunion durant laquelle les participants ne s'appellent que par leur titre (Monsieur le Directeur général, Monsieur le Professeur, Monsieur le Directeur administratif, Monsieur le Chef de mission, Monsieur le Conseiller, etc.), alors que, le soir, autour de la table qui nous réunit pour nous récompenser du bon travail effectué, les plaisanteries fusent souvent entre des convives qui se tutoient. Toutefois, une certaine étiquette conserve le vouvoiement pour les échelons les plus élevés de la hiérarchie !

Les méthodes et les outils de travail du conseiller

Un conseiller formé à l'approche du changement planifié et du développement des organisations se rend bien vite compte, dans le contexte du développement international, qu'il ne peut utiliser tels quels les méthodes et outils de travail avec lesquels il a l'habitude de fonctionner dans son milieu d'origine.

Cette approche repose en effet sur une base théorique qui fait une large place à une conception démocratique du fonctionnement sociétal. Ceci devient tout à fait inopérant et inapproprié (pour ne pas dire scandaleux) dans un contexte social et culturel où l'autorité du chef exerce une fonction prépondérante et même justificative. (« Je fais cela parce que mon chef me l'a dit. J'attends que mon chef me dise quoi faire, c'est lui qui sait. ») Récemment, j'ai dû me rendre aux arguments d'un groupe de jeunes cadres du Maghreb, diplômés en sciences, tous dans la trentaine, me disant qu'ils ne pouvaient, au terme d'un séjour de deux mois au Québec, formuler des « recommandations » dans leur rapport de stage, parce qu'il ne leur revenait pas de dire à leurs supérieurs ce qui pouvait être changé dans leur organisation. À la fin, nous nous sommes mis d'accord pour remplacer le terme « recommandations » par celui d'« observations ». Mais le résultat au terme dénote plus qu'une simple différence de vocabulaire !

Les méthodes de travail et d'intervention du conseiller doivent, pour le moins, être revues et adaptées au nouveau contexte, quand ce n'est pas purement et simplement abandonnées parce qu'inapplicables dans la réalité. Il est, à mon avis, très délicat, par exemple, de proposer de travailler avec un groupe de famille pour identifier et résoudre certains problèmes de fonctionnement[3]. D'une part, cela peut être vu comme un manque de confiance envers le responsable du groupe en question ; d'autre part, il est très probable que les membres du groupe expriment que leur place n'est pas là, qu'ils n'ont pas à se prononcer sur les problèmes rencontrés et que le supérieur est justement là pour assurer la bonne marche du service (étant admis que l'on veuille bien reconnaître l'existence de problèmes). D'ailleurs, la nomination à un poste de responsabilité par l'autorité supérieure a la valeur d'une onction, qui habilite le nouveau titulaire à faire face, sans autres préalables, aux responsabilités de sa fonction. Inutile donc, *a fortiori*, une démarche utilisant des réunions de confrontation (*confrontation meetings*). Le conseiller doit d'ailleurs faire l'effort de se rappeler que ces mécanismes ne sont pas encore couramment adoptés dans notre milieu (où pourtant ils ont émergé) et qu'il y aurait quelque naïveté à vouloir les utiliser dans un milieu où, encore une fois, le conseiller est lui-même doublement étranger, comme conseiller externe et comme expatrié.

Par contre, il y a davantage de profit à suivre une démarche utilisant le groupe échantillon (*focus group*) qui s'apparente aux palabres africaines, à cette différence près qu'il ne s'agit pas alors de rechercher le consensus, mais uniquement de favoriser l'expression franche d'opinions différentes. Simard (1989) donne un bon exemple de l'utilisation de cette technique dans la grande enquête à laquelle elle a participé sur la famille camerounaise. Personnellement, bien entraîné à l'identification des besoins de formation des gestionnaires par une méthode telle que le centre d'évaluation[4], j'ai constaté que l'utilisation d'une technique d'entrevue sur les antécédents professionnels des personnes, conduite de façon très structurée, n'apportait que très peu d'informations par rapport à ce que l'on peut en retirer dans un contexte technologiquement développé. Je peux faire la même constatation en ce qui concerne les métiers techniques. Par contre, l'observation et l'écoute, si l'on sait être patient (condition nécessaire pour se faire accepter), nous apprennent tout ce qu'il faut pour faire un travail satisfaisant et apprécié.

Par comparaison, les interventions de formation rencontrent en général un écho de la part du client (souvent, cette réaction est d'autant plus favorable que les interventions sont destinées aux échelons subalternes, à condition toutefois qu'elles se limitent spécifiquement à des activités de formation traditionnelles).

---

3. La méthode du groupe de famille, en développement organisationnel, fait se retrouver les membres d'une unité de production et leur supérieur immédiat.
4. Le centre d'évaluation (*assessment centre*) permet, entre autres, l'identification des besoins de formation par l'observation du comportement dans des situations de simulation de la fonction de travail.

Il est bien admis que la formation est toujours utile et que le développement d'un pays ne peut se faire sans une main-d'œuvre qualifiée.

Les bailleurs de fonds sont portés d'ailleurs à renforcer cette opinion, qui a quelquefois valeur de croyance, bien obligés qu'ils sont, eux aussi, de trouver les moyens d'influencer leurs systèmes-clients, pour les faire évoluer dans les directions jugées les meilleures. Ainsi, comme il est dit plus haut, la Banque mondiale ne consent plus de prêts pour financer des travaux d'infrastructure sans que soit inclus dans le marché un volet de formation. Cette politique apparaît tout à fait justifiée. La population de ces pays a en effet un énorme besoin de formation. Une certaine croyance magique est investie dans la capacité de ces plans de formation pour faire évoluer les systèmes-clients concernés. Les plans sont en effet souvent conçus de façon ponctuelle et sur des périodes trop courtes, compte tenu de la situation initiale, délimités par des technocrates dont l'expérience leur permet mieux d'apprécier la rentabilité économique et sociale plutôt que le développement à long terme des ressources humaines. Plus encore, ces plans ne sont pas vraiment intégrés dans une perspective de gestion des ressources humaines : les mécanismes d'appréciation et d'évaluation du rendement ainsi que la rémunération ne sont, à ma connaissance, quasiment jamais pris en considération dans la définition du plan de formation. Par contre, la formation est souvent la planche de salut du conseiller : elle lui permet de justifier sa présence. Il est relativement facile de fournir des résultats dans ce domaine, si l'on a un budget prévu à cette fin à sa disposition. Le client peut faire valoir que son personnel est en formation et ce personnel est lui-même satisfait d'entrer dans une démarche de perfectionnement, qui le tire d'une routine souvent peu gratifiante, celle des bureaux et des ateliers. Si le budget a été bien conçu, une indemnité vient s'ajouter, qui, les choses étant ce qu'elles sont, est toujours parfaitement bien venue.

L'ambiguïté d'une action de formation tient à deux points :

- il n'est pas toujours évident qu'une intervention de formation soit prioritaire pour le système-client (quoique son exécution ne représente, dans l'absolu, que peu de véritables risques d'erreurs) ;
- en raison de la situation économique de ces pays en développement, il est toujours à craindre que les actions de formation ne cessent avec la réalisation complète du projet auquel est attaché le conseiller ; l'organisme aura alors, au mieux, gagné un répit dans les besoins de formation de son personnel.

La dynamique du pouvoir entre le client et le conseiller

Il est de la première importance pour le conseiller de toujours se souvenir que son client (au sens d'une ou de plusieurs personnes) doit tenir son rang et faire face à de nombreuses obligations, aussi bien devant son personnel que (sinon surtout) devant son groupe familial et ethnique.

Sans sacrifier à l'obséquiosité ou à la flagornerie, le conseiller ne doit rien faire qui puisse attenter à la réputation et au statut de son client. Au contraire, il doit réfléchir aux moyens dont il dispose pour le conforter dans sa position, tant il est vrai que le conseiller ne pourra pas véritablement réaliser son mandat si son client n'est pas convaincu, d'une façon ou d'une autre, que l'action du conseiller peut lui être bénéfique. Ceci suppose une certaine capacité d'adaptation et de compréhension, faute de quoi il est préférable pour le conseiller de ne pas aller exercer son métier dans ces contrées lointaines.

Le conseiller doit donc se préoccuper de la valorisation du statut de son client, et même de son prestige, en particulier si son action se situe au niveau ministériel. En conséquence, son action doit s'accorder avec ce qui se fait dans le milieu, ce qu'il doit comprendre et décoder dès son arrivée.

Cette compréhension de la situation de son client, le conseiller doit aussi la manifester dans sa façon de recueillir des informations : il doit toujours s'arranger pour que son client soit capable de fournir une réponse à une question posée : il est tout à fait mal venu d'acculer son client à dire qu'il n'est pas capable de répondre à une question, ou de lui dire qu'il n'a pas répondu à la question posée. Si le conseiller n'est pas entièrement satisfait de l'information fournie, il doit trouver une formule assez diplomatique pour le faire entendre, mais ne pas en imputer la responsabilité à son interlocuteur. Les Blancs posent des questions tellement bizarres ! Si l'information est à ce point importante pour le conseiller, c'est à lui de trouver d'autres canaux pour y avoir accès.

À cet égard, le conseiller doit se souvenir que la palabre n'est pas qu'une façon de discuter avec les touristes, mais d'abord une forme de gestion sociale. Pouvoir la pratiquer démontre une certaine politesse, même si le conseiller est mal préparé par son éducation et sa formation à cette forme d'interaction sociale. Il doit s'y habituer, à la fois comme récepteur et comme émetteur, de façon à montrer sa capacité à comprendre les choses importantes du milieu où il se trouve. Il ne faut pas oublier, ici, que le temps est vécu différemment selon les cultures (Bwélé, 1990). Pour nous, le temps c'est de l'argent ! Alors qu'un dicton, au sud du Sahara, rappelle que : « Le temps n'appartient qu'à Dieu... ! »

L'évaluation du travail du conseiller

Dès le début de son affectation, le conseiller doit se soucier de l'évaluation de son travail.

Au moins quatre schèmes sont à l'œuvre pour évaluer le travail du conseiller. Ils interviennent de façon concourante, sinon concurrente : il y a d'abord celui du client, ensuite celui du bailleur de fonds, puis celui de l'employeur du conseiller et, enfin, celui du conseiller lui-même. Compte tenu des points de vue en présence, il est peu probable que ces schèmes fonctionnent toujours en fonction des mêmes critères. Il est donc utile, pour le conseiller, de faire preuve d'un certain sens politique pour discerner, s'ils ne sont pas explicites, et comprendre les critères en fonction desquels son travail sera évalué.

Deux critères sont *a priori* très importants : le respect du contrat (en particulier, du budget et des délais) et la qualité du travail, en fonction des normes fixées dans le contrat ou de celles généralement reconnues dans la profession.

Le conseiller doit comprendre qu'une évaluation est une épreuve d'humilité, et qu'il faut beaucoup de sagesse pour l'accepter et en tirer profit : en effet, voici quelqu'un, l'évaluateur, qui n'a absolument pas vécu les affres et les difficultés que le conseiller a traversées pour réaliser son mandat (quelquefois au péril même de sa santé) ; il vient, cet évaluateur, au terme d'une visite de quelques jours, porter un jugement peut-être lourd de conséquences pour le projet et le conseiller. Sans même mettre en cause la compétence de l'évaluateur, il faut reconnaître que l'exercice possède quelquefois une saveur très amère !

Il est très important que le conseiller soit très conscient de la valeur de ce mécanisme et qu'il s'y prépare en conséquence : tout son système de correspondance et de classement doit être, par exemple, monté de façon à lui permettre de répondre à toutes les questions qui lui seront posées à la fin de son mandat (et quelquefois au milieu de celui-ci). Le conseiller devra faire preuve de discernement dans sa propre façon d'aborder l'évaluation et de mettre de l'avant des critères qu'il pourrait considérer comme intéressants (la pertinence du travail à faire, en raison de l'analyse de la situation organisationnelle par exemple), mais qui ne sont que contingents dans le cas précis.

Il existe encore deux critères d'évaluation du travail du conseiller sur lesquels il paraît utile de dire quelques mots : la contribution du conseiller au bon renom de son employeur, et, par delà, à sa communauté nationale. Il est important que le conseiller laisse une bonne image de son employeur, de façon à ménager des possibilités commerciales futures.

Ensuite, apparaît le respect du devoir de réserve. C'est un point sur lequel, hormis les fonctionnaires, on ne s'arrête guère quand on travaille dans son milieu d'origine, mais qui se révèle d'une grande délicatesse quand le conseiller est témoin d'événements que son éthique réprouve. Cette obligation fait sentir et rappelle au conseiller qu'il n'est pas citoyen du pays où il travaille et qu'il doit s'accommoder de cette situation ou alors démissionner (Lavoie, 1986).

La terminaison de l'intervention

Comme toutes les bonnes choses, l'intervention du conseiller doit nécessairement avoir une fin. Elle est définie dans les clauses du contrat.

Quand le conseiller possède un peu d'expérience, la question qu'il se pose dès le début de son affectation est la suivante : « Parviendrai-je à m'acquitter de mon mandat dans les délais fixés, compte tenu des difficultés qui ne manqueront pas de survenir ? » Ces difficultés n'auront pas nécessairement été prises en considération dans la définition initiale du projet.

Au temps de la relative affluence des années 1970-1980, il était assez facile de négocier un avenant au contrat, de façon à terminer ce qui n'avait pu l'être à temps. Cette possibilité a quasiment disparu et le conseiller se voit souvent dans l'obligation de travailler durant les fins de semaine pour tenir son échéancier, à cause des imprévus survenus durant la semaine (ce qui abat le mythe selon lequel l'affectation à l'étranger s'apparente à de longues vacances à la plage ou au bord de la piscine). Et si les conditions matérielles de travail se sont beaucoup améliorées au cours des dernières années (notamment en ce qui concerne les télécommunications), il n'en reste pas moins que le conseiller doit composer avec un environnement beaucoup plus démuni que celui de son milieu d'origine : trouver du personnel de soutien compétent et fiable demande encore beaucoup de flair et de persévérance.

Le conseiller doit donc faire jouer à plein son expérience professionnelle : trouver le chemin le plus sûr et le plus économique pour arriver au but qui lui est fixé. Ceci implique qu'il connaisse bien son domaine professionnel et qu'il n'ait plus besoin de flatter son ego en faisant preuve d'originalité et de joliesse dans son travail. Ce travail doit être à l'image des véhicules utiles dans ces pays : facile à comprendre, d'utilisation simple et économique.

La fin de l'intervention signifie aussi la prise en charge par le client de la nouvelle technologie mise en place par le conseiller. Ceci n'est toutefois pas assuré compte tenu des moyens limités du client. Cette disposition n'est pas du ressort du conseiller (qui, on s'en doute, n'a pas les moyens de peser sur l'affectation des budgets), mais peut avoir des répercussions sur sa motivation. On touche là à la notion de transfert de technologie, souvent mentionnée, et qui mériterait un long développement.

Conclusions

Quelle réponse faut-il apporter aux questions posées au début de ce chapitre ?

Pour moi, la réponse est simple : le développement international, tel qu'il est mis en œuvre dans les projets financés par les bailleurs de fonds internationaux, fait référence à une toute autre problématique que celle du changement planifié : objectifs visés, méthodes de travail utilisées, capacités demandées chez l'intervenant externe, tout est tellement différent...

Et, malgré ces différences, je considère que la problématique du changement planifié offre un cadre de référence théorique et pratique qui se révèle particulièrement pertinent pour guider l'action du conseiller en développement international. Car de quel autre cadre peut-il disposer pour se diriger ? À mon avis, les concepts et les outils sociologiques sont trop généraux, alors que ceux de la psychologie sont trop restreints et trop liés à une culture particulière pour être vraiment utiles. La nécessité d'un cadre théorique est évidente : le conseiller qui ne dispose de rien de tel se trouve rapidement pris dans une dynamique dans laquelle il n'a plus de point de repère, hormis son jugement, ce qui, souvent, malheureusement, est très insuffisant.

En fait, le paradoxe voulant qu'il faut avoir un cadre théorique pour guider l'action, et que celui que l'on identifie comme valable ne peut être utilisé, ce paradoxe n'est qu'apparent : dans le contexte du développement international, ce schème sera utilisé de façon implicite, alors que, dans une action de développement organisationnel, il sera plus explicite.

Il y a, bien sûr, un travail très important d'information, de diffusion et de formation à faire auprès des organismes bailleurs de fonds, ainsi qu'auprès des responsables des pays en développement, pour permettre et encourager la connaissance et l'utilisation des méthodes et outils du changement planifié.

Il s'agit de leur trouver des équivalents utilisables dans ces pays, et qui doivent faire face à un ensemble de défis encore jamais rencontrés à la fois par une collectivité au cours de l'histoire de l'humanité : l'instauration de l'État de droit, la constitution de la nation, l'intégration professionnelle des jeunes (qui dans beaucoup de cas maintenant comptent pour plus de 50 % de la population), la mise en place de structures de prévention en santé (le sida n'a pas encore fait le plein de ses victimes), l'assimilation de la technique dans les gestes de la vie quotidienne, la protection et la défense de l'environnement, etc.

Tous nos outils et toutes nos bonnes volontés ne seront pas de trop, vraiment, si nous voulons réellement « bâtir un monde meilleur (ACDI, 1987) ».

Références bibliographiques

AGENCE CANADIENNE DE DÉVELOPPEMENT INTERNATIONAL (1987). *L'assistance canadienne au développement international — Pour bâtir un monde meilleur*, Ottawa, Approvisionnement et services Canada, 116 pp.

BWÉLÉ, G. (1990). *Ouvertures du logos*, Paris, Éditions ABC, 117 pp.

KEALY, D.J. (1990). *L'efficacité interculturelle*, Hull, Agence canadienne de développement international, 78 pp.

LAVOIE, J.Y. (1986). *La gestion étrangère du développement de l'Afrique*, Québec, Presses de l'Université du Québec, 203 pp.

SIMARD, G. (1989). *La méthode du* focus group, Laval, Québec, Mondia, 102 pp.

TESSIER, R. et Tellier, Y. (sous la direction de) (1973). *Changement planifié et développement des organisations : théorie et pratique*, 1re édition, Montréal et Paris, Les Éditions de l'IFG et EPI s.a. éditeur, 825 pp.

TESSIER, R. et Tellier, Y. (sous la direction de) (1990-1992). *Changement planifié et développement des organisations*, 2e édition revue et augmentée, Sillery, Les Presses de l'Université du Québec, 8 tomes.

VERNA, G. (1989). *Exporter et réaliser des projets*, Montréal, Fischer Presses, 264 pp.

Conclusion
Une nécessaire participation

Le modèle, voire l'idéal type, consacré par la documentation scientifique sur le développement organisationnel (DO) — participatif, égalitaire et démocratique — présente la bureaucratie comme le « problème » et la participation comme la « solution ». Parce que la bureaucratie interdit le plus possible l'autocontrôle et se prête mal à l'enrichissement des tâches ou à l'expression de soi par son travail, elle incarne le pôle négatif, dans une opposition très contrastée dont le pôle positif est l'organisation démocratique participative. Brian Hobbs dans « Le développement organisationnel et la théorie des organisations » démontre que le modèle de la contingence de Lawrence et Lorsch, où s'affirme un certain pluralisme — bien des formes d'organisations peuvent fonctionner, beaucoup dépendent de plusieurs niveaux de contextes —, conduit à rétrécir le champ de convenance optimale du DO et des transformations participatives. La bureaucratie même, dans certains contextes, représente une forme fonctionnelle, sinon optimale, d'organisation complexe.

Faut-il toujours instaurer la participation ? N'avons-nous pas même rencontré des bureaucraties heureuses ? Le désir de mieux circonstancier, par des références empiriques (observations diverses, recherches fondamentales pertinentes), la portée des propositions du modèle participatif ne saurait être que tonique ; une telle centration sur des prétentions moindres est tout à fait susceptible de les mieux fonder.

Un tel désir apparaît quand l'un ou l'autre des scénarios ci-après se produit. À l'œil, ou à la suite de mesures évaluatives plus scientifiques, le rendement du DO est variable. Les demi-succès peuvent être aussi nombreux que les grands, et quelques désastres percutants suffiront pour qu'apparaisse l'hypothèse de la contingence. Second scénario, la révision critique des origines théoriques et idéologiques, et l'ambivalence des résultats, renvoient à deux attitudes. Essayer de mieux délimiter le modèle et son champ de convenance empirique. Élaborer des hypothèses et des modèles rivaux, parmi lesquels un modèle bureaucratique fonctionnel dont pourraient être précisés les tenants et aboutissants.

L'intelligence scientifique exige autant de sobriété que Brian Hobbs le prescrit. Même sans trahir un credo démocratique assez ferme, s'impose que soit examinée selon sa valeur l'idée d'une bureaucratie qui soit viable, productive et fonctionnelle.

Les observateurs et observatrices qui voudraient adopter, même partiellement, un modèle de contingence auraient à évaluer simultanément quatre situations :

1) les réussites du DO ;

2) les échecs du DO ;

3) des réussites du modèle bureaucratique (avec ou sans intervention externe, par des stratégies autres que les stratégies participatives) ;

4) des organisations fonctionnelles, ni bureaucratiques ni participatives.

Ces observatrices et observateurs n'auraient aucune difficulté à remplir toutes les cases de cette grille.

Même si l'on est prêt à faire cohabiter des croyances démocratiques et des constats favorables à la bureaucratie, la même intelligence scientifique exige également qu'on précise les circonstances dans lesquelles les choses semblent aller assez bien pour la bureaucratie. Ce n'est pas la première fois que la recherche psychosociale fait émerger une polarité très contrastée. La recherche sur les groupes restreints proposait trois types d'autorité (le laisser-faire et les types démocratique et autocratique), mais une part importante des écrits sur ces questions est consacrée à l'évaluation du rendement et des coûts de deux régimes contraires : la démocratie et l'autocratie. Dès cette époque lewinienne, l'idée s'impose qu'il ne faut pas rejeter *a priori* l'autocratie. Pour des tâches urgentes et facilement découpables en segments complémentaires, il est bien possible qu'une gestion centralisée, qui donne des commandes claires, surpasse en rendement tout mode participatif de coordination. Le discours de Fiedler[1] mettant en relation le style de gestion et la culture organisationnelle est également très relativiste sur l'opportunité de la gestion démocratique. On caricature à peine sa pensée en la synthétisant ainsi : « La démocratie par la participation ? Oui ! pour ceux et celles qui en veulent ! »

La question est justement là ! L'évolution, évoquée par Rensis Likert, de la coercition à l'autorité formelle, puis ensuite à la participation, demeure fort juste à très long terme. Il n'est pas nécessaire d'ailleurs que l'adoption d'un mode participatif signifie la suppression de toute bureaucratie ni même de traits bureaucratiques, patrimoine indépassable de plusieurs organisations. On aurait, au contraire, beaucoup à gagner à rechercher des modèles hybrides réconciliant l'essentiel du modèle participatif avec certains traits de la bureaucratie, maintenus en raison de leur fonctionnalité ou, plus simplement, constituant un facteur lourd inévitable, dont le changement s'avérerait extrêmement périlleux.

1. F. FIEDLER (1967). *A Theory of Leadership Effectiveness*, New York, McGraw-Hill.

Un haut taux d'engagement des acteurs et actrices de tous les niveaux — peu caractéristique de la bureaucratie au sens habituel — devient vite un ingrédient important dans tout effort de survie et de dépassement, surtout dans un contexte instable fortement compétitif, comme dans la tâche ardue et compliquée d'accorder les intentions et les comportements d'une importante quantité de protagonistes, tous et toutes également indispensables, au moins comme membres d'une catégorie d'actrices et d'acteurs, sinon individuellement.

Les recherches les plus classiques appuieraient tout autant la solidarité fonctionnelle des «unités de combat» que l'efficacité relative d'un régime autocratique en situation d'urgence. Peut-être serait-il profitable de quitter le «ou bien ou bien» où s'entête la polarité bureaucratie/participation. Dans les faits, les organisations participatives demeurent des bureaucraties, au moins par rapport à certains de leurs traits: en dépit de nécessaires polyvalences, l'organisation formelle impliquera toujours des *spécialités* (de compétences ou de disciplines) et des *niveaux hiérarchiques*. Même dans les grands ensembles les plus décentralisés, les unités demeurent *semi*-autonomes: l'autogestion ne peut échapper à des coordinations de niveau intermédiaire, institutionnelles et formelles.

Ce qu'il faut reconnaître, c'est que les forces vraiment déterminantes qui feront émerger à la fois des formes variées d'organisations formelles et d'initiatives pour les améliorer, ne se situent pas toutes, et de loin, à l'intérieur des frontières d'une organisation particulière. En plus des contraintes de telle structure précise, compte tenu de la variance limitée permise par une culture organisationnelle originale, il faut compter avec deux grands genres de facteurs: ceux de l'ordre de la biographie et ceux de l'ordre de la transformation culturelle. Biographique est cette bizarre alchimie qui fait se retrouver ensemble, adéquatement, ceux et celles qui font bon ménage avec l'autocratie bienveillante, alors que d'autres s'épanouissent si on leur laisse des marges de manœuvre, tout en les engageant dans des décisions collectives.

Mais par delà les biographies individuelles et groupales, interviennent, à plus long terme, des transformations culturelles liées à des changements historiques, environnementaux et économiques, qui vont exercer une pression sur les organisations de l'extérieur.

En dépit de cas flagrants qui font l'inverse (montée de divers fondamentalismes dont celui de l'Occident, pour reprendre l'aphorisme de Roger Garaudy, coups d'État militaires, craintes d'un retour de régimes autoritaires en Europe de l'Est), la plupart des circonstances semblent indiquer que les aspirations à la liberté individuelle et à la démocratie électorale et parlementaire soient le grand fait géopolitique de cette fin de siècle. Pourtant, ce siècle plus que tout autre avait mis à l'essai des régimes différents, totalitaires ou simplement dictatoriaux. Les valeurs occidentales sont en progrès et elles incluent plusieurs orientations égalitaires (les rapports entre hommes et femmes, ou entre les générations, mais aussi la liberté de l'entreprise face à l'État). On peut décrier l'individualisme contemporain. Cependant il exprime tout aussi bien un besoin de liberté et d'individualité, l'âme même de l'Occident, qu'un repli narcissique défensif et stérile. L'idée d'autorité (au sens le plus large) représente une dimension fondamentale de la vie en société ; ses formalismes sont, en dépit de certaines apparences, partout en recul sur le plan des mœurs. Ce qui n'empêche pas régressions, fixations opiniâtres et retours à des modes tyranniques de vie en société. Il serait bien étonnant que cette vague de fond en faveur des droits humains, de l'égalité entre les sexes, de la liberté d'entreprise à l'échelle sociétale, n'ait pas une très importante influence à l'intérieur des bureaucraties, et ce dans le sens d'une égalisation accrue du pouvoir. L'intolérance pour des conduites autoritaires sera vive dans la majorité des organisations, de milieux de travail très variés.

À moins que l'ennui au travail soit devenu tel que l'apathie opportuniste, ce vieux démon des gestionnaires et de leurs conseillers et conseillères, soutienne les coquilles presque vides d'une bureaucratie apparente, visant des *minima* au-dessus de tout soupçon, et maintenant des appareils stables, dont les rendements de base ne donneront aucune prise à l'optimisation, peu importe les intérêts et les valeurs qu'elle entendrait servir.

Conclusions générales

Introduction

En 1973, mêlés aux autres participants et participantes de la table ronde sur la signification sociopolitique des interventions psychologiques, Marquita Riel, Claude Lagadec et Roger Tessier avaient à conclure *Changement planifié et développement des organisations : théorie et pratique*, l'ancêtre de l'ouvrage actuel, aux conclusions duquel il nous fait grand plaisir de les associer à nouveau, presque vingt ans plus tard !

En 1973, Marquita Riel proposait une lecture sociohistorique de la montée des pratiques de groupe, tout comme Claude Lagadec dans son « Dynamique des groupes et traitement des personnes », texte qu'il a tiré de sa participation à nos débats. Ces deux points de vue étaient critiques, celui de Claude Lagadec, plus radical. Parmi d'autres différences, s'exprimait entre ces deux analystes un jeu d'opposition entre une pensée socio-démocratique (Riel) et un point de vue marxiste (Lagadec). Dans ces débats, Roger Tessier défendait une perspective plus éclectique que l'on pourrait nommer libérale. Une sorte de libéralisme-faute-de-mieux, plus près de Carl Rogers que d'Adam Smith, et fortement teinté d'existentialisme judéo-chrétien (notamment celui de Martin Buber et celui de Paul Tillich), assez loin de l'existentialisme à la Jean-Paul Sartre.

De 1973 à 1992, dix-neuf ans ont passé telle une eau rapide sous les ponts ! « Que sont mes amis devenus ? » (François Villon).

Marquita Riel, ces quinze dernières années, s'est surtout préoccupée d'écologie et d'un féminisme humaniste, moins strident et moins narcissique que certaines autres variétés de cette idéologie. Sa pensée actuelle intègre son passé de sociologue formée à l'université Columbia de New York, mais le dépasse pour l'englober dans une perspective plus ample, plus profonde, justement nommée écologique, à la fois proche de Gregory Bateson, de Pierre Dansereau, des grandes théoriciennes du féminisme et de l'archétypologie de James Hillman. De cette synthèse originale témoignent son texte de conclusion, de même que plusieurs essais récents, notamment « Science, politique et nouvelle conscience[1] ».

Claude Lagadec n'a pas non plus chômé, ces quinze dernières années. Le philosophe marxiste a fait peau neuve, mais il est resté fidèle à son questionnement sur la fonction des inégalités sociales. Prenant maintenant plutôt appui sur

1. Marquita RIEL (1989). « Science, politique et nouvelle conscience », dans R. TESSIER (sous la direction de), *Pour un paradigme écologique*, Montréal, HMH.

Charles Darwin et la théorie de l'évolution, sur les sociobiologistes et l'éthologie humaine et animale, il entreprend, dans un ouvrage en préparation, de réfléchir sur la signification biologique du racisme et des inégalités favorisant l'homme contre la femme. Déjà, dans *La morale de la liberté : ses bases biologiques*[2] il pose en termes incisifs — à sa manière caractéristique — le problème des bases biologiques de l'ethnocentrisme. Une bonne part de nos dilemmes moraux se simplifieraient si nous acceptions que nous sommes des primates !

Pour sa part, Roger Tessier a fréquenté, ces quinze dernières années, Bateson et Hillman (comme Marquita Riel), les éthologistes (comme Claude Lagadec), accentuant ainsi un certain éclectisme, mais sans perdre ses deux fils conducteurs : libéralisme à l'américaine et existentialisme judéo-chrétien.

Doit-on conclure de ces notes biographiques que la socio-démocrate et le marxiste ont changé, pendant que le libéral faisait office de point fixe ? Suggérant ainsi que ce dernier devait avoir raison, puisqu'il n'a pas changé ! « Je vous l'avais bien dit ! » Cette tentation triomphaliste ne serait possible que si les deux autres adoptaient maintenant un point de vue libéral. Ce qui n'est pas le cas. De toute manière, le libéral a changé, lui aussi, peut-être moins, mais quand même. Comme sa perspective était moins tranchée, le changement s'y trouve contenu, comme la stabilité. Sur ce point, l'opportunisme libéral ressemble, en fin de compte, à la bivalence du Tao et à l'aphorisme chrétien de saint Paul : « Il faut être dans le monde comme n'y étant pas » ou sa formulation plus moderne chez Ignace de Loyola : « Faire comme si tout dépendait de soi ; bien se dire que rien ne dépend de soi ! » Réconciliant ainsi les deux faces tragiques du dilemme posé par la référence simultanée aux deux morales de Weber, où « conviction » et « responsabilité » ne font pas toujours bon ménage.

Au cœur du débat, de toute façon, en 1992 comme en 1973, se tient une seule grande question : « Dans quelles conditions un système social complexe peut-il dépasser ses propensions "naturelles" à créer des hiérarchies injustes pour favoriser plus d'égalité dans plus de liberté ? ».

2. Claude LAGADEC (1984). *La morale de la liberté : ses bases biologiques*, Longueuil, Éditions Le Préambule.

1

Un point de vue moral
Le probable et l'improbable

Claude LAGADEC

Le lecteur du présent recueil est frappé par l'omniprésence du langage de la biologie. Le terme d'« environnement », par exemple, se retrouve partout, et si j'ai bien compris on lui fait dire à peu près n'importe quoi. L'environnement c'est *dehors*. C'est grand dehors, on y trouve tout et n'importe quoi. Et le terme d'« écologie » exprime fréquemment une sorte de vitalisme vaseux sans rapport avec l'évolutionnisme, sans méthode et apparemment sans limites.

Pourtant, en biologie, le concept d'environnement est si intimement lié à la génétique qu'il n'a pas de sens en dehors d'elle. « Ces deux réalités sont aussi inséparables, dit le primatologue Hans Kummer, que le batteur et le tambour dans la production du son : il serait insensé, dit-il, de demander si c'est le batteur ou si c'est le tambour qui est à l'origine de la musique ; tout ce que nous savons c'est qu'avec un autre batteur ou avec un autre tambour la musique serait assurément différente[1]. » L'insistance de la psychosociologie actuelle à emprunter à la science biologique par l'évocation non contrôlée du rôle de l'environnement pourrait être tout aussi trompeuse ou peu informative. L'écologie, de même, est en principe une science, l'une des sous-sciences rendues possibles par l'évolutionnisme de Darwin. Mais l'utilisation qui en est faite ici (à l'exception du texte d'Hannan et Freeman[2], qui ne tombe pas dans ce travers)

1. Cité par Linda Marie FEDIGAN (1982). *Primate Paradigms. Sex Roles and Social Bonds*, Montréal et St. Albans, Vermont, Eden Press, p. 31.
2. Michel T. HANNAN et John H. FREEMAN (1991). « L'écologie des populations d'organisations », dans R. TESSIER et Y. TELLIER (sous la direction de), *Changement planifié et développement des organisations*, Sillery, Presses de l'Université du Québec, tome 3, pp. 231-274.

est moins une écologie qu'un écologisme, c'est-à-dire une philosophie et une morale, une lecture politiquement orientée du social qui ne dit pas son nom. Autrement dit cette utilisation ressemble à une idéologie : ce que nous sommes incapables de penser et qui pense à notre place. Non pas ce que, mais plutôt *ce par quoi*, nous pensons.

Encore en biologie, *la théorie générale des systèmes* décrite par Kast et Rosenzweig[3] est expressément biologisante selon son auteur le biologiste Ludwig von Bertalanffy[4]. Kast et Rosenzweig, qui ne le disent pas, montrent que la théorie générale des systèmes n'est pas fondamentalement nouvelle et qu'elle est déjà très présente dans le fonctionnalisme des sciences sociales américaines. Selon eux Radcliffe-Brown et Malinowski, Robert K. Merton, Talcott Parsons, ont été des systémistes avant la lettre ; il en irait de même de la psychologie américaine et du holisme gestaltiste, des études intrants-extrants de la science économique, et finalement de la cybernétique.

Schneider et Collerette[5], quant à eux, hésitent devant le point de vue systémique et qualifient leur approche d'*organiciste*. Ils sont en excellente compagnie. L'organicisme[6] commence avec *La politique* d'Aristote, et ses principaux représentants sont Auguste Comte, Spencer, Durkheim, Tönnies, Weber, le fonctionnalisme américain, Robert K. Merton, le béhaviorisme social de G.H. Mead ; Radcliffe-Brown, Pitirim Sorokin. Et, ajouterons-nous, Talcott Parsons et Bertalanffy. L'organicisme est un écologisme à l'ancienne.

3. Fremont E. KAST et James E. ROSENZWEIG (1991). « Le point de vue moderne : une approche systémique », dans R. TESSIER et Y. TELLIER, *op. cit.*, tome 3, pp. 303-333.
4. Voir Ludwig von BERTALANFFY (1975). *Perspectives on General Theory. Scientific-Philosophical Studies*, sous la direction d'Edgar Taschdjian, New York, George Brazillier. Erwin Laszlo, responsable du choix des textes de cette publication posthume, explique dans sa préface que le biologiste Bertalanffy concevait sa théorie comme *eine Theorie* au sens allemand du terme, c'est-à-dire comme un mélange de science et de philosophie. Parmi les textes publiés, voir en particulier « The Organismic Conception », pp. 97-103, traduction de « Biologische Gesetzlichkeit im Lichte der organismichen Auffassung » (littéralement : « La légalité de la biologie à la lumière de l'interprétation organiciste ») ; et « A Biological World View », pp. 115-126, dont le titre original était « Was hat unsere Kenntnis vom Leben von der gegenwärtigen Biologie zu erwarten ? » (« Qu'est-ce que notre connaissance de la vie peut attendre de la biologie actuelle ? », d'abord publié par M. Lohman sous le titre « Biologie und Weltbild » (« Biologie et représentation du monde ») dans un ouvrage collectif intitulé « Wohin führt die Biologie ? » (« Où va la biologie ? »).
5. Robert SCHNEIDER et Pierre COLLERETTE (1990). « Les modèles organisationnels en mutation », dans R. TESSIER et Y. TELLIER, *op. cit.*, tome 2, pp. 7-37.
6. Voir Pierre BIRNBAUM (1971). Article « Organicisme », *Encyclopædia Universalis*.

Cette mise à contribution du langage biologique ne va pas sans poser des problèmes. Par exemple: «Les organisations sont des entités vivantes», dit Charles Perrow[7]. Qu'est-ce à dire? Jusqu'où peut-on sans dommage pousser la métaphore de cette biologie fantaisiste? «Fantaisiste», ici, veut dire «arbitraire». Y a-t-il autant de différence entre la biologie comme science, et le rôle de réservoir de métaphores ou de bonne à tout faire qu'elle joue ici, qu'il y en a entre l'astronomie et l'astrologie? Ou entre la chimie et l'alchimie?

Le problème ne tient pas au fait que la psychosociologie a recours à un modèle, ce qui est le propre de la pensée en général, mais à ce que l'idée qu'elle se fait de la biologie semble un buffet ouvert où chacun prend ce qui lui plaît et néglige le reste. Le problème ne vient pas de la métaphore, mais de l'utilisation inconstante et sélective qui en est faite. L'inconvénient principal de l'extension indéfinie de la métaphore biologique est de nous faire voir de la biologie là où il n'y en a peut-être pas, et de ne pas nous en faire voir là où elle est. En somme, cette méthode rend improbable la production de résultats contre-intuitifs.

Examinons, pour illustrer, la place accordée au groupe restreint, particulièrement le groupe de formation, qui est l'une des plus belles inventions de la psychosociologie.

Importance du groupe restreint

Robert T. Golembiewski[8] raconte comment, au cours des années 1930 et 1940, le groupe restreint devint *la cible* du changement planifié: réunis en petit groupe, les gens apprennent des choses qu'ils n'apprendraient pas autrement. Les membres du groupe se persuadent les uns les autres plus efficacement que s'ils écoutent un intervenant extérieur au groupe. Cette découverte était le début de l'important développement que le groupe restreint devait prendre par la suite. Très tôt, selon Golembiewski, la méthode connut ses premières difficultés, car un groupe ainsi constitué s'autonomise vraiment dans une direction qui n'est pas nécessairement souhaitée par les organisateurs de la rencontre (des employés peuvent en profiter pour former un syndicat). C'est alors que lui vint l'idée brillante: le groupe restreint est une force par lui-même, et cette force est indépendante des individus, membres ou non-membres du groupe; les échecs relatifs du début, dans les tentatives de changement intentionnel, venaient de ce que l'on tentait de travailler *contre* le groupe, ce qui est toujours peine perdue; il faut plutôt travailler *avec* lui, en faisant du groupe lui-même *l'agent du changement.*

---

7. Charles PERROW (1991). «L'école institutionnelle», dans R. TESSIER et Y. TELLIER, *op. cit.*, tome 3, pp. 33-62.
8. Robert T. GOLEMBIEWSKI (1992). «Interventions dirigées sur le groupe: quelques tendances de développement», dans R. TESSIER et Y. TELLIER, *op. cit.*, tome 7, pp. 187-202.

Golembiewski affirme : « L'usage du groupe lui-même comme agent de changement est peut-être *l'unique* source de son pouvoir[9]. » Pourquoi l'unique ? D'où provient, se demande le lecteur, cette force interne du groupe restreint, qu'est-ce qui rend possible l'étonnante autonomisation relative si visible dans les conditions de laboratoire ? Étonnante en ce qu'elle peut orienter le groupe dans une direction qui ne dépend pas des volontés individuelles des membres. La réponse n'est pas du tout évidente. Si l'on dit que ce sont des forces proprement sociales (et non psychologiques) qui sont à l'œuvre dans le groupe restreint, cela ne fait que relancer la formulation du problème : quelles forces sociales ? Étant donné que le groupe dont il est question est effectivement très petit, moins de vingt personnes, et que l'expérience a lieu dans des conditions de laboratoire qui en font un îlot culturel temporaire, on ne voit pas quelles grandes forces sociales identifiées en sociologie pourraient être à l'œuvre.

La recherche d'une réponse à cette question prendra la forme de l'examen de trois phénomènes typiques rencontrés dans la pratique du groupe restreint.

L'échec du groupe restreint par rapport au macrosystème

Dans son article intitulé « L'état actuel du changement planifié auprès des personnes, des groupes, des communautés et des sociétés », Kenneth D. Benne[10] constate l'échec de la technique du groupe restreint à influencer le macrosystème, c'est-à-dire le niveau proprement politique ou la société dans son ensemble. Pour un chercheur, ce genre d'échec peut être précieux s'il comprend que la réalité tente de lui enseigner quelque chose. Kenneth D. Benne fait tout le contraire : il moralise, lourdement. Il impute l'échec du groupe restreint « à des attitudes traditionnelles profondément enracinées » des politiciens et des hauts fonctionnaires qui persistent à se conformer « à un modèle antagoniste de défense et d'attaque » ; ils seraient, selon lui, des inconscients qui n'ont pas encore compris les bienfaits de la coopération rendue possible par la dynamique du groupe restreint.

> Les méthodes enracinées [...] sont préjugées au départ contre le principe même de ces qualités d'échange [normatif-rééducatif]. Tant que les responsables gouvernementaux ne prendront pas conscience du terrible gaspillage de ressources humaines, en amont et en aval des politiques actuelles, il y a peu d'espoir [...] (p. 191).

Bref, il fait comme si la réalité avait tort (et il laisse dans le titre de son article l'idée inexacte que le changement planifié a prise sur les sociétés). Au lieu de prendre acte de l'échec, qui est un phénomène de société, l'auteur

9. *Id. ibid.*, p. 191.
10. Dans R. TESSIER et Y. TELLIER (1990). *Op. cit.*, tome 1, pp. 171-193.

culpabilise et invective les acteurs sociaux. Aux fins d'une recherche à prétention scientifique, ce genre d'interprétation est toujours un bon pas dans la mauvaise direction. On peut supposer, d'une façon générale, que chaque fois qu'un psychosociologue écarte ainsi les données fournies par l'expérience et moralise, il tente consciemment ou non de sauvegarder un *a priori* moral de sa science. On trouvera plus loin une esquisse d'interprétation de cet échec.

Conservons en mémoire, pour le moment, ce premier résultat: 1) le groupe restreint est impuissant devant le macrosystème; 2) le psychosociologue ne veut pas le savoir.

Le racisme

Kurt Lewin[11] explique, dans un texte qui date de 1945, qu'une entreprise de rééducation est rien de moins qu'un changement de culture. Il donne l'exemple, d'un soldat américain blanc en poste à Londres, durant la guerre, qui réagit mal aux rencontres de ses compatriotes noirs avec des femmes anglaises. Le soldat blanc peut savoir que le racisme est injustifié, il peut même souhaiter personnellement de ne pas avoir de comportements racistes, sans que le problème en soit modifié. Son problème est une tâche de rééducation, selon Lewin, et qui implique un changement de culture. Ce n'est pas une question de structures cognitives ou rationnelles, car la connaissance et les émotions sont ici très indépendantes; ce n'est même pas l'affaire d'une expérience personnelle ou de connaissance directe: le comportement raciste peut ne correspondre à aucune expérience désagréable antérieure et peut même contredire tout ce que l'on connaît personnellement de l'autre race.

Plusieurs éléments de cette rééducation en font un processus qui demeure à ce jour mystérieux. Il faut que le changement de culture résulte d'une adhésion libre et volontaire, la rééducation est d'autant plus efficace que l'appartenance au groupe est forte, et il faut que le nouveau système de valeurs du groupe *en vienne à dominer la perception de l'individu.*

Or Lewin insiste beaucoup pour montrer que les modes d'acquisition de l'anormal ou de la déviance (dans ce cas-ci, le racisme) sont exactement les mêmes que ceux du normal (le non-racisme): nous subissons de fortes pressions qui nous rendent conformistes, et ce que nous appelons la réalité est en fait ce que notre groupe appelle la réalité.

La question que je désire poser maintenant est la suivante: si la rééducation d'un raciste implique sa forte appartenance à un groupe, et si cette rééducation n'est pas d'abord et avant tout une affaire cognitive ou rationnelle, ne faut-il pas

11. Kurt LEWIN (1991). « Conduite, connaissance et acceptation de nouvelles valeurs », dans R. TESSIER et Y. TELLIER, *op. cit.*, tome 6, pp. 1-12.

supposer que c'est aussi un groupe, assurément un autre groupe, qui, de façon tout aussi peu rationnelle, l'avait rendu raciste au départ? Je ne vois pas comment il serait possible d'échapper à cette question, ni comment y répondre par la psychosociologie actuelle: quelle peut être la nature de la force qui serait inhérente au groupe et capable de rendre quelqu'un raciste? En d'autres mots, y a-t-il une base sociale ou groupale du racisme?

Conservons aussi en mémoire cette deuxième question, et passons à la troisième et dernière: le leadership.

Le phénomène du leadership

De tous les phénomènes dont la pratique du groupe restreint est si prodigue, le leadership semble des plus importants, dans l'ordre d'apparition et dans ses conséquences. On pourrait soutenir que l'ensemble groupe-leadership n'est en fait qu'une seule réalité sociale, et que c'est le contexte discursif qui fait privilégier une appellation plutôt que l'autre: sans groupe il n'y a pas de leadership, sans leadership il n'y a pas de groupe. En général, tant que le, la, ou les leaders n'ont pas été trouvés, il n'y a pas de groupe comme tel, mais seulement un agrégat de personnes incapables de se donner une mission ou un ordre du jour.

D'où vient le leadership? L'universalité du phénomène, en même temps que l'extrême diversité des formes qu'il adopte, sa spontanéité et sa prévisibilité auraient grand besoin d'une explication raisonnable et fondée sur des concepts qui soient des construits, dans le cadre habituel et le protocole de ce genre d'entreprise, et rattachée à un ensemble de connaissances objectives par ailleurs reconnues; autre chose qu'une explication *ad hoc*.

En langage plus polémique: puisqu'il n'y a pas de groupe sans leader, peut-on dire qu'il n'y a pas de groupe sans inégalité? L'égalité est la règle numéro un de la morale et de la loi en Occident: pourquoi tout groupe semble-t-il une machine à produire une hiérarchie à travers le leadership, et pourquoi, loin de faire scandale, ce développement se fait-il fréquemment dans l'euphorie générale?

Nous sommes des primates

Une façon de répondre à ces trois questions tourne autour du fait que nous sommes des primates. Ce mode d'approche se trouve en biologie, non pas en biologie fantaisiste, mais en évolutionnisme darwinien. En biologie sociale, en effet, aussi appelée sociobiologie, on connaît l'existence de la « dominance », qui est une priorité d'accès à la nourriture, au territoire (y compris le nid) et à la reproduction. Il existe environ 200 sortes de primates, et, bien que la stratification sociale diffère d'une espèce à l'autre et parfois même à l'intérieur d'une même espèce, la dominance est un phénomène si fréquent et diversifié qu'il est davantage la règle que l'exception. Les sociétés humaines juridiquement égalitaires existent depuis 200 ans, ce qui est évolutivement insignifiant, et elles continuent d'être marquées de nombreuses inégalités. Si l'on interprétait l'émergence du leadership dans les groupes de primates humains, et de la hiérarchie qu'il crée, comme une forme spécifiquement humaine de la dominance identifiée en biologie, l'ensemble de ce phénomène apparaîtrait sous un éclairage renouvelé et instructif.

Il en va de même du racisme, qui correspond à ce que la biologie sociale appelle le principe de xénophobie, qui a été vérifié expérimentalement chez pratiquement tous les groupes d'animaux à vie sociale complexe, c'est pourquoi on l'appelle le « principe ». L'idée générale est que dans une société de singes rhésus, par exemple, le statut social ou rang de chaque membre dans la hiérarchie de la troupe se trouve menacé par l'arrivée d'un étranger. Il est reconnu que l'introduction d'un étranger dans une troupe de rhésus provoque de quatre à dix fois plus de conduites agressives que tout autre facteur qui a été expérimenté. Il faut en outre comprendre que la coopération sociale est maximale au cours des comportements hostiles à l'étranger, ce qui renforce le plus important facteur de stabilité sociale : la parenté génétique. En d'autres mots la xénophobie est sociogène, elle facilite la vie sociale. Pour les fins de notre propos, on pourrait ainsi comprendre qu'elle puisse être en nous, dans le primate que nous sommes, et cependant *ne pas être d'origine cognitive ou rationnelle.*

Enfin l'échec du groupe restreint par rapport au macrosystème politique pourrait se comprendre de deux façons. D'abord en considérant l'histoire évolutive des primates. On suppose que nos ancêtres d'il y a plusieurs dizaines de milliers d'années vivaient dans des groupes relativement petits. Évolutivement, cela a pu nous préparer à vivre dans une structure de pouvoir à l'intérieur d'un très petit groupe, mais non pas dans un État moderne de millions d'individus appartenant à plusieurs ethnies. L'État moderne est une création spécifiquement humaine, sans antécédent dans l'évolution de la vie primate. Il est possible que cela joue un rôle dans le fait que le groupe restreint échoue à traiter adéquatement le macrosystème politique auquel nous ne sommes pas évolutivement préparés. L'argument apparaît plausible, mais pas très convaincant à lui seul.

Mais c'est surtout l'idée même que l'on se fait de la société qui est en cause. D'où vient le social et pourquoi vivons-nous en société ? À l'heure actuelle la psychosociologie a expulsé de sa théorie à peu près tout ce qui n'est pas de la coopération ; l'écologisme tend à faire de même. Pourtant, il est manifeste que l'échec du groupe restreint par rapport au macrosystème est l'échec de cette approche exclusivement coopérative face à une réalité de compétition. Pour comprendre cet échec, il faudrait que la théorie fasse une place à la compétition. C'est ce que fait la théorie biologique du social.

Compétition et société en biologie

Toute la théorie de Darwin repose sur l'idée de compétition : le nombre des candidats à la vie excède les ressources, qui sont en quantité finie. Mais un des effets de cette compétition est de susciter la multiplication de « compromis » qui la réduisent ou l'éliminent, en sorte que les organismes qui réussissent à se reproduire se concurrencent moins ou pas du tout. La compétition favorise :

1) la prodigieuse *diversité* des formes vivantes. Voici trois exemples simples : certains organismes deviennent nocturnes pendant que d'autres sont diurnes ; la grenouille est un carnivore terrestre alors que son têtard est aquatique ; l'éclosion des fleurs à des époques différentes optimalise le travail des insectes pollinisateurs qui leur servent d'organes sexuels ;

2) la *coopération* non sociale (mutualisme, commensalisme, parasitisme, symbiose, etc.) ;

3) La *vie sociale* et le mélange de compétition et de coopération propre à chaque société.

Il est donc bien vrai que l'histoire de la vie est celle de la compétition, mais d'une façon ou d'une autre l'évolution finit toujours par inventer des « compromis » dont l'effet est de réduire l'âpreté de cette compétition. La vie sociale n'est que l'un de ces compromis, et à l'intérieur de chaque société la dominance, quand elle existe, en est un autre (parce que la dominance est facteur de paix sociale). Comme pour toute autre forme de vie, ce sont les mêmes contraintes évolutives qui font qu'une espèce devient sociale, lorsque ce type particulier de compromis trouve des conditions favorables : sur les 20 000 espèces d'abeilles une faible partie seulement, de l'ordre d'une ou deux sur dix, est sociale, les autres sont demeurées solitaires. Ce qui fait qu'en biologie toute société est considérée par définition comme un mélange en proportion variable de compétition et de coopération. C'est là une caractéristique fondamentale de l'approche biologique de la question sociale et qui la distingue de tout ce que nous enseigne la sociologie. Sur le plan de la sociologie, le concept de société proposé par la biologie sociale renvoie dos à dos Rousseau et Marx, Talcott Parsons et C. Wright Mills : toute société repose sur une coopération partielle sur fond de compétition toujours présente.

Le fait que la psychosociologie s'interdit de penser la compétition n'empêche pas celle-ci d'exister, mais empêche seulement le psychosociologue de la voir. Kenneth D. Benne ne parvient pas à *voir* ce que sa théorie lui interdit de comprendre. Si la vie sociale humaine n'était vraiment faite que de coopération sans compétition, la chose finirait par se savoir, il me semble. Le singulier échec du groupe restreint est, à lui seul, très instructif.

La compétition, processus à somme nulle

Disons ces choses autrement. Au commencement était la compétition qui est un *processus à somme nulle*, comme le déroulement d'une joute de poker, qui ne crée pas d'argent, mais le distribue différemment entre les joueurs. Puis la compétition engendra son contraire, la coopération, qui est un *processus à somme non nulle*, positive et créatrice d'*ordre* au sens de la physique : la vie est une forme d'entropie négative. À très long terme l'évolution produit des organismes de plus en plus complexes, et toute forme de culture humaine, y compris la psychosociologie, a pour effet de réduire et de « civiliser » la compétition entre les membres de cette culture. Mais elle ne l'abolit pas. Cette coopération n'opère principalement qu'entre les membres du groupe et c'est pourquoi nous constatons qu'elle demeure si faible *entre* les cultures humaines, où la compétition se manifeste par la xénophobie, et si faible au niveau du macrosystème qui sert d'interface entre ces cultures. En anthropologie ce genre de compétition s'appelle l'ethnocentrisme. Toutes les sociétés humaines et toutes les morales sont ethnocentristes.

Au niveau proprement politique, la méconnaissance de l'idée de compétition comme processus à somme nulle apparaît très regrettable. Ce qu'on a appelé *la fin des idéologies* n'est pas du tout la fin des idéologies, c'est seulement la fin de l'idée de compétition et le triomphe de l'idéologie égalitariste et coopératiste qui est la nôtre. Car en fait la supériorité de la démocratie occidentale sur le communisme des pays de l'Est, devenue particulièrement évidente depuis la Chute du mur de Berlin, tient précisément à ce que l'Occident instaure entre ses leaders politiques une compétition qui redouble et tient en laisse la compétition de l'économie de marché. Notre parlementarisme institutionnalise la chicane au sommet de l'État. Cette formule est loin d'être parfaite, mais il reste que nous n'avons de libertés individuelles que dans la mesure où nous obligeons les princes qui nous gouvernent à se concurrencer. Ce n'est pas la fin de la compétition, mais seulement le début de sa bonne utilisation qui rend possible l'accroissement de notre coopération. L'égalité sans limite n'est pas le bonheur sans nuage, c'est plutôt le nuage sans bonheur.

Ces remarques ne prétendent pas résoudre les trois problèmes signalés sur l'utilisation du groupe restreint. Le groupe restreint est une technique expérimentale et seules de nouvelles expériences pourraient apporter de nouvelles connaissances. Mais il reste que cette technique pourrait devenir, d'une façon toute nouvelle, un superbe instrument de recherche, si le praticien se guidait sur la science de la biologie au lieu de se fonder sur un écologisme incapable de l'instruire de la nature propre des limitations et éventuellement des échecs inhérents à cette méthode.

Golembiewski a donc plus raison qu'il ne le pense de dire que l'usage du groupe lui-même comme agent de changement est *l'unique* source de son pouvoir. Avant d'être psychologique et avant d'être sociale cette source est biologique. En biologie, c'est l'*épigenèse* (au sens de Jacques Monod[12]) qui désigne tout processus biologique de développement structural et fonctionnel. Le développement d'un organisme ne se fait pas n'importe comment, mais selon certaines règles évolutives qui lui donnent ses traits distinctifs. Et selon Lumsden et Wilson[13], il y a des *règles épigénétiques* du développement mental. On peut penser que ce sont ces règles qui produisent les « idées innées » décrites en philosophie par René Descartes et en linguistique par Noam Chomsky. Dans cette optique on supposera que les phénomènes mentionnés (échec face au macrosystème, racisme, leadership) sont l'effet visible de telles règles épigénétiques. Un grand nombre d'autres règles semblables, identifiées en biologie sociale par voie expérimentale (altruisme biologique, division sociale du travail, territorialité, matrifocalité, monogamie, agressivité et autres), ont une incidence sociale directe et peuvent régir la pratique du groupe restreint, sans pourtant pouvoir être identifiées comme telles si le chercheur n'en connaît pas l'existence et n'en recherche pas délibérément les effets par une planification de ses interventions.

Autres méfaits de l'écologisme

Dans la pratique actuelle, certains méfaits de l'écologisme pratiqué par la psychosociologie sont moins inoffensifs. Voici deux exemples qu'on peut lire dans le présent recueil. Noel M. Tichy[14] nous apprend que :

> Dans la recherche faite sur les systèmes d'évaluation, on a constaté, d'un point de vue technique, que les subordonnés et les pairs évaluent plus exactement et plus adéquatement le rendement d'un individu, que ne le fait son propre supérieur.

12. Jacques MONOD (1970). *Le hasard et la nécessité*, Paris, Seuil, pp. 113-114.
13. Charles LUMSDEN et Edward O. WILSON (1983). *Promethean Fire. Reflexions on the Origin of Mind*, Cambridge, Mass., et Londres, Harvard University Press.
14. Noel M. TICHY (1991). « Les bases de la gestion stratégique du changement », dans R. TESSIER et Y. TELLIER, *op. cit.*, tome 5, pp. 169-195.

> Cela date du temps de la Deuxième Guerre mondiale, alors que les pairs prédisaient plus exactement que les instructeurs lesquels parmi les apprentis deviendraient de bons pilotes. Ce résultat de la recherche a été confirmé de diverses façons dans des contextes industriels, où l'on a constaté que les pairs et les subordonnés fournissent de meilleurs indices de rendement, présent et futur, qu'un patron ou un superviseur. Cependant, 99 % des entreprises américaines seraient politiquement incapables de tolérer que les pairs et les subordonnés procèdent à l'évaluation du rendement de leur supérieur, même si l'on reconnaît, d'un point de vue technique, la meilleure qualité d'une telle évaluation (p. 187).

Depuis plus de 40 ans, donc, la théorie de l'organisation sait que l'évaluation par les pairs et les subordonnés est plus juste pour les travailleurs et sait mieux identifier d'avance le meilleur candidat, et est donc aussi meilleure pour l'organisation, qui pourrait y trouver son profit. Ce fait est prodigieusement intéressant. Quand Tichy dit qu'il est politiquement impossible à l'organisation américaine de tolérer une telle pratique, je suggère de remplacer *politiquement* par *biologiquement*. Les organisations humaines sont des sociétés au sens biologique, ou partagent certaines de leurs caractéristiques: au-delà d'une certaine complexité toute organisation se hiérarchise et ne peut pas faire autrement; il est très probable que certaines de ses structures échappent à la coopération. Peut-être existe-t-il une autre façon, mais je ne la connais pas, de comprendre pourquoi l'organisation industrielle américaine ne profite pas mieux du fait cité par Tichy pour rendre les gens plus heureux tout en se payant le luxe d'accroître la productivité, ce qui est le plus désirable des changements qu'une organisation puisse désirer.

Deuxième exemple. Chris Argyris[15] montre que la personne humaine est un être de croissance qui doit normalement passer de la dépendance de l'enfance à l'autonomie de l'âge adulte; de l'inconscience à la conscience de soi; d'intérêts peu nombreux, superficiels et à court terme, à des intérêts très nombreux, profonds et à long terme. Et il montre ensuite que la règle inhérente de l'entreprise industrielle typique impose des contraintes qui infantilisent systématiquement le travailleur et favorisent l'échec psychologique individuel:

> les employés travaillent dans un environnement où (1) on ne leur fournit qu'un minimum de contrôle sur leur monde de travail quotidien ; (2) on s'attend à ce qu'ils soient passifs, dépendants, subordonnés ; (3) on s'attend à ce que leur perspective temporelle soit à court terme ; (4) on les incite à perfectionner et à valoriser l'usage fréquent d'un petit nombre d'habiletés superficielles ; et (5) on s'attend à ce qu'ils produisent dans des conditions menant à un échec psychologique (pp. 119-120).

15. Chris ARGYRIS (1991). «L'individu et l'organisation: quelques problèmes d'ajustement mutuel», dans R. TESSIER et Y. TELLIER, *op. cit.*, tome 3, pp. 103-125.

Si l'on en croit cette description-réquisitoire, le milieu organisationnel est non seulement pathogène, mais véritablement pervers par les renforcements positifs qu'il distribue et qui lui permettent de corrompre en permanence les êtres humains qu'il a commencé par débiliter :

> [...] le management contribue à créer un univers psychologique qui porte les employés à croire que les causes fondamentales de l'insatisfaction sont partie intégrante de la vie industrielle, que les récompenses qu'ils reçoivent sont le salaire de l'insatisfaction (p. 115).

Pourtant Chris Argyris ne dit pas que cette description est factuelle, il dit au contraire qu'elle n'est que théorique, qu'elle n'exprime que la logique interne de l'organisation industrielle ; on peut tenter de réduire les effets de cette logique interne, mais non pas l'abolir. Mais justement, d'un point de vue théorique, c'est cette précision qui rend inéluctable la production de sous-humains ; l'organisation les recycle après coup grâce, notamment, aux services du psychothérapeute et des autres vidangeurs sociaux experts en *people-processing*.

Voit-on ici pourquoi le discours écologiste est toujours politique ? Ce que disent Tichy et Argyris est connu depuis des années, c'était avant la mode actuelle de l'écologisme, et leurs textes sont publiés dans ce recueil parce qu'ils sont devenus des classiques du genre. Si la psychosociologie actuelle choisissait d'en tenir compte, cela serait assurément un choix non seulement politique, mais aussi moral : ce serait un choix de société, un humanisme. Mais choisir de n'en pas parler est tout autant un choix politique et moral, qui a pour effet de favoriser la production de sous-humains. Pourquoi l'écologisme de la psychosociologie manque-t-il à ce point de sens critique, pourquoi ne tient-il pas compte de *toute* la production de l'organisation ? Nous aimons penser que la compagnie *General Motors* (GM) ne fabrique que des autos, l'Alcan de l'aluminium, Coca-Cola des boissons gazeuses. Mais c'est manifestement une erreur, un « oubli » qui est un choix politique et moral : GM fabrique des autos et des sous-humains, Alcan fabrique de l'aluminium et des sous-humains, Coca-Cola fabrique des boissons gazeuses et des sous-humains.

Et cela est parfaitement normal, au sens de probable. L'être humain est, en partie, un produit du primate parlant : il est normal, parce qu'il est un primate social, qu'il tende à produire des sous-humains ; et, parce qu'il est aussi un être de langage, qu'il identifie les contraintes de la vie psychologique et sociale et en tourne les effets à ses fins propres, utilisant la capacité d'autonomisation du groupe restreint pour « civiliser » la vie sociale et les lois de l'évolution pour construire une société égalitaire. C'est-à-dire *plus* égalitaire. Il est vrai qu'à très long terme, sur des millions d'années, l'évolution va dans le sens de l'égalité ; « plus l'organisme est complexe, plus il est libre[16] », et plus les sociétés qu'il se

16. François JACOB (1970). *La logique du vivant. Une histoire de l'hérédité*, Paris, Gallimard, p. 207.

donne sont égalitaires. Mais il en va tout autrement dans l'immédiat. Les humains produisent des sous-humains et l'ont toujours fait parce que l'humanité est expérimentale et l'a toujours été. L'humanité est un chantier, nous sommes des humanoïdes. Où qu'on se tourne par temps clair, vers l'amont ou vers l'aval de l'organisation, on peut voir un psychologue occupé à rendre supportable et rentable la sous-humanisation en marche, ou à recycler ses déchets. Mais de temps en temps l'on peut aussi voir un Chris Argyris dire la vérité sur ce que nous faisons, et nous entrevoyons alors autre chose, quelque chose qui est plus loin que la vérité actuelle, une autre humanité possible, une surhumanité telle que l'entendait Friedrich Nietzsche.

Le probable et l'improbable

Selon Nietzsche « la majeure partie des bonnes actions conformes au devoir n'a aucune valeur éthique, mais est obtenue *par contrainte*[17] ». Il voulait dire qu'elles sont imposées par le groupe. Sa *Généalogie de la morale* a montré que la plus grande partie de ce qui nous tient lieu de vie morale n'est pas le produit de la conscience individuelle, qu'elle est au contraire sociale et grégaire, produite par le troupeau. Cependant la critique nietzschéenne ne disposait en son temps, outre son génie propre, que d'un principal instrument d'analyse relativement faible à nos yeux, la philologie. Il nous est maintenant possible de mieux comprendre que si ces bonnes actions sont imposées par le groupe c'est qu'elles sont animales et que leur loi est celle de la biologie évolutionniste. Nietzsche aurait été infiniment heureux d'apprendre que nous avons été produits par une évolution opportuniste et sans but, qui n'invente de nouvelles formes de vie que par hasard et par erreur. Reformulée dans ces termes, la vie morale accomplit la dignité que c'est pour l'animal que je suis d'être l'homme que je suis.

Le probable est l'ensemble des régularités de la nature. C'est l'objet de la science : l'entropie et le désordre au sens statistique de la physique. Il n'y a de science que du probable et le plus probable est la mort. La logique du probable fait que notre morale est la morale du groupe. Chaque fois que je commence à parler, ce qui sort de ma bouche c'est la morale du groupe. À notre époque la science exerce la plus grande influence sur le groupe, et de façon croissante nous n'avons de morale que celle que la science autorise, l'écologisme du psychologue producteur de sous-humains. On ne dit plus « faire la publicité » de quelque chose, on dit « sensibiliser la population » ; on, cette quatrième personne du singulier, n'a jamais tant parlé de créativité que depuis que notre croyance à la science l'a rendue impossible. Nous pensons comme nos voisins,

17. Friedrich NIETZSCHE (1969). *Le livre du philosophe*, Paris, Aubier-Flammarion.

qui ont été choisis pour ça. Notre idéal est d'*être authentique*, ce qui veut dire conforme à quelque vérité que nous voudrions rendre maîtresse de notre vie, et nous ne comprenons pas pourquoi notre corps se meurt d'ennui au désert de Pier Paolo Pasolini par manque d'illusions et d'amour. La mort est plus que probable, la mort est déjà là.

Si la psychosociologie était bien faite, elle se rendrait elle-même plus légère et superflue. Ce n'est pas ce qui se passe et c'est normal : tout groupe tend à s'autonomiser et les psy sont un groupe comme un autre, qui cherche à s'autonomiser lui aussi. Quand un groupe de psychologues met sur pied un groupe restreint de formation, celui-ci s'autonomise jusqu'au terme prévu. À ce moment le groupe restreint est dissous, car il est hors de question de le laisser s'autonomiser indéfiniment, ses membres retournent au travail payé par le salaire de l'insatisfaction, pendant que de son côté le groupe des psy continue à s'autonomiser à son niveau propre. C'est ça le pouvoir. Il ne faut pas accuser le capitalisme, qui n'est pas une limite inhérente à la psychosociologie, la limite de la psychosociologie n'est que le fait qu'elle s'interdit d'en parler. Lorsqu'un psychosociologue agit et parle autrement que son groupe, son individuation devient manifeste et un jour ou l'autre ses collègues et lui-même l'accusent de trahison.

L'improbable est la solitude conséquente à cette trahison. Le terme « improbable » est aussi emprunté à la physique, où il signifie l'entropie négative et l'ordre de la vie elle-même. L'improbable que les humains produisent n'existe pas d'avance comme réalité stable, c'est une sorte d'anti-science (comme on dit l'anti-matière qui est une matière d'une autre sorte) que la communauté des primates parlants instaure par le langage. C'est une absence, un congé, une vacance que nous provoquons tous ensemble, mais chacun pour soi par rapport à la dure réalité du probable. C'est le moment exceptionnel où la morale cesse d'être sous-humaine, c'est là seulement où l'on peut dire que la morale est vraiment un *choix* en un sens qui n'est pas grégaire. Pour signifier le choix moral, les anciens Grecs, qui s'y connaissaient un peu, utilisaient le mot *hairesis* dont nous avons fait « hérésie » : choisir c'est accepter d'être hérétique, c'est trahir le groupe. Ce choix n'a rien de nécessaire, chacun vit comme il l'entend, les justifications et les excuses n'ont de sens que pour le groupe et le groupe voudrait que la pensée soit toujours marsupiale. Sans compter le secret désir du traître que le groupe se range finalement derrière lui et c'est parfois ce qui se passe. L'improbable hausse la vie de chacun à la hauteur qu'il croit être la sienne et c'est très bien.

Il n'y a pas de science de l'improbable, par exemple au niveau de la haute improbabilité d'un poème de Rimbaud. La science elle-même est un effet de langage. La science n'est pas objet de science, ce n'est donc qu'une autre fiction. Nous sommes devant la science comme ces spectateurs des premières salles de cinéma qui invectivaient les méchants apparaissant à l'écran et qu'ils croyaient « réels », « vrais », « dans la réalité ». Mais ils comprirent à l'usage que le cinéma n'est qu'un autre jeu, *the world is a stage*, une fiction possible et tellement raisonnable. Et à ce moment *ils entrèrent dans l'illusion* de se laisser séduire, ils crurent à la vérité de cette non-vérité. C'est ce que doit être la science pour nous, une fiction qui ne montre son utilité que lorsqu'elle met le probable au service de l'improbable, le calculable au service de ce qui ne l'est pas, la mort au service de la vie. Les patineurs veulent entrer dans la musique et dans la danse, pas dans la science de la glace ! Celui qui veut fabriquer ou utiliser la science, dorénavant aucun d'entre nous n'y échappe, doit y mettre toute la rigueur convenue par le groupe des savants ; pour ensuite reconnaître cette fiction pour ce qu'elle est. Être moral c'est dégrégariser la vie, c'est utiliser la science pour émietter l'univers et perdre le respect de tout. La plus haute vie morale est l'apprentissage de l'irresponsabilité. N'importe quel savant dévoué à son groupe vous dira que c'est là la plus grande trahison imaginable dans son cinéma. On peut le croire, à défaut de mieux. Par manque d'imagination.

Il ne faut pas trop compter sur l'aide du philosophe, qui n'est pas plus fin ni moins *groupie*. Depuis qu'elle ne peut décidément plus demeurer la servante de l'ancienne théologie, la philosophie de notre temps se met au service de la nouvelle. La philosophie est une pute et c'est très bien, il en faut. La philosophie appartient au probable, elle aussi.

Dans l'improbable il n'y a pas de faits, mais seulement des interprétations, pas d'observateurs, mais seulement des participants, les participants sont mortels et membres d'un groupe d'oranges mécaniques. Cela aussi je le veux, je veux tout. Je ne renoncerai ni à la science aux effets barbares et prévisibles des futurologues prédisant le passé, ni à vouloir les conséquences du hasard où je sombre irresponsable.

Le groupe est toujours bête et sous-humain, c'est rassurant. Mais la vie veut qu'on lui donne, le corps veut avoir peur et voir les choses autrement. Une vieille sagesse paysanne dit que le cœur de l'homme est un moulin, faute de grain, il peut se moudre lui-même. C'est le risque courtisé activement par le producteur d'improbable qui est les deux meules à la fois, celle qui tourne et celle qui ne tourne pas. Il attend que ça pète.

2

Un point de vue écologique

Marquita RIEL

Un point de vue n'est jamais plus qu'un mélange colloïdal d'analyses et de rêves. Bien qu'en principe fort séparables, ces deux éléments n'en forment pas moins la matrice d'un discours où l'absence de l'un ou de l'autre est impossible. La froide analyse procède du discours logique et est souvent assise sur de savants calculs. Elle est indispensable à la survie. L'élément onirique relève du désir, de l'imaginaire, de la béance que tout être qui sait un tant soit peu s'exprimer porte au plus profond de lui. Il est indispensable à la vie. Froide estimation, désir brûlant: leur relation n'est ni linéaire ni dialectique. Elle est circulaire, chacun servant de rétroaction négative à l'autre pour créer un état de mouvement perpétuel. Voilà l'esprit ce texte.

Dans un premier temps, je vais définir très brièvement l'essence du point de vue écologique.

Dans un second temps, je m'attarderai à préciser quelques-uns des points de rencontre entre l'entreprise et la société porteuse de ce nouveau point de vue.

Finalement, j'esquisserai sommairement certains développements possibles dans l'intervention psychosociologique, étant donné ce nouveau contexte.

> Parce que la tentative de maîtriser la nature est essentiellement la tentative de dominer d'autres personnes, nous pouvons prévoir que les sociétés seront moins patientes avec les cultures qui expriment un certain degré d'indifférence à l'égard des valeurs et des buts sociaux. La répétition de ce parallèle nous révèle que la société qui gaspille ses ressources naturelles gaspille aussi ses ressources humaines [1].

1. J. P. CARSE, (1986). *Finite and Infinite Games, A Vision of Life as Play and Possibility*, New York, Ballantine Books, p. 158.

Le point de vue écologique

Quand on pense à l'écologie, certains termes popularisés au cours de la dernière décennie reviennent en mémoire : pollution de l'environnement, déchets toxiques, diminution de la couche d'ozone, menace d'extinction d'espèces végétales et animales, etc. Autrement dit, la notion d'environnement a récemment acquis une grande visibilité médiatique et fait maintenant partie de la conscience populaire.

Pour moi, ceci n'est que la pointe de l'iceberg d'un mouvement de conscience beaucoup plus profond et qui en est encore à ses débuts. Cette nouvelle conscience de notre environnement et de nos liens avec lui a une portée révolutionnaire et entraînera un changement de mentalité qui m'apparaît d'ores et déjà aussi vaste que l'apparition de la mentalité scientifique à la Renaissance. Car, contenue à l'état embryonnaire dans cette notion d'environnement, il y a une nouvelle définition de l'humain, de ses rapports avec lui-même, avec les autres et avec la nature.

C'est ce début de nouvelle conscience que j'appelle le point de vue écologique.

La définition de l'être humain a changé radicalement plusieurs fois depuis les temps immémoriaux des débuts de l'humanité[2]. Au siècle dernier, trois génies scientifiques ont entamé sérieusement l'anthropocentrisme hérité de la Renaissance : Darwin et la théorie de l'évolution ; Freud et la théorie de l'inconscient ; Einstein et la théorie de la relativité. Selon les retombées philosophico-sociales visibles, Darwin fut peut-être le plus influent[3].

On a dit de la théorie de l'évolution qu'elle renversait l'ordre naturel des choses. Avant cette théorie, on postulait une hiérarchie d'êtres, commençant par Dieu, suivi des anges, de l'homme, de la femme, des animaux supérieurs, puis, inférieurs. Darwin mit cette échelle sens dessus dessous ! Avec sa théorie de l'évolution des espèces, apparaissent d'abord les classes animales inférieures, qui, grâce au principe de la sélection naturelle, vont se complexifiant pour finalement donner l'*homo sapiens*. L'homme et la femme apparaissent alors comme le produit d'une évolution biologique allant de l'organisation la plus simple vers la plus complexe[4].

---

2. Pour une cartographie fabuleuse de ces changements, il faut absolument lire W. I. THOMPSON (1987). « Gaïa and the Politics of Life : A Program for the Nineties », dans *Gaïa : A Way of Knowing*, Great Barrington, Mass., Lindisfarne Press. *Id.* (1988). « Cycles of Gaïa », conférence lue au congrès « Mind and Nature », Hanovre.
3. Je reviendrai plus tard sur l'influence non moins considérable de l'œuvre de Freud.
4. P. TEILHARD DE CHARDIN (1955). *Le phénomène humain*, Paris, Seuil, présente le système philosophique émanant de cette théorie.

Les philosophes sociaux[5] ont tôt fait de s'emparer du principe de la sélection naturelle pour l'appliquer aux faits sociaux et justifier ainsi la compétition sans merci, l'exploitation brutale et la loi de la maximisation des profits du capitalisme sauvage du début du siècle. Cependant, la théorie de l'évolution contenait d'autres idées fécondes que les biologistes reprirent peu à peu. On doit à Gregory Bateson[6] d'avoir revu la théorie de l'évolution et d'en avoir fait la base d'un système de pensée cohérent par l'intégration, entre autres, des données de la cybernétique et de la théorie des types logiques de Russell.

Ce qui suit s'inspire donc de Bateson. Cependant mon intention n'est pas de résumer son œuvre, mais d'en dégager certains principes qui m'apparaissent essentiels pour le point de vue écologique que je présente.

Pour Bateson, biologiste à l'origine, élevé dans une famille de biologistes, où faisait rage la controverse religieuse créée par la théorie de l'évolution, c'est la notion d'*interaction* qui est fondamentale pour la compréhension de l'évolution. L'être vivant en interaction avec son environnement *coévolue* avec lui. C'est le rapport des interactions réciproques qui est le moteur du changement évolutionniste[7]. Autrement dit, l'être vivant est incompréhensible si on ne le situe dans un rapport d'échange avec l'environnement. C'est ce lien, cette interaction qui est à la source de la définition du vivant. *Le vivant est dans un perpétuel état d'échange d'information avec son environnement : communication qui modifie à la fois l'être vivant et son environnement.* Il est la résultante de cette interaction. La vie n'est somme toute qu'un perpétuel échange d'information. Quand cela cesse, c'est la mort.

Devenant ethnologue, Bateson va conserver cette vision fondamentalement biologique de la vie et l'appliquer au phénomène de la culture. L'être humain appartient à une culture et c'est, par le fait même, un être de communication[8] !

---

5. Métacommentaire : on remarquera, tout au long de ce court essai, comment les philosophies et les théories sociales s'inspirent des théories des sciences dites positives : physique, chimie, biologie. Cela n'est pas un hasard. C'est la réalité des sciences humaines et sociales.
6. G. BATESON (1978). *Vers une écologie de l'esprit*, Paris, Seuil. *Id.* (1984). *La nature et la pensée*, Paris, Seuil. BATESON G. et M. C. BATESON (1987). *Angel Fears*, New York, Macmillan.
7. Le comment de ces changements est l'objet d'une vaste documentation, dont je n'entrerai pas ici dans le détail. Il faut cependant mentionner que Bateson relie analogiquement le mode du changement évolutif à celui de l'apprentissage.
8. Ici je ne partage pas le point de vue de Serge Proulx, qui dit que la communication, dans l'œuvre de Bateson, est transversale. Au contraire, je crois que c'est l'angle de vision sur lequel est bâtie toute sa construction théorique, tant scientifique que philosophique. Voir S. PROULX (1989). « Gregory Bateson : Communication, cybernétique, épistémologie », conférence présentée au 12e congrès de l'Association internationale de cybernétique, Namur, Belgique, 21-25 août.

Second concept fort important chez Bateson, celui de la *participation*[9]. Étant un être vivant, l'être humain participe à la vie, qu'il observe et cartographie, par ailleurs. Cette notion de participation est fondamentale. Ici Bateson fait une analogie fort intéressante. De même que la vision binoculaire permet de percevoir la profondeur, de même observation et participation sont un double processus, qui permet à l'échange d'information avec l'environnement d'avoir du sens. C'est de la participation que naît le sens[10].

Les notions de cybernétique offrent à Bateson un cadre théorique qui lui permet de formaliser un peu plus son modèle interactionnel. Formellement, l'interaction ne peut être que de deux sortes: complémentaire ou symétrique. Qu'est-ce qui régit le choix de l'une ou l'autre, ou le passage de l'une à l'autre? À cette question, la notion de *rétroaction* (*feedback*) fournit un commencement de réponse: une rétroaction négative vient corriger, arrêter le processus, l'inverser, tandis que la rétroaction positive ne peut qu'entraîner l'escalade. Or l'escalade signifie la rupture du système d'échange.

Le génie de Bateson s'exprime bien ici. Il fait un autre saut logique et applique ce schéma à la vision que l'être humain s'est faite de l'environnement, de l'*Autre*. Le schéma interactionnel s'applique maintenant à l'image que l'être humain se fait de la nature et des autres, à sa cosmologie. Car, comme l'a si bien dit W. I. Thomas (1987): «Nous agissons non pas par rapport à la situation, mais par rapport à notre définition de la situation.»

Bateson va établir que, depuis Descartes, l'esprit humain et la nature sont considérés comme deux entités, souvent antagonistes, dont la première doit constamment s'assurer la domination sur l'autre. Autrement dit, un rapport symétrique.

Curieusement, les sociétés primitives n'établissent pas une telle cosmologie. Elles semblent plus conscientes du pôle complémentaire de leur relation avec l'environnement. Il y a dans Bateson des pages extraordinaires sur la magie dans de telles sociétés. Je ne peux pas ne pas en parler ici, car elles donnent la pleine saveur de sa pensée.

Les Indiens Pueblos pratiquent, quand arrive la sécheresse, un rituel appelé la danse de la pluie. Quand menacent famine et disette, ces Indiens se réunissent et dansent à la pluie. Pour un Occidental qui les observe et dont la cosmologie suppose l'utilisation et la domination de la nature, l'interprétation de cette danse ne peut être qu'utilitaire: les Indiens dansent pour obtenir de la pluie et ils sont, par conséquent, ignorants, non scientifiques et possédés par ce

9. Ici, il faut noter un saut logique: nous passons de la biologie au système communicationnel humain.
10. Dans cette prespective, la sacro-sainte objectivité du chercheur par rapport aux phénomènes observés devient clairement un faux idéal.

qu'on a appelé la pensée magique. Or, selon Bateson, la danse de la pluie n'est pas un moyen ordonné à une fin (ce qui serait le cas dans une relation symétrique): elle est plutôt l'affirmation de la solidarité de la tribu devant un phénomène environnemental menaçant la survie du groupe et un appel à la nature (c'est le pôle demandant dans une relation de complémentarité).

Tout l'effort de Bateson, voyant les ravages créés par ce qu'il appelle une épistémologie fautive, sera d'en recréer une nouvelle qui puisse renverser l'escalade dont la première est manifestement l'agent principal.

> Gregory Bateson intitule le dernier ouvrage qu'il a publié de son vivant: *Mind and Nature : A Necessary Unity*. Clin d'œil critique à la problématique du *mind and matter* propre au dualisme d'origine cartésienne et newtonienne bien ancré dans la pensée scientiste de cette fin du vingtième siècle. Bateson s'y affirme moniste: le discours scientifique n'a pas à établir de distinctions ultimes entre l'univers matériel (*matter*) et l'univers mental (*mind*). Le *mind* est une caractéristique de la nature et non pas quelque chose qui serait en dehors de l'univers matériel: ne pas voir cela nous entraîne à une pathologie épistémologique qui suscite l'invention de la notion vaporeuse de supernaturel [...].Toute conception d'un Dieu transcendant participe aussi de cette vision d'un monde dualiste ou Dieu est séparé de sa création[11].

Comme on peut le voir dans l'extrait précédent, cet effort débouche sur une redéfinition de la spiritualité. Son dernier livre, ouvrage posthume colligé par sa fille Catherine, s'intitule *Angel Fears* et est un traité sur la place de la spiritualité dans une cosmologie équilibrée. De par sa place dans l'univers et sa définition, l'être humain est dans un *système d'échange*, système beaucoup plus vaste que lui, qui l'englobe, et dont la conscience doit le ramener dans un rôle complémentaire plutôt que symétrique. La spiritualité vient de cette perception fondamentale[12].

Je ne pourrais conclure ce très bref exposé sur le point de vue batesonien sans en déduire certaines valeurs et attitudes psychosociales[13].

La première conséquence de cette vision est ce que j'appelle la conscience de *l'interdépendance dans un milieu fermé*. L'interdépendance signifie qu'aucune partie d'un tout ne peut agir sans provoquer des réactions dans l'ensemble, parce que toutes les parties sont reliées. Cela est d'autant plus vrai que le milieu est fermé. Le milieu que j'invoque ici est la Terre. Nous sommes dans un univers clos où tout est lié. L'accident de Tchernobyl, à cause des courants atmosphériques, a pollué non seulement l'URSS, mais une partie de

11. S. Proulx (1989). *Op. cit.*, pp. 14-15.
12. Il est assez intéressant de noter que Bateson a une certaine parenté avec Jung et son concept du « soi » qui englobe l'« ego ».
13. Je reprends ici une partie des idées de *Science, politique, nouvelle conscience*, à paraître chez H.M.H., éd.

l'Europe centrale et de l'Est. Les nappes d'eau souterraines communiquent, de sorte que la contamination se répand, etc.

L'hypothèse Gaïa, avancée par Lovelock[14], rend cette prise de conscience encore plus aiguë. Selon ce savant, la planète est vivante, car elle possède toutes les caractéristiques ordinairement attribuées à un être vivant, entre autres, l'homéostasie, c'est-à-dire la capacité de maintenir l'équilibre de son système. Cette hypothèse fait voir l'idée de domination de l'homme sur la planète complètement risible, voire horriblement dangereuse[15].

L'interdépendance suppose aussi, dans une perspective systémique, qu'aucune partie n'exerce de contrôle sur le tout, mais que c'est le tout qui contrôle l'ensemble des mouvements des parties.

Seconde conséquence, *l'ouverture*. C'est la conséquence la plus difficile à définir et, en même temps, celle qui me tient le plus à cœur. À la limite de l'ouverture, nous débouchons sur la grâce, la beauté, l'amour. Des instants précieux qui font que la vie vaut la peine d'être vécue. À l'inverse, le manque total d'ouverture entraîne la rigidité, sinon la rigidification, le procès, la croisade, la cause. L'ouverture est la capacité d'échange avec l'environnement, quelquefois de façon symétrique, quelquefois de façon complémentaire. En fait, l'ouverture est peut-être la caractéristique d'un système en état d'équilibre, qui ne verse pas dans l'escalade, qu'elle soit de l'un ou de l'autre type. Mieux peut-être, l'ouverture, plutôt qu'une caractéristique, serait le processus par lequel un système évite le déséquilibre de l'escalade. La conversion est un cas extrême de l'ouverture : le renversement subit et fracassant d'une position maintenue très rigidement. À plus petite échelle, l'interinfluence dans un échange est l'œuvre de l'ouverture.

L'ouverture est intimement reliée à la confiance. En tant qu'animatrice de groupe restreint, j'ai constamment observé que les processus d'influence ne peuvent avoir lieu que quand un climat de confiance a été préalablement établi, ce qui veut dire que chaque membre a le sentiment d'avoir une place et un minimum d'influence.

Inversement, il y a ouverture quand, au terme d'un échange, les participants ont simultanément changé, ont coévolué[16].

14. J. LOVELOCK (1979). *Gaïa : A New Look at Life on Earth*, New York, Oxford.
15. On ne peut s'empêcher d'évoquer ici les visions de l'Apocalypse, écrites dans le but de prédire aux humains ce qui les attendait s'ils continuaient à être symétriques à tout prix.
16. On ne peut parler d'ouverture sans faire référence au travail immense accompli, depuis deux siècles, par Freud, ses disciples, ses dissidents, et l'immense cohorte de psychanalystes, de psychiatres et de psychologues de toute école qui œuvre dans le domaine de l'écoute de l'âme et des défenses qu'elle érige contre le flot de la vie. Je ne peux aussi m'empêcher de citer James Hillman, qui a entrepris l'immense tâche de dépathologiser la peine et le manque et de les ramener dans le domaine qui leur est propre, celui du voyage intérieur plutôt que celui de la technique et de la rationalité plate et bête.

L'ouverture sur soi, bien qu'elle ait été traitée, à l'extrême, de nombrilisme, est une des conséquences directes de l'immense effort des sciences psychologiques, depuis les écrits de Sigmund Freud. Être capable, avec l'aide d'autrui, de prendre conscience de ses défenses et d'arriver à l'authenticité interpersonnelle n'est pas mince besogne. Prendre conscience, avec Jung, que l'« ego » n'est qu'une des multiples manifestations du « soi », infiniment plus grand et puissant, constitue un premier pas dans la voie de la sagesse, que décrivent si bien les religions orientales.

Bref, le processus d'ouverture psychologique est un phénomène contemporain dont la portée civilisatrice n'a pas encore été complètement analysée.

Une troisième conséquence est le *renouveau spirituel.* Si les thèses de Bateson sont vraies, la spiritualité est partie intégrante de la vie. Elle n'a pas à être reléguée à une sphère particulière, organisée en religion ou en secte. Elle n'a pas non plus à être investie dans des croyances magiques surannées ou mise au service de gurus. La grande fissure entre religion et science ne devrait pas être. Une des caractéristiques attribuées au nouveau paradigme écologique par Tessier[17] est justement d'être spiritualiste. Analyser l'être humain sans tenir compte de ses besoins de conscience du tout, sans tenir compte de ses besoins spirituels, c'est le traiter à l'instar des sciences positives, comme une molécule, un caillou ou un atome. C'est une erreur désastreuse. D'ailleurs, Maslow[18], l'un des pionniers de la psychologie humaniste, fait de la quête spirituelle un besoin essentiel à l'être humain, le plus haut dans sa fameuse hiérarchie des besoins.

Quatrième conséquence, le *féminisme*. Par féminisme, j'entends l'aspect *yin*. Ce que j'appelle *yin*, faute d'un meilleur terme, se réfère à ce qui fut traditionnellement associé aux caractéristiques féminines : ouverture, don de soi, besoin d'appartenance, capacité émotionnelle très grande, surtout dans les émotions taboues : peine, impuissance, etc. À l'opposé, le *yang* comporte les traits associés depuis toujours au masculin : compétition, agressivité, besoin de domination. Je choisis ces termes parce qu'ils sont d'une compréhension relativement facile. J'aurais tout aussi bien pu employer *animus* et *anima* (de la terminologie jungienne) ou encore masculin et féminin.

Je fais l'hypothèse que la civilisation occidentale est principalement *yang*. Or le point de vue écologique, sans négliger le *yang*, est fondamentalement un point de vue *yin*, contrairement à ce que le darwinisme social aurait pu laisser croire. C'est un point de vue qui va à l'encontre de la majorité des valeurs et des attitudes prédominantes.

---

17. R. TESSIER (1990). « Conclusion : pratique scientifique et paradigme écologique » dans R. TESSIER (sous la direction de), *Pour un paradigme écologique*, Montréal, H.M.H., p. 292.
18. A. MASLOW (1972). *Vers une psychologie de l'être*, Paris, Fayard.

Ce renversement crée une problématique particulière en ce qui concerne le mouvement féministe. L'élément radical du mouvement est nécessairement *yang* et apprend aux femmes, avec beaucoup de succès d'ailleurs, à cultiver cet aspect de leur personnalité trop souvent mis en friche. C'est un apprentissage nécessaire car la complémentarité, pôle traditionnel des rôles psychosociaux des femmes, qui ne fut longtemps soumise qu'à de la rétroaction positive, mène elle aussi à l'escalade, c'est-à-dire la rupture du système, non pas par l'annihilation, fait de la guerre symétrique, mais par la fusion, la perte d'identité.

Qu'un groupe aussi important que celui des femmes (un peu plus de la moitié de la population du globe) soit dans un processus de changement de caractéristiques interactionnelles (passage du pôle complémentaire dominé au pôle symétrique) est une révolution au sens strict du terme. C'est un processus parallèle à celui tout aussi révolutionnaire de la revalorisation du *yin* dans une civilisation fortement débalancée par son attirance vers l'autre pôle.

Le pouvoir de l'organisation et la société

Dans cette deuxième partie, je voudrais m'attacher à démontrer les points de tension que la nouvelle mentalité écologique va apporter aux organisations, tant dans leurs rapports avec l'extérieur que dans leurs rapports internes.

Rapports de l'organisation avec la société

Les entreprises industrielles se heurtent de plus en plus, autant dans leur gestion quotidienne que dans leur plan de développement, à la volonté de citoyens de plus en plus préoccupés par l'environnement. Nul doute, la lutte sera vive et est encore loin d'être gagnée. Nul doute, les citoyens paieront une bonne partie de la facture, si ce n'est le tout, mais le gaspillage, la pollution seront à l'avenir plus limités. Jusqu'où seront prêtes à aller les sociétés de consommation pour assumer ces coûts ? La question reste entière. C'est là qu'entre en jeu peut-être la question du changement de mentalité dont il a été fait mention dans la première partie. Car production effrénée et consommation effrénée vont de pair. On ne peut ralentir la première sans ralentir la seconde. Reste à savoir comment ce changement de mentalité s'opérera : sous la pression de cataclysmes répétés, sous l'aggravation constante des conditions quotidiennes de vie, sous l'effet conjugué de la dissémination du savoir et de l'action des médias ? Peut-être qu'un peu de tout cela sera de la partie.

La conscience de l'environnement, dont nous avons parlé au tout début de ce texte, devient donc de plus en plus aiguë et mobilisante pour la masse des citoyens. Déjà des groupes de pression sont constitués et leur action est aussi diversifiée que puissante.

Ce sont des groupes comme le Sierra Club ou d'autres organismes similaires qui investissent du capital pour le rachat de terres menacées par divers agents de pollution. Je pense par exemple au rachat, sur une grande échelle, de terres dans l'île Dominique : les forêts y sont primitives et irremplaçables.

Ce sont aussi des groupes qui identifient les compagnies produisant ou utilisant des produits nocifs, et diffusent des listes parmi le public pour que les actions de ces compagnies ne soient pas achetées. Comme on commence à le voir aux États-Unis, les compagnies se servent de leur comportement à l'égard de l'environnement pour solliciter des nouvelles clientèles pour leurs produits. Voilà un nouvel élément de compétition interorganisationnelle.

Ce peut être des groupes de surveillance de l'environnement et des pratiques industrielles et commerciales, subventionnés par l'État ou autosuffisants.

Jacques Dufresne, dans un article paru dans *La presse* de février 1990, commentait le cas d'une compagnie qui produit et vend des produits et par la même occasion dissémine de l'information sur un mode de vie plus sain et plus équilibré. Il en faisait le modèle de la nouvelle entreprise.

À travers le monde occidental se forment des partis politiques dont la plate-forme est entièrement consacrée à la protection de l'environnement.

Les émissions éducatives pullulent sur les réseaux des télévisions tant d'État que privées.

Sous la pression de groupes d'action écologique, les gouvernements sont obligés d'adopter des lois et de les appliquer.

Bref, de nouvelles mentalités sont à l'œuvre et leur action se fait sentir dans plusieurs domaines.

Pour les entreprises industrielles, la logique de la maximisation des profits va se heurter à la logique de la sauvegarde, à long terme, de notre environnement. Ce sont deux logiques différentes et leur interface sera sûrement le terrain majeur de luttes géantes.

Le contexte de compétition internationale dans lequel se trouvent les industries manufacturières est un étau puissant. C'est une donnée du problème qui ne me semble pas sur le point de changer. C'est dire que la pression pour des solutions viables et créatrices, technologiques ou humaines deviendra énorme. À cause du lien production-consommation, c'est donc toute la société qui subira cette pression.

> L'entreprise, périphérique vis-à-vis de la société au XXe siècle, est devenue depuis quelques décennies la structure centrale de celle-ci [...], le pivot de l'effort collectif, peut-être le pivot de la pensée collective[19] ».

Si cette citation de Lafrance en exergue de son texte est juste, l'enjeu est de taille. Voilà donc la ligne dure tracée.

Rapports à l'intérieur de l'organisation

Ici, une distinction s'impose. Toute organisation possède sa structure, sa hiérarchie, ses subdivisions, ses équipes de travail, autrement dit sa forme interne. Par ailleurs, les personnes qui œuvrent à l'intérieur d'une entreprise appartiennent à la société civile, elle-même en évolution rapide. Il y a des changements dans la structure interne d'une entreprise qui modifient peu la mentalité de ses membres. Par ailleurs, des changements de mentalité dans l'ensemble de la société sont véhiculés à l'intérieur de l'entreprise et peuvent forcer des changements de structure.

Une des conséquences les plus visibles des nouvelles préoccupations de l'environnement, et de la conscience diffuse que tout est relié, est le nouvel accent mis sur la santé globale. *Préoccupations pour l'environnement vont de pair avec préoccupations pour la santé.* Ce sont des préoccupations qui, à un niveau personnel, se rejoignent. Certes, la société d'abondance, telle qu'on la connaît en Occident, offre à ses membres le temps et les moyens de se préoccuper de leur qualité de vie. De plus, la hausse de la scolarisation dans les pays occidentaux a un impact certain sur les jeux de la démocratie. Néanmoins, l'approche holistique de la santé gagne du terrain et constituera probablement une des problématiques majeures du XXIe siècle.

Notre logique cartésienne nous oblige à séparer le mental du physique. Toute la médecine occidentale, contrairement aux médecines orientales et primitives, est orientée vers le traitement du corps uniquement. Or les recherches sur les liens entre le mental et le physique, tant dans le domaine de la maladie que dans celui de la guérison, sont de plus en plus nombreuses. Ainsi donc, par le biais d'un nouveau domaine de recherche scientifique, l'Occident essaie de refaire l'unité détruite entre le corps et l'esprit.

Dans le domaine de la santé physique, la diffusion d'information sur toutes les habitudes de vie ira croissant : régime alimentaire, exercice, détente, comportements « sains », prévention de la maladie. Dans le domaine de la santé mentale, il n'y a qu'à observer les nouvelles tendances : gestion du stress, programmes d'aide aux employés en proie à différentes toxicomanies, relaxation, etc.

---

19. Cité dans J.-P. LAFRANCE (1990). « Entreprise-réseau et réseau d'entreprises », dans R. TESSIER et Y. TELLIER (sous la direction de), *Changement planifié et développement des organisations*, Sillery, Presses de l'Université du Québec, tome 2, p. 39.

Bien plus, étant donné le courant de pensée holiste, qui relie santé physique et santé mentale, le lien entre santé et conditions de travail sera de plus en plus minutieusement étudié. Je ne me réfère pas ici aux seules maladies d'origine industrielle, telle l'amiantose, mais à l'ensemble des problèmes de la vie moderne.

Les données environnementales ne pourront pas ne pas avoir de répercussions sur l'organisation interne des entreprises. Elles augmentent les coûts, restreignent les opérations et forcent la recherche. Elles ne feront que s'ajouter aux tensions existant déjà dans toute entreprise : les revendications des ouvriers non seulement pour de meilleurs salaires, mais aussi pour une meilleure qualité de vie, sans compter la vérification de leur propre environnement de travail ; les revendications féministes pour le droit à l'égalité salariale et l'ouverture des postes de direction.

Bref, tant sur le plan des relations de l'entreprise avec l'extérieur que sur celui de ses relations internes, les nouvelles données écologiques vont sûrement augmenter, peut-être même menacer la stabilité de l'entreprise dans sa forme actuelle. Mais, elles seront inévitables.

La psychosociologie et le point de vue écologique

Il faut, dès l'abord, distinguer deux types d'interventions : celles qui se pratiquent au niveau de l'entreprise et qui s'inscrivent dans le courant des relations humaines, devenues depuis le développement organisationnel, et celles qui se pratiquent soit dans des communautés territoriales (un village) ou auprès de groupes d'individus reliés par une caractéristique commune (groupe d'âge) ou un problème commun (la dépression, par exemple).

Bien qu'elles participent de la même tradition, elles se sont forcément différenciées en cours de pratique. Elles ont cependant un noyau commun : l'*utilisation du groupe restreint comme cible et outil d'intervention,* la *centration sur le processus plutôt que sur le contenu* (que ce soient des processus individuels ou de groupe), l'accent mis sur le *dialogue* (ce qui nécessite la présence d'un animateur au sens que lui attribue fort justement Ginette Paris[20] : celui du Dieu Hermès, le Dieu par excellence de la médiation, la *recherche d'un changement* (d'atmosphère, personnel, de structures, de valeurs, de rôles[21]), et finalement la *valorisation de l'expérientiel*, autrement dit, de la réalité intérieure, telle qu'elle est subjectivement perçue.

20. Ginette PARIS (1988). « Psychologie sociale et psychologie archétypale », *Cahiers du F.R.I.S.Q. : Aspect du Sacré, formes de l'imaginaire*, vol. 1.
21. Ces éléments sont séparés par l'analyse. Ordinairement, quand il y a changement, un peu de tout cela se produit.

Il y a une affinité certaine entre l'intervention psychosociologique et le point de vue écologique. Il est relativement facile de voir les nombreux liens de parenté. Après tout, ces deux rameaux ont poussé sur un arbre commun. Qu'on se réfère à Bethel ou à Essalen, la tradition des relations humaines et le courant écologique se sont croisés de nombreuses fois. De telles rencontres ne sont pas dues au hasard.

Dans cette dernière partie, je voudrais me centrer sur les points de jonction de ces deux points de vue, psychosociologique et écologique, tout en conservant la distinction préalablement établie entre les deux types d'intervention.

D'un point de vue « scientifique »

Le père incontesté de la psychosociologie est Kurt Lewin. Formé en psychologie expérimentale et devenu psychologue social, son projet fut d'élaborer une science de l'action, guidant l'action et guidée par les actions servant à vérifier ses hypothèses. Tel, en tout cas, a toujours été mon entendement de la recherche-action[22]. Ce n'est que plus tard que la définition de cette dernière se modifia pour inclure, somme toute, des recherches à caractère participatif, et perdit peu à peu son aspect expérimental et vérificateur.

Depuis, l'aspect théorique de la psychosociologie a plutôt été laissé en friche. Il y a ce que Merton a appelé des théories à moyenne portée *theories of the Middle Range*, quelques-unes venant de la sociologie, surtout de la microsociologie, d'autres, plus nombreuses, de la psychologie sociale. C'est un champ théorique éclaté où fourmillent de nombreuses grilles d'analyse et autant de modèles d'intervention. Jusqu'à maintenant, ce qui fonde un tant soit peu l'unité du champ est une tradition, quelques éléments théoriques, une pratique assez bien identifiée et, évidemment, un réseau de spécialistes gravitant plus ou moins lâchement autour de trois universités.

La théorie lewinienne, fort bien critiquée d'ailleurs dans l'article précité de Ginette Paris, n'a vraiment jamais été reprise. Elle se voulait mathématique, vérifiable quantitativement et précise. En cela, elle n'est pas différente des autres sciences humaines et sociales de l'époque.

La psychologie humaniste, courant scientifique fort important qui a influencé très fortement la psychosociologie en introduisant l'aspect phénoménologique, a permis à cette dernière de mieux asseoir une pratique de plus en plus diversifiée et originale.

22. Voir, sur ce sujet, le texte de Jacques RHÉAUME (1982). « La recherche-action, un nouveau mode de savoir », *Sociologie et sociétés*, vol. 14, n° 1, pp. 43-51.

La redécouverte de Wilhelm Reich et surtout de Carl Gustav Jung, dans les deux dernières décennies, a taillé dans ce champ, dans un premier temps, une place au corps, tant sur le plan du diagnostic que sur celui de l'intervention; et, dans un second temps, une place au symbolique, à l'imaginaire, au mythe, aspects de l'être humain tout aussi essentiels.

Je considère Gregory Bateson comme un théoricien fécond pour la psychosociologie. Il condense dans ses œuvres une vision écologique de l'être humain beaucoup plus vaste que les synthèses psychosociales tentées jusqu'à maintenant et , oh ! combien insatisfaisantes ! En cela il rejoint Edgar Morin[23]. Il complète et renouvelle l'œuvre de Lewin de deux façons. D'une part, en élargissant immensément le champ de la conscience humaine[24] et, d'autre part, en instituant la métaphore et l'analogie, plutôt que la formule mathématique, comme instrument de connaissance de la communication. Son discours, utilisant constamment la métaphore et l'analogie est une illustration, *sui generis*, de la nature même de la communication humaine, *a fortiori* de toute science qui entend la comprendre.

Finalement, il offre une compréhension des phénomènes interactionnels, donc communicationnels, d'une grande envergure: de l'anthropologie, en passant par la psychiatrie, jusqu'à la poésie et la créativité.

Il propose une véritable vision de l'humain, de la *creatura*, qui n'est pas une caricature du modèle énergétique appliqué jusqu'ici, et avec tant de succès, au monde des objets inanimés.

D'un point de vue technique

La psychosociologie possède un savoir-faire considérable qui, hélas ! est rarement publié, car il appartient au domaine de la culture orale. Les techniques abondent, quoique les manuels d'utilisation soient assez rares. On peut en distinguer trois catégories :

1. celles qui font appel à la circulation de l'information: l'animation, de la conduite d'une réunion en passant par la médiation jusqu'à la limite, la thérapie ou le sondage d'opinions.
2. celles qui font appel à l'imaginaire: les jeux de rôle, les remue-méninges (*brainstormings*), les fantaisies individuelles ou collectives, les sessions de créativité. À cela on peut ajouter la nouvelle tendance, dans l'étude de la culture organisationnelle, à explorer l'imaginaire.
3. celles qui font appel à la rationalité: le processus de solution de problème. Ce dernier peut être conduit en sollicitant la participation des personnes

23. E. MORIN (1977). *La méthode : La nature de la nature*, Paris, Seuil, tome 1.
24. Je me réfère évidemment ici à la théorie du champ de Lewin.

intéressées à chacune de ses phases. Au sens batesonien du terme, cela conduit à des recherches plus en contact avec le sens que chacun donne à l'activité.

Évidemment, dans la pratique, une intervention peut contenir des éléments de chacune de ces techniques.

Si l'on en regarde l'ensemble, on s'aperçoit que ces techniques partagent au plus haut point trois des valeurs que j'ai énumérées dans la première partie : *ouverture*, *féminisme* dans le sens d'une qualité *yin*, et *interdépendance*, pour autant que l'on admette l'aspect participatif de toute intervention.

Je pense que la meilleure définition que l'on puisse donner de cette qualité *yin*, c'est l'autre perception, l'autre vision, celle sans laquelle nous ne pouvons percevoir la profondeur de la réalité. C'est le « fou du roi » dans le système monarchique. C'est « Charlot » dans la vie moderne. Comme l'exprime si bien Susan Griffin[25], c'est le Juif pour un Hitler : ce qu'il hait le plus en lui-même. C'est l'inconscient pour l'esprit rationaliste. C'est la nuit pour le jour. C'est la mort pour la vie. À un autre niveau de définition, c'est la *logique métaphorique* :

> Laissez-moi faire ressortir le contraste entre les vérités de la métaphore et celle que le mathématicien poursuit par un stratagème plutôt violent et inapproprié. Laissez-moi exprimer la métaphore sous la forme d'un syllogisme : la logique classique a désigné plusieurs variétés de syllogismes, dont la plus connue apparaît dans l'exemple suivant :
>
> Les hommes meurent ;
> Socrate est un homme ;
> Socrate mourra.
>
> Les syllogismes de la métaphore sont complètement différents, comme le montre l'exemple suivant :
>
> L'herbe meurt ;
> Les hommes meurent ;
> Les hommes sont de l'herbe.
>
> Il y a longtemps, Von Domarus souligna que les schizophrènes habituellement s'exprimaient et agissaient selon des syllogismes métaphoriques, et je crois que lui aussi désapprouvait cette façon d'organiser la connaissance et la vie. Si mon souvenir est exact, il ne remarque pas que *la poésie, l'art, l'humour, le rêve et la religion* partagent avec la schizophrénie une préférence pour les syllogismes métaphoriques[26].

25. Susan GRIFFIN (1988). « Daring Witness : The Recovery of Female Time », conférence présentée au congrès « Mind and Nature », Hanovre, mai.
26. G. BATESON et M. C. BATESON (1987). Op. cit., pp. 26-27.

L'approche systémique dans l'étude des organisations fonde, rationnellement, la notion d'interdépendance. Étant donné le contexte de mondialisation dans lequel auront à œuvrer les entreprises de demain, l'interdépendance sera de plus en plus visible.

D'un point de vue évolutionniste

De près ou de loin, la psychosociologie a toujours été associée à la notion de changement. Au début, la cible de ce changement était l'acculturation des groupes et des entreprises, qui s'initient au processus démocratique. Depuis, cet idéal a quelque peu régressé pour laisser la place à des objectifs plus restreints : développement de la personne, amélioration des relations, du fonctionnement de l'entreprise (augmentation de la productivité et réduction des pertes dues à l'absentéisme, au roulement de personnel, à la baisse de motivation, au vandalisme, etc.) ; accroissement du pouvoir de certains groupes défavorisés : travail dans les quartiers populaires, travail auprès des groupes de femmes ; changements de mentalité, de valeurs, d'attitudes.

À ces objectifs restreints, toujours d'actualité, se joint aujourd'hui le besoin d'un changement majeur de mentalité, dans les termes de Bateson, un changement épistémologique.

Sur la scène contemporaine des valeurs, deux mouvements psychosociaux vont dans ce sens et sont en filiation directe avec les mouvements psychosociologiques fondateurs : l'*écologie des profondeurs (Deep Ecology)* et l'*écoféminisme*.

Ces deux mouvements tentent respectivement de redéfinir la nature et notre rapport à elle, donc, notre rapport à nous-mêmes. *L'écologie des profondeurs*[27] utilise beaucoup de techniques qui sont apparentées aux techniques thérapeutiques, surtout celles des nouvelles thérapies : visualisation, jeux de rôle, quête mythique, voyage à la fois extérieur et intérieur.

> Le terme « écologie des profondeurs » fut créé par Arne Naess dans son article « The Shallow and the Deep, Long-Range Ecology Movements » paru en 1973. Naess essayait de décrire l'approche de la nature, plus profonde et spirituelle, illustrée par les écrits d'Aldo Leopold et Rachel Carson. Il pensait que cette approche plus profonde résultait d'une ouverture plus sensible à nous-mêmes et à la vie non humaine autour de nous.
>
> L'essene de l'écologie des profondeurs est de continuer à poser des questions pénétrantes sur la vie humaine, la société et la nature, comme dans la tradition philosophique occidentale de Socrate.

27. B. DEVALL et G. SESSIONS (1985). *Deep Ecology*, Salt Lake City, Peregrine Smith Book.

La conscience écologique et l'écologie des profondeurs contrastent fortement avec la vision du monde prédominante dans les sociétés technocratiques et industrielles, qui considère les humains comme isolés et fondamentalement séparés du reste de la nature, comme supérieurs au reste de la création et resposable de celui-ci[28].

L'écologie des profondeurs se caractérise par l'exploration de la vie dans les milieux sauvages, par une contestation de la mentalité scientifico-industrielle prédominante, par l'étude et l'adoption des valeurs des groupes dits minoritaires, en particulier, en Amérique, les Indiens, par un rejet violent de l'anthropocentrisme caractéristique de notre civilisation et par le travail psychospirituel sur soi.

L'écoféminisme[29] reprend plusieurs des thèmes de l'écologie des profondeurs, mais en leur donnant une touche «féminine». C'est essentiellement un mouvement féministe et spirituel qui, à l'instar des religions païennes, fait renaître un culte de la nature basé sur l'animisme et dans lequel les femmes retrouvent leur rôle d'intermédiaires privilégiées: prêtresses[30]. C'est un mouvement qui revalorise trois éléments: la femme, la nature et la *spiritualité*. La nature est resacralisée et perçue pour ce qu'elle est: infiniment plus vaste et complexe que nous. Le féminin, dans ses attributs les plus antiques, y est valorisé: la capacité d'entretenir, de prendre soin et d'aider à la croissance de l'Autre.

Elisabeth Sahtouris nous invite à regarder l'humanité comme une espèce expérimentale, encore à l'adolescence, maintenant confrontée à cet énorme défi: parvenir à la maturité ou périr. La théorie de Gaïa qu'elle décrit implique une leçon, connue de nombreuses cultures indigènes et traditions orientales à travers les temps: l'espèce humaine doit élargir son concept d'*intimité* en percevant la planète et toutes les créatures vivantes comme des parties d'un être vivant unique, complexe, qui s'organise et se règle lui-même. Elle lance un appel urgent aux femmes afin qu'elles apportent dans la vie sociale et politique une éthique écologique qui valorise l'*intimité* et l'*affection* entre les gens, entre les communautés et les nations, et entre les espèces[31].

---

28. *Id. ibid.*, p. 65.
29. Carolyn MERCHANT (1980). *The Death of Nature : Woman Ecology and the Scientific Revolution*, San Francisco, Harper and Row.
30. Margot ADLER, dans *Drawing Down the Moon*, Boston, Beacon Press, 1986, a fait une recension minutieuse et éclairée des groupes de femmes engagés dans ce mouvement spirituel qu'il est convenu d'appeler le néo-paganisme.
31. Char MCKEE (1989). «A Journey Through Intimacy», *Woman of Power*, n° 13, printemps, p. 4.

Conclusion

Le point de vue écologique n'est pas un point de vue neuf. C'est un point de vue que, comme Occidentaux, nous avons perdu et que nous tentons lentement de retrouver pour qu'il nous dirige et nous oriente tant dans nos vies personnelles que dans nos sociétés modernes.

Ce n'est pas, toutefois, une tentative de retour en arrière. C'est plutôt un retour aux sources afin d'y puiser un nouvel élan. La société moderne ne redeviendra pas primitive. Mais l'écologie et la vision qu'elle entraîne ne peuvent être qu'un facteur supplémentaire de complexification dans une société déjà fort complexe.

Il est évident que nous ne pouvons en faire le tour en vingt pages. Nous commençons à peine à en prendre conscience et à le cultiver. J'ai tenté, dans ces quelques pages, d'en esquisser les grandes lignes et d'en démontrer non seulement la pertinence, mais aussi le caractère essentiel pour l'organisation de demain. Car c'est avant tout l'organisation qui en sera le principal traducteur. C'est à ce niveau que ce nouvel enjeu pèsera de tout son poids sur les décisions collectives. Si j'avais écrit au siècle dernier, j'aurais parlé de l'État.

La pertinence du point de vue écologique en psychosociologie, une des nombreuses traditions qui se préoccupent des organisations, ne fait pour moi aucun doute. Au contraire: il apporte à ce domaine de la connaissance, de la recherche et de l'action une vision et une perspective nouvelles. Par ailleurs, l'essentiel de la psychosociologie s'y retrouve, mais magnifié et porté à une échelle beaucoup plus vaste, ce qui oblige à une synthèse lui redonnant un souffle, une inspiration, que d'aucuns croyaient perdus.

Références bibliographiques

ADLER, M. (1986). *Drawing Down the Moon*, Boston, Beacon Press.

BATESON, G. (1978). *Vers une écologie de l'esprit*, Paris, Seuil.

BATESON, G. (1984). *La nature et la pensée*, Paris, Seuil.

BATESON, G. et BATESON, M. C. (1987). *Angel Fears*, New York, Macmillan.

CARSE, J. P. (1986). *Finite and Infinite Games, A Vision of Life as Play and Possibility*, New York, Ballantine Books.

DEVALL, B. (1985). *Deep Ecology*, Salt Lake City, Peregrine Smith Books.

GRIFFIN, S. (1988). « Daring Witness : The Recovery of Female Time », conférence présentée au congrès « Mind and Nature », Hanovre, mai.

HILLMAN, J. (1977). *Re-Visioning Psychology*, New York, Harper Colophon.

HILLMAN, J. (1978). *The Myth of Analysis*, New York, Harper Colophon.

LOVELOCK, J. (1979). *Gaia : A New Look at Life on Earth*, New York, Oxford.

MCKEE, C. (1989). « A Journey Through Intimacy », *Woman of Power*, n° 13, printemps.

MASLOW, A. (1972). *Vers une psychologie de l'être*, Paris, Fayard.

MERCHANT, C. (1980). *The Death of Nature : Woman, Ecology and the Scientific Revolution*, San Francisco, Harper and Row.

MORIN, E. (1977). *La méthode : La nature de la nature*, Paris, Seuil, tome 1.

MORIN, E. (1980). *La méthode : La vie de la vie*, Paris, Seuil, tome 2.

MORIN, E. (1982). *Science avec conscience*, Paris, Fayard.

NAESS, A. (1973). « The Shallow and the Deep, Long-Range Ecology Movements : A Summary » *Inquiry*, vol. 16, Oslo.

PARIS, G. (1988). « Psychologie sociale et psychologie archétypale », *Cahiers du F.R.I.S.Q. : Aspect du Sacré, formes de l'imaginaire*, vol. 1.

PROULX, S. (1989). « Gregory Bateson : Communication, cybernétique, épistémologie », conférence présentée au 12e congrès de l'Association internationale de cybernétique, Namur, Belgique, 21-25 août.

RIEL, M. (1991). *Science, politique, nouvelle conscience*, Montréal, H.M.H.

RHÉAUME, J. (1982). « La recherche-action, un nouveau mode de savoir », *Sociologie et Sociétés*, vol. 14, n° 1.

TEILHARD DE CHARDIN, P. (1955). *Le phénomène humain* , Paris, Seuil.

TESSIER, R. (sous la direction de) (1990). *Pour un paradigme écologique*, Montréal, H.M.H.

THOMPSON, W. I. (1987). « Gaïa and the Politics of Life : A Program for the Nineties », dans *Gaïa : A way of Knowing*, Great Barrington, Mass., Lindisfarne Press.

THOMPSON, W. I. (1988). « Cycles of Gaïa », conférence lue au congrès « Mind and Nature », Hanovre.

3

D'abondance et sans contraintes
Un point de vue libéral

Roger TESSIER

L'idée libérale

La pensée politique libérale affirme essentiellement l'égalité juridique entre les individus. En libérant les serfs du régime féodal, les révolutions libérales leur ont donné accès à certains droits, en tout premier lieu au droit à la propriété. Les individus — il faut entendre les « mâles » — sont devenus propriétaires de leur propre personne, et, de ce fait, habilités aux autres formes de la propriété, mobilière et immobilière. Ainsi fut donnée une indispensable assise économique à plusieurs autres droits : droit à l'opinion et à la croyance, droit d'association et, plus tard, droit au suffrage.

Le régime féodal reprend, en la transposant dans le siècle, l'idée essentiellement théocratique que le pouvoir est légitimement incarné dans la personne du seigneur qui, de droit divin, l'exerce d'une manière absolue. Le mot « hiérarchie » signifie « ordre sacré ». Un tel ordre suppose une délégation du pouvoir — du haut vers le bas : la source de ce pouvoir se situant au sommet de la pyramide, dans la personne même du chef. Les rois et les évêques étaient également oints, pour bien marquer le caractère sacré de toute autorité.

En régime démocratique, en droit tout au moins, sinon toujours ni parfaitement dans les faits, le centre de gravité du pouvoir se déplace du haut vers le bas et de l'un vers le multiple. *Vox populi, vox Dei !*

Le *déplacement* de la base du pouvoir légitime et le *changement* dans la règle décisionnelle suprême font que la volonté arbitraire du souverain est remplacée par la majorité des suffrages, c'est-à-dire un mouvement de convergence à l'intérieur d'une multitude.

Ces deux transformations, pour fondamentales qu'elles soient, ne concernent que les lieux, dans la structure sociétale, d'où s'exercent les contraintes associées au Pouvoir. Des configurations qualitativement différentes (autocratie, démocratie, bureaucratie, etc.) ont en commun au moins une caractéristique essentielle : certains acteurs et actrices ont le droit de contraindre l'action des autres. Peu importe l'origine de la contrainte dans la structure, il s'agit toujours de faire la loi, de contraindre légitimement.

Un autre niveau de révolution est impliqué par l'idée libérale. Tous les individus bénéficient de droits égaux qui, au moins en théorie, ont la primauté sur la structure sociétale. En accordant la supériorité à la perspective individuelle par rapport à la perspective collective — la monarchie théocratique et les régimes totalitaires modernes étant sur ce point des isomorphes —, un régime libéral réduit au minimum les contraintes d'origine sociopolitique au bénéfice des individus, bien que, parmi ceux-ci, la liberté puisse être très inégalement distribuée. Ce faisant, il se voue lui-même à une certaine instabilité. Les idées modernes de carrière, de développement et d'accomplissement personnel, de mobilité socio-économique et géographique, appartiennent à la figure « capitaliste-protestante » si bien décrite par Max Weber. De telles idées augmentent de beaucoup la fluidité des formes de la société : le changement des institutions pourrait presque s'institutionnaliser en régime libéral. Warren Bennis et Philip Slater vont jusqu'à suggérer en 1968 que la société est temporaire (*The Temporary Society*) !

C'est l'opinion publique qui assure la régulation de l'action du gouvernement, qui se voit ainsi acculé à la publicité sociétale. Il y a dix ans, à peine, seuls les partis politiques, en Occident, s'adonnaient à la propagande. Aujourd'hui, les États eux-mêmes, et à tous les niveaux (du municipal au régional, au gouvernement central lui-même), pratiquent intensément diverses formes de publicité. Comme si l'on était toujours en temps de guerre à vouloir stimuler l'effort de guerre tout en justifiant les frustrations encourues par la population civile dès qu'il faut assurer le financement d'une armée importante qui se bat loin de son pays d'origine. À l'heure de la *perestroïka*, les sondages d'opinion firent leur apparition même en Russie : Gorbatchev devait séduire là où, avant lui, Brejnev sévissait !

Dans la triade joueurs-règles-jeux, le système libéral favorise les joueurs, les systèmes totalitaires, les règles, et les sociétés traditionnelles, les jeux. En régime libéral, il faut des règles, sans doute : le moins possible et les plus souples possible. Le jugement des individus, c'est-à-dire leurs opinions ou leurs sentiments, et le *consensus* (autre idée-force libérale) entre des partenaires, inégaux ou égaux en pouvoir, interprètent les règles en fonction de conjonctures inédites, et en modifient continuellement le fond, tantôt par des glissements graduels, souvent imperceptibles à court terme, tantôt par des efforts intentionnels de modernisation et de réforme.

C'est grâce à une semblable gestion autonome des règles que les individus protègent l'organisation sociale de la *rigidité* : la jurisprudence complète la loi, et elle est affaire de prudence plus encore que de droit. Les lois et les règles que n'interprète pas le jugement des individus tombent facilement victimes du paradoxe suivant. La meilleure manière d'enrayer le fonctionnement d'un système humain, c'est d'appliquer ses règles au pied de la lettre, dans leurs moindres détails. Essayez de quitter une autoroute à un échangeur un peu compliqué, en suivant les panneaux de signalisation sans en interpréter l'esprit plus que la règle ! Il y a beaucoup à parier que vous tournerez en rond pendant des heures, comme Raymond Devos, qui, dans un merveilleux monologue, ne parvient pas à quitter un important carrefour parisien. Il constate, au troisième jour, que l'ambulance qui « tournait » sur sa gauche a été remplacée par un corbillard !

Les règles sont toujours promulguées dans l'abstrait. C'est justement leur caractère abstrait qui les empêche, laissées à elles-mêmes sans l'intervention correctrice du jugement individuel ou de groupe, de tenir compte en souplesse de l'infinie mouvance des situations humaines et des subtiles différences interindividuelles rendant hautement improbable toute réduction du cas à la loi. À moins de refuser au cas celles de ses circonstances singulières le distinguant justement de la loi générale, et du type abstrait auquel elle est subordonnée par nature ! Ce qui revient à vider le cas de toute substance, pour le ramener à une étiquette verbale.

On comprend facilement à partir des propositions ci-dessus les inévitables tendances (conséquences du respect des aléas propres au cas singulier) à la décision *ad hoc* ne constituant pas précédent, au cas par cas, à l'improvisation d'un empirisme un peu myope[1]. Tous ces travers font également partie de la mentalité libérale !

Par son volet politique, l'idéologie libérale fait s'accorder choix et liberté. Par son volet économique, cependant, elle affranchit les acteurs et les actrices économiques des contraintes politiques et administratives (libre entreprise, libre circulation des biens et des personnes, libre-échange, etc.). Les « lois » du marché sont purement économiques : elles disposent de la concurrence, sanctionnant les succès spectaculaires comme les déroutes lamentables. C'est le principe du « laisser-faire » : chaque agent économique poursuit sans entraves son strict intérêt égoïste, et l'ensemble de ces intérêts se conjuguent au mieux de l'intérêt de la collectivité. Le retour en vogue d'une telle idée, à la fin des années 70, proposait la « dérégulation » comme arme lourde des stratégies de sortie de crise.

1. C. W. CHURCHMAN (1971). *The Design of Inquiring Systems*, New York, Basic Books.

L'épithète « libéral » signifie, à la fois, « favorable à la liberté » et, dans un sens vieilli, « usant de libéralité », et ce dernier mot contient l'idée d'abondance. Le libéralisme et l'abondance ont eu partie liée dans l'histoire économique moderne. Seul le système capitaliste libéral est parvenu à produire biens et services en très grande quantité. La stricte augmentation quantitative aura favorisé l'accès à ces diverses ressources pour de plus nombreux individus, ce qui n'a pas empêché la société capitaliste d'accentuer les inégalités en son sein, de même que sur la scène immense de la population mondiale. En même temps que les classes bien nanties des sociétés industrielles avancées ont atteint des niveaux de vie extrêmement confortables, sans précédent dans l'histoire, ont subsisté un important prolétariat urbain et l'ensemble des fléaux qui lui sont typiquement associés.

Appartiennent à la même dynamique économique mondiale l'exploitation des pays du tiers monde, le risque d'épuisement des ressources non renouvelables et la dégradation de l'environnement par les pollutions inhérentes à l'industrialisation sauvage. Admettons que, sur la question de l'environnement, les ex-régimes socialistes ne présentent pas, eux non plus, un journal de route bien rassurant !

Deux grands mouvements politiques ont tenté, en Occident, de contrôler et de corriger les inégalités les plus criantes ; la social-démocratie en Europe et le *New Deal* aux États-Unis. L'une et l'autre de ces idéologies politiques ont répudié le principal dogme libéral : le laisser-faire. L'État est intervenu de diverses manières pour favoriser une distribution plus équitable des richesses et pour protéger les droits des plus faibles, notamment, en favorisant la montée du syndicalisme. La formule Rand permet la perception des cotisations syndicales à la source, à même le chèque de paye des membres récalcitrants.

C'est aussi par la mise en place des programmes sociaux (assurance-chômage, assurance-maladie, instruction obligatoire, etc.) qu'un minimum de sécurité, sinon de confort, sera progressivement assuré à la vaste majorité de la population en Amérique du Nord et en Europe de l'Ouest. Les réalisations des pays socialistes tendent aussi vers un tel minimum, en dépit de la précarité économique que connaît le sous-ensemble des économies socialistes dans l'océan de l'économie de marché. « L'heure libérale » de John Kenneth Galbraith, le grand économiste et politologue américain, d'origine canadienne, décrit bien le moment de développement de la société américaine, qui est allée du *New Deal* du président Franklin Delano Roosevelt (à la sortie de la grande crise des années 30) jusqu'au virage à droite amorcé sous Richard Nixon et qui portera Ronald Reagan au pouvoir, en 1980. Pendant 40 ans, la société américaine s'est engagée avec libéralité dans plusieurs projets et programmes visant à favoriser l'accès des citoyennes et des citoyens noirs et des pauvres à un véritable statut égalitaire, où la liberté ne soit pas seulement formelle. L'égalité et la liberté (et que dire de la fraternité ?) ne peuvent commencer qu'au-delà d'un seuil minimum de sécurité économique.

Il semble bien que la « générosité » relative des sociétés libérales envers les plus pauvres soit toujours indexée à l'abondance. Le schème est le suivant. Quand les riches sont très riches, ils aident les pauvres à sortir de leur misère. Ceux-ci, se mettant à consommer, contribuent encore plus à l'enrichissement des premiers. Dépassé un certain point critique, les coûts directs des mesures de redistribution menacent le progrès dans l'enrichissement des plus riches (les capitalistes et les classes moyennes élevées dans la société libérale moderne), qui se mettent à faire pression sur les États pour qu'ils réduisent les dépenses sociales, et aussi les investissements culturels (subventions aux universités, grands projets de l'État mécène, etc.). Ainsi, la crise de la fin des années 70 a entraîné la remise en question des programmes sociaux, un certain mouvement dans le sens de la « dérégulation », en même temps que la théorie supposant que la privatisation des services publics en réduirait les coûts (bien sûr directs : les autres, telle la perte de santé et de bien-être des populations, n'intervenant pas dans les calculs des économistes établis).

Il faudra ici qu'apparaisse une véritable économie écologique, que préfigurent, en France, les travaux d'un René Passet. Notre collaborateur Bernard Landry[2] propose qu'on subordonne l'économie à l'écologie.

C'est dans un contexte activiste, idéaliste et social-démocrate, dont a témoigné, aux États-Unis, la *Great Society* de Lyndon B. Johnson et, au Québec, le processus de modernisation appelé révolution tranquille qu'est apparu le mouvement des relations humaines, dont la période de plein épanouissement aura duré, aussi bien aux États-Unis qu'au Québec, de 1950 à 1975 environ.

Aux deux traits assignés plus haut au régime libéral — droits individuels et libéralité économique — il faut en ajouter un troisième : la liberté des mœurs. Dans un contexte libéral, l'État est laïc et la société pluraliste. Aucune religion ni le groupe des athées et des agnostiques, souvent important en nombre, ne bénéficie d'un statut officiel privilégié aux yeux de l'État. Les législations touchant directement aux mœurs (sexualité, avortement, famille, aliments et drogues, etc.) ont tendance à laisser aux citoyens et aux citoyennes la responsabilité de leur libre examen (une disposition éthique remontant à la réforme protestante) de même que la possibilité de choisir parmi plusieurs options, toutes considérées comme légitimes, en droit sinon toujours en fait. « L'État n'a pas affaire dans la chambre à coucher des citoyens ! », affirme, en 1966, Pierre Elliott Trudeau, qui, à titre de ministre de la Justice du Canada dans le gouvernement libéral (sous Lester B. Pearson), vient d'inscrire au feuilleton de la Chambre des communes sa fameuse loi Omnibus, décriminalisant, entre autres, la pratique de l'homosexualité entre adultes consentants.

---

2. Bernard LANDRY (1990). « Les principaux éléments du contexte planétaire à l'aube de l'an 2000 » dans R. TESSIER et Y. TELLIER (sous la direction de), *Changement planifié et développement des organisations*, Sillery, Presses de l'Université du Québec, tome 1, pp. 7-24.

Dans le giron libéral, les groupes culturels, religieux, sociaux, ethniques et linguistiques ont des statuts officiels égaux et leur coexistence tend à être plus pacifique qu'en d'autres régimes politiques. Mais c'est encore plus l'individu que le groupe qui bénéficie des lois libérales et du climat de tolérance par elles instauré et protégé.

Si la communauté juive peut observer le sabbat à l'abri des persécutions et des pogromes, plus profondément, les personnes d'origine judaïque, considérées individuellement, sont libres d'adhérer ou non aux croyances de leurs ancêtres. Elles peuvent se laïciser, épouser des membres d'autres religions, et s'associer à qui bon leur semble, à l'intérieur de groupes et rassemblements où la race et la croyance ne constituent en rien des critères d'appartenance. Il en va de même de toutes les confessions, des plus laxistes, généralement protestantes, aux plus strictes, telles certaines sections intégristes des grandes religions juive, catholique ou musulmane.

Il n'y a pas si longtemps, une « femme divorcée » ne valait guère mieux qu'une « femme de mœurs légères » et l'homosexualité était condamnée au secret le plus étanche. Sur ces deux terrains, le Canada et le Québec — de 1960 à 1990 — auront rattrapé les sociétés les plus tolérantes, nommément les pays scandinaves, qui pratiquent depuis 50 ans l'amour libre et le mariage à l'essai, et, depuis 30 ans, l'allocation-paternité et autres formes de dispositions favorisant le maintien d'un degré maximal de liberté morale individuelle. Ce n'est sans doute pas par hasard si ces sociétés (avec la Suisse, l'Angleterre et une moitié de l'Allemagne) sont les berceaux mêmes du protestantisme !

Le changement planifié comme égalisation du pouvoir

1946

Huit jeunes mères de la région de Boston discutent ensemble de la valeur diététique et sanitaire, pour un nourrisson, du jus d'orange ou de l'huile de castor. Fred Borgatta, étudiant au doctorat de Kurt Lewin, alors rattaché au *Massachusetts Institute of Technology*, fait office d'animateur.

Parce qu'elles auront fait un consensus sur la résolution pratique d'utiliser la denrée (jus d'orange ou huile de castor) dans la diète du bébé, ces mères vont persévérer mieux dans cette nouvelle habitude que d'autres jeunes mères qu'une infirmière aura simplement informées de la valeur nutritive de l'une ou l'autre denrée.

Fred Borgatta a-t-il, comme animateur, laissé émerger un véritable consensus ? Si une forte tête avait convaincu les autres mères de rejeter l'huile de castor, le consensus aurait-il été négatif ? Borgatta a-t-il fait passer la bonne réponse en manipulant habilement ou s'il a servi démocratiquement un processus de décision parmi les participantes ? En donnant la parole à des mères autrement qu'à l'intérieur du rôle de patientes, Fred Borgatta égalise-t-il le pouvoir entre les médecins et les infirmières de la clinique postnatale d'une part, et leurs clientes, les mères en suivi postnatal, de l'autre ? Ou si, bien caché derrière la comédie de l'animation, il ne contribue pas plutôt à mieux asseoir encore le pouvoir médical, qui saura dorénavant faire passer ses messages plus habilement, par la méthode de la discussion ?

1950

Kurt Lewin était débordé à cette époque. Il n'a pas pu se rendre à la firme Harwood, la célèbre entreprise de fabrication de produits tirés du coton (pyjamas, chemises, literie, etc.). Il a demandé à J.P. French, son étudiant au doctorat, de traiter cette demande. John Coch a également accepté d'intervenir dans cette recherche-action. Coch et French reviennent en auto, ayant tout juste terminé l'animation du dernier groupe engagé dans le programme. Ils n'ont plus qu'à attendre les derniers résultats de l'enquête.

COCH

Veux-tu le fond de ma pensée, J.P. ?

FRENCH

Bien sûr, John !

COCH

C'est bien joli les trois méthodes : information, discussion, aucune intervention. Méthode de la discussion si tu veux, mais drôle de discussion où le personnel ne peut que réagir à une solution proposée par les patrons !

FRENCH

Tu veux dire que ça ressemble à de la manipulation ?

COCH

Écoute, J.P., comme c'est toi qui a conçu ce programme, je n'osais pas lâcher le mot !

FRENCH

Mais voyons, John ! Il faut que tu te sentes plus libre que ça quand tu travailles avec moi ! Et puis, c'est pas mon idée, ce programme. Je dirais plutôt que c'est celle de Kurt.

1958

Fernand Roussel raconte à Michèle Roussin un épisode de son groupe pendant la pause-café entre la deuxième et la troisième séance: «Puis là, elle a dit: "Écoutez, Monsieur Roussel, je vais vous le dire moi ce que tous les autres du groupe répètent dans votre dos: *Vous nous manipulez!*" Je lui ai demandé: "Vous trouvez que je vous manipule?" Elle a répondu: "Bien sûr! Même que vous êtes en train de me le faire à moi. Vous répétez tout ce que nous disons! Même à l'extérieur des sessions." J'ai répliqué «Répéter c'est manipuler?»

«J'en ai eu pour une demi-heure à lui faire admettre qu'elle pouvait se sentir manipulée sans que je la manipule. Mais elle ne comprend toujours pas à quoi ça peut servir le reflet! Qu'en penses-tu toi, Michèle? Est-ce que je devrais ramener ça dans le groupe ou la laisser, elle, décider de faire ou de ne pas faire quelque chose avec tout ça?»

> On pourrait dire que ces études de la première heure se débrouillaient assez bien avec les *facteurs affectifs* et de *participation*, mais que c'était en éludant un autre facteur, décisif, celui du *pouvoir*. Coch et French changeaient le comportement en *manipulant* la participation, tout en essayant de *maintenir le pouvoir* constant. Le patron demeurait le patron, après comme avant. Ainsi, le talent personnel du leader de la discussion était une variable importante quoique vaguement identifiée comme telle [...][3].

> Contrairement aux outils précédents de discussion de groupe, le groupe de formation aborde directement la variable pouvoir. Ainsi, [pour] Bennis et Shepard [...], «le cœur de la théorie du développement par le groupe veut que les principaux obstacles à l'apparition de bonnes communications se trouvent dans les orientations à l'égard de l'autorité, et dans l'intensité des rapports personnels que les membres apportent au groupe. L'esprit de rébellion, l'attitude d'insoumission ou de retrait [...] empêchent une validation commune de l'expérience. [...] Elles empêchent l'établissement, la clarification des objectifs partagés du groupe, et la progression vers ceux-ci.»

> Quoi qu'on dise d'autre de cette position, elle n'est pas vaseuse. C'est une attaque directe contre la variable pouvoir, autrefois négligée. [...] Les praticiens du groupe de formation ne traitaient du pouvoir qu'à l'intérieur de situations aseptisées, des îlots culturels où des personnes étrangères entre elles se regroupaient, restaient ensemble pendant quelques semaines, puis se séparaient. [...] Le traitement de la variable pouvoir est plus aisé et meilleur marché qu'il ne l'est pour les agents de changement engagés dans les situations propres aux organisations complexes [...]. Tout le développement de la théorie Y de McGregor implique très clairement un déplacement du supérieur tout-puissant disposant de subordonnés asservis à quelque chose qui ressemble davantage à une balance de pouvoir[4].

3. Harold J. LEAVITT (1991). «Le changement organisationnel appliqué dans l'industrie: les approches structurale, technologique et humaniste», dans R. TESSIER et Y. TELLIER (sous la direction de), *op. cit.*, tome 5, pp. 51-52. C'est moi qui souligne.
4. *Id. ibid.*, pp. 55-56.

1965

Benoît Dufresne, depuis qu'il travaillait comme consultant externe en développement organisationnel, n'avait jamais rencontré une situation d'équipe aussi confuse. Il comprenait que le contremaître général ait besoin de s'asseoir avec ses gars, les contremaîtres de quart; en forçant, la présence de l'inspecteur de la production et de ses deux adjoints se justifiait. De toute manière, les onze contremaîtres de quart semblaient tous à l'aise avec ces trois « étrangers ». Mais que venait faire le surintendant général dans ce groupe ? Bien sûr qu'il ne s'est rien passé dans cette session de deux jours ! Tout le monde a joué à cache-cache avec ce foutu surintendant général !

1970

Monsieur Jean-Claude Morin
Projet Pays d'en haut
Sainte-Adèle (Québec)

Salut Jean-Claude,

Je réponds à ta dernière lettre, que j'ai bien appréciée — humour inclus —, sauf pour ton couplet habituel sur la honte que je devrais ressentir à travailler pour l'entreprise capitaliste. Tu vois trop les choses en « blanc » et en « noir ». Je travaille *à l'intérieur* de l'entreprise capitaliste, pas *pour* elle. Toi aussi, d'ailleurs ! Tu n'es pas à l'abri de toute « complicité objective » du fait que tu reçoives ton chèque de paye du ministère des Affaires sociales. Espèce de marxiste à la gomme ! Comment va Thérèse ? Passez-vous à Montréal bientôt ?

Ton ami,
Benoît Dufresne

1980

Janine Clermont se sent coincée. Elle a appris à l'université que l'organisation est un tout, une culture unifiée, et qu'il faut entrer par le « haut ». Si le président ne change pas, les directeurs des succursales ne changeront pas. La voilà qui vient d'accepter de faire une série de *cercles de qualité* dans 30 succursales de la Banque du Progrès. Elle a négocié son contrat avec le responsable des ressources humaines directement au siège social. Elle n'a pas posé de questions sur les pratiques de gestion des cadres moyens et supérieurs. Les succursales auraient-elles à ce point d'autonomie dans l'organisation ? Bien improbable ! Janine est vraiment très perplexe !

1990

Des deux côtés à la fois, maintenant. De *gauche* et de *droite*, pour avancer d'un pas.

Du *dedans*, du *dehors*: de nous et d'eux, d'elles. De moi à toi, à l'autre. Mais aussi des machines sociales. Être dedans, être dehors, à la fois libre et lié(e). Minuscule relais d'un réseau de réseaux, car nul n'est une île.

D'en *haut*, d'en *bas*, donnant pied aux idées, placer des cercles dans la Pyramide. Marcher sur le fil. « La vie c'est marcher sur le fil. Tout le reste, c'est attendre ! (Kurt Wallenda, le funambuliste.) »

Des deux côtés à la fois, maintenant. Ni héros ni rouage innocent. De la *vie*, de la *mort*. Jean-qui-rit, Jean-qui-pleure.

Des deux côtés à la fois, maintenant. « Vu par en *dessus*. Vu par en *dessous* (Pierre Péret, le chansonnier). » Vues de la haute ville. Vues de la basse ville. *Sunday, bloody Sunday !* De tous ces côtés à la fois, maintenant. Et quelque peu à côté des côtés.

Benoît Dufresne, août 1989,
au sortir d'un épuisement professionnel long de deux ans

Les cornes de l'abondance

Les cornes de l'abondance, comme on pourrait dire « les cornes du dilemme », du dilemme qu'il faut justement prendre par les cornes, comme un taureau.

Comme on dit aussi « les cornes d'abondance ». Plus précisément, je dis « les cornes d'abondances ». L'abondance de l'argent. L'argent, ce grand moteur des changements en régime libéral ! Mais aussi l'abondance des ressources plus subtiles que ne reconnaît pas l'économisme actuel : l'abondance de l'énergie psychique, l'abondance des contributions, l'abondance des idées, l'abondance des jeunes dans la structure démographique et sa nécessaire inscription idéologique, néoténique et très portée sur l'adulation de la jeunesse. Brigitte Bardot ne périra pas !

Le lien qui réunit abondance et libéralité est fort complexe. Il serait facile de démontrer que l'abondance provoquée par l'après-guerre en Amérique et en Europe de l'Ouest, un peu plus tard au Japon, a précédé l'adoption de politiques généreuses en matière de formation et de perfectionnement, qui ont permis aux sciences humaines appliquées de bénéficier de plusieurs types d'investissements ; commandites directes, consultations externes lucratives et subventions de recherche des organismes d'État et des fondations privées.

Il serait facile de démontrer aussi qu'en période de récession économique, de compressions budgétaires, les activités de perfectionnement, de formation et de recherche, de même que l'ensemble des programmes en vue d'optimiser la contribution des ressources humaines sont les premiers à tomber sous le couperet. Bien sûr, dans des conditions extrêmement difficiles, couper la formation pour un an, mais garder tout le monde au service de la compagnie paraîtra toujours un choix logique à très court terme. Pourtant, dès qu'on envisage l'avenir à moyen terme, sabrer dans les crédits affectés aux ressources humaines ne saurait entraîner que des gains apparents. En être là, pour une organisation, n'est ni normal ni très réjouissant !

Une entreprise qui lésine sur l'accueil et la formation des nouveaux membres de son personnel, pratique des économies beaucoup plus risquées, à moyen terme, que si elle renonçait à 30 % de son confort matériel !

C'est pour des raisons plus profondes que, dépassé un certain seuil, l'abondance crée un nouveau type de problème : l'encombrement. Au-delà d'un niveau optimal, la croissance quantitative c'est, paradoxalement, la décroissance des rendements. Il s'agit de la figure de Némésis si brillamment décrite par Ivan Illich[5] à l'œuvre dans le système médical. Après un point critique, *plus d'enseignantes et d'enseignants* signifie *moins d'enseignement. Un plus gros budget dans le secteur santé* signifie *moins de soins de santé*, en pratique.

Sans une certaine abondance, il est plutôt difficile d'investir significativement dans le développement, ce qui mène inéluctablement à un relatif appauvrissement. « C'est avec de l'argent qu'on fait de l'argent. » Mais ce schème s'étend à d'autres phénomènes. C'est avec du temps qu'on fait du temps, comme on fait du bonheur avec du bonheur, et de l'information avec de l'information. Bref, c'est avec un minimum de vie qu'on fait plus de vie ! L'investissement existe autant en botanique qu'en économique. Dans un cas la pollinisation, dans l'autre le placement.

Mais voilà où se leurre tragiquement la société de consommation, la forme moderne du système libéral. Le bien, la qualité et l'à-propos ne tiennent pas à l'abondance. Le critère naturel, c'est la quantité suffisante, et non l'abondance.

Au tournant des années 60, plusieurs visages de l'abondance se sont montrés. Beaucoup de ressources matérielles, au point de pouvoir les négliger sans porter préjudice à son avenir, comme ces *hippies* de 1968 devenus riches en 1980 au cours de leur seconde carrière. Beaucoup d'idées, beaucoup d'images, beaucoup d'informations ! Beaucoup d'occasions favorables ! Beaucoup de désirs, beaucoup d'expériences, diversifiées, éclatées. Beaucoup de libertés !

5. Ivan ILLICH (1975). *Némésis médicale*, Paris, Seuil.

Peut-être avons-nous appris à nos dépens que « beaucoup » pouvait aussi parfois signifier « trop » ! Et qu'à moins d'enflure (au sens des moralistes médiévaux) ou de boulimie, apparaîtra assez normalement le souci d'établir une juste proportion entre l'importance des fins et l'ampleur des moyens. Au-delà d'un certain seuil, la production des moyens pour eux-mêmes, c'est fatalement « l'arroseur arrosé ! »

Les investissements dans les ressources humaines ont été très importants, parfois, de 1950 à 1970. Sans doute plus qu'au tournant des années 80, quoiqu'on puisse noter un net mouvement de reprise ces quelques dernières années. Il ne faudrait pas oublier, par contre, que des investissements très élevés et très soutenus ont été et demeurent l'exception, et non la règle, dans le secteur privé comme dans les secteurs publics et parapublics. Une tentative sérieuse pour assumer mieux la fonction des ressources humaines — par exemple en créant des vice-présidences spécifiques — constitue un courant assez récent. Lui-même indexé à la reprise économique ! Comme la documentation scientifique accomplit une fonction normative, par delà son rôle de stricte description, elle met l'accent sur les cas de réussite et donne à penser que le « mieux » représente l'état normal ou moyen dans l'ensemble des organisations.

De tels investissements ont-ils été rentables, quand ils ont eu lieu à des niveaux significatifs et pour des périodes significatives ? Vraisemblablement dans l'ensemble, et sans aucun doute dans les meilleurs cas. Ce qui n'empêche pas des exemples navrants de gaspillage et d'erreurs stratégiques fatales. En admettant que la rentabilité soit le critère ultime de tout ! Ce qui est loin d'être acquis sur le plan philosophique. Et sans doute moins que ne le prétend un économisme assez facile, dont les calculs de rentabilité partent d'une équation simpliste de la rentabilité. Rentable pourquoi ? Rentable à quelle échelle ? Rentable quand et jusqu'à quand ? De quels types de coûts et de bénéfices tient-on compte ? Quel poids accorder aux coûts sociaux et environnementaux ?

Même si la rentabilité des investissements en développement des ressources humaines est parfois difficile à établir, il faut continuer de leur affecter la part du produit national qui leur est consacrée et accroître celle-ci. Ces investissements, ils représentent une reconnaissance au moins indirecte de l'irrécusable « humanité » du processus de production. Une telle reconnaissance doit être affermie ! Même si les gains du capital correspondants devaient décliner d'une fraction, pour affirmer la priorité de l'homme sur le système anonyme !

Et si de tels investissements allaient, comme c'est probable, se révéler rentables — même au sens habituel et étroit du terme — dans la très forte majorité des cas sinon à tous coups, ce serait tant mieux ! Mais jamais les aléas d'une telle rentabilité, tels que les perçoivent des systèmes d'évaluation rudimentaires, ne devraient constituer le principe premier sur lequel les responsables auraient à s'appuyer au moment de fixer les paramètres de leur politique de développement des ressources humaines !

Qu'on soit pour ou contre l'accroissement des dépenses sociales et quoi qu'on pense du déficit des États libéraux (devenu considérable aux États-Unis et au Canada), il faudra bien assumer la responsabilité du bon intendant, de la personne judicieuse voulant prévenir l'emballement contre-productif du système, pour le faire échapper à la fatalité de Némésis. Pour prendre une telle responsabilité, il nous faudra attendre plus de la science et moins de la tradition, comme le suggère Claude Lagadec dans *La morale de la liberté : ses bases biologiques*[6]. C'est à la science que revient le défi de mesurer à partir de quand « trop » devient « moins ».

La libéralisation des mœurs

C'est surtout au chapitre du changement dans les mœurs que l'idée libérale laisse apparaître sa négativité intrinsèque. Le libéralisme *libère*. En fait, c'est des codes moraux traditionnels qu'il libère. La personne libérale affirme son individualité et sa modernité en s'opposant aux conservatismes dont sa société est issue et dont elle voudrait l'affranchir.

Un tel style libéral d'affranchissement présente quelques traits distinctifs, par comparaison aux manières plus radicales de proposer des changements, à gauche comme à droite. Ce style libéral, il fait bon ménage avec les mœurs dominantes. *Live and let live*, chante gouailleur le Maurice Chevalier de *Gigi*. *Live and let die*, corrigera 40 ans plus tard un James Bond vieillissant, encore plus cynique que dans ses premiers films.

La manière libérale choisit un rythme graduel de changement et respecte les représentantes et les représentants de la tradition : elle veut les convaincre de tolérer certains écarts, en leur concédant d'avance la légitimité de leur conservatisme une fois qu'ils le tiennent pour une réalité privée, une option parmi d'autres.

Le système libéral est porteur d'authentiques nouveautés — peut-être annoncent-elles un ordre nouveau ultérieur —, mais, à court terme, elles sont toutes des greffons compatibles avec une base sociale préalable, et continuent le passé plus qu'elles ne le changent en profondeur. Puis survient un glissement de terrain qui engouffre les immenses coquilles vides des formes mortes d'un passé révolu !

De plus, la mentalité libérale veut que surgissent des variations d'origines fort diverses, car les « autres » aussi sont porteurs de nouveautés légitimes. Tant et si bien que s'instaure l'idée, sinon l'état de fait, que chaque individu au sein

6. Claude LAGADEC (1984). *La morale de la liberté : ses bases biologiques*, Longueuil, Éditions Le Préambule.

du système peut et doit trouver une manière toute personnelle d'être et de fonctionner. *I did it my way!* (Sinatra) est devenu un slogan de la *perestroïka!*, selon le bon mot d'un apparatchik de haut niveau de l'ex-URSS.

En libérant les individus de trop fortes loyautés envers une tradition, dont ils acceptent volontiers qu'elle évolue continuellement et que de toute façon chacun est libre de renier au cours de son cheminement personnel, le régime libéral accorde la prime à l'innovation et à la créativité. Mais, ce faisant, il risque toujours d'anémier le réseau des relations traditionnelles, à l'extrême de vider la société de toute substance morale. Nous ne sommes moraux qu'ensemble! À la longue, l'isolement relatif inhérent à la liberté sous toutes ses formes, à moins que d'être corrigé par des processus de revitalisation des collectivités, deviendra très rapidement pathogène, surtout pour ceux et celles d'entre nous qui choisiraient la sécurité de l'appartenance plutôt que l'euphorie de l'aventure.

Est-ce que le recours aux groupes et aux sessions intensives aura favorisé la mise en place d'une culture valorisant l'autonomie individuelle aux dépens de l'intégration sociale? Peut-être! On trouve quand même, en contrepoids de cette indéniable tendance, celle soutenant plutôt le besoin d'appartenir, de se reconnaître dans divers groupes et dans leurs symboles, au risque d'une importante réduction de l'autonomie personnelle. La théorie Z, au Japon tout au moins, exprime plus ce pôle que l'autre. De toute manière, qui veut vraiment l'autonomie et laquelle? À quel point de tension se situerait l'inévitable rupture entre un maximum d'autonomie des parties et une intégration viable du tout?

Conclusion

Nous savons maintenant qu'une recherche de l'égalité contre les libertés individuelles mène à l'hypocrisie d'inégalités plus importantes, mais inavouées. À la fin, les régimes socialistes n'auront été ni égalitaires ni libertaires. Ils auront été simplement monstrueux! Nous savons tout aussi bien que les sociétés libérales, quant à elles, n'ont pas tiré de plus de libertés une égalité vraiment satisfaisante. La pensée occidentale est enfermée dans la quadrature du cercle. Après les ordres théocratiques et leurs avatars laïcs (le marxisme institutionnel en tête), apparaît le paradoxe de la compétition dans la liberté, engendrant plus d'inégalités, donc moins de liberté. Seule en sort accrue la liberté du plus fort! Le fabuliste, encore une fois, fait mouche! «La raison du plus fort est toujours la meilleure (Jean de La Fontaine).»

Nous sommes devenus également plus lucides sur l'indéniable «piège à cons» de «*fraternités* d'occasion» qui ne sont pas capables d'*égaliser les pouvoirs* de façon durable, en conjuguant les *libertés* les plus grandes aux *loyautés* les plus fortes, négociant tout, sauf l'appartenance. Appartenance à l'Idée d'abord, au groupe après.

Si l'archétype derrière la Révolution française, ce modèle de toute révolution libérale, s'exprime bien dans ses trois idées-forces : liberté, égalité, fraternité, il se doit de toujours les contenir toutes les trois à la fois, et dans toutes leurs contradictions. *I have never promised you a rose garden!*

4

Quelques tâches pour le proche avenir

Yvan TELLIER
Roger TESSIER

Il n'y a de démocratie qu'animée
CASAMAYOR

Nous ne sommes pas prisonniers de la tradition. Le passé lointain des origines, ou même celui des hiers plus récents, n'ont pas à nous figer dans des formes extérieures immuables ni dans des rituels obsessifs donnant une valeur absolue au moindre détail. Pour le véritable croyant, le latin peut passer, seule la messe doit continuer.

Un courant comme le changement planifié démocratique, dans sa version la plus typique, le développement organisationnel (DO), ou à travers ses emprunts et ses apports à des pratiques cousines comme, à titre d'exemples, l'école sociotechnique et le mouvement de la qualité dans le domaine des organisations, ou encore l'intervention en réseaux ou le maillage communautaire sur le terrain social, un tel courant entretient un double rapport avec le temps. Il assimile rapidement celles des circonstances de son contexte d'opérations, présentes et futures, qui confirment et renforcent son identité. En même temps, il discrimine celles des perturbations survenant dans son environnement, à son époque, auxquelles il devra s'accommoder, jusqu'à revoir sa propre identité. Deux autres scénarios sont possibles, du moins en théorie :

1) Les circonstances confirment *toujours* l'identité ;
2) L'accommodation est *impossible* : le courant se fragmente et disparaît en douce.

Dans le cadre du présent exercice, ces deux scénarios n'ont aucune pertinence. Contre celui de la continuité parfaite, l'histoire de 50 années du mouvement des relations humaines et ses retombées contemporaines montrent que des circonstances externes ont, maintes fois, contraint ses membres à réinterpréter au moins une partie de leur identité, les incitant à ajouter la consultation au monitorat, ou substituant des programmes plus structurés aux longs palabres non dirigés de plusieurs groupes de formation. Contre le second scénario théorique — des circonstances adverses ont fait disparaître le courant, ses héritiers et héritières, ceux qui s'en rappellent, en parlent au passé, avec humour ou nostalgie — une seule réfutation : en ce cas, nous ne serions pas en train de clore changement planifié et développement des organisations, cet ouvrage en huit tomes, qui, convenons-en, représenterait une oraison funèbre plutôt extravagante, à la Fitzcarraldo érigeant une salle d'opéra dans la jungle amazonienne !

Un corps à corps avec une époque

Le changement planifié démocratique a marqué son époque, sans aucun doute ; mais il est tout aussi vrai que son époque l'a également fortement marqué. Cette réciprocité, possiblement asymétrique, mais forcément très réelle, se manifeste dans trois sphères : les *valeurs*, les *connaissances* et les *méthodes*. Dans chacune d'elles, s'effectuent de vigoureux échanges bilatéraux avec plusieurs courants adjacents, en particulier avec l'ingénierie industrielle, l'éducation des adultes, la contre-culture et la contestation politique populaire.

Les valeurs démocratiques

Au sein des valeurs, un thème central comme la participation a obtenu de forts appuis idéologiques extérieurs au courant, mais très pertinents : au tournant des années 60, on parlait volontiers de « démocratie de participation » en appliquant ce concept à la société globale. Pour capter la saveur propre au changement planifié démocratique, il faut ajouter deux ingrédients : l'informalité d'une ouverture au processus et une certaine intimité interpersonnelle.

Dans le proche avenir, quelles transformations subira le thème de la participation ? Et avec quelles valeurs externes devra-t-il composer ? Nos discours imbus de « performances » et de « défis personnels » ne finiront-ils pas par ériger des sociétés à deux étages à partir de processus d'enrichissement à deux tours, dont ils sont sur le point d'affirmer la légitimité, confondant le rôle civilisateur de l'État et le dégraissage de la bureaucratie ? Parlera-t-on alors, pour parodier Aldous Huxley dans *Brave New World*, et de la participation parmi les « alphas », et du service social auprès des « bêtas » ?

La démocratie n'est pas cet « amalgame[1] » où comme par enchantement « Élections libres + économie de marché = liberté, égalité, fraternité ! » La démocratie ne peut fonctionner, à l'Est comme à l'Ouest, aussi bien franc Sud que plein Nord, que nourrie par une participation aussi libre que disciplinée, du plus grand nombre possible d'actrices et d'acteurs au plus grand nombre possible de décisions. Ce qui, du point de vue des personnes et reformulé en termes éthiques, devra toujours représenter la rencontre des privilèges liés au pouvoir et des responsabilités inhérentes à l'autorité, aussi bien des chefs que des pairs.

Il est difficile d'imaginer un avenir autre que démocratique à l'Occident. Même si la rencontre d'autres civilisations (arabe ou chinoise, par exemple) avec une philosophie sociale égalitariste et un régime politique démocratique peut sembler problématique, il demeure assez attrayant, d'un point de vue idéologique n'excluant ni l'utopie ni la croisade (l'intolérance et la violence en moins), de proposer la démocratie comme horizon du développement humain.

L'individualisme effréné de l'époque porte en lui bien des choses à la fois. Et point n'est besoin de l'avoir diagnostiqué bien subtilement pour entreprendre, dès maintenant, de lui faire contrepoids, en renonçant à nos illusions de « laisser-faire » : les choses finissent par s'arranger, sans doute. Par s'arranger « tout croche », justement, menant un cran plus bas vers des sous-performances bien cachées derrière un *statu quo* apparemment honorable.

Il faut dépasser, et rapidement, la polarisation très simpliste qui oppose à la vie personnelle individuelle la vie collective dans ses diverses formes. Il faut libérer la cohésion de groupe et la solidarité de leurs tentations conformistes, sans isoler ni sevrer des individus trop vite simplifiés et ramenés à deux ou trois déterminants intrapersonnels. Il faut réconcilier autonomie et appartenance sociale. Le caractère narcissique du rapport avec soi, dans d'importantes couches de la population contemporaine, est beaucoup plus la résultante de la dislocation des sociétés qu'un facteur décisif de leur érosion. Avant le repli sur soi, se retrouve infailliblement l'obstacle, la menace, la dissuasion. Ce qu'il faut garder en mémoire, dans la perspective de nos propos actuels, c'est l'effort théorique et idéologique auquel il faudra consentir pour dépasser la fausse contradiction entre autonomie et solidarité.

Pour surmonter les excès d'un individualisme confondant individuation et égocentrisme, il sera vain d'espérer retrouver les sociétés homogènes d'hier ou d'avant-hier. C'est sur ce point que le nationalisme et l'intégrisme religieux offrent des raccourcis peu susceptibles de renouveler le code selon lequel s'effectuerait une jonction plus synergique entre les deux grands foyers d'intégration de la vie humaine : l'individu et le groupe.

---

1. Jean-François REVEL (1992). *Le regain démocratique*, Paris, Fayard.

Vers une connaissance écologique

Nos idées sont construites : elles ne reflètent pas le réel autant qu'elles le définissent. Des relations de convenance, tantôt intimes, tantôt vagues, unissent plus ou moins des représentations où les jugements de valeur et de réalité sont bien difficiles à dissocier, à des événements externes très inégalement observables. La tension inconfortable entre empirisme et théorie (des plus modestes hypothèses aux architectures théologiques totalisantes, comme les religions intégristes et les philosophies fermées tels le marxisme et la psychanalyse orthodoxes) dégénère facilement en deux attitudes extrêmes également débilitantes. Les dogmatiques se défendent contre cette tension en refusant *a priori* les informations externes dissonantes et des liaisons internes contre-intuitives paradoxales. Les opportunistes, eux, montent en épingle les événements qui les titillent, remplacent la rigueur par les impulsions en zigzag, renvoient les problèmes à plus tard au moment précis où il faudrait penser.

La recherche-action a toujours voulu lier imagination théorique et pertinence pratique. Quand elle s'est mise à l'abri de l'ambiguïté fondamentale entre les idées et les faits, elle s'est plutôt montrée opportuniste, confondant diagnostic et liste de symptômes, recherche et enquête, plans d'action et potions magiques : « Trois fins de semaine de formation et la culture de votre organisation sera revitalisée ! »

À notre époque, du moins en Occident, l'esprit d'enquête est moins compromis par le dogmatisme que par une forme assez superficielle de magie. Nos contemporains et contemporaines sont toujours pressés pressés ! Est-ce d'avoir intériorisé le modèle bouton-pression des retombées technologiques de la modernité ? Le four micro-ondes et le câblosélecteur, parmi bien d'autres instruments, renforcent et symbolisent le modèle expéditif qui convient de plus en plus à presque toutes nos fréquentations. Les clientes et clients du changement planifié appartiennent souvent à des cultures organisationnelles où les arrangements rapides (le nouveau produit qui vous sauve de la ruine, la nouvelle tête dirigeante qui recommence tout à zéro) ont une valeur presque mythique ! Il est évident, par ailleurs, que tout changement profond ne peut s'effectuer que lentement, d'autant plus si le processus d'un tel changement est participatif et quasi expérimental.

Pouvons-nous prétendre, une fois franchi le cap d'un premier cinquantenaire, avoir changé les organisations et les communautés humaines pour les faire ressembler davantage à nos idées sur le fonctionnement personnel et collectif ? La théorie Y de McGregor a-t-elle vraiment progressé ? Ne nous retrouvons-nous pas plutôt devant une sorte d'ambivalence terminale, au sein de laquelle alternent feux de paille égalitaires et réactions nostalgiques (au sens politique qui s'oppose à « révolution »), sortant les cravates des placards où les blue-jeans vont les remplacer ? Un tel bilan historique représente en lui-même une tâche scientifique plutôt ardue. Mais il n'aurait de sens que s'il accordait valeur de test uniquement aux tentatives sérieuses de changement planifié, faisant voir des proportions raisonnables entre les aspirations, la durée et les efforts déployés. « Le mariage ? J'ai essayé cela trois semaines : il n'y a rien là ! »

Mais, beaucoup plus profondément que dans la perspective pragmatiste un peu simpliste des rares efforts épistémologiques, de 1948 (premiers essais de Lewin sur la recherche-action) à l'apparition de la science-action de Chris Argyris et de Donald A. Schön qui représente plus une école de rigueur personnelle qu'une réflexion théorique sur les rapports entre la théorie et la pratique, la psychologie sociale lewinienne a effectué plusieurs percées préfigurant un paradigne écologique (il faut apprendre à apprendre ; la conduite résulte d'un champ de forces, dont plusieurs proviennent d'environnements multiples ; l'information valable est à la fois objective et subjective ; le processus précède la structure ; les émotions sont aussi de l'information ; le groupe ne peut faire l'économie de l'autonomie individuelle). Assez bizarrement, l'épistémologie de la recherche-action est demeurée implicite et n'a jamais dépassé ses plus évidents dilemmes théoriques (comment réconcilier l'apprentissage expérientiel et l'utilisation d'un savoir d'expert ? comment réconcilier l'ouverture des processus et l'évaluation des programmes d'actions ? comment réconcilier les diagnostics idiographiques ; les profils typologiques, par exemple autocrates contre démocrates, et les lois générales comme le « principe de Peter »). Elle a, jusqu'ici, assez sagement tenté d'imiter les sciences exactes. test-retest ; schémas quasi expérimentaux avec groupe témoin en s'installant, avec 50 ans de retard, dans le lit de Procuste d'un temps linéaire que la physique a abandonné à jamais depuis très longtemps. L'action n'est que partiellement déduite du plan. Il ne s'agit plus d'applications ni de déductions strictes, mais de chaînes de transformations où le milieu récepteur est actif. Feu le ping-pong de la communication et fin du sentier rectiligne entre objectifs et moyens d'action ! Nos actions s'inscrivent dans des espaces où elles sont à la fois traitement et traitées. Et fort heureusement, car nous apprenons de nos erreurs, nos trajets réels sont des « transformes » de nos trajets planifiés !

Les critères ultimes de l'évaluation d'une action sont à la fois *a priori* et *a posteriori*. On peut à la fois atteindre son objectif et subir un cuisant échec, comme l'inverse ! « Bien sûr, nous avons réussi ! Mais, à la lumière de ce que nous avons appris dans l'action, nous ne recommencerions pas ce programme, même s'il a rencontré beaucoup de succès. Ce sont les objectifs mêmes qu'il faut revoir. Dans la seconde édition de notre stratégie, ce programme occuperait une place assez secondaire. »

Le groupe restreint comme méthode

C'est sur le plan de la *méthode* et des *techniques*, surtout, que les jeux de miroirs et les récurrences entre le mouvement des relations humaines et son époque en apprendraient long à l'historiographe. Il s'agit de 50 ans, d'un siècle tout au plus si l'on veut faire remonter les précurseurs un peu plus loin en arrière. Sans doute verrait-on paraître des formes nettes et distinctes : l'îlot culturel, le *feed-back* interpersonnel, la construction d'équipe ou l'enquête-*feed-back* sont des outils bien identifiés. Un groupe de formation centré sur le groupe n'est pas un cercle de qualité.

Un régime démocratique — à l'échelle des organisations à tout le moins — inclut au moins deux processus décisionnels superposés. Microscopiquement, l'opinion de la majorité (tant mieux si c'est le consensus) prévaut sur la volonté du ou de la leader. Mésoscopiquement, à l'échelle supérieure de la hiérarchie, les leaders représentent leur groupe auprès d'un autre groupe (exemple : les contremaîtres coordonnés par le surintendant). Toutes les stratégies de changement social conçues au cours de ce XXe siècle, qui fut très fécond sur ce plan, ont voulu miser sur le groupe restreint comme tactique principale : les cellules d'innombrables partis, publics ou clandestins, les équipes militantes, religieuses et laïques, sans doute, mais aussi la pédagogie active, les communautés de base plutôt que les paroisses ; les assemblées de cuisine plutôt que celles des campagnes électorales ; les groupes échantillons (*focus groups*) à la place du questionnaire fermé distribué à un grand ensemble.

Les groupes de famille et les systèmes temporaires du changement planifié démocratique ont, sans aucun doute, des signes distinctifs originaux, comme les sessions intensives de formation ; mais l'apparition du groupe de formation et de l'îlot culturel aura sans doute servi de résonateur à plusieurs tendances importantes du développement sociétal contemporain. L'informalité et la permissivité, la disponibilité à jouer le jeu, à prendre des risques, sans doute aussi le besoin d'égaliser les statuts et de substituer des communications horizontales à des diktats verticaux, autant de thèmes qui se conjuguent admirablement bien dans le bouillon de culture de la dynamique des groupes, jusqu'à sa récupération, légitime d'ailleurs, par une direction à laquelle l'époque interdit l'autocratie, et qui cherche des solutions de remplacement plus honnêtes et plus humaines, des jeux plus ou moins coercitifs, plus ou moins manipulatoires, auxquels la confinent règles bureaucratiques et conventions collectives. Un certain genre de pratiques de groupe est sans doute la marque de commerce du changement planifié démocratique. D'autres nuances cependant de ces pratiques de groupe représentent des courants différents comme l'Action catholique, la rééducation des jeunes délinquants, le noyautage politique et les sectes religieuses les plus strictes.

L'affirmation du groupe comme élément constitutif de l'organisation est centrale dans une stratégie de type DO.

Mais tous les grands projets de réorganisation sociopolitique fondamentale apparus sur la scène des idées depuis deux siècles ont voulu miser sur des phalanges, des communes, des cellules, des équipes semi-autonomes, des coopératives, des copropriétés, etc. Comment expliquer alors la bureaucratisation de nos sociétés, l'anonymat et l'isolement social ? Paradoxe ! Nos discours et nos projets voudraient-ils réinstaurer, et vite, ce que l'histoire de l'industrialisation moderne est sur le point de sacrifier à diverses logiques fontionnalistes, froides et mornes, soit : des familles, des quartiers et des équipes de travail à taille humaine ?

Un autre ordre du jour trop long!

Deux choses pourraient être reprochées aux femmes et aux hommes en consultation, en recherche, au pouvoir, en animation, en gestion et en éducation, qui constituent l'immense réseau du changement planifié démocratique :

- leurs réunions comportent toujours des ordres du jour trop longs ;
- leurs agendas personnels sont si chargés de rendez-vous que le petit déjeuner d'affaires vient y compléter le déjeuner et l'apéro de fin d'après-midi.

Nous allons nous montrer fidèles à notre culture et dresser ci-après un ordre du jour beaucoup trop long, compte tenu du temps et des moyens disponibles. C'est l'histoire qui décidera quels sujets auront la priorité, quels autres devront attendre ou disparaître tout doucement dans l'oubli. Que faudrait-il faire d'ici dix ans pour que le changement planifié démocratique constitue, au tournant du prochain millénaire, une présence, un atout, une perspective importante ? Quelle signification nouvelle tout cela acquiert-il au moment où, sur toute la planète à la fois, une multitude de formes sociales, liées autant à l'économie qu'à la vie familiale et aux loisirs, atteignent d'inquiétants degrés de fluidité, d'autant plus que toute destination claire, sorte de terme au changement, semble de plus en plus exclue ?

L'ordre du jour qui suit, déjà si débordant, n'en demeure pas moins incomplet. Et incomplet il restera, car il est interdit à ce chapitre des conclusions générales de prendre lui-même les dimensions des textes les plus longs de l'ouvrage. Aux lecteurs, aux lectrices, ouverture démocratique et transformations écologiques obligent, la possibilité est offerte d'allonger la liste, d'y introduire d'autres éléments prioritaires, comme aussi de contester les nôtres. Cet « ordre de la décennie » ne peut non plus se permettre d'assigner des mandats aux diverses catégories d'actrices et d'acteurs que met en scène le réseau de changement planifié démocratique. Pour chacun des sujets pourraient apparaître de nouvelles différenciations exprimant les perspectives propres de groupes aussi divers, mais tous reliés par la même chaîne écologique de la connaissance, que les intervenants et intervenantes, internes et externes, en première ligne de la pratique ; les étudiantes et étudiants qui se préparent à les rejoindre sur le marché du travail ; les enseignants et enseignantes qui les encadrent ; les spécialistes en consultation et en recherche ; les leaders-gestionnaires ; les cadres et les personnels concernés par le design et la transformation des organisations.

Chacun des seize sujets de l'ordre du jour qui suit donne lieu à des commentaires, malheureusement trop brefs, dont la seule fonction est de circonscrire des objectifs d'action à court et à moyen terme, situés tantôt sur le versant théorique, tantôt sur le versant pratique d'un courant, le changement planifié démocratique, qui a toujours assigné à la pratique la fonction de test de vérité décisif de la théorie. « Il n'y a rien de plus pratique qu'une bonne théorie », disait Lewin. On pourrait ajouter tout aussi bien : « Il n'y a rien de plus théorique qu'une bonne pratique. »

1) De l'organisation « substance » à l'organisation « réseau »

Les organisations formelles ne sont pas d'abord des substances définies par une frontière claire. Plusieurs représentations modernes (postmodernes ?) tentent de les montrer formées de flux, connectées en réseaux, appartenant à des groupes (la forme groupée plutôt que divisionnelle). Des idées fortement polycentristes, décentralisatrices, laissant de forts degrés d'autonomie aux parties, sous-systèmes où participantes et participants individuels donnent plus que jamais raison aux modèles de type « champs de pouvoir » (*power fields*). L'éparpillement du pouvoir et l'éloignement centrifuge de plusieurs catégories (les précaires, les pigistes, les temporaires, etc.) créent un terrain fort différent à l'intervention. Pourra-t-on tenir encore longtemps le discours : « Toute l'organisation, en commençant par le sommet... »

2) Du diagnostic microscopique au diagnostic multi-niveaux

Les dysfonctions *objectives* (inefficacité ; coûts élevés, bas rendement ; inélégances diverses) et *subjectives* (plaintes, souffrances, tensions, déceptions), même quand on croit les observer au seul niveau microscopique (exemple : cet individu est absentéiste ou cette équipe implose sous les rivalités entre cliques), sont souvent reliées à des phénomènes plus englobants. Si telle équipe tourne en rond, c'est en partie parce que la structure (la culture) de l'organisation, au niveau mésosystémique, induit des contradictions dans des échanges fonctionnels à la première ligne. Un dépassement écologique de diagnostics traitant l'organisation en système clos, *a fortiori* si c'est le diagnostic d'une unité de production à la base, prend une partie de ses perspectives à l'extérieur de l'organisation.

Au niveau macrosystémique, des informations concernant des enjeux plus globaux (courants socioculturels, tendances du marché, générations technologiques, mouvements politiques) donnent un contexte global nécessaire à des perceptions dont le foyer est local ou régional.

3) Décaler le foyer d'attention du local vers la strate intermédiaire

Les équipes de travail de la taille du groupe restreint de la dynamique des groupes (entre dix et dix-huit participants et participantes) ne sont pas le seul lieu dans l'organisation où l'information doit circuler librement dans un climat de confiance. Les rapports intergroupes et interstatuts ont aussi retenu l'attention du DO mais avec l'approche client et l'« extraversion organisationnelle[2] », on est de plus en plus conscient que l'efficacité et l'authenticité des communications, de même que les règles éthiques de vérité, de respect et de solidarité s'appliquent tout autant à des relations avec des partenaires externes (les clients et les fournisseurs) qu'internes (les services, la recherche, le personnel). Les conflits interpersonnels microscopiques demeurent très coûteux (inimitiés personnelles, cliques rivales) . Peut-être les rivalités et les mépris réciproques interdivisionnels sont-ils encore plus démobilisateurs. Il faudrait adopter une sorte de géométrie variable du social qui groupe et concerte des agents sociaux divers selon les tâches à accomplir. Certaines de ces tâches requerraient souvent la présence d'éléments extérieurs à l'entreprise ou à l'organisation (exemples : des porte-parole d'organismes civiques, des spécialistes externes de nombreuses disciplines, des responsables de nombreux organismes et groupes à vocation de concertation ou de surveillance, etc.).

4) Élargir et enrichir la théorie de la culture organisationnelle

Changer la culture organisationnelle pour la rendre à la fois plus démocratique et plus rationnelle, et reconnaître que tout changement d'importance dans les organisations ne saurait faire abstraction de cette culture, c'est sans doute accorder une valeur explicative plus importante et une portée stratégique plus considérable à cette variable qu'à toute autre. Depuis le célèbre aphorisme lewinien, « Tout changement, même individuel, est un changement dans la culture », une conception humaniste de l'organisation (*people approach*, selon Leavitt) a pu éviter un certain « psychologisme » individualiste en présentant toute conduite personnelle ou groupale comme la résultante d'un champ de forces, dont plusieurs, parmi les plus déterminantes souvent, sont justement les

2. Jean PASQUERO (1990). « Enjeux sociétaux et mutations organisationnelles dans les sociétés industrielles », dans R. TESSIER et Y. TELLIER (sous la direction de), *Changement planifié et développement des organisations*, Sillery, Presses de l'Université du Québec, tome 2, pp. 73-112.

normes et valeurs d'une culture commune, référence obligée des divers membres de l'organisation. Une culture autoritaire n'est pas réductible à un style de leadership autocratique. Celui-ci doit être considéré, en toute rigueur, comme un des produits observables des processus subtils dont toute culture organisationnelle est constituée.

Mais les penchants et préférences dont témoignent les diagnostics des intervenantes et intervenants externes mènent à des abus épistémologiques plus graves que le moralisme psychologique évoqué jusqu'ici : « Vous voulez changer la culture ! Commencez par le patron ! ». Ces penchants entraînent des erreurs très justement dénoncées par Francine Séguin[3] :

1) ils homogénéisent faussement la culture organisationnelle en une culture strictement d'entreprise ;

2) ils proposent une stricte conception utilitaire du recours à la culture : la revitaliser ou la consolider c'est améliorer le fonctionnement et le rendement, donc la profitabilité de l'entreprise.

Une telle simplification est bien sûre abusive, mais on ne la quitte pas du simple fait de reconnaître la diversité culturelle interne de l'organisation : les cols bleus, les gestionnaires, les spécialistes, les techniciens et techniciennes, etc. représentent des sous-cultures actives dans l'organisation. Que ces sous-cultures soient *actives dans* l'organisation ne les fait pas *loger dans* l'organisation. Un modèle complexe de la culture (à étages multiples et non délimité par les frontières juridiques de l'organisation) aura à aborder le très épineux problème du lieu de la culture. Rien ne permet de croire *a priori* que la métaphore de la culture unitaire, homogène, insulaire, reconnue par les anthropologues dans les sociétés qui n'existent plus que dans les discours et les souvenirs de leurs membres les plus âgés, fera long feu, même si les analystes se soucient d'ajouter aux modèles de valeurs et aux normes le sac à outils complet du terrain ethnologique : mythes, rites, artefacts, langages. Pour la bonne et simple raison que les sociétés et les organisations modernes sont de plus en plus des mosaïques culturelles ouvertes, alors que les sociétés traditionnelles étaient homogènes et fermées, homogènes parce que fermées. L'avenir n'est peut-être pas du côté d'un Malinowski ou d'un Lévi-Strauss des organisations formelles. Par contre, l'analyse qualitative de l'ethnométhodologie paraît la seule susceptible d'une compréhension globale et intuitive, derrière une multitude de signes, d'une totalité empirique signifiante, telle la culture. Pour la personnalité comme pour la culture, la description idiographique peut seule conduire à un diagnostic. Situer quantitativement l'organisation X sur une échelle ne peut être que l'ajout de signes supplémentaires. Le diagnostic ne sera jamais — souhaitons-le — ni purement déductif (« vos réponses au questionnaire révèlent que vous souffrez

3. Francine SÉGUIN (1991). « Les organisations : de l'analyse fonctionnaliste à l'analyse critique », dans R. TESSIER et Y. TELLIER, *op. c it.*, tome 3, pp. 1-21.

collectivement du syndrome de l'autodépréciation des groupes minoritaires ») ni strictement quantitatif (« Monsieur Bilodeau, les notes de vos tests de leadership sont remontées à la moyenne. Continuez vos exercices !).

5) Réconcilier personnalisation du pouvoir et fonctionnement en réseaux

Ne faites rien si le président ne s'engage pas ! La mobilisation et l'approche client commencent quand le président appelle au téléphone le président de l'entreprise-cliente la plus importante : « Comment trouvez-vous nos voitures, Monsieur Avis ? ».

Ne faites rien non plus si un président récemment nommé, au sortir d'une de vos sessions intensives, lève la bannière de la participation, sans pouvoir compter sur d'importants appuis à plusieurs niveaux et en plusieurs hauts lieux de l'organisation dont il est le responsable principal. La première chose que vous ferez avec ce président, même s'il est riche, japonais et pris d'affection pour vous, c'est de lui faire dessiner la carte-réseau de sa position à lui dans l'organisation, et aussi la carte-réseau d'une éventuelle stratégie du changement global dont il serait un des leaders : son mode présidentiel de leadership étant justement la métacoordination (et en processus, s'il vous plaît !) d'un réseau complexe de leaderships : locaux, intermédiaires ; internes et externes. Le réseau n'a pas, en lui-même, de fonction métacoordinatrice, mais certaines positions dans l'appareil permettent l'accès à des canaux formels nombreux et à des liens informels plus diversifiés et plus nombreux également.

Charismatique et engagé tant qu'on voudra, le « chef » émerge du système, non l'inverse ! Sinon, fatal retour au « mesmérisme des foules ! » et au « mentons volontaires » si chers aux fascistes de toutes les variétés !

6) Dépasser l'éparpillement multidisciplinaire

Autant les théories de l'organisation que celles du changement intentionnel, mais encore plus si possible la simple liste des spécialités savantes, plus ou moins coordonnées entre elles, identifiées par « design » opérationnel de toute organisation complexe d'une certaine envergure, tout cela résulte d'une tendance sociohistorique majeure : la science supplante tous les modèles de connaissance, et, avec elle, sont érigées en canons la micro-analyse et la reconstitution d'objets synthétiques abstraits. Voici donc les métacoordonnateurs devenus des *knowledge navigators* !

Mais ces *knowledge navigators* ne sont pas des spécialistes ! Ils ne règnent pas au nom d'une science des sciences et Platon n'a pas lu *Le prix de l'excellence*. La curiosité, le jugement droit et l'ouverture à de forts degrés de différence ne sont pas des méthodes scientifiques. Il y a gros à parier que les *knowledge navigators* sont la réincarnation des valeureux capitaines du sens commun d'avant la révolution de l'information.

7) Considérer le potentiel humain de l'organisation comme sa richesse principale

Une organisation n'est pas d'abord un complexe technique ou un établissement légal et financier. En priorité, c'est son réseau humain qui la caractérise. Il ne faut pas oublier que notre admiration pour la sophistication technique ou notre respect pour la solidité et l'efficacité de systèmes de divers ordres, qui sont les visages mêmes de la rationalité instrumentale, trait par excellence de tout effort d'organisation, qu'une telle admiration et un tel respect sont des voies détournées pour rendre hommage aux hommes et aux femmes qui construisent, animent et corrigent les appareils organisationnels et les normes régissant leur fonctionnement.

Que Douglas McGregor ait intitulé son grand œuvre *The Humain Side of Enterprise* paraîtrait tendancieux si l'on n'était pas déjà acquis à l'idée que l'organisation tient d'abord à ses infrastructures ou encore à sa tradition. À le bien prendre, si ce siècle ne se mirait pas dans la machine comme Narcisse dans son lac, on trouverait plutôt un *Mechanical side* à des organisations perçues d'abord comme des groupes et des rassemblements plus ou moins institués, où les « cris et chuchotements » des actrices et des acteurs portent plus d'informations que le ronron bien huilé des robots et des outils les plus complexes.

Il devient urgent que le syndicalisme quitte sa posture de parti officiel de l'opposition, sans abandonner sa traditionnelle vigilance pour les intérêts légitimes des travailleurs et travailleuses. Si l'on inventait une sorte de coopération syndicat-patronat adéquate en dépit d'intérêts divergents, on s'assurerait mieux par un syndicalisme renouvelé que sans syndicats, de la richesse de milieux de travail vraiment humains, dont la fonction vitale s'inscrit à l'échelle de la civilisation tout entière.

8) Réaccorder les règles du jeu organisationnel et les valeurs de la société globale

En 1968, la police d'Amsterdam a autorisé ses agents à porter les cheveux longs, faisant outrage à un vieux code qui associe vigilance et virilité à une coupe de cheveux qu'en américain on nomme *crewcut*. Les cheveux en brosse font partie de l'uniforme, et *crew* signifie « escadron ». Cet exemple, sans doute un peu fort, identifie la figure du décalage entre rigueurs internes et laxisme ambiant. Comment faire ses devoirs scolaires avec discipline quand toutes les annonces de bière à la télévision invitent à prendre ça *cool*? Trois grands ébranlements des valeurs sont en train de faire le tour du monde[4] et marquent l'ampleur du changement social à notre époque : l'informalité et la référence à soi supplantent les règles strictes ; l'autorité est partout en crise ; les différences entre les sexes sont ramenées au minimum (une partie importante du mouvement féministe revendique l'accès des femmes aux privilèges masculins, bien plus que la suppression de tels privilèges au nom de l'égalité entre tous les individus des deux sexes).

Poussées à leur limite, les deux premières transformations supposent, à terme, l'impossibilité de toute organisation : la non-formalité risque d'éroder tous les codes, même ceux de l'honneur : « Ah ! J'ai pas ça dans le goût ! » et la crise de l'autorité fera de chacun ou chacune son propre « non-*boss* ».

Ici plus qu'ailleurs, les leaders gestionnaires s'acquittent de la fonction de vigie aux frontières. C'est leur perspicacité qui permettra de départager les vagues de fond sur lesquelles il faut voyager et les modes superficielles qu'on fera mieux d'ignorer.

9) Relever à nouveau le défi de la formation

Le mouvement des relations humaines, dans les années 40 et 50, s'est tout d'abord manifesté par le poids considérable accordé à une stratégie de formation des adultes (l'îlot culturel) et par la nature aussi valorielle que technique des apprentissages jugés indispensables au fonctionnement démocratique des groupes restreints, ultérieurement, à la transformation des institutions et de la société, vers des idéaux démocratiques et participatifs.

À l'orée de l'an 2000, d'importantes ruptures, certaines de proportions révolutionnaires, dans le cours d'une histoire de plus en plus complexe, celle des sociétés industrielles modernes, font de nouveau de la formation un élément stratégique fondamental. Nos contemporaines et contemporains changent d'emplois de deux à trois fois dans le cours de leur carrière. Chaque recyclage suggère des contenus souvent très nouveaux, mais en même temps aussi des valeurs et des loyautés groupales. Plus sûrement encore, si c'est possible, la société de l'information et ses myriades de détours et de transformations, nous obligeront plus que jamais à apprendre rapidement des habiletés et des contenus fort divers.

Plus que jamais, enfin, il s'agira d'apprendre à apprendre, de tolérer l'ambiguïté de l'incertitude, de l'empêcher de bloquer défensivement les communications.

---

4. Yvan CORBEIL (1990). « L'évolution des sociétés contemporaines : le suivi des tendances socioculturelles », dans R. TESSIER et Y TELLIER, *op. cit.*, tome 2, pp. 113-119.

Des pratiques groupales et de réseaux serviront de plus en plus d'assiette à des processus d'apprentissage et de soutien social, d'autant plus nécessaires qu'elles feront contrepoids et contrepoint à des structures formelles de plus en plus temporaires et décentralisées, rassemblant des acteurs et des actrices très mobiles et très autonomes.

Sur le terrain du social et du communautaire, ce sont également des pratiques andragogiques de groupe et de réseau qui représentent l'atout majeur dans le jeu de plus en plus restreint, à cause de l'appauvrissement de l'État providence, des intervenants et intervenantes qui s'acharnent à travailler, souvent dans des conditions précaires, à l'ingrate tâche de l'insertion sociale d'une importante fraction de la population que l'accélération du changement social a mise en déroute par le chômage ou la maladie.

10) Faire de l'intégration des femmes aux organisations l'occasion de transformations culturelles de ces dernières

Les institutions économiques, le monde du travail et des affaires ont été la chasse gardée des hommes : les femmes ont constitué jusqu'ici un réservoir de main-d'œuvre à bon marché s'occupant à des tâches de soutien. Derrière chaque patron efficace, une secrétaire modeste et dévouée ! Les pyramides organisationnelles contiennent toutes une variante plus ou moins claire ou explicite de l'éthique militaire, celle qui caractérise une armée au combat ou un navire bourlinguant dans l'orage.

Mis à part la percée du mouvement des relations humaines dont il faudrait un jour prendre le temps de montrer la signification profondément féminine, sinon clairement féministe, après l'armée, une seule autre métaphore de rechange : la machine cybernétique. Ces deux métaphores sont peu hospitalières pour des contenus imaginaires relevant d'archétypes féminins.

Le complexe industriel néo-libéral et la précarisation de la main-d'œuvre qu'il entraîne n'ont rien d'une Mère nourricière, encore moins d'une *Pietà* consolatrice. Il n'a pas grand-chose non plus des valeurs d'émotion et d'intuition, d'enveloppement secret et de connivence tacite qui appartiennent aux multiples visages de l'éternel féminin.

Très souvent, les femmes les plus intégrées le sont à cause de batailles soutenues pour dépasser le statut d'infériorité tacite où leur sexe les maintenait injustement. À l'occasion, une certaine masculinisation — la patronne jure et paye la bière ; elle ne crache pas sur la compétition et pourrait sacrifier beaucoup à son ambition de devenir présidente un jour... — devient le tribut à sacrifier sur les autels du conformisme macho. Jupiter et Mars préfèrent retrouver leur femme à la maison, pour la soupe et le repos du guerrier.

11) Raffermir les liens entre l'université et le marché du travail

Les principaux programmes universitaires pertinents au changement planifié démocratique (psychosociologie, administration, psychologie des relations humaines, psychologie organisationnelle et communautaire, andragogie, travail social communautaire) ont depuis longtemps accordé une place importante aux stages sur le terrain et entrepris de soigner leurs relations avec les réseaux professionnels que les finissantes et finissants tentent de pénétrer. La présence de spécialistes de divers terrains à l'intérieur des corps enseignants (à temps plein et à temps partiel) et la mise en place de programmes sacrifiant peu à des détours théoriques dont souvent la seule fonction est d'exprimer la préférence épistémologique un peu gratuite de quelques chercheurs et chercheuses isolés, pourront empêcher que ne se creuse encore plus l'écart déjà important entre la vie souvent ésotérique du monde universitaire et les conditions de vie impitoyables qui attendent la plupart des individus diplômés.

L'université ne pourra sans doute jamais s'adonner à la livraison « juste à temps » ni non plus se comporter face au marché telle une fournaise assujettie à son thermostat (statistiques de chômage, satisfaction du personnel et du patronat, évaluation par les finissantes et finissants). Elle devrait cependant pratiquer une planification plus responsable en donnant plus d'importance à des données d'accès facile : le recrutement et la concurrence entre les universités. Jusqu'ici, cette concurrence a favorisé l'inflation et nourrit chômage et sous-emplois. Il faudra très bientôt faire que des programmes cousins se distinguent mieux les uns des autres et visent une part de marché plus spécifique. L'État mécène pouvait donner leur chance et un coup de pouce à tous ; l'État déficitaire pratique des compressions budgétaires, gèle les salaires, augmente les frais de scolarité, diminue ses investissements en subventions de recherche et crée assez peu de nouveaux emplois.

12) Repenser l'épistémologie de la relation entre la théorie et la pratique

Au sein d'une réelle écologie de la connaissance, la théorie n'est plus la génératrice exclusive de la pratique. L'expérience subjective des intervenants et intervenantes (sentiments, images, intuitions, sens commun) et diverses conjonctures externes imprévisibles viennent moduler les variables empruntées à la théorie : finalement, une stricte déduction de l'action à partir des principes et des préceptes de la théorie représente un scénario rarissime.

Plus radicalement, la pratique et la théorie s'engendrent réciproquement dans des proportions très variables d'un cas à l'autre de relation entre théorie et pratique. Des théories plus immatures ont besoin d'informations plus nombreuses d'origine pratique. Des pratiques plus incertaines tentent de se rassurer par des rationalisations théoriques dont l'excès même mesure la fragilité. Ce qui, à la longue, paraîtra tout à fait révolutionnaire par comparaison à des épistémologies linéaires, déductives et confortables même dans leur non-pertinence, ce sera surtout le retour en force du sujet, qui, loin de disparaître derrière la supposée impersonnalité de la reproductibilité des expériences, assumera l'entière liberté de transformer dans sa propre cohérence les conclusions tirées de cohérences toujours locales, jamais universelles, toujours provisoires, jamais définitives. Ce n'est pas la science qui fonde l'intelligence, mais bien l'inverse ! La connaissance appartient à tout le monde. Elle est multiforme et tous ses registres sont pertinents quand il s'agit de comprendre et de rectifier les affaires humaines. Aux yeux de la science-action, il y a autant d'information dans un sentiment que dans une proposition théorique.

13) Opérationnaliser la démocratie de manière à tirer mieux qu'un slogan racoleur de cette valeur fondamentale

Plusieurs grands courants sociopolitiques, en cette fin de siècle où viennent se fracasser nos images du monde les plus tenaces, convergent sur un point précis : ils veulent substituer à l'intervention et au contrôle de l'État dans la société civile, un espace de liberté et d'initiative où s'effectuent synergiquement l'engagement des individus envers de nombreuses responsabilités et leur insertion conviviale dans des communautés locales signifiantes, au travail comme dans plusieurs autres sphères de la vie sociale. En même temps que nos contemporaines et contemporains se passionnent pour la politique internationale (les nouvelles internationales, ces dernières années, ont progressé plus vite dans le temps d'antenne des grandes chaînes américaines que n'importe quelle autre catégorie d'émissions), on observe un important regain d'intérêt, en grande partie lié à la montée de l'écologisme, pour l'action au plan local. « Penser globalement, agir localement », comme le veut le leitmotiv mis en vogue par le rapport Brundtland, et qu'on attribue souvent à Pierre Dubost, le médecin, biologiste et philosophe social français.

Tant que chacun se contente de regarder le spectacle sociopolitique à la télé, branché sur une impressionnante palette de services (économie tertiaire oblige !) émanant tous du niveau secondaire (le *gesellschaft* de Tönnies), et se déplace à peine pour aller voter dans un nombre sans cesse croissant d'élections et de référendums, les idéologies participatives et démocratiques n'ont pas à s'opérationnaliser dans les faits. Elles peuvent nourrir la machine à slogans et faire office de gris-gris pour exorciser l'angoisse.

Les idées démocratiques ont à se traduire en mœurs et procédures en vue de concerter des actions collectives (comités locaux de partis et mouvements divers, équipes semi-autonomes industrielles, conseils municipaux, paroisses, quartiers, etc.). La démocratie commence dans des assemblées de cuisine en Amérique, autour de l'arbre ancestral en Afrique. La démocratie c'est quand chacun peut s'exprimer et que les décisions collectives tiennent compte du plus grand nombre des opinions émises. « Dans une assemblée, il y a toujours au moins une personne qui écoute, peu importe qui parle : c'est le président d'assemblée (Guy Beaugrand-Champagne). »

14) Une action menée au nom de la science ne saurait coïncider avec l'utilisation de moyens purement techniques

Le terme de l'action humaine, contrairement au produit fini d'un processus de fabrication, ne peut pas faire l'objet d'une véritable prédiction. Les moyens utilisés pour atteindre des buts politiques sont plus souvent qu'autrement de plus grande importance pour le monde à venir que les buts poursuivis intentionnellement grâce à eux[5].

Cette réflexion fort pénétrante de la politologue américaine Hannah Arrendt renvoie à deux séries d'implications complémentaires. Ce ne sont pas, ni toujours ni exclusivement nos fins que servent nos actions, compte tenu des moyens utilisés. Les moyens utilisés obéissent à une logique propre, assez peu malléable, entraînant maintes conséquences autonomes.

Le cas classique des retombées perverses (fonctions latentes) de l'action sociale est, depuis 40 ans, le trait distinctif des analyses institutionnelles structuro-fonctionnalistes[6]. L'acteur ou l'actrice devra renoncer à agir faute de prendre le risque de trains d'effets échappant à son contrôle. Ceci dit, un tel risque ne le dispense pas de toute vigilance ni de toute lucidité à l'égard du cheminement de l'action. Si la technique ne transcende pas la situation où elle opère, le responsable de l'action peut s'abstraire de la situation, en critiquer l'évolution du point de vue du but poursuivi, en rectifier le parcours, souvent en adaptant mieux les moyens utilisés à des exigences conjoncturelles mal identifiées au départ.

Ce qui préoccupe Hannah Arrendt concerne surtout le deuxième genre d'implications de son argumentation sur les bizarreries de la relation entre moyens et fins : souvent, ce sont les effets à long terme des moyens qui importent le plus. « Le médium c'est le message » (McLuhan) et la guerre n'est plus la continuation de la politique, mais bien plutôt le centre de gravité, la locomotive du développement économique des sociétés industrielles avancées.

Les us et abus de l'îlot culturel, les « sessions intensives », non plus en relations humaines, mais en « absolument tout ce que vous voudrez », pour compenser l'ennui, la solitude, la perte de sens, une telle généralisation de cette

5. Hannah ARRENDT (1969). *On Violence*, New York, Harcourt, p. 4.
6. Voir Charles PERROW (1991). « L'école institutionnelle », dans R. TESSIER et Y. TELLIER, *op. cit.*, tome 3, pp. 33-62.

pratique, ressemble fort aux effets autonomes liés à l'implantation des moyens dont Hannah Arrendt illustre le jeu dans les questions politico-militaro-économiques.

Peut-être en va-t-il ainsi également pour les innombrables groupes d'entraide et autres rassemblements à thème unique. Le réseau est le message, bien plus que le problème. Il s'agit au fond des « anonymes anonymes ». Le dénominateur commun des figures, qu'il s'agisse de celle des toxicomanes, des femmes battues, des homophiles marginaux, des chômeurs et des chômeuses recalés à demeure, c'est en fin de compte l'anonymat et l'isolement social.

15) Favoriser des regroupements parmi les consultantes et consultants externes souvent isolés et menacés d'épuisement psychique

Medice, curate ipsum[7] (Socrate). Plusieurs consultants et consultantes externes, intervenantes et intervenants sociaux ou de DO enseignent des stratégies de construction d'équipe ou mettent en place des réseaux d'entraide, pour se retrouver souvent, sinon isolés, du moins reliés à des réseaux à faible teneur d'interactions. Des psychologues industriels partagent la même enseigne, mettent leurs dépenses d'infrastructure en commun, mais les directeurs et directrices de chez Binette, Thomas et Castonguay n'ont pas travaillé ensemble bien souvent. Leurs agendas sont tellement pleins de contrats disparates que la plupart des membres de la firme se croisent aux pauses café, se retrouvent ensemble autour du télécopieur une fois par semaine ? une fois par mois ?

Les petites entreprises sont très nombreuses dans le domaine de la consultation organisationnelle, et dans les services qui lui sont fortement apparentés. Il en va de même de ces petites équipes opérationnelles généralement au sein de la division du personnel, qui encadrent des agents et agentes internes, qui souvent aussi passent tout leur temps auprès de clients différents, sans se concerter dans l'action une fois franchi le cap de la programmation, nécessairement plus formelle à l'intérieur d'une grande organisation. Bien malin qui pourrait, à ce stade de développement de la recherche sur les réseaux sociaux, départager les avantages et les inconvénients, sur le plan du soutien social disponible, d'appartenir professionnellement à des petites, moyennes ou grandes organisations. Une chose semble acquise : il est souhaitable que les personnes puissent poursuivre plusieurs stratégies adaptatives au sein d'un réseau personnel diversifié. Le groupe d'appartenance professionnel est le principal ancrage des références personnelles, mais non le seul. Une grande importance doit être accordée aux réseaux (méso- et macroscopiques) constitués de *cousines et cousins* (les psychologues industriels ou les psychosociologues du monde entier) et d'*analogues* (les petits entrepreneurs et entrepreneuses,

7. « Médecin, commence par te soigner toi-même. »

etc.). Les congrès, les sessions de perfectionnement et les stages à l'étranger servent aussi bien les nécessités de la référence et de l'appartenance sociales que les confidences intimes, les consultations impromptues et les collaborations occasionnelles entre vieux collègues, dans certains cas devenus l'un pour l'autre d'inséparables *alter ego*. La raréfaction des appartenances semble un indéniable trait des sociétés postmodernes (peut-être en est-il le principal trait à bien y penser), d'où l'importance de bien mettre en valeur celles qui subsistent, en tentant d'enrichir de nouveaux réseaux l'espace intermédiaire qui sépare des individus et des très petites collectivités souvent isolées, des structures macroscopiques de plus en plus gigantesques et lointaines.

16) *Réconcilier exigences à court terme, préoccupations novatrices et lenteurs inévitables des processus de changement social*

Non seulement il est normal, mais il est tout à fait souhaitable que les clientes et clients s'attendent à des résultats palpables et qui représentent un acquis par rapport à des constats au départ jugés problématiques. Le bon intendant sait qu'il a des comptes à rendre, et dans le tandem théorie-pratique, c'est lui qui représente le mieux le pôle pratique. Il est normal aussi, surtout quand l'action entreprise suit les premiers clignotants alarmants (concurrence féroce, vieillissement de la main-d'œuvre, désuétude technologique), que les clients et clientes sentent l'urgence d'agir et d'atteindre très rapidement des résultats, non seulement significatifs, mais possiblement déterminants quant à la survie et à la sécurité fonctionnelle de l'organisation.

On ne dira jamais trop de bien de ces responsables d'organisations capables de gestion prospective, qui ont depuis longtemps choisi d'envisager leur organisation comme un processus continu et autocorrecteur. Leur ouverture à la recherche et à l'innovation est en elle-même une importante contribution à la lente avancée des sciences de l'organisation. Il est normal que les méthodes tombent en désuétude, ou du moins qu'elles soient ramenées à des prétentions plus limitées, une fois épurées dans la réalité. Il est normal aussi que l'organisation se transforme et qu'elle considère sa propre structure comme remise en cause constamment et possiblement soumise à des plans de changement d'envergure. Un tel souci pour le temps et la durée est capital. Seule fait problème la modulation temporelle précise donnée à divers objectifs.

À moins de déployer massivement et brusquement des mégatonnes d'énergie politique, représentant un très fort pouvoir, il est impossible d'atteindre rapidement les objectifs les plus amples visés par le changement planifié démocratique. Les cadres apprendront les rudiments de l'approche client en un an. La culture organisationnelle ne mutera pas dans cette direction en un si court laps de temps.

La dernière chose à faire quand on se retrouve coincés dans le paradoxe suivant: «En situation d'urgence, surtout agir lentement, c'est-à-dire en projetant des effets au moins à moyen terme (cinq ou dix ans), c'est de brûler tous ses vaisseaux en accomplissant à moitié plusieurs stratégies consécutives, vite abandonnées aux premiers résultats un peu bizarres: «Les participantes et participants n'ont pas aimé ça autant que la journée d'étude de l'an passé. Qu'est-ce qu'on pourrait bien leur servir l'an prochain?» Les moyens ont une importance secondaire. On ne franchit pas certains seuils d'optimisation sans accepter de traverser patiemment certains obstacles. Le terme *workthrough* des analystes organisationnels du *Tavistock Institute* rend bien les idées simultanées de travail et d'activité, mais aussi de patience, celle liée au temps de résolution de tout problème complexe, dont les conditions psychosociales touchent les individus et les groupes dans plusieurs des enjeux les plus intimement liés à leur intégrité personnelle et collective. Et même en admettant que tous les problèmes humains ne soient pas nécessairement à portée de nos solutions, il demeure plus sain d'accepter de les voir, préférant présence et compassion aux diverses tactiques de fuite dont l'époque est si friande.

À toi, Félix!

J'ai deux montagnes à traverser,
Deux rivières à boire,
Trois chutes neuves à mettre au lit,
Dix-huit savanes à nettoyer,
Une ville à faire avant la nuit...
C'est pourquoi de forêt... il n'est pas revenu![8]

8. Luc BÉRIMOND (1964). *Félix Leclerc*, Paris, Seghers.

Notices biographiques

Luc Blanchet détient depuis 1967 un doctorat en médecine de l'Université Laval et a obtenu en 1972 un certificat de spécialité en psychiatrie de l'Université McGill. Il travaille présentement comme médecin-conseil au département de santé communautaire de l'Hôpital du Sacré-Cœur de Montréal, tout en accomplissant des activités cliniques au Service enfance-famille de l'Hôpital Jean-Talon. Il est également formateur en intervention systémique à l'Institut québécois de psychothérapie.

Ses intérêts professionnels portent principalement sur l'approche communautaire des problèmes cliniques, particulièrement en milieux défavorisés, ainsi que sur les différentes stratégies de promotion de la santé mentale. Pour ce qui est de la recherche, il étudie la contribution de l'environnement social de soutien des personnes en difficulté dans l'amélioration de leur santé mentale. Le docteur Blanchet est en outre l'auteur de plusieurs publications et communications scientifiques. Il participe au Comité de la santé mentale du Québec.

Pierre Boutin a obtenu une maîtrise en psychologie de l'Université de Sherbrooke en 1981. Il a ainsi travaillé en tant que conseiller externe auprès de plusieurs entreprises, en formation, en étude de besoins et en développement organisationnel, pour ensuite occuper, jusqu'en 1986, le poste de conseiller en gestion participative et en productivité chez Caron Bélanger Woods Gordon. Puis, il a occupé les fonctions de conseiller en développement des ressources humaines chez Téléglobe Canada de 1986 à 1992. Actuellement chargé de cours principal chez Canadair, il est aussi membre de l'Association des professionnels en ressources humaines du Québec.

André Carrière a obtenu en 1961 une licence en psychologie de l'Université de Montréal. Il s'est spécialisé en consultation, en formation et en médiation dans le domaine des relations humaines. Depuis 1973, il enseigne à temps plein au département de psychologie de l'Université de Sherbrooke. Il est membre de l'équipe responsable du programme de maîtrise. Ses principaux intérêts d'enseignement et de recherche touchent la communication interpersonnelle, le processus de médiation, les dimensions socio-émotives de la relation client-consultant, et le développement des compétences interpersonnelles dans la formation professionnelle des psychologues.

Solange CORMIER a obtenu une maîtrise en psychologie de l'Université du Québec à Montréal (UQAM) en 1978; elle a fait la scolarité de doctorat en psychologie industrielle et organisationnelle à l'Université de Montréal de 1985 à 1986. Elle enseigne au département des communications de l'UQAM depuis 1980.

Ses recherches portent essentiellement sur la culture organisationnelle. Elle intervient également comme psychologue-conseil auprès de groupes et d'organisations dans les domaines suivants: la consolidation des équipes de travail, la place des femmes dans l'entreprise, la gestion des conflits et la formation en milieu de travail.

Pierre DUBOIS possède depuis 1970 un doctorat en psychologie industrielle de l'Université de Montréal et est l'associé principal de Pierre Dubois et Associés inc., une firme de conseil en développement organisationnel. Il a précédemment travaillé chez Caron Bélanger Woods Gordon à titre d'associé responsable du groupe de gestion participative et de productivité pour le Québec et d'associé-conseil pour les services de gestion participative de la société pour le Canada. Il fut aussi président de Pierre Dubois et Associés inc. de 1973 à 1980 et conseiller principal chez Woods Gordon et Cie de 1970 à 1973.

Pierre Dubois a publié des articles sur les stratégies de gestion participative et de développement organisationnel dans plusieurs revues et journaux spécialisés.

Robert T. GOLEMBIEWSKI est chercheur et professeur en sciences politiques et gestion à l'université de Géorgie. Consultant actif en développement organisationnel, il a transmis les résultats de ses recherches dans quelque 350 publications. Ses derniers livres comprennent *High Performance and Human Costs* (Praeger, 1988), *Organization Development* (Transaction, 1989) et *Ironies in Organization Development* (Transaction, 1990).

Brian HOBBS a reçu en 1983 un doctorat de l'Université Laval, où il s'est spécialisé en management et en gestion des opérations. Depuis ce temps, il enseigne au département des sciences administratives de l'UQAM.

Brian Hobbs cumule de nombreuses expériences de consultant ou d'intervenant dans l'analyse de gestion et l'organisation administrative et juridique d'entreprises. L'un de ses principaux intérêts est l'analyse organisationnelle. Il a animé des stages de perfectionnement auprès de consultants en organisation. De 1985 à 1987, il a été directeur de la maîtrise en gestion de projet. Il est l'auteur de plusieurs publications et conférences dans ce domaine.

Claude LAGADEC a obtenu en 1967 son doctorat en philosophie de l'Université de Paris et enseigné pendant de nombreuses années au département de philosophie de l'Université de Montréal. Il s'intéresse spécialement à la relation entre morale et sociobiologie. Il a d'ailleurs déjà publié deux ouvrages sur cette question : *La morale de la liberté : ses bases biologiques* et *Dominances : essai de sociobiologie sur l'inégalité et la tromperie*. On lui doit la traduction française de presque tous les textes américains de cet ouvrage.

Jean Pierre LAROCHE détient un doctorat en psychologie industrielle de l'Université de Montréal depuis 1969. Il a enseigné à l'Institut de psychologie comme assistant professeur, puis à l'École des hautes études commerciales comme chargé de cours jusqu'en 1977.

De 1968 à 1977, il a occupé divers postes au Canadien National (CN). Le dernier : directeur régional du personnel pour la région Saint-Laurent. De 1977 à 1984, il a été vice-président des ressources humaines chez Via Rail Canada, puis en 1984 est revenu au CN pour remplir cette même fonction et, depuis 1990, il y est vice-président qualité.

Nancy LAUZON, après plusieurs années de pratique dans le milieu hospitalier, a obtenu en 1990 sa maîtrise en sciences de la gestion à l'École des hautes études commerciales. Elle travaille présentement à la Conférence des recteurs et des principaux des universités du Québec (CREPUQ) et fait le programme de doctorat conjoint en administration à Montréal.

Maurice LEMELIN a fait des études en sciences commerciales et possède depuis 1974 un doctorat de l'Université de Californie à Los Angeles (UCLA). Il est professeur titulaire et directeur des services parapédagogiques à l'École des hautes études commerciales, de même que directeur de la bibliothèque Patrick-Allen de cette même institution. En plus de siéger à différents conseils d'administration, il a été consultant auprès de diverses organisations des secteurs public et privé.

Maurice Lemelin a signé de nombreux ouvrages, articles et conférences sur la gestion des ressources humaines et les conflits organisationnels.

Jean-Michel MASSE détient, depuis 1986, un doctorat en psychologie de l'Université de Montréal. De 1969 à 1972, il a été chargé de projets en formation et en développement organisationnel au Centre interdisciplinaire de Montréal. De 1972 à 1986, il était professeur titulaire à la maîtrise en psychologie organisationnelle à l'Université de Sherbrooke. Il s'est par la suite joint à la firme Lavalin-Econosult, où il fut directeur de la formation et des études organisationnelles et conseiller principal en évaluation de programmes, pour devenir, en 1987, chez Lavalin Formation, vice-président des affaires nationales. Depuis 1989, comme associé principal et vice-président corporatif du Groupe Conseil Éduplus, il offre une expertise conseil à des entreprises en changement et anime des rencontres de concertation. De plus, il contribue à la conception et à l'implantation de programmes de formation en développement des ressources humaines et en gestion de la qualité.

Pierre MÉNARD, ingénieur formé à l'École polytechnique, possède également une maîtrise en administration des affaires de l'Université McGill et a obtenu en 1976 un doctorat en gestion à l'Université d'Aix-Marseille en France. Il est professeur au département des sciences administratives de l'UQAM, où ses activités de recherche et d'enseignement le rattachent essentiellement au programme de maîtrise en gestion de projet. Il est d'autre part directeur-réseau de ce programme pour l'ensemble de l'Université du Québec et vice-président du comité exécutif au conseil d'administration du Centre international de recherche et de formation en gestion des grands projets. Il est aussi membre de nombreuses associations professionnelles et scientifiques.

Pierre Ménard est l'auteur de plusieurs publications et conférences dans le domaine de la gestion de projet.

Guy NOËL a reçu sa formation à Paris (diplômes de psychologie sociale et de psychologie industrielle de l'Institut de psychologie de l'Université de Paris, 1968 et 1969) et à Montréal (doctorat en psychologie industrielle de l'Université de Montréal, 1977). Il a acquis une expérience de l'enseignement comme chargé de cours (à temps plein) à l'Université de Montréal de 1969 à 1972, et à temps partiel à l'École des hautes études commerciales de 1973 à 1980, à l'UQAM de 1977 à 1980 et à l'Université du Québec à Rimouski en 1987.

De 1973 à 1976, Guy Noël est membre de l'Institut de formation par le groupe, comme consultant en formation et en relations humaines. Il poursuit ce travail de conseiller en 1977-1978 chez SMA Media, avant de fonder sa propre entreprise, le Centre d'évaluation et de perfectionnement des cadres (1978-1980). De 1980 à 1990, il fait partie du Groupe Lavalin, à titre de conseiller en gestion des ressources humaines et études organisationnelles. En 1981-1982, il est affecté en République populaire du Bénin, de 1983 à 1986, chef de mission au Togo. En 1987, il est chargé de la coordination technique du Programme d'assistance à l'enseignement technique au Cameroun (PAET). En 1991, pour le Groupe Conseil Éduplus Inc., il dirige l'antenne Canada du Programme régional de formation et de perfectionnement (PREFEP) destiné à quatre pays du Sahel.

Robert POUPART détient, depuis 1972, un doctorat en psychologie sociale de l'Université de Montréal. Après quelques années à l'Institut de formation par le groupe, il s'engage dans le projet Multi-médias (éducation des adultes) du ministère de l'Éducation du Québec, à titre d'adjoint au directeur.

Il est entré dans la carrière universitaire à la faculté de commerce de l'Université Laval, mais c'est au département des sciences administratives de l'UQAM qu'il fait sa marque, en tant que directeur du Centre de recherche sur la gestion et du département. Il a écrit de nombreux essais sur le développement organisationnel et la culture dans les organisations. Il est maintenant professeur à l'École polytechnique de Montréal.

Marquita RIEL a fait sa maîtrise en sociologie à l'Université de Montréal en 1962 et sa scolarité de doctorat à l'Université Columbia de New York de 1964 à 1967. Elle est directrice du module de psychosociologie de la communication à l'UQAM et membre fondatrice du département des communications de cette université. Passionnée par la communication, elle est l'une des principales animatrices du mouvement batesonien québécois.

Marquita Riel prépare actuellement un ouvrage sur le nouveau paradigme comme changement dans les valeurs sous-jacentes à la science et à la politique.

Alain RONDEAU possède, depuis 1974, un doctorat en psychologie industrielle de l'Université de Montréal et enseigne à l'École des hautes études commerciales. De 1985 à 1991, il était aussi directeur de la recherche pour cette institution et siégeait, à ce titre, au comité de direction de l'École. Ses intérêts de recherche portent d'abord sur l'étude du comportement humain au travail et il se préoccupe particulièrement des questions de motivation, de relations supérieurs-subordonnés et de gestion de conflits. Il a d'ailleurs publié de nombreux articles et contribué à divers volumes sur ces questions.

Alain Rondeau agit également comme expert-conseil auprès de plusieurs entreprises et organismes, et participe à différents conseils d'administration. Il est, de plus, membre fondateur de l'Association de psychologie du travail de langue française (section canadienne).

Yvan TELLIER a obtenu en 1961 un doctorat en psychologie de l'Université de Montréal et, en 1976, un M.B.A. de l'École des hautes études commerciales. Il a acquis depuis 30 ans une vaste expérience dans le domaine de la consultation, en premier lieu comme président fondateur de l'Institut de formation par le groupe. Durant les quinze années consacrées à cet organisme, Yvan Tellier, en plus de travailler à son développement, a agi comme conseiller auprès d'organismes gouvernementaux du Québec et du Canada.

Après avoir enseigné durant deux ans au département des sciences administratives de l'UQAM, il a poursuivi sa carrière, en 1979, à la Société d'électrolyse et de chimie Alcan en tant que directeur du service des relations avec les cadres. Dans cette fonction, il a été chargé de créer un système d'évaluation intégré de gestion des cadres. Il a, entre autres, mis sur pied un système de gestion du rendement et de la relève ainsi que des programmes de développement et de formation pour les cadres. En 1985, il était conseiller principal chez Towers, Perrin, Foster & Crosby, une firme spécialisée en gestion des ressources humaines. Depuis 1988, il est revenu à l'enseignement au département des sciences administratives de l'UQAM. Il est également président d'Yvan Tellier et associés, une firme d'experts-conseils en gestion des ressources humaines. Yvan Tellier dirige le présent ouvrage conjointement avec Roger Tessier.

Roger TESSIER a obtenu un doctorat de l'Université de Montréal en 1969 et est professeur depuis 1977 au département des communications à l'UQAM. Il est également membre du comité scientifique du laboratoire de recherche en écologie humaine et sociale (LAREHS).

Outre l'enseignement et la recherche, il se consacre à la publication d'articles et d'ouvrages spécialisés — principalement sur la fonction immunitaire des réseaux de soutien social et sur les fondements épistémologiques de l'intervention psychosociologique — et à des activités de consultation, qui lui ont permis de confronter la science et la pratique.

Alexander WINN était un ingénieur métallurgiste qui s'intéressa dans la pratique aux questions de gestion du personnel. Ainsi, il a participé au mouvement des relations humaines comme consultant interne. Formé au monitorat auprès de consultants externes américains prestigieux, comme Warren Bennis et Chris Argyris, il fut le principal ordonnateur, au début des années 60, de l'application dans une grande entreprise (Alcan) des stratégies de développement organisationnel fondées sur les relations humaines et le groupe de formation.

Ce rôle de pionnier l'amena ensuite à enseigner à la faculté des sciences de l'administration de l'Université Laval jusqu'à son décès survenu en 1977.

Robert WITKIN est actuellement professeur à l'université Exeter en Angleterre. Ses travaux de recherche portent principalement sur la sociologie de la culture et de la création artistique.

Achevé d'imprimer
en décembre 1992 sur les presses
des Ateliers Graphiques Marc Veilleux Inc.
Cap-Saint-Ignace, Qué.